개념을 쌓아가는 **기본서**

고등 **셀파**

Sherpa 생명과학 I

STRUCTURE

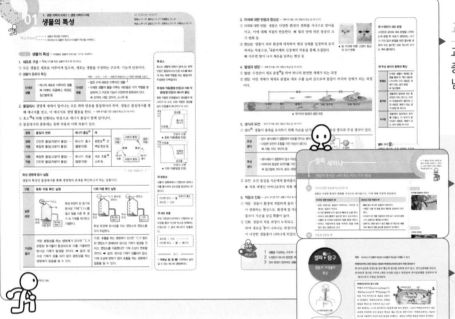

교과서 내용 정리

교과서의 내용을 이해하기 쉽게 정리하고, 중요 자료를 체계적으로 분석하여 핵심 개념을 이해할 수 있습니다.

셀파 세미나

중요한 주제를 선정하여 심화 자료 제공

셀파 탐구

시험에 자주 출제되는 탐구

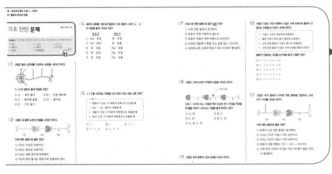

기초 탄탄 문제

중하 난이도의 객관식 문제로 기본 개념을 정립하고, 기초를 탄탄히 다질 수 있습니다.

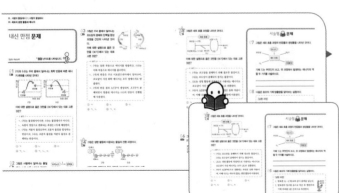

내신 만점 문제

학교 시험에 꼭 나오는 문제로 내신을 대비할 수 있습니다.
시험에 잘 나오는 서술형 문제도 확인할 수 있습니다.

단원 정리하기와 단원 마무리하기

- 단원 정리하기에서는 이 단원에서 배운 내용을 한눈에 훑어볼 수 있도록 정리하여, 학교 시험을 보기 전에 최종 점검할 수 있습니다.
- 단원 마무리하기에서는 기초 문제와 내신 문제를 통해 탄탄해진 실력을 높이고, 실전에 대비할 수 있습니다.

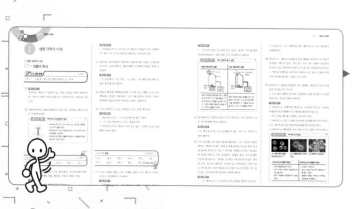

정답과 해설

모든 문제에 대한 상세한 해설로 개념을 확실히 이해할 수 있습니다.

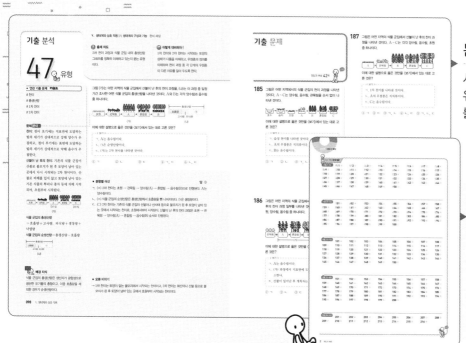

문제 기본서

시험에 잘 나오는 52유형을 선정하여 대표 유형을 분석하였습니다. 52유형과 관련 문제를 풀면 내신을 완벽하게 대비 할 수 있습니다.

문제 기본서 정답과 해설

모든 선지에 대한 상세한 해설로 개념을 확실히 이해할 수 있습니다.

차례
CONTENTS
S·H·E·R·P·A

다윈의 진화설　세포설

물질대사 파스퇴르

가설　대조 실험　비생물적 특성　플레밍
자극에 대한 반응

종속변인　실험군　무성 생식　바이러스

세포 호흡 대조군

바이러스　단세포 생물

다윈의 진화설　박테리오 파지　발생과 생장

생식과 발생　동화 작용　생명 과학　다세포 생물

광합성　이화 작용　연역적 탐구 방법

귀납적 탐구 방법　DNA 구조의 발견

세포　물질대사

생물적 특성　생태계　숙주 세포

유성 생식　변인　DNA 구조의 발견　실험군　광합성

자극에 대한 반응　독립변인　가설

대조군　통합적 특성　항상성

세포설　적응과 진화

단원 짚어보기

배운 내용

· 생물의 구성 단계
· 광합성
· 유전
· 진화
· 생식

생명 과학의 이해

이 자료
만은 꼭!

01 생물의 특성

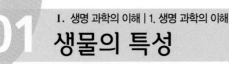

핵심 Point
● 생물의 특성을 이해한다.
● 바이러스의 생물적 특성과 비생물적 특성을 이해한다.

1 생물의 특성 → 비생물은 생물에 반대되는 의미로 사용된다.

1. 세포로 구성 → 개체 유지를 위한 생물의 특성 중 하나이다.

① 모든 생물은 세포로 이루어져 있으며, 세포는 생물을 구성하는 구조적·기능적 단위이다.

② 생물의 종류와 특징

'세포 → 조직 → 기관 → 개체'의 복잡하고 조직화된 체제를 갖춘다.

| 단세포 생물 | • 하나의 세포로 이루어진 생물
예 아메바, 유글레나, 대장균, 짚신벌레 등 | 다세포 생물 | • 많은 수의 세포로 이루어진 생물
• 다세포 생물의 몸을 이루는 세포들은 각각 역할을 분담하여 그 구조와 기능이 다양하게 분화되어 있다.
예 코끼리, 사람, 강아지, 소나무 등 |

2. 물질대사 생명체 내에서 일어나는 모든 화학 반응을 물질대사라 하며, 생물은 물질대사를 통해 에너지를 얻고, 이 에너지로 생명 활동을 한다. → 개체 유지를 위한 생물의 특성 중 하나이다.

① 효소❶에 의해 진행되는 반응으로 에너지 출입이 함께 일어난다.

② 물질대사의 종류에는 동화 작용과 이화 작용이 있다.

종류	물질의 변화	에너지 출입❷	예
동화 작용	간단한 물질(저분자 물질) → 복잡한 물질(고분자 물질)	에너지 흡수 (흡열 반응)	광합성❸, 단백질 합성 등
이화 작용	복잡한 물질(고분자 물질) → 간단한 물질(저분자 물질)	에너지 방출 (발열 반응)	세포 호흡❹, 소화 등

| 자료 파헤치기 |

화성 생명체 탐사 실험

생물의 특성인 물질대사를 통해 생명체의 존재를 확인하고자 하는 실험이다.

구분	동화 작용 확인 실험	이화 작용 확인 실험
실험 과정	화성 토양이 든 용기에 방사성 기체($^{14}CO_2$)를 넣고 빛을 비춘 후, 용기 속 기체를 제거하고 가열한다.	화성 토양에 방사성을 띠는 영양소(^{14}C)와 영양소를 각각 주입한다.
가정과 결과	가정: 광합성을 하는 생명체가 있다면 ^{14}C가 포함된 유기물이 합성되므로 이를 가열하면 방사성 기체가 발생할 것이다. ➡ 결과: 방사성 기체가 검출 되지 않아 광합성을 하는 생명체가 없음을 알 수 있다.	가정: 호흡을 하는 생명체가 있다면 ^{14}C가 함유된 영양소가 분해되어 방사성 기체가 발생할 것이고, 영양소를 이용했다면 기체 조성이 변화할 것이다. ➡ 결과: 방사성 기체가 검출되지 않고, 기체 조성에 변화가 없어 호흡을 하는 생명체가 없음을 알 수 있다.

---

❶ 효소

효소는 생물체 내에서 일어나는 화학 반응인 물질대사의 반응 속도를 빠르게 하는 촉매 역할을 하는 물질이며, 주성분은 단백질이다.

❷ 동화 작용(흡열 반응)과 이화 작용(발열 반응)의 에너지 출입

동화 작용은 반응물보다 생성물의 에너지가 더 크고, 이화 작용은 생성물보다 반응물의 에너지가 더 크다.

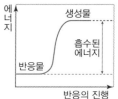

▲ 동화 작용(흡열 반응)

▲ 이화 작용(발열 반응)

❸ 광합성

식물의 엽록체에서 진행되며 빛에너지를 흡수하여 포도당을 합성하는 반응이다.

이산화 탄소 + 물 $\xrightarrow{\text{빛에너지 흡수}}$ 포도당 + 산소

❹ 세포 호흡

주로 미토콘드리아에서 진행되며 포도당을 물과 이산화 탄소로 분해하는 반응으로 그 결과 에너지가 방출된다.

포도당 + 산소 ⟶ 이산화 탄소 + 물 + 에너지

━━━ 용어 ━━━

▶ 개체(낱 個, 몸 體): 자연에서 살아갈 수 있는 하나의 생명체이다.

3. 자극에 대한 반응과 항상성 → 개체 유지를 위한 생물의 특성 중 하나이다.

① 자극에 대한 반응: 생물은 다양한 환경의 변화를 자극으로 받아들이고, 이에 대해 적절히 반응한다. ⑩ 빛의 양에 따른 동공의 크기 변화 등

② 항상성: 생물이 외부 환경에 대처하여 체내 상태를 일정하게 유지하려는 작용으로, 내분비계와 신경계의 작용을 통해 조절된다.
⑩ 더우면 땀이 나서 체온을 낮추는 현상 등

▲ 빛 자극에 따른 고양이 동공의 크기 변화

4. 발생과 생장 → 개체 유지를 위한 생물의 특성 중 하나이다.

① 발생: 수정란이 세포 분열❺을 하여 하나의 완전한 개체가 되는 과정
② 생장: 어린 개체가 체세포 분열로 세포 수를 늘려 감으로써 몸집이 커지며 성체가 되는 과정이다.

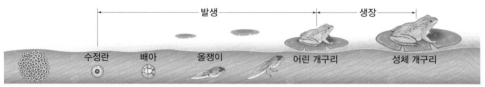
▲ 개구리의 발생과 생장 과정

5. 생식과 유전 → 종족 유지를 위한 생물의 특성 중 하나이다.

① 생식: 생물이 종족을 유지하기 위해 자손을 남기는 현상이며, 유성 생식과 무성 생식이 있다.

유성 생식	・암수 생식세포가 결합하여 자손을 만드는 생식 방법이다. ・다양한 유전자 조합을 가진 자손이 생긴다. ⑩ 사람, 치타, 개구리 등	난자 → 정자 → 수정란 → 아기
무성❻ 생식	・생식세포가 결합하지 않고 자손을 만드는 방법이다. ・어버이와 동일한 유전자를 가진 자손이 생긴다. ⑩ 짚신벌레, 히드라, 효모, 대장균 등	▲ 짚신벌레 ▲ 히드라

② 유전: 유전 물질을 자손에게 물려줌으로써 어버이의 형질이 자손에게 전해지는 현상
⑩ 적록 색맹인 어머니로부터 적록 색맹인 아들이 태어난다.

6. 적응과 진화 → 종족 유지를 위한 생물의 특성 중 하나이다.

① 적응: 생물이 환경에 적합하게 몸의 구조와 기능, 형태, 습성 등이 변화하는 현상으로, 환경에 잘 적응한 생물은 그렇지 않은 생물보다 자손을 남길 확률이 높다.

② 진화: 생물의 적응 과정이 누적되고, 집단의 유전적 구성이 변화하여 새로운 종이 나타나는 과정이다. 진화의 결과 오늘날과 같이 다양한 생물종이 나타나게 되었다.

곤충을 먹는 새 / 선인장을 먹는 새 / 나뭇잎을 먹는 새 / 씨를 먹는 새
▲ 갈라파고스군도의 핀치

---

❺ **수정란의 세포 분열**

수정란은 곧바로 세포 분열을 시작하는데 분열 후 세포가 생장하는 시기가 거의 없어 분열을 하면 할수록 세포의 수는 늘지만 세포 하나의 크기는 계속 줄어든다.

❻ **무성 생식의 종류와 특징**

분열법	단세포 생물이 체세포 분열을 통해 두 개의 세포로 나누어져 각각 새로운 개체가 되는 생식 방법 ⑩ 짚신벌레
출아법	생물체의 일부에 작은 혹 모양의 싹이 생기고, 이것이 모체로부터 떨어져 나와 새로운 개체가 되는 생식 방법 ⑩ 히드라
포자법	생물체의 일부에서 포자를 만들고, 이 포자가 발아되어 새로운 개체가 되는 생식 방법 ⑩ 버섯

셀파 콕콕

생물의 특성은 크게 개체를 유지하는 수준의 특성과 종족을 유지하는 수준의 특성으로 나눌 수 있다.
・개체 유지: 세포로 구성, 물질대사, 자극에 대한 반응과 항상성, 발생과 생장
・종족 유지: 생식과 유전, 적응과 진화

--- 용어 ---

▶ **내분비계**(안 內, 나눌 分, 분비할 泌, 경계 系): 호르몬을 분비하는 기관들의 모임이다.
▶ **종**(씨 種): 자연 상태에서 서로 교배가 가능하며, 생식 능력이 있는 자손을 낳는 생물들 무리이다.

개념 확인하기

1 생물을 구성하는 구조적・기능적 단위는 무엇인가?
2 수정란이 하나의 완전한 개체가 되는 과정을 (   )이라 한다.
3 외부 환경이 변화하여도 생물의 체내 상태가 일정하게 유지되는 현상을 (   )이라고 한다.

답 1. 세포 2. 발생 3. 항상성

셀파 세미나 ─── S·H·E·R·P·A

▶ 각 생물의 특성과 관련된 생물의 예시를 이해하고, 그림이나 사진 자료에 나타난 생물의 특성을 알아 두자.

생물의 특성을 나타내는 여러 가지 현상

01 자극에 대한 반응과 항상성의 예

생물은 다양한 환경의 변화를 자극으로 받아들이고, 이에 대해 적절히 반응한다.

자극에 대한 반응의 예	항상성 조절 작용의 예
• 밝은 곳에서는 동공이 작아지고, 어두운 곳에서는 동공이 커진다. • 뜨거운 물체에 손이 닿으면 빠르게 손을 뗀다. • 미모사 잎에 물체가 닿으면 잎이 오므라든다. • 식물은 빛 자극에 반응하여 빛을 향해 자란다. • 박쥐나 지렁이에게 빛을 비추면 빛을 피해 빛이 없는 방향으로 간다.	• 물을 많이 마시면 오줌양이 많아진다. • 사람은 더울 때 땀을 흘려 체온을 일정하게 유지한다. • 코끼리가 큰 귀를 이용하여 주변 공기 사이의 열에너지 교환으로 체온을 유지한다. • 갈매기는 염분 농도가 높은 물을 콧구멍으로 배출하여 체내의 염분 농도를 일정하게 유지한다.

02 적응과 진화의 예

생물이 환경에 적합하게 몸의 구조와 기능, 형태, 습성 등이 변화하는 현상이 적응이고, 적응 과정이 누적되고 집단의 유전적 구성이 변화하여 새로운 종이 나타나는 과정이 진화이다. 진화의 결과 오늘날과 같이 다양한 생물종이 나타나게 되었다.

적응과 진화의 예	
• 갈라파고스군도의 땅거북은 목이 길고 안장형의 등껍질이 있어 키가 큰 선인장을 먹는 데 유리하게 진화하였다. • 추운 지역에 적응하여 사는 북극여우는 귀의 크기가 작고 몸집이 커 체온을 유지하기에 유리하고, 더운 지역에 적응하여 사는 사막여우는 큰 귀를 통해 열을 발산하여 체온을 조절한다. • 사막의 선인장은 건조한 환경에 적응하여 잎이 가시로 변했다.	• 갈라파고스군도에 서식하는 핀치의 부리 모양이 섬마다 조금씩 다른데, 이것은 섬의 먹이 환경에 적응하여 진화한 결과이다. • 가랑잎벌레는 몸의 형태가 주변의 잎과 비슷하게 변하여 천적으로부터 몸을 보호한다. • 뱀의 아래턱이 분리되는 것은 큰 먹이를 먹기에 알맞도록 적응한 결과이다. • 피그미해마는 주변의 산호와 유사한 모습으로 위장하여 살아간다.

03 무성 생식 방법

무성 생식은 생식세포가 결합하지 않고 자손을 만드는 방법으로, 어버이와 동일한 유전자를 가진 자손이 생긴다.

분열법	출아법	포자법
체세포 분열을 통해 두 개의 세포로 나누어져 각각 새로운 개체가 되는 생식 방법	몸의 일부에 작은 혹 모양의 싹이 생기고 이것이 떨어져 나와 새로운 개체가 되는 생식 방법	생물체의 일부에서 포자를 만들고 이 포자가 발아되어 새로운 개체가 되는 생식 방법
	 모체 / 자손	포자

Plus 자료
자극에 반응하는 미모사

Plus 자료
사막의 선인장

건조한 환경에 적응하여 잎이 가시로 변하였다.

피그미해마

주변의 산호와 비슷한 모습을 하고 있다.

Plus 문제

Q. 무성 생식 방법에 해당하지 않은 것은?
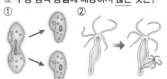
① ②
 ③ 포자
 ④ 난자 / 정자 / 수정란

A. ④ | 생식세포인 정자와 난자가 결합하여 수정란을 형성하는 생식 방법은 유성 생식이다.

▶ 시험에 자주 나오는 예시를 모았습니다. 반복적으로 학습하여 시험에 대비하세요.

생물의 특성에 관한 여러 가지 예시

갈라파고스군도의 핀치는 섭취하는 ㉠먹이 종류에 따라 서로 다른 모양의 부리를 갖게 되었다.

곤충을 먹는 새 / 선인장을 먹는 새 / 나뭇잎을 먹는 새 / 씨를 먹는 새

㉠에 나타난 생물의 특성과 관련이 깊은 경우는 ○, 관련 없는 경우는 × 표시하시오.

1. 적록 색맹인 어머니에게서 적록 색맹인 아들이 태어났다.
( )

2. 식물은 광합성을 통하여 무기물로부터 유기물을 합성한다.
( )

3. 사막에 적응한 도마뱀은 몸 표면이 비늘로 덮여 있어 물의 손실을 방지한다.
( )

4. 수박과 같이 수분 함량이 높은 과일을 많이 먹었더니 오줌양이 증가하였다.
( )

5. 사막의 낙타는 환경에 적응하여 다른 동물에 비해 땀을 잘 흘리지 않고, 농도가 진한 오줌을 배설하여 물의 손실을 최소화하도록 콩팥의 기능이 발달했다.
( )

6. 짚신벌레는 분열법으로 증식한다.
( )

7. 더운 지방에 사는 사막여우는 추운 지방에 사는 북극여우에 비해 귀가 크고 몸집이 작아 더운 지방에서 살기에 적합하다.
( )

8. 효모는 포도당을 분해하여 에너지를 얻는다.
( )

9. 장구벌레는 번데기 시기를 거쳐 모기가 된다.
( )

10. 파리지옥의 잎에 벌레가 앉으면 잎이 접힌다.
( )

| 해설 | 갈라파고스군도 핀치의 부리 모양이 다양한 것은 먹이 환경에 적응하여 진화한 결과이다.

답 1. × 2. × 3. ○ 4. × 5. ○ 6. × 7. ○ 8. × 9. × 10. ×

갈매기는 염분 농도가 높은 물을 콧구멍으로 배출하여 ㉠체내의 염분 농도를 일정하게 유지한다.

㉠에 나타난 생물의 특성과 관련이 깊은 경우는 ○, 관련 없는 경우는 × 표시하시오.

1. 짚신벌레에 빛을 비추었더니 빛이 있는 곳으로 이동하였다.
( )

2. 미모사의 잎을 건드리면 잎이 접힌다.
( )

3. 나비 애벌레는 번데기 시기를 거쳐 성충이 된다.
( )

4. 선인장의 가시는 잎이 변형된 것이다.
( )

5. 겨울에 체온이 정상보다 낮아지면 근육을 떨어 열을 발생시킨다.
( )

6. 식물은 세포벽을 가지고 있어 고기보다 소화되기 어렵다. 이 때문에 초식 동물의 소화관 길이는 비슷한 몸집을 가진 육식 동물보다 길다.
( )

7. 양지 식물은 음지 식물보다 잎이 더 두껍다.
( )

8. 효모는 출아법으로 새로운 개체를 만든다.
( )

9. 암탉이 낳은 알이 부화되면 병아리가 나온다.
( )

10. 사람은 더울 때 땀을 흘려 체온을 정상 수준으로 유지한다.
( )

| 해설 | 갈매기가 염분 농도가 높은 물을 콧구멍으로 배출하여 체내의 염분 농도를 일정하게 유지하는 것은 항상성의 예이다.

답 1. × 2. × 3. × 4. × 5. ○ 6. × 7. × 8. × 9. × 10. ○

2 바이러스[7][8]

1. 바이러스 세균보다 작고, 모양이 매우 다양하며 살아 있는 세포에 기생하여 살아가는 병원체

> **바이러스의 발견 과정** → 19세기 후반에 담배 모자이크병을 일으키는 병원체를 밝히는 과정에서 발견
> ① 담배 모자이크병에 걸린 담뱃잎을 갈아 얻은 추출물을 세균 여과기에 거른 후 여과액을 건강한 담뱃잎에 묻혔더니 담배 모자이크병이 발생하였다. ➡ 담배 모자이크 바이러스(TMV)는 세균보다 크기가 작다.
> ② 여과액에서 TMV를 농축하여 결정을 얻었다. ➡ TMV는 생물체 밖에서 단백질 결정체의 상태로 존재한다(비생물적 특성).
> ③ $1 \mu g$의 결정을 물에 녹여 건강한 담뱃잎에 발라 감염시킨 후 다시 TMV를 추출하여 $10 \mu g$의 결정을 얻었다. ➡ TMV는 생명체 내에서 증식할 수 있다.

세균 여과기
여과되고 남은 액
진공 펌프
여과액

2. 바이러스의 구성과 증식 과정 바이러스는 핵산(DNA 또는 RNA)과 단백질 껍질로 구성되어 있고, 숙주 세포 내에서만 물질대사를 하고 증식한다.

| 자료 파헤치기 |

T4 박테리오파지의 증식 과정과 구조

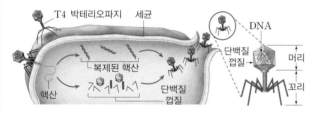

T4 박테리오파지　세균
복제된 핵산
핵산
단백질 껍질
DNA
단백질 껍질
머리
꼬리

• **T4 박테리오파지의 증식 과정**
① 숙주 세포(세균)의 표면에 부착한 후 유전 물질인 핵산을 숙주 세포 안으로 침투시킨다.
② 숙주 세포의 효소를 이용하여 자신의 유전 물질을 복제하고, 단백질 껍질을 합성한다.
③ 새롭게 증식한 바이러스들은 숙주 세포 밖으로 나오는데, 이 과정에서 숙주 세포가 손상되거나 파괴되어 숙주에 질병을 일으키기도 한다.
• **T4 박테리오파지의 구조**: 머리와 꼬리로 이루어져 있고, 정이십면체의 단백질 껍질로 된 머리 안쪽에 DNA(핵산)가 들어 있다.

3. 바이러스의 특성 생물적 특성과 비생물적 특성을 모두 가지고 있다.

바이러스의 생물적 특성	바이러스의 비생물적 특성
• 유전 물질인 핵산(DNA 또는 RNA)이 있다. • 살아 있는 숙주 세포 내에서 물질대사와 증식이 가능하다. ➡ 바이러스는 살아 있는 생명체(숙주 세포) 내에서만 생명 현상을 나타내므로, 지구상에 나타난 최초의 생명체로 볼 수 없다. • 증식 과정에서 많은 변종 바이러스가 형성되어 다양한 환경에 대해 적응과 진화를 할 수 있다.	• 세포의 구조를 갖추지 못하였다. • 효소가 없어 독자적인 물질대사를 할 수 없다. • 숙주 세포 밖에서는 핵산과 단백질로 이루어진 결정체로 존재한다.

---

❼ 바이러스와 세균, 난자·정자의 비교

구분	바이러스	세균	난자·정자
핵산	있음	있음	있음
단백질	있음	있음	있음
증식	숙주 세포 내에서만 가능	가능	불가능
물질대사	숙주 세포 내에서만 가능	가능	가능

❽ 바이러스의 종류
• 핵산의 종류에 따른 구분

DNA 바이러스	아데노 바이러스, 박테리오파지, 천연두 바이러스, 간염 바이러스 등
RNA 바이러스	담배 모자이크 바이러스(TMV), 인플루엔자 바이러스, 사람 면역 결핍 바이러스(HIV), 소아마비 바이러스 등

• 숙주의 종류에 따른 구분

동물 바이러스	인플루엔자 바이러스, 조류 독감 바이러스, 천연두 바이러스, 간염 바이러스, 사람 면역 결핍 바이러스(HIV) 등
식물 바이러스	오이 모자이크 바이러스, 토마토 반점 시듦 바이러스 등
세균 바이러스	박테리오파지(T2, T4 등)

--- 용어 ---

▶ **박테리오파지**(Bacteriophage): '세균'이라는 뜻의 박테리오와 '먹는다.'는 뜻의 파지가 합쳐진 말로, 세균을 숙주로 하는 바이러스를 뜻한다.

개념 확인하기

1 바이러스는 세포로 구성되어 있다. (○ , ×)
2 바이러스는 (　　　　) 세포 내에서 물질대사를 하고, 증식할 수 있다.
3 바이러스는 생물적 특성과 비생물적 특성을 모두 가지고 있다. (○ , ×)

답 1. × 2. 숙주 3. ○

012 I. 생명 과학의 이해

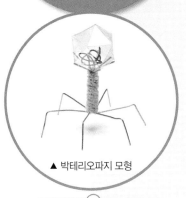

셀파 탐구

생물과 비생물의 특성

▲ 박테리오파지 모형

＋

같은 주제 다른 탐구

생물과 비생물의 공통점과 차이점

[과정]
강아지와 강아지 로봇을 보고 구조와 기능 면에서 공통점과 차이점을 찾아보자.

[정리]
1. 강아지와 강아지 로봇의 공통점
• 머리, 꼬리, 몸통, 다리가 있다.
• 에너지를 이용하여 움직일 수 있다.
• 자극에 반응한다. 등
2. 강아지와 강아지 로봇의 구조적 차이점

강아지	핵산이 있는 세포로 구성되어 있다.
강아지 로봇	여러 부품으로 이루어져 있다.

3. 강아지와 강아지 로봇의 기능적 차이점

강아지	• 호흡을 통해 에너지를 얻는다. • 생장과 번식을 한다. • 환경에 적응한다.
강아지 로봇	• 전지를 통해 에너지를 얻는다. • 생장과 번식을 하지 않는다.

목표 바이러스의 생물적 특성과 비생물적 특성을 이해할 수 있다.

박테리오파지 모형 만드는 과정과 박테리오파지의 증식 과정 알아보기

❶ 정이십면체 전개도를 잘라 빨간색 철사를 안쪽에 말아 넣고, 정이십면체를 만든다.
❷ 파란색 철사를 구부려 6개의 꼬리를 만들고 윗부분에 정이십면체를 연결하여 박테리오파지 모형을 완성한다.

박테리오파지의 증식 과정

박테리오파지(Bacteriophage)는 '세균(bacteria)'과 '먹다(phage)'의 뜻을 가진 바이러스로 세균을 감염시켜 파괴한다. 박테리오파지는 단백질 껍질과 핵산으로 이루어져 있고 숙주

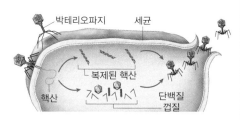

세포 밖에서는 스스로 증식하거나 물질대사를 하지 못한다. 그러나 박테리오파지가 세균 표면에 부착하면 유전 물질인 핵산을 세균 안으로 침투시킨다. 박테리오파지는 세균의 효소를 이용하여 자신의 유전 물질을 복제하고, 새로운 단백질 껍질을 만들어 증식한다.

결과 및 정리

1. 박테리오파지 모형에서 정이십면체와 그 속의 빨간색 철사, 파란색 철사로 이루어진 꼬리는 각각 박테리오파지의 어떤 부분에 해당하는가?
   → 정이십면체: 박테리오파지의 머리　　→ 빨간색 철사: 박테리오파지의 DNA(핵산)
   → 파란색 철사: 박테리오파지의 꼬리

2. 박테리오파지의 증식 과정에서 알 수 있는 바이러스의 생물적 특성은?
   → 유전 물질인 핵산이 있다. 숙주 세포 내에서 물질대사와 증식을 한다.

3. 박테리오파지의 증식 과정에서 알 수 있는 바이러스의 비생물적 특성은?
   → 숙주 세포 밖에서는 단백질 결정체 상태로 존재한다. 숙주 세포 밖에서는 스스로 증식하거나 물질대사를 할 수 없다.

4. 바이러스는 생물일까, 비생물일까?
   → 바이러스에는 생물적 특성과 비생물적 특성이 모두 존재하므로 정확한 결론을 내릴 수 없다.

탐구 대표 문제　정답과 해설 2쪽

01 강아지와 강아지 로봇을 비교한 것으로 옳지 <u>않은</u> 것은?

① 강아지와 강아지 로봇 모두 에너지를 이용해 움직인다.
② 강아지와 강아지 로봇 모두 머리, 꼬리, 몸통, 다리가 있다.
③ 강아지와 강아지 로봇 모두 세포 분열로 생장할 수 있다.
④ 강아지와 강아지 로봇 모두 자극에 반응한다.
⑤ 강아지는 호흡, 생장, 번식을 하지만 강아지 로봇은 하지 않는다.

02 그림은 박테리오파지 모형을 나타낸 것이다. A~C에 해당하는 박테리오파지 구조의 이름을 쓰시오.

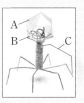

기초 탄탄 문제

정답과 해설 2쪽

핵심용어_ 이 단원에서 내가 아는 것과 아직 모르는 것을 정리하며 나의 공부를 돌아보자.

□ 세포　　　　　　□ 물질대사　　　　　　□ 발생과 생장
□ 항상성　　　　　□ 자극에 대한 반응　　□ 생식과 유전
□ 적응과 진화　　□ 바이러스

01 생물의 특성에 대한 설명으로 옳지 <u>않은</u> 것은?

① 생물은 모두 세포로 이루어진다.
② 생물은 다양한 자극에 대해 적절히 반응한다.
③ 발생은 생물의 특성이나 생장은 생물의 특성이 아니다.
④ 생물체 내에서 일어나는 화학 반응을 물질대사라 한다.
⑤ 모든 생물은 자신의 형질을 자손에게 물려주는 특성이 있다.

02 물질대사에 대한 설명으로 옳지 <u>않은</u> 것은?

① 생명체 내에서 일어나는 화학 반응을 의미한다.
② 물질대사는 효소가 촉매 역할을 하여 진행된다.
③ 물질대사에는 반드시 에너지 출입이 동반된다.
④ 물질대사에는 동화 작용과 이화 작용이 있다.
⑤ 더우면 땀이 나는 현상은 물질대사의 예에 해당한다.

03 기본 단위가 세포로 이루어져 있는 생물이 <u>아닌</u> 것은?

① 아메바　　　　　　② 짚신벌레
③ 개나리　　　　　　④ 박테리오파지
⑤ 대장균

04 항상성에 대한 설명으로 옳은 것은?

① 간단한 물질을 복잡한 물질로 합성하는 반응이다.
② 주로 내분비계와 신경계의 작용을 통해 조절된다.
③ 생물이 환경에 적합하게 몸의 구조와 기능, 형태, 습성 등이 변화하는 현상을 의미한다.
④ 어린 개체가 체세포 분열을 통해 세포 수를 늘려 감으로써 몸집이 커지며 성체가 되는 과정이다.
⑤ 광합성과 세포 호흡은 항상성 작용을 통해 일어나는 반응이다.

05 다음은 뱀과 핀치의 특징을 설명한 것이다.

- 뱀은 아래턱이 분리될 수 있어 큰 먹이를 잘 먹을 수 있다.
- 갈라파고스군도의 여러 섬에 사는 핀치들의 부리 모양은 섬의 먹이 환경에 따라 조금씩 다르다.

위의 사례에 공통으로 나타나는 생물의 특성은 무엇인가?

① 발생과 생장　　　　② 세포로 구성
③ 생식과 유전　　　　④ 적응과 진화
⑤ 자극에 대한 반응

06 그림 (가), (나), (다)는 각각 동물 세포, 바이러스, 대장균 중 하나를 나타낸 것이다.

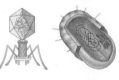

(가)　　　　　　(나)　　　　　　(다)

이에 대한 설명으로 옳은 것은?

① (가), (나)는 스스로 물질대사를 한다.
② (가)는 대장균이다.
③ (나)는 바이러스이다.
④ (가), (다)의 공통점은 '세포로 되어 있다.'이다.
⑤ (가), (나), (다)는 모두 핵산을 가지고 있다.

내신 만점 문제

정답과 해설 2쪽

* ▮▮▮ 난이도를 나타냅니다.

01 ▮
다음은 여러 생물들을 (가)와 (나) 두 종류로 구분한 것이다.

> (가) 아메바, 짚신벌레, 대장균
> (나) 소나무, 강아지, 개나리, 코끼리

이에 대한 설명으로 옳은 것만을 〈보기〉에서 있는 대로 고른 것은?

┤ 보기 ├
ㄱ. (가)는 단세포 생물이고, (나)는 다세포 생물이다.
ㄴ. (가)는 무성 생식으로 다양한 유전자를 가진 자손을 만들고, (나)는 유성 생식으로 동일한 유전자를 가진 자손을 만든다.
ㄷ. (가)와 (나) 모두 세포로 구성되어 있으며, 효소가 있어 독자적인 물질대사가 가능하다.

① ㄱ　　② ㄴ　　③ ㄷ　　④ ㄱ, ㄴ　⑤ ㄱ, ㄷ

02 ▮
생물의 특성 중 종족을 유지하는 데 관계된 것만을 〈보기〉에서 있는 대로 고른 것은?

┤ 보기 ├
ㄱ. 세포로 구성
ㄴ. 적응과 진화
ㄷ. 발생과 생장
ㄹ. 생식과 유전
ㅁ. 자극에 대한 반응
ㅂ. 물질대사

① ㄱ, ㄴ　　　　　② ㄴ, ㄹ
③ ㄱ, ㄷ, ㅂ　　　④ ㄷ, ㄹ, ㅁ
⑤ ㄱ, ㄷ, ㅁ, ㅂ

03 ▮▮▮
다음은 화성에 생명체가 있는지 확인하기 위한 실험 중 일부를 나타낸 것이다.

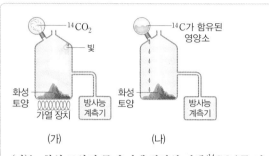

(가)는 화성 토양이 든 용기에 방사성 기체($^{14}CO_2$)를 넣고 빛을 비춘 후, 용기 속 기체를 제거하고 가열한다.
(나)는 화성 토양에 방사성을 띠는 영양소를 주입한다.

이에 대한 설명으로 옳은 것만을 〈보기〉에서 있는 대로 고른 것은?

┤ 보기 ├
ㄱ. (가)는 동화 작용, (나)는 이화 작용을 통해 생명체의 존재를 확인하는 실험이다.
ㄴ. 화성 토양에 생명체가 있다면 (가)와 (나)에서 방사성 기체가 검출될 것이다.
ㄷ. (가)와 같은 생물의 특성은 미모사의 잎을 건드리면 잎이 접히는 현상을 예로 들 수 있다.

① ㄱ　　② ㄴ　　③ ㄷ　　④ ㄱ, ㄴ　⑤ ㄴ, ㄷ

04
그림은 밝기가 다른 장소로 이동했을 때 고양이의 동공 크기 변화를 나타낸 것이다. 이와 가장 관련이 깊은 생물의 특성으로 옳은 것은?

① 지렁이에게 빛을 비추면 지렁이는 어두운 곳으로 이동한다.
② 운동할 때 증가한 심장 박동수가 휴식을 취하면 정상으로 되돌아온다.
③ 물속에 잠긴 수초에 빛을 비추어 주니, 수초 잎에서 기포가 발생하였다.
④ 초식 동물은 넓적한 모양의 어금니를, 육식 동물은 날카로운 송곳니를 가지고 있다.
⑤ 기러기는 폐와 연결된 공기주머니를 가지고 있어 수천 미터의 상공에서도 날 수 있다.

05 다음은 페니실린에 대한 자료이다.

> 페니실린은 ㉠세균의 세포벽 합성을 억제하는 항생제이다. 과거에는 세균에 페니실린을 처리하면 대부분의 세균이 죽었으나, ㉡현재는 페니실린에 죽는 세균의 비율이 크게 줄었다.

페니실린 세균 페니실린

과거 현재

이에 대한 설명으로 옳은 것만을 〈보기〉에서 있는 대로 고른 것은?

> ┤ 보기 ├
> ㄱ. 생물의 특성 중 ㉠은 물질대사, ㉡은 적응과 진화와 관련 있다.
> ㄴ. ㉠은 종족 유지, ㉡은 개체 유지와 관계된 생물의 특성이다.
> ㄷ. 사막에 사는 캥거루쥐가 진한 오줌을 하루에 한두 번만 배설하도록 콩팥 기능이 발달한 것은 ㉡에 나타난 생물의 특성과 관계가 깊다.

① ㄱ   ② ㄴ   ③ ㄷ
④ ㄱ, ㄴ   ⑤ ㄱ, ㄷ

06 다음은 마라톤 선수에 대한 설명이다.

> 마라톤 선수는 근육의 약 90 %가 수축이 느린 근육 세포로 되어 있으며, 이 세포에서는 ㉠지방과 탄수화물을 이용한 세포 호흡이 활발하게 일어난다.

㉠에 대한 설명으로 옳은 것만을 〈보기〉에서 있는 대로 고른 것은?

> ┤ 보기 ├
> ㄱ. ㉠은 효소에 의해 진행되며, 반응 결과 에너지가 방출된다.
> ㄴ. ㉠은 종족을 유지하기 위한 생물의 특성에 해당한다.
> ㄷ. 바이러스가 살아 있는 숙주 세포 내에서 증식하는 과정에서 많은 변종 바이러스가 형성되는 현상은 ㉠과 관계 깊은 생물의 특성이다.

① ㄱ   ② ㄴ   ③ ㄷ
④ ㄱ, ㄴ   ⑤ ㄴ, ㄷ

07 그림은 먹이의 종류나 서식지에 따른 새의 발 모양을 나타낸 것이다.

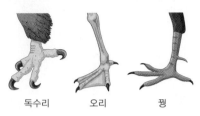

독수리   오리   꿩

이 자료에 나타난 생물의 특성과 관계 깊은 사례만을 〈보기〉에서 있는 대로 고른 것은?

> ┤ 보기 ├
> ㄱ. 사막에 사는 낙타는 속눈썹이 빽빽하게 나 있다.
> ㄴ. 식물을 넣은 유리 상자에 빛을 비추면 상자 내의 산소 농도가 높아진다.
> ㄷ. 항생제를 사용해도 죽지 않는 내성균의 수가 점점 증가하고 있다.
> ㄹ. 눈신토끼는 겨울에 털색이 회색에서 흰색으로 변해 천적으로부터 몸을 보호한다.

① ㄱ, ㄴ   ② ㄴ, ㄷ   ③ ㄷ, ㄹ
④ ㄱ, ㄷ, ㄹ   ⑤ ㄴ, ㄷ, ㄹ

08 다음 (가) ~ (라)는 바이러스에 대한 설명이다.

> (가) 바이러스는 크기가 작아 세균 여과기를 통과할 수 있으며 세포 구조를 갖추지 못하였다.
> (나) 바이러스는 숙주 세포 밖에서는 단백질 결정체로 존재한다.
> (다) 바이러스는 효소가 없어 스스로 물질대사를 할 수 없다.
> (라) 숙주 세포 내에서의 증식 과정에서 돌연변이가 발생하기도 한다.

(가) ~ (라) 중 바이러스의 생물적 특성과 비생물적 특성을 옳게 연결한 것은?

	생물적 특성	비생물적 특성
①	(가)	(나), (다), (라)
②	(가), (나)	(다), (라)
③	(가), (나), (라)	(다)
④	(라)	(가), (나), (다)
⑤	(나), (라)	(가), (다)

09 그림은 여러 가지 바이러스를 나타낸 것이다.

▲ 사람 면역 결핍 바이러스(HIV) ▲ 인플루엔자 바이러스 ▲ 천연두 바이러스

이에 대한 설명으로 옳은 것은?

① 단백질과 핵산으로 구성되어 있어 가장 원시적인 생물에 해당한다.

② 제시된 바이러스들은 모두 식물 세포에 기생하여 증식하는 바이러스들이다.

③ 숙주 세포 내에서의 증식 과정에서 돌연변이가 발생해 환경에서 적응하고, 진화를 한다.

④ 독자적인 물질대사가 가능하지만 합성하지 못하는 물질이 있어 다른 생물에 기생하여 살아간다.

⑤ 숙주 세포 안으로 자신의 단백질 껍질과 핵산을 모두 침투시킨 다음 분열을 통해 증식한다.

10 그림 (가)는 담배 모자이크 바이러스를, (나)는 메뚜기를 나타낸 것이다.

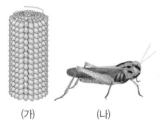

(가)   (나)

이에 대한 설명으로 옳은 것만을 〈보기〉에서 있는 대로 고른 것은?

┌─ 보기 ┐
ㄱ. (가)와 (나) 모두 단백질과 유전 물질인 핵산을 가지고 있다.
ㄴ. (가)는 물질대사를 할 수 있으나, (나)는 물질대사를 할 수 없어 다른 생물을 먹어야 살 수 있다.
ㄷ. (가)는 숙주 세포 내에서 분열법에 의해 자손을 만들고, (나)는 유성 생식으로 환경 변화에 유리한 자손을 만든다.
└──────┘

① ㄱ   ② ㄴ   ③ ㄷ
④ ㄱ, ㄴ   ⑤ ㄱ, ㄷ

서술형 문제

11 다음은 무의 어린 싹을 이용한 실험이다.

[실험 과정]
(가) 그림과 같이 구멍이 뚫린 어둠상자에 2 cm 정도로 자란 무의 싹을 심은 종이컵을 넣는다.
(나) 이 어둠상자를 빛이 비치는 장소에 5일 동안 놓아두고, 무의 싹에서 일어난 변화를 관찰한다.

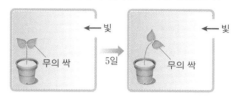

[실험 결과]
무의 어린 싹은 빛이 들어오는 구멍 쪽으로 굽어 자랐다.

(1) 위 실험 결과와 같은 변화가 나타나게 하는 생물의 특성을 쓰시오.

(2) 터치에 반응하는 스마트폰이 무의 싹과 달리 비생물인 까닭을 제시된 단어를 모두 이용하여 서술하시오.

┌──────────────────┐
세포 분열   생장
└──────────────────┘

12 그림은 바이러스의 일종인 박테리오파지가 대장균에 침입했을 때 일어나는 현상을 나타낸 것이다.

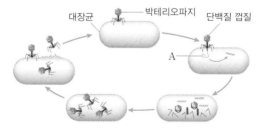

(1) 대장균 속으로 들어가는 A는 무엇인지 쓰시오.

(2) 이 자료에서 나타나는 바이러스의 생물적 특성을 서술하시오.

생명 과학의 특성과 탐구 방법

내 교과서는 어디에?

천재 p.16~22 동아 p.18~25 미래엔 p.22~29
비상 p.11~19 금성 p.22~35 교학사 p.20~25 지학사 p.20~25

핵심 Point
● 생명 과학의 **통합적 특성**을 이해한다.
● 생명 과학의 탐구 방법들을 알고, 탐구 방법의 차이를 이해한다.

1 생명 과학의 특성

1. **생명 과학** 지구에 살고 있는 생물의 기원, 구조와 기능, 생식과 유전, 분류 및 분포 등을 연구하는 학문이다.

① 생명 과학의 연구 성과는 질병, 환경 오염, 기후 변화 등과 같은 인류의 생존과 복지에 관한 문제를 해결하는 데 이용된다.

② 생명 과학의 연구 대상

- 생명 과학은 생물을 구성하는 물질의 분자 수준에서부터 세포, 조직, 기관, 개체, ▶개체군, 군집, 생태계까지 다양한 범위의 생명 현상을 연구한다.
- 생물을 연구할 때에는 각 단계의 구성 요소들이 상호 작용하여 새로운 특성을 다음 단계에서 나타내기도 하므로 각각의 구성 요소뿐만 아니라 전체를 통합적으로도 연구❶해야 한다.

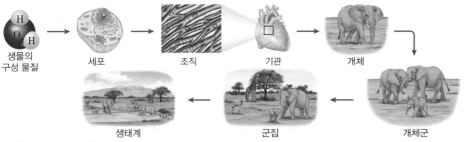

생물의
구성 물질 → 세포 → 조직 → 기관 → 개체

생태계 ← 군집 ← 개체군

▲ 생명 과학의 연구 대상 → 천재, 동아, 미래엔 교과서에만 나와요.

2. 생명 과학의 분야에 따른 구분 → 비상 교과서에만 나와요.

세포학	세포의 구조와 세포에서 일어나는 여러 생명 현상을 연구
분류학	생물을 특정 기준에 따라 나누어 정리하며, 생물의 계통을 연구
생태학	생물 사이의 관계 및 생물과 생물을 둘러싸고 있는 환경과의 상호 작용을 연구
생리학	생물의 기관부터 세포 내 물질 수준에 이르기까지 생물의 기능과 조절 과정을 연구
유전학	생물의 유전 현상과 생물의 형질 발현이 일어나는 원리를 연구
발생학	생식세포의 형성과 수정란이 개체로 발생하는 과정에서 일어나는 형태의 형성과 변화 과정을 연구
생화학	생명 활동 과정과 생물을 구성하는 화학 물질의 조성 및 기능을 연구
분자 생물학	DNA, RNA와 단백질 등으로 구성된 유전체를 분자 수준에서 연구
생명 공학	생물의 기능과 특성을 이용하여 유용한 물질을 생산하는 방법 및 기술 등을 연구

3. 생명 과학의 통합적 특성

① 과거에는 생명 현상을 관찰하고 기술하는 수준에 그쳤으나 근대 이후 분자 수준의 생명 현상 관찰로 발전하였다. 이후 생화학, 생물 물리학 등과 같은 통합적 학문으로 발달하였다.

② 오늘날에는 컴퓨터 공학, 정보 기술 등과 같은 다양한 영역의 학문과 연계되어 생물 정보학❷, 생물 기계 공학, 생물 지리학, 생물 물리학 등과 같은 다양한 통합 학문 분야가 발달하고 있다.

❶ 생명 과학 연구에 통합적 연구가 필요한 이유

생명 현상은 하나의 세포나 기관의 기능과 원리의 연구만으로 이해하기 어렵기 때문에 생명 과학 연구는 여러 세포와 기관 등을 통합적으로 연구할 필요가 있다. 예를 들어 뇌에서의 생각이나 기억은 신경 세포 각각의 독립적인 기능이 아니라 신경 세포들의 복잡한 상호 작용 결과 나타난다. 그러므로 뇌를 연구할 때에는 각 신경 세포에 관한 연구뿐만 아니라 뇌 전체와 관련 기관까지 통합적인 연구가 필요하다.

❷ 생물 정보학

수학적 모델링, 컴퓨터 연산 등을 기반으로 생명 과학 연구로부터 얻은 대량의 자료를 가공하고 통합함으로써 유용한 생물학적 정보를 얻는 학문이다.
예) 컴퓨터 연산 및 정보 처리 기술을 이용하여 사람 유전체 전체의 염기 서열을 밝혔다.

━━━ 용어 ━━━

▶ **개체군**(낱 個, 몸 體, 무리 群): 일정한 지역에 모여 사는 같은 종으로 이루어진 개체들의 집단

▶ **유전체**(남길 遺, 전할 傳, 몸 體): 한 생물이 가지는 모든 유전 정보를 뜻하는 말로, 유전자(gene)와 염색체(chromosome)의 합성어로 영어로 'genome'이라고 쓴다.

③ 생명 과학이 다른 학문 분야와 연계된 사례: 물리학, 화학, 지구과학에서부터 ▶광학, 초음파 연구 등 매우 다양한 학문과 연계된다.

• 사람의 유전체 분석: 생명 과학과 기계 공학, 컴퓨터 연산 및 정보 처리 기술, 화학, 물리학 등이 이용되어 사람 유전체 전체의 염기 서열이 모두 밝혀졌다.

• 광학의 발달: 광학의 원리를 이용한 전자 현미경의 개발 이후 양자 역학 원리를 응용한 성능이 더 좋은 전자 현미경이 개발되어 생명 과학이 크게 발전하게 되었다.

2 귀납적 탐구 방법

1. **귀납적 탐구 방법❸** 자연 현상을 관찰하여 얻은 자료를 종합하고 분석하는 과정에서 규칙성을 발견하여 일반적인 원리나 법칙을 이끌어 내는 탐구 방법이다.

자연 현상 관찰 ➡ 관찰 주제 설정 ➡ 관찰 등 자료 수집 방법 고안 ➡ 관찰 수행, 자료 수집 ➡ 관찰 결과 및 자료 해석 ➡ 규칙성 발견 및 결론 도출

방법	구분	예시 '가젤 영양의 뜀뛰기 연구'❹
자연 현상이나 사물을 관찰하고 궁금증을 가진다.	자연 현상 관찰	가젤 영양의 특이한 뜀뛰기 행동을 관찰하다가 이상 행동을 발견하고, 행동의 이유가 궁금했다.
관찰 방법이나 실험 방법 등을 고안하여 이를 수행한다.	관찰 주제 설정 및 관찰로 자료 수집	가젤 영양의 '이상한 뜀뛰기 행동'이 어떤 상황에서 나타나는지 관찰하기로 하였다.
관찰한 결과를 분석하고 관련 자료를 해석하며, 필요한 경우 추가 관찰 및 탐색을 한다.	관찰 결과 및 자료 해석	가젤 영양은 치타와 같은 포식자가 주변에 나타날 때마다 엉덩이를 치켜드는 '이상한 뜀뛰기 행동'을 하였다.
보편 타당한 결론을 도출한다.	규칙성 발견 및 결론 도출	'가젤 영양은 포식자가 주변에 나타나면 뜀뛰기 행동을 한다.'라는 결론을 내렸다.

2. 그 밖의 귀납적 탐구 방법을 이용한 과학적 발견

세포설	다양한 생물을 관찰하여 얻은 사실들이 축적되어 '모든 생물은 세포로 구성되어 있다.'는 세포설이 완성되었다.	DNA 구조의 발견	왓슨과 크릭이 기존 실험 자료와 결과를 바탕으로 DNA 이중 나선 구조를 밝혀냈다.
구달의 침팬지 연구	구달은 아프리카의 침팬지 보호 구역에서 10여 년 간 침팬지를 관찰하였다. 그 결과 침팬지는 육식을 즐기고 도구를 사용하는 등 다양한 행동 특성이 있음을 알아냈다.	사람 유전체 사업	사람의 DNA 염기 서열을 알아내고 유전자의 위치를 밝혔다.
다윈의 진화설	갈라파고스군도 등에서 생물의 특성을 관찰하여 수집한 자료를 토대로 환경에 가장 잘 적응한 생물이 살아남아 더 많은 자손을 남김으로써 생물이 진화한다는 진화설이 완성되었다.		

비상 교과서에서는 다윈은 연역적 탐구 방법과 귀납적 탐구 방법을 함께 사용하여 자연 선택설을 완성하였다고 제시하였다.

개념 확인하기

1 ( ) 과학은 지구에 살고 있는 생물의 기원, 구조와 기능, 생식과 유전, 분류 및 분포 등을 통합적으로 연구하는 학문이다.

2 오늘날의 생명 과학은 다양한 학문을 넘나들며 통합적 학문으로 발달하였다. (○, ×)

3 자연 현상에서 문제를 인식하고, 이를 설명할 수 있는 가설을 세워 이를 실험적으로 검증하는 탐구 방법은 귀납적 탐구 방법이다. (○, ×)

답 1. 생명 2. ○ 3. ×

❸ 귀납적 탐구 과정에 대한 교과서별 차이점 → 교과서별 차이점에 유의하도록 한다.

• 비상: 자연 현상 관찰 ➡ 문제 인식 ➡ 관찰 등 자료 수집 방법 고안 ➡ 자료 수집 ➡ 자료 해석 ➡ 규칙성 발견 및 결론 도출

• 동아: 자연 현상 관찰과 문제 제기 ➡ 관찰과 실험 수행 ➡ 관찰 결과와 자료 해석 ➡ 규칙성 발견과 결론 도출

• 미래엔: 자연 현상 ➡ 관찰 주제의 선정 ➡ 관찰 방법과 절차의 고안 ➡ 관찰의 수행 ➡ 관찰 결과의 해석 및 결론 도출

• 천재: 생명 현상 관찰 ➡ 관찰 주제 설정 ➡ 관찰 결과 ➡ 규칙성 발견 등 교과서마다 조금의 차이는 있지만, 자연 현상을 관찰한 후 이를 종합하고 분석하여 일반적인 원리나 법칙을 이끌어 내는 탐구 방법이라는 내용은 일치한다.

❹ 카로 박사의 가젤 영양의 뜀뛰기 행동 연구의 주요 내용

카로 박사는 가젤 영양을 연구하던 중 가젤 영양이 공중으로 뛰어오르며 하얀 엉덩이를 치켜드는 이상한 뜀뛰기 행동을 하는 것을 관찰하였다. 카로 박사는 이러한 뜀뛰기 행동이 어떤 상황에서 나타나는지 지속적으로 관찰하였다. 관찰 결과 '포식자가 주변에 나타나면 가젤 영양은 엉덩이를 치켜드는 뜀뛰기 행동을 한다.'라고 결론을 내렸다.

═══ 용어 ═══

▶ 광학(빛 光, 배울 學): 빛에 관련된 현상을 연구하는 학문이다.

3 연역적 탐구 방법

1. 연역적 탐구 방법 자연 현상에서 문제를 인식하고 가설[5]을 세워 이를 실험적으로 검증하는 탐구 방법이다.

2. 연역적 탐구 과정

① 관찰 및 문제 인식: 주변에서 일어나는 현상을 관찰하고, 관찰한 현상에 대한 의문이 생기는 단계

② 가설 설정
- 가설: 관찰을 통해 인식한 문제를 해결하기 위한 잠정적인 답이다.
- 가설의 특징: 예측이 가능해야 하고, 옳은지 그른지 실험이나 관측을 통해 확인이나 검증이 가능해야 한다.

③ 탐구 설계 및 수행: 가설의 타당성을 검증하기 위해 실험을 설계하고 수행하는 단계
- 대조 실험: 실험 결과의 타당성을 높이기 위해 탐구를 수행할 때에는 대조군을 설정하여 실험군과 비교하는 대조 실험을 한다.

실험군	원하는 실험 결과를 알아보기 위해 조작을 가하는 집단
대조군	실험군의 실험 결과를 비교해 볼 수 있는 기준이 되는 집단

- 변인: 실험에 관계된 요인으로, 독립변인과 종속변인이 있다.

독립변인	실험 결과에 영향을 주는 요인으로, 조작 변인과 통제 변인이 있다.	
	조작 변인	실험의 목적을 위해 변화시키는 변인
	통제 변인	실험하는 동안 일정하게 유지시키는 변인
종속변인	조작 변인의 영향을 받아 변하는 변인으로 실험 결과에 해당한다.	

- 실험군과 대조군은 조작 변인 이외에 실험 결과에 영향을 줄 수 있는 다른 모든 조건(통제 변인)을 동일하게 해야 하는데, 이를 변인 통제라고 한다.

④ 탐구 결과 정리 및 해석: 탐구를 통해 얻은 자료를 분석하여 규칙성을 찾는다.

⑤ 결론 도출: 해석한 탐구 결과를 근거로 가설에 대한 평가를 하고 보편 타당한 결론을 내린다.
- 가설과 일치하지 않으면: 결론이 가설과 일치하지 않으면 가설을 다시 설정한다.
- 가설과 일치하면: 가설과 결론이 일치하면 도출된 결론을 바탕으로 보편적이고 객관적인 일반 원리를 이끌어 내기도 한다. → 다른 과학자들의 탐구를 통해 반복해서 결론이 동일하게 확인되면 이론이나 학설로 인정받아 일반화된다.

3. 연역적 탐구로 밝혀진 생명 과학의 연구 결과 파스퇴르의 탄저병 백신 실험, 플레밍의 페니실린 발견, 에이크만의 각기병 연구 등

개념 확인하기

1 가설을 세우고 이를 검증하는 탐구 과정은 연역적 탐구 과정이다. (○, ×)
2 가설을 검증하기 위한 대조 실험에서 조작을 가하는 집단을 ( )이라고 한다.
3 독립변인은 조작 변인과 ( ) 변인으로 구분된다.

답 1. ○ 2. 실험군 3. 통제

⑤ 가설의 검증과 인정

자연 현상을 관찰하다가 의문이 떠오르면 그에 대한 답을 미리 예상하여 잠정적으로 결론을 내리는데, 이를 가설이라고 한다. 가설을 세울 때에는 과학적 지식과 과거의 경험을 통해 가장 근접한 답을 찾는 것이 중요하므로 자료를 충분히 수집한 후에 이루어져야 한다. 또, 실험을 통해 검증될 수 있도록 진술해야 하며, 검증이 되기 전까지는 사실로 인정되지 않는다.

강의 톡
주어진 실험 조건에서 독립변인과 종속변인을 찾고, 독립변인에서 조작 변인과 통제 변인을 구분하는 문제가 시험에 잘 나온다.

암기 톡
연역적 탐구 방법에는 가설 설정과 검증 단계가 있지만, 귀납적 탐구 방법에는 가설 설정 단계가 없다는 것을 암기하자!

용어

▶ 변인(변할 變, 원인 因): 실험의 조건이나 결과와 같이 실험에 관계된 모든 요인이다.

셀파 세미나 ——— S·H·E·R·P·A

▶ 연역적 탐구 방법으로 발견된 여러 과학적 사실을 보고 연역적 탐구 방법의 특징을 이해해 보자.

연역적 탐구 방법의 여러 가지 예시

탐구 과정

관찰 및 문제 인식	가설 설정	탐구 설계 및 수행	결과 정리 및 해석	결론 도출
자연 현상이나 사물을 관찰하고, 의문을 제기한다.	의문의 답이 될 수 있는 가설을 세운다.	가설을 검증하기 위한 탐구 계획을 세우고, 여러 변인을 통제하며 탐구를 수행한다.	실험에서 얻은 결과를 정리하고 자료를 해석한다.	가설을 평가하고 보편 타당한 결론을 이끌어 낸다.

* 파스퇴르의 탄저병 백신 연구

오래 방치했던 닭 콜레라균을 접종한 닭이 콜레라를 가볍게 앓고 회복하는 것을 보았다.	'탄저병 백신을 양에게 주사하면 탄저병 예방 효과가 있을 것이다.'라는 가설을 세웠다.	여러 양 중 일부에 탄저병 백신을 주사하고, 나머지 양에게는 백신을 주사하지 않은 후, 모든 양에게 탄저균을 주사하였다.	탄저병 백신을 주사한 양은 모두 건강하였고, 백신을 주사하지 않은 양들은 죽었다.	탄저병 백신은 탄저병을 예방하는 효과가 있다는 결론을 내렸다.

—— 독립변인 중 조작 변인

** 플레밍의 페니실린 발견

푸른곰팡이가 핀 곳 주변에는 세균이 증식하지 않는 것을 발견하였다.	'푸른곰팡이에서 나온 어떤 물질이 세균 증식을 억제하는 작용을 했을 것이다.'라는 가설을 세웠다.	여러 개의 세균 배양 접시 중 일부에는 푸른곰팡이를 접종하고, 나머지에는 접종하지 않고 배양하였다.	푸른곰팡이를 접종한 배양 접시에서는 세균이 증식하지 않았고, 접종하지 않은 접시에서는 세균이 증식했다.	'푸른곰팡이에서 나온 물질이 세균 증식을 억제하는 효과가 있다.'라는 결론을 내렸다.

---

01 가설에 대한 설명으로 옳지 <u>않은</u> 것은?

① 가설은 자료를 충분히 수집한 후에 설정해야 한다.

② 가설은 실험을 통해 검증될 수 있도록 진술해야 한다.

③ 가설은 검증이 되기 전이라도 타당한 내용이면 사실로 인정된다.

④ 가설은 자연 현상의 관찰로 의문이 떠오르면 그에 대한 답을 미리 예상하는 것이다.

⑤ 가설을 세울 경우에는 알고 있는 과학적 지식과 과거의 경험을 통해 가장 근접한 답을 찾는 것이 중요하다.

| 해설 | 가설은 실험을 통해 검증될 수 있도록 진술해야 하며 검증이 되기 전까지는 사실로 인정되지 않는다.   ☺ ③

02 다음 (가)~(바)는 연역적 탐구 방법을 순서 없이 나타낸 것이다.

(가) 자연 현상 관찰	(나) 문제 인식
(다) 결과 정리 및 해석	(라) 가설 설정
(마) 결론 도출	(바) 탐구 설계와 수행

(가)~(바)를 순서에 맞게 나열하시오.

| 해설 | 연역적 탐구 방법은 자연 현상에서 문제를 인식하고, 가설을 세워 이를 실험적으로 검증하는 탐구 방법이다.

(가) → (나) → (라) → (바) → (다) → (마) 답

기초 탄탄 문제

정답과 해설 4쪽

핵심용어_ 이 단원에서 내가 아는 것과 아직 모르는 것을 정리하며 나의 공부를 돌아보자.

- □ 귀납적 탐구 방법
- □ 연역적 탐구 방법
- □ 가설
- □ 대조 실험
- □ 실험군과 대조군
- □ 독립변인과 종속변인

01 생명 과학에 대한 설명으로 옳지 <u>않은</u> 것은?

① 생명 과학은 지구에 살고 있는 생물의 기원, 구조와 기능 등을 연구하는 학문이다.

② 생명 과학의 연구 성과는 인류의 생존과 복지에 관한 문제를 해결하는 데 이용된다.

③ 생명 과학에서 생물은 연구 대상이나 생물과 환경과의 관계 등은 연구 대상이 아니다.

④ 생물을 연구할 때에는 각각의 구성 요소뿐만 아니라 전체를 통합적으로 연구해야 한다.

⑤ 현재 생명 과학은 다른 영역의 학문과 연계되어 생물 정보학, 생물 기계 공학 등과 같은 통합 학문 분야가 발달하고 있다.

02 다음은 구달의 침팬지 연구에 관한 내용이다.

구달 박사는 아프리카의 침팬지 보호 구역에서 10여 년간 침팬지의 성장 과정, 행동, 침팬지들 사이의 관계 등을 관찰하였다. 그 결과 침팬지는 육식을 즐기고 도구를 사용하는 등 다양한 행동 특성이 있음을 알아냈다.

이에 대한 설명으로 옳지 <u>않은</u> 것은?

① 귀납적 탐구 방법을 이용하여 연구한 사례이다.

② 위와 같은 탐구 방법을 이용하여 연구한 사례로 세포설의 완성을 들 수 있다.

③ 위에 제시된 탐구 과정은 실험군과 대조군을 설정하지 않고 진행되었다.

④ 관찰이나 측정 등으로 수집한 자료를 분석하고 종합하여 원리를 이끌어 내는 탐구 방법이 이용되었다.

⑤ 침팬지는 육식을 즐기는 동물이라는 가설을 설정하였고, 실험을 통해 이를 증명하였다.

03 귀납적 탐구 방법에 대한 설명으로 옳은 것은?

① 가설 설정 단계가 없다.

② 실험을 통해 원리를 이끌어 내는 탐구 방법이다.

③ 대조군과 실험군을 비교하는 대조 실험을 해야 한다.

④ 생명 과학과 관련한 모든 연구는 귀납적 탐구 방법으로 진행된다.

⑤ 변인 통제를 통해 실험 결과에 영향을 미치는 변인을 적절히 통제해야 한다.

04 연역적 탐구 과정에서 탐구 결과가 가설과 일치하지 않을 경우 어느 단계부터 다시 시작해야 하는가?

① 문제 인식 단계

② 가설 설정 단계

③ 탐구 설계 및 수행 단계

④ 탐구 결과 정리 및 해석 단계

⑤ 관찰 등 자료 수집 방법 고안 단계

05 다음은 (가)와 (나)는 생명 현상을 연구한 사례이다.

(가) 다양한 생물을 관찰하여 얻은 사실들을 토대로 '모든 생물은 세포로 구성되어 있다.'는 세포설을 주장하였다.

(나) 배즙에 단백질을 분해하는 물질이 들어 있다는 말을 듣고 이를 확인해 보기 위해 시험관 A에는 배즙과 달걀흰자, B에는 증류수와 달걀흰자를 같은 양씩 넣고 37 ℃에서 일정 시간 동안 두었다.

(가)와 (나)의 탐구 방법에 대한 설명으로 옳은 것은?

① (가)에서는 연역적 탐구 방법이 이용되었다.

② (나)에서는 관찰을 통해 일반적인 원리를 도출한다.

③ 사람 유전체 사업은 (나)와 같은 방법으로 연구한 것이다.

④ (가)의 탐구 방법에서는 검증할 수 있는 가설을 설정해야 한다.

⑤ (나)에서는 실험군과 대조군을 설정하여 대조 실험을 수행하였다.

내신 만점 문제

정답과 해설 5쪽

* ▨▨▨ 난이도를 나타냅니다.

01 다음은 생명 과학의 연구 성과를 나타낸 것이다.
▧▧▧

> (가) 자동 염기 순서 분석기가 개발되어 대량의 DNA 염기 서열 자료를 얻게 되었고, 이 자료는 컴퓨터 연산 및 정보 처리 기술로 빠르게 분석되어 사람 유전체 전체의 염기 서열이 모두 밝혀졌다.
> (나) 광학의 원리를 이용한 전자 현미경의 개발 이후 양자 역학 원리를 응용한 성능이 더 좋은 전자 현미경이 개발되어 생명 과학이 크게 발전하게 되었다.
> (다) 박쥐 두 마리가 먹이를 두고 경쟁할 때 서로에게 초음파를 쏘아 방해한다는 사실을 발견한 후 초음파가 탐지, 소통 기능뿐만 아니라 적의 미사일을 방해하는 전파 교란 장치로도 활용될 수 있음을 알아냈다.

이에 대한 설명으로 옳은 것만을 〈보기〉에서 있는 대로 고른 것은?

> ┤ 보기 ├
> ㄱ. (가) ~ (다) 모두 생명 과학이 다른 학문 분야와 연계된 사례들이다.
> ㄴ. (가)는 생명 과학과 정보학이 융합된 생물 정보학이 발달한 계기가 되었다.
> ㄷ. (나)는 물리학, (다)는 화학이 각각 생명 과학과 연계되어 이루어진 연구 성과이다.

① ㄱ   ② ㄴ   ③ ㄷ   ④ ㄱ, ㄴ ⑤ ㄴ, ㄷ

02 다음은 생명 과학을 연구하는 탐구 방법의 과정이다.
▧

> 자연 현상 관찰 → 관찰 주제 설정 → (A) → 관찰 자료 수집 → 자료 해석 → 규칙성 발견 및 결론 도출

이에 대한 설명으로 옳은 것만을 〈보기〉에서 있는 대로 고른 것은?

> ┤ 보기 ├
> ㄱ. 규칙성 발견 및 결론을 도출하기 위해 대조군을 설정하여 관찰한다.
> ㄴ. A는 관찰을 통해 인식한 문제를 해결하기 위한 잠정적인 답을 설정하는 단계인 가설 설정이다.
> ㄷ. 세포설, 사람의 유전체 사업, 다윈의 진화설 등은 위에 제시된 탐구 방법을 이용하여 연구한 것이다.

① ㄱ   ② ㄴ   ③ ㄷ   ④ ㄱ, ㄴ   ⑤ ㄱ, ㄷ

03 변인에 대한 설명으로 옳은 것만을 〈보기〉에서 있는 대로 고른 것은?
▭

> ┤ 보기 ├
> ㄱ. 조작 변인의 영향을 받아 변하는 변인으로 실험 결과에 해당하는 것은 종속변인이다.
> ㄴ. 조작 변인은 실험 결과에 영향을 미치지만 통제 변인은 실험 결과에 영향을 미치지 않는다.
> ㄷ. 실험에서 의도적으로 변화시키는 변인과 일정하게 유지시키는 변인은 모두 독립변인에 해당한다.

① ㄱ   ② ㄷ   ③ ㄱ, ㄴ
④ ㄱ, ㄷ   ⑤ ㄱ, ㄴ, ㄷ

 04 표는 여러 가지 변인에 대한 설명이다.
▭

변인	특징
(가)	실험 결과에 영향을 미치는 요인을 통틀어 일컫는다.
(나)	조작 변인에 따라 변하는 변인으로 실험 결과에 해당한다.
(다)	의도적으로 체계적인 변화를 주어 실험 결과에 영향을 미치는 변인이다.
(라)	실험 결과에 영향을 미칠 수 있으므로 실험하는 동안 일정하게 유지시켜야 하는 변인이다.

(가)~(라)에 해당하는 변인을 옳게 짝지은 것은?

	(가)	(나)	(다)	(라)
①	독립변인	종속변인	조작 변인	통제 변인
②	종속변인	독립변인	조작 변인	통제 변인
③	통제 변인	조작 변인	종속변인	독립변인
④	독립변인	종속변인	통제 변인	조작 변인
⑤	종속변인	조작 변인	독립변인	통제 변인

05 다음은 플레밍이 페니실린을 발견한 과정을 순서 없이 나열한 것이다.

> (가) 플레밍은 푸른곰팡이가 핀 배양 접시를 골라 내다가 푸른곰팡이 주변에는 세균이 증식하지 않은 것을 발견하고 '왜 그럴까?'라는 의문을 품었다.
>
> (나) 플레밍은 실험 결과를 토대로 '푸른곰팡이에서 나온 물질이 세균 증식을 억제하는 효과가 있다.'라는 결론을 내렸고, '페니실린'이라는 이름을 붙였다.
>
> (다) 여러 개의 세균 배양 접시 중 ㉠일부 배양 접시에는 푸른곰팡이를 접종하여 세균을 배양하고, 나머지 ㉡배양 접시에는 푸른곰팡이를 접종하지 않고 세균을 배양하였다.
>
> (라) 플레밍은 세균을 연구하던 중 세균을 배양하던 접시를 잘못 관리하여 배양 접시에 푸른곰팡이가 생긴 것을 발견하였다.
>
> (마) 플레밍은 ㉢'푸른곰팡이에서 나온 어떤 물질이 세균 증식을 억제하는 작용을 했을 것이다.'라는 생각을 하였다.
>
> (바) 푸른곰팡이를 접종한 배양 접시에서는 세균이 증식하지 않았고, 푸른곰팡이를 접종하지 않은 배양 접시에서는 세균이 증식하였다.

이에 대한 설명으로 옳지 <u>않은</u> 것은?

① 연역적 탐구 방법을 이용한 연구 과정이다.

② 위 과정을 순서대로 나열하면 (라) → (가) → (다) → (바) → (마) → (나)이다.

③ ㉠과 ㉡을 비교하여 실험하면 실험 결과에 대한 타당성과 신뢰성을 얻을 수 있다.

④ ㉠과 ㉡에서 푸른곰팡이의 접종 여부를 제외한 나머지 변인은 모두 일정하게 유지해야 한다.

⑤ ㉢은 의문에 대한 답을 추측하여 내린 잠정적인 결론으로, 이를 검증하기 위한 실험을 설계해야 한다.

06 실험 결과에 영향을 미치는 변인 중 독립변인에 해당하는 것만을 〈보기〉에서 있는 대로 고른 것은?

> ┤ 보기 ├
> ㄱ. 조작 변인　　　　　ㄴ. 종속변인
> ㄷ. 통제 변인　　　　　ㄹ. 변인 통제

① ㄱ, ㄴ　　　② ㄱ, ㄷ　　　③ ㄴ, ㄹ
④ ㄱ, ㄷ, ㄹ　　　⑤ ㄴ, ㄷ, ㄹ

07 다음은 소화 효소 X의 작용을 알아보는 탐구이다.

> [가설] (　　(가)　　)
>
> [탐구 설계 및 수행] 시험관 I과 II에 아래 표와 같이 물질을 첨가하여 반응시킨다.
>
> | 시험관 | 첨가한 물질 | 온도 |
> |---|---|---|
> | I | 녹말 용액 + 증류수 | 37 ℃ |
> | II | ㉠ | ㉡ |
>
> [탐구 결과] 시험관 II에서만 녹말이 분해되었다.
> [결론] 소화 효소 X는 녹말을 분해한다.

이에 대한 설명으로 옳은 것만을 〈보기〉에서 있는 대로 고른 것은?

> ┤ 보기 ├
> ㄱ. (가)에 해당하는 것은 '소화 효소 X는 녹말을 분해할 것이다.'이다.
> ㄴ. ㉠은 종속변인, ㉡은 통제 변인에 각각 해당한다.
> ㄷ. 시험관 II에서만 녹말이 분해된 것은 온도가 37 ℃보다 더 높아 반응이 활발히 일어났기 때문이다.

① ㄱ　　② ㄴ　　③ ㄷ　　④ ㄱ, ㄴ　⑤ ㄴ, ㄷ

08 그림은 여러 변인들을 구분한 것이다. (단, A, B, C는 조작 변인, 종속변인, 통제 변인 중 하나이다.)

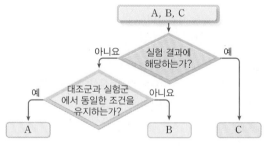

이에 대한 설명으로 옳은 것만을 〈보기〉에서 있는 대로 고른 것은?

> ┤ 보기 ├
> ㄱ. A는 독립변인에 따라 변하는 종속변인이다.
> ㄴ. A는 통제 변인, B는 조작 변인이다.
> ㄷ. C는 종속변인으로 대조군과 실험군이 동일하게 유지해야 하는 변인이다.

① ㄱ　　② ㄴ　　③ ㄱ, ㄷ　　④ ㄴ, ㄷ　　⑤ ㄱ, ㄴ, ㄷ

다음은 생명 과학의 탐구 방법에 따라 연구한 내용이다.

레디(Redi, F., 1626~1697)는 2개의 병에 작은 고기 조각을 넣은 후 ㉠하나는 입구를 막지 않고, ㉡다른 하나는 천으로 입구를 막았다. 며칠 후 입구를 막지 않은 병의 고기 조각에만 구더기가 생긴 것을 통해 이 구더기는 파리로부터 발생한 것이라는 결론을 내렸다.

이에 대한 설명으로 옳은 것만을 〈보기〉에서 있는 대로 고른 것은?

┤ 보기 ├
ㄱ. ㉠은 실험군, ㉡은 대조군이다.
ㄴ. 귀납적 탐구 방법을 이용하여 연구한 것이다.
ㄷ. 위 탐구 과정에서 종속변인은 구더기 발생 여부이다.

① ㄱ ② ㄷ ③ ㄱ, ㄴ ④ ㄱ, ㄷ ⑤ ㄱ, ㄴ, ㄷ

10 다음 가설을 검증하기 위해 실험을 할 때 ㉠ 조작 변인, ㉡ 통제 변인, ㉢ 종속변인에 해당하는 것을 옳게 짝지은 것은?

[가설]
바람이 불 때 식물의 증산 작용이 증가할 것으로 생각하였다.

	㉠	㉡	㉢
①	바람의 유무	온도	증산 작용의 정도
②	잎의 수	온도	광합성량
③	온도	빛의 세기	잎의 수
④	빛의 세기	바람의 유무	증산 작용의 정도
⑤	바람의 유무	증산 작용의 정도	빛의 세기

서술형 문제

11 파스퇴르가 탄저병 백신의 효과를 확인하는 과정을 설명한 것이다.

파스퇴르는 한 목장에서 사육된 나이와 체중이 같은 50마리의 양 가운데 25마리에게는 탄저병 백신을 접종하고, 나머지 25마리에게는 백신을 접종하지 않았다. 2주 후 파스퇴르는 이 50마리의 양 모두에게 독성이 강한 탄저균을 주사하였다. 이틀 후 파스퇴르는 백신을 접종한 25마리의 양은 모두 살아 있지만 백신을 접종하지 않은 25마리의 양 가운데 21마리가 죽은 것을 확인하였다.

(1) 조작 변인과 종속변인을 쓰시오.

(2) 백신을 접종하지 않은 25마리의 양 집단이 필요한 까닭은 무엇인지 서술하시오.

12 다음은 면역의 원리를 알아보기 위한 실험이다.

[실험 과정] 쥐를 두 집단으로 나누어 집단 (가)에는 식염수를 주사하고, 집단 (나)에는 죽은 병원균 A를 주사하였다. 그리고 10일이 지난 후 두 집단의 쥐에게 동시에 살아 있는 병원균 A를 주사하였다.

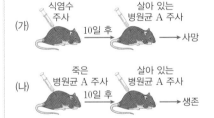

[실험 결과] 집단 (가)의 쥐는 모두 죽었고, 집단 (나)의 쥐는 모두 살아남았다.

(1) 위 탐구에서 실험군과 대조군을 쓰시오.

(2) 이 실험의 가설을 서술하시오.

1. 생물의 특성

① 개체 유지에 필요한 특성

세포로 구성	모든 생물은 세포로 이루어져 있으며, 세포는 생물을 구성하는 구조적 · 기능적 단위이다.
물질대사	생명체 내에서 일어나는 모든 화학 반응으로 생물은 물질대사를 통해 에너지를 얻고, 이 에너지로 생명 활동을 한다.
발생	다세포 생물의 경우, 하나의 수정란이 세포 분열을 거쳐 많은 세포를 형성하면서 복잡하게 분화하여 하나의 완전한 개체가 된다.
생장	발생 결과 생성된 어린 개체는 체세포 분열을 통해 세포 수를 늘려 성체가 된다.
자극에 대한 반응	생물은 다양한 환경의 변화를 자극으로 받아들이고, 이에 대해 적절히 반응한다.
항상성	생물은 외부 환경이 변하여도 체내 상태가 일정하게 유지되는데 이를 항상성이라고 하며, 내분비계와 신경계의 작용을 통해 조절된다.

② 종족 유지에 필요한 특성

생식	생물이 종족을 유지하기 위해 자손을 남기는 현상으로 유성 생식과 무성 생식이 있다.
유전	생식을 통해 유전 물질이 자손에게 전해져 자손이 어버이의 형질을 이어받는 것이다.
적응	생물이 환경에 적합하게 몸의 구조와 기능, 형태, 습성이 변화하는 현상이다.
진화	생물이 환경에 적응하는 동안 유전자 변화가 일어나 새로운 생물종이 나타나는 과정이다.

2. 바이러스

① 바이러스: 단백질 껍질 속에 핵산이 들어 있는 구조이며, 숙주 세포 밖에서는 단백질 결정체로 존재한다.
② 바이러스의 생물적 특성과 비생물적 특성

생물적 특성	비생물적 특성
• 유전 물질인 핵산을 가지고 있음 • 살아 있는 숙주 세포 내에서 물질대사와 증식이 가능 • 증식 과정에서 유전 현상이 나타나고 돌연변이가 나타남	• 세포의 구조를 갖추지 못함 • 숙주 세포 밖에서는 핵산과 단백질 결정체로 존재 • 효소가 없어 숙주 세포 밖에서 스스로 물질대사를 할 수 없음

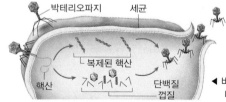

◀ 바이러스는 숙주 세포 내에서 증식한다.

3. 생명 과학의 연구 대상과 통합적 특성

① 생명 과학의 연구 대상: 생명 과학은 지구에 살고 있는 생물의 기원, 구조와 기능, 생식과 유전, 분류 및 분포 등을 분자 수준에서 생태계까지 다양한 범위에서 통합적으로 연구하는 학문이다.
② 생명 과학의 통합적 특성: 생명 과학은 컴퓨터 공학, 정보 기술 등과 같은 다양한 영역의 학문과 연계되어 생물 정보학, 생물 기계 공학, 생물 물리학 등과 같은 다양한 통합 학문 분야가 발달하고 있다.

4. 생명 과학의 연구 방법 중 귀납적 탐구

• 자연 현상을 관찰하여 얻은 자료를 종합하고 분석하는 과정에서 규칙성을 발견하여 일반적인 원리나 법칙을 이끌어 내는 탐구 방법이다. 예 세포설 완성, 자연 선택설 완성 등

5. 생명 과학의 연구 방법 중 연역적 탐구 방법

① 연역적 탐구 방법은 가설을 세워 인식한 문제를 실험적으로 검증하는 탐구 방법이다.
② 탐구 과정

관찰 및 문제 인식	자연 현상을 관찰하고, 의문이 생기는 단계
가설 설정	문제에 대하여 잠정적으로 결론을 내리는 단계
탐구 설계 및 수행	가설 검증을 위해 실험을 설계하고 수행하는 단계
탐구 결과 정리 및 해석	실험을 통해 얻은 자료를 정리, 분석하여 규칙성이나 경향성을 알아내는 단계 • 가설과 일치하면: 결론 도출 • 가설과 일치하지 않으면: 가설 재설정
결론 도출	결과를 종합하여 객관적이고 일반적인 결론을 도출시키는 단계

③ 대조 실험 실시: 실험 결과의 타당성을 높이기 위해 대조군과 실험군을 설정하여 비교한다.

실험군	실험 조건을 변경 또는 제거한 집단
대조군	실험 조건을 변화시키지 않은 집단

④ 변인 통제: 조작 변인 이외에 종속변인에 영향을 줄 수 있는 다른 변인을 모두 일정하게 유지하는 것이다.
⑤ 변인의 종류

독립변인	실험 결과에 영향을 주는 요인이다. • 조작 변인: 실험의 목적을 위해 변화시키는 변인 • 통제 변인: 실험하는 동안 일정하게 유지시키는 변인
종속변인	조작 변인의 영향을 받아 변하는 변인으로 실험 결과에 해당한다.

01 그림은 생물의 특성을 개념도로 나타낸 것이다.

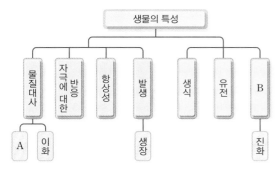

이에 대한 설명으로 옳은 것은?

① A는 발열 반응으로, 소화, 호흡 등이 해당된다.
② A는 수정란이 체세포 분열을 통하여 하나의 개체가 되는 과정이다.
③ A는 개체 유지에 필요한 특성이고, B는 종족 유지에 필요한 특성이다.
④ B는 숙주 세포 내의 바이러스에서는 나타나지 않는 생물적 특성이다.
⑤ B는 외부 환경이 변하여도 생물의 체내 환경이 항상 일정한 상태를 유지하도록 하는 특성이다.

02 그림은 서식 환경에 따른 두 토끼의 모습을 나타낸 것이다.

사막 지역   북극 지역

이 자료에 나타난 생물의 특성에 대한 설명으로 옳은 것만을 〈보기〉에서 있는 대로 고른 것은?

┤ 보기 ├
ㄱ. 종족을 유지하기 위해 필요한 생물의 특성이다.
ㄴ. 위의 자료에 나타난 생물의 특성은 생식과 유전 현상이다.
ㄷ. 위의 자료에 나타난 생물의 특성과 같은 예로 '식물이 빛을 향해 자란다.'를 들 수 있다.

① ㄱ   ② ㄴ   ③ ㄱ, ㄷ
④ ㄴ, ㄷ   ⑤ ㄱ, ㄴ, ㄷ

03 다음은 민물고기에 대한 설명이다.

민물고기의 경우 아가미와 체표를 통해 많은 물이 체내로 유입되기 때문에 체액의 염분 농도가 낮아진다. 민물고기는 부족한 염분을 아가미를 통해 흡수하고 먹이를 통해 섭취할 뿐만 아니라, 묽은 오줌을 배설하여 염분의 손실을 줄인다. 필요한 염분을 흡수하고 손실되는 염분을 줄임으로써 민물고기는 체액의 삼투압을 일정하게 유지할 수 있다.

이와 같은 생물의 특성의 예로 옳은 것만을 〈보기〉에서 있는 대로 고른 것은?

┤ 보기 ├
ㄱ. 물을 많이 마시면 오줌양이 증가한다.
ㄴ. 짚신벌레는 분열법으로 개체 수가 증가한다.
ㄷ. 플라나리아는 빛을 비추면 어두운 곳으로 이동한다.
ㄹ. 해바라기는 한낮에 증산 작용을 통해 식물체 내의 수분량을 조절한다.

① ㄱ, ㄴ   ② ㄴ, ㄷ   ③ ㄱ, ㄹ
④ ㄴ, ㄷ, ㄹ   ⑤ ㄱ, ㄴ, ㄷ, ㄹ

04 다음은 바이러스의 증식을 억제하는 약물에 대한 자료이다.

바이러스의 증식을 억제하는 어떤 약물을 환자에게 투여한 후 약물에 대한 바이러스의 저항률 변화를 조사하였다. 그 결과 그래프와 같이 약물 투여 후 환자의 체내에서는 약물에 저항성을 갖는 바이러스가 빠르게 증식하였음을 알 수 있었다.

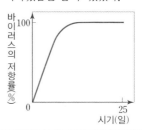

이 자료에 나타난 생물의 특성으로 옳은 것은?

① 자극에 대한 반응   ② 생장과 발생
③ 유전   ④ 물질대사
⑤ 적응과 진화

05 그림은 화성 토양에 생명체가 존재하는지 알아보기 위한 실험 과정이다.

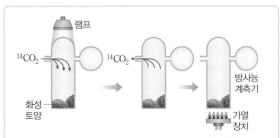

(가) 화성 토양이 든 용기에 방사성 기체($^{14}CO_2$)를 넣고 램프로 빛을 비춘다.

(나) 일정 시간 후 용기 내 방사성 기체를 모두 제거한다.

(다) 가열 장치로 화성 토양을 가열하면서 용기 내의 방사능을 측정한다.

이에 대한 설명으로 옳은 것만을 〈보기〉에서 있는 대로 고른 것은?

┤ 보기 ├

ㄱ. 생명체가 자극에 대해 반응하는 특성을 이용한 실험이다.

ㄴ. 방사능 계측기에 방사능이 검출되었다면 생명체에 의한 동화 작용이 일어난 것이라 볼 수 있다.

ㄷ. 만약 화성 토양에 바이러스만 존재하였다면 화성 토양을 가열하였을 때 바이러스의 단백질 때문에 방사능이 검출되었을 것이다.

① ㄱ   ② ㄴ   ③ ㄷ   ④ ㄱ, ㄷ   ⑤ ㄴ, ㄷ

06 그림은 바이러스와 아메바의 공통점과 차이점을 나타낸 것이다.
이에 대한 설명으로 옳은 것만을 〈보기〉에서 있는 대로 고른 것은?

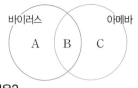

┤ 보기 ├

ㄱ. '단백질이 있다.'는 A에 해당한다.

ㄴ. '유전 물질이 있다.'는 B에 해당한다.

ㄷ. '독자적인 물질대사를 한다.'는 C에 해당한다.

① ㄱ   ② ㄴ   ③ ㄷ

④ ㄴ, ㄷ   ⑤ ㄱ, ㄴ, ㄷ

07 그림은 대장균(A)과 바이러스의 일종인 박테리오파지(B)를 나타낸 것이다.

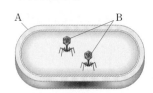

A와 B가 공통적으로 나타내는 특성을 〈보기〉에서 있는 대로 고른 것은?

┤ 보기 ├

ㄱ. 핵산을 가지고 있다.

ㄴ. 세포 분열로 개체 수를 증가시킨다.

ㄷ. 효소가 있어 독자적인 물질대사를 할 수 있다.

① ㄱ   ② ㄴ   ③ ㄱ, ㄴ

④ ㄴ, ㄷ   ⑤ ㄱ, ㄴ, ㄷ

08 생명 과학에 대한 설명으로 옳은 것만을 〈보기〉에서 있는 대로 고른 것은?

┤ 보기 ├

ㄱ. 지구에 살고 있는 생물의 기원, 구조와 기능, 생식과 유전, 분류 및 분포 등을 연구한다.

ㄴ. 연구 성과는 질병, 환경 오염, 기후 변화 등과 같은 인류의 생존과 복지에 관한 문제를 해결하는 데 이용된다.

ㄷ. 생물을 구성하는 물질의 분자 수준부터 세포, 개체, 생태계 등 다양한 범위의 생명 현상을 연구하는 학문이다.

ㄹ. 생물을 연구할 때에는 전체를 통합적으로 연구할 것이 아니라 생물 각각의 구성 요소에 해당하는 것만 연구해야 한다.

① ㄱ, ㄴ   ② ㄴ, ㄷ   ③ ㄷ, ㄹ

④ ㄱ, ㄴ, ㄷ   ⑤ ㄱ, ㄴ, ㄷ, ㄹ

09 표는 생명 과학을 연구하는 두 탐구 방법의 일부를 나타낸 것이다.

구분	탐구 방법
(가)	자연 현상 관찰 → 관찰 주제 설정 → (A) → 관찰 자료 수집 → 자료 해석
(나)	자연 현상 관찰 → 문제 인식 → (B) → 탐구 설계

이에 대한 설명으로 옳은 것만을 〈보기〉에서 있는 대로 고른 것은?

┤ 보기 ├
ㄱ. (가)는 연역적 탐구 방법이고, (나)는 귀납적 탐구 방법이다.
ㄴ. A는 가설을 설정하는 단계이고, B는 자료를 종합하고 분석하는 과정에서 규칙성을 발견하여 일반적인 원리나 법칙을 이끌어 내는 단계이다.
ㄷ. 왓슨과 크릭의 DNA 이중 나선 구조 발견은 (가)의 탐구 과정을 통해 이끌어 낸 것이다.

① ㄱ   ② ㄴ   ③ ㄷ   ④ ㄴ, ㄷ   ⑤ ㄱ, ㄴ, ㄷ

10 다음은 생물의 특성을 알아보기 위한 탐구 방법의 일부이다.

[실험 과정] 병 A에는 증류수와 효모를, 병 B에는 포도당 수용액과 효모를 넣고 그림과 같이 장치한다.

[실험 결과] 2시간 후 병 A보다 병 B의 온도가 더 높아졌고, B의 석회수만 뿌옇게 변했다.

(1) 만약 이 실험의 가설이 '효모는 포도당을 세포 호흡에 이용할 것이다.'라고 한다면 A와 B 중 실험군과 대조군은 각각 어느 것인지 쓰시오.

(2) 이 실험에서 알아보고자 하는 생물의 특성을 쓰고, 그 의미를 서술하시오.

11 가젤 영양에 대한 연구 과정을 순서 없이 나타낸 것이다.

(가) 가젤 영양의 '뜀뛰기 행동'이 어떤 상황에서 나타나는지 관찰하기로 하였다.
(나) 가젤 영양의 특이한 뜀뛰기 행동을 관찰하였다.
(다) '가젤 영양은 포식자가 주변에 나타나면 뜀뛰기 행동을 한다.'라는 결론을 도출했다.
(라) 가젤 영양은 치타와 같은 포식자가 주변에 나타날 때마다 엉덩이를 치켜드는 뜀뛰기 행동을 하였다.

이에 대한 설명으로 옳은 것만을 〈보기〉에서 있는 대로 고른 것은?

┤ 보기 ├
ㄱ. 연역적 탐구 과정이다.
ㄴ. (나)는 가설 설정 단계이다.
ㄷ. 과정을 순서대로 나열하면 (나) → (가) → (라) → (다)이다.

① ㄷ   ② ㄱ, ㄴ   ③ ㄱ, ㄷ   ④ ㄴ, ㄷ   ⑤ ㄱ, ㄴ, ㄷ

12 다음은 CO_2 농도와 광합성의 관계를 알아보는 탐구 과정이다.

(가) 식물 10 그루를 준비하여 각각 질량을 측정한 뒤, 빛이 통과하는 용기 10개에 하나씩 심고, 용기를 밀봉한 후, 그 안의 CO_2를 제거한다.
(나) CO_2 농도가 0.01 %로부터 0.10 %까지 0.01 %씩 차이나도록 각 용기 내에 CO_2를 주입하고, 그 농도를 일정하게 유지한다.
(다) 모든 용기를 빛의 세기가 일정한 온실에 3일간 보관한 후 각 식물의 질량을 측정하여 비교한다.

이에 대한 설명으로 옳은 것만을 〈보기〉에서 있는 대로 고른 것은?

┤ 보기 ├
ㄱ. CO_2 농도는 조작 변인이고, 식물의 질량은 종속 변인이다.
ㄴ. 위 탐구 과정에서 관찰 등 자료 수집 방법을 고안하는 단계는 (가) 이전이다.
ㄷ. 위 탐구 과정은 가설을 세워 이를 실험적으로 검증하는 귀납적 탐구 과정에 해당한다.

① ㄱ   ② ㄴ   ③ ㄱ, ㄷ   ④ ㄴ, ㄷ   ⑤ ㄱ, ㄴ, ㄷ

기관계 배설계 1일 대사량 물
대사성 질환 포도당 무기 인산
이산화 탄소 암죽관 산소
융털 이화 작용 질소 호흡계
조직 세포 통합적 작용
모세 혈관 무기 인산 암죽관
융털 폐포 대사량 비만 활동 고지혈증 ADP
질소 당뇨병 노폐물 순환계 이화 작용
암죽관 무기 인산 융털ADP 암죽관 폐포
확산 ATP 대사성 질환 물
에너지 대사 고지혈증 산소 세포 호흡 기초 대사량
ADP융털 조직 세포 대사량 요소
대사량 물질대사 포도당
요소 고혈압 암모니아 동화 작용
모세 혈관 암죽관 통합적 작용 소화계
대사성 질환 폐포 무기 인산 대사량 비만
배설계 당뇨병 순환계
질소 무기 인산노폐물
기관계 1일 대사량

사람의
물질대사

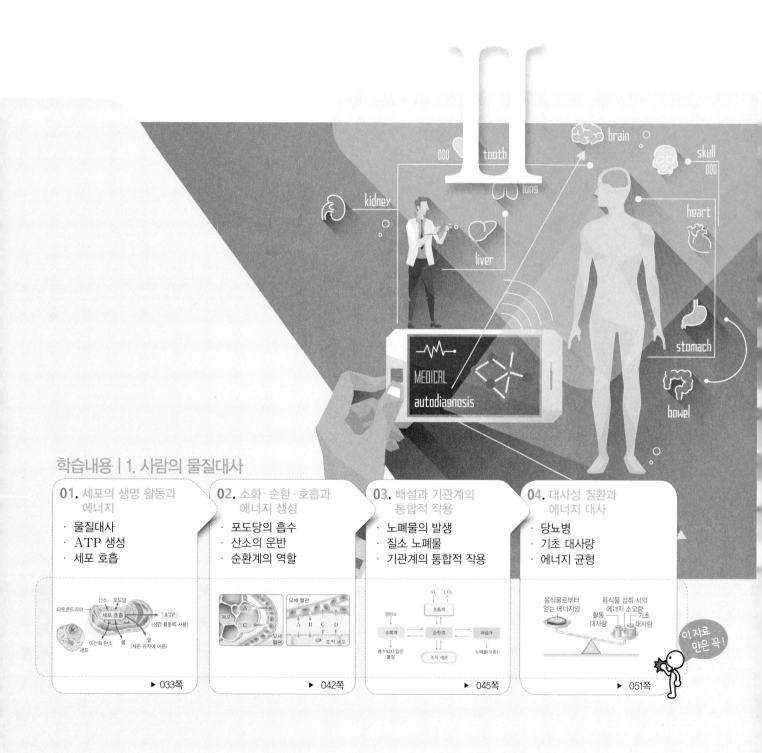

이 자료 만은 꼭!

01 세포의 생명 활동과 에너지

내 교과서는 어디에?

천재 p.33~37 동아 p.35~39 미래엔 p.38~43
비상 p.35~38 금성 p.44~48 교학사 p.33~37 지학사 p.34~37

핵심 Point
● 물질대사의 종류와 특징을 안다.
● 물질대사 과정에서 **방출된** 에너지가 **생명 활동**에 사용됨을 안다.

1 물질대사

1. **물질대사의 뜻** 생명체에서 생명을 유지하기 위해 일어나는 모든 화학 반응 ➡ 물질대사를 통해 새로운 에너지를 얻고, 세포의 구성 물질이나 생리 작용을 조절하는 데 필요한 물질을 합성한다.

2. **물질대사의 특징**
① 물질대사가 진행될 때에는 반드시 에너지가 출입한다. ➡ '에너지 대사'라고도 한다.
② 물질대사 과정에서 효소❶(생체 촉매)가 작용한다. ➡ 체온 범위의 낮은 온도에서도 화학 반응이 빠르게 진행된다.
③ 물질대사는 여러 단계에 걸쳐 반응이 일어난다. ➡ 각 단계마다 효소가 작용하며, 소량씩 에너지가 출입한다.

3. **물질대사의 구분**

구분	동화 작용	이화 작용
정의	저분자 물질을 고분자 물질로 합성하는 반응이다.	고분자 물질을 저분자 물질로 분해하는 반응이다.
에너지 출입	에너지가 흡수되는 흡열 반응이다.	에너지가 방출되는 발열 반응이다.
예	• 여러 종류의 아미노산을 결합하여 단백질을 합성한다. • 뉴클레오타이드를 결합하여 DNA와 RNA를 합성한다. • 많은 수의 포도당을 결합하여 ▶글리코젠을 합성한다. • 식물의 광합성: 물과 이산화 탄소가 결합하여 포도당이 생성된다.	• 세포 호흡❷: 포도당을 이산화 탄소와 물로 분해하고 에너지가 방출된다. • 글리코젠이 분해되어 많은 수의 포도당이 만들어진다. • 단백질이 소화 효소에 의해 아미노산으로 분해된다. • 녹말이 소화 효소에 의해 엿당으로 분해된다.

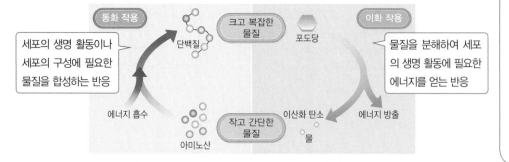

❶ 효소

생체 내에서 화학 반응이 잘 일어나도록 촉매 역할을 하는 물질이다. 물질대사의 각 단계마다 다른 종류의 효소가 관여하며, 생명 활동의 핵심 물질이다.

❷ 세포 호흡

포도당이 이산화 탄소와 물로 분해되는 과정을 세포 호흡이라고 한다. 세포 호흡 결과 ATP와 열에너지가 방출된다. ATP 속 화학 에너지는 여러 가지 생명 활동에 쓰이고 열에너지는 체온 유지에 이용된다.

─── 용어 ───

▶ 글리코젠(glycogen): 동물의 에너지원으로 사용되는 다당류이다. 간 및 근육에서 주로 만들어지며, 필요할 때 포도당으로 분해되어 사용된다.

2 에너지의 생성과 ATP

1. 세포 호흡 영양소에 저장된 화학 에너지를 생명 활동에 필요한 에너지로 전환하는 과정
 └ 탄수화물, 단백질, 지방 등이 쓰인다.

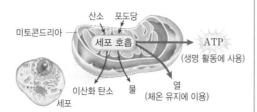

① 세포 호흡에 주로 이용되는 영양소는 포도당이며, 포도당과 산소가 반응해 이산화 탄소와 물로 분해되면서 에너지가 방출된다.

$$포도당(C_6H_{12}O_6) + 산소(O_2) → 이산화 탄소(CO_2) + 물(H_2O) + 에너지(ATP, 열)$$

② 세포 호흡은 주로 미토콘드리아에서 일어난다. ➡ 에너지 소비가 큰 근육 세포에는 다른 세포보다 미토콘드리아의 수가 더 많다.

③ 세포 호흡 과정에서 방출된 에너지의 일부는 ATP에 저장되고, 나머지는 열로 방출되어 체온 유지에 이용된다.❸

2. ATP 생명 활동에 직접적으로 사용되는 에너지 저장 물질이다.

① ATP의 구조

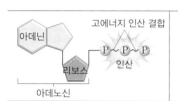

- ATP: 아데닌과 리보스에 3개의 인산기가 결합한 화합물❹
- 인산기와 인산기 사이의 결합에는 많은 에너지가 투입된다. → 인산기 사이의 결합을 고에너지 인산 결합이라고 한다.

② ATP의 끝에 있는 인산기 사이의 고에너지 인산 결합이 끊어져 ATP가 ADP와 무기 인산(P_i)으로 분해될 때 에너지가 방출된다.❺

③ ATP가 분해되어 방출된 에너지는 기계적 에너지, 열에너지, 소리 에너지 등으로 전환되어 물질 합성, 근육 운동, 체온 유지, 발성, 정신 활동, 생장 등 다양한 생명 활동에 사용된다.

|자료 파헤치기|

ATP의 생성과 이용

세포 호흡 결과 발생한 에너지의 일부는 ADP와 인산기가 결합해 ATP가 합성되는 데 쓰인다.

ATP가 분해되어 맨 끝에 있는 인산기가 떨어지는 과정에서 많은 에너지가 방출된다.

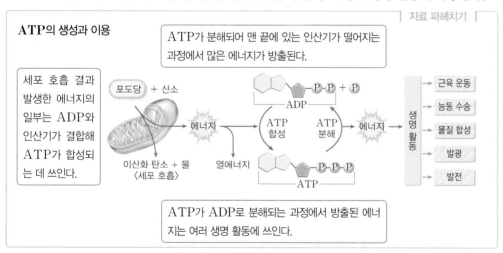

ATP가 ADP로 분해되는 과정에서 방출된 에너지는 여러 생명 활동에 쓰인다.

---

❸ **세포 호흡과 연소의 비교**
- 세포 호흡: 효소가 작용해 체온 범위에서 여러 단계에 걸쳐 일어나며, 매 단계마다 에너지가 조금씩 방출된다.
- 연소: 유기 물질이 높은 온도에서 빛과 열을 내면서 다량의 에너지가 한 번에 방출된다.

❹ **ADP와 ATP**

아데노신(아데닌+리보스)에 인산기가 2개 붙어 있으면 ADP, 인산기가 3개 붙어 있으면 ATP가 된다.

❺ **ATP와 에너지**
생명 활동에 에너지를 사용할 때에는 ATP가 ADP와 무기 인산(P_i)으로 분해되고, 미토콘드리아에서 세포 호흡이 일어나면 ADP와 무기 인산(P_i)이 ATP로 합성된다.

셀파 콕콕 🔍
세포 호흡에서 방출된 에너지가 모두 ATP에 저장되지 않고, 많은 양이 열에너지 형태로 방출된다는 것을 알아 두자.

개념 확인하기

1 물질대사 반응의 각 단계마다 특정 (   )가 관여한다.

2 물질대사가 진행될 때에는 반드시 에너지 출입이 함께 일어난다. (○, ×)

3 세포 호흡은 주로 세포의 (   )에서 일어난다.

4 ADP는 생명 활동에 직접적으로 사용되는 에너지원이다. (○, ×)

답 1. 효소 2. ○
3. 미토콘드리아 4. ×

목표 용액의 종류에 따른 효모의 물질대사 속도를 비교할 수 있다.

과정

❶ 37~40 ℃의 따뜻한 증류수에 포도당과 설탕을 각각 녹여 10 % 포도당 용액과 10 % 설탕 용액을 만든다.

❷ 37~40 ℃의 따뜻한 증류수 40 mL에 건조 효모 4 g을 녹여 효모액을 만든다.

❸ 발효관 A~C에 용액을 다음과 같이 넣는다.

발효관 A	10 % 포도당 용액 20 mL + 증류수 15 mL
발효관 B	10 % 포도당 용액 20 mL + 효모액 15 mL
발효관 C	10 % 설탕 용액 20 mL + 효모액 15 mL

❹ 맹관부에 기체가 들어가지 않도록 발효관을 세우고 입구를 솜으로 막는다.

❺ 맹관부에 모이는 이산화 탄소의 부피를 2분 간격으로 측정하여 기록한다.

❻ 이산화 탄소가 맹관부에 모이면서 용액이 발효관의 둥근 부분을 채우거나, 측정할 수 있는 눈금의 범위를 초과하면 실험을 멈춘다.

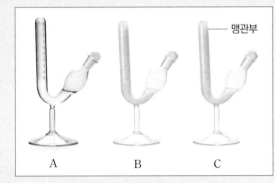

결과 및 정리

1. 발효관의 용액에서 이산화 탄소가 발생하는 까닭은 무엇인가?
   → 효모는 산소가 없는 조건에서는 알코올 발효를 하여 포도당을 에탄올과 이산화 탄소로 분해하기 때문이다.

2. 이산화 탄소 발생 속도가 빠른 순서대로 적어 보자.
   → B > C > A

3. 용액의 종류에 따라 이산화 탄소의 발생 속도가 다른 까닭은 무엇인가?
   → 단당류인 포도당은 바로 알코올 발효에 이용될 수 있지만, 이당류인 설탕은 단당류까지 분해되는 데 시간이 걸리기 때문이다.

탐구 대표 문제 정답과 해설 8쪽

01 그림은 10 % 포도당 용액에 효모액을 섞어 발효관에 넣은 다음 입구를 솜으로 막은 것이다. 이에 대한 설명으로 옳지 <u>않은</u> 것은?

① 반응 결과 알코올이 생성된다.

② 맹관부에 모이는 기체는 이산화 탄소이다.

③ 효모는 에너지를 생성하기 위해 포도당을 이용한다.

④ 솜으로 입구를 막은 것은 산소가 부족한 환경을 만들기 위한 것이다.

⑤ 효모는 미토콘드리아를 가지고 있지 않기 때문에 세포 호흡을 할 수 없다.

기초 탄탄 문제

정답과 해설 8쪽

핵심용어_ 이 단원에서 내가 아는 것과 아직 모르는 것을 정리하며 나의 공부를 돌아보자.

□ 물질대사   □ 동화 작용
□ 이화 작용   □ 세포 호흡
□ ATP   □ ADP

01 생명체 내에서 일어나는 여러 가지 반응 중 동화 작용에 해당하는 것은?

① 녹말이 엿당으로 분해된다.

② 소화 효소에 의해 단백질이 아미노산으로 분해된다.

③ 근육 세포에서 포도당을 이산화 탄소와 물로 분해한다.

④ 간에서는 혈당량 조절을 위해 글리코젠이 포도당으로 변화되기도 한다.

⑤ 이자 세포에서 영양소를 분해하는 데 필요한 소화 효소 단백질을 합성한다.

02 그림은 생명체 내에서 화학 반응이 일어날 때 반응 경로에 따른 에너지 변화를 나타낸 것이다.

이에 대한 설명으로 옳지 **않은** 것은?

① 이화 작용에 해당한다.

② A에 해당하는 에너지를 흡수하는 반응이다.

③ 고분자 물질을 저분자 물질로 분해하는 반응이다.

④ 세포 호흡 과정에서도 이와 같은 에너지 변화가 나타난다.

⑤ 반응이 단계적으로 일어나고 단계마다 효소에 의해 진행된다.

03 세포 호흡에 대한 설명으로 옳은 것은?

① 에너지가 흡수되는 반응이다.

② 이산화 탄소와 물로 포도당을 합성하는 과정이다.

③ 세포 호흡은 주로 세포의 미토콘드리아에서 일어난다.

④ 세포 호흡 과정에서 방출된 에너지는 모두 ATP에 저장된다.

⑤ ATP 에너지를 생명 활동에 필요한 에너지로 전환하는 반응이다.

04 그림은 생명체 내에 존재하는 어떤 물질을 나타낸 것이다. 이에 대한 설명으로 옳은 것은?

① 이 물질은 ADP이다.

② 생명 활동에 직접적으로 사용되는 에너지원이다.

③ 리보스와 무기 인산이 결합된 구조를 아데노신이라고 한다.

④ 인산기와 인산기 사이의 결합을 저에너지 인산 결합이라고 한다.

⑤ 끝에 있는 인산 결합이 끊어지는 과정에서 에너지를 흡수한다.

05 그림은 세포 내 소기관 A에서 일어나는 물질대사 과정을 간단히 나타낸 것이다. (가)와 (나)는 기체이고, (다)는 에너지 저장 물질이다.

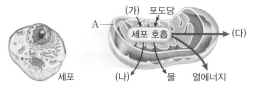

이에 대한 설명으로 옳은 것은?

① 이 반응은 동화 작용이다.

② (가)는 이산화 탄소이고, (나)는 산소이다.

③ (다)에 저장된 에너지는 모두 체온 유지에 이용된다.

④ A는 미토콘드리아로 모든 세포에 같은 개수가 들어 있다.

⑤ (다)가 분해되어 발생하는 에너지는 근육 운동, 정신 활동 등 생명 활동에 이용된다.

06 다음은 ATP의 이용에 관한 설명이다.

> (가)ATP는 (㉠)와 무기 인산으로 분해되면서 에너지를 방출하는데, 이때 방출된 에너지는 (나)다양한 생명 활동에 사용된다.

이에 대한 설명으로 옳은 것은?

① (가)는 세포 호흡이다.

② 정신 활동은 (나)에 포함되지 않는다.

③ ㉠은 ATP보다 많은 양의 에너지를 갖는다.

④ (가)에서 방출된 에너지는 모두 열에너지이다.

⑤ (가)의 반응은 발열 반응으로 이화 작용에 해당한다.

내신 만점 문제

* ▥▥▥ 난이도를 나타냅니다.

01 (가)와 (나)는 우리 몸에서 일어나는 화학 반응에 따른 에너지 변화를 나타낸 것이다

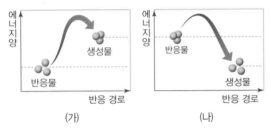

이에 대한 설명으로 옳은 것만을 〈보기〉에서 있는 대로 고른 것은?

┤보기├

ㄱ. (가)는 물질대사이지만, (나)는 물질대사가 아니다.

ㄴ. 녹말이 엿당으로 변화되는 과정은 (가)에 해당한다.

ㄷ. (가)는 저분자 물질로부터 고분자 물질을 합성하는 반응이고, (나)는 고분자 물질을 저분자 물질로 분해하는 반응이다.

① ㄱ   ② ㄴ   ③ ㄷ
④ ㄱ, ㄴ   ⑤ ㄱ, ㄴ, ㄷ

02 그림은 사람에서 일어나는 물질 대사 Ⅰ과 Ⅱ를 나타낸 것이다. 이에 대한 설명으로 옳은 것만을 〈보기〉에서 있는 대로 고른 것은?

┤보기├

ㄱ. Ⅰ은 에너지가 방출되고, Ⅱ는 에너지가 흡수된다.

ㄴ. Ⅰ의 반응에 관여하는 효소와 Ⅱ의 반응에 관여하는 효소의 종류는 서로 다르다.

ㄷ. 아미노산의 에너지가 단백질의 에너지보다 크고, 글리코젠의 에너지가 포도당의 에너지보다 작다.

① ㄱ   ② ㄴ   ③ ㄷ
④ ㄱ, ㄴ   ⑤ ㄱ, ㄷ

03 그림은 우리 몸에서 일어나는 포도당의 분해와 단백질 합성 과정을 간단히 나타낸 것이다.
이에 대한 설명으로 옳은 것만을 〈보기〉에서 있는 대로 고른 것은?

┤보기├

ㄱ. (가)는 동화 작용으로 에너지를 방출하고, (나)는 이화 작용으로 에너지를 흡수한다.

ㄴ. (가)의 반응은 주로 미토콘드리아에서 일어나며, 포도당이 가진 화학 에너지는 모두 열에너지로 방출된다.

ㄷ. (가)의 반응 결과 ATP가 생성되며, ATP가 분해되면서 방출된 에너지는 (나)의 반응이 진행될 때 사용된다.

① ㄱ   ② ㄴ   ③ ㄷ
④ ㄱ, ㄴ   ⑤ ㄱ, ㄷ

04 그림은 생명 활동에 이용되는 물질의 전환 과정이다.

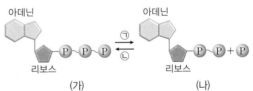

이에 대한 설명으로 옳은 것만을 〈보기〉에서 있는 대로 고른 것은?

┤보기├

ㄱ. ㉠은 에너지를 방출하는 반응이고, ㉡은 에너지를 흡수하는 반응이다.

ㄴ. (가)는 주로 미토콘드리아에서 합성되며, ㉠ 반응도 대부분 미토콘드리아에서 일어난다.

ㄷ. (나)는 ADP이며, 세포 호흡에서 방출된 에너지가 저장된 물질로 생명 활동에 이용된다.

① ㄱ   ② ㄴ   ③ ㄷ
④ ㄱ, ㄴ   ⑤ ㄴ, ㄷ

그림은 세포 호흡 과정을 나타낸 것이다.

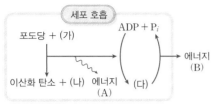

이에 대한 설명으로 옳은 것만을 〈보기〉에서 있는 대로 고른 것은?

⎯⎮ 보기 ⎮⎯

ㄱ. (가)는 포도당을 분해하기 위해 필요한 물질이고, (나)는 포도당이 분해되어 생기는 물질이다.

ㄴ. (A)는 생명 활동에 직접적으로 사용되는 에너지로 포도당이 가진 에너지는 모두 (A)로 전환된다.

ㄷ. (다)가 ADP와 P_i로 전환되는 과정은 동화 작용이며, 이때 나오는 에너지 (B)는 생명 활동에 이용된다.

① ㄱ   ② ㄴ   ③ ㄷ

④ ㄱ, ㄷ   ⑤ ㄴ, ㄷ

---

06 그림 (가)와 (나)는 세포 내 반응의 진행에 따른 에너지양을, (다)는 ATP의 합성과 분해 반응을 나타낸 것이다.

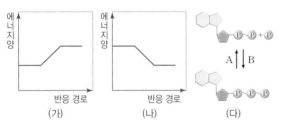

이에 대한 설명으로 옳은 것만을 〈보기〉에서 있는 대로 고른 것은?

⎯⎮ 보기 ⎮⎯

ㄱ. A는 동화 작용, B는 이화 작용에 해당한다.

ㄴ. (가)와 (나) 중에서 반응물의 에너지가 생성물의 에너지보다 큰 반응은 (나)이다.

ㄷ. A 반응이 진행될 때의 에너지 변화는 (가)이고, B 반응이 진행될 때의 에너지 변화는 (나)이다.

① ㄱ   ② ㄴ   ③ ㄷ

④ ㄱ, ㄴ   ⑤ ㄱ, ㄷ

서술형 문제

07 그림은 세포 호흡 과정의 반응물과 생성물을 나타낸 것이다.

기체 X는 무엇인지 쓰고, 위 과정에서 발생하는 에너지의 역할 두 가지를 서술하시오.

_____

_____

08 다음은 효모의 기체 방출량을 알아보는 실험이다.

[실험 과정]

1. 발효관 A~C에 표와 같이 용액을 넣는다.

2. 발효관의 입구를 솜으로 막은 후 맹관부의 기체 부피를 5분 간격으로 측정한다.

발효관	용액
A	5 % 포도당 용액 15 mL + 효모액 15 mL
B	5 % 설탕 용액 15 mL + 효모액 15 mL
C	증류수 15 mL + 효모액 15 mL

3. 기체가 충분히 모이면 수산화 칼륨 수용액을 첨가한 후 맹관부에 모인 기체 부피 변화를 측정한다.

[실험 결과]

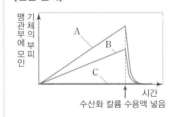

(1) 수산화 칼륨 수용액을 첨가하였을 때 맹관부에 모인 기체의 부피가 감소한 까닭을 서술하시오.

_____

_____

(2) B 발효관보다 A 발효관에서 기체가 더 빠르게 발생하는 까닭을 서술하시오.

_____

_____

소화·순환·호흡과 에너지 생성

핵심 Point
- 생명 활동에 필요한 에너지를 만들기 위해 필요한 **물질의 흡수와 운반** 과정을 이해한다.
- 세포 호흡과 소화, 순환, 호흡 과정의 연관성을 이해한다.

1 에너지 생성에 필요한 물질

1. **영양소** 세포 호흡에 이용되어 에너지를 생산할 수 있는 영양소는 탄수화물, 단백질, 지방이며 이 영양소들은 대부분 분자 크기가 크므로 소화 과정을 거쳐 작은 분자로 분해되어야 몸 속으로 흡수될 수 있다.

① 소화계의 작용: 섭취한 음식물이 소화 기관을 지나는 동안 녹말은 포도당으로, 단백질은 아미노산으로, 지방은 지방산과 모노글리세리드로 최종 분해되어 흡수된다.

② 분해된 영양소는 대부분 소장 융털❶의 모세 혈관이나 ▸암죽관으로 흡수된 후 심장으로 운반된다.

❶ 융털

소장 내벽에 있는 작은 돌기 모양의 구조물로 분해된 영양소가 흡수되는 곳이다. 영양소와 접촉하는 면적이 넓어 효율적으로 영양소를 흡수할 수 있다.

자료 파헤치기

영양소의 소화와 흡수

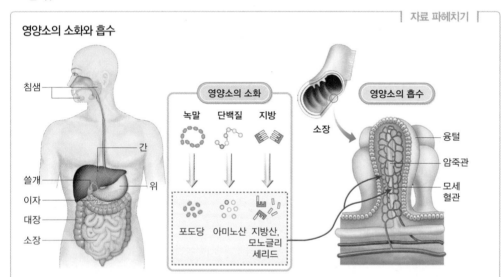

- 녹말, 단백질, 지방이 소화계를 거치면서 각각 포도당, 아미노산, 지방산과 모노글리세리드로 최종 분해된다.
- 수용성 영양소인 포도당, 아미노산은 소장 융털의 모세 혈관으로, 지용성 영양소인 지방산과 모노글리세리드는 암죽관으로 흡수된다.

2. **산소** 세포 호흡이 진행되려면 영양소와 반응할 산소가 필요하다.

① 호흡계의 작용

- 산소는 호흡 기관인 코를 통해 들어와 기관, 기관지를 거쳐 폐로 이동하고, 폐를 구성하는 폐포❷에서 모세 혈관 속 혈액으로 이동한다.
- 세포 호흡 결과 발생한 이산화 탄소는 혈액을 따라 운반되어 폐포를 통해 몸 밖으로 나간다.

➡ 폐포에서의 기체 교환은 ▸확산에 의해 일어나므로 에너지(ATP)가 소모되지 않는다.

② 폐포의 모세 혈관으로 들어온 산소는 혈액을 따라 심장으로 운반된다.

❷ 폐포

폐는 수많은 폐포로 이루어져 있어 공기와 접하는 표면적이 넓기 때문에 폐에서 기체 교환이 효율적으로 일어날 수 있다.

셀파 콕콕

폐포와 모세 혈관 사이의 기체 교환, 모세 혈관과 조직 세포 사이의 기체 교환은 확산에 의해 일어나 ATP가 소모되지 않음을 알아 두자.

용어

▸ **암죽관**(암, 죽 粥, 대롱 管): 소장의 융털 속에 존재하는 끝이 막힌 미세 림프관으로 지용성 영양소가 흡수되어 가슴관을 거쳐 심장으로 이동한다.

▸ **확산**(넓힐 擴, 흩을 散): 압력이나 농도가 높은 곳에서 낮은 곳으로 물질이 퍼져 나가는 현상

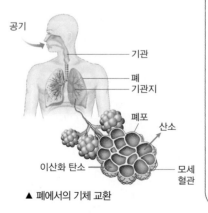

▲ 폐에서의 기체 교환

2 영양소와 산소의 이동

1. **영양소의 이동** 소장의 융털에서 흡수된 영양소는 심장을 거쳐 혈액에 의해 운반된다.

수용성 영양소	융털의 모세 혈관으로 흡수된 후 간과 심장을 거쳐 온몸의 조직 세포로 이동한다.
지용성 영양소	융털의 암죽관으로 흡수된 후 심장을 거쳐 온몸의 조직 세포로 이동한다.

2. **산소의 이동** 폐포에서 혈액으로 이동한 산소는 대부분 혈액 속 적혈구의 헤모글로빈에 결합하여 심장으로 운반된 후 온몸의 조직 세포에 공급된다.❸

3. **순환계❹의 역할**

① 소화계에서 흡수한 영양소와 호흡계에서 흡수한 산소는 순환계를 통해 운반된다.

② 혈액의 순환: 혈액은 심장 박동에 의해 온몸에 퍼져 있는 혈관을 따라 순환하며 조직 세포에 산소와 영양소를 공급하고, 조직 세포에서 생긴 이산화 탄소와 노폐물을 받아 온다.❺

폐순환	온몸을 돌면서 산소를 주고 이산화 탄소를 받아 심장으로 들어온 혈액은 심장에서 폐로 이동하여 산소를 공급받고 이산화 탄소를 내보낸 다음 다시 심장으로 돌아온다.
온몸 순환	폐에서 산소를 공급받은 혈액은 심장에서 온몸의 조직 세포로 이동하여 영양소와 산소를 공급하고, 조직 세포에서 생긴 이산화 탄소 등의 노폐물을 받아 다시 심장으로 돌아온다.

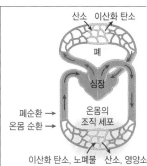

| 자료 파헤치기 |

영양소의 산소의 이동

① 소장의 융털을 통해 흡수된 수용성 영양소와 지용성 영양소는 각기 다른 경로로 심장으로 운반되고, 이후 심장 박동에 따라 온몸으로 공급된다.

② 폐포와 모세 혈관 속 혈액 사이에서는 산소와 이산화 탄소의 교환이 일어난다. 혈액으로 들어온 산소는 혈액 순환 과정을 따라 온몸의 조직 세포로 운반된다.

❸ **운동 시 물질의 이동**

격렬한 운동을 할 때에는 에너지 소비량이 많아지고 그만큼 세포 호흡이 빠르게 일어나야 한다. 따라서 평상시보다 영양소와 산소의 이동 속도가 빨라진다.

❹ **순환계**

순환계는 심장과 혈관(동맥, 정맥, 모세 혈관) 및 혈액으로 구성된다. 만약 폐로 들어온 산소가 뇌로 이동할 때 확산으로만 이동한다면 수개월이 걸리겠지만, 사람은 심장, 혈관, 혈액으로 구성된 순환계가 있어 세포에 필요한 충분한 양의 산소와 영양소를 빠르게 운반할 수 있다.

셀파 콕콕 🔍

순환계는 세포 호흡의 원료인 영양소와 산소만 운반하는 것이 아니라 세포 호흡 결과 발생한 이산화 탄소 등의 노폐물도 함께 운반함을 알아 두자.

❺ **혈액을 통한 산소와 이산화 탄소의 운반**

· 폐를 통해 흡수된 산소의 약 95 %는 적혈구 속 헤모글로빈과 결합해 운반된다.

· 세포에서 발생한 이산화 탄소의 약 70 %는 혈장에 녹아 탄산 이온의 형태로 운반되고, 약 23 %는 헤모글로빈과 결합해 운반된다.

개념 확인하기

1 폐 내부의 표면적을 넓히며 산소와 이산화 탄소의 교환이 일어나는 곳은 (   )이다.

2 소화계에서 흡수한 영양소와 호흡계에서 흡수한 산소는 (   )을 통해 온몸의 조직 세포로 운반된다.

답 1. 폐포 2. 순환계(혈액)

▶ 영양소의 소화 과정과 기체 교환의 원리를 자세히 들여다 보자.

영양소의 소화와 기체의 운반

01 녹말, 단백질, 지방의 소화

① 사람의 소화계에는 입, 식도, 위, 소장, 대장, 간, 쓸개, 이자 등이 포함된다.
② 음식물이 입, 식도, 위, 소장을 거치는 동안 녹말은 포도당으로, 단백질은 아미노산으로, 지방은 지방산과 모노글리세리드로 분해된다.

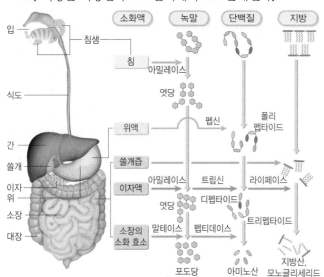

녹말은 아밀레이스에 의해 엿당, 말테이스에 의해 포도당으로 분해된다.

단백질은 위에서 펩신, 소장에서 트립신과 펩티데이스에 의해 최종적으로 아미노산으로 분해된다.

지방은 라이페이스에 의해 소장에서 지방산과 모노글리세리드로 분해된다.

+ Plus 자료

쓸개즙
쓸개즙은 간에서 생성되어 쓸개에 저장되었다가 십이지장으로 분비된다. 쓸개즙은 소화 효소는 아니지만 지방의 소화 효소인 라이페이스가 작용할 수 있는 접촉면을 넓혀 주는 유화 작용을 하여 지방의 소화를 돕는다.

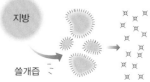

▲ 쓸개즙에 의한 지방의 유화

+ Plus 문제

Q. 탄수화물, 지방, 단백질의 소화 효소가 모두 포함된 소화액과 이 소화액을 분비하는 기관을 쓰시오.

A. 이자액, 이자

02 기체 교환의 원리

① 산소와 이산화 탄소는 각 기체의 분압이 높은 곳에서 낮은 곳으로 분자가 스스로 움직이는 확산 현상에 의해 이동한다. ➡ ATP 에너지를 사용하지 않는다.

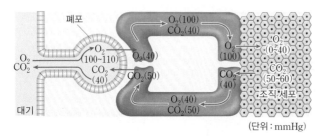

(단위 : mmHg)

② 외호흡과 내호흡

구분	외호흡	내호흡
뜻	폐포와 모세 혈관 사이에서 일어나는 기체 교환	모세 혈관과 조직 세포 사이에서 일어나는 기체 교환
기체 분압	• O_2 분압: 폐포 > 모세 혈관 • CO_2 분압: 폐포 < 모세 혈관	• O_2 분압: 모세 혈관 > 조직 세포 • CO_2 분압: 모세 혈관 < 조직 세포
기체 이동	폐포 $\xrightarrow{O_2}$ 모세 혈관 $\xleftarrow{CO_2}$	모세 혈관 $\xrightarrow{O_2}$ 조직 세포 $\xleftarrow{CO_2}$

+ Plus 자료

헤모글로빈
폐포에서 혈액으로 확산되어 들어온 산소의 대부분은 적혈구의 헤모글로빈에 의해 운반된다. 하나의 헤모글로빈 분자는 4개의 폴리펩타이드로 이루어진 단백질로, 최대 4개의 산소 분자를 운반할 수 있다.

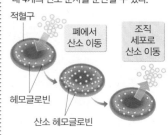

+ Plus 문제

Q. 폐포와 모세 혈관, 모세 혈관과 조직 세포 사이에 기체가 교환되는 원리는 무엇인지 쓰시오.

A. 확산

기초 탄탄 문제

정답과 해설 9쪽

핵심용어_ 이 단원에서 내가 아는 것과 아직 모르는 것을 정리하며 나의 공부를 돌아보자.

□ 소화   □ 융털
□ 기체 교환   □ 폐포
□ 혈액 순환   □ 산소

01 우리 몸에서 에너지를 생성하는 데 필요한 영양소에 대한 설명으로 옳은 것은?

① 포도당은 융털의 암죽관으로 흡수된다.
② 단백질은 융털의 모세 혈관으로 바로 흡수된다.
③ 에너지원으로 사용되는 영양소는 녹말, 단백질, 무기염류이다.
④ 지방산과 아미노산은 체내로 흡수되어 운반되는 경로가 같다.
⑤ 우리 몸에서 에너지를 생성하는 데 이용되는 영양소는 잘게 분해되어 흡수된 후, 세포 호흡의 원료로 공급된다.

02 세포 호흡에 대한 설명으로 옳은 것은?

① 생성물의 에너지보다 반응물의 에너지가 더 작은 반응이다.
② 세포 호흡에 필요한 영양소와 산소는 순환계를 통해 조직 세포로 공급된다.
③ 세포 호흡은 영양소를 분해하여 에너지를 얻는 반응으로 동화 작용에 해당한다.
④ 세포 호흡은 반드시 영양소가 필요한 반응이므로 소화 기관에서만 일어난다.
⑤ 포도당을 이산화 탄소와 물로 분해하는 반응은 세포 호흡에 해당하지만, 지방산을 물과 이산화 탄소로 분해하는 반응은 세포 호흡에 해당하지 않는다.

03 조직 세포에 산소나 영양소를 운반하는 기관이나 조직에 해당하지 않는 것은?

① 동맥과 정맥   ② 모세 혈관
③ 심장   ④ 폐포
⑤ 혈액

04 그림은 사람의 신체 일부를 나타낸 것이다.
이에 대한 설명으로 옳지 않은 것은?

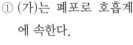
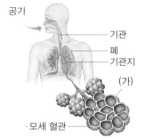

① (가)는 폐포로 호흡계에 속한다.
② (가)는 폐의 표면적을 넓히는 역할을 한다.
③ 모세 혈관과 (가) 사이에 기체 교환이 일어난다.
④ 숨을 들이마실 때 외부의 공기가 코, 기관, 기관지를 거쳐 폐로 들어온다.
⑤ 산소가 폐로 들어와 우리 몸속으로 흡수되는 과정에 ATP에 저장된 에너지가 사용된다.

05 폐포와 모세 혈관 사이(A), 모세 혈관과 조직 세포 사이(B)에서 기체의 이동 방향을 옳게 짝지은 것은?

	산소		이산화 탄소	
	A	B	A	B
①	폐포 → 모세 혈관	모세 혈관 → 조직 세포	모세 혈관 → 폐포	조직 세포 → 모세 혈관
②	폐포 → 모세 혈관	모세 혈관 → 조직 세포	모세 혈관 → 조직 세포	모세 혈관 → 조직 세포
③	모세 혈관 → 폐포	조직 세포 → 모세 혈관	폐포 → 모세 혈관	모세 혈관 → 조직 세포
④	폐포 → 모세 혈관	조직 세포 → 모세 혈관	폐포 → 모세 혈관	모세 혈관 → 조직 세포
⑤	모세 혈관 → 폐포	모세 혈관 → 조직 세포	폐포 → 모세 혈관	조직 세포 → 모세 혈관

내신 만점 **문제**

정답과 해설 10쪽　　　* ▣▣▣ 난이도를 나타냅니다.

01 ▣▣ 그림은 소장의 일부를 확대한 것이다. 영양소는 종류에 따라 (나)와 (다)로 이동한다. 이에 대한 설명으로 옳은 것만을 〈보기〉에서 있는 대로 고른 것은?

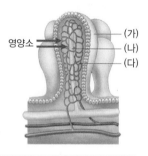

영양소 → (가)
(나)
(다)

┤ 보기 ├
ㄱ. (가)는 융털, (나)는 모세 혈관, (다)는 암죽관이다.
ㄴ. (가)는 표면적을 넓혀 영양소를 효율적으로 흡수하기 위한 구조이다.
ㄷ. (나)로 이동하는 영양소에는 지방산과 모노글리세리드가 있고, (다)로 이동하는 영양소에는 아미노산과 녹말이 있다.

① ㄱ　　　　② ㄴ　　　　③ ㄷ
④ ㄱ, ㄷ　　　⑤ ㄴ, ㄷ

02 ▣ 다음은 세포 호흡에 필요한 영양소를 두 종류로 구분한 것이다.

(가) 포도당, 아미노산, 지방산, 모노글리세리드
(나) 단백질, 탄수화물, 지방

이에 대한 설명으로 옳은 것만을 〈보기〉에서 있는 대로 고른 것은?

┤ 보기 ├
ㄱ. (가)는 수용성 영양소, (나)는 지용성 영양소이다.
ㄴ. (나)는 분자의 크기가 큰 물질로 몸속으로 그대로 흡수될 수 없는 영양소이다.
ㄷ. (가)는 암죽관, (나)는 모세 혈관을 각각 통과하여 우리 몸속으로 흡수되는 영양소이다.

① ㄱ　　　　② ㄴ　　　　③ ㄷ
④ ㄱ, ㄴ　　　⑤ ㄴ, ㄷ

03 ▣▣ 그림은 폐의 일부를 나타낸 것이다. A와 B는 산소와 이산화 탄소 중 하나이다.

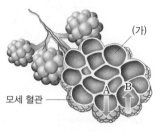

(가)
모세 혈관
A B

이에 대한 설명으로 옳은 것만을 〈보기〉에서 있는 대로 고른 것은?

┤ 보기 ├
ㄱ. (가)는 폐포로 표면적을 넓히는 역할을 한다.
ㄴ. A와 B는 모두 세포 호흡의 원료로 이용된다.
ㄷ. A와 B는 분압 차에 따른 확산 현상으로 이동한다.

① ㄱ　　　　② ㄴ　　　　③ ㄷ
④ ㄱ, ㄷ　　　⑤ ㄱ, ㄴ, ㄷ

04 ▣▣ 그림은 사람의 몸에서 일어나는 기체 교환과 물질 교환을 나타낸 것이다. A~D는 영양소, 노폐물, 산소, 이산화 탄소 중 하나이다.

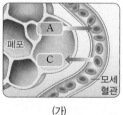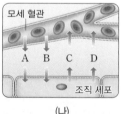

모세 혈관
폐포
A
C
모세
혈관
A B C D
조직 세포

(가)　　　　　(나)

이에 대한 설명으로 옳은 것만을 〈보기〉에서 있는 대로 고른 것은?

┤ 보기 ├
ㄱ. A는 산소, B는 이산화 탄소, C는 노폐물, D는 영양소이다.
ㄴ. A와 B는 세포의 미토콘드리아에서 ATP를 만드는 데 필요한 물질이다.
ㄷ. (가)는 소화계와 순환계 사이의 물질 이동을, (나)는 호흡계와 순환계 사이의 물질 이동을 나타낸다.

① ㄱ　　　　② ㄴ　　　　③ ㄷ
④ ㄱ, ㄴ　　　⑤ ㄱ, ㄷ

05 그림은 순환계의 일부를 나타 낸 것이다. (가)와 (나)는 산소 와 이산화 탄소 중 하나이고, (다)는 호흡계의 일부이다. 이에 대한 설명으로 옳은 것 만을 〈보기〉에서 있는 대로 고른 것은?

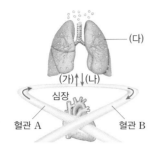

보기

ㄱ. 혈관 B보다 혈관 A에 산소가 풍부한 혈액이 흐른다.
ㄴ. (가)의 분압은 혈관 A를 흐르는 혈액보다 (다)의 내부에서 더 높다.
ㄷ. 효율적인 기체 교환을 위해 (다)는 폐포로 이루어 져 있다.

① ㄱ   ② ㄴ   ③ ㄷ
④ ㄱ, ㄷ   ⑤ ㄴ, ㄷ

06 그림은 사람의 몸에서 기체 교환에 관여하는 기관계를 나타 낸 것이다. (가)~(다)는 각각 순환계, 호흡계, 조직 세포 중 하나이고, ㉠과 ㉡는 산소와 이산화 탄소 중 하나이다.

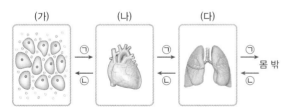

이에 대한 설명으로 옳은 것만을 〈보기〉에서 있는 대로 고른 것은?

보기

ㄱ. ㉠은 세포 호흡 결과 발생한 물질이다.
ㄴ. (가)와 (나) 사이의 기체 교환 결과 혈액의 산소 분 압이 높아진다.
ㄷ. (나)와 (다) 사이에서 ㉠과 ㉡이 이동하는 과정에 ATP가 소모된다.

① ㄱ   ② ㄴ   ③ ㄷ
④ ㄱ, ㄴ   ⑤ ㄱ, ㄷ

서술형 문제

07 그림은 사람의 혈액 순환 경로를 나타낸 것이다.

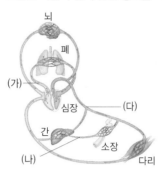

(가)~(다) 중에서 혈액의 단위 부피당 산소량이 가장 많은 곳 이 어디인지 쓰고, 그 까닭을 서술하시오.

_____

_____

08 그림은 소화계와 호흡계에서 조직 세포로의 물질 이동을 나타 낸 것이다. A와 B는 각각 영양소와 산소 중 하나이다.

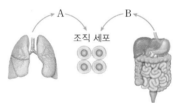

A와 B는 무엇인지 쓰고, 이들이 조직 세포까지 운반되는 과 정을 서술하시오.

_____

_____

09 그림은 운동 강도에 따른 심장 박동 수 변화를 나타낸 것이다.

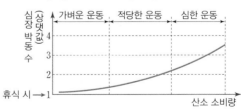

심한 운동을 하는 경우 휴식할 때보다 심장 박동 수가 증가하 는 까닭을 서술하시오.

_____

_____

03 배설과 기관계의 통합적 작용

내 교과서는 어디에?

천재 p.41~43 동아 p.41~45 미래엔 p.46~53
비상 p.41~43 금성 p.52~57 교학사 p.40~43 지학사 p.42~45

핵심 Point
- 세포 호흡의 결과 노폐물이 생성됨을 안다.
- 각 **기관계**는 고유한 기능을 수행하면서 **통합적으로 작용**하고 있음을 이해한다.

1 노폐물의 생성과 배설

1. **노폐물의 생성** 세포에서 영양소가 세포 호흡을 통해 분해되는 과정에서 이산화 탄소, 물, 암모니아와 같은 노폐물이 생성된다.

① 탄수화물과 지방: 탄소(C), 수소(H), 산소(O)로 이루어진다. ➡ 노폐물로 이산화 탄소(CO_2)와 물(H_2O)이 생성된다.

② 단백질: 탄소(C), 수소(H), 산소(O), 질소(N)로 이루어진다. ➡ 노폐물로 이산화 탄소와 물, 질소 노폐물❶인 암모니아(NH_3)❷가 생성된다. ➡ 독성이 강한 암모니아는 간에서 독성이 약한 요소로 전환된다.

2. **노폐물의 배설** 생성된 노폐물은 혈액을 통해 호흡계인 폐와 배설계인 콩팥으로 운반되어 몸 밖으로 배출된다.

① 배설계❸의 작용: 세포 호흡 결과 발생한 물, 요소와 같은 노폐물을 걸러 몸 밖으로 내보낸다.

② 노폐물의 배설 경로

이산화 탄소	폐에서 날숨을 통해 배출된다.
물	폐에서 날숨을 통해 배출되거나 콩팥❹에서 오줌의 형태로 배출된다.
암모니아	간에서 요소로 전환된 후 콩팥에서 오줌의 형태로 배출된다.

| 자료 파헤치기 |

노폐물의 배설 경로

세포 호흡 과정에서 탄수화물, 단백질, 지방이 분해되면서 노폐물이 발생한다.

단백질 분해 결과 발생한 암모니아는 간에서 요소로 전환된 후 콩팥을 통해 배설된다.

콩팥은 배설계를 이루는 기관으로 노폐물을 걸러 오줌을 생성한다.

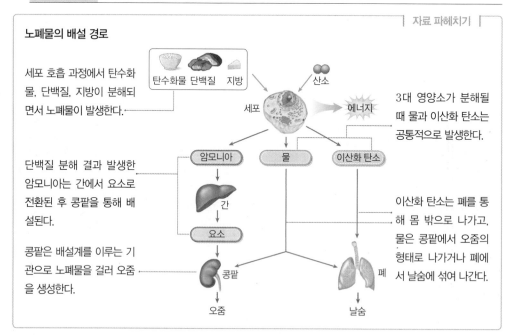

3대 영양소가 분해될 때 물과 이산화 탄소는 공통적으로 발생한다.

이산화 탄소는 폐를 통해 몸 밖으로 나가고, 물은 콩팥에서 오줌의 형태로 나가거나 폐에서 날숨에 섞여 나간다.

2 기관계의 통합적 작용

1. **소화계, 호흡계, 순환계, 배설계** 우리 몸에서 소화계, 호흡계, 순환계, 배설계는 에너지를 생성하고 노폐물을 배설하는 과정에서 서로 다른 고유의 기능을 수행한다.

---

❶ **질소 노폐물**

암모니아와 요소, 요산과 같이 질소(N)를 포함하는 노폐물로, 동물에 따라 배설되는 형태가 다르다.

동물	배설 형태
수생 동물	암모니아
양서류, 포유류	요소
파충류, 조류	요산

❷ **암모니아(NH_3)**

물에 잘 녹고 독성이 강해 체내에 축적되면 체액의 pH를 상승시키고 세포에 손상을 입히므로 독성이 약한 요소로 전환되어 배설된다.

❸ **배설계의 구조**

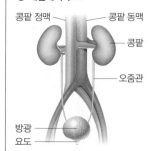

배설계는 콩팥, 오줌관, 방광 등으로 구성된다.

❹ **콩팥**

배설계의 주요 기관으로 세포의 물질대사 결과 생성된 노폐물을 걸러 배설하고, 수분량을 조절해 체액의 삼투압을 일정하게 유지하는 역할을 한다.

셀파 콕콕

암모니아를 요소로 전환하는 간은 배설계에 속하는 기관이 아닌 소화계에 속하는 기관임을 알아 두자.

소화계	호흡계	순환계	배설계
• 음식물에 들어 있는 크기가 큰 영양소를 크기가 작은 영양소로 분해하여 체내로 흡수한다. • 소화 기관에는 입, 위, 간❺, 이자, 소장, 대장 등이 있다.	• 세포 호흡에 필요한 산소를 흡수하고, 세포 호흡으로 발생한 이산화 탄소를 배출한다. • 호흡 기관에는 코, 기관, 기관지, 폐 등이 있다.	• 소화계에서 흡수한 영양소와 호흡계에서 흡수한 산소를 온몸의 조직 세포로 운반하고, 세포 호흡의 결과 생성된 이산화 탄소, 요소 등 노폐물을 각각 호흡계와 배설계로 운반한다. • 순환 기관에는 심장과 혈관 등이 있다.	• 세포 호흡 결과 생성된 요소와 같은 노폐물을 걸러 오줌의 형태로 몸 밖으로 내보낸다. • 배설 기관에는 콩팥, 오줌관, 방광 등이 있다.

❺ **간의 기능**
간은 소화 작용, 호르몬 대사, 해독 작용, 살균 작용 등 다양한 기능을 수행하는 기관이다. 세포 호흡의 결과 생성된 암모니아가 간에서 독성이 약한 요소로 전환된다.

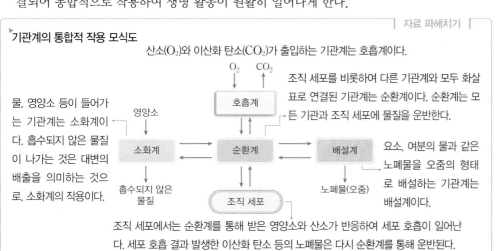

소화계 음식물 속에 들어 있는 영양소를 작은 단위의 영양소로 분해하여 몸속으로 흡수한다.

호흡계 세포 호흡에 필요한 산소를 흡수하고, 세포 호흡의 결과 생성된 이산화 탄소를 몸 밖으로 배출한다.

순환계 산소와 영양소를 조직 세포로 운반하고, 이산화 탄소와 노폐물을 호흡계로 운반한다.

배설계 세포 호흡 결과 생성된 질소 노폐물과 여분의 물 등을 몸 밖으로 배출한다.

셀파 콕콕
소화·흡수되지 못하고 남은 찌꺼기(대변)를 몸 밖으로 내보내는 것은 소화계의 작용으로, 물질대사 결과 체내에서 발생한 노폐물을 걸러 내어 내보내는 배설과는 다른 과정임을 알아 두자.

2. **기관계의 통합적 작용** 소화계, 순환계, 호흡계, 배설계는 고유의 기능을 수행하면서 서로 연결되어 통합적으로 작용하여 생명 활동이 원활히 일어나게 한다.

자료 파헤치기

기관계의 통합적 작용 모식도

산소(O_2)와 이산화 탄소(CO_2)가 출입하는 기관계는 호흡계이다.

조직 세포를 비롯하여 다른 기관계와 모두 화살표로 연결된 기관계는 순환계이다. 순환계는 모든 기관과 조직 세포에 물질을 운반한다.

물, 영양소 등이 들어가는 기관계는 소화계이다. 흡수되지 않은 물질이 나가는 것은 대변의 배출을 의미하는 것으로, 소화계의 작용이다.

요소, 여분의 물과 같은 노폐물을 오줌의 형태로 배설하는 기관계는 배설계이다.

조직 세포에서는 순환계를 통해 받은 영양소와 산소가 반응하여 세포 호흡이 일어난다. 세포 호흡 결과 발생한 이산화 탄소 등의 노폐물은 다시 순환계를 통해 운반된다.

용어

▶ **기관계(그릇 器, 벼슬 官, 이을 系):** 여러 기관이 모여 일관된 기능을 수행하는 동물체의 구성 단계이다. 음식물을 소화하는 소화계, 기체를 교환하는 호흡계 등이 있다.

개념 확인하기

1 단백질이 세포 호흡을 통해 분해될 때 생성되는 노폐물은 물, 이산화 탄소, (　　　)이다.

2 세포 호흡 결과 생성된 노폐물 중 물은 폐와 콩팥을 통해 체외로 배출된다. (○ , ×)

3 혈액에서 요소와 여분의 물을 걸러 오줌을 생성하는 기관계는 (　　　)이다.

4 조직 세포에서 생성된 이산화 탄소가 체외로 배출되는 데 관여하는 기관계는 순환계와 (　　　)이다.

답 1. 암모니아 2. ○ 3. 배설계 4. 호흡계

셀파 탐구

콩즙으로 오줌 속의 요소 확인하기

생콩즙　오줌　2 % 요소 용액

+ **유의점**

요소의 농도에 따라 반응 속도가 다르기 때문에 비커 용액의 색 변화가 나타나기까지의 시간이 다를 수 있다.

탐구 돋보기

• 유레이스: 요소를 암모니아로 분해하는 효소이다. 유레이스가 요소를 분해하면 염기성을 띠는데, 이는 발생한 암모니아가 물에 녹아 암모늄 이온(NH_4^+)이 생성되기 때문이다.

• BTB 용액: 산성에서 노란색, 중성에서 초록색, 염기성에서 파란색을 띠는 지시약이다.

• 생콩즙에 BTB 용액을 넣은 직후 노란색을 띠는 것은 생콩즙이 약한 산성을 띠기 때문이다.

• 요소는 중성이므로 비커 C는 BTB 용액을 넣었을 때 초록색을 띤다.

시험 유형은?

❶ 콩즙 속에는 어떤 효소가 들어 있는가?
▶ 콩즙 속 유레이스는 요소를 암모니아와 이산화 탄소로 분해한다.
❷ 비커 A와 B를 비교하면 무엇을 알 수 있는가?
▶ 요소에 콩즙을 넣었을 때 BTB 용액의 색이 변했으므로, 콩즙 속에 요소를 분해하는 효소가 들어 있다.
❸ 비커 C와 D를 비교하면 무엇을 알 수 있는가?
▶ 오줌에 콩즙을 넣었을 때 염기성으로 변했으므로, 오줌에 요소 성분이 들어 있다.

목표　콩즙 속의 효소를 이용해 오줌의 성분을 확인할 수 있다.

과정

❶ 물에 불린 흰콩 30 g을 물 200 mL와 함께 믹서로 갈아 생콩즙을 준비한다.

❷ 오줌 50 mL와 2 % 요소 용액 50 mL를 각각 준비한다.

❸ 비커 A~E에 용액을 다음과 같이 넣은 직후 BTB 용액을 떨어뜨려 색을 확인하고, 이후 용액의 색 변화를 관찰한다.

비커 A	2 % 요소 용액 10 mL + 증류수 3 mL
비커 B	2 % 요소 용액 10 mL + 생콩즙 3 mL
비커 C	오줌 10 mL + 증류수 3 mL
비커 D	오줌 10 mL + 생콩즙 3 mL
비커 E	증류수 10 mL + 생콩즙 3 mL

A　　B　　C　　D　　E

결과 및 정리

1. 비커 A~E의 색 변화를 기록해 보자.

시간 ＼ 비커	A	B	C	D	E
BTB 용액을 넣은 직후	초록색	노란색	초록색	노란색	노란색
20~30분 후	초록색	파란색	초록색	파란색	노란색

2. 비커 A~E의 색 변화에 차이가 나는 이유는 무엇인가?

→ 비커 B에서 용액이 파란색으로 변한 것은 콩즙 속 유레이스에 의해 요소가 분해되어 암모니아가 발생하여 용액이 염기성이 되었기 때문이다. 마찬가지로 비커 D에서 색이 파란색으로 변했는데, 이것은 오줌 속에 요소 성분이 포함되었기 때문이다.

탐구 대표 문제　정답과 해설 11쪽

01 오줌이 들어 있는 비커에 BTB 용액을 넣었더니 초록색을 띠었다. 이 비커에 생콩즙을 넣었더니 얼마 후에 용액의 색이 파란색으로 변하였다. 이에 대한 설명으로 옳은 것은?

오줌

① 오줌은 산성을 띤다.
② 오줌은 염기성을 띤다.
③ 오줌 속에 요소 성분이 들어 있다.
④ 생콩즙을 넣은 결과 용액에 산소가 발생하였다.
⑤ 생콩즙 속 성분에 의해 오줌이 분해되어 산성을 띠는 물질이 생성된다.

기초 탄탄 문제

정답과 해설 11쪽

핵심용어_ 이 단원에서 내가 아는 것과 아직 모르는 것을 정리하며 나의 공부를 돌아보자.

- □ 배설
- □ 암모니아
- □ 호흡계
- □ 순환계
- □ 소화계
- □ 배설계

01 노폐물의 생성에 대한 설명으로 옳은 것은?

① 단백질은 탄소(C), 수소(H), 산소(O)만으로 구성된다.

② 지방의 구성 원소는 탄소(C), 수소(H), 산소(O), 질소(N)이다.

③ 탄수화물이 세포 호흡에 의해 분해될 경우 물과 암모니아가 생성된다.

④ 지방이 세포 호흡에 의해 분해될 경우 이산화 탄소와 암모니아가 생성된다.

⑤ 단백질이 세포 호흡에 의해 분해될 경우 물과 이산화 탄소, 암모니아가 생성된다.

02 노폐물의 배설 과정에 대한 설명으로 옳은 것은?

① 물은 콩팥을 통해서만 배설된다.

② 이산화 탄소는 콩팥과 폐를 통해 배설된다.

③ 탄수화물의 분해 결과 생성된 노폐물은 콩팥과 폐를 통해 배설된다.

④ 단백질의 분해 결과 생성된 노폐물은 폐를 통해서만 배설된다.

⑤ 지방의 분해 결과 생성된 노폐물 중 일부는 간에서 다른 물질로 전환된다.

03 배설계를 구성하는 기관에 해당하지 <u>않는</u> 것은?

① 콩팥　　　② 항문　　　③ 방광

④ 요도　　　⑤ 오줌관

04 노폐물의 생성과 배설에 대한 설명으로 옳은 것만을 〈보기〉에서 있는 대로 고른 것은?

┤ 보기 ├

ㄱ. 노폐물을 배설하는 과정에 순환계가 관여한다.

ㄴ. 세포에서 생성된 암모니아는 주로 콩팥에서 독성이 강한 요소로 바뀐다.

ㄷ. 탄수화물, 지방, 단백질의 분해 결과 공통적으로 질소를 포함한 노폐물이 생성된다.

① ㄱ　　　② ㄴ　　　③ ㄱ, ㄷ

④ ㄴ, ㄷ　　　⑤ ㄱ, ㄴ, ㄷ

05 기관계에 대한 설명으로 옳은 것만을 〈보기〉에서 있는 대로 고른 것은?

┤ 보기 ├

ㄱ. 배설계는 요소와 이산화 탄소를 배출한다.

ㄴ. 소화계는 음식물을 소화하고 영양소를 흡수한다.

ㄷ. 순환계는 이산화 탄소와 질소 노폐물을 각각 호흡계와 배설계로 운반한다.

① ㄱ　　　② ㄷ　　　③ ㄱ, ㄴ

④ ㄴ, ㄷ　　　⑤ ㄱ, ㄴ, ㄷ

06 기관계의 통합적 작용에 대한 설명으로 옳지 <u>않은</u> 것은?

① 소화계와 호흡계는 세포 호흡에 필요한 물질을 흡수한다.

② 호흡계는 세포 호흡 결과 생성된 노폐물의 배설에 관여한다.

③ 호흡계는 소화계와 배설계에 산소와 영양소를 공급한다.

④ 에너지의 생성 과정에 소화계, 호흡계, 순환계가 통합적으로 작용한다.

⑤ 순환계는 조직 세포, 소화계, 호흡계, 배설계 사이에서 물질을 운반하고 공급한다.

내신 만점 문제

정답과 해설 11쪽

* ▣▣▣ 난이도를 나타냅니다.

01 그림은 소장에서 흡수된 영양소가 세포의 물질대사에 의해 최종 산물로 전환되어 배설되는 과정을 나타낸 것이다.

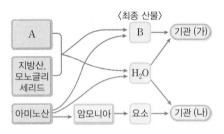

이에 대한 설명으로 옳은 것만을 〈보기〉에서 있는 대로 고른 것은?

보기

ㄱ. A의 구성 원소는 탄소(C), 수소(H), 산소(O)이다.
ㄴ. B는 혈액에 의해 (가)로 운반된다.
ㄷ. (가)와 (나)는 모두 배설계를 구성한다.

① ㄱ ② ㄷ ③ ㄱ, ㄴ
④ ㄴ, ㄷ ⑤ ㄱ, ㄴ, ㄷ

02 표는 우리 몸에서 일어나는 반응 (가)~(다)를 나타낸 것이다. ㉠, ㉡은 각각 산소와 이산화 탄소 중 하나이다.

(가)	단백질 → 아미노산
(나)	포도당 + ㉠ → ㉡ + 물
(다)	암모니아 → 요소

이에 대한 설명으로 옳은 것만을 〈보기〉에서 있는 대로 고른 것은?

보기

ㄱ. (가)와 (다)가 일어나는 기관은 같은 기관계에 속한다.
ㄴ. ㉠은 모두 배설계를 통해 몸 밖으로 배출된다.
ㄷ. ㉡은 순환계를 통해 호흡계로 운반된다.

① ㄱ ② ㄴ ③ ㄱ, ㄷ
④ ㄴ, ㄷ ⑤ ㄱ, ㄴ, ㄷ

03 그림은 인체에서 일어나는 물질대사 과정의 일부를 나타낸 것이다. ㉠은 기체이다.

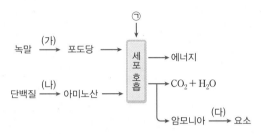

이에 대한 설명으로 옳은 것만을 〈보기〉에서 있는 대로 고른 것은?

보기

ㄱ. (가)와 (나)는 모두 위에서 일어난다.
ㄴ. (다)가 일어나는 기관은 배설계에 속한다.
ㄷ. ㉠은 폐를 통해 흡수된다.

① ㄱ ② ㄷ ③ ㄱ, ㄴ
④ ㄴ, ㄷ ⑤ ㄱ, ㄴ, ㄷ

04 그림은 체내에서 일어나는 물질의 이동 과정 중 일부를 나타낸 것이다. (가)~(다)는 배설계, 소화계, 순환계 중 하나이고, ㉠과 ㉡은 영양소와 이산화 탄소 중 하나이다.

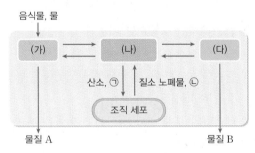

이에 대한 설명으로 옳은 것만을 〈보기〉에서 있는 대로 고른 것은?

보기

ㄱ. A를 몸 밖으로 배출하는 기관은 (가)에 속한다.
ㄴ. ㉠은 (다)에서 처음 흡수되어 (나)를 거쳐 조직 세포로 운반된다.
ㄷ. ㉡은 B에 포함된다.

① ㄱ ② ㄷ ③ ㄱ, ㄴ
④ ㄴ, ㄷ ⑤ ㄱ, ㄴ, ㄷ

그림은 인체에서 일어나는 기관계의 통합적 작용을 나타낸 것이다. (가)~(다)는 각각 배설계, 소화계, 순환계 중 하나이다.

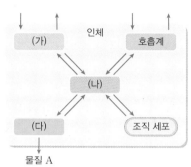

이에 대한 설명으로 옳은 것만을 〈보기〉에서 있는 대로 고른 것은?

┤ 보기 ├
ㄱ. (가)에서 영양소의 소화와 흡수가 일어난다.
ㄴ. 심장은 (나)를 구성하는 기관이다.
ㄷ. 물은 물질 A에 해당하지 않는다.

① ㄱ   ② ㄷ   ③ ㄱ, ㄴ
④ ㄴ, ㄷ   ⑤ ㄱ, ㄴ, ㄷ

06 그림은 사람의 기관계 A~C를 나타낸 것이다. A~C는 각각 배설계, 소화계, 순환계 중 하나이다.

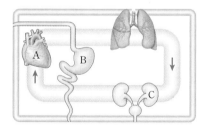

이에 대한 설명으로 옳은 것만을 〈보기〉에서 있는 대로 고른 것은?

┤ 보기 ├
ㄱ. A를 통해 산소가 흡수되고, 이산화 탄소가 배출된다.
ㄴ. 요소를 합성하는 기관은 B에 속한다.
ㄷ. C는 체내의 삼투압을 조절하는 기능을 한다.

① ㄱ   ② ㄷ   ③ ㄱ, ㄴ
④ ㄴ, ㄷ   ⑤ ㄱ, ㄴ, ㄷ

서술형 문제

07 그림은 순환계와 여러 가지 다른 기관계의 상호 작용을 나타낸 것이다.

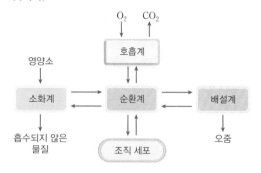

세포 호흡의 결과 생성된 암모니아가 배설되기까지의 과정을 위 그림을 참고하여 서술하시오.

_____

_____

08 그림은 사람의 기관계 A~D의 통합적 작용을 나타낸 것이다. A~D는 각각 배설계, 소화계, 순환계, 호흡계 중 하나이다.

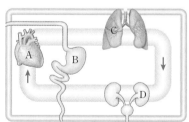

⑴ A~D의 명칭을 쓰시오.

_____

⑵ 기관계 A가 세포 호흡과 노폐물의 배설 과정에서 어떤 역할을 하는지 서술하시오.

_____

04 대사성 질환과 에너지 대사

내 교과서는 어디에?

천재 p.44~47 동아 p.46~49 미래엔 p.54~60

비상 p.44~49 금성 p.58~65 교학사 p.46~53 지학사 p.46~49

핵심 Point
- 물질대사의 이상이 다양한 **질병**의 원인임을 이해한다.
- **대사성 질환을 예방**하기 위한 올바른 생활 습관을 안다.

1 대사성 질환

1. 대사성 질환 체내에서 일어나는 물질대사의 이상으로 발생하는 질환

① **발생 원인**: 물질대사 조절에 관여하는 효소나 호르몬 등에 이상이 있거나 오랜 기간 영양 과잉·운동 부족과 같은 생활 습관에 따른 에너지의 불균형이 지속되면 대사성 질환이 발생할 수 있다.

② **대사성 질환의 종류**: 당뇨병, 고지혈증, 구루병 등이 있으며, 이러한 질환에 의해 발생하는 심혈관계 질환, 뇌혈관계 질환 등도 포함된다.

질병	원인	증상
당뇨병	혈당량 조절 호르몬의 일종인 인슐린❶이 제대로 분비되지 않거나, 정상적으로 분비되지만 제대로 작용하지 못해 발생한다. → 당뇨병의 치료에는 인슐린 주사 요법, 식이 요법, 운동 요법, 약물 요법 등이 있다.	혈당량이 비정상적으로 높게 유지된다. ➡ 오줌으로 포도당이 배출된다. 오줌을 자주 누고 갈증을 자주 느껴 물을 많이 마시게 되고, 체중이 감소하며, 여러 합병증이 나타난다.
고혈압	유전적 요인, 짜게 먹는 식습관과 흡연, 음주와 같은 환경적 요인으로 발생한다.	혈압이 정상보다 높다. ➡ 손발 저림, 두통, 이명, 코피 흘림 등이 나타난다.
고지혈증	포화 지방과 트랜스 지방, 고열량 음식의 섭취, 유전적 요인, 비만, 운동 부족, 흡연, 스트레스 등이 복합적으로 작용하여 발생한다.	혈액 속에 콜레스테롤, 중성 지방이 많아진다.❷ ➡ 동맥 경화, 뇌졸중 등의 합병증으로 이어질 수 있다.❸
지방간	알코올성 지방간은 지나친 음주가 원인이고, 비알코올성 지방간은 비만과 약물 복용이 원인이다.	간에 지방이 과도하게 축적된다. ➡ 식욕 부진과 만성 피로감을 느낀다.
구루병	주로 비타민 D의 결핍으로 인한 칼슘 부족으로 발생한다.	뼈의 통증과 변형이 나타난다. ➡ 팔과 다리가 구부러지고, 뼛속에 구멍이 생겨 부러지기 쉽다.

③ **대사성 질환과 비만**: 대사성 질환은 운동 부족과 식습관에 따른 비만과 밀접한 관련이 있다.

비만의 발생	몸에 지방이 지나치게 많은 상태 ➡ 물질대사에 필요한 에너지보다 더 많은 에너지를 섭취하면 남는 에너지가 체내에 지방으로 축적된다.
원인	유전적 요인 외에 고열량, 고지방 위주의 음식 섭취, 활동량 부족과 같은 환경적 요인이 더 큰 요인이다.
비만의 예방	균형 잡힌 식단과 규칙적인 운동과 같은 올바른 생활 습관 ➡ 걷기, 수영, 줄넘기와 같은 유산소 운동이 효과적이다.

2. 대사성 질환의 예방

① **대사성 질환의 유발 요인**: 노화, 유전적 요인 외에도 비만, 운동 부족, 스트레스, 트랜스 지방의 섭취, 음주, 흡연과 같은 환경적 요인도 중요한 원인이다.

② **대사성 질환의 예방**: 균형 잡힌 식사와 같은 식이 요법, 꾸준한 운동에 의한 운동 요법 등을 통해 에너지 섭취량과 에너지 소비량의 균형을 유지할 수 있는 생활 습관을 길러야 한다.

---

❶ 인슐린

이자의 β세포에서 분비되는 호르몬으로 혈액 내 포도당을 세포로 유입시키고, 간에서 포도당을 글리코젠으로 합성하는 과정을 촉진해 혈당량을 낮추는 기능을 한다.

❷ 고지혈증

고지혈증은 증상 그 자체보다는 혈액이 막힘으로써 뇌졸중, 동맥 경화 등의 합병증을 유발하기 때문에 위험하다.

❸ 대사 증후군

여러 물질대사 이상이 동반되는 경우를 말하며, 일반적으로 고지혈증, 고혈압, 당뇨 등의 증상이 동시에 나타나는 경우를 뜻한다. 내장 지방이 인슐린의 작용을 방해하여 발생된다고 추정된다.

━━ 용어 ━━

▶ **혈당량(피 血, 사탕 糖, 헤아릴 量):** 혈액 속의 포도당량으로, 정상인의 혈당량은 혈액 100 mL당 100 mg으로, 혈액의 약 0.1 %이다.

▶ **동맥 경화(움직일 動, 맥 脈, 굳을 硬, 될 化):** 혈관 벽에 콜레스테롤이 쌓여 혈관이 좁아지고 딱딱하게 굳는 것으로, 혈액 순환에 심각한 지장을 초래할 수 있다.

2 에너지 대사의 균형

1. 대사량

기초 대사량[4]	체온 조절, 심장 박동, 혈액 순환, 호흡 운동과 같은 생명 현상을 유지하는 데 필요한 최소한의 에너지양 … 키가 크고 체표면적이 클수록 생명 유지에 필요한 에너지가 많아져 기초 대사량이 증가한다.
활동 대사량	공부, 운동, 활동 등 다양한 신체 활동을 하는 데 소모되는 에너지양 ➡ 소모되는 에너지양은 활동의 종류, 강도, 시간에 따라 달라진다.
1일 대사량	기초 대사량과 활동 대사량, 섭취한 음식물을 소화·흡수하는 데 필요한 에너지양을 더한 값으로, 하루 동안 생활하는 데 필요한 에너지양이다.

2. 에너지 대사[5]의 균형
1일 대사량보다 적은 에너지를 섭취하면 체중이 줄어들고, 1일 대사량보다 많은 에너지를 섭취하면 체중이 늘어난다.

에너지 부족	에너지 균형	에너지 과다
• 섭취량 < 소비량 • 체지방과 체단백질이 지속적으로 분해되어 체중이 감소하고 면역력이 떨어진다.	• 섭취량 = 소비량 • 에너지 대사의 균형이 이루어져 체중이 거의 변하지 않는다.	• 섭취량 > 소비량 • 체지방 축적량이 증가하고 체중이 증가하여(비만) 당뇨병, 고혈압 등의 발생률이 증가한다.

자료 파헤치기

1일 에너지 섭취량과 에너지 소비량 비교하기

① 체중이 60 kg인 철수가 하루 동안 먹은 음식과 각 음식의 열량
• 섭취한 음식: 쌀밥 2공기, 된장찌개 1인분, 갈치구이 1인분, 깍두기 1인분, 부대찌개 1인분, 장조림 1인분, 배추김치 1인분, 비빔밥 1인분

쌀밥	된장찌개	갈치구이	깍두기	부대찌개	장조림	배추김치	비빔밥
272 kcal	145 kcal	481 kcal	18 kcal	520 kcal	63 kcal	19 kcal	707 kcal

➡ 1일 에너지 섭취량: $(272 \times 2) + 145 + 481 + 18 + 520 + 63 + 19 + 707 = 2497$(kcal)

② 철수의 하루 동안의 에너지 소비량
• 잠자기 7시간, 식사하기 2시간, 공부하기 9시간, 농구 1시간, TV 보기 3시간, 서 있기 1시간, 빨리 걷기 1시간

활동	잠자기	식사하기	공부하기	농구	TV 보기	서 있기	빨리 걷기
에너지 소비량 (kcal/kg·h)	0.9	1.6	1.9	8.4	1.1	2.1	4.2

➡ 1일 에너지 소비량: $\{(0.9 \times 7) + (1.6 \times 2) + (1.9 \times 9) + 8.4 + (1.1 \times 3) + 2.1 + 4.2\} \times 60 = 2676$(kcal)

③ 철수는 에너지 섭취량보다 에너지 소비량이 더 많으므로, 이 상태가 지속되면 체중이 감소한다.

개념 확인하기

1 당뇨병은 혈당 조절에 필요한 ( )의 분비나 기능 장애로 발생한다.
2 체온 유지, 심장 박동, 호흡 등 생명 활동에 필요한 최소한의 에너지양을 ( )이라고 한다.

답 1. 인슐린 2. 기초 대사량

---

❹ 기초 대사량

근육 조직은 지방 조직보다 에너지 소비량이 많아 몸에 근육량이 많아지면 기초 대사량이 증가한다. 1일 대사량의 60~65 %는 기초 대사량이므로, 운동을 통해 근육량이 늘어나면 기초 대사량에 따른 에너지 소비량을 더욱 늘릴 수 있다.

활동 대사량 25~30%
음식물의 소화와 흡수 10%
기초 대사량 60~65%

▲ 1일 대사량의 구성

❺ 에너지 대사

물질대사가 일어날 때에는 반드시 에너지의 출입이 함께 일어나기 때문에 물질대사를 에너지 대사라고도 한다.

강의 콕

에너지 섭취량보다 에너지 소비량이 많은 상태가 지속되면 체중이 감소하고, 에너지 섭취량보다 에너지 소비량이 적은 상태가 지속되면 지방 축적에 따라 체중이 증가함을 묻는 문제가 자주 출제된다.

기초 탄탄 문제

정답과 해설 12쪽

핵심용어_ 이 단원에서 내가 아는 것과 아직 모르는 것을 정리하며 나의 공부를 돌아보자.

□ 대사성 질환 □ 당뇨병
□ 혈당량 □ 에너지 대사
□ 기초 대사량 □ 1일 대사량

01 대사성 질환에 대한 설명으로 옳지 <u>않은</u> 것은?

① 물질대사 이상에 의해 발생한다.

② 당뇨병은 대사성 질환 중 하나이다.

③ 뇌혈관계 질환은 대사성 질환에 해당하지 않는다.

④ 에너지의 불균형이 지속되면 대사성 질환이 발생할 수 있다.

⑤ 효소나 호르몬 등의 이상은 대사성 질환의 발생 원인 중 하나이다.

02 대사성 질환을 예방하기 위한 올바른 생활 습관에 대한 설명으로 옳지 <u>않은</u> 것은?

① 금연과 금주를 한다.

② 하루 세 끼 균형 잡힌 식사를 한다.

③ 수면을 통해 스트레스를 적절히 관리한다.

④ 유산소 운동과 근력 운동을 규칙적으로 꾸준히 한다.

⑤ 에너지 섭취량보다 에너지 소비량이 많게 유지될 수 있는 생활 습관을 갖도록 노력해야 한다.

03 대사성 질환에 해당하지 <u>않는</u> 것은?

① 독감 ② 구루병 ③ 당뇨병

④ 고혈압 ⑤ 고지혈증

04 대사성 질환인 당뇨병에 대한 설명으로 옳은 것만을 〈보기〉에서 있는 대로 고른 것은?

┤ 보기 ├

ㄱ. 소변량이 감소하고 갈증을 느낀다.

ㄴ. 당뇨병 환자의 오줌에서 포도당이 검출된다.

ㄷ. 인슐린이 분비되지만 정상적으로 작용하지 못하는 것은 당뇨병의 원인이 된다.

① ㄱ ② ㄷ ③ ㄱ, ㄴ

④ ㄴ, ㄷ ⑤ ㄱ, ㄴ, ㄷ

05 에너지 대사에 대한 설명으로 옳지 <u>않은</u> 것은?

① 운동을 통해 근육량을 늘리면 기초 대사량을 늘릴 수 있다.

② 에너지 섭취량과 에너지 소비량이 같은 상태를 에너지 균형을 이루었다고 한다.

③ 에너지 섭취량보다 에너지 소비량이 많은 상태가 지속되면 건강을 유지할 수 있다.

④ 활동하고 남은 에너지가 체지방의 형태로 과다하게 축적된 상태를 비만이라고 한다.

⑤ 과도하게 축적된 체지방은 고혈압, 고지혈증과 같은 대사성 질환의 원인이 될 수 있다.

06 대사량과 에너지 균형에 대한 설명으로 옳은 것만을 〈보기〉에서 있는 대로 고른 것은?

┤ 보기 ├

ㄱ. 활동 대사량은 하루 동안 생활하는 데 필요한 에너지양이다.

ㄴ. 기초 대사량은 생명을 유지하는 데 필요한 최소한의 에너지양이다.

ㄷ. 에너지 섭취량보다 에너지 소비량이 많은 상태가 지속될 경우 비만이 된다.

① ㄱ ② ㄴ ③ ㄱ, ㄷ

④ ㄴ, ㄷ ⑤ ㄱ, ㄴ, ㄷ

내신 만점 문제

정답과 해설 13쪽

* ▮▮▮ 난이도를 나타냅니다.

01 다음은 대사성 질환과 에너지 균형에 대한 세 학생 A~C의 의견이다.

> A: 물질대사 조절에 관여하는 효소나 호르몬 등의 이상, 오랜 기간 영양 과잉이나 운동 부족 등과 같은 생활 습관의 영향에 의해 에너지의 불균형이 지속되면 대사성 질환이 발생할 수 있어.
> B: 당뇨병, 고혈압, 구루병은 대사성 질환에 해당해.
> C: 에너지 섭취량과 에너지 소비량이 균형을 유지할 수 있는 생활 습관은 대사성 질환의 예방에 도움이 돼.

제시한 의견이 옳은 학생만을 있는 대로 고른 것은?

① A   ② B   ③ A, C
④ B, C   ⑤ A, B, C

02 표는 대사성 질환과 증상을 나타낸 것이다. (가)~(다)는 각각 고지혈증, 구루병, 당뇨병 중 하나이다.

질환	증상
(가)	뼈의 통증과 변형이 나타난다.
(나)	㉠
(다)	혈액 속 콜레스테롤의 양이 많아진다.

이에 대한 설명으로 옳은 것만을 〈보기〉에서 있는 대로 고른 것은?

> **보기**
> ㄱ. (가)는 체지방의 과다한 축적이 원인이다.
> ㄴ. ㉠은 '오줌을 자주 누고, 갈증을 느낀다.'가 될 수 있다.
> ㄷ. (다)는 구루병이다.

① ㄱ   ② ㄴ   ③ ㄱ, ㄷ
④ ㄴ, ㄷ   ⑤ ㄱ, ㄴ, ㄷ

03 다음은 대사성 질환 중 하나인 질병 (가)에 대한 자료이다.

> • 호르몬 ㉠의 분비가 부족하거나 호르몬 ㉠이 분비되더라도 정상적으로 작용하지 못해 발생하는 질환이다.
> • 혈당량이 비정상적으로 높게 유지되고, 오줌으로 포도당이 배출된다.
> • 오줌을 자주 누거나 갈증을 자주 느껴 물을 많이 마시게 된다.

이에 대한 설명으로 옳은 것만을 〈보기〉에서 있는 대로 고른 것은?

> **보기**
> ㄱ. ㉠은 항이뇨 호르몬이다.
> ㄴ. 체중 감소는 (가)의 증상 중 하나이다.
> ㄷ. 식이 요법은 (가)의 치료 방법 중 하나이다.

① ㄱ   ② ㄷ   ③ ㄱ, ㄴ
④ ㄴ, ㄷ   ⑤ ㄱ, ㄴ, ㄷ

04 표는 대사량의 정의를 나타낸 것이다. (가)~(다)는 각각 기초 대사량, 활동 대사량, 1일 대사량 중 하나이다.

구분	정의
(가)	생명 현상을 유지하는 데 필요한 최소한의 에너지양
(나)	하루 동안 생활하는 데 필요한 에너지양
(다)	다양한 신체 활동에 필요한 에너지양

이에 대한 설명으로 옳은 것만을 〈보기〉에서 있는 대로 고른 것은?

> **보기**
> ㄱ. 체지방이 적고 근육량이 많을수록 (가)가 증가한다.
> ㄴ. (나)는 (가)와 (다)를 합한 것이다.
> ㄷ. 심장 박동, 호흡 운동 등에 필요한 에너지양은 (다)에 포함된다.

① ㄱ   ② ㄷ   ③ ㄱ, ㄴ
④ ㄴ, ㄷ   ⑤ ㄱ, ㄴ, ㄷ

05 그림 (가)와 (나)는 에너지 섭취량과 에너지 소비량을 비교하여 나타낸 것이다.

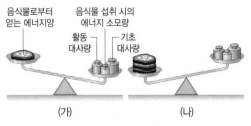

이에 대한 설명으로 옳은 것만을 〈보기〉에서 있는 대로 고른 것은?

┤ 보기 ├

ㄱ. (가)의 상태가 지속되면 체중이 감소한다.

ㄴ. (나)의 상태가 지속되면 비만이 될 확률이 높다.

ㄷ. (나)의 상태가 오래 지속되면 면역력이 높아져 각종 질병에 걸릴 확률이 낮아진다.

① ㄱ   ② ㄷ   ③ ㄱ, ㄴ

④ ㄴ, ㄷ   ⑤ ㄱ, ㄴ, ㄷ

06 그림은 활동 A~C에 따라 음식물에 포함된 에너지가 소모되는 데 걸리는 시간을 나타낸 것이다.

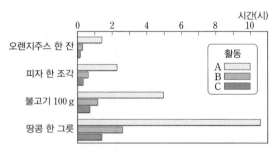

이에 대한 설명으로 옳은 것만을 〈보기〉에서 있는 대로 고른 것은?

┤ 보기 ├

ㄱ. C는 A보다 단위 시간당 더 많은 에너지를 소모한다.

ㄴ. 땅콩 한 그릇에 포함된 에너지는 오렌지주스 한 잔과 피자 한 조각에 포함된 에너지의 합보다 크다.

ㄷ. 오렌지주스 한 잔, 피자 한 조각, 불고기 100 g을 점심으로 섭취하면 C를 3시간 하는 데 필요한 에너지를 얻을 수 있다.

① ㄱ   ② ㄷ   ③ ㄱ, ㄴ

④ ㄴ, ㄷ   ⑤ ㄱ, ㄴ, ㄷ

서술형 문제

07 물질대사 과정에 이상이 발생해 나타나는 질환을 대사성 질환이라고 한다.

(1) 대사성 질환의 발생 원인을 서술하시오.

_____

_____

(2) 대사성 질환을 예방하기 위한 생활 습관은 무엇인지 서술하시오.

_____

_____

08 표는 A와 B의 하루 평균 영양소 섭취량과 하루 평균 에너지 소비량을 나타낸 것이다.

구분	영양소 섭취량(g)			에너지 소비량 (kcal)
	탄수화물	단백질	지방	
A	380	30	50	2500
B	400	100	200	2700

(1) A와 B의 하루 평균 에너지 섭취량은 각각 얼마인지 풀이 과정과 함께 쓰시오.(단, 탄수화물과 단백질은 1 g당 4 kcal, 지방은 1 g당 9 kcal의 에너지를 낸다.)

_____

_____

_____

(2) A와 B 중 비만이 될 가능성이 높은 사람은 누구인지 쓰고, 그 까닭을 서술하시오.

_____

_____

_____

1. 물질대사

① 물질대사: 생명체에서 일어나는 모든 화학 반응 ➡ 반드시 에너지 출입이 함께 일어나며 효소가 관여한다.

② 물질대사의 종류: 에너지를 흡수하여 저분자 물질이 고분자 물질로 합성되는 동화 작용과 고분자 물질이 저분자 물질로 분해되면서 에너지가 방출되는 이화 작용으로 구분된다.

2. ATP 생성과 이용

① 세포 호흡: 포도당과 산소가 반응하여 물과 이산화 탄소로 분해되고, 이 과정에서 에너지가 방출된다.

② ATP: 세포 호흡 결과 발생한 에너지 중 일부는 ATP의 형태로 저장되어 물질 합성, 근육 운동, 체온 유지 등 다양한 생명 활동에 이용된다.

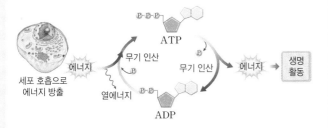

3. 세포 호흡에 필요한 영양소와 산소의 이동

① 영양소는 소화계에서 흡수될 수 있는 작은 크기의 분자로 분해된 후 소장의 융털에서 흡수된다.

② 호흡계를 통해 들어온 산소는 모세 혈관 속 혈액으로 들어오고, 이산화 탄소는 폐를 통해 몸 밖으로 배출된다.

③ 온몸을 순환하는 혈액에 의해 산소와 영양소가 조직 세포로 공급되고, 이산화 탄소 등의 노폐물이 이동한다.

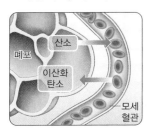 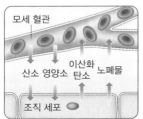

4. 노폐물의 생성과 배설

① 노폐물의 생성: 세포 호흡 과정에서 영양소가 분해되면서 노폐물인 물(H_2O), 이산화 탄소(CO_2), 암모니아(NH_3)가 발생한다.

② 노폐물의 배설: 물은 콩팥과 폐로 운반되어 배설되고, 이산화 탄소는 폐로 운반되어 날숨의 형태로 내보내진다. 암모니아는 간에서 요소로 전환된 후 콩팥에서 걸러져 오줌의 형태로 배설된다.

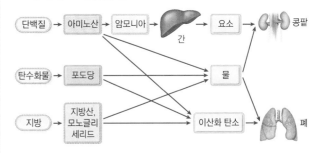

5. 기관계의 통합적 작용

에너지를 생성하고 물질대사 결과 발생한 노폐물을 배설하는 과정에서 소화계, 순환계, 호흡계, 배설계는 밀접히 연관되어 통합적으로 작용한다.

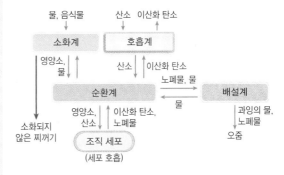

6. 대사성 질환과 에너지 대사의 균형

① 대사성 질환: 물질대사 과정에 이상이 생겨 나타나는 질환을 대사성 질환이라고 하며, 고혈압, 당뇨병, 고지혈증 등이 있다.

② 대사량: 생명 활동을 유지하는 데 필요한 최소한의 에너지양을 기초 대사량이라고 하며, 기초 대사량을 제외한 여러 신체 활동을 하는 데 필요한 에너지양을 활동 대사량이라고 한다.

③ 에너지 대사의 균형: 대사성 질환을 예방하기 위해서는 적정한 체중을 유지하고, 에너지 섭취량과 에너지 소비량(1일 대사량)의 균형을 유지해야 한다.

01 (가)와 (나)는 물질대사의 종류를, (다)와 (라)는 반응에 따른 에너지 변화를 나타낸 것이다.

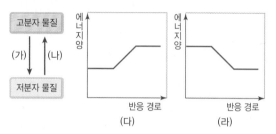

이에 대한 설명으로 옳은 것만을 〈보기〉에서 있는 대로 고른 것은?

┤ 보기 ├
ㄱ. ADP가 ATP로 전환되는 과정은 (가)와 (라)에 해당한다.
ㄴ. 간에서 포도당이 글리코젠으로 합성되는 과정은 (나)와 (다)에 해당한다.
ㄷ. (가)와 (라)는 이화 작용으로 발열 반응, (나)와 (다)는 동화 작용으로 흡열 반응에 해당한다.

① ㄱ   ② ㄴ   ③ ㄷ
④ ㄱ, ㄴ   ⑤ ㄴ, ㄷ

02 그림 (가)는 물질의 합성과 분해를, (나)는 세포 호흡 작용을 나타낸 것이다. ⓐ는 기체이고, ⓑ는 A와 B 중 하나이다.

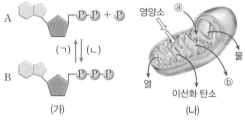

이에 대한 설명으로 옳은 것만을 〈보기〉에서 있는 대로 고른 것은?

┤ 보기 ├
ㄱ. ⓐ는 산소이며, ⓑ는 A에 해당한다.
ㄴ. (나)의 과정에서 영양소가 가진 에너지는 모두 (ㄴ) 과정이 진행되는 데 이용된다.
ㄷ. ⓐ는 호흡계를 통해 몸속으로 들어와 적혈구의 헤모글로빈과 결합하여 조직 세포로 운반된다.

① ㄱ   ② ㄴ   ③ ㄷ
④ ㄱ, ㄴ   ⑤ ㄱ, ㄷ

03 다음은 효모의 작용에 따른 이산화 탄소 방출량을 알아보는 실험이다.

[실험 과정]
1. 3개의 발효관에 효모액을 15 mL씩 넣고 포도당의 함량이 서로 다른 용액 A, B, C를 20 mL씩 넣는다.
2. 맹관부에 기포가 들어가지 않도록 각 발효관을 세운 다음 입구를 솜으로 막는다.

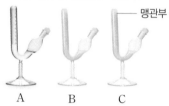

3. 충분한 시간이 지난 후 맹관부에 모인 이산화 탄소의 부피를 관찰한다.

[실험 결과]

발효관	A	B	C
이산화 탄소의 부피(mL)	3	10	15

이에 대한 설명으로 옳은 것만을 〈보기〉에서 있는 대로 고른 것은?

┤ 보기 ├
ㄱ. A, B, C 중 포도당 함량이 가장 높은 용액은 C이다.
ㄴ. A~C 발효관 모두 효소의 작용으로 이화 작용이 일어났다.
ㄷ. 발효관의 입구를 막아 이산화 탄소의 유입을 차단하였으므로 맹관부에 모인 이산화 탄소는 효모의 산소 호흡 과정을 통해 생성된 것이다.

① ㄱ   ② ㄴ   ③ ㄷ
④ ㄱ, ㄴ   ⑤ ㄱ, ㄴ, ㄷ

| 서술형 |

04 표는 에너지원으로 사용되는 영양소를 정리한 것이다.

구분	최종 분해 산물	흡수 장소
녹말	(가)	융털의 (다)
단백질	(나)	
지방	지방산, 모노글리세리드	융털의 (라)

(가)~(라)는 무엇인지 쓰시오.

05 그림은 음식물이 사람의 몸속에서 이용되기까지의 과정을 간단히 나타낸 것이다. (가)와 (나)는 물질대사 과정을, A와 B는 물질을 나타낸 것이다.

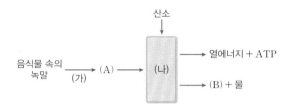

이에 대한 설명으로 옳은 것만을 〈보기〉에서 있는 대로 고른 것은?

┤ 보기 ├
ㄱ. A는 순환계의 작용으로 조직 세포까지 운반된다.
ㄴ. (가)는 소화계에서, (나)는 주로 미토콘드리아에서 진행되는 과정으로 모두 이화 작용에 해당한다.
ㄷ. (나) 반응 결과 만들어진 B가 조직 세포에서 모세 혈관으로 빠져나올 때 ATP가 사용된다.

① ㄱ   ② ㄴ   ③ ㄷ
④ ㄱ, ㄴ   ⑤ ㄱ, ㄷ

06 그림은 조직 세포에서의 ATP 생성 과정을 모식적으로 나타낸 것이다. (가), (나), (다)는 각각 호흡계, 소화계, 순환계 중 하나이다.

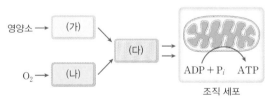

이에 대한 설명으로 옳은 것만을 〈보기〉에서 있는 대로 고른 것은?

┤ 보기 ├
ㄱ. (가)는 소화계로 영양소를 분해하고 흡수한다.
ㄴ. 산소가 (나)와 (다)를 거쳐 조직 세포로 이동하는 원리는 삼투 현상이다.
ㄷ. 조직 세포에서 산소와 영양소가 반응하여 에너지가 발생하는 작용은 동화 작용에 해당한다.

① ㄱ   ② ㄴ   ③ ㄷ
④ ㄱ, ㄴ   ⑤ ㄱ, ㄷ

07 그림은 에너지 대사 과정의 일부를 나타낸 것이다. (가)와 (나)는 각각 소화계와 호흡계 중 하나이고, A와 B는 기체이다.

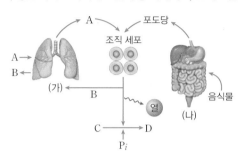

이에 대한 설명으로 옳은 것만을 〈보기〉에서 있는 대로 고른 것은?

┤ 보기 ├
ㄱ. A는 적혈구의 헤모글로빈에 결합되어 운반되고, B는 주로 혈장에 녹아 운반된다.
ㄴ. (나)에서 포도당은 소장 융털의 암죽관으로 흡수된 후 혈액을 따라 조직 세포로 공급된다.
ㄷ. C에서 D를 만드는 과정은 세포 호흡 과정에서 방출된 에너지를 이용하는 이화 작용이다.

① ㄱ   ② ㄴ   ③ ㄷ
④ ㄱ, ㄴ   ⑤ ㄱ, ㄷ

| 서술형 |

08 그림은 기관계와 세포의 통합적 작용을 나타낸 것이다. (가), (나), (다)는 각각 순환계, 호흡계, 소화계 중 하나이다.

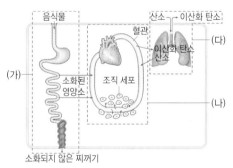

(가)~(다)의 명칭을 쓰고 세포 호흡과 관련하여 각각의 역할을 간단히 서술하시오.

_____

_____

_____

_____

09 그림은 소장에서 흡수된 영양소 A가 세포의 물질대사에 의해 최종 산물 B로 전환되어 배설되는 과정을 나타낸 것이다. 기관 (가)에서 오줌이 생성된다.

이에 대한 설명으로 옳은 것만을 〈보기〉에서 있는 대로 고른 것은?

| 보기 |

ㄱ. A는 단백질이다.

ㄴ. B는 간에서 생성된다.

ㄷ. (가)에서 순환계로 물이 이동한다.

① ㄱ   ② ㄷ   ③ ㄱ, ㄴ

④ ㄴ, ㄷ   ⑤ ㄱ, ㄴ, ㄷ

10 그림은 사람의 기관계 (가)와 (나)를 나타낸 것이다. (가)와 (나)는 각각 배설계와 소화계 중 하나이다.

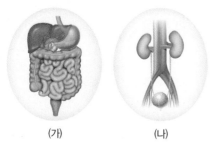

(가)   (나)

이에 대한 설명으로 옳은 것만을 〈보기〉에서 있는 대로 고른 것은?

| 보기 |

ㄱ. 암모니아를 요소로 전환하는 기관은 (가)에 속한다.

ㄴ. (가)에서 흡수하지 못한 영양소는 (나)를 통해 배설된다.

ㄷ. 물은 (나)를 통해서만 배설된다.

① ㄱ   ② ㄷ   ③ ㄱ, ㄴ

④ ㄴ, ㄷ   ⑤ ㄱ, ㄴ, ㄷ

11 그림은 사람 몸에 있는 각 기관계의 통합적 작용을 나타낸 것이다. A~C는 각각 배설계, 소화계, 호흡계 중 하나이다.

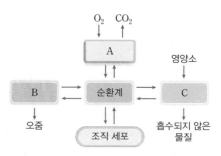

이에 대한 설명으로 옳은 것만을 〈보기〉에서 있는 대로 고른 것은?

| 보기 |

ㄱ. A는 표면적을 줄이는 구조로 되어 있다.

ㄴ. B에서는 노폐물이 걸러지고 체내 수분량이 조절된다.

ㄷ. 암모니아를 요소로 전환하는 기관은 C에 속한다.

① ㄱ   ② ㄷ   ③ ㄱ, ㄴ

④ ㄴ, ㄷ   ⑤ ㄱ, ㄴ, ㄷ

12 그림은 사람의 기관계 (가)~(라)를 나타낸 것이다. (가)~(라)는 각각 배설계, 소화계, 순환계, 호흡계 중 하나이다.

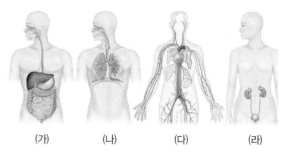

(가)   (나)   (다)   (라)

이에 대한 설명으로 옳은 것만을 〈보기〉에서 있는 대로 고른 것은?

| 보기 |

ㄱ. (가)와 (나)로 흡수된 물질들은 (다)를 통해 조직 세포로 운반된다.

ㄴ. 혈액이 (나)를 거치면 혈중 산소 농도가 증가한다.

ㄷ. (라)를 통해 질소 노폐물이 배출된다.

① ㄱ   ② ㄷ   ③ ㄱ, ㄴ

④ ㄴ, ㄷ   ⑤ ㄱ, ㄴ, ㄷ

13 다음은 오줌의 성분을 알아보는 실험이다. 생콩즙에는 요소를 분해하는 효소 @가 들어 있으며, BTB 용액은 산성에서 노란색, 중성에서 초록색, 염기성에서 파란색을 띤다.

[실험 과정]
비커 A~E에 용액을 다음과 같이 넣은 직후 BTB 용액을 떨어뜨려 색을 관찰한다.

비커 A	2 % 요소 용액 10 mL + 생콩즙 3 mL
비커 B	오줌 10 mL + 증류수 3 mL
비커 C	오줌 10 mL + 생콩즙 3 mL

[실험 결과]
각 비커에서 BTB 용액을 넣은 직후와 20분이 경과되었을 때 색 변화가 다음과 같았다.

A	B	C
노란색 → 파란색	초록색 → 초록색	노란색 → 파란색

이에 대한 설명으로 옳은 것만을 〈보기〉에서 있는 대로 고른 것은?

┤ 보기 ├
ㄱ. 비커 A에서 효소 @에 의해 염기성을 띠는 물질이 발생하였다.
ㄴ. 비커 B를 통해 오줌 자체는 중성임을 알 수 있다.
ㄷ. 비커 C를 통해 오줌 속에 요소 성분이 있음을 알 수 있다.

① ㄱ　　　　② ㄴ　　　　③ ㄷ
④ ㄱ, ㄴ　　　⑤ ㄱ, ㄴ, ㄷ

| 서술형 |

14 그림은 대사성 질환 중 하나인 질환 X를 나타낸 것이다.

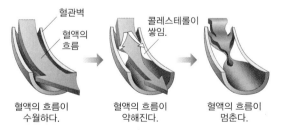

X는 무엇인지 쓰고, X의 증상과 X가 위험한 까닭을 서술하시오.

_____

_____

15 다음은 어떤 대사성 질환을 앓고 있는 환자의 증상을 나타낸 것이다.

• 체중이 감소한다.
• 배가 자주 고프고 식사량이 증가한다.
• 혈중 인슐린 농도가 식사 후에도 거의 0에 가깝다.

이 환자에 대한 설명으로 옳은 것만을 〈보기〉에서 있는 대로 고른 것은?

┤ 보기 ├
ㄱ. 이자의 α세포에 이상이 있다.
ㄴ. 환자의 오줌에는 포도당이 포함되어 있다.
ㄷ. 인슐린을 투여하면 혈당량이 감소할 것이다.

① ㄱ　　　　② ㄷ　　　　③ ㄱ, ㄴ
④ ㄴ, ㄷ　　　⑤ ㄱ, ㄴ, ㄷ

16 그림은 세 학생이 하루 동안 섭취한 평균 에너지양을 나타낸 것이다. 하루 평균 에너지 소비량은 영희가 2100 kcal, 철수와 영수가 각각 2500 kcal이다.

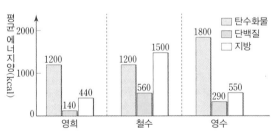

이에 대한 설명으로 옳은 것만을 〈보기〉에서 있는 대로 고른 것은? (단, 탄수화물과 단백질은 1 g당 4 kcal, 지방은 1 g당 9 kcal의 에너지를 낸다.)

┤ 보기 ├
ㄱ. 영희는 섭취한 평균 에너지양이 소비한 평균 에너지양보다 적다.
ㄴ. 철수가 하루 동안 섭취한 탄수화물의 양은 지방보다 약 133.3 g 더 많다.
ㄷ. 비만이 될 가능성은 철수가 영수보다 높다.

① ㄱ　　　　② ㄷ　　　　③ ㄱ, ㄴ
④ ㄴ, ㄷ　　　⑤ ㄱ, ㄴ, ㄷ

응집원 Na⁺ K⁺
음성 피드백
B 림프구 골격근
항원 후근음성 피드백 항상성 뇌하수체
식균 작용 삼투압 조절 마이오신
갑상샘 근육 원섬유 액틴 필라멘트 혈당량 체온
응집원 음성 피드백
혈당량 항체 Na⁺ 2차 면역 반응 K⁺ 액틴 필라멘트
골격근 음성 피드백
체성 신경계 막전위 대식세포 후근 T 림프구
자율 신경계 후근 형질 세포 갑상샘골격근 뇌하수체 액틴 필라멘트
이슐린 아세틸콜린 형질 세포
부교감 신경 후근 말초 신경계 골격근 전근 시냅스 세균
음성 피드백 골격근 체온 조절 후근 자율 신경계
전근 항이뇨 응집원 호르몬 뇌하수체 뇌하수체 시냅스
활동 전위 액틴 필라멘트 말초 신경계 탈분극 뉴런 염증 반응 항체
마이오신 액틴 필라멘트 대식세포 뉴런 재분극
B 림프구 체온 조절 혈당량 후근 중추 신경계 식균 작용 응집원
음성 피드백
글루카곤 바이러스 Na⁺-K⁺ 펌프 체온 조절
골격근 교감 신경 호르몬 막전위 체온 조절
형질 세포 골격근 기억 세포 항원
전근 항상성 척수 병원체 연수
삼투압 조절 응집소

학습내용 |

1. 신경계

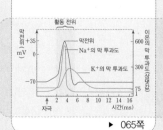
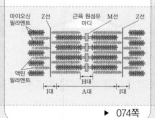
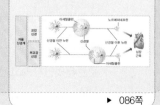

항상성과 몸의 조절

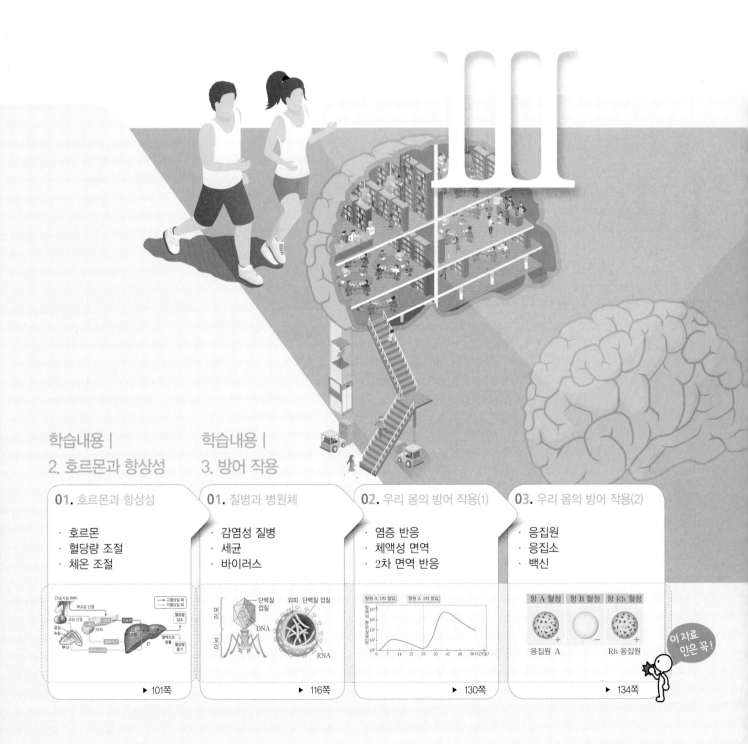

이 자료
만은 꾹!

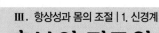

01 흥분의 전도와 전달

내 교과서는 어디에?

천재 p.59~66 동아 p.59~64 미래엔 p.70~77
비상 p.59~65 금성 p.76~82 교학사 p.61~71 지학사 p.60~67

핵심 Point
- 뉴런(신경 세포)의 구조와 종류에 따른 기능을 이해한다.
- 막전위의 변화로 흥분의 전도가 일어나는 과정을 이해한다.
- 뉴런(신경 세포) 사이에 흥분이 전달되는 원리를 이해한다.

1 뉴런의 구조와 종류

1. **뉴런(신경 세포)** 신경계를 구성하는 구조적·기능적 기본 단위가 되는 세포로, 자극을 받아들이고 전달하는 데 적합한 구조이다.

신경 세포체	핵을 비롯한 여러 세포 소기관이 있어 세포의 생명 활동에 필요한 다양한 물질을 합성하는 부위
가지 돌기	신경 세포체로부터 뻗어 나온 짧은 돌기로, 다른 뉴런이나 세포로부터 자극을 받아들이는 부위
축삭 돌기	신경 세포체로부터 길게 뻗어 나온 하나의 돌기로, 신호가 이동하는 부위

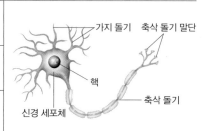

2. **뉴런의 종류**

① 말이집❶ 유무에 따른 구분

말이집 신경	뉴런의 축삭 돌기가 말이집으로 싸인 신경	
민말이집 신경	축삭 돌기가 말이집으로 싸여 있지 않은 신경	

② 기능에 따른 구분: 구심성 뉴런, 원심성 뉴런, 연합 뉴런으로 구분한다.❷

구심성 뉴런(감각 뉴런)	연합 뉴런	원심성 뉴런(운동 뉴런)
여러 감각 기관으로부터 중추 신경계로 자극을 전달하는 뉴런이다.	구심성 뉴런과 원심성 뉴런을 중개하며 자극을 처리하는 뉴런으로 뇌와 척수를 구성한다.	중추 신경계의 명령을 여러 반응 기관에 전달하는 뉴런이다.

▲ 뉴런의 종류

2 흥분의 전도

1. **막전위** 세포막의 안팎에 존재하는 이온의 농도 차이와 각 이온의 막 투과도 차이에 따라 세포막 안과 밖은 전위차가 발생하는데, 이를 막전위라고 한다.

① 뉴런의 축삭 돌기 막 안팎에 분포하는 이온의 양이 달라 막전위가 발생한다.

② 뉴런의 막전위는 세포막 안쪽과 바깥쪽에 미세 전극을 꽂아 측정한다.

2. **흥분** 뉴런이 자극을 받아 세포막의 전기적 특성이 변해 막전위가 변화하는 현상 ➡ 분극, 탈분극, 재분극 순서로 진행된다.

---

❶ 말이집

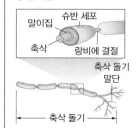

- 말이집: 슈반 세포의 막이 길게 늘어나 축삭을 여러 겹 감싸서 형성된 구조로, 절연체 역할을 한다.
- 랑비에 결절: 말이집과 말이집 사이에 축삭이 노출된 부분이다.

❷ 뉴런의 구조적 다양성

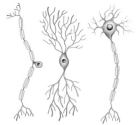

감각 뉴런 연합 뉴런 운동 뉴런

- 감각 뉴런: 신경 세포체가 축삭 돌기의 중간에 위치한다.
- 연합 뉴런: 신경 세포체로부터 두 개의 돌기가 뻗어 나온 형태이다.
- 운동 뉴런: 전형적인 뉴런의 형태로 신경 세포체에서 긴 축삭 돌기가 뻗어 나온다.

━━━━━ 용어 ━━━━━

▶ **절연체**(끊을 絕, 가장자리 緣, 몸 體): 열이나 전기를 전달하지 않는 물체이다.

분극		탈분극		재분극
자극(흥분)을 받지 않았을 때의 뉴런 상태 ➡ 휴지 전위 상태	▶	역치 이상의 자극을 받아 막전위가 상승 ➡ Na^+이 세포 안쪽으로 들어옴	▶	탈분극되었던 부위가 다시 분극 상태로 돌아감 ➡ K^+이 세포 바깥쪽으로 나가 막전위 회복

① 분극: 뉴런이 자극을 받지 않을 때 세포막을 경계로 세포 안쪽은 음(−)전하, 바깥쪽은 양(+)전하를 띠고 있는 상태 ➡ 이때의 막전위를 휴지 전위라고 한다.

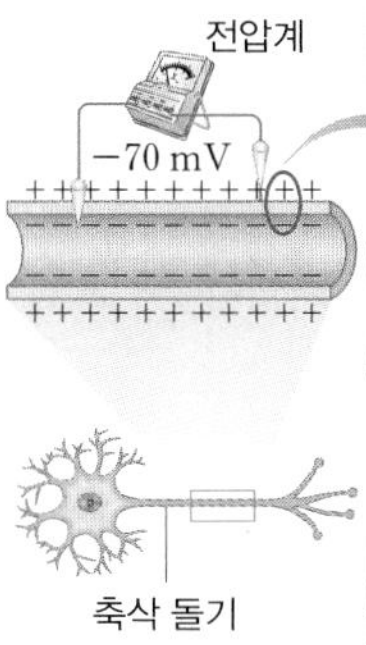

▲ 휴지(막) 전위 측정

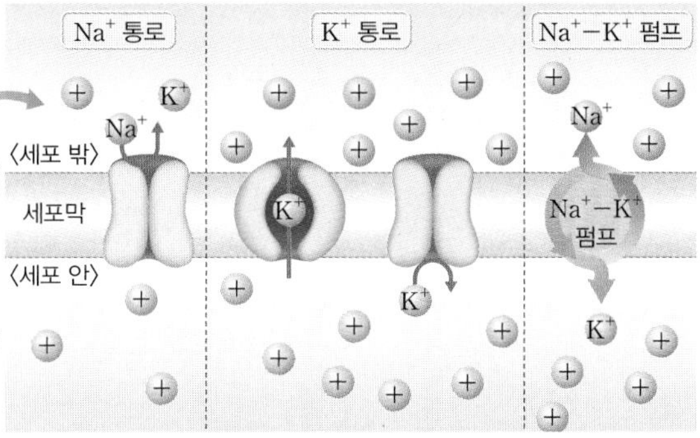

▲ 분극 상태일 때의 이온 분포와 이동

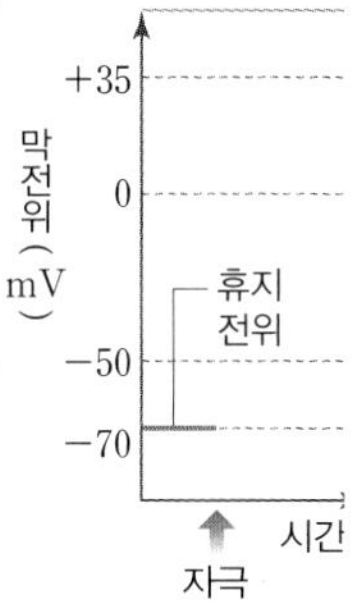

▲ 휴지 전위

이온의 분포와 이동	• Na^+-K^+ 펌프❸: 에너지(ATP)를 소모하여 Na^+은 세포 바깥쪽으로, K^+은 안쪽으로 이동시킨다. ➡ 세포 안쪽은 바깥쪽보다 K^+의 농도가 높고, 바깥쪽은 안쪽보다 Na^+의 농도가 높다. • Na^+ 통로는 닫혀 있어 세포 바깥쪽의 Na^+은 안쪽으로 확산되기 어렵다. • K^+ 확산: 일부 K^+ 통로가 열려 있어 K^+의 일부가 세포 안쪽에서 바깥쪽으로 확산된다. ➡ 세포막 안쪽보다 바깥쪽에 상대적으로 양이온이 많아 안쪽은 음(−)전하, 바깥쪽은 양(+)전하를 띤다.
대전 상태	세포 안쪽은 음(−)전하를 띠고, 세포 바깥쪽은 양(+)전하를 띤다.
막전위	휴지 전위: 분극 상태에서 세포막 안팎의 전위차로, 보통 −70 mV이다.

② 탈분극: 뉴런이 일정한 세기(역치) 이상의 자극을 받으면 Na^+ 통로가 열려 Na^+이 빠르게 세포 안쪽으로 확산되어 들어와 막전위가 상승한다.

이온의 분포와 이동	뉴런이 자극을 받으면 세포막에 있는 Na^+ 통로가 열린다. ➡ Na^+ 통로를 통해 Na^+이 세포 안쪽으로 확산되어 막전위가 상승한다. ➡ 막전위가 역치 전위에 이르면 많은 수의 Na^+ 통로가 열려 다량의 Na^+이 확산되어 막전위가 급격히 상승한다.	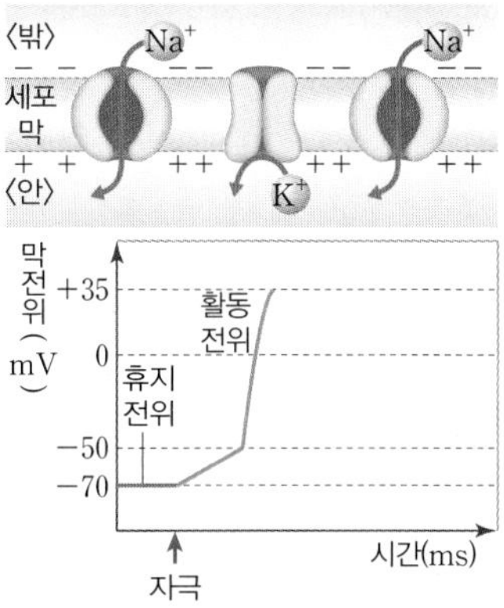
대전 상태	Na^+이 세포 안쪽으로 이동하여 세포막 안쪽은 양(+)전하, 바깥쪽은 음(−)전하를 띤다.	
막전위	활동 전위: 뉴런이 역치 이상의 자극을 받을 때 나타나는 막전위의 급격하고 일시적인 변화로, 막 안쪽의 전위는 −70 mV에서 +35 mV까지 상승한다.	

❸ Na^+-K^+ 펌프

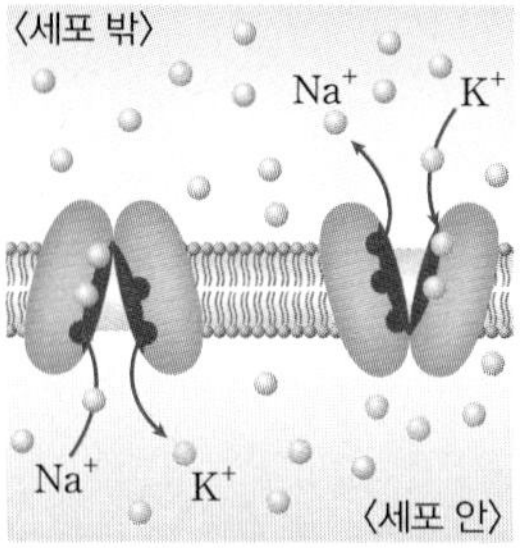

에너지(ATP)를 사용하여 농도가 낮은 쪽에서 높은 쪽으로 이온을 이동시키는 펌프로, 능동 수송의 예이다. Na^+은 세포 밖으로, K^+은 세포 안으로 이동시키는 역할을 한다.

강의 콕

Na^+ 통로와 K^+ 통로를 통한 Na^+과 K^+의 이동은 농도 차에 따른 확산으로 일어나므로 에너지(ATP)를 사용하지 않는다는 내용을 묻는 문제가 자주 출제된다.

용어

▸ **역치(문지방 閾, 값 値)**: 어떤 반응을 일으키는 데 필요한 최소한의 자극 세기이다.

개념 확인하기

1 중추 신경계의 명령을 여러 반응 기관에 전달하는 뉴런은 (   )이다.

2 Na^+ 통로가 열려 Na^+이 세포 내부로 확산되면서 재분극이 진행된다. (○, ×)

답 1. 운동 뉴런 2. ×

③ 재분극: 탈분극이 일어났던 부위의 Na^+ 통로가 닫히고, K^+ 통로가 열려 K^+이 세포막 안쪽에서 바깥쪽으로 확산되어 막전위가 다시 하강한다.

이온의 분포와 이동	• Na^+ 통로가 대부분 닫혀 세포 안으로 유입되는 Na^+의 양이 줄어든다. • 닫혀 있던 K^+ 통로가 열려 K^+이 세포 안쪽에서 바깥쪽으로 확산된다.	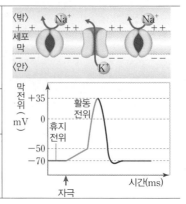
대전 상태	세포 안쪽은 음($-$)전하, 바깥쪽은 양($+$)전하로 회복된다.	
막전위	휴지 전위로 회복: K^+이 세포 바깥쪽으로 확산되면서 막전위가 하강하고, Na^+-K^+ 펌프를 통해 이온이 재배치되어 휴지 전위로 되돌아간다.❹	

3. **흥분의 전도** 뉴런 내에서 축삭 돌기를 따라 흥분이 이동하는 것 ➡ 탈분극 때 내부로 들어온 Na^+이 옆으로 확산되면서 흥분이 전도된다.

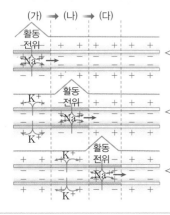

뉴런의 (가) 부위에서 탈분극이 일어나 Na^+이 유입되고, 내부로 들어온 Na^+은 양 옆으로 확산된다.

확산된 Na^+에 의해 (나) 부위에서 새로운 활동 전위가 발생하고, (가) 부분은 재분극 상태로 진행된다.

축삭 돌기를 따라 활동 전위가 연속적으로 발생하여 축삭 돌기 말단까지 흥분이 전도된다.

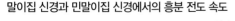
｜ 자료 파헤치기 ｜

말이집 신경과 민말이집 신경에서의 흥분 전도 속도

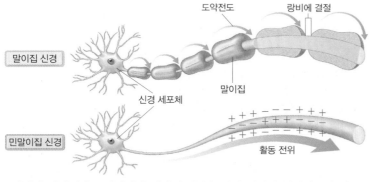

• 말이집 신경에서는 말이집이 절연체 역할을 하여 랑비에 결절에서만 활동 전위가 발생하는 도약 전도가 일어난다. ➡ 흥분 전도 속도가 빠르다.
• 민말이집 신경은 축삭 돌기를 따라 연속적으로 활동 전위가 발생한다. ➡ 말이집 신경보다 흥분 전도 속도가 느리다.

❹ **자극의 세기와 활동 전위의 발생 빈도**

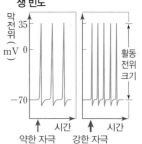

강한 자극을 받으면 약한 자극을 받을 때보다 활동 전위가 더 자주 발생한다. 자극의 세기와 관계없이 활동 전위의 크기는 일정하다.

셀파 콕콕

탈분극 시에 Na^+이 이동할 때, 세포 내부의 Na^+ 농도가 외부보다 높아질 것이라고 생각할 수 있다. 하지만 활동 전위 시에 이동하는 이온의 양은 세포 안팎의 전체 이온의 양에 비해 미량이므로, 이온의 농도는 거의 변화 없이 막 바깥에서는 Na^+이 높고, 막 안쪽에서는 K^+이 높다는 사실을 알아 두자.

━━━ 용어 ━━━
▶ 도약전도(뛸 跳, 뛸 躍, 전할 傳, 이끌 導): 말이집 신경에서 흥분의 전도가 랑비에 결절에서 다음 랑비에 결절로 점프하듯 일어나는 것

개념 확인하기

1 재분극 시에는 K^+ 통로를 통해 K^+이 세포 밖으로 이동한다. (○, ×)
2 말이집을 건너뛰듯이 일어나는 흥분의 전도를 (   )라고 한다.

답 1. ○ 2. 도약전도

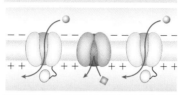

셀파 세미나 —————— S·H·E·R·P·A

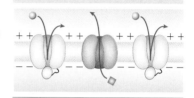 활동 전위 발생 시 막전위 변화를 이온의 막 투과도와 연결시켜 설명할 수 있다

활동 전위의 진행 과정에서의 이온 막 투과도 변화

01 세포막 안팎으로의 이온 이동과 막전위의 흐름

❸ 탈분극 ➡ Na^+ 막 투과도 증가

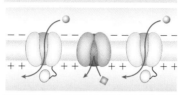

막전위가 역치 전위에 이르면 Na^+ 통로가 한꺼번에 열려 Na^+이 세포 안으로 다량 유입되어 막전위가 빠르게 상승한다.(활동 전위 발생)

❷ 탈분극 ➡ Na^+ 막 투과도 증가

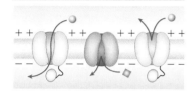

자극을 받으면 일부 Na^+ 통로가 열리고, Na^+이 세포 안으로 유입되기 시작하여 막전위가 약간 상승한다.

❹ 재분극 ➡ K^+ 막 투과도 증가

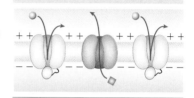

Na^+ 통로는 닫히고(Na^+ 막 투과도 감소), K^+ 통로가 열려 K^+이 세포 안에서 밖으로 다량 유출된다.

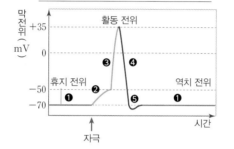

❶ 분극 ➡ Na^+, K^+ 막 투과도 낮음

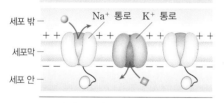

- Na^+-K^+ 펌프에 의해 이온의 농도 차이가 유지되며, Na^+ 통로, K^+ 통로는 대부분 닫혀 있다.
- Na^+은 세포 밖에, K^+은 세포 안에 많다.

❺ 과분극

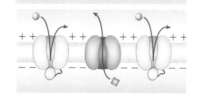

- K^+ 통로가 천천히 닫히면서 막전위가 휴지 전위보다 조금 더 아래로 내려간다.(과분극)
- Na^+-K^+ 펌프에 의해 이온이 재배치된다.

02 막전위와 이온의 막 투과도 변화

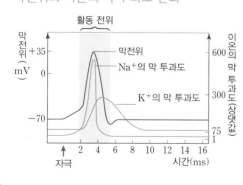

❶ 분극: Na^+과 K^+의 막 투과도가 모두 낮은 상태이며, Na^+에 비해 K^+의 막 투과도가 다소 높다.

❷ 탈분극: Na^+ 통로가 열려 Na^+의 막 투과도가 높아진다 ➡ Na^+이 세포 안으로 빠르게 유입된다.

❸ 재분극: Na^+ 통로가 닫혀 Na^+의 막 투과도는 낮아지고, K^+ 통로가 열려 K^+의 막 투과도는 높아진다. ➡ K^+이 세포 밖으로 유출된다.

1. **흥분의 전달** 한 뉴런에서 다음 뉴런으로 흥분이 전해지는 현상
① 시냅스: 한 뉴런의 축삭 돌기 말단은 다음 뉴런과 20 nm의 좁은 간격을 두고 접해 있는데, 이 부분을 시냅스라고 하고 떨어진 틈을 시냅스 틈이라고 한다. ➡ 시냅스 틈으로 신경 전달 물질이 분비되어 흥분이 전달된다.
② 시냅스에서의 흥분 이동: 시냅스에서는 흥분의 전도와 같은 방법으로는 신호가 이동할 수 없으므로 신경 전달 물질을 분비하여 다음 뉴런에 신호를 전달한다.

2. **흥분의 전달 과정** 활동 전위가 신경 전달 물질의 분비를 유도하여 흥분이 전달된다.

┃ 자료 파헤치기 ┃

흥분의 전달 과정

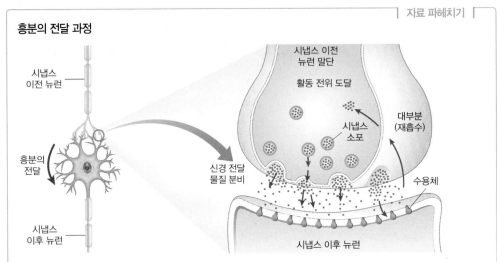

① 활동 전위가 시냅스 이전 뉴런의 축삭 돌기 말단에 도달한다.
② 축삭 돌기 말단의 시냅스 소포가 이동하여 세포막과 융합한다.
③ 시냅스 소포에 들어 있던 신경 전달 물질이 시냅스 틈으로 방출된다.
④ 신경 전달 물질이 시냅스 이후 뉴런의 수용체에 결합하면 이온 통로가 열려 탈분극이 일어난다.
⑤ 탈분극이 퍼져 나가면서 시냅스 이후 뉴런에서 활동 전위가 발생한다.

3. **신경 전달 물질** 뉴런의 축삭 돌기 말단에서 분비되어 인접해 있는 다른 뉴런의 가지 돌기에 신호를 전달하는 화학 물질이다.❺ 예 아세틸콜린❻, 노르에피네프린 등

┃ 자료 파헤치기 ┃

신경 전달 물질의 기능 확인 실험

[실험 과정]
① 신경이 붙어 있는 개구리 심장 A와 신경을 제거한 개구리 심장 B를 생리식염수에 넣고 그림과 같이 연결한다.
② 심장 A에 연결된 신경을 자극했을 때 나타나는 심장 A와 심장 B의 수축력과 박동 변화를 관찰한다.

[실험 결과]
심장 A의 수축력과 박동이 느려졌으며, 시간 차를 두고 심장 B의 수축력과 박동도 느려졌다. ➡ 심장 A에서 신경 전달 물질(아세틸콜린)이 분비되었고, 이는 생리식염수를 통해 심장 B로 이동해 영향을 주었다.

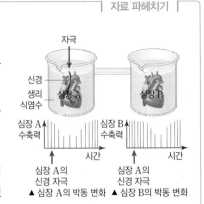

▲ 심장 A의 박동 변화 ▲ 심장 B의 박동 변화

---

❺ 신경 전달 물질의 조절

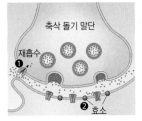

불필요한 자극으로 인하여 시냅스 이후 뉴런이 과도하게 흥분하는 것을 막기 위해 신경 전달 물질을 줄이는 작용이 존재한다.
❶ 시냅스 틈으로 분비된 신경 전달 물질을 시냅스 이전 뉴런으로 재흡수한다.
❷ 시냅스 이후 뉴런의 세포막에 있는 효소가 시냅스 틈에 있는 신경 전달 물질을 분해한다.

❻ 아세틸콜린

모든 척추동물의 운동 뉴런 말단에서 분비되는 신경 전달 물질로, 근육에 흥분을 전달한다.

━━━ 용어 ━━━

▶ **시냅스 소포**: 신경 전달 물질이 들어 있는 작은 주머니로, 축삭 돌기 말단에 많이 분포한다.

4. **흥분의 전달 방향** 신경 전달 물질이 들어 있는 시냅스 소포가 축삭 돌기 말단에만 있으며, 신경 전달 물질에 대한 수용체는 신경 세포체와 가지 돌기에만 있다. ➡ 뉴런과 뉴런 사이에서 흥분은 시냅스 이전 뉴런의 축삭 돌기에서 시냅스 이후 뉴런의 가지 돌기나 신경 세포체 방향으로만 전달된다.

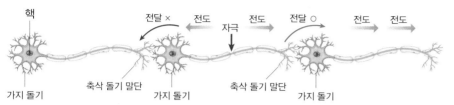

▲ 뉴런과 뉴런 사이에서의 흥분 전달 방향

강의 콕 🖐️

한 뉴런 내에서는 흥분이 양쪽 방향으로 전도되지만, 뉴런과 뉴런 사이에서는 한 뉴런의 축삭 돌기 말단에서 다른 뉴런의 가지 돌기 방향으로만 전달된다는 내용이 자주 출제된다.

자료 파헤치기

흥분의 전달과 자극의 통합 ❼

① 각각의 뉴런은 보통 1000~10000개의 뉴런과 시냅스를 형성하며, 시냅스 중에는 흥분 신호를 전달하는 것과 억제 신호를 전달하는 것이 있다.

② 시냅스에서 여러 신호들이 전달되면, 시냅스 이후 뉴런은 이 신호들을 통합하여 받아들인다.

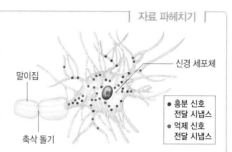

신경 세포체
말이집
축삭 돌기

● 흥분 신호 전달 시냅스
● 억제 신호 전달 시냅스

❼ **시냅스에서 신경 전달 물질에 의한 자극의 통합**

시냅스 틈에서 신경 전달 물질에 의한 흥분의 전달은 전기적 신호에 의한 흥분의 전도보다 속도가 느려지는 단점이 있지만, 정보를 통합하여 학습하는 과정 등에서 매우 유용하다.

5. **시냅스에 영향을 미치는 약물** 일부 약물은 시냅스에서 일어나는 흥분 전달에 작용하여 인체에 영향을 준다.

시냅스 전달 촉진 약물	시냅스 전달 억제 약물
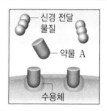 약물 A는 신경 전달 물질이 제거된 이후에도 시냅스 이후 뉴런의 수용체에 결합하여 흥분을 지속시킬 수 있다.	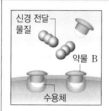 약물 B는 시냅스 이후 뉴런의 수용체에 결합하여 신경 전달 물질의 결합을 방해하므로 흥분이 전달되는 것을 방해한다.

① 약물의 종류

구분	효과	예
각성제	신경을 흥분시켜 긴장 상태를 유지하며, 심장 박동 수와 호흡 속도를 증가시켜 각성 효과를 나타낸다.	카페인, 니코틴, 코카인
진정제	시냅스에서 일어나는 신호 전달을 억제하며, 통증 완화 등 진통 효과를 나타낸다.	수면제, 알코올, 마취제
환각제	환각 작용을 일으키는 등 인지 작용과 의식을 변화시킨다.	LSD, 대마초

② 약물의 오남용: 약물을 용도에 맞지 않게 사용하거나 과다하게 사용하면 신경계의 기능에 이상이 발생해 여러 부작용이 나타날 수 있다. ❽

❽ **약물이 우리 몸에 미치는 영향**

· 알코올: 과도한 음주는 판단력 저하, 반응 속도 저하, 간과 뇌의 손상 등을 유발한다.

· 프로포폴: 수면 마취제의 일종으로 심작 박동 저하, 혈압 저하 등이 나타난다.

· LSD: 강력한 환각제로 공포감, 불안감 등을 유발한다.

용어

▶ 환각(헛보일 幻, 깨달을 覺): 감각 기관을 자극하는 외부 자극이 없는데도 마치 어떤 사물이 있는 것처럼 느끼는 것을 뜻한다.

개념 확인하기

1 뉴런의 축삭 돌기 말단이 다른 뉴런이나 근육 세포 등과 접해 있는 부위를 (　　　　)라고 한다.

2 축삭 돌기 말단에서 분비되어 신호를 전달하는 화학 물질을 (　　　)이라고 한다.

3 시냅스에서 흥분은 양쪽 방향으로 모두 전달된다. (○, ×)

4 시냅스에서 일어나는 신호 전달을 억제하며 진통 효과 등을 나타내는 약물을 (　　　)라고 한다.

답 1. 시냅스 2. 신경 전달 물질 3. × 4. 진정제

기초 탄탄 문제

정답과 해설 16쪽

핵심용어_ 이 단원에서 내가 아는 것과 아직 모르는 것을 정리하며 나의 공부를 돌아보자.

- □ 뉴런
- □ 막전위
- □ 활동 전위
- □ 탈분극
- □ 재분극
- □ 도약전도
- □ 시냅스
- □ 아세틸콜린

01 그림은 말초 신경계를 구성하는 뉴런을 나타낸 것이다.

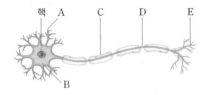

A~E의 명칭이 옳게 연결된 것은?

① A − 축삭 돌기
② B − 신경 세포체
③ C − 랑비에 결절
④ D − 말이집
⑤ E − 가지 돌기

02 그림은 세 종류 뉴런의 연결을 나타낸 것이다.

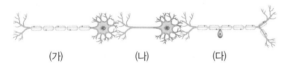

(가)   (나)   (다)

이에 대한 설명으로 옳은 것은?

① (가)는 구심성 뉴런이다.
② (다)는 원심성 뉴런이다.
③ (나)는 뇌와 척수에 분포한다.
④ (다)의 축삭 돌기는 반응기와 연결되어 있다.
⑤ (가)의 가지 돌기는 감각 세포와 연결되어 있다.

03 자극을 받지 않은 뉴런에 대한 설명으로 옳지 <u>않은</u> 것은?

① 열려 있는 Na^+ 통로는 거의 없다.
② 세포 밖보다 안의 K^+ 농도가 더 높다.
③ 세포 안보다 밖의 Na^+ 농도가 더 높다.
④ 축삭 돌기 세포막 바깥쪽이 안쪽보다 전위가 높다.
⑤ $Na^+ - K^+$ 펌프에 의한 이온의 이동은 나타나지 않는다.

04 세포막 내부를 기준으로 탈분극 시와 재분극 시에 Na^+, K^+의 이동을 옳게 나타낸 것은?

	탈분극	재분극
①	Na^+ 유입	K^+ 유입
②	Na^+ 유입	K^+ 유출
③	K^+ 유출	Na^+ 유출
④	K^+ 유입	Na^+ 유입
⑤	K^+ 유입	Na^+ 유출

05 ATP를 소모하는 작용을 〈보기〉에서 있는 대로 고른 것은?

┤ 보기 ├
ㄱ. 탈분극 시 Na^+이 세포막 안쪽으로 유입될 때
ㄴ. $Na^+ - K^+$ 펌프가 작동될 때
ㄷ. 재분극 시 K^+이 세포막 바깥쪽으로 유출될 때
ㄹ. 분극 시 K^+이 세포막 바깥쪽으로 유출될 때

① ㄱ
② ㄴ
③ ㄱ, ㄴ
④ ㄱ, ㄷ, ㄹ
⑤ ㄴ, ㄷ, ㄹ

06 흥분의 전도에 대한 설명으로 옳지 <u>않은</u> 것은?

① 축삭 돌기 내에서 흥분은 한 방향으로만 전도된다.
② 세포 내부로 유입된 Na^+에 의해 새로운 활동 전위가 발생한다.
③ 탈분극이 일어나 세포 내부로 유입된 Na^+은 양 옆으로 확산된다.
④ 축삭 돌기의 한 지점에 자극이 가해지면, 축삭 돌기를 따라 흥분이 전도된다.
⑤ 말이집 신경에서는 도약전도가 일어나 민말이집 신경보다 흥분의 전도 속도가 빠르다.

07 시냅스에 대한 설명으로 옳지 <u>않은</u> 것은?

① 신경 전달 물질이 분비된다.

② 흥분이 직접 이동하지 않는다.

③ 흥분의 전달은 양쪽 방향으로 일어난다.

④ 뉴런의 세포막이 틈을 두고 접해 있는 구조이다.

⑤ 뉴런과 뉴런, 뉴런과 반응기 세포 사이에서 형성된다.

08 그림은 3개의 뉴런이 연결된 모습을 나타낸 것이다.

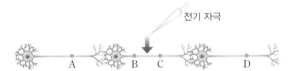

B와 C 사이의 어느 지점에 역치 이상의 전기 자극을 주었을 때 활동 전위가 나타나는 지점을 옳게 짝지은 것은?

① A, B   ② B, C

③ C, D   ④ B, C, D

⑤ A, B, C, D

09 그림은 여러 종류의 신경 뉴런을 나타낸 것이다.

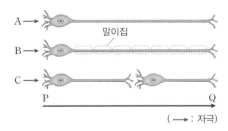

P에서 역치 이상의 자극을 동시에 주었을 때 흥분이 Q까지 먼저 도달하는 순서를 옳게 연결한 것은?

① A>B>C   ② A=B>C

③ B>A>C   ④ B>C>A

⑤ C>B>A

10 다음은 시냅스 이전 뉴런에서 시냅스 이후 뉴런으로 흥분이 전달되는 과정을 순서 없이 나타낸 것이다.

> ㄱ. 시냅스 소포가 세포막과 융합한다.
>
> ㄴ. 활동 전위가 축삭 돌기 말단에 도달한다.
>
> ㄷ. 신경 전달 물질이 시냅스 틈으로 방출된다.
>
> ㄹ. 신경 전달 물질이 시냅스 이후 뉴런을 탈분극시킨다.

흥분이 전달되는 과정을 순서대로 옳게 나열한 것은?

① ㄱ → ㄴ → ㄷ → ㄹ

② ㄴ → ㄱ → ㄷ → ㄹ

③ ㄴ → ㄹ → ㄷ → ㄱ

④ ㄷ → ㄴ → ㄱ → ㄹ

⑤ ㄹ → ㄷ → ㄱ → ㄴ

11 그림은 우리 몸에서 자극에 의한 흥분을 전달하는 뉴런 (가)~(다)를 나타낸 것이다.

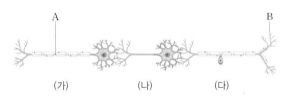

이에 대한 설명으로 옳은 것은?

① B에서 신경 전달 물질이 분비된다.

② (나)는 (가)의 시냅스 이후 뉴런이다.

③ (다)는 (나)의 시냅스 이전 뉴런이다.

④ 흥분의 전달 방향은 (가) → (나) → (다)이다.

⑤ A에 역치 이상의 자극을 주면 (다)에서 활동 전위가 발생한다.

12 시냅스에 영향을 미치는 약물에 대한 설명으로 옳지 <u>않은</u> 것은?

① 진정제의 종류에는 수면제, 알코올 등이 있다.

② 각성제는 신경을 흥분시켜 긴장 상태를 유발한다.

③ 환각제는 인지 작용과 의식을 변화시키는 작용을 한다.

④ 약물은 효과를 높이기 위해 한 번에 많은 양을 투입하는 게 좋다.

⑤ 주로 신경 전달 물질의 수용체에 결합하여 흥분을 촉진하거나 억제한다.

내신 만점 문제

정답과 해설 16쪽

* ▮▮▮ 난이도를 나타냅니다.

01 그림은 신경계를 구성하는 뉴런을 나타낸 것이다.

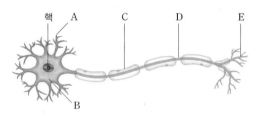

이에 대한 설명으로 옳지 <u>않은</u> 것은?

① A는 다른 뉴런으로부터 정보를 받아들인다.
② B에서는 물질대사가 활발하게 일어난다.
③ C는 여러 겹의 세포막으로 싸여 있으며 절연체 역할을 한다.
④ D에서는 이온의 투과성이 나타나지 않는다.
⑤ E는 다른 뉴런이나 반응기에 신호를 전달한다.

02 그림은 우리 몸에서 자극에 의한 흥분을 전달하는 뉴런 (가)~(다)를 나타낸 것이다.

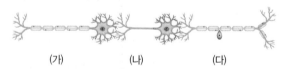

이에 대한 설명으로 옳은 것만을 〈보기〉에서 있는 대로 고른 것은?

┌─ 보기 ┐
ㄱ. (가)는 구심성 뉴런이다.
ㄴ. (나)는 뇌와 척수를 이룬다.
ㄷ. 신호의 전달 방향은 (다) → (나) → (가)이다.
└─────┘

① ㄱ   ② ㄷ   ③ ㄱ, ㄷ
④ ㄴ, ㄷ   ⑤ ㄱ, ㄴ, ㄷ

03 그림은 뉴런의 축삭 돌기 세포막에서의 이온 이동을 나타낸 것이다.

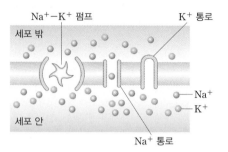

이에 대한 설명으로 옳은 것만을 〈보기〉에서 있는 대로 고른 것은?

┌─ 보기 ┐
ㄱ. 휴지 전위 상태를 나타낸다.
ㄴ. Na^+은 세포 안으로 확산된다.
ㄷ. Na^+-K^+ 펌프는 ATP를 소모한다.
└─────┘

① ㄱ   ② ㄴ   ③ ㄱ, ㄷ
④ ㄴ, ㄷ   ⑤ ㄱ, ㄴ, ㄷ

 04 그림은 어떤 뉴런에서 활동 전위가 발생했을 때 막전위의 변화를 나타낸 것이다.

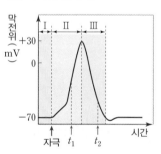

이에 대한 설명으로 옳은 것만을 〈보기〉에서 있는 대로 고른 것은?

┌─ 보기 ┐
ㄱ. Na^+의 막 투과성은 t_2에서보다 t_1에서 더 크다.
ㄴ. 세포막 안쪽의 전위값은 구간 Ⅰ보다 구간 Ⅱ에서 더 높다.
ㄷ. 구간 Ⅲ에서 K^+의 농도는 세포 밖이 세포 안보다 높다.
└─────┘

① ㄱ   ② ㄴ   ③ ㄱ, ㄴ
④ ㄴ, ㄷ   ⑤ ㄱ, ㄴ, ㄷ

05 그림은 어떤 뉴런에 역치 이상의 자극을 주었을 때 이 뉴런 세포막의 한 지점에서 시간에 따른 이온 ㉠, ㉡의 막 투과도를 나타낸 것이다. ㉠, ㉡은 각각 Na^+, K^+ 중 하나이다.

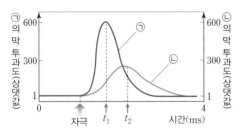

이에 대한 설명으로 옳은 것만을 〈보기〉에서 있는 대로 고른 것은?

┤ 보기 ├

ㄱ. ㉠은 Na^+, ㉡은 K^+이다.

ㄴ. 이온 통로를 통한 ㉠, ㉡의 이동에 ATP가 사용되지 않는다.

ㄷ. $\dfrac{K^+의\ 막\ 투과도}{Na^+의\ 막\ 투과도}$의 값은 t_1일 때보다 t_2일 때가 작다.

① ㄱ   ② ㄷ   ③ ㄱ, ㄴ

④ ㄱ, ㄷ   ⑤ ㄴ, ㄷ

06 그림은 뉴런의 세포막에 존재하는 Na^+-K^+ 펌프와 이온 통로의 일부를 나타낸 것이다.

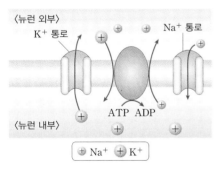

이에 대한 설명으로 옳은 것만을 〈보기〉에서 있는 대로 고른 것은?

┤ 보기 ├

ㄱ. Na^+-K^+ 펌프를 통해 Na^+, K^+이 확산된다.

ㄴ. K^+ 통로를 통한 K^+의 유출로 탈분극이 진행된다.

ㄷ. Na^+ 통로를 통한 Na^+의 유입으로 막전위가 상승한다.

① ㄱ   ② ㄷ   ③ ㄱ, ㄴ

④ ㄴ, ㄷ   ⑤ ㄱ, ㄴ, ㄷ

07 그림 (가)는 활동 전위가 발생한 뉴런의 축삭 돌기 한 지점 X에서 측정한 막전위 변화를, (나)는 t_2일 때 X에서 K^+ 통로를 통한 K^+의 이동을 나타낸 것이다.

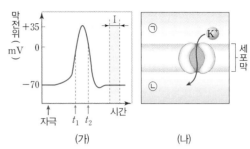

이에 대한 설명으로 옳은 것만을 〈보기〉에서 있는 대로 고른 것은?

┤ 보기 ├

ㄱ. (가)의 구간 Ⅰ에서 세포막을 통한 이온의 이동이 없다.

ㄴ. (나)에서 ㉠은 세포 안, ㉡은 세포 밖이다.

ㄷ. (나)에서 K^+의 이동에 ATP가 소모된다.

① ㄱ   ② ㄴ   ③ ㄱ, ㄷ

④ ㄴ, ㄷ   ⑤ ㄱ, ㄴ, ㄷ

08 그림 (가)는 뉴런의 세 지점 A, B, C를, (나)는 A에 자극을 주었을 때 B에서의 막전위 변화를 나타낸 것이다.

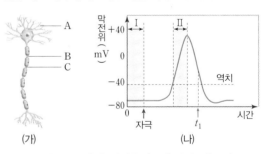

이에 대한 설명으로 옳은 것만을 〈보기〉에서 있는 대로 고른 것은?

┤ 보기 ├

ㄱ. Na^+-K^+ 펌프는 구간 Ⅰ, 구간 Ⅱ에서 작동한다.

ㄴ. B에서 유입된 Na^+은 C에서 탈분극을 유도한다.

ㄷ. t_1에서 막전위가 하강하는 것은 K^+이 유출되기 때문이다.

① ㄱ   ② ㄴ   ③ ㄱ, ㄷ

④ ㄴ, ㄷ   ⑤ ㄱ, ㄴ, ㄷ

09 그림은 축삭 돌기에서 흥분이 1회 전도될 때, 어느 한 시점에서의 전하의 분포와 이온 통로를 통한 Na^+, K^+의 이동을 나타낸 것이다.

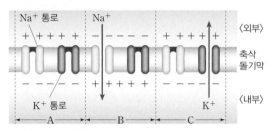

이에 대한 설명으로 옳은 것만을 〈보기〉에서 있는 대로 고른 것은?

┤ 보기 ├

ㄱ. A에서 축삭 돌기의 세포막을 통한 이온의 이동은 없다.

ㄴ. B, C에서 Na^+, K^+은 이온 통로를 통해 고농도에서 저농도로 이동한다.

ㄷ. 흥분의 이동 방향은 A → B → C이다.

① ㄱ   ② ㄴ   ③ ㄱ, ㄷ
④ ㄴ, ㄷ   ⑤ ㄱ, ㄴ, ㄷ

10 그림은 뉴런에 약한 자극과 강한 자극을 주었을 때, 시간에 따른 활동 전위의 발생 빈도와 시냅스에서 신경 전달 물질의 분비를 나타낸 것이다.

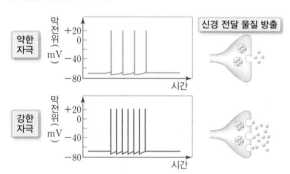

이에 대한 설명으로 옳은 것만을 〈보기〉에서 있는 대로 고른 것은?

┤ 보기 ├

ㄱ. 자극이 강할수록 활동 전위의 크기가 증가한다.

ㄴ. 자극이 강할수록 활동 전위의 발생 빈도가 높아진다.

ㄷ. 자극이 강할수록 신경 전달 물질의 분비량이 증가한다.

① ㄱ   ② ㄴ   ③ ㄷ
④ ㄱ, ㄴ   ⑤ ㄴ, ㄷ

 그림은 두 뉴런 (가), (나) 사이의 흥분 전달 과정을 나타낸 것이다.

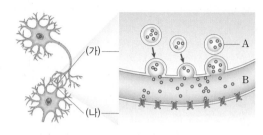

이에 대한 설명으로 옳은 것만을 〈보기〉에서 있는 대로 고른 것은?

┤ 보기 ├

ㄱ. 축삭 돌기 말단에 활동 전위가 도달하면 A가 세포막과 융합한다.

ㄴ. B에서 신경 전달 물질의 이동에는 ATP가 소모된다.

ㄷ. A 속에 들어 있는 물질은 (나)의 재분극을 유발한다.

① ㄱ   ② ㄴ   ③ ㄱ, ㄷ
④ ㄴ, ㄷ   ⑤ ㄱ, ㄴ, ㄷ

12 그림 (가)는 신경 A~D를, (나)는 (가)의 P 지점에 역치 이상의 자극을 동시에 1회씩 준 후 A~D의 Q 지점에서 막전위의 변화를 측정하여 나타낸 것이다.

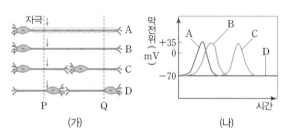

위 결과를 통해 알 수 있는 사실로 옳은 것만을 〈보기〉에서 있는 대로 고른 것은?

┤ 보기 ├

ㄱ. 말이집 신경이 민말이집 신경보다 흥분의 전도 속도가 빠르다.

ㄴ. 시냅스가 많을수록 흥분의 이동 속도가 빠르다.

ㄷ. 시냅스에서는 양쪽 방향으로 흥분이 전달된다.

① ㄱ   ② ㄴ   ③ ㄱ, ㄷ
④ ㄴ, ㄷ   ⑤ ㄱ, ㄴ, ㄷ

13 그림은 시냅스 이전 뉴런을 통해 두 개의 신호(E_1, E_2)가 도달할 때 시냅스 이후 뉴런의 축삭 돌기에서 막전위 변화를 측정한 것이다.

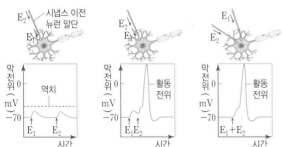

(가) 시간 간격이 길 때 (나) 시간 간격이 짧을 때 (다) 동시에 도달했을 때

이에 대한 설명으로 옳은 것만을 〈보기〉에서 있는 대로 고른 것은?

┃ 보기 ┃
ㄱ. E_1, E_2 각각의 자극 세기는 역치보다 크다.
ㄴ. E_1, E_2가 동시에 도달하면 활동 전위가 발생한다.
ㄷ. E_1, E_2를 짧은 시간 동안 연속해서 주면 활동 전위가 발생한다.

① ㄱ ② ㄷ ③ ㄱ, ㄴ ④ ㄱ, ㄷ ⑤ ㄴ, ㄷ

14 그림은 시냅스에서 작용하는 세 종류 약물(A~C)의 작용 부위를, 표는 이 세 약물의 기능을 나타낸 것이다.

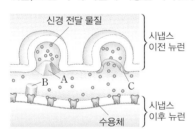

약물	기능
A	신경 전달 물질 분비 차단
B	신경 전달 물질과 수용체의 결합 차단
C	신경 전달 물질 분비 촉진

이에 대한 설명으로 옳은 것만을 〈보기〉에서 있는 대로 고른 것은?

┃ 보기 ┃
ㄱ. A는 흥분 전달 억제 약물이다.
ㄴ. B는 시냅스 이후 뉴런의 탈분극을 촉진한다.
ㄷ. C는 흥분 전달 촉진 약물이다.

① ㄱ ② ㄷ ③ ㄱ, ㄴ ④ ㄱ, ㄷ ⑤ ㄴ, ㄷ

서술형 문제

15 그림은 자극을 받지 않은 뉴런의 세포막 안팎에 전극을 꽂은 후 막전위를 측정한 것이다.

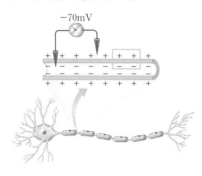

(1) 자극을 받지 않을 때 측정된 막전위가 -70 mV를 유지하는 데 영향을 미치는 이온 2가지를 쓰시오.

_____

(2) 자극을 받지 않은 뉴런이 위 그림과 같이 막 바깥은 양($+$)전하, 막 안쪽은 음($-$)전하를 띠는 까닭을 이온의 이동과 관련지어 서술하시오.

_____
_____
_____

16 그림은 시냅스 ⓛ으로 연결된 두 뉴런을 나타낸 것이다.

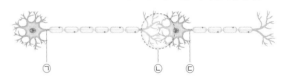

(1) 역치 이상의 자극을 ⓒ에 주었을 때 ⊙에서의 활동 전위는 어떻게 나타나는지 서술하시오.

_____
_____

(2) (1)의 답과 같은 결과가 나타나는 까닭을 축삭 돌기 말단과 가지 돌기의 구조적 특성과 관련지어 서술하시오.

_____
_____
_____
_____

02 근육 수축의 원리

내 교과서는 어디에?
천재 p.75~78 동아 p.65~67 미래엔 p.78~81
비상 p.66~68 금성 p.83~85 교학사 p.72~75 지학사 p.78~81

핵심 Point
● 골격근의 구조와 구성 단위를 안다.
● 근육 수축이 일어나는 과정과 원리를 이해한다.

1 골격근의 구조

1. 골격근

① 골격근은 뼈에 붙어 움직임을 조절하는 근육❶으로, 몸을 지탱하거나 움직이는 데 관여한다.

② 뼈대에 2개의 골격근이 쌍으로 붙어 있어 한쪽 근육이 수축하면 다른 쪽 근육이 이완하여 뼈대를 움직인다.

▲ 팔을 굽힐 때   ▲ 팔을 펼 때

2. 골격근의 구조
골격근은 여러 개의 근육 섬유 다발로 구성되어 있고, 하나의 근육 섬유는 미세한 근육 원섬유 다발로 구성된다.

근육(골격근) ▶ 근육 섬유 다발 ▶ 근육 섬유❷ ▶ 근육 원섬유 ▶ 액틴 필라멘트, 마이오신 필라멘트

자료 파헤치기

골격근의 구조

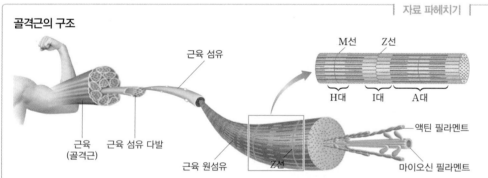

M선 Z선
H대 I대 A대

근육 섬유
근육(골격근) 근육 섬유 다발
근육 원섬유 Z선
액틴 필라멘트
마이오신 필라멘트

• 골격근은 여러 개의 근육 섬유 다발로 구성되어 있고, 하나의 근육 섬유는 여러 개의 근육 원섬유로 이루어져 있다.

• 근육 원섬유는 가는 액틴 필라멘트와 굵은 마이오신 필라멘트로 구성되며, 액틴 필라멘트와 마이오신 필라멘트가 서로 어긋나며 포개진 구조를 하고 있어 밝고 어두운 띠가 연속적으로 배열되어 가로무늬가 나타난다.

3. 근육 원섬유 마디의 구조

A대(암대)	마이오신 필라멘트가 있어 어둡게 보이는 부분
I대(명대)	액틴 필라멘트만 있어 밝게 보이는 부분
H대	A대 중에서 마이오신 필라멘트만 있어서 약간 밝게 보이는 부분
Z선	I대의 중앙에 수직으로 나타나는 선
M선	근육 원섬유 마디의 중앙에 있는 선
근절	Z선~Z선 사이

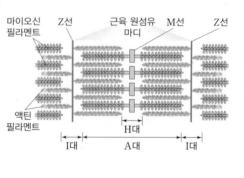

마이오신 필라멘트 Z선 근육 원섬유 마디 M선 Z선
액틴 필라멘트
H대
I대 A대 I대

---

❶ 근육의 종류

• 골격근: 달리기, 피아노 연주 등과 같은 자발적 운동을 담당하며, 호흡, 몸의 떨림 및 자세 유지와 같은 일부 비자발적 운동에도 관여한다.

• 심장근: 심장 박동 담당

• 내장근: 소화관, 방광, 혈관처럼 속이 빈 내부 장기의 운동을 담당하며 자율 신경계의 조절을 받는다.

❷ 근육 섬유(근육 세포)

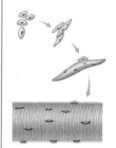

근육 섬유는 골격근의 구조적·기능적 단위인 근육 세포를 의미한다. 근육 세포는 발생 과정에서 여러 개의 세포가 융합되어 만들어지므로 여러 개의 핵을 가지는 다핵 세포이다.

셀파 콕콕
A대는 곧 마이오신 필라멘트의 길이와 같다는 사실을 알아 두자.

═══ 용어 ═══

▶ 근육 섬유(힘줄 筋, 고기 肉, 가늘 纖, 벼리 維): 근육을 구성하는 가늘고 긴 형태의 세포로, 여러 개의 핵이 있다.

2 근육 수축의 원리

1. **근육 수축의 원리(활주설)** 액틴 필라멘트가 마이오신 필라멘트 사이로 미끄러져 들어가 근육 원섬유 마디가 짧아지면서 근육 수축이 일어난다. ➡ 액틴 필라멘트가 마이오신 필라멘트 사이로 들어갈 때 ATP가 소모된다.

2. **활주설에 따른 근육 수축 과정**

① 골격근에 연결된 운동 뉴런에서 아세틸콜린이 분비되어 근육 섬유에서 탈분극이 일어나면서 근육 수축이 시작된다.

② 액틴 필라멘트와 마이오신 필라멘트가 겹치는 부위가 늘어나면 근육 원섬유 마디가 짧아지고, 근육 섬유의 전체 길이도 짧아지면서 근육이 수축한다.

│ 자료 파헤치기 │

근육 수축 시 근육 원섬유 마디의 변화
- 마이오신 필라멘트와 액틴 필라멘트의 길이 자체는 변하지 않으며, 두 필라멘트가 겹치는 부분이 늘어나면서 I대와 H대의 길이가 줄어들어 근육 수축이 일어난다.❸
- 마이오신 필라멘트의 길이가 변하지 않으므로 A대의 길이는 변하지 않는다.

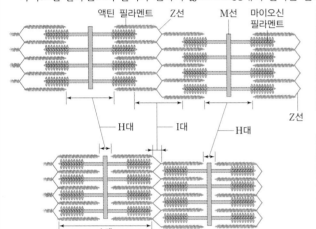

근육 이완	• I대, H대는 길게 이완된 상태이다. • A대는 변화 없다. ➡ 근육 원섬유 마디가 길어진다.
	↕
근육 수축	• 두 필라멘트의 겹치는 부분이 늘어나면서 I대, H대가 짧아진다. ➡ 근육 원섬유 마디가 짧아진다.

3. **근육 수축의 에너지원** 근육 수축의 에너지원은 ATP이다.

① 운동 시작 후 3~10초 동안에는 근육 섬유에 저장되어 있는 ATP가 분해된다.

② 저장된 ATP가 소모되면 근육에 저장된 ▶크레아틴 인산이 분해되어 ATP를 생성한다.

③ 크레아틴 인산이 소모되면 세포 호흡을 통해 ATP를 생산한다.
- 산소가 있을 때 ➡ 포도당을 CO_2와 H_2O로 완전 분해하여 많은 양의 ATP를 얻는다.
- 산소가 부족할 때 ➡ 포도당을 젖산으로 분해하여 적은 양의 ATP를 얻는다.

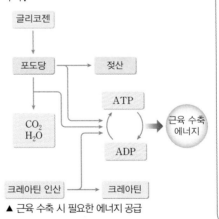

▲ 근육 수축 시 필요한 에너지 공급

개념 확인하기

1 근육 원섬유를 이루는 두 종류의 필라멘트는 각각 무엇인가?

2 마이오신 필라멘트가 있어서 어둡게 보이는 부분을 I대라고 한다. (○ , ×)

3 근육이 수축할 때 근육 원섬유를 구성하는 액틴 필라멘트와 마이오신 필라멘트 자체의 길이가 짧아진다. (○ , ×)

답 1. 액틴 필라멘트, 마이오신 필라멘트
2. × 3. ×

---

❸ 골격근의 수축 과정
액틴 필라멘트에 붙어 있는 마이오신 필라멘트의 머리가 뒤로 젖혀지는 구조 변화가 일어나 액틴 필라멘트가 마이오신 필라멘트 사이로 미끄러져 들어간다.

셀파 콕콕 🔍
근육 수축 과정에서 마이오신 필라멘트(A대)와 액틴 필라멘트의 길이는 변화가 없다는 사실을 알아 두자.

━━ 용어 ━━
▶ 크레아틴 인산: ATP를 많이 소비하는 근육에서 ATP를 보충해 주는 역할을 하는 물질이다.
▶ 젖산: 산소가 부족한 환경에서 포도당이 발효되어 생기는 물질이다.

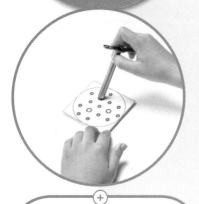

셀파 탐구

근육 모형 만들기

유의점

코르크 보러, 칼을 사용할 때 다치지 않게 유의한다.

탐구 돋보기

수수깡과 빨대처럼 굵기가 다른 재료를 쓰는 까닭은 근육 원섬유를 구성하는 필라멘트의 굵기가 다르기 때문이다. 가는 빨대가 액틴 필라멘트를 나타내고, 굵은 수수깡이 마이오신 필라멘트를 나타낸다.

시험 유형은?

❶ 근육 원섬유 마디 각 부위의 명칭을 쓰시오.

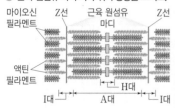

❷ 근육이 수축할 때 짧아지는 부위를 3개 쓰시오.
▶ H대, I대, 근육 원섬유 마디

목표 근육 모형을 만들고 이를 활용하여 골격근의 수축 원리를 설명할 수 있다.

과정

2장의 두꺼운 우드록, 1장의 얇은 우드록, 여러 개의 수수깡과 빨대를 이용하여 그림과 같은 모형을 만든다.

결과 및 정리

1. 두꺼운 우드록, 수수깡, 빨대는 근육 원섬유 마디에서 각각 어느 부분에 해당하는지 쓰시오.

   → 두꺼운 우드록은 Z선, 빨간색 수수깡은 마이오신 필라멘트, 검정색 빨대는 액틴 필라멘트에 해당한다.

2. 근육이 수축할 때 근육 원섬유 마디의 각 부위는 어떻게 변하는지 다음 표에 정리해 보자.

구분	A대	I대	H대	근육 원섬유 마디
길이 변화	변화 없다.	짧아진다.	짧아진다.	짧아진다.

탐구 대표 문제 정답과 해설 18쪽

01 근육 원섬유 마디의 각 부분에 대한 설명으로 옳지 <u>않은</u> 것은?

① I대: 액틴 필라멘트만 있는 부분

② 근육 원섬유 마디: Z선과 Z선 사이

③ A대: 마이오신 필라멘트만 있는 부분

④ Z선: 근육 원섬유 마디를 구분하는 경계선

⑤ H대: 마이오신 필라멘트만 있어 A대 가운데 비교적 밝게 보이는 부분

02 근육이 수축할 때 마이오신 필라멘트와 액틴 필라멘트의 상호 작용에 필요한 물질은 무엇인가?

① ATP   ② 젖산   ③ 단백질   ④ 포도당   ⑤ 크레아틴 인산

기초 탄탄 문제

정답과 해설 18쪽

핵심용어_ 이 단원에서 내가 아는 것과 아직 모르는 것을 정리하며 나의 공부를 돌아보자.

- ▢ 골격근
- ▢ 근육 원섬유
- ▢ A대
- ▢ I대
- ▢ 액틴 필라멘트
- ▢ 마이오신 필라멘트

01
그림은 팔의 골격근 (가), (나)를 나타낸 것이다. 팔을 구부릴 때 (가), (나)의 변화를 옳게 연결한 것은?

	(가)	(나)
①	수축	수축
②	수축	이완
③	이완	수축
④	이완	이완
⑤	수축	변화 없음

02
다음은 근육이 수축하는 과정을 순서 없이 나열한 것이다.

> (가) 운동 뉴런의 말단에서 아세틸콜린이 분비된다.
> (나) 액틴 필라멘트와 마이오신 필라멘트의 결합이 형성된다.
> (다) 근육 섬유막이 탈분극되어 활동 전위가 발생한다.
> (라) 근육 원섬유 마디가 짧아지면서 근육 수축이 일어난다.
> (마) 에너지를 이용하여 액틴 필라멘트가 마이오신 필라멘트 사이로 미끄러져 들어간다.

근육 수축 과정을 순서대로 옳게 나열한 것은?

① (가) → (나) → (다) → (라) → (마)
② (가) → (다) → (나) → (마) → (라)
③ (다) → (라) → (마) → (나) → (가)
④ (다) → (마) → (나) → (가) → (라)
⑤ (라) → (다) → (마) → (나) → (가)

03
그림은 근육 원섬유 마디의 구조를 모식적으로 나타낸 것이다.

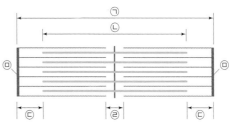

㉠~㉤의 명칭으로 옳은 것은?

① ㉠−근육 원섬유 마디   ② ㉡−I대
③ ㉢−H대   ④ ㉣−A대
⑤ ㉤−M선

04
그림은 근육 원섬유 마디의 구조를 나타낸 것이다.

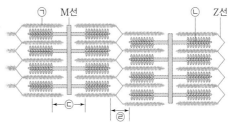

㉠~㉣ 중 근육 수축이 일어날 때 길이가 짧아지는 부분을 모두 고른 것은?

① ㉠, ㉡   ② ㉡, ㉢   ③ ㉢, ㉣
④ ㉠, ㉡, ㉢   ⑤ ㉡, ㉢, ㉣

05
근육 수축 시 근육에 저장된 ATP가 고갈되었을 때 가장 먼저 이용되는 물질은?

① ADP   ② 포도당
③ 젖산   ④ 글리코젠
⑤ 크레아틴 인산

내신 만점 **문제**

정답과 해설 18쪽

* ▨▨▨ 난이도를 나타냅니다.

01 그림은 팔의 골격근의 하나인 근육 ㉠의 수축 과정을 나타낸 것이다.

이에 대한 설명으로 옳은 것만을 〈보기〉에서 있는 대로 고른 것은?

┤ 보기 ├
ㄱ. 근육 ㉠은 하나의 근육 섬유 다발로 이루어진다.
ㄴ. (가) 과정에서 ATP가 소모된다.
ㄷ. (가) 과정에서 근육 ㉠을 이루는 액틴 필라멘트와 마이오신 필라멘트가 겹치는 길이는 짧아진다.

① ㄴ 　　② ㄷ 　　③ ㄱ, ㄴ
④ ㄱ, ㄷ 　　⑤ ㄴ, ㄷ

02 그림은 근육 원섬유에서 관찰할 수 있는 가로무늬를 확대하여 나타낸 것이다.

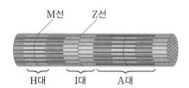

근육이 수축할 때 나타나는 변화에 대한 설명으로 옳은 것만을 〈보기〉에서 있는 대로 고른 것은?

┤ 보기 ├
ㄱ. A대는 변화가 없다.
ㄴ. M선과 Z선 사이가 가까워진다.
ㄷ. H대는 짧아지고 I대는 길어진다.

① ㄱ 　　② ㄴ 　　③ ㄱ, ㄴ
④ ㄴ, ㄷ 　　⑤ ㄱ, ㄴ, ㄷ

03 그림 (가)는 팔을 구부렸을 때와 폈을 때를, (나)는 근육 ㉠의 근육 원섬유를 나타낸 것이다.

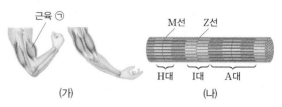

이에 대한 설명으로 옳은 것만을 〈보기〉에서 있는 대로 고른 것은?

┤ 보기 ├
ㄱ. 근육 ㉠의 길이는 팔을 구부렸을 때 짧아진다.
ㄴ. 팔을 구부리는 동안 (나)에서 마이오신 필라멘트의 길이는 짧아진다.
ㄷ. (나)에서 H대의 길이는 근육이 수축하는 동안 변하지 않는다.

① ㄱ 　　② ㄴ 　　③ ㄷ
④ ㄱ, ㄴ 　　⑤ ㄴ, ㄷ

 그림은 근육이 수축하고 이완할 때 근육 원섬유 마디의 변화를 나타낸 것이다.

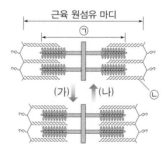

이에 대한 설명으로 옳은 것만을 〈보기〉에서 있는 대로 고른 것은?

┤ 보기 ├
ㄱ. (가) 과정에서 ATP가 소모된다.
ㄴ. (가) 과정에서 ㉠과 ㉡의 길이는 짧아진다.
ㄷ. (나) 과정에서 전체 근육의 길이는 길어진다.

① ㄱ 　　② ㄷ 　　③ ㄱ, ㄴ
④ ㄱ, ㄷ 　　⑤ ㄴ, ㄷ

5 표는 골격근 수축 과정의 두 시점 ⓐ와 ⓑ에서 근육 원섬유 마디 X의 길이를, 그림은 ⓑ일 때 X의 구조를 나타낸 것이다. X는 좌우 대칭이며, ⓑ일 때 A대의 길이는 1.6 μm이다.

시점	X의 길이
ⓐ	2.4 μm
ⓑ	3.2 μm

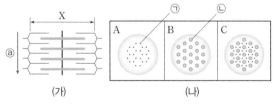

이에 대한 설명으로 옳은 것만을 〈보기〉에서 있는 대로 고른 것은?

─ 보기 ─
ㄱ. ⓐ일 때 A대의 길이는 1.6 μm보다 짧아진다.
ㄴ. ⓐ일 때 H대의 길이는 0.4 μm이다.
ㄷ. ⓑ일 때 ㉠의 길이는 0.2 μm이다.

① ㄱ   ② ㄷ   ③ ㄱ, ㄴ
④ ㄴ, ㄷ   ⑤ ㄱ, ㄴ, ㄷ

6 그림 (가)는 근육 원섬유 마디 X가 이완된 상태를, (나)의 A~C는 X의 서로 다른 세 지점에서 ⓐ 방향으로 자른 단면을 나타낸 것이다.

(가)   (나)

이에 대한 설명으로 옳은 것만을 〈보기〉에서 있는 대로 고른 것은?

─ 보기 ─
ㄱ. ㉠은 액틴 필라멘트이다.
ㄴ. ㉡은 마이오신 필라멘트이다.
ㄷ. 근육이 수축하면 단면이 C와 같은 부분이 길어진다.

① ㄱ   ② ㄷ   ③ ㄱ, ㄴ
④ ㄴ, ㄷ   ⑤ ㄱ, ㄴ, ㄷ

서술형 문제

07 그림은 골격근의 구조를 나타낸 것이다.

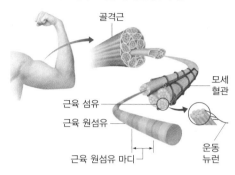

운동 뉴런이 역치 이상의 자극을 받았을 때 운동 뉴런의 축삭 돌기 말단과 근육 섬유 사이에서 일어나는 상호 작용에 대해 서술하시오.

_____

08 그림은 어떤 골격근의 근육 원섬유 마디를 확대하여 변화 과정 (가)를 나타낸 것이다.

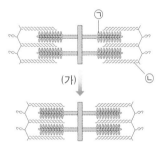

(가)

(1) 근육 원섬유 마디를 구성하는 ㉠, ㉡은 각각 무엇인지 쓰시오.

_____

(2) (가) 과정에서 ㉠, ㉡의 길이는 어떻게 변하는지 서술하시오.

_____

(3) (가) 과정에서 근육 원섬유 마디의 길이가 짧아지는 까닭을 서술하시오.

_____

03 중추 신경계

핵심 Point
● 신경계의 구성을 안다.
● 중추 신경계를 구성하는 뇌의 구조와 기능을 이해한다.
● 척수의 구조와 기능을 이해한다.

1 신경계의 구성

1. **신경계** 감각 기관에서 보내는 정보를 받아들이고, 이를 분석하여 반응 기관에 적절한 명령을 내보내는 역할을 하는 기관계

2. **신경계의 구성**

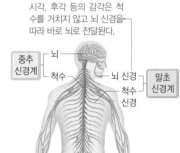

시각, 후각 등의 감각은 척수를 거치지 않고 뇌 신경을 따라 바로 뇌로 전달된다.

중추 신경계	두개골 안의 뇌와 등에 곧게 뻗은 척추 속의 척수로 구성❶ ➡ 무수히 많은 뉴런이 밀집한 구조이다.
말초 신경계	뇌에서 뻗어 나온 뇌 신경(12쌍)과 척수에서 뻗어 나와 온몸에 나뭇가지처럼 연결된 척수 신경(31쌍)으로 구성된다.

3. **신경계의 기능**

중추 신경계	정보 처리의 중심으로 체내외에서 수용한 정보를 통합하여 적절한 반응이 일어나도록 조절한다.(통합)
말초 신경계	• 감각기에서 받아들인 자극을 중추 신경계에 전달한다.(감각 정보의 입력) • 중추 신경계의 명령을 근육이나 분비샘 등의 반응기에 전달한다.(운동 정보의 출력)

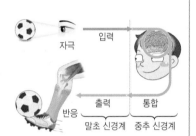

2 중추 신경계

1. **뇌** 두개골 속에 싸여 보호되며, 우리 몸 대부분의 행동과 기능을 조절한다.

① 뇌는 약 1000억 개의 뉴런으로 구성되어 몸무게의 2 % 정도를 차지하며, 전체 산소 소모량의 약 20 %를 소비한다. ➡ 우리가 섭취한 에너지의 많은 양이 뇌의 활동을 위해 쓰인다.

② 대뇌, 소뇌, 간뇌, 뇌줄기(중간뇌, 뇌교, 연수)로 구성되며, 각 부분은 고유의 기능을 수행한다.

자료 파헤치기

뇌의 구조와 각 부분의 기능

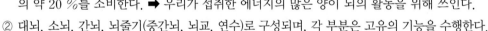

대뇌	• 기억, 추리, 판단, 감정 등 고등 정신 활동을 담당한다. • 감각의 수용과 운동의 중추이다.

간뇌❸	체온, 혈당량, 삼투압 등의 변화를 감지하고 일정하게 조절하여 항상성을 유지한다.

뇌줄기❷	• 중간뇌: 안구 운동, 홍채의 수축과 이완 조절 • 뇌교: 대뇌와 소뇌 사이 연결 • 연수: 심장 박동, 호흡 운동, 소화 운동 조절

중간뇌
뇌줄기 ─ 뇌교
연수

소뇌	• 몸의 자세와 균형을 유지한다. • 대뇌와 함께 수의 운동을 조절한다.

---

❶ 뇌와 척수

뇌와 척수는 생명 활동을 조절하는 핵심 기관임과 동시에 외부 충격에 손상받기 쉬운 기관으로, 단단한 두개골과 척추에 싸여 보호된다. 또한, 두개골과 척추 안쪽에는 뇌척수액이 흐른다.

❷ 뇌줄기

중간뇌, 뇌교, 연수를 아울러 뇌줄기라고 한다. 뇌줄기는 호흡, 심장 박동 등 가장 기초적인 생명 유지 기능을 담당한다. 뇌줄기가 손상되면 생명을 잃기 쉽다.

❸ 간뇌의 구성

간뇌는 시상과 시상 하부로 이루어지고, 시상 하부의 밑에는 뇌하수체가 달려 있다. 뇌하수체에서는 우리 몸의 기능을 조절하는 여러 호르몬이 분비된다.

─── 용어 ───

▶ 수의 운동(따를 隨, 뜻 意, 옮길 運, 움직일 動): 사람의 의지에 따르는 운동으로 대뇌의 조절을 받아서 일어난다.

대뇌	• 표면에 주름이 많고, 좌우 두 개의 반구로 나뉘며, 각각 몸의 반대쪽을 담당한다. ➡ 대뇌의 좌우 반구에서 나오는 신경은 연수에서 교차되므로 좌반구는 몸의 오른쪽, 우반구는 몸의 왼쪽 감각과 운동을 담당한다. • 겉질은 신경 세포체가 모인 회색질, 속질은 축삭 돌기가 모인 백색질이다.❹ • 언어, 기억, 상상, 판단, 감정 등 고등 정신 활동과 감각, 수의 운동의 중추이다. ➡ 대뇌 겉질에서 일어난다. • 대뇌 겉질은 기능에 따라 감각을 느끼는 감각령, 감각령에 들어온 정보를 판단하여 운동령에 명령을 내리는 연합령, 연합령의 명령을 받아 수의 운동을 조절하는 운동령으로 구분한다. • 대뇌 겉질은 위치에 따라 전두엽, 두정엽, 측두엽, 후두엽으로 구분된다.	▲ 대뇌 겉질의 구분
소뇌	• 대뇌와 마찬가지로 좌우 두 개의 반구로 구성된다. • 대뇌와 함께 수의 운동이 잘 일어나도록 조절한다. • 귀의 전정 기관과 반고리관에서 오는 자극을 받아들여 몸의 평형을 유지한다.	
간뇌	• 시상과 시상 하부로 구성되며, 시상 하부 밑에는 뇌하수체가 있다. • 시상: 후각을 제외한 감각기에서 받아들인 자극을 대뇌 겉질의 각 부분으로 보내는 통로 역할을 한다. • 시상 하부: 자율 신경과 내분비계의 조절 중추로, 항상성을 유지한다. • 뇌하수체: 시상 하부 아래쪽에 붙어 있으며, 호르몬을 분비하여 다른 내분비샘의 기능을 조절한다.	
뇌줄기	**중간뇌**	• 자극의 전달 통로 역할을 하며, 소뇌와 함께 몸의 평형을 조절한다. • 안구 운동과 빛의 밝기에 따른 홍채의 수축과 이완을 조절하여 동공 반사를 일으킨다.
	뇌교	• 중간뇌와 연수 사이를 연결하며 백색질로 되어 있다. • 소뇌와 대뇌 사이의 정보 전달을 중계한다. • 연수와 함께 호흡 조절의 역할을 한다.
	연수	• 뇌와 척수 사이를 연결하는 대부분의 신경이 좌우 교차하여 통과하는 곳이다. • 심장 박동, 호흡 운동, 소화 운동과 소화액 분비 등을 조절한다. ➡ 생명 유지 담당❺ • 기침, 재채기, 하품, 눈물 분비 등의 반사를 담당한다.

❹ **회색질과 백색질**

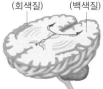

대뇌의 대부분의 기능이 이루어지는 겉질은 신경 세포체가 모여 있어 회색을 띠고, 속질은 축삭 돌기가 모여 있어 백색을 띤다.

❺ **식물인간과 뇌사**

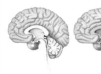

식물인간　　뇌사자

[ ] 기능이 상실된 부위

• 식물인간: 대뇌 겉질의 기능은 상실되었으나 뇌줄기의 기능은 손상되지 않은 상태 ➡ 인공 호흡기 없이도 생명 유지 가능
• 뇌사: 대뇌 겉질의 기능과 뇌줄기의 기능이 모두 상실된 상태 ➡ 인공 호흡기를 통해서만 생명 유지 가능

───── 용어 ─────

▶ **전정 기관**(앞 前, 뜰 庭, 그릇 器, 벼슬 官): 귀의 내이에 위치하여 중력 자극을 감지하는 기관이다.
▶ **반고리관**: 귀의 내이에 위치하여 몸의 이동과 회전을 감지하는 기관이다.

───── 자료 파헤치기 ─────

대뇌의 기능

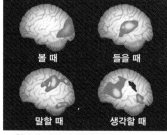

▲ 활동에 따른 뇌 활성 부위

• 그림은 사람이 여러 가지 활동을 할 때 활성화되는 대뇌의 부위를 나타낸 것이다. 붉은색과 노란색으로 나타난 부위가 활발하게 활동하는 부위이다.
• 단어를 볼 때는 후두엽, 단어를 들을 때는 좌반구의 측두엽, 의미 있는 단어를 말하고 생각할 때는 두정엽과 전두엽, 측두엽의 활성도가 높아진다.
➡ 다른 종류의 활동을 할 때 대뇌의 활성 부위가 각각 다르다.
➡ 대뇌 겉질의 부위에 따라 다른 기능을 하도록 분업화되어 있다.

개념 확인하기

1 뇌 신경과 척수 신경은 말초 신경계에 속한다. (○ , ×)
2 대뇌의 겉질은 백색질이고, 속질은 회색질이다. (○ , ×)
3 중간뇌, 뇌교, 연수를 합하여 (　　　)라고 하며, 생명 유지의 중추이다.

답 1. ○ 2. × 3. 뇌줄기

2. 척수 연수 아래에 이어져 척추 속으로 뻗어 있다.

① 구조: 척추 마디마다 신경 다발이 좌우 1쌍씩 분포하며, 겉질은 백색질, 속질은 회색질이다.
- 후근: 척수의 등 쪽으로는 감각 신경 다발이 연결돼 감각기가 받아들인 정보를 뇌로 전달한다.[6]
- 전근: 척수의 배 쪽으로는 운동 신경 다발이 연결돼 뇌의 명령을 반응기로 전달한다.

자료 파헤치기

척수의 구조

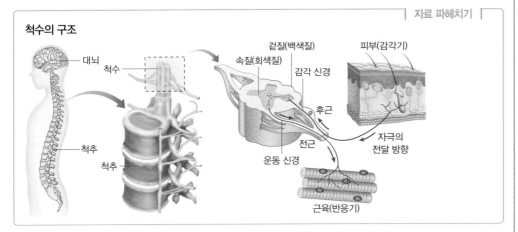

② 기능: 몸의 각 부분에서 나온 신호를 뇌로 전달하고, 뇌의 명령을 몸의 각 부위로 전달한다.

3. 흥분의 전달 경로 감각기에서 받아들인 자극이 중추 신경에 전달된 후 반응이 일어나기까지의 경로 ➡ 반응의 중추에 따라 전달 경로가 달라진다.

① 의식적인 반응: 대뇌가 중추가 되어 의식적으로 일어나는 반응

> 자극 → 감각기 → 감각 신경 → 대뇌 → 운동 신경 → 반응기 → 반응

② 무조건 반사: 척수, 연수, 중간뇌가 중추인 반사로 무의식적으로 일어난다. ➡ 자극이 대뇌에 전달되기 전에 반응이 일어나므로 위험으로부터 신속하게 몸을 보호할 수 있다.[7]

> 자극 → 감각기 → 감각 신경 → 척수, 연수, 중간뇌 → 운동 신경 → 반응기 → 반응[8]

- 척수 반사의 예: 무릎 반사, 뜨겁거나 날카로운 물체에 닿았을 때 재빨리 움츠리는 반응인 회피 반사, 땀 분비, 배변 · 배뇨 반사 등

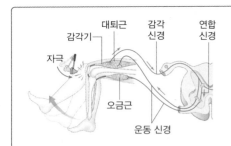

- **무릎 반사:** 무릎뼈 바로 아래를 고무망치로 쳤을 때 무릎 아래쪽이 저절로 들리는 반응
- **반응 경로:** 자극(고무망치) → 감각기 → 감각 신경 (후근) → 중추 신경(척수) → 운동 신경(전근) → 반응기(근육) → 반응(무릎 아래쪽이 들림)

개념 확인하기

1 등 쪽으로 운동 신경 다발이 좌우로 1개씩 나와 후근을 이루고, 배 쪽으로 감각 신경 다발이 좌우로 1개씩 나와 전근을 이룬다. (○ , ×)

2 회피 반사, 무릎 반사, 배변 · 배뇨 반사의 중추는 (　　　　)이다.

수척 .2 × .1 답

---

[6] 후근
후근을 이루는 감각 신경은 신경 세포체가 척수 밖에 위치하여 둥글게 부풀어 있다.

강의 콕
척수에서 후근은 감각 신경이고, 전근은 운동 신경이다. 그림 상에서 이들을 구분하는 문제가 자주 출제된다.

[7] 무조건 반사의 중추
- 척수 반사: 무릎 반사, 회피 반사, 배변 · 배뇨 반사 등
- 연수 반사: 기침, 재채기, 하품, 딸꾹질, 눈물 분비, 침 분비 등
- 중간뇌 반사: 동공 반사

[8] 반사와 대뇌
후근의 감각 신경은 대뇌로 연결되는 뉴런과도 시냅스를 이루고 있어 무조건 반사가 일어날 때에도 대뇌로 정보가 전달된다. 다만, 무조건 반사의 속도가 빠르므로 반사가 일어난 이후에 아픔과 같은 감각을 느끼게 된다.

용어
▶ **반사(돌이킬 反, 쏠 射):** 자극에 대해 기계적으로 일어나는 신체 일부의 반응으로, 무의식적으로 일어난다.

기초 탄탄 문제

정답과 해설 19쪽

핵심용어_ 이 단원에서 내가 아는 것과 아직 모르는 것을 정리하며 나의 공부를 돌아보자.

- □ 중추 신경계
- □ 대뇌
- □ 뇌줄기
- □ 연수
- □ 척수
- □ 무릎 반사

01 사람 신경계의 구성에 대한 설명으로 옳지 <u>않은</u> 것은?

① 뇌와 척수는 중추 신경계에 속한다.
② 중추 신경계는 정보 처리의 중심이다.
③ 중추 신경계와 말초 신경계로 구성된다.
④ 말초 신경계는 많은 뉴런이 밀집되어 있다.
⑤ 말초 신경계는 온몸에 나뭇가지 모양으로 분포한다.

02 사람의 뇌에 대한 설명으로 옳지 <u>않은</u> 것은?

① 두개골에 둘러싸여 있다.
② 가장 큰 부피를 차지하는 것은 대뇌이다.
③ 중간뇌, 뇌교, 척수는 뇌줄기를 구성한다.
④ 뇌줄기는 생명과 직결된 기능을 담당한다.
⑤ 대뇌와 소뇌는 좌우 반구로 이루어져 있다.

03 다음은 뇌를 구성하는 특정 부위의 기능에 대한 설명이다.

> - 겉질은 회색질, 속질은 백색질이다.
> - 표면에 주름이 잡혀 있어서 표면적이 매우 넓다.
> - 수의 운동을 조절하며 정신 활동과 감각을 담당한다.

이에 해당하는 부위로 옳은 것은?

① 대뇌   ② 소뇌   ③ 연수
④ 간뇌   ⑤ 중간뇌

04 척수에 대한 설명으로 옳지 <u>않은</u> 것은?

① 척추 속에 뻗어 있다.
② 31쌍의 척수 신경이 연결되어 있다.
③ 겉질은 백색질이고, 속질은 회색질이다.
④ 감각기, 반응기와 뇌를 연결하는 통로 역할을 한다.
⑤ 배 쪽에는 감각 신경 다발이 전근을 이루고, 등 쪽에는 운동 신경 다발이 후근을 이룬다.

05 척수의 역할에 대한 설명으로 옳지 <u>않은</u> 것은?

① 뇌의 명령을 몸의 각 부위로 전달한다.
② 기침, 재채기, 하품 등의 반사 중추이다.
③ 온몸의 각 부분에서 나온 신호를 뇌로 전달한다.
④ 등 쪽 신경 다발이 손상되면 감각 기능에 이상이 생긴다.
⑤ 배 쪽 신경 다발이 손상되면 운동 기능에 이상이 생긴다.

06 그림은 압정에 찔렸을 때 자신도 모르게 일어나는 반응의 경로를 나타낸 것이다.

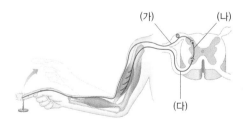

이에 대한 설명으로 옳지 <u>않은</u> 것은?

① 반응의 중추는 척수이다.
② 반응의 경로는 (가) → (나) → (다)이다.
③ 찔렸을 때의 통증은 대뇌로 전달되지 않는다.
④ 위험으로부터 몸을 보호하기 위한 빠른 반응이다.
⑤ (가)는 감각 뉴런, (나)는 연합 뉴런, (다)는 운동 뉴런이다.

내신 만점 **문제**

정답과 해설 20쪽

* ▪▪▪ 난이도를 나타냅니다.

01 그림은 우리 몸의 신경계를 구분하는 과정을 나타낸 것이다.

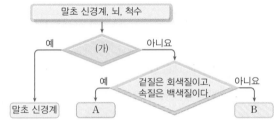

이에 대한 설명으로 옳은 것만을 〈보기〉에서 있는 대로 고른 것은?

┃ 보기 ┃
ㄱ. '많은 뉴런이 밀집되어 있다.'는 구분 기준 (가)에 해당한다.
ㄴ. 뇌 신경은 A를 구성한다.
ㄷ. B는 회피 반사와 무릎 반사의 중추이다.

① ㄱ   ② ㄷ   ③ ㄱ, ㄷ
④ ㄴ, ㄷ   ⑤ ㄱ, ㄴ, ㄷ

02 그림은 사람 뇌의 구조를 나타낸 것이다.

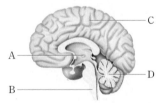

A~D에 대한 설명으로 옳은 것만을 〈보기〉에서 있는 대로 고른 것은?

┃ 보기 ┃
ㄱ. A는 안구 운동을 조절한다.
ㄴ. B에서 좌우 신경이 교차한다.
ㄷ. C와 D는 함께 수의 운동을 조절한다.

① ㄱ   ② ㄷ   ③ ㄱ, ㄴ
④ ㄴ, ㄷ   ⑤ ㄱ, ㄴ, ㄷ

03 표 (가)는 뇌를 구성하는 구조 A~D에서 특징 ㉠~㉢의 유무를, (나)는 ㉠~㉢을 순서 없이 나타낸 것이다. A~D는 각각 소뇌, 연수, 중간뇌, 대뇌 중 하나이다.

구조＼특징	㉠	㉡	㉢
A	×	×	○
B	×	?	○
C	○	○	×
D	×	○	×

(가)

특징(㉠~㉢)
• 좌우 반구로 나뉘어 있다.
• 뇌줄기를 구성한다.
• 동공 반사의 중추이다.

(나)

이에 대한 설명으로 옳은 것만을 〈보기〉에서 있는 대로 고른 것은?

┃ 보기 ┃
ㄱ. B는 소화 운동, 심장 박동, 호흡 운동의 중추이다.
ㄴ. C는 중간뇌이다.
ㄷ. ㉡은 '뇌줄기를 구성한다.'이다.

① ㄱ   ② ㄴ   ③ ㄱ, ㄷ
④ ㄴ, ㄷ   ⑤ ㄱ, ㄴ, ㄷ

04 그림은 무릎 반사가 일어나는 과정에서 감각기와 반응기 사이의 흥분의 전달 경로를 나타낸 것이다.

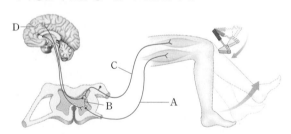

이에 대한 설명으로 옳은 것만을 〈보기〉에서 있는 대로 고른 것은?

┃ 보기 ┃
ㄱ. A는 전근을 이루고, C는 후근을 이룬다.
ㄴ. B는 척수의 속질에 분포한다.
ㄷ. 고무망치에 의한 자극은 D로 전달된다.
ㄹ. 무릎 반사의 경로는 A → B → C이다.

① ㄱ, ㄴ   ② ㄱ, ㄹ
③ ㄷ, ㄹ   ④ ㄱ, ㄴ, ㄷ
⑤ ㄴ, ㄷ, ㄹ

그림은 야구 선수가 날아오는 야구공을 보고 야구 방망이로 칠 때의 반응 경로를 모식적으로 나타낸 것이다.

이에 대한 설명으로 옳은 것만을 〈보기〉에서 있는 대로 고른 것은?

┃ 보기 ┃

ㄱ. 시각 자극을 전달하는 감각 신경은 척수의 후근을 거쳐 대뇌까지 이어진다.

ㄴ. 반응이 일어날 때 운동 신경은 척수의 전근을 거쳐 반응기로 연결된다.

ㄷ. 중추 신경계는 연합 뉴런으로 구성된다.

① ㄱ   ② ㄷ   ③ ㄱ, ㄴ

④ ㄴ, ㄷ   ⑤ ㄱ, ㄴ, ㄷ

06 그림은 자극에서 반응까지의 경로 두 가지를 나타낸 것이다.

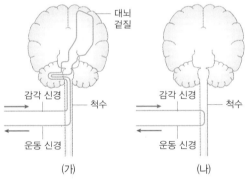

(가)   (나)

이에 대한 설명으로 옳은 것만을 〈보기〉에서 있는 대로 고른 것은?

┃ 보기 ┃

ㄱ. 손으로 더듬어 주머니 속의 동전을 골라낼 때의 경로는 (가)에 해당한다.

ㄴ. 뜨거운 주전자에 손이 닿아 즉시 손을 뗄 때의 경로는 (나)에 해당한다.

ㄷ. (가)는 (나)보다 위급한 상황에서 빠르게 대처할 수 있다.

① ㄱ   ② ㄷ   ③ ㄱ, ㄴ

④ ㄴ, ㄷ   ⑤ ㄱ, ㄴ, ㄷ

서술형 문제

07 그림 (가)는 대뇌 겉질을 영역별로 나눈 것이고, (나)는 사람이 여러 가지 활동을 할 때 활성화되는 대뇌 부위를 나타낸 것이다. 붉은색과 노란색으로 나타낸 부위가 활발하게 활동하는 부위이다.

(가)

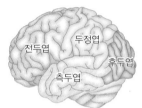

(나)

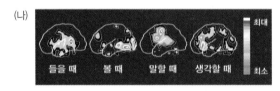

(1) 시각과 관련된 대뇌 겉질 영역은 어디인지 쓰시오.

(2) (나)와 같은 결과를 통해 알 수 있는 사실을 한 문장으로 서술하시오.

08 그림은 감각기와 반응기의 신호 전달 경로를 나타낸 것이다.

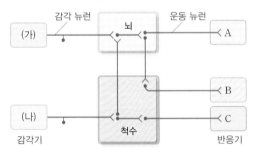

(1) ㉠뜨거운 것을 만졌을 때 무의식적으로 손을 움츠리는 반응 경로와 ㉡컵을 눈으로 보고 손으로 들어올릴 때의 반응 경로를 쓰시오.

(2) 무조건 반사가 의식적인 반응보다 위험으로부터 몸을 보호하는 데 더 유리한 까닭을 서술하시오.

04 말초 신경계

핵심 Point
- 말초 신경계의 구조와 기능을 이해한다.
- 대표적인 신경계 관련 질환을 안다.

1 말초 신경계

1. **말초 신경계** 뇌와 척수에서 나와 온몸의 조직이나 기관으로 뻗어 있는 신경 ➡ 뇌에 연결된 뇌 신경 12쌍과 척수에 연결된 척수 신경 31쌍으로 이루어진다.

2. **말초 신경계의 구성** 구심성 뉴런(구심성 신경)과 원심성 뉴런(원심성 신경)으로 구분할 수 있다.

구심성 뉴런	감각 기관으로부터 받은 자극을 중추 신경계로 전달한다.
원심성 뉴런	• 중추 신경계에서 내린 반응 명령을 근육, 내부 장기 등으로 전달한다. • 대뇌의 지배를 받는 체성 신경계와 대뇌의 지배를 받지 않는 자율 신경계로 구분된다.

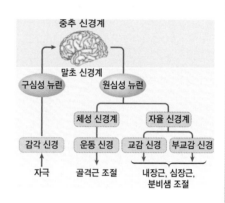

3. **체성 신경계** 운동 신경으로 구성되며, 골격근에 분포한다. ➡ 체성 운동 신경이라고도 한다.
① 대뇌의 지배를 받아 대뇌의 명령을 골격근에 전달한다.(수의 운동 조절)
② 축삭 돌기 말단에서 골격근으로 아세틸콜린❶이 분비되면 근육 수축이 일어난다.

4. **자율 신경계** 중간뇌, 연수, 척수에서 뻗어 나와 각종 내장 기관과 혈관에 분포한다.
① 대뇌의 직접적인 지배를 받지 않는다. ➡ 의식적으로 조절할 수 없다.(불수의 운동 조절)
② 중추 신경계에서 나온 뉴런이 반응기에 이르기 전에 신경절에서 시냅스를 형성한다.
③ 교감 신경과 부교감 신경으로 구성되며 순환, 호흡, 소화, 호르몬 분비 등 생명 유지에 필수적인 기능을 조절한다.

교감 신경	• 신경절 이전 뉴런이 짧고 신경절 이후 뉴런이 길다. • 신경절 이전 뉴런의 말단에서는 아세틸콜린이, 신경절 이후 뉴런의 말단에서는 노르에피네프린이 분비된다.
부교감 신경	• 신경절 이전 뉴런이 길고, 신경절 이후 뉴런이 짧다. • 신경절 이전 뉴런과 신경절 이후 뉴런의 말단에서 모두 아세틸콜린이 분비된다.

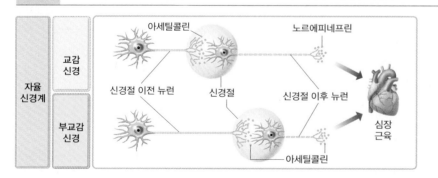

❶ 아세틸콜린

아세트산과 콜린이 결합한 물질로 대표적인 신경 전달 물질이다. 체성 신경계의 말단, 자율 신경계의 신경절과 부교감 신경의 말단 등에서 분비된다.

암기 콕

교감 신경은 신경절 이전 뉴런이 짧고, 부교감 신경은 신경절 이전 뉴런이 길다. '교감', '부교감'의 글자 수와 신경절 이전 뉴런의 길이를 연결시키면 쉽게 암기할 수 있다.

용어

▶ 체성 신경계(몸 體, 성질 性, 정신 神, 지날 經, 이을 系): 중추와 골격근을 연결하는 신경
▶ 자율 신경계(스스로 自, 법칙 律, 정신 神, 지날 經, 이을 系): 대뇌의 직접적인 영향을 받지 않아 의지와 상관없이 스스로 조절되는 신경
▶ 신경절(정신 神, 지날 經, 마디 節): 말초 신경계에서 신경 세포체가 모여 있는 부분

④ 교감 신경과 부교감 신경의 기능: 교감 신경과 부교감 신경의 신경절 이후 뉴런에서 분비되는 물질이 다르다. ➡ 교감 신경과 부교감 신경은 같은 기관에 대해 서로 반대되는 작용을 하는 길항 작용을 통해 신체 기능을 조절한다.❷

구분	동공	호흡 운동	심장 박동	혈압	소화 운동	소화액 분비	방광
교감 신경	확대	촉진	촉진	상승	억제	억제	확장
부교감 신경	축소	억제	억제	하강	촉진	촉진	수축

| 자료 파헤치기 |

교감 신경과 부교감 신경의 분포와 기능❸

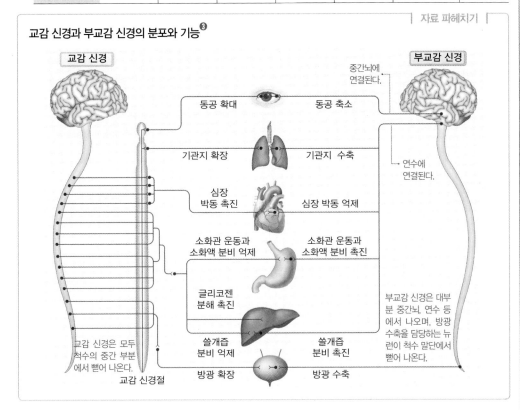

교감 신경은 모두 척수의 중간 부분에서 뻗어 나온다.

교감 신경절

부교감 신경은 대부분 중간뇌, 연수 등에서 나오며, 방광 수축을 담당하는 뉴런이 척수 말단에서 뻗어 나온다.

❷ 교감 신경과 부교감 신경
교감 신경은 주로 위기 상황에서 우리 몸을 긴장 상태로 만들어 대비하는 작용을, 부교감 신경은 긴장 상태에서 이완하는 작용을 담당한다.

❸ 자율 신경계의 신경 세포체 위치
교감 신경의 신경절 이전 뉴런의 신경 세포체는 척수에 있고, 부교감 신경의 신경절 이전 뉴런의 신경 세포체는 대부분 연수, 중간뇌 등에 있다.

❹ 신경계 이상 질환
파킨슨병과 알츠하이머병은 중추 신경계의 이상으로 나타나며, 근위축성 측삭 경화증(루게릭병)은 말초 신경계의 이상과 관련된다.

셀파 콕콕
자율 신경이 뻗어 나온 위치를 통해서도 교감 신경과 부교감 신경을 구분할 수 있음을 알아 두자.

5. 신경계 관련 질환 신경계에 손상이 발생하면 몸 전반에 걸쳐 심각한 증상이 발생한다.

구분❹	증상	원인
파킨슨병	떨림, 근육 강직, 몸 동작이 느려지는 등의 운동 장애가 나타난다.	중간뇌의 도파민 분비 부족과 유전적·환경적 요인이 복합적으로 작용하여 발생한다.
알츠하이머병	혼란, 격한 행동, 조울증, 언어 장애, 장기기억 상실 등이 나타난다.	변형된 아밀로이드 단백질이 대뇌의 뉴런을 파괴하여 발생하는 것으로 추정된다.
근위축성 측삭 경화증(루게릭병)	근육이 약화되고 뻣뻣해지며, 움직임이 굼뜨게 되어 일상생활이 불편해진다	운동 신경의 점진적인 손상으로 발생한다.

━━━ 용어 ━━━
▶ 길항 작용(일할 拮, 겨룰 抗, 지을 作, 쓸 用): 어떤 현상에 대해 두 요인이 서로 반대로 작용하여 서로 그 효과를 줄이는 조절 작용이다.

개념 확인하기

1 교감 신경은 신경절 이전 뉴런이 짧고, 신경절 이후 뉴런이 길다. (○, ×)

2 같은 내장 기관에 분포하여 한쪽이 작용을 촉진하면 다른 한쪽은 작용을 억제하여 기능을 조절하는 작용을 ( )이라고 한다.

3 부교감 신경이 활성화될 때 소화 작용은 억제된다. (○, ×)

답 1. ○ 2. 길항 작용 3. ×

셀파 세미나 —————— S·H·E·R·P·A

> ▶ 말초 신경계의 원심성 신경인 체성 신경, 교감 신경, 부교감 신경을 특징에 따라 구분해 보자.

체성 신경계와 자율 신경계(교감 신경, 부교감 신경)의 비교

1. 말초 신경계의 특징 비교

종류	구분		특징
구심성 뉴런	감각 신경 ➡ 감각기로부터 중추 신경계로 정보 전달		하나의 뉴런이며, 축삭 돌기 중간에 신경 세포체가 위치한다.
원심성 뉴런	체성 신경	체성 운동 신경 ➡ 골격근에 분포하여 의지에 따라 몸을 움직이게 한다.	• 한 개의 뉴런으로 구성된다. • 의식할 수 있는 자극과 반응에 관계된다.
	자율 신경	교감 신경 ➡ 위급한 상황에 대처하도록 몸을 긴장시킨다.	• 내장 기관, 심장, 피부, 혈관 등에 분포한다. • 의지대로 조절할 수 없다.
		부교감 신경 ➡ 위기 상황이 끝나면 다시 몸을 원래대로 이완시키는 작용을 한다.	• 2개의 뉴런으로 이루어져 신경절이 형성된다. • 교감 신경과 부교감 신경은 길항 작용으로 기능을 조절한다.

2. 체성 신경계와 자율 신경계의 구조 비교

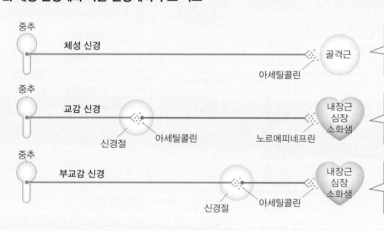

체성 신경계는 골격근에 연결되며 하나의 뉴런으로 이루어진다.

교감 신경은 신경절 이전 뉴런이 짧고, 신경절 이후 뉴런 말단에서 노르에피네프린이 분비된다.

부교감 신경은 신경절 이전 뉴런이 길고, 신경절과 신경절 이후 뉴런 말단에서 모두 아세틸콜린이 분비된다.

---

1 그림은 말초 신경계의 일부를 나타낸 것이다.

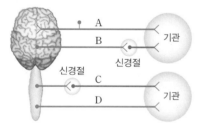

(1) 구심성 뉴런의 기호를 쓰시오.

(2) 체성 운동 신경의 기호를 쓰시오.

(3) 교감 신경의 기호를 쓰시오.

(4) 부교감 신경의 기호를 쓰시오.

| 해설 | A는 하나의 뉴런이고 신경 세포체가 축삭 돌기 중간에 위치한다. B는 신경절 이전 뉴런이 길고 C는 신경절 이전 뉴런이 짧다.

답 (1) A (2) D (3) C (4) B

2 그림은 말초 신경계의 일부를 나타낸 것이다.

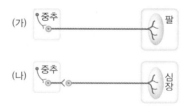

이에 대한 설명으로 옳은 것은?

① (가)는 구심성 뉴런, (나)는 원심성 뉴런이다.

② 대뇌의 명령 신호가 전달되는 신경은 (가)이다.

③ (가)와 (나)는 길항적으로 작용한다.

④ (가)와 (나) 모두 대뇌의 지배를 받는다.

⑤ (가)와 (나)의 축삭 돌기 말단에서 모두 아세틸콜린이 분비된다.

| 해설 | (가)는 체성 운동 신경, (나)는 교감 신경이다.

답 ②

기초 탄탄 문제

정답과 해설 21쪽

핵심용어_ 이 단원에서 내가 아는 것과 아직 모르는 것을 정리하며 나의 공부를 돌아보자.

- □ 체성 신경계
- □ 자율 신경계
- □ 교감 신경
- □ 부교감 신경
- □ 아세틸콜린
- □ 노르에피네프린

01 말초 신경계에 대한 설명으로 옳지 <u>않은</u> 것은?

① 뇌 신경과 척수 신경으로 구성된다.

② 감각 신경은 구심성 뉴런에 해당한다.

③ 자율 신경계는 수의 운동을 조절한다.

④ 골격근에 연결된 원심성 뉴런을 체성 신경계라고 한다.

⑤ 기능에 따라 구심성 뉴런과 원심성 뉴런으로 구분한다.

02 자율 신경계에 대한 설명으로 옳지 <u>않은</u> 것은?

① 뇌와 척수를 구성한다.

② 각종 내장 기관과 혈관에 분포한다.

③ 대뇌의 직접적인 지배를 받지 않는다.

④ 중간뇌, 연수, 척수 등에서 뻗어 나온다.

⑤ 생명 유지에 필수적인 기능을 조절한다.

03 교감 신경과 부교감 신경의 기능을 연결한 것으로 옳지 <u>않은</u> 것은?

	반응기	교감 신경	부교감 신경
①	동공	확대	축소
②	방광	수축	확장
③	소장	활동 억제	활동 촉진
④	심장	박동 촉진	박동 억제
⑤	혈압	상승	하강

04 그림은 신경계를 구성하는 일부 신경을 나타낸 것이다.

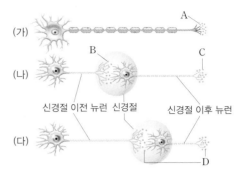

(가)~(다)에 대한 설명으로 옳은 것은?

① (가)~(다)는 모두 구심성 신경이다.

② (가)는 내장 기관에 분포한다.

③ (나)와 (다)는 길항 작용을 한다.

④ A, B는 서로 다른 신경 전달 물질이다.

⑤ C, D는 동일한 신경 전달 물질이다.

05 교감 신경이 활성화되었을 때 반응기에서 나타나는 반응으로 옳지 <u>않은</u> 것은?

① 심장 박동이 촉진된다.

② 소화 기관으로 공급되는 혈액의 양이 증가한다.

③ 폐에서 산소와 이산화 탄소의 교환이 활발해진다.

④ 간에서 글리코젠이 포도당으로 분해되는 과정이 촉진된다.

⑤ 위급한 상황에서 강한 육체적 활동을 준비하는 데 필요한 반응이 일어난다.

06 신경계와 관련된 질환에 대한 설명으로 옳지 <u>않은</u> 것은?

① 신경계의 손상은 몸 전체에 걸쳐 심각한 증상을 유발한다.

② 근위축성 측삭 경화증은 중추 신경계가 손상되어 나타나는 대표적인 질환이다.

③ 중추 신경계의 손상과 말초 신경계의 손상에 따른 질병으로 구분한다.

④ 알츠하이머병은 대뇌 뉴런의 파괴로 인해 유발된다고 알려져 있다

⑤ 파킨슨병은 근육의 강직, 몸 동작이 느려지는 등의 운동 장애가 나타난다.

내신 만점 문제

정답과 해설 21쪽

* ▮▮▮ 난이도를 나타냅니다.

01 그림은 신경계를 통한 흥분의 전달 경로를 나타낸 것이다.

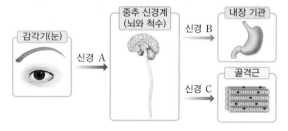

이에 대한 설명으로 옳은 것만을 〈보기〉에서 있는 대로 고른 것은?

┃ 보기 ┃

ㄱ. 신경 A는 척수의 후근을 통해 중추로 연결된다.

ㄴ. 신경 B는 2개의 뉴런이 신경절을 형성한다.

ㄷ. 신경 C의 축삭 돌기 말단에서는 노르에피네프린이 분비된다.

① ㄱ　　② ㄴ　　③ ㄷ　　④ ㄱ, ㄴ　⑤ ㄴ, ㄷ

02 그림은 3가지 신경을 구분하는 과정을 나타낸 것이다.

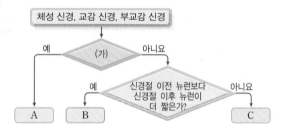

이에 대한 설명으로 옳은 것만을 〈보기〉에서 있는 대로 고른 것은?

┃ 보기 ┃

ㄱ. '대뇌의 지배를 받는가?'는 기준 (가)에 적합하다.

ㄴ. B, C는 골격근에 연결된다.

ㄷ. B가 흥분하면 소화 운동이 촉진된다.

① ㄱ　　② ㄴ　　③ ㄷ　　④ ㄱ, ㄴ　⑤ ㄱ, ㄷ

03 그림은 자율 신경이 위에 연결된 모습을 나타낸 것이다.

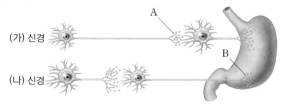

이에 대한 설명으로 옳은 것만을 〈보기〉에서 있는 대로 고른 것은?

┃ 보기 ┃

ㄱ. (가)와 (나) 신경은 길항 작용으로 위의 소화 작용을 조절한다.

ㄴ. (나)의 시냅스 이전 뉴런의 신경 세포체는 연수에 있다.

ㄷ. 신경 전달 물질 A, B는 동일하다.

① ㄱ　　　　　② ㄴ　　　　　③ ㄷ

④ ㄱ, ㄴ　　　⑤ ㄴ, ㄷ

04 그림은 우리 몸의 말초 신경을 나타낸 것이다. (가) 신경은 연수에서, (나) 신경은 척수에서 뻗어 나온다.

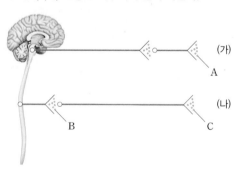

이에 대한 설명으로 옳은 것은?

① (가)가 흥분하면 방광이 확장된다.

② (가)와 (나)는 모두 골격근에 연결된다.

③ (가)와 (나)는 대뇌의 직접적인 지배를 받는다.

④ A는 아세틸콜린, B, C는 노르에피네프린이다.

⑤ (나)가 흥분하면 심장 박동과 호흡 운동의 주기가 짧아진다.

05 그림은 심장 박동을 조절하는 신경 A와 B를, 표는 어떤 사람의 평상시와 운동 시의 심장 박출량과 호흡수를 나타낸 것이다. 심장 박출량은 1분 동안 심장에서 방출되는 혈액량을 나타내며, ㉠, ㉡은 각각 평상시와 운동 시 중 하나이다.

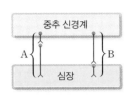

구분	심장 박출량 (L/분)	호흡수 (회/분)
㉠	5.8	17
㉡	25.6	63

이에 대한 설명으로 옳은 것만을 〈보기〉에서 있는 대로 고른 것은?

┤ 보기 ├
ㄱ. A의 신경절 이전 뉴런의 신경 세포체는 연수에 있다.
ㄴ. B가 활성화되면 ㉠ 상태가 된다.
ㄷ. 간에서 글리코젠이 포도당으로 분해되는 양은 ㉠보다 ㉡이 더 많다.

① ㄱ　　　　② ㄴ　　　　③ ㄱ, ㄷ
④ ㄴ, ㄷ　　　⑤ ㄱ, ㄴ, ㄷ

06 표는 자율 신경계의 작용을 나타낸 것이다.

구분	심장 박동	소화액 분비	위 움직임	호흡 운동
교감 신경	촉진	억제	억제	촉진
부교감 신경	억제	촉진	촉진	억제

이에 대한 설명으로 옳은 것만을 〈보기〉에서 있는 대로 고른 것은?

┤ 보기 ├
ㄱ. 달리기를 할 때 부교감 신경의 작용이 활발해진다.
ㄴ. 교감 신경과 부교감 신경은 같은 기관에 분포하면서 서로 반대되는 작용을 한다.
ㄷ. 스트레스를 받으면 소화가 잘 되지 않는 것은 교감 신경이 활성화되기 때문이다.

① ㄴ　　　　② ㄷ　　　　③ ㄱ, ㄴ
④ ㄱ, ㄷ　　　⑤ ㄴ, ㄷ

07 심장 박동은 자율 신경 A, B에 의해 조절된다. 그림 (가)는 A를, (나)는 B를 자극했을 때 심장 세포에서 활동 전위가 발생하는 빈도 변화를 나타낸 것이다.

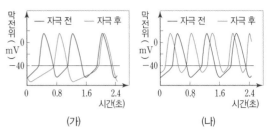

(가)　　　　　　　(나)

이에 대한 설명으로 옳은 것만을 〈보기〉에서 있는 대로 고른 것은?

┤ 보기 ├
ㄱ. A는 교감 신경이다.
ㄴ. B는 신경절 이전 뉴런이 신경절 이후 뉴런보다 짧다.
ㄷ. A, B의 신경절 이전 뉴런의 신경 세포체는 모두 연수에 있다.

① ㄱ　　　　② ㄴ　　　　③ ㄷ
④ ㄱ, ㄴ　　　⑤ ㄴ, ㄷ

08 그림은 뇌와 자율 신경에 의한 동공 크기 조절 경로를 나타낸 것이다.

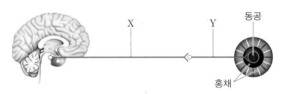

이에 대한 설명으로 옳은 것만을 〈보기〉에서 있는 대로 고른 것은?

┤ 보기 ├
ㄱ. X의 신경 체포체는 중간뇌에 있다.
ㄴ. Y에서 분비되는 신경 전달 물질은 동공을 축소시킨다.
ㄷ. X, Y의 축삭 돌기 말단에서 분비되는 신경 전달 물질은 동일하다.

① ㄱ　　　　② ㄷ　　　　③ ㄱ, ㄴ
④ ㄴ, ㄷ　　　⑤ ㄱ, ㄴ, ㄷ

09 그림 (가)는 평상시, (나)는 특정 신경이 흥분할 때 심장 세포에서 시간에 따른 활동 전위의 발생 빈도를 나타낸 것이다.

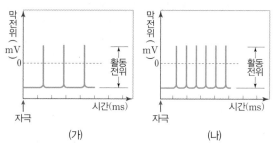

이에 대한 설명으로 옳은 것만을 〈보기〉에서 있는 대로 고른 것은?

┃ 보기 ┃
ㄱ. 심장근은 체성 신경과 연결되어 있다.
ㄴ. 심장근에 전달되는 노르에피네프린의 농도는 (가)보다 (나)에서 더 높다.
ㄷ. 모세 혈관에서 폐포로 이동하는 이산화 탄소의 양은 (가)보다 (나)에서 더 많다.

① ㄱ ② ㄷ ③ ㄱ, ㄴ
④ ㄱ, ㄷ ⑤ ㄴ, ㄷ

10 그림 (가)는 반사 경로를, (나)는 자율 신경계가 중추에 연결되어 있는 모습을 나타낸 것이다.

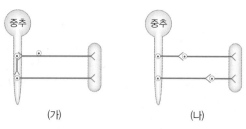

이에 대한 설명으로 옳은 것만을 〈보기〉에서 있는 대로 고른 것은?

┃ 보기 ┃
ㄱ. (가)와 (나)에서 반응 기관은 모두 내장 기관이다.
ㄴ. (가)와 (나)에서 모두 대뇌의 직접적인 영향을 받지 않고 반응이 일어난다.
ㄷ. (가)와 (나)에서 반응기에 연결된 축삭 돌기 말단에서 분비되는 신경 전달 물질은 모두 동일하다.

① ㄱ ② ㄴ ③ ㄱ, ㄴ
④ ㄴ, ㄷ ⑤ ㄱ, ㄴ, ㄷ

서술형 문제

11 그림 (가)는 위에 연결된 자율 신경을, (나)는 뉴런 A를 자극하기 전과 후의 위 내부의 pH 변화를 나타낸 것이다.

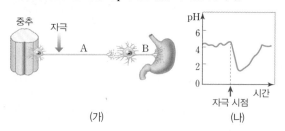

(1) 자율 신경 A의 신경 세포체가 분포하는 중추는 무엇인지 쓰시오.

_____

(2) A와 B의 축삭 돌기 말단에서 분비되는 신경 전달 물질은 각각 무엇인지 쓰시오.

_____

(3) A, B의 역할을 (나)를 근거로 서술하시오.

_____

_____

12 다음은 신경계와 관련된 질환에 대한 조사 자료이다.

(가) 파킨슨병: 중간뇌에서 신경 전달 물질인 도파민을 분비하는 뉴런이 퇴화되어 떨림, 경직, 보행 장애 등의 증상을 보인다.
(나) 근위축성 측삭 경화증: 운동 뉴런이 점차 소실되어 근력 약화와 근육 위축을 초래하여 언어 장애, 급격한 체중 감소 등의 증상을 보인다.

(가)와 (나)는 각각 우리 몸의 신경계 중 어느 신경계의 이상으로 나타나는지 서술하시오.

_____

_____

1. 뉴런

신경계를 구성하는 단위인 신경 세포이다.

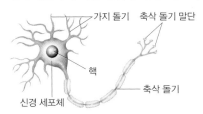

신경 세포체	핵과 세포질이 있어 뉴런의 생장과 물질대사가 일어난다.
가지 돌기	자극 수용기나 다른 뉴런에서 오는 자극을 받아들인다.
축삭 돌기	다른 뉴런이나 근육에 자극을 전달한다.

2. 흥분의 발생

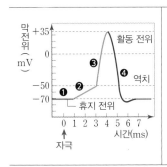

- 분극(❶): 세포막 안쪽은 음전하, 바깥쪽은 양전하를 띤다.
- 탈분극(❷~❸): 자극을 받으면 Na^+ 통로가 열리며 Na^+이 세포 안으로 유입되어 막전위가 역전된다.
- 재분극(❹): Na^+ 통로는 닫히고, K^+ 통로가 열리며 K^+이 세포 밖으로 유출되어 막전위가 회복된다.

3. 골격근의 구조와 근육 수축

① 골격근의 구조: 골격근 > 근육 섬유 다발 > 근육 섬유 > 근육 원섬유 > 액틴 필라멘트, 마이오신 필라멘트

② 근육 수축의 원리: 액틴 필라멘트가 마이오신 필라멘트 사이로 미끄러져 들어가 근육 원섬유 마디가 짧아지면서 근육이 수축한다. ➡ ATP 소모

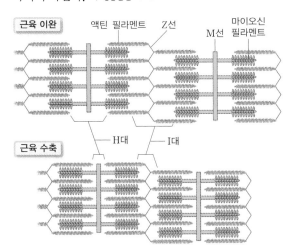

4. 뇌의 구조와 기능

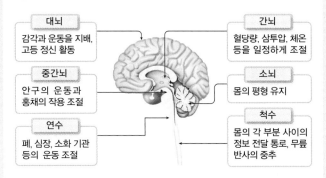

대뇌	감각과 운동을 지배, 고등 정신 활동
중간뇌	안구의 운동과 홍채의 작용 조절
연수	폐, 심장, 소화 기관 등의 운동 조절
간뇌	혈당량, 삼투압, 체온 등을 일정하게 조절
소뇌	몸의 평형 유지
척수	몸의 각 부분 사이의 정보 전달 통로, 무릎 반사의 중추

5. 척수의 구조와 반사 경로

① 척수의 구조: 연수에 이어져 척추 속으로 뻗어 나와 말초 신경계와 연결되어 있다. 겉질은 백색질, 속질은 회색질이다.

② 무조건 반사: 척수, 연수, 중간뇌가 중추로 무의식적으로 일어난다. ➡ 자극이 대뇌에 전달되기 전에 반응이 일어나므로 위험으로부터 신속하게 몸을 보호할 수 있다.

> 자극 → 감각기 → 감각 신경 → 척수, 연수, 중간뇌 → 운동 신경 → 반응기 → 반응

6. 말초 신경계

① 말초 신경계의 구분: 기능에 따라 구심성 신경과 원심성 신경으로 나뉘며, 원심성 신경은 다시 체성 신경계와 자율 신경계로 구분된다.

② 체성 신경계와 자율 신경계

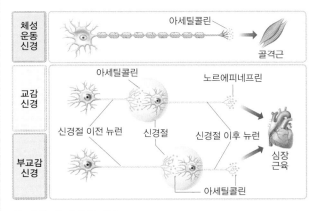

③ 자율 신경계의 작용

구분	심장 박동	호흡 운동	동공	소화 운동	침 분비	혈관	방광
교감 신경	촉진	촉진	확대	억제	억제	확장	확장
부교감 신경	억제	억제	축소	촉진	촉진	수축	수축

01 그림 (가)는 뉴런의 세 지점 A, B, C를, (나)는 A에 자극을 주었을 때 B에서의 막전위 변화를 나타낸 것이다.

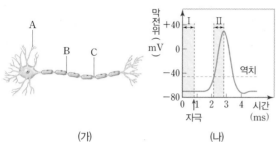

(가)　　　　　(나)

이에 대한 설명으로 옳은 것만을 〈보기〉에서 있는 대로 고른 것은?

| 보기 |

ㄱ. C에서 활동 전위가 발생한다.
ㄴ. 구간 Ⅰ에서 세포막을 통한 이온의 이동은 없다.
ㄷ. 구간 Ⅱ에서 Na^+의 유입에 ATP가 소모된다.

① ㄱ　　　② ㄴ　　　③ ㄷ
④ ㄱ, ㄴ　　　⑤ ㄴ, ㄷ

02 그림 (가)는 어떤 뉴런에 역치에 해당하는 자극을 주었을 때의 막전위 변화를, (나)는 이때 세포막 안팎으로 이동하는 이온의 막 투과성을 나타낸 것이다.

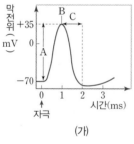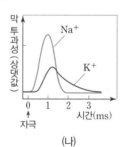

(가)　　　　　(나)

이에 대한 설명으로 옳은 것만을 〈보기〉에서 있는 대로 고른 것은?

| 보기 |

ㄱ. A는 활동 전위의 크기를 나타낸다.
ㄴ. B에서 막전위는 (+)에서 (−)로 바뀐다.
ㄷ. C 구간의 막전위 변화에 영향을 미치는 것은 K^+의 유출이다.

① ㄱ　　　② ㄴ　　　③ ㄱ, ㄷ
④ ㄴ, ㄷ　　　⑤ ㄱ, ㄴ, ㄷ

03 그림 (가)는 뉴런을, (나)는 이 뉴런에 역치 이상의 자극을 1회 주었을 때 A와 B에서의 막전위 변화를 순서 없이 나타낸 것이다.

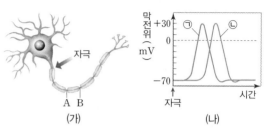

(가)　　　　　(나)

이에 대한 설명으로 옳은 것만을 〈보기〉에서 있는 대로 고른 것은?

| 보기 |

ㄱ. ㉠은 A, ㉡은 B에서의 막전위 변화를 나타낸다.
ㄴ. A에서 발생한 활동 전위는 B에서 탈분극을 유도한다.
ㄷ. (가)의 뉴런에서는 축삭 돌기를 따라 연속적으로 흥분이 전도된다.

① ㄱ　　② ㄴ　　③ ㄷ　　④ ㄱ, ㄴ　　⑤ ㄴ, ㄷ

04 그림은 어떤 뉴런에서 역치 이상의 자극을 주었을 때, 이 뉴런 세포막의 한 지점에서 이온 ㉠과 ㉡의 막 투과도를 시간에 따라 나타낸 것이다. ㉠과 ㉡은 각각 Na^+과 K^+ 중 하나이다.

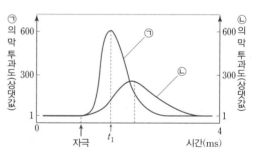

이에 대한 설명으로 옳은 것만을 〈보기〉에서 있는 대로 고른 것은?

| 보기 |

ㄱ. ㉠은 Na^+이다.
ㄴ. t_1 시점에서 ㉡의 농도는 세포 안보다 세포 밖이 더 높다.
ㄷ. t_1 시점에서 ㉠의 농도는 세포 밖보다 세포 안이 더 높다.

① ㄱ　　② ㄴ　　③ ㄷ　　④ ㄱ, ㄴ　　⑤ ㄴ, ㄷ

| 서술형 |

05 그림 (가)는 신경 A~C를, (나)는 (가)의 P 지점에 역치 이상의 자극을 동시에 1회씩 준 후, Q 지점에서의 막전위 변화를 나타낸 것이다. (나)의 I~III은 각각 A~C의 막전위 변화 중 하나이다.

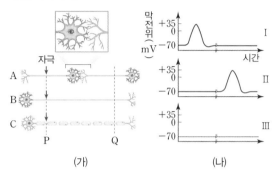

(가)   (나)

A~C의 막전위 변화를 I~III에서 선택하여 연결하고, 그 까닭을 간단히 서술하시오.

_____

_____

_____

06 그림 (가)는 시냅스로 연결된 두 뉴런을, (나)는 I~III의 조건일 때 ㉢에서의 막전위 변화를 나타낸 것이다.

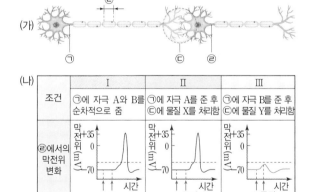

이에 대한 설명으로 옳은 것만을 〈보기〉에서 있는 대로 고른 것은? (단, 자극 A는 활동 전위를 발생시키지 않는다.)

┤ 보기 ├

ㄱ. 조건 I 일 때 ㉡ 지점에서 활동 전위가 발생한다.

ㄴ. 물질 X는 ㉢에서 신경 전달 물질의 기능을 한다.

ㄷ. 물질 Y는 ㉢에서 신경 전달 물질의 기능을 억제한다.

① ㄱ   ② ㄴ   ③ ㄷ   ④ ㄱ, ㄴ   ⑤ ㄴ, ㄷ

07 그림 (가)는 어떤 뉴런에 역치 이상의 자극을 주었을 때 시간에 따른 막전위를, (나)는 이 뉴런에 물질 X를 처리하고 역치 이상의 자극을 주었을 때 시간에 따른 막전위를 나타낸 것이다. X는 세포막에 있는 이온 통로를 통한 Na^+과 K^+의 이동 중 하나를 억제한다.

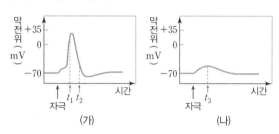

(가)   (나)

이에 대한 설명으로 옳은 것만을 〈보기〉에서 있는 대로 고른 것은?

┤ 보기 ├

ㄱ. K^+의 막 투과성은 t_1보다 t_2에서 더 크다.

ㄴ. t_3에서 활동 전위가 나타난다.

ㄷ. 물질 X는 Na^+의 이동을 억제한다.

① ㄱ   ② ㄷ   ③ ㄱ, ㄷ

④ ㄴ, ㄷ   ⑤ ㄱ, ㄴ, ㄷ

08 그림은 근육의 구조를 나타낸 것이다.

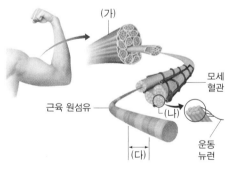

이에 대한 설명으로 옳은 것만을 〈보기〉에서 있는 대로 고른 것은?

┤ 보기 ├

ㄱ. (가)는 대뇌의 명령에 따라 수축하고 이완한다.

ㄴ. (나)는 근육 섬유를 나타낸다.

ㄷ. (다)의 길이가 짧아질 때 ATP가 소모된다.

① ㄱ   ② ㄷ   ③ ㄱ, ㄴ

④ ㄴ, ㄷ   ⑤ ㄱ, ㄴ, ㄷ

09 그림은 근육 원섬유 마디를 나타낸 것이다.

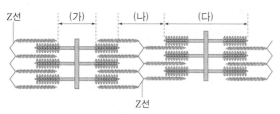

이에 대한 설명으로 옳은 것만을 〈보기〉에서 있는 대로 고른 것은?

┤ 보기 ┝

ㄱ. (가)는 근육 수축 시 길이가 늘어난다.

ㄴ. (나)는 근육 수축 시 길이가 줄어든다.

ㄷ. (다)는 마이오신 필라멘트이다.

① ㄱ ② ㄷ ③ ㄱ, ㄴ

④ ㄴ, ㄷ ⑤ ㄱ, ㄴ, ㄷ

10 그림 (가)는 팔을 구부렸을 때와 폈을 때를, (나)는 근육 ㉠의 근육 원섬유를 나타낸 것이다.

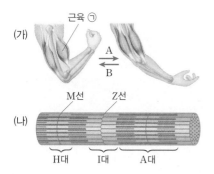

이에 대한 설명으로 옳은 것만을 〈보기〉에서 있는 대로 고른 것은?

┤ 보기 ┝

ㄱ. A 과정에서 근육 ㉠의 전체 길이는 줄어든다.

ㄴ. A 과정에서 (나)의 A대의 길이는 늘어난다.

ㄷ. B 과정에서 (나)의 H대의 길이는 줄어든다.

① ㄱ ② ㄴ ③ ㄷ

④ ㄱ, ㄴ ⑤ ㄴ, ㄷ

11 그림 (가)는 근육 원섬유 마디 X가 이완된 상태를, (나)의 A~C는 X의 서로 다른 세 지점에서 ⓐ 방향으로 자른 단면을 나타낸 것이다. ㉠, ㉡은 각각 액틴 필라멘트와 마이오신 필라멘트 중 하나이다.

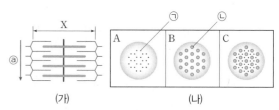

이에 대한 설명으로 옳은 것만을 〈보기〉에서 있는 대로 고른 것은?

┤ 보기 ┝

ㄱ. ㉠은 ㉡보다 지름이 더 크다.

ㄴ. A는 근육 원섬유 마디에서 가장 밝게 보이는 부분의 단면이다.

ㄷ. C는 H대의 단면에 해당한다.

① ㄱ ② ㄴ ③ ㄱ, ㄷ

④ ㄴ, ㄷ ⑤ ㄱ, ㄴ, ㄷ

| 서술형 |

12 그림은 사람의 골격근을 구성하는 근육 원섬유의 구조를 나타낸 것이다.

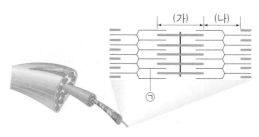

(1) ㉠의 명칭을 쓰시오.

(2) 근육 수축 시 $\dfrac{\text{(나)의 길이}}{\text{(가)의 길이}}$ 값은 어떻게 변하는지 그 까닭을 포함하여 서술하시오.

13 그림은 중추 신경계의 구조를 나타낸 것이다. A~E는 각각 간뇌, 대뇌, 연수, 중간뇌, 척수 중 하나이다.

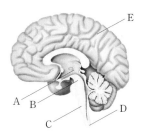

이에 대한 설명으로 옳은 것만을 〈보기〉에서 있는 대로 고른 것은?

┤ 보기 ├

ㄱ. 체온, 혈당량, 삼투압 등을 조절하는 중추는 A이다.
ㄴ. B와 C는 뇌줄기를 구성한다.
ㄷ. D와 E의 겉질은 회색질이다.

① ㄱ   ② ㄴ   ③ ㄷ
④ ㄱ, ㄴ   ⑤ ㄴ, ㄷ

14 그림은 무릎 반사가 일어나는 과정에서 흥분 전달 경로를 나타낸 것이다.

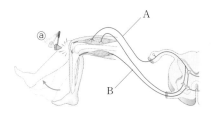

이에 대한 설명으로 옳은 것만을 〈보기〉에서 있는 대로 고른 것은?

┤ 보기 ├

ㄱ. A는 척수의 후근을 이룬다.
ㄴ. B는 자율 신경계에 속한다.
ㄷ. ⓐ의 자극은 대뇌로 전달되지 않는다.

① ㄱ   ② ㄴ   ③ ㄷ
④ ㄱ, ㄴ   ⑤ ㄴ, ㄷ

15 그림은 뇌와 척수를 통한 심장 박동의 조절 경로를 나타낸 것이다.

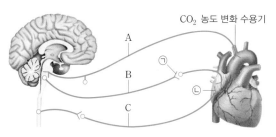

이에 대한 설명으로 옳은 것만을 〈보기〉에서 있는 대로 고른 것은?

┤ 보기 ├

ㄱ. A는 구심성 뉴런이다.
ㄴ. ㉠, ㉡에서 분비되는 신경 전달 물질은 같다.
ㄷ. C가 활성화될 때 심장 박동 주기는 빨라진다.

① ㄱ   ② ㄴ   ③ ㄱ, ㄷ
④ ㄴ, ㄷ   ⑤ ㄱ, ㄴ, ㄷ

| 서술형 |

16 그림은 뇌와 자율 신경계에 의한 동공 크기 조절 경로를 나타낸 것이다.

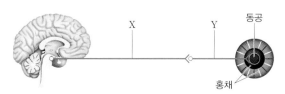

(1) X의 신경 세포체가 있는 곳은 뇌의 어느 부위인지 쓰시오.

_____

(2) X와 Y의 축삭 돌기 말단에서 분비되는 신경 전달 물질을 쓰시오.

_____

_____

(3) X, Y가 흥분했을 때 나타나는 동공의 반응을 서술하시오.

_____

_____

III. 항상성과 몸의 조절 | 2. 호르몬과 항상성

01 호르몬과 항상성

내 교과서는 어디에?
천재 p.83~91 동아 p.78~87 미래엔 p.94~99
비상 p.82~91 금성 p.98~105 교학사 p.86~95 지학사 p.82~91

핵심 Point
● 내분비계와 호르몬의 특성을 이해한다.
● 호르몬 분비 조절의 원리를 이해한다.
● 신경계와 내분비계에 의해 혈당량, 체액의 삼투압, 체온이 조절되는 과정을 안다.

1 호르몬과 내분비샘

1. 호르몬 체내에서 생성되어 특정 조직이나 기관의 생리 작용을 조절하는 화학 물질

① 내분비샘[1]에서 생성되고 분비된다.

② 호르몬은 혈액으로 분비되어 혈액을 따라 이동하다가 ▶표적 세포에 도달하면 작용한다.

호르몬의 작용 원리 ┐ 자료 파헤치기

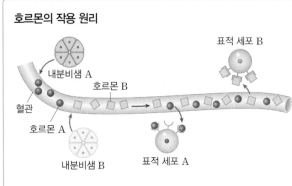

• 내분비샘에서 분비된 호르몬은 혈액을 따라 이동하다가 표적 세포(표적 기관)에 도달한다.

• 특정 호르몬은 종류에 맞는 ▶수용체를 가진 표적 세포에 결합하여 작용한다.

➡ 호르몬 A는 표적 세포 A에만 작용하고, 호르몬 B는 표적 세포 B에만 작용한다.

---

③ 미량으로 효과를 나타내며, 분비량이 적절하지 못할 때 결핍증과 과다증이 나타난다.

④ 척추동물의 경우 종 특이성이 없어 같은 내분비샘에서 분비된 호르몬은 같은 효과를 나타낸다.

㉔ 돼지가 생성한 인슐린은 사람에게 투여해도 정상적으로 작용한다.

⑤ 몸속 환경을 일정하게 유지하고, 생식·발생과 같은 과정에 중요하게 작용한다.

2. 호르몬과 신경계의 비교 호르몬과 신경계는 둘 다 신호 전달의 기능을 하지만, 작용 원리와 효과가 다르다.[2]

구분	전달 매체	전달 속도	효과의 지속성	작용 범위	특징
호르몬	혈액	느림	오래 지속됨	넓음	표적 기관에만 작용
신경계	뉴런	빠름	빨리 사라짐	좁음	일정한 방향으로 자극 전달

호르몬과 신경계의 작용 비교 ┐ 자료 파헤치기

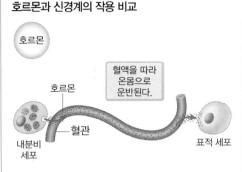

호르몬

혈액을 따라 온몸으로 운반된다.

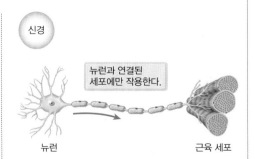

신경

뉴런과 연결된 세포에만 작용한다.

호르몬은 혈액으로 분비되어 온몸을 순환하다가 특정 수용체가 있는 세포에만 작용하고, 넓은 범위에 걸쳐 효과가 비교적 오래 지속된다.

신경은 뉴런을 통해 흥분이 빠르게 전달되어 신속하게 작용하는 반면, 작용 범위가 좁고 효과가 일시적이다.

---

❶ 내분비샘과 외분비샘

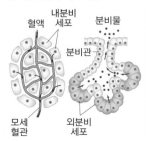

• 내분비샘: 혈액으로 호르몬을 분비하는 기관으로 별도의 분비관이 없다.

• 외분비샘: 땀샘, 젖샘, 소화샘처럼 특정 분비관을 통해 몸 표면이나 소화관 내에 물질을 분비하는 기관이다.

❷ 호르몬과 신경계

날카로운 것에 찔려 바로 손을 떼는 신속한 반응은 주로 신경계를 통해 일어나고, 생장, 발생 등 지속적이고 광범위한 반응은 호르몬이 관여한다.

강의 콕

그림 자료를 제시하여 호르몬과 신경계 작용을 구분하여 비교하는 문제가 자주 출제된다.

━━━ 용어 ━━━

▶ **표적 세포**(표할 標, 과녁 的, 가늘 細, 세포 胞): 특정 호르몬의 작용 대상이 되는 세포이다.

▶ **수용체**(받을 受, 얼굴 容, 몸 體): 주로 세포막에 생성되어 몸속에서 분비되는 특정 물질에만 결합하는 구조물이다.

3. 사람의 내분비샘과 호르몬 내분비샘마다 다른 종류의 호르몬이 분비된다.

갑상샘

- 티록신: 세포 호흡(물질대사) 촉진
- 칼시토닌: 혈중 Ca^{2+} 농도 감소

부갑상샘

파라토르몬: 혈중 Ca^{2+} 농도 증가

부신

[겉질]
- 당질 코르티코이드: 혈당량 증가
- 무기질 코르티코이드(알도스테론): 콩팥에서 Na^+ 재흡수 촉진

[속질]
에피네프린(아드레날린): 혈당량 증가

난소(여성의 생식샘)

- 에스트로젠: 여성의 2차 성징 발현
- 프로게스테론: 배란 억제

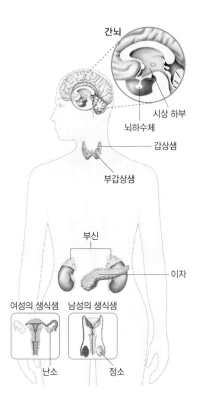

간뇌
시상 하부
뇌하수체
갑상샘
부갑상샘
부신
이자
여성의 생식샘
남성의 생식샘
난소
정소

뇌하수체❸

[전엽]
- 생장 호르몬: 생장 촉진
- 갑상샘 자극 호르몬(TSH): 티록신 분비 촉진
- 부신 겉질 자극 호르몬: 코르티코이드 분비 촉진
- 여포 자극 호르몬: 여포와 난자 성숙 촉진
- 황체 형성 호르몬: 배란 및 황체 형성 촉진
- 젖 분비 자극 호르몬(프로락틴): 젖 분비 촉진

[후엽]❹
- 옥시토신: 분만 시 자궁 수축 촉진
- 항이뇨 호르몬(ADH): 콩팥에서 수분의 재흡수 촉진

이자

[α세포] 글루카곤: 혈당량 증가
[β세포] 인슐린: 혈당량 감소

정소(남성의 생식샘)

테스토스테론: 남성의 2차 성징 발현

❸ 시상 하부와 뇌하수체

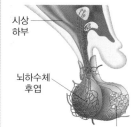

시상 하부
뇌하수체 후엽
뇌하수체 전엽

호르몬의 분비를 조절하는 중추는 간뇌의 시상 하부이다. 시상 하부는 외부의 자극을 감지하여 뇌하수체에 명령을 내리고, 뇌하수체는 다른 여러 내분비샘을 조절하는 호르몬을 분비한다.

❹ 뇌하수체 후엽

뇌하수체 후엽은 시상 하부에서 생성된 호르몬을 잠시 보관하였다가 필요한 시기에 내보내는 곳으로, 엄밀한 의미의 내분비샘은 아니다.

❺ 거인증과 말단 비대증

성장판이 닫히지 않은 상태에서 성장 호르몬이 과다하면 거인증이 나타나고, 성장판이 닫힌 상태에서 성장 호르몬이 과다하면 말단 비대증이 나타난다.

4. 내분비계 질환 호르몬의 양이 부족하거나 과다하면 우리 몸에 이상이 생긴다.

호르몬	부족/과다	질환	증상
티록신	과다	갑상샘 기능 항진증▶	안구가 돌출되고 체중이 감소한다. 쉽게 피로를 느끼며 열 발생량이 많아져 더위를 참기 힘들다.
	결핍	갑상샘 기능 저하증	물질대사가 원활하지 않아 무기력감이 심해지고 추위를 잘 느끼며 체중이 증가한다.
생장 호르몬	과다❺	거인증	키가 비정상적으로 많이 자란다.
		말단 비대증	얼굴, 손, 발 등의 몸의 말단부가 커진다.
	부족	소인증(왜소증)	뼈와 근육 발달이 미약해 키가 자라지 않는다.
인슐린	부족	당뇨병	혈당량이 높고 오줌을 자주 눈다. 갈증과 배고픔이 심해지며 여러 합병증을 유발한다.
항이뇨 호르몬	부족	요붕증	콩팥에서 수분 재흡수가 안 되어 다량의 오줌이 나온다. 야뇨, 빈뇨를 보이고 지속적인 갈증을 느낀다.

용어

▶ 항진(높을 亢, 나아갈 進): 어떠한 반응이 과도하게 일어나는 상태를 뜻한다.

개념 확인하기

1 호르몬은 신경계의 작용에 비해 신호 전달 속도는 느리지만 효과는 지속적이다. (○, ×)

2 갑상샘에서는 세포의 물질대사를 촉진하는 (   )이 분비된다.

답 1. ○ 2. 티록신

1. **항상성** 체내외의 환경이 변하더라도 혈당량, 삼투압, 체온과 같은 체내 상태가 일정하게 유지되는 것 ➡ 신경계와 내분비계의 유기적인 작용으로 유지된다.[6]

2. **항상성의 유지 원리** 음성 피드백과 길항 작용으로 유지된다.

① 음성 피드백: 어떠한 반응의 결과가 다시 그 반응의 원인을 억제하는 현상 ➡ 결과인 호르몬의 양이 원인인 내분비샘의 작용을 억제한다.

┌─────────────────────────────────── 자료 파헤치기 ────┐

음성 피드백에 의한 티록신의 분비량 조절 과정

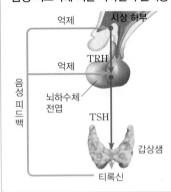

- 시상 하부에서 분비된 TRH(갑상샘 자극 호르몬 방출 호르몬)는 뇌하수체 전엽을 자극하여 TSH(갑상샘 자극 호르몬)의 분비를 촉진하고, TSH는 갑상샘을 자극하여 티록신 분비를 촉진한다.
- 혈액 중 티록신의 농도가 과다하면, 티록신이 시상 하부와 뇌하수체의 활동을 억제하여 TRH와 TSH 분비량이 감소하고 티록신의 생산량도 감소한다.(음성 피드백)

➡ 음성 피드백 작용에 의해 호르몬 농도가 일정하게 유지된다.

└──┘

② 길항 작용: 두 개의 요인이 한 기관에 함께 작용할 때 한 요인이 기관의 기능을 촉진하면 다른 요인은 기능을 억제하여 그 기관의 기능을 일정하게 유지하는 작용 📍 교감 신경과 부교감 신경의 작용, 이자에서 분비되는 인슐린과 글루카곤의 작용

3 혈당량 조절

1. **혈당량** 혈액 속 포도당의 양으로, 정상인은 약 0.1 %(약 100 mg/100 mL)로 유지된다.

2. **혈당량 조절 과정** 인슐린과 글루카곤의 길항 작용과 음성 피드백으로 조절된다.

① 혈당량이 높을 때: 이자섬[7] β세포에서 인슐린 분비량 증가

② 혈당량이 낮을 때: 이자섬 α세포에서 글루카곤 분비량 증가, 교감 신경이 부신 속질을 자극하여 에피네프린 분비량 증가

고혈당일 때	• 혈당량이 높아지면 이자섬의 β세포에서 인슐린이 분비된다. • 인슐린은 간에서 포도당을 글리코젠으로 합성하여 저장하게 하며, 각 세포에서 포도당의 흡수를 촉진하여 혈당량을 낮춘다.
저혈당일 때	• 혈당량이 낮아지면 이자섬의 α세포에서 글루카곤이 분비된다. • 글루카곤은 간에 작용하여 글리코젠을 포도당으로 분해하게 하여 혈당량을 높인다.

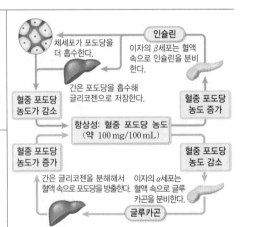

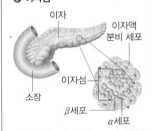

개념 확인하기

1 티록신의 분비량은 ( ) 과정으로 조절된다.

2 인슐린이 분비되면 간에서 글리코젠 합성량이 증가한다. (○ , ×)

답 1. 음성 피드백 2. ○

▶ 혈당량이 조절되는 과정의 원리를 좀 더 깊이 이해해 보자.

혈당량 조절

01 혈당량 조절 과정에서 신경계와 내분비계의 작용

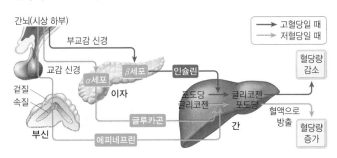

• 교감 신경이 작용해 α세포가 글루카곤을, 부교감 신경이 작용해 β세포가 인슐린을 분비해 혈당량을 조절한다.
➡ 길항 작용으로 혈당량 조절
• 혈당량이 낮을 때 교감 신경은 이자 외에 부신 속질을 자극하여 에피네프린이 분비되도록 하며, 에피네프린은 간에서 글리코젠 분해 반응을 촉진해 혈당량을 높인다.

02 혈당량 조절 그래프

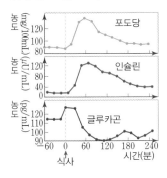

• 그림은 식사 후에 혈액 속의 포도당, 인슐린, 글루카곤의 농도를 나타낸 것이다.
• 식후 혈당량이 높아지자 이에 맞추어 인슐린의 농도가 높아지고 글루카곤의 농도는 낮아진다. 혈당량이 낮아지면 인슐린의 농도도 같이 낮아진다.
➡ 인슐린은 혈당량이 높을 때 분비되어 혈당량을 낮추는 기능을 한다.

03 당뇨병의 발병 원인

그림은 각각 정상인과 제1형 당뇨병 환자, 제2형 당뇨병 환자가 같은 양의 주스를 마신 후의 혈당량과 인슐린 농도 변화를 나타낸 것이다.

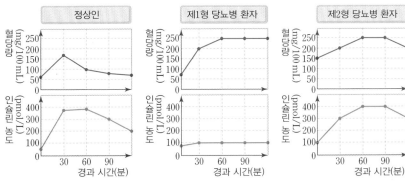

• 제1형 당뇨병 환자는 정상인보다 혈당량이 높게 유지되고, 인슐린의 농도는 매우 낮다. ➡ 인슐린 분비 세포에 이상이 생겨 인슐린이 만들어지지 않아 혈당량이 높다.
• 제2형 당뇨병 환자는 인슐린 농도는 정상인과 비슷하게 유지되지만 혈당량이 낮아지지 않는다. ➡ 인슐린 분비 세포는 정상이지만 인슐린이 제대로 작용하지 않는다.

⊕ Plus 자료

운동 시 글루카곤 농도 변화

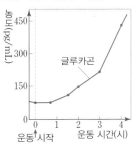

운동 시에는 포도당이 지속적으로 소모되어 혈당량이 낮아지므로 글루카곤의 농도가 계속 증가한다. ➡ 글루카곤은 혈당량을 높이는 기능을 한다.

⊕ Plus 문제

Q. 혈당량을 높이는 호르몬을 두 가지 쓰시오.

A. 글루카곤, 에피네프린

⊕ Plus 자료

제1형 당뇨병은 주기적으로 인슐린을 투여 받아야 한다. 제2형 당뇨병은 여러 원인으로 인슐린의 표적 세포가 인슐린에 반응하지 못하는 경우로, 나이가 들거나 비만일수록 많이 나타난다.

기초 탄탄 **문제**

정답과 해설 **24쪽**

핵심용어_ 이 단원에서 내가 아는 것과 아직 모르는 것을 정리하며 나의 공부를 돌아보자.

- □ 호르몬
- □ 내분비샘
- □ 표적 세포
- □ 시상 하부
- □ 뇌하수체
- □ 혈당량
- □ 음성 피드백
- □ 인슐린

01 우리 몸에서 분비되는 호르몬에 대한 설명으로 옳지 <u>않은</u> 것은?

① 내분비샘에서 생성되어 분비된다.

② 혈액을 따라 표적 기관으로 이동한다.

③ 분비량이 적절하지 않을 경우 결핍증과 과다증이 나타난다.

④ 신경에 비해 신호 전달이 느리지만 효과는 지속적으로 나타난다.

⑤ 척추동물들 간에 종 특이성이 있어 다른 종의 체내에서는 작용하지 않는다.

02 그림은 체내에서 신호가 전달되는 과정을 나타낸 것이다.

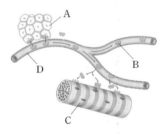

이에 대한 설명으로 옳지 <u>않은</u> 것은?

① A는 분비관을 가진다.

② B는 호르몬이다.

③ C를 구성하는 세포는 B에 대한 수용체를 가진다.

④ D는 혈관이다.

⑤ 내분비샘의 신호 전달 과정을 나타낸다.

03 신경과 호르몬의 신호 전달을 비교한 것으로 옳지 <u>않은</u> 것은?

① 신경은 신호 전달 속도가 빠르다.

② 호르몬은 신호 전달 속도가 느리다.

③ 호르몬은 표적 세포에만 작용한다.

④ 신경은 축삭 돌기 말단이 닿는 곳에만 작용한다.

⑤ 신경과 호르몬은 모두 효과가 오래 동안 지속된다.

[04~05] 그림은 사람의 내분비샘을 나타낸 것이다.

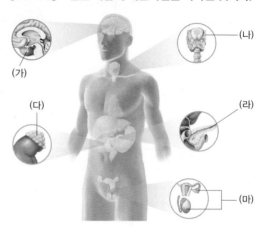

04 다른 여러 내분비샘의 호르몬 분비를 조절하여 내분비계의 중심으로 작용하는 기관은?

① (가)　　　② (나)　　　③ (다)

④ (라)　　　⑤ (마)

05 여성과 남성의 2차 성징을 나타나게 하는 호르몬을 분비하는 내분비샘은?

① (가)　　　② (나)　　　③ (다)

④ (라)　　　⑤ (마)

06 표는 호르몬의 결핍이나 과다로 인한 증상을 나타낸 것이다.

호르몬	증상
A	결핍되면 왜소증이 나타난다.
B	결핍되면 오줌에서 포도당이 검출된다.
C	결핍되면 묽은 오줌을 다량으로 배설한다.
D	과다 분비되면 체중 감소, 안구 돌출 등이 나타난다.
E	분비량이 부족하면 무기력감이 심해지고 체중이 증가하며 추위를 잘 느끼게 된다.

호르몬 A~E의 명칭이 옳게 연결된 것은?

① A - 에피네프린　　② B - 항이뇨 호르몬

③ C - 인슐린　　　　④ D - 티록신

⑤ E - 생장 호르몬

07 항상성에 대한 설명으로 옳지 <u>않은</u> 것은?

① 항상성 유지의 중추는 간뇌이다.

② 항상성은 신경과 호르몬의 작용을 통해 유지된다.

③ 항상성의 조절 원리는 음성 피드백과 길항 작용이다.

④ 항상성은 체내 환경이 변하여도 분비되는 호르몬의 양이 일정하게 유지되는 것이다.

⑤ 항상성은 외부 환경이 변해도 체온과 체액의 삼투압 등 체내 환경이 일정하게 유지되는 것이다.

08 그림은 호르몬 분비 조절 과정을 나타낸 것이다.

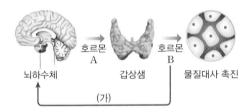

이에 대한 설명으로 옳지 <u>않은</u> 것은?

① 호르몬 A는 뇌하수체 전엽에서 방출된다.

② 호르몬 B는 티록신이다.

③ (가)는 음성 피드백 작용을 나타낸다.

④ 호르몬 A의 농도가 높아지면 호르몬 B의 분비가 증가한다.

⑤ 호르몬 B의 농도가 높아지면 호르몬 A의 분비가 증가한다.

09 식사 후 일어나는 혈당량 조절 작용으로 옳은 것은?

① 간세포에서 포도당 생성을 촉진한다.

② 간세포에서 글리코젠 분해를 촉진한다.

③ 근육 세포에서 포도당 흡수를 촉진한다.

④ 부교감 신경이 활성화되어 이자의 α세포를 자극한다.

⑤ 교감 신경이 활성화되어 부신 속질의 호르몬 분비를 자극한다.

10 인슐린의 기능으로 옳은 것만을 〈보기〉에서 있는 대로 고른 것은?

┤ 보기 ├

ㄱ. 단백질을 포도당으로 전환한다.

ㄴ. 글리코젠을 포도당으로 분해한다.

ㄷ. 혈압을 높이고, 수분의 재흡수를 촉진한다.

ㄹ. 세포의 혈액 속 포도당 흡수 작용을 촉진한다.

① ㄱ   ② ㄹ   ③ ㄱ, ㄴ

④ ㄴ, ㄹ   ⑤ ㄴ, ㄷ, ㄹ

11 그림은 혈당량 조절 과정의 일부를 나타낸 것이다.

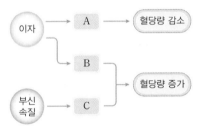

A ~ C에 해당하는 호르몬을 옳게 짝지은 것은?

	A	B	C
①	인슐린	에피네프린	글루카곤
②	글루카곤	인슐린	에피네프린
③	인슐린	글루카곤	에피네프린
④	에피네프린	인슐린	글루카곤
⑤	에피네프린	글루카곤	인슐린

12 그림은 이자에서 분비되는 호르몬의 작용을 나타낸 것이다.

이에 대한 설명으로 옳지 <u>않은</u> 것은?

① 호르몬 X는 인슐린이다.

② 호르몬 X, Y는 길항 작용을 한다.

③ 운동 시에는 호르몬 X의 분비가 촉진된다.

④ 식사 후에는 호르몬 Y의 분비량이 증가한다.

⑤ 호르몬 X는 이자의 α세포에서, 호르몬 Y는 이자의 β세포에서 분비된다.

4 체온 조절

1. 체온 유지 신체 내부의 온도를 체온이라고 하며, 정상인은 외부 기온과 관계없이 체온이 약 36.5 ℃ 내외로 유지된다.

2. 체온 유지의 중요성 몸속에서 일어나는 물질대사에는 효소가 관여하는데, 효소의 활성은 온도의 영향을 많이 받는다. ➡ 몸속의 효소는 체온 범위의 온도에서 활발하게 작용하기 때문에 체온을 일정하게 유지하는 것은 생명 유지에 매우 중요하다.

3. 체온 조절 과정 간뇌 시상 하부에서 체온 변화를 감지하고, 이에 따라 열 발생량과 열 발산량을 조절하여 체온을 일정하게 유지한다.
① 더울 때: 열 발생량 감소, 열 발산량 증가 ➡ 근육 운동 감소, 피부 표면의 혈류량 증가와 땀샘에서의 땀 분비 촉진
② 추울 때: 열 발생량 증가, 열 발산량 감소 ➡ 몸 떨기와 같은 근육 운동 촉진, 피부 표면의 혈류량 감소

더울 때	• 교감 신경의 작용이 완화되어 피부 모세 혈관과 털세움근(입모근)이 이완된다. ➡ 피부 표면으로 가는 혈류량을 증가시켜 열 발산을 촉진❽ • 땀샘❾을 자극하여 땀 분비량 증가 ➡ 기화열에 의한 열의 손실을 촉진 • 시상 하부의 조절을 받아 근육의 긴장도가 감소 ➡ 열 발생량 감소
추울 때	• 간뇌 시상 하부가 교감 신경을 활성화시켜 피부 모세 혈관과 털세움근을 수축시킨다. ➡ 피부 표면으로 가는 혈류량을 줄여 열 발산량 감소 • 시상 하부는 골격근을 수축시켜 몸 떨기와 같은 무의식적인 근육 운동 유발 ➡ 골격근의 운동 시 발생하는 열은 다른 부위의 열 생성의 30~40배로, 많은 양의 열 발생으로 체온 상승

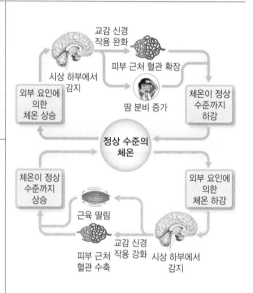

4. 호르몬에 의한 열 발생 성인의 경우 근육 운동에 의한 몸 떨기에 의해 주로 열 발생이 일어나며, 유아 시기에는 근육의 떨림은 미약하고 교감 신경과 호르몬의 작용으로 물질대사율을 높여 열 발생량을 늘린다.

─── 자료 파헤치기 ───

저온 자극 시 티록신과 에피네프린의 작용

저온 자극 → 간뇌와 시상 하부
교감 신경 → 부신 속질 → 에피네프린 → 심장 박동 촉진
뇌하수체 전엽 → 갑상샘 → 티록신 → 물질대사 촉진
교감 신경 → 혈관, 털세움근 수축
열 발생량 증가 → 체온 상승 ← 열 발산량 감소

• 간뇌 시상 하부가 저온 자극을 감지하면 뇌하수체 전엽과 갑상샘의 작용을 촉진하여 티록신의 분비량을 증가시킨다.
➡ 물질대사가 촉진되어 열 발생량이 증가한다.
• 저온 자극에 의해 교감 신경이 활성화되어 부신 속질에서 에피네프린의 분비가 촉진된다.
➡ 간과 근육에서 물질대사가 촉진되고, 심장 박동이 촉진되어 열 발생량이 증가한다.

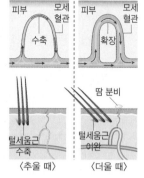

❽ 체온에 따른 피부 변화

〈추울 때〉 / 〈더울 때〉

• 추울 때: 털세움근이 수축하여 털이 서게 되고, 피부의 모세 혈관이 수축하여 피부 표면의 혈류량이 감소한다.
• 더울 때: 털세움근이 이완하여 털이 옆으로 눕게 되고, 땀이 분비되며, 모세 혈관이 확장되어 피부 표면의 혈류량이 증가한다.

❾ 땀샘

땀샘을 통해 분비된 땀은 99 %의 성분이 물이므로 증발할 때 기화열을 빼앗아 열 발산량을 높인다.

셀파 콕콕

체온이 높을 때와 낮을 때 열 발산량, 열 발생량의 변화를 정리하여 알아 두자.
• 체온이 높을 때는 열 발생량을 줄이고 열 발산량을 높인다.
• 체온이 낮을 때는 열 발생량을 높이고 열 발산량을 줄인다.

셀파 콕콕

더울 때는 피부의 모세 혈관이나 털세움근에 부교감 신경이 작용하는 것이 아닌 교감 신경의 작용이 완화되는 것임을 알아 두자.

─── 용어 ───

▶ **털세움근**: 피부의 털 주위에 부착된 근육으로 털을 세워서 피부에 소름이 돋게 하는 근육이다.

5 삼투압 조절

1. **몸속의 삼투압** 체액의 삼투압[10]은 체액의 농도에 비례하며, 체액을 구성하는 수분량과 무기 염류량[11]에 의해 결정된다. ➡ 물을 마시거나 염분을 섭취하여 체액의 삼투압이 변하면 콩팥에서 배설되는 오줌의 양을 조절하여 체액의 삼투압을 유지한다.

2. **삼투압 조절 과정** 삼투압을 조절하는 중추는 간뇌의 시상 하부로, 뇌하수체 후엽에서 분비되는 ▶항이뇨 호르몬(ADH)을 통해 삼투압을 일정하게 유지한다.

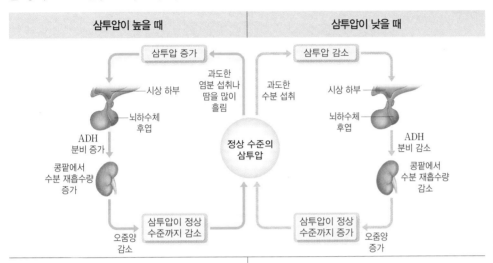

삼투압이 높을 때	삼투압이 낮을 때
시상 하부의 조절을 받아 뇌하수체 후엽에서 ADH 분비가 증가하여 콩팥에서 물의 재흡수량을 증가시켜 체내 수분량은 증가하고, 오줌양은 감소한다.	시상 하부의 조절을 받아 뇌하수체 후엽에서 ADH 분비가 감소하여 콩팥에서의 물의 재흡수가 억제되므로 체내 수분량은 감소하고 오줌양은 증가한다.
수분량 감소 → 혈액의 삼투압 증가 → 시상 하부(인지) → 뇌하수체 후엽에서 항이뇨 호르몬(ADH) 분비 증가 → 콩팥에서 수분 재흡수 촉진 → 오줌양 감소, 혈액의 삼투압 감소, 혈압 상승[12]	수분량 증가 → 혈액의 삼투압 감소 → 시상 하부(인지) → 뇌하수체 후엽에서 항이뇨 호르몬(ADH) 분비 감소 → 콩팥에서 수분 재흡수 억제 → 오줌양 증가, 혈액의 삼투압 증가, 혈압 하강[12]

┌─ 자료 파헤치기 ─┐

삼투압 조절

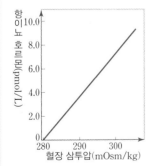

그림은 건강한 사람의 혈장 삼투압 변화에 따른 항이뇨 호르몬(ADH)의 농도 변화를 나타낸 것이다.

① 혈장 삼투압이 높을수록 항이뇨 호르몬의 분비량이 증가한다. ➡ 항이뇨 호르몬이 많이 분비될수록 콩팥에서의 수분 재흡수량이 늘어나 혈장의 농도가 낮아지고, 혈장 삼투압이 낮아진다.

② 항이뇨 호르몬의 분비가 늘어나면 콩팥에서 수분 재흡수량이 늘어남에 따라 오줌의 생성량은 줄어든다. ➡ 오줌의 농도가 높아져 오줌의 삼투압은 증가한다.

개념 확인하기

1 체온이 내려가면 체내 열 발생량은 증가하고, 피부 근처의 열 발산량은 감소한다. (○, ×)

2 체온이 상승하면 교감 신경의 작용이 완화되어 피부 근처 혈관이 확장된다. (○, ×)

3 혈액 내 ADH의 농도가 증가하면 묽은 오줌을 다량 배설한다. (○, ×)

4 혈액 내 ADH의 농도가 증가하면 오줌의 삼투압은 증가한다. (○, ×)

답 1. ○ 2. ○ 3. × 4. ○

기초 탄탄 문제

정답과 해설 25쪽

핵심용어_ 이 단원에서 내가 아는 것과 아직 모르는 것을 정리하며 나의 공부를 돌아보자.

- □ 열 발생량
- □ 열 발산량
- □ 티록신
- □ 에피네프린
- □ 항이뇨 호르몬
- □ 콩팥

01 체온이 낮을 때 일어나는 체내 조절 작용으로 옳지 **않은** 것은?

① 골격근의 떨림이 나타난다.
② 체내의 열 발생량을 높인다.
③ 피부 근처의 혈류량을 줄인다.
④ 교감 신경의 작용으로 털세움근이 이완된다.
⑤ 교감 신경의 작용이 활성화되어 피부 표면의 모세 혈관이 수축한다.

[02~03] 다음은 추울 때 인체 내에서 일어나는 반응이다.

> (가) 무의식적으로 몸이 떨린다.
> (나) 털세움근이 수축하여 소름이 돋는다.
> (다) 모세 혈관이 수축하고 땀 분비가 줄어든다.
> (라) 유아에서는 티록신의 분비량이 증가해 물질대사량이 늘어난다.

02 열 발생량을 조절하는 작용을 모두 고른 것은?

① (가), (나)
② (가), (라)
③ (나), (다)
④ (다), (라)
⑤ (가), (다), (라)

03 (나)의 반응에 대한 설명으로 옳은 것은?

① 연수가 중추이다.
② 교감 신경에 의한 현상이다.
③ 열 발산을 촉진하기 위한 반응이다.
④ 세포 호흡을 억제하기 위한 작용이다.
⑤ 피부 표면으로 가는 혈류량을 증가시킨다.

04 음식을 짜게 먹었을 때 나타나는 체내 변화에 대한 설명으로 옳지 **않은** 것은?

① 체액의 삼투압이 증가한다.
② 시상 하부에서 ADH 합성이 증가한다.
③ 뇌하수체 후엽을 통해 ADH가 분비된다.
④ ADH는 콩팥에서의 수분 재흡수를 촉진한다.
⑤ 많은 양의 물이 오줌으로 배출되어 체액의 삼투압은 정상 수준으로 회복된다.

05 그림은 체내의 수분량을 조절하는 호르몬의 분비 과정을 나타낸 것이다.

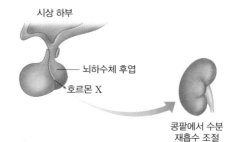

시상 하부에서 생성되어 뇌하수체 후엽에 저장되었다가 콩팥의 수분 재흡수 기능에 영향을 주는 호르몬 X로 옳은 것은?

① 티록신
② 알도스테론
③ 에피네프린
④ 항이뇨 호르몬
⑤ 당질 코르티코이드

06 항이뇨 호르몬(ADH)의 분비량이 증가할 때 인체에서 일어날 수 있는 반응으로 옳은 것은?

① 혈압이 낮아진다.
② 오줌양이 증가한다.
③ 혈액량이 증가한다.
④ 콩팥에서 수분의 재흡수량이 감소한다.
⑤ 간에서 글리코젠이 포도당으로 분해되는 반응이 촉진된다.

내신 만점 문제

정답과 해설 25쪽

* 난이도를 나타냅니다.

01 그림은 체내 신호 전달의 두 가지 방식을 나타낸 것이다.

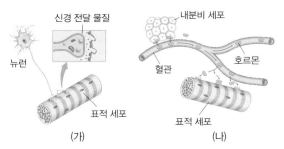

이에 대한 설명으로 옳은 것만을 〈보기〉에서 있는 대로 고른 것은?

┤ 보기 ├
ㄱ. (가)는 신경계, (나)는 내분비계에서 일어난다.
ㄴ. (가)는 외분비샘, (나)는 내분비샘에서 신호 전달 물질이 분비된다.
ㄷ. (가)와 (나)의 표적 세포는 신경 전달 물질과 호르몬에 대한 특정한 수용체를 가진다.

① ㄱ   ② ㄴ   ③ ㄷ   ④ ㄱ, ㄷ ⑤ ㄴ, ㄷ

02 다음은 특정 내분비샘 기능에 이상이 생긴 환자의 증상을 나타낸 것이다.

• 맥박이 빨라진다.
• 안구가 돌출하는 증상이 나타난다.
• 체력 소모가 크고 쉽게 피로를 느낀다.

이에 대한 설명으로 옳은 것만을 〈보기〉에서 있는 대로 고른 것은?

┤ 보기 ├
ㄱ. 부신의 기능에 이상이 생겼다.
ㄴ. 오줌 속에서 포도당이 검출된다.
ㄷ. 이 환자의 혈액 내 티록신 농도는 정상보다 높다.

① ㄱ   ② ㄴ   ③ ㄷ   ④ ㄱ, ㄴ ⑤ ㄴ, ㄷ

03 그림은 생쥐의 시상 하부와 주변 조직을 나타낸 것이다.

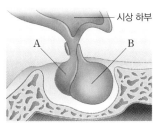

B를 제거했을 때 나타날 수 있는 현상으로 옳은 것만을 〈보기〉에서 있는 대로 고른 것은? (단, B는 A보다 많은 종류의 호르몬을 분비한다.)

┤ 보기 ├
ㄱ. 생장 호르몬은 정상적으로 분비된다.
ㄴ. 뼈와 근육의 생장이 촉진된다.
ㄷ. 갑상샘에서 티록신 생성이 억제된다.

① ㄱ   ② ㄴ   ③ ㄷ
④ ㄱ, ㄴ   ⑤ ㄴ, ㄷ

04 그림은 뇌하수체에서 분비되는 호르몬과 그 호르몬이 작용하는 기관을 나타낸 것이다.

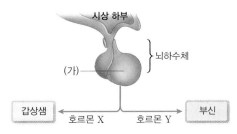

이에 대한 설명으로 옳은 것만을 〈보기〉에서 있는 대로 고른 것은?

┤ 보기 ├
ㄱ. (가)는 뇌하수체 전엽이다.
ㄴ. 호르몬 X는 티록신의 생성과 분비를 촉진한다.
ㄷ. 호르몬 Y의 수용체는 부신 속질에 있다.

① ㄱ   ② ㄷ   ③ ㄱ, ㄴ
④ ㄴ, ㄷ   ⑤ ㄱ, ㄴ, ㄷ

그림은 티록신의 분비 조절 과정을 나타낸 것이다.

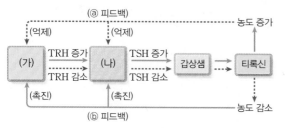

이에 대한 설명으로 옳은 것만을 〈보기〉에서 있는 대로 고른 것은?

┃ 보기 ┃

ㄱ. (가)는 간뇌의 시상 하부이다.

ㄴ. (나)를 제거할 경우 혈중 티록신의 농도는 감소하고, TRH의 농도는 증가한다.

ㄷ. ⓐ는 음성 피드백, ⓑ는 양성 피드백 과정이다.

① ㄱ   ② ㄷ   ③ ㄱ, ㄴ

④ ㄴ, ㄷ   ⑤ ㄱ, ㄴ, ㄷ

06 그림은 신경을 통한 혈당량 조절 경로를 나타낸 것이다.

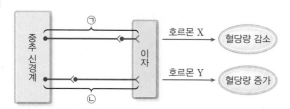

이에 대한 설명으로 옳은 것만을 〈보기〉에서 있는 대로 고른 것은?

┃ 보기 ┃

ㄱ. ㉠은 교감 신경이다.

ㄴ. 호르몬 X에 의해 간에서 글리코젠 합성량이 증가한다.

ㄷ. ㉡이 흥분하면 호르몬 Y의 분비량이 증가한다.

① ㄱ   ② ㄷ   ③ ㄱ, ㄴ

④ ㄱ, ㄷ   ⑤ ㄴ, ㄷ

그림 (가)는 정상인에게 공복 시 포도당을 투여한 후 혈당량 조절에 관여하는 호르몬 X의 혈중 농도를 시간에 따라 나타낸 것이고, (나)는 간에서 일어나는 포도당과 글리코젠 사이의 전환을 나타낸 것이다. X는 이자에서 분비된다.

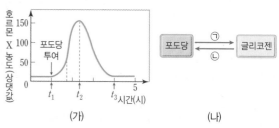

이에 대한 설명으로 옳은 것만을 〈보기〉에서 있는 대로 고른 것은?

┃ 보기 ┃

ㄱ. 혈당량은 t_2일 때가 t_1일 때보다 높다.

ㄴ. 호르몬 X는 간에서 ㉠ 과정을 촉진한다.

ㄷ. ㉡ 과정은 t_2일 때가 t_3일 때보다 더 활발하다.

① ㄱ   ② ㄴ   ③ ㄷ

④ ㄱ, ㄴ   ⑤ ㄴ, ㄷ

08 그림은 정상인이 운동을 할 때 호르몬 X와 Y의 혈중 농도를 나타낸 것이다. 호르몬 X와 Y는 각각 인슐린과 글루카곤 중 하나이다.

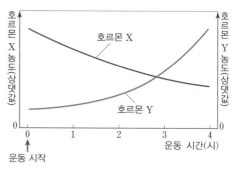

이에 대한 설명으로 옳은 것만을 〈보기〉에서 있는 대로 고른 것은?

┃ 보기 ┃

ㄱ. X는 인슐린이다.

ㄴ. X, Y는 길항 작용을 한다.

ㄷ. Y의 작용으로 혈액 속으로 방출되는 포도당의 양이 증가한다.

① ㄴ   ② ㄷ   ③ ㄱ, ㄴ

④ ㄱ, ㄷ   ⑤ ㄱ, ㄴ, ㄷ

그림은 정상인과 이자에 이상이 생긴 당뇨병 환자의 식사 후 혈당량과 혈액 내 인슐린의 농도 변화를 나타낸 것이다.

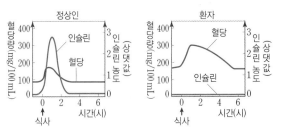

이에 대한 설명으로 옳은 것만을 〈보기〉에서 있는 대로 고른 것은?

┤ 보기 ├
ㄱ. 인슐린은 혈당량이 높을 때 분비된다.
ㄴ. 환자는 이자의 α세포에 이상이 있다.
ㄷ. 환자의 오줌에서는 포도당이 검출된다.

① ㄱ　　　　② ㄷ　　　　③ ㄱ, ㄷ
④ ㄴ, ㄷ　　　⑤ ㄱ, ㄴ, ㄷ

 그림은 신경과 호르몬에 의한 체내 신호 전달 경로를 나타낸 것이다.

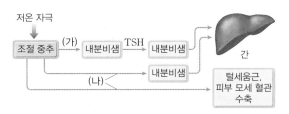

이에 대한 설명으로 옳은 것만을 〈보기〉에서 있는 대로 고른 것은?

┤ 보기 ├
ㄱ. 조절 중추는 간뇌의 시상 하부이다.
ㄴ. TSH의 작용으로 체내 열 발생량은 증가한다.
ㄷ. (가)는 자율 신경, (나)는 호르몬에 의한 신호 전달 경로이다.

① ㄱ　　　　② ㄴ　　　　③ ㄱ, ㄴ
④ ㄴ, ㄷ　　　⑤ ㄱ, ㄴ, ㄷ

---

10 그림은 체온이 올라갈 때 체내 조절 작용을 나타낸 것이다.

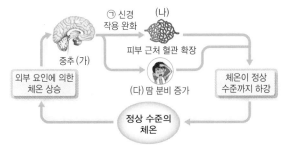

이에 대한 설명으로 옳은 것만을 〈보기〉에서 있는 대로 고른 것은?

┤ 보기 ├
ㄱ. 중추 (가)는 연수이다.
ㄴ. (나), (다)에 의해 열 발산량이 증가한다.
ㄷ. ㉠ 신경은 신경절 이전 뉴런이 신경절 이후 뉴런보다 길다.

① ㄱ　　　　② ㄴ　　　　③ ㄱ, ㄴ
④ ㄴ, ㄷ　　　⑤ ㄱ, ㄴ, ㄷ

---

12 그림은 더울 때와 추울 때 피부 모세 혈관의 상태를 순서 없이 나타낸 것이다.

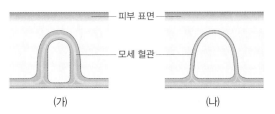

이에 대한 설명으로 옳은 것만을 〈보기〉에서 있는 대로 고른 것은?

┤ 보기 ├
ㄱ. (가)에서 부교감 신경이 활성화되었다.
ㄴ. (나)에서 교감 신경의 활성이 높아졌다.
ㄷ. (가)보다 (나)일 때 땀 분비가 촉진되었다.

① ㄱ　　　　② ㄴ　　　　③ ㄱ, ㄷ
④ ㄴ, ㄷ　　　⑤ ㄱ, ㄴ, ㄷ

13 그림은 체내 삼투압 변화에 따른 호르몬 (가)의 조절 과정을 나타낸 것이다.

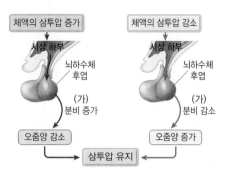

이에 대한 설명으로 옳은 것만을 〈보기〉에서 있는 대로 고른 것은?

┃ 보기 ┃

ㄱ. 호르몬 (가)는 ADH이다.

ㄴ. 음식물을 짜게 먹으면 (가)의 분비량이 억제된다.

ㄷ. (가)의 농도가 높을 때 오줌의 삼투압은 증가한다.

① ㄱ   ② ㄷ   ③ ㄱ, ㄴ

④ ㄱ, ㄷ   ⑤ ㄴ, ㄷ

14 그림 (가)는 정상인의 혈장 삼투압에 따른 혈중 ADH의 농도를, (나)는 이 사람이 물 1 L를 섭취한 후 단위 시간당 오줌 생성량을 시간에 따라 나타낸 것이다.

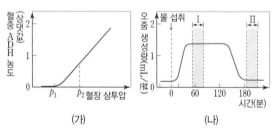

이에 대한 설명으로 옳은 것만을 〈보기〉에서 있는 대로 고른 것은? (단, (나)에서 오줌양 외에 체내 수분량에 영향을 미치는 요인은 없다.)

┃ 보기 ┃

ㄱ. 콩팥에서의 수분 재흡수량은 p_1일 때보다 p_2일 때 더 높다.

ㄴ. 혈중 ADH의 농도는 구간 Ⅰ보다 구간 Ⅱ에서 더 높다.

ㄷ. 혈중 ADH의 농도가 높을수록 오줌 생성량은 증가한다.

① ㄱ   ② ㄷ   ③ ㄱ, ㄴ

④ ㄴ, ㄷ   ⑤ ㄱ, ㄴ, ㄷ

서술형 문제

15 그림은 내분비샘에서 분비되는 호르몬에 의해 신호가 전달되는 과정을 나타낸 것이다.

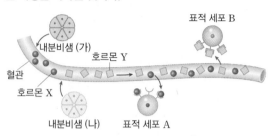

(1) 호르몬 X, Y가 전달되는 방법을 서술하고, 영향을 미치는 표적 세포는 각각 무엇인지 쓰시오.

_____

_____

(2) 호르몬이 특정한 표적 세포에만 신호를 전달할 수 있는 까닭을 표적 세포의 특성을 근거로 서술하시오.

_____

_____

16 그림은 식사 후 혈당량의 변화와 이자에서 분비되는 호르몬 A, B의 농도 변화를 나타낸 것이다.

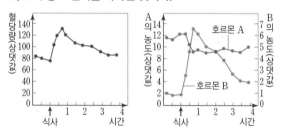

(1) 위 자료를 근거로 호르몬 A와 B의 역할을 서술하시오.

_____

_____

(2) 호르몬 A, B는 무엇인지 쓰고, 이자의 어디에서 분비되는지 서술하시오.

_____

_____

1. 호르몬

① 호르몬: 내분비샘에서 생성되는 물질로, 적은 양으로 특정 세포에 작용하여 생리 작용을 조절한다.

② 호르몬과 신경의 비교

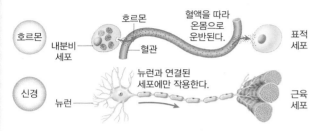

구분	효과	전달 매체	작용 범위	반응 속도
호르몬	오래 지속	혈액	넓다	느리다.
신경	빨리 사라짐	뉴런	좁다	빠르다.

2. 사람의 내분비계

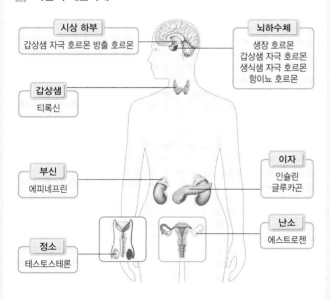

3. 항상성의 조절 원리

① 음성 피드백: 반응의 결과가 다시 원인을 억제하는 조절 방식 ➡ 호르몬의 양이 과다하면 이것이 신호가 되어 호르몬 분비 기관의 활동을 억제한다.

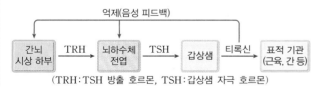

② 길항 작용: 같은 기관에 서로 반대되는 두 가지 요인이 작용하여 기관의 기능을 조절하는 것 예 교감 신경과 부교감 신경의 작용, 인슐린과 글루카곤의 작용 등

4. 혈당량 조절

① 혈당량이 높을 때: 이자섬 β세포에서 인슐린 분비 → 간에서 포도당을 글리코젠으로 전환하는 반응 촉진, 세포의 포도당 흡수 촉진 → 혈당량 낮아짐

② 혈당량이 낮을 때

• 이자섬 α세포에서 글루카곤 분비 → 간에서 글리코젠을 포도당으로 분해하는 반응 촉진 → 혈당량 높아짐

• 교감 신경 → 부신 속질에서 에피네프린 분비 → 간에서 글리코젠을 포도당으로 분해하는 반응 촉진 → 혈당량 높아짐

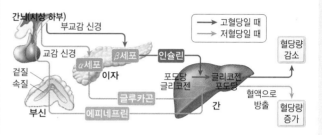

5. 체온 조절

① 더울 때: 열 발산량 증가, 열 발생량 감소

② 추울 때: 열 발산량 감소, 열 발생량 증가

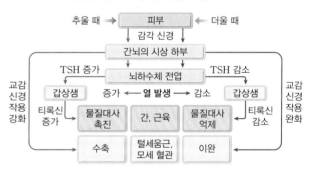

6. 삼투압 조절

삼투압을 조절하는 중추는 간뇌의 시상 하부로, 뇌하수체 후엽에서 분비되는 항이뇨 호르몬(ADH)을 통해 삼투압을 일정하게 유지한다.

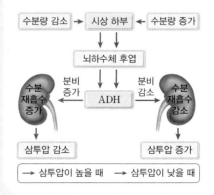

01 호르몬에 대한 설명으로 옳은 것만을 〈보기〉에서 있는 대로 고른 것은?

┤ 보기 ├
ㄱ. 분비관을 따라 분비된다.
ㄴ. 수용체를 가진 표적 세포에 작용한다.
ㄷ. 돼지의 인슐린을 사람에게 주사해도 같은 효과를 나타낸다.

① ㄱ   ② ㄴ   ③ ㄱ, ㄷ
④ ㄴ, ㄷ   ⑤ ㄱ, ㄴ, ㄷ

02 그림은 사람의 내분비샘을 나타낸 것이다.

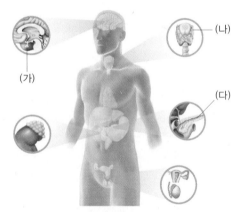

(가)~(다)에 대한 설명으로 옳은 것만을 〈보기〉에서 있는 대로 고른 것은?

┤ 보기 ├
ㄱ. (가)에서 다른 내분비샘의 호르몬 분비를 촉진하는 호르몬이 분비된다.
ㄴ. (나)에서 분비되는 호르몬의 농도가 높아지면 이 호르몬 분비를 더욱 촉진하는 방향으로 조절 작용이 일어난다.
ㄷ. (다)에서 분비되는 두 종류의 호르몬은 길항 작용을 한다.

① ㄱ   ② ㄴ   ③ ㄱ, ㄷ
④ ㄴ, ㄷ   ⑤ ㄱ, ㄴ, ㄷ

| 서술형 |

03 그림은 체내에서 신호가 전달되는 두 가지 방식을 나타낸 것이다.

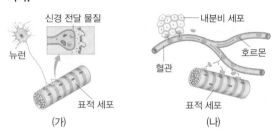

(1) (가)와 (나)의 작용과 관계되는 기관계를 각각 쓰시오.

_____

(2) (가)와 (나)의 신호 전달 방식의 차이점을 비교하여 서술하시오.

_____
_____
_____
_____

04 그림은 시상 하부의 기능을 나타낸 것이다. (가)~(다)는 호르몬이다.

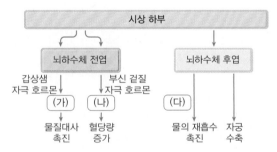

이에 대한 설명으로 옳은 것만을 〈보기〉에서 있는 대로 고른 것은?

┤ 보기 ├
ㄱ. (가)는 티록신이다.
ㄴ. (나)의 농도가 높아지면 부신 겉질 자극 호르몬의 분비량은 증가한다.
ㄷ. 음식을 짜게 먹으면 (다)의 분비량은 증가한다.

① ㄱ   ② ㄴ   ③ ㄷ
④ ㄱ, ㄷ   ⑤ ㄴ, ㄷ

05 그림은 갑상샘 호르몬의 분비 조절 과정을 나타낸 것이다.

이에 대한 설명으로 옳은 것만을 〈보기〉에서 있는 대로 고른 것은?

┤ 보기 ├

ㄱ. 갑상샘을 제거하면 TRH, TSH의 농도는 모두 높게 유지된다.

ㄴ. 혈액에 다량의 티록신을 주사하면 갑상샘의 티록신 분비량도 증가한다.

ㄷ. 티록신의 농도가 낮아지면 티록신의 농도가 높아지는 방향으로 양성 피드백이 작동한다.

① ㄱ   ② ㄴ   ③ ㄱ, ㄷ
④ ㄴ, ㄷ   ⑤ ㄱ, ㄴ, ㄷ

06 그림은 저혈당일 때 혈당량의 조절 과정을 나타낸 것이다.

이에 대한 설명으로 옳은 것만을 〈보기〉에서 있는 대로 고른 것은?

┤ 보기 ├

ㄱ. 내분비샘 A는 이자이다.

ㄴ. 부신 속질은 내분비샘 B에 해당한다.

ㄷ. (가)에 의한 전달은 효과가 지속적이고 광범위하게 나타난다.

① ㄱ   ② ㄴ   ③ ㄷ
④ ㄱ, ㄴ   ⑤ ㄴ, ㄷ

| 서술형 |

07 그림은 정상인과 당뇨병 환자 A, B를 대상으로 식사 후 혈당량과 혈중 인슐린 농도 변화를 나타낸 것이다.

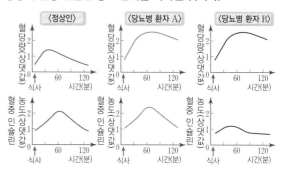

(1) 위 자료를 근거로 당뇨병 환자 A의 당뇨병 원인을 서술하시오.

_____

_____

(2) 위 자료를 근거로 당뇨병 환자 B의 당뇨병 원인을 서술하시오.

_____

_____

08 그림은 식사 후 정상인과 당뇨병 환자의 혈당량과 혈중 인슐린 농도 변화를 나타낸 것이다.

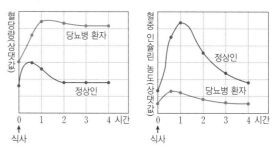

이에 대한 설명으로 옳은 것만을 〈보기〉에서 있는 대로 고른 것은?

┤ 보기 ├

ㄱ. 인슐린은 혈당량을 낮추는 역할을 한다.

ㄴ. 식사 후 1시간이 경과할 때 정상인의 혈중 인슐린 농도는 최대가 된다.

ㄷ. 이 환자는 인슐린이 과다 분비된다.

① ㄱ   ② ㄷ   ③ ㄱ, ㄴ
④ ㄴ, ㄷ   ⑤ ㄱ, ㄴ, ㄷ

09 그림은 혈당량 조절 과정의 일부를 나타낸 것이다.

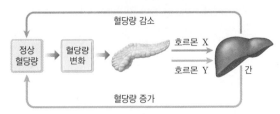

이에 대한 설명으로 옳은 것만을 〈보기〉에서 있는 대로 고른 것은?

┃ 보기 ┃

ㄱ. 호르몬 X는 이자의 α세포에서 분비된다.

ㄴ. 호르몬 Y의 분비량이 증가하면 간에서 글리코젠 합성량이 증가한다.

ㄷ. 호르몬 X, Y는 길항 작용의 방식으로 혈당량을 조절한다.

① ㄱ　　　　② ㄷ　　　　③ ㄱ, ㄴ
④ ㄴ, ㄷ　　　⑤ ㄱ, ㄴ, ㄷ

10 그림은 체온 변화에 따라 피부 근처에서 일어나는 현상을 나타낸 것이다.

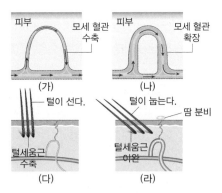

이에 대한 설명으로 옳은 것만을 〈보기〉에서 있는 대로 고른 것은?

┃ 보기 ┃

ㄱ. (가)가 (나)로 되면 열 발산량이 감소한다.

ㄴ. (가)와 (다)는 교감 신경의 작용이 활발할 때 일어난다.

ㄷ. (라)에서 (다)로 되는 상황에서 간과 근육의 물질대사가 억제된다.

① ㄱ　　　　② ㄴ　　　　③ ㄱ, ㄴ
④ ㄴ, ㄷ　　　⑤ ㄱ, ㄴ, ㄷ

11 표는 체온이 38 ℃인 땅다람쥐 시상 하부의 온도를 낮추거나 높인 상태에서 15분간 몸의 대사율과 체온의 변화를 나타낸 것이다.

시상 하부 온도	대사율	체온
36 ℃인 상태	증가	올라감
40 ℃인 상태	감소	내려감

이에 대한 설명으로 옳은 것만을 〈보기〉에서 있는 대로 고른 것은?

┃ 보기 ┃

ㄱ. 체온 조절의 중추는 간뇌 시상 하부이다.

ㄴ. 시상 하부의 온도가 높으면 세포 호흡이 증가한다.

ㄷ. 시상 하부의 온도가 낮으면 피부 모세 혈관으로 흐르는 혈류량이 증가한다.

① ㄱ　　　　② ㄴ　　　　③ ㄷ
④ ㄱ, ㄷ　　　⑤ ㄴ, ㄷ

12 다음은 정온 동물이 체온을 유지하는 여러 가지 방법을 나타낸 것이다.

(가) 북극여우는 사막여우에 비해 단위 부피당 표면적이 작다.

(나) 추운 곳에 있다가 따뜻한 곳으로 들어오면 얼굴이 붉어진다.

(다) 겨울에 소변을 보고 나면 몸이 떨린다.

이에 대한 설명으로 옳은 것만을 〈보기〉에서 있는 대로 고른 것은?

┃ 보기 ┃

ㄱ. 북극여우는 사막여우보다 단위 면적당 열 발산량이 적다.

ㄴ. (나)는 부교감 신경의 활성화에 의해 나타난다.

ㄷ. (다)에 의해 열 발생량이 증가한다.

① ㄱ　　　　② ㄴ　　　　③ ㄱ, ㄷ
④ ㄴ, ㄷ　　　⑤ ㄱ, ㄴ, ㄷ

13 그림은 체내의 삼투압을 조절하는 과정을, 표는 휴식할 때와 운동할 때의 수분 배출량을 나타낸 것이다.

구분	수분 배출량(mL/시간)		
	땀	오줌	계
휴식	10	80	90
운동	490	10	500

이에 대한 설명으로 옳은 것만을 〈보기〉에서 있는 대로 고른 것은?

┤ 보기 ├
ㄱ. 오줌의 삼투압은 운동할 때보다 휴식할 때 더 높다.
ㄴ. 혈중 ADH의 농도는 휴식할 때보다 운동할 때 더 높다.
ㄷ. 운동할 때 땀을 많이 흘리는 것은 혈장 삼투압을 일정하게 유지하는 데 기여한다.

① ㄱ   ② ㄴ   ③ ㄷ
④ ㄱ, ㄴ   ⑤ ㄴ, ㄷ

14 다음은 어떤 동물의 혈장 삼투압 조절에 대한 자료이다.

- 어떤 동물에게 다량의 물을 섭취시키고 일정 시간이 지난 후 호르몬 X를 혈관에 투여한다. X는 뇌하수체 후엽에서 분비되는 호르몬이다.
- 그림은 이 동물의 단위 시간당 오줌 생성량을 시간에 따라 나타낸 것이다.

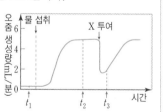

이에 대한 설명으로 옳은 것만을 〈보기〉에서 있는 대로 고른 것은?

┤ 보기 ├
ㄱ. 호르몬 X는 콩팥에서 수분 재흡수를 촉진한다.
ㄴ. 혈액의 삼투압은 t_2일 때보다 t_1일 때 더 높다.
ㄷ. $\dfrac{t_2\text{에서의 오줌 삼투압}}{t_3\text{에서의 오줌 삼투압}}$의 값은 1보다 크다.

① ㄱ   ② ㄷ   ③ ㄱ, ㄴ
④ ㄴ, ㄷ   ⑤ ㄱ, ㄴ, ㄷ

15 그림 (가)는 건강한 사람의 혈장 삼투압에 따른 호르몬 X의 혈중 농도를, (나)는 이 사람이 물 1 L를 섭취한 후 시간에 따른 혈장과 오줌의 삼투압을 나타낸 것이다.

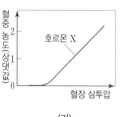 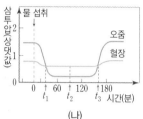

(가)   (나)

이에 대한 설명으로 옳은 것만을 〈보기〉에서 있는 대로 고른 것은? (단, (나)에서 오줌양 외에 체내 수분량에 영향을 미치는 요인은 없다.)

┤ 보기 ├
ㄱ. 호르몬 X는 뇌하수체 전엽에서 분비된다.
ㄴ. 콩팥에서의 단위 시간당 수분 재흡수량은 t_1에서보다 t_2에서 더 많다.
ㄷ. 혈액의 수분량은 t_3보다 t_2에서 더 많다.

① ㄴ   ② ㄷ   ③ ㄱ, ㄴ
④ ㄱ, ㄷ   ⑤ ㄴ, ㄷ

| 서술형 |

16 그림은 뇌하수체 후엽에서 분비되는 호르몬 분비 이상으로 어떤 질환에 걸린 사람의 증상을 나타낸 것이다.

▲ 냄새 없는 오줌을 자주 눈다.   ▲ 계속 갈증이 나서 물을 많이 마신다.

(1) 위의 증상과 관련이 있는 호르몬을 쓰시오.

(2) 위와 같은 증상이 나타나는 까닭을 호르몬의 기능과 관련지어 서술하시오.

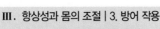

01 질병과 병원체

내 교과서는 어디에?
천재 p.95~99 동아 p.93~97 미래엔 p.100~105
비상 p.92~95 금성 p.110~113 교학사 p.96~99 지학사 p.92~93

핵심 Point
● 비감염성 질병과 감염성 질병의 차이를 안다.
● 병원체의 종류에 따른 특징을 비교하여 이해한다.

1 질병과 병원체의 종류

1. 질병의 구분 크게 비감염성 질병과 감염성 질병으로 구분한다.

① 비감염성 질병: 병원체❶의 감염 없이 발생하는 질병으로 생활 습관, 환경, 유전 등의 여러 원인이 복합적으로 작용해 생긴다. ⑩ 고혈압, 당뇨병, 백혈병, 혈우병

② 감염성 질병: 세균, 바이러스, 곰팡이, 원생생물 등의 병원체에 의해 발생하는 질병으로 다른 사람에게 전염될 수 있다. ⑩ 감기, 결핵, 독감 등

2. 병원체의 종류와 특성

① 세균❷

구조	• 핵을 가지고 있지 않은 단세포 원핵생물❸이다. • 세포벽이 있어 세포막과 내부를 보호한다. • 유전 물질로 하나의 큰 DNA가 세포질에 퍼져 있으며, 별도의 작은 원형 DNA인 플라스미드를 가지기도 한다.
특징	• 분열법으로 빠르게 증식할 수 있다. • 하나의 독립된 세포로, DNA와 RNA 및 효소가 있어 스스로 물질대사를 한다.
질병 유발	몸속에 침입하여 빠르게 증식하거나, 증식 과정에서 독소를 분비하여 생물의 조직을 파괴시켜 질병을 일으킨다.
질병	결핵, 세균성 식중독, 폐렴, 매독, 콜레라, 파상풍, 탄저병 등
치료	항생제❹를 이용하면 세균의 세포벽 형성을 방해하여 증식을 억제할 수 있다.

DNA, 리보솜, 세포벽, 편모, 세포막
대장균 ▶

② 바이러스❺

구조	• 크기가 0.02~0.2 μm 로 세균보다 작아 세균 여과기를 통과한다. • 핵산과 단백질 껍질을 가지나, 세포막 등이 없어 세포의 구조를 갖추지 못한다.
특징	• 비생명적 특성: 생명체 밖에서는 단백질과 핵산의 ▷결정으로만 존재하며, 독자적인 효소가 없어 스스로 물질대사를 하지 못하고 증식할 수 없다. • 생물적 특성: 숙주 세포 내에서는 물질대사를 하여 유전 물질을 복제·증식하며, 유전 현상을 나타낸다. 증식 과정에서 돌연변이가 일어나 다양한 종류로 진화한다.
질병 유발	숙주 세포에 침입하여 증식하면서 세포가 정상적으로 기능하지 못하게 하고, 세포 밖으로 나오면서 세포를 파괴한다.
질병	감기, 독감, 후천성 면역 결핍증(AIDS), 홍역, 메르스, 천연두 등
치료	항바이러스제를 이용하지만 바이러스는 돌연변이가 자주 일어나고 숙주 세포도 함께 손상되므로 치료가 어렵다.

머리, 꼬리, 단백질 껍질, DNA
외피, 단백질 껍질, RNA
▲ 박테리오파지 **▲ 인플루엔자**

---

❶ **병원체**
사람에게 감염되어 병을 일으키는 세균 등의 생물이나 바이러스를 말한다.

❷ **세균**
폐렴균, 결핵균, 매독균, 파상풍균 등이 있으며 모양에 따라 간균, 구균, 나선균 등으로 구분한다.

❸ **원핵생물**
막으로 이루어진 세포 소기관과 핵을 가지고 있지 않은 세포를 원핵세포라 하고, 원핵세포로 이루어진 생물을 원핵생물이라고 한다.

❹ **항생제**
주로 세균의 생장을 억제하거나 죽게 만드는 물질이다. 어떤 세균들은 플라스미드에 특정 항생제에 대한 내성을 갖게 하는 유전자가 존재하기도 하므로 항생제의 과다한 사용은 내성을 갖는 세균의 수를 증가시키는 부작용을 가져온다.

❺ **바이러스의 종류**
핵산의 종류에 따라 DNA 바이러스와 RNA 바이러스로 구분하고, 숙주의 종류에 따라 동물성 바이러스, 식물성 바이러스, 세균성 바이러스(박테리오파지)로 구분한다.

● **용어** ●

▶ **결정(맺을 結, 맑을 晶):** 분자가 규칙적으로 일정하게 배열되어 바른 형체를 이룬 물질이다.

③ 진핵생물[6] 병원체: 진핵생물 병원체에는 대표적으로 원생생물과 곰팡이가 있다.

구분	원생생물	곰팡이
특징	• 단세포 진핵생물이다. • 대부분 열대 지역에서 매개 곤충을 통해 인체에 감염되어 증식하면서 독소를 분비하거나 세포를 파괴하여 질병을 일으킨다.	• 다세포 진핵생물이다. • 인체의 피부에서 번식하거나 포자가 소화 기관이나 호흡 기관을 통해 인체 내로 들어와 질병을 일으킨다.
질병	말라리아(모기 등에 의해 전염), 아메바성 이질, 수면병 등	무좀, 만성 폐 질환 등
치료	원생생물이나 곰팡이는 세균·바이러스보다 사람의 세포와 많이 유사해 이들만 특이적으로 제거하기가 쉽지 않아 치료가 어렵다.	

④ 프라이온

특징	• 바이러스보다 훨씬 작으며, RNA나 DNA와 같은 핵산이 없는 단백질성 감염 입자이다. • 정상 프라이온은 포유류에서 뇌세포의 활동에 중요한 역할을 한다. • 정상 프라이온이 비정상적인 구조로 바뀌어 변형 프라이온이 되고, 변형 프라이온이 신경 세포에 다량 축적되면 신경 조직을 파괴한다. • 프라이온은 구조가 매우 안정적이어서 끓이거나 삶는 것으로는 파괴되지 않는다. • 감염된 동물의 뇌나 신경 조직을 섭취함으로써 전염된다.	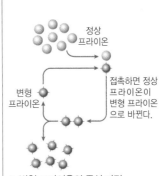 ▲ 변형 프라이온의 증식 과정
질병	크로이츠펠트·야코프병(사람), 광우병(소), 스크래피(양) 등	

3. 질병의 감염 경로와 예방[7]

구분	감염 경로	예방	예
호흡기를 통한 감염	기침이나 재채기로 방출된 병원체가 호흡기를 통해 감염될 수 있다.	• 기침이나 재채기를 할 때 입을 가린다. • 손을 자주 씻는다.	결핵, 감기, 독감 등
소화기를 통한 감염	고기, 생선을 익히지 않고 날것으로 먹으면 세균이나 기생충에 감염될 수 있다. 세균에 감염된 물이나 식품 섭취는 식중독을 유발한다.	• 물을 끓여서 마신다. • 음식을 충분히 익혀서 먹는다.	콜레라, 세균성 식중독 등
매개 곤충을 통한 감염	파리, 모기, 바퀴벌레 등의 곤충을 통해서 감염될 수 있다.	위생적이고 깨끗한 환경을 유지하여 곤충이 번식하지 않도록 한다.	말라리아, 수면병 등
신체 접촉을 통한 감염	환자와의 신체 접촉이나 상처 난 부위를 통해 감염될 수 있다.	• 수건 등을 여럿이 함께 사용하지 않도록 한다. • 상처난 부위를 소독한다.	무좀, 파상풍 등

개념 확인하기

1 감염성 질병과 비감염성 질병은 (   )의 유무에 따라 구분된다.
2 바이러스는 항생제로 세포벽을 파괴하여 치료한다.   (○ , ×)
3 원생생물과 곰팡이는 모두 핵을 가지고 있는 (   )생물이다.

답 1. 병원체 2. × 3. 진핵

▶ 세균과 바이러스를 비교해 보고, 여러 특징에 따라 병원체를 구분해 보자.

병원체 특징에 따라 구분하기

01 세균(박테리아)과 바이러스의 비교

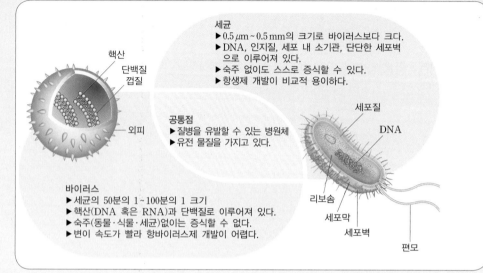

세균
- ▶ 0.5 μm ~ 0.5 mm의 크기로 바이러스보다 크다.
- ▶ DNA, 인지질, 세포 내 소기관, 단단한 세포벽으로 이루어져 있다.
- ▶ 숙주 없이도 스스로 증식할 수 있다.
- ▶ 항생제 개발이 비교적 용이하다.

공통점
- ▶ 질병을 유발할 수 있는 병원체
- ▶ 유전 물질을 가지고 있다.

핵산
단백질 껍질
외피

세포질
DNA
리보솜
세포막
세포벽
편모

바이러스
- ▶ 세균의 50분의 1~100분의 1 크기
- ▶ 핵산(DNA 혹은 RNA)과 단백질로 이루어져 있다.
- ▶ 숙주(동물·식물·세균)없이는 증식할 수 없다.
- ▶ 변이 속도가 빨라 항바이러스제 개발이 어렵다.

세균과 바이러스의 공통점과 차이점은?
- ▶ 세균과 바이러스는 질병을 일으키는 병원체이고 유전 물질을 가지고 있다. 세균은 독립된 세포인 반면 바이러스는 세포 구조가 아니다.

02 병원체의 종류 및 특성 비교하기

구분	세포 구조	세포 분열	효소	단백질	핵(핵막)	유전 물질(핵산)
세균	○	○	○	○	×	○
바이러스	×	×	×	○	×	○
원생생물	○	○	○	○	○	○
곰팡이	○	○	○	○	○	○
변형 프라이온	×	×	×	○	×	×

병원체의 종류와 질병
- •세균: 결핵, 폐렴, 파상풍, 탄저병, 세균성 식중독, 패혈증, 매독 등
- •바이러스: 독감, 감기, 홍역, 천연두, 후천성 면역 결핍증(AIDS) 등
- •원생생물: 말라리아, 수면병, 아메바성 이질 등
- •곰팡이: 무좀, 만성 폐 질환 등
- •변형 프라이온: 크로이츠펠트·야코프병(사람), 광우병(소), 스크래피(양)

---

1 세균과 바이러스에 대한 설명으로 옳지 않은 것은?

① 세균은 유전 물질이 세포질에 퍼져 존재한다.

② 세균은 숙주 세포 없이 스스로 물질대사를 수행한다.

③ 세균은 항생제로 치료하고, 바이러스는 항바이러스제로 치료한다.

④ 바이러스는 독립된 하나의 세포로서, 단백질 껍질과 핵산을 가진다.

⑤ 바이러스는 생명체 밖에서는 단백질과 핵산의 결정으로 존재한다.

| 해설 | 바이러스는 단백질 외피로 둘러 싸여 있고 내부에는 핵산이 들어 있다. 하지만 세포 구조가 아니다.

답 ④

2 그림은 여러 병원체를 구분하는 과정을 나타낸 것이다.

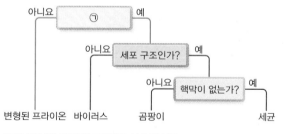

아니요 ⑤ 예
아니요 세포 구조인가? 예
아니요 핵막이 없는가? 예
변형된 프라이온   바이러스   곰팡이   세균

⑤에 들어갈 적절한 기준을 서술하시오.

| 해설 | 프라이온은 단백질로서 유전 물질이 없다.

답 유전 물질(핵산)을 가지고 있는가?

기초 탄탄 문제

정답과 해설 29쪽

핵심용어_ 이 단원에서 내가 아는 것과 아직 모르는 것을 정리하며 나의 공부를 돌아보자.

☐ 병원체　　　　　☐ 세균
☐ 바이러스　　　　☐ 원생생물
☐ 곰팡이　　　　　☐ 프라이온

01 병원체에 대한 설명으로 옳지 <u>않은</u> 것은?

① 바이러스는 독감의 원인이 된다.
② 세균은 항생제로 치료할 수 있다.
③ 곰팡이는 진핵생물로 무좀의 원인이 된다.
④ 세균과 곰팡이는 핵막이 없는 원핵생물이다.
⑤ 변형된 프라이온은 단백질성 감염 입자로 스크래피의 원인이 된다.

02 다음은 질병의 종류를 나열한 것이다.

> 고혈압, 결핵, 독감, 당뇨병, 광우병

이에 대한 설명으로 옳은 것은?

① 고혈압은 항생제로 치료할 수 있다.
② 독감에 걸리면 항생제로 치료할 수 있다.
③ 위에 제시된 질병 중 비감염성 질병은 2가지이다.
④ 광우병은 바이러스에 감염되어 발생하는 질병이다.
⑤ 결핵과 당뇨병은 같은 종류의 병원체에 의해 생기는 질병이다.

03 그림은 독감을 일으키는 인플루엔자 바이러스를 나타낸 것이다.
이에 대한 설명으로 옳은 것은?

① 효소를 가지고 있다.
② 독립된 하나의 세포이다.
③ 돌연변이가 일어나지 않는다.
④ 유전 물질을 가지고 있지 않다.
⑤ 물질대사 체계를 갖추지 못해 스스로 증식하지 못한다.

04 그림은 서로 다른 종류의 병원체를 나타낸 것이다.

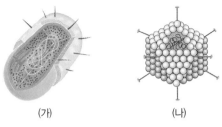

(가)　　　　　　(나)

이에 대한 설명으로 옳은 것은?

① (가)와 (나)는 모두 핵산을 가지고 있다.
② (가)와 (나)는 모두 세포막을 가지고 있다.
③ (가)와 (나)는 배양액에서 증식이 가능하다.
④ (가)와 (나)는 독립적으로 물질대사가 가능하다.
⑤ (가)와 (나)에 의해 발생하는 질병은 전염되지 않는다.

05 다음은 어떤 종류의 병원체에 대한 설명이다.

> • 진핵세포로 이루어진 병원체이다.
> • 동물 세포나 식물 세포에 기생하면서 질병을 일으킨다.
> • 이 병원체에 의해 발생하는 질병에는 말라리아, 수면병 등이 있다.

이 설명에 해당하는 병원체로 옳은 것은?

① 세균　　　　　　② 곰팡이
③ 바이러스　　　　④ 원생생물
⑤ 변형된 프라이온

06 병원체의 감염 경로와 이에 해당하는 질병을 옳게 짝지은 것은?

	호흡기	소화기	피부 접촉
①	결핵	독감	말라리아
②	결핵	무좀	콜레라
③	감기	독감	파상풍
④	감기	수면병	무좀
⑤	독감	콜레라	무좀

내신 만점 문제

정답과 해설 29쪽

* ▮▮▮ 난이도를 나타냅니다.

01 그림 (가)는 두 종류의 병원체 ⓐ와 ⓑ의 구조를, (나)는 병원체 A와 B의 공통점과 차이점을 나타낸 것이다. 병원체 ⓐ와 ⓑ는 각각 A와 B 중 하나이다.

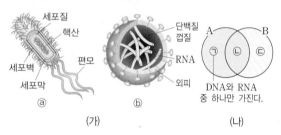

(가)   (나)

이에 대한 설명으로 옳은 것만을 〈보기〉에서 있는 대로 고른 것은?

┃ 보기 ┃
ㄱ. 병원체 ⓐ는 A에 해당한다.
ㄴ. '독립적으로 물질대사를 한다.'는 ⓛ에 해당한다.
ㄷ. '스스로 증식이 가능하다.'는 ⓒ에 해당한다.

① ㄱ   ② ㄷ   ③ ㄱ, ㄴ
④ ㄱ, ㄷ   ⑤ ㄴ, ㄷ

02 표는 사람의 6가지 질병을 구분하여 나타낸 것이다.

구분	질병
(가)	고혈압, 당뇨병, 혈우병
(나)	결핵, 독감, 감기

이에 대한 설명으로 옳은 것만을 〈보기〉에서 있는 대로 고른 것은?

┃ 보기 ┃
ㄱ. (가)와 (나)는 모두 감염성 질병이다.
ㄴ. (나)의 질병은 모두 바이러스에 의해 발병한다.
ㄷ. (나)의 질병은 전염될 수 있다.

① ㄱ   ② ㄷ   ③ ㄱ, ㄴ
④ ㄱ, ㄷ   ⑤ ㄴ, ㄷ

03 그림은 병원체를 구분하는 과정을 나타낸 것이다. A~C는 세균, 바이러스, 곰팡이 중 하나이다.

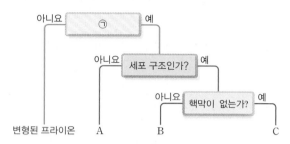

이에 대한 설명으로 옳은 것만을 〈보기〉에서 있는 대로 고른 것은?

┃ 보기 ┃
ㄱ. '핵산을 가지고 있는가?'는 ⓐ으로 적절하다.
ㄴ. A에 의한 질병은 항바이러스제로 치료한다.
ㄷ. B에 의한 질병은 주로 항생제를 사용하여 치료한다.

① ㄱ   ② ㄴ   ③ ㄱ, ㄴ
④ ㄴ, ㄷ   ⑤ ㄱ, ㄴ, ㄷ

04 그림은 변형된 프라이온의 증식 과정을 나타낸 것이다.

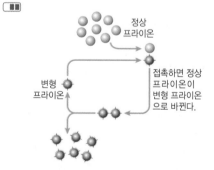

이에 대한 설명으로 옳은 것만을 〈보기〉에서 있는 대로 고른 것은?

┃ 보기 ┃
ㄱ. 변형된 프라이온은 단백질성 감염 입자이다.
ㄴ. 정상 프라이온이 축적되면 신경 세포가 파괴된다.
ㄷ. 끓이거나 삶는 방법으로 변형된 프라이온을 제거할 수 있다.

① ㄱ   ② ㄱ, ㄴ   ③ ㄱ, ㄷ
④ ㄴ, ㄷ   ⑤ ㄱ, ㄴ, ㄷ

다음은 담배 모자이크병을 일으키는 바이러스의 특징을 알아보기 위한 실험이다.

[실험 과정]

(가) 담배 모자이크 바이러스(TMV)에 감염된 담뱃잎을 갈아서 얻은 추출물을 세균이 통과하지 못하는 세균 여과기로 거른다.

(나) 여과액을 건강한 담뱃잎에 발라 준다.

[실험 결과]

여과액을 발라 준 담뱃잎에서 담배 모자이크병이 나타났으며, 주변의 담뱃잎에서도 이 병이 나타났다.

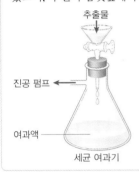

이에 대한 설명으로 옳은 것만을 〈보기〉에서 있는 대로 고른 것은?

┤ 보기 ├

ㄱ. 바이러스는 세포 구조이다.

ㄴ. 바이러스는 유전 물질이 있어 증식할 수 있다.

ㄷ. 실험 결과를 통해 담배 모자이크 바이러스는 세균보다 크기가 작다는 것을 알 수 있다.

① ㄱ   ② ㄷ   ③ ㄱ, ㄴ

④ ㄴ, ㄷ   ⑤ ㄱ, ㄴ, ㄷ

06 다음은 병원체에 대한 학생 A~C의 발표 내용이다.

학생 A: 독감을 일으키는 병원체는 핵막이 있어.

학생 B: 원생생물은 주로 매개 곤충을 통해 인체 내로 들어와.

학생 C: 곰팡이는 스스로 물질대사를 할 수 있어.

발표한 내용이 옳은 학생만을 있는 대로 고른 것은?

① A   ② B   ③ A, B

④ A, C   ⑤ B, C

서술형 문제

07 다음은 질병을 두 종류로 구분한 것이다.

(가)	(나)
고혈압, 당뇨병, 고지혈증, 지방간	소아마비, 식중독, 탄저병, 말라리아, 무좀

(1) (나)와 같은 질병을 일으키는 원인을 서술하시오.

(2) (가)와 (나)를 구분하는 기준을 서술하시오.

08 다음은 항생제와 관련된 설명이다.

항생제의 발견과 개발로 세균 감염 질병을 효과적으로 치료할 수 있게 되었지만, 최근에는 항생제의 부적절한 사용으로 오히려 건강이 위협받고 있다. 이는 가벼운 감기처럼 항생제 사용이 필요 없는 질병에도 항생제를 과도하게 사용하고 있기 때문이다.

위와 같이 항생제를 과도하게 사용하면 어떤 문제점이 있는지 서술하시오.

09 표는 질병의 감염 경로에 따른 질병을 나타낸 것이다.

감염 경로	질병
(가)	결핵, 독감
(나)	콜레라, 세균성 식중독
(다)	말라리아, 수면병
(라)	무좀, 파상풍

(가), (나), (다), (라)에 알맞은 감염 경로를 서술하시오.

02 우리 몸의 방어 작용(1)

내 교과서는 어디에?
천재 p.100~105 동아 p.98~101 미래엔 p.106~110
비상 p.96~101 금성 p.114~119 교학사 p.100~108 지학사 p.94~99

핵심 Point
- 비특이적 방어 작용과 특이적 방어 작용의 차이점을 이해한다.
- 염증 반응의 과정을 안다.
- 1차 면역 반응과 2차 면역 반응의 특징을 안다.

1 우리 몸의 방어 작용

1. **방어 작용** 병원체의 침입을 차단하고, 침입한 병원체를 제거하여 우리 몸을 보호하는 작용
2. **방어 작용의 구분** 비특이적 방어 작용과 특이적 방어 작용으로 나뉜다.

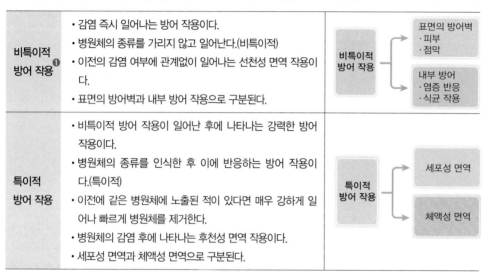

비특이적 방어 작용❶	• 감염 즉시 일어나는 방어 작용이다. • 병원체의 종류를 가리지 않고 일어난다.(비특이적) • 이전의 감염 여부에 관계없이 일어나는 선천성 면역 작용이다. • 표면의 방어벽과 내부 방어 작용으로 구분된다.	비특이적 방어 작용 → 표면의 방어벽 • 피부 • 점막 / 내부 방어 • 염증 반응 • 식균 작용
특이적 방어 작용	• 비특이적 방어 작용이 일어난 후에 나타나는 강력한 방어 작용이다. • 병원체의 종류를 인식한 후 이에 반응하는 방어 작용이다.(특이적) • 이전에 같은 병원체에 노출된 적이 있다면 매우 강하게 일어나 빠르게 병원체를 제거한다. • 병원체의 감염 후에 나타나는 후천성 면역 작용이다. • 세포성 면역과 체액성 면역으로 구분된다.	특이적 방어 작용 → 세포성 면역 / 체액성 면역

> **❶ 비특이적 방어 작용의 의의**
> 병원체가 침입한 후, 항체를 생성하기까지 시간이 걸리기 때문에 비특이적 방어 작용은 특이적 방어 작용이 일어나기 전까지 병원체의 활동을 억제한다는 데 그 의의가 있다.

> **셀파 콕콕** 🔍
> 다음의 용어를 헷갈리지 않게 알아 두자.
> • 비특이적 방어 작용, 선천성 면역이 모두 같은 과정이다.
> • 특이적 방어 작용, 후천성 면역이 모두 같은 과정이다.

2 비특이적 방어 작용

1. 표면의 방어벽(외부 방어)

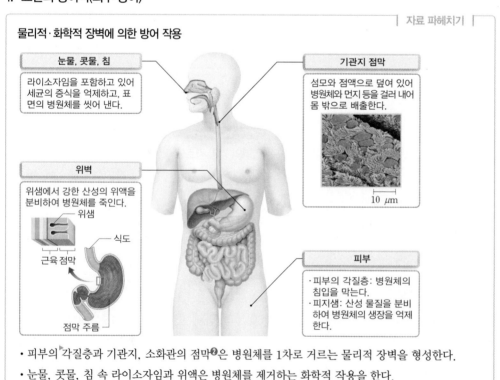

자료 파헤치기

물리적·화학적 장벽에 의한 방어 작용

눈물, 콧물, 침
라이소자임을 포함하고 있어 세균의 증식을 억제하고, 표면의 병원체를 씻어 낸다.

기관지 점막
섬모와 점액으로 덮여 있어 병원체와 먼지 등을 걸러 내어 몸 밖으로 배출한다.

10 µm

위벽
위샘에서 강한 산성의 위액을 분비하여 병원체를 죽인다.
위샘 / 식도 / 근육 점막 / 점막 주름

피부
• 피부의 각질층: 병원체의 침입을 막는다.
• 피지샘: 산성 물질을 분비하여 병원체의 생장을 억제한다.

• 피부의 각질층과 기관지, 소화관의 점막❷은 병원체를 1차로 거르는 물리적 장벽을 형성한다.
• 눈물, 콧물, 침 속 라이소자임과 위액은 병원체를 제거하는 화학적 작용을 한다.

> **❷ 점막**
> 정상 소화관의 점막은 점액층이 두꺼워 세균 등의 병원체가 상피 세포까지 침입하지 못한다. 손상된 소화관의 점막은 점액층이 없어져 병원체가 상피 세포에 접촉하고 내부로 침입하게 된다.

> ═══ 용어 ═══
> ▶ **각질층**(뿔 角, 바탕 質, 층 層): 죽은 표피 세포가 겹겹이 쌓여 있는 피부 표피의 가장 위에 있는 층이다.

피부	• 감염에 대한 인체의 1차적 방어벽이다. • 죽은 세포로 이루어진 각질층이 단단한 물리적 방어벽을 형성하여 병원체가 침입하기 어렵다. • 피부에서 분비되는 지방과 땀의 산성 성분은 세균의 증식을 저해하고, 땀에 들어 있는 라이소자임이 세균을 죽인다.
점막	• 호흡기, 소화기, 배설기 등과 같이 피부로 덮여 있지 않은 부위는 점막으로 덮여 보호된다. ➡ 점막에서는 라이소자임 등 항균 물질을 포함하는 점액을 분비하여 병원체가 상피 세포까지 침입하지 못하게 한다. • 점막에서 분비되는 점액 물질은 병원체를 잡아 가두는 역할을 하며, 호흡 기관 등의 점막 주변에 분포하는 섬모는 점액에 잡혀 있는 병원체를 몸 밖으로 내보낸다.
분비액	• 눈물이나 침 속의 라이소자임이 병원체가 눈이나 입을 통해 침입하는 것을 막는다. • 위의 안쪽은 점막으로 둘러싸여 있으며, 위샘에서는 강한 산성의 위산을 분비하여 음식물 속 대부분의 세균을 죽인다.

2. 내부 방어

식균 작용	백혈구의 일종인 호중성 백혈구와 대식세포가 체내로 침입한 병원체에 공통으로 존재하는 특정 부위를 감지하여 병원체를 세포 내로 끌어들여 분해한다.❸
염증 반응	• 피부나 점막이 손상되어 병원체가 체내로 침입하면 열, 부어오름, 붉어짐, 통증을 동반하는 염증 반응이 일어난다. • 염증 반응을 통해 대부분의 병원체는 병을 일으키지 않고 제거된다. • 과정: 병원체가 침입하면 비만 세포❹에서 히스타민❺을 분비하고, 이 자극으로 모세 혈관이 확장되어 혈류량이 증가하고, 혈관의 투과성이 증가한다. 이에 따라 혈관 속 혈액에서 백혈구가 빠져 나와 상처 부위로 모여 식균 작용으로 병원체를 제거한다. • 상처 부위의 고름은 염증 반응 결과 백혈구의 사체와 세균 등이 모여 생긴 것이다.

자료 파헤치기

염증 반응이 나타나는 과정

병원체의 침입 → 비만 세포에서 히스타민 분비 → 모세 혈관이 확장되어 혈류량과 혈관의 투과성 증가 → 혈액에서 백혈구가 빠져 나와 식균 작용으로 병원체 제거

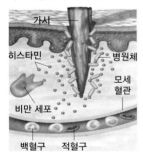  

① 피부가 손상되면 손상된 조직 세포나 비만 세포에서 히스타민이 분비된다.

② 모세 혈관이 확장되고 혈관 벽의 투과성이 커져 백혈구가 상처 부위로 모인다.

③ 상처 부위에 모인 백혈구가 식균 작용으로 병원체를 제거한다.

❸ 식균 작용

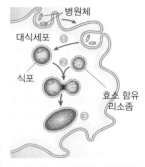

① 대식세포 등의 백혈구가 병원체를 둘러싸 세포 내로 끌어들여 식포가 형성된다.
② 식포와 리소좀이 융합된다.
③ 리소좀 속의 효소에 의해 병원체가 파괴된다.

❹ 비만 세포

백혈구의 한 종류로 히스타민을 분비하여 모세 혈관을 확장시키며, 식균 작용을 하는 백혈구를 유인하는 신호 물질을 분비한다.

❺ 히스타민

손상된 조직 세포나 비만 세포에서 분비되는 화학 물질이다. 모세 혈관을 확장시켜 혈류량을 증가시키고, 가려움증을 유발한다.

용어

▶ 라이소자임(lysozyme): 눈물, 콧물, 침, 점액 등에 섞여 분비되는 물질로, 세균을 제거하는 효소의 일종이다. 라이소자임은 세균의 세포벽을 용해시켜 세균을 파괴한다.

개념 확인하기

1 병원체의 종류와 관계없이 일어나는 방어 작용을 (특이적 , 비특이적) 방어 작용이라고 한다.
2 눈물, 콧물, 점막에 포함된 (　　　)은 항균 물질로 병원체를 제거한다.
3 염증 반응은 비만 세포가 (　　　)을 분비하면서 시작된다.

답 1. 비특이적 2. 라이소자임 3. 히스타민

3 특이적 방어 작용

1. **특이적 방어 작용의 특징** 병원체가 체내로 침입하면 병원체의 종류를 인식하고 병원체에 따라 다르게 반응한다. ➡ 림프구가 관여하여 특정 항원을 인식하여 제거

2. **림프구** 백혈구의 일종으로 골수에서 생성되어 항원의 종류를 인식하고 특이적으로 반응하여 면역 작용에 관여한다. 골수에서 생성된 후 B림프구와 T림프구로 분화된다.

B림프구	골수에서 생성되어 골수에서 성숙하는 림프구 ➡ 형질 세포와 기억 세포로 분화하며, 형질 세포는 항체를 생성한다.
T림프구	골수에서 생성된 후 가슴샘으로 이동하여 가슴샘에서 성숙하는 림프구 ➡ 병원체를 인식하고(보조 T림프구❻), 병원체에 감염된 세포를 제거하는(세포독성 T림프구) 기능을 한다.

┌─ 자료 파헤치기 ─┐

림프구의 생성과 분화

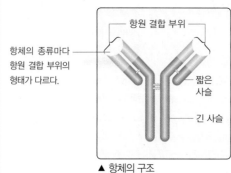

골수에서 만들어진 림프구 중 일부는 골수에서 성숙 과정을 거쳐 B림프구로 분화하고, 일부는 가슴샘으로 이동하여 T림프구로 분화한다.

3. **항원과 항체**
① 항원: 외부에서 체내로 침입하여 면역 반응을 일으키는 원인 물질 ➡ 병원체나 병원체가 분비하는 독소 물질, 곰팡이의 포자, 먼지, 꽃가루 등
② 항체: 체내로 들어온 항원에 대항하여 B림프구에서 분화된 형질 세포가 분비하는 물질로, 방어 작용의 핵심 물질이다.❼
③ 항원 항체 반응: 항체가 항원과 결합하여 항원의 기능을 약화시키거나 침강을 유도하여 식균 작용을 촉진하는 작용 ➡ 특정 항체는 오직 그 항체를 만들게 한 항원하고만 반응하는데, 이를 '항원 항체 반응의 특이성'이라고 한다.

┌─ 자료 파헤치기 ─┐

항체의 구조와 항원 항체 반응의 특이성

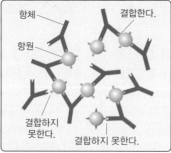

▲ 항체의 구조　　▲ 항원 항체 반응의 특이성

· 항체는 긴 사슬과 짧은 사슬이 두 개씩 결합하여 형성되며, 사슬의 끝부분에 항원과 특이적으로 결합하는 부위가 있다.
· 특정 항체는 항원 결합 부위와 형태가 맞는 항원하고만 결합한다.

---

❻ 보조 T림프구

대식세포는 침입한 항원을 세포 내에서 소화시킨 후 항원 조각을 세포 표면에 제시하는데, 제시된 항원 조각을 보조 T림프구가 인식하여 활성화된다. 활성화된 보조 T림프구는 세포독성 T림프구와 B림프구를 활성화시킨다.

❼ 항체

여러 개의 폴리펩타이드로 구성되어 Y자 모양을 이룬다. 긴 사슬의 아래쪽은 아미노산 서열이 매우 유사하고 변화가 없어 불변 부위라 하고, 항원이 결합하는 부위가 있는 위쪽은 항체의 종류마다 다르기 때문에 가변 부위라고 한다.

━━━ 용어 ━━━

▶ **골수(뼈 骨, 뼛골 髓)**: 사람의 뼈에서 적혈구, 백혈구, 혈소판과 같은 혈액 세포를 만드는 조직이다.
▶ **가슴샘**: 흉선이라고도 하며, 가슴뼈의 뒤, 심장과 대동맥의 앞에 위치하는 림프 면역 기관이다.

3. 특이적 방어 작용의 과정 특정 항원을 인식하여 제거하는 방어 작용이다.

① 특이적 방어 작용의 시작: 대식세포가 식균 작용으로 분해한 항원 조각을 세포 표면에 제시하고, 이를 보조 T림프구가 인식하면서 특이적 방어 작용이 시작된다.

항원
병원체
대식세포

대식세포가 병원체를 끌어들여 분해한다.

대식세포가 표면에 항원을 제시한다.

항원

❶ 세포독성 T림프구의 작용

세균 및 바이러스에 감염된 세포나 암세포에 직접 접촉하여 세포에 구멍을 뚫고 분해 효소를 분비하여 제거한다.

② 특이적 방어 작용의 전개

대식세포의 식균 작용 (비특이적 방어 작용) → 대식세포가 표면에 항원 제시 → 보조 T림프구가 항원 인식 → 세포독성 T림프구 활성화 → 세포성 면역

보조 T림프구가 B림프구 활성화 → 체액성 면역

셀파 콕콕 🔍

1차 방어 작용과 2차 방어 작용, 1차 면역 반응과 2차 면역 반응을 혼동하지 않도록 한다. 1차 · 2차 면역 반응은 2차 방어 작용 중 하나인 체액성 면역의 과정임을 알아 두자.

③ 세포성 면역과 체액성 면역

• 세포성 면역: 세포독성 T림프구❶가 항원에 감염된 세포, 암세포 등을 직접 파괴한다.

• 체액성 면역: 보조 T림프구의 도움을 받아 B림프구가 항체를 생성하여 체액으로 분비함으로써 항원을 제거하는 것으로, 1차 면역 반응과 2차 면역 반응으로 구분된다.

1차 면역 반응	2차 면역 반응
활성화된 B림프구가 항원의 종류를 인식하고 형질 세포로 분화한 후 항체를 생성하여 항원을 제거하고 일부는 기억 세포로 남는다. 항체를 생성하기까지 시간이 걸리며 소량의 항체가 느리게 만들어진다.	같은 항원이 재침입하면 1차 면역 반응 때 생성되어 남아 있는 기억 세포가 빠르게 형질 세포로 분화하여 신속하게 다량의 항체를 생성하여 항원을 빠르게 제거한다.

강의 콕 📢

2차 면역 반응은 1차 면역 반응 중 생성되었던 기억 세포가 빠르게 형질 세포로 분화하여 진행된다는 내용을 묻는 문제가 자주 출제된다.

| 자료 파헤치기 |

특이적 방어 작용의 과정

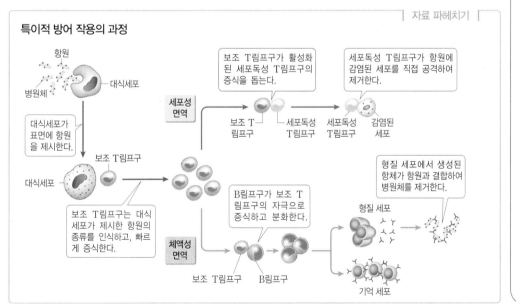

항원
병원체
대식세포

대식세포가 표면에 항원을 제시한다.

보조 T림프구

대식세포

보조 T림프구는 대식세포가 제시한 항원의 종류를 인식하고, 빠르게 증식한다.

세포성 면역

보조 T림프구가 활성화된 세포독성 T림프구의 증식을 돕는다.

세포독성 T림프구가 항원에 감염된 세포를 직접 공격하여 제거한다.

보조 T림프구
세포독성 T림프구
세포독성 T림프구
감염된 세포

B림프구가 보조 T림프구의 자극으로 증식하고 분화한다.

형질 세포에서 생성된 항체가 항원과 결합하여 병원체를 제거한다.

형질 세포

체액성 면역

보조 T림프구
B림프구

기억 세포

━━━ 용어 ━━━

▶ **대식세포**(큰 大, 먹을 食, 가늘 細, 세포 胞): 백혈구의 일종으로 염증 반응에 관여하며 식균 작용으로 몸에 침입한 병원체를 제거하고 항원을 제시하는 기능도 수행한다.

▶ **형질 세포**(모양 形, 바탕 質, 가늘 細, 세포 胞): B림프구가 특정 항원에 대한 항체를 생산할 수 있도록 분화된 세포이다.

▶ **분화**(나눌 分, 될 化): 세포가 분열, 증식하여 생장하면서 구조나 기능이 특수화하는 현상이다.

개념 확인하기

1 T림프구는 골수에서 생성된 후 가슴샘에서 성숙한다. (○, ×)

2 세포독성 T림프구와 보조 T림프구는 세포성 면역에 관여한다. (○, ×)

답 1. ○ 2. ×

▶ 1차 면역 반응과 2차 면역 반응의 특징을 구분하고, 2차 면역 반응이 강하게 나타나는 원리를 이해한다.

1차 면역 반응과 2차 면역 반응 자세히 보기

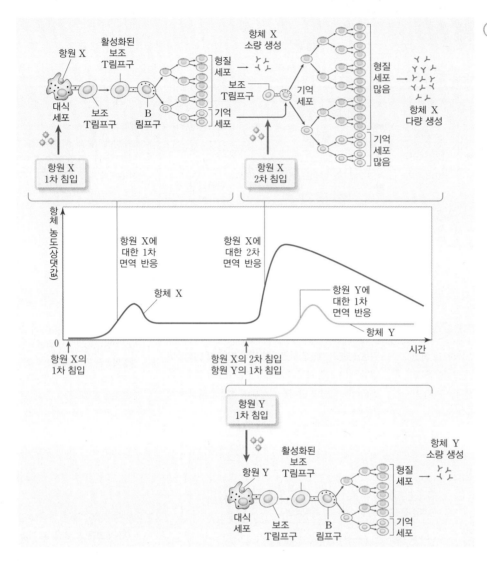

➕ Plus 문제

Q. 다음 설명에서 옳은 것은 ○표, 옳지 않은 것은 ×표를 하시오.
(1) 하나의 항체는 여러 종류의 항원과 결합한다. ( )
(2) 대식세포는 식균 작용을 통해 항원을 제시한다. ( )
(3) B림프구의 도움으로 T림프구가 분화해 항체를 생성한다. ( )
(4) 항원을 인지한 B림프구는 형질 세포와 기억 세포로 분화한다. ( )
(5) 1차 면역 반응에서 기억 세포가 항체를 생성하고 분비한다. ( )
(6) 1차 면역 반응은 항원을 인지하고 형질 세포로 분화하여 항체를 생성하기까지 시간이 오래 걸린다. ( )
(7) 2차 면역 반응에서는 1차 면역 반응 때 생성되었던 기억 세포가 빠르게 형질 세포로 분화한다. ( )
(8) 2차 면역 반응 때는 항체가 생성될 때까지 시간이 오래 걸린다. ( )
(9) 항원 A의 2차 침입과 항원 B의 1차 침입이 동시에 일어날 때, 항원 A와 항원 B에 대한 2차 면역 반응이 동시에 나타난다. ( )

A. (1) × (2) ○ (3) × (4) ○ (5) × (6) ○ (7) ○ (8) × (9) ×

항원 X에 대한 1차 면역 반응	항원이 체내에 처음 침입하면 대식세포의 식균 작용이 일어나고, 대식세포가 표면에 항원을 제시한다. 보조 T림프구가 제시된 항원에 반응하여 활성화되고, 활성화된 보조 T림프구는 B림프구를 활성화시킨다. B림프구는 증식 및 분화하여 일부는 항원의 특성을 기억하는 기억 세포로 남고, 대부분은 형질 세포로 분화하여 항체를 생성한다. ➡ 1차 면역 반응에서는 항체 생성 속도가 느리고 항체 생성량도 상대적으로 적다.
항원 X에 대한 2차 면역 반응	항원의 1차 침입 시 만들어진 기억 세포가 항원의 2차 침입 시에 보조 T림프구의 자극으로 빠르게 증식 및 형질 세포로 분화하여 다량의 항체를 신속하게 생성한다. ➡ 2차 면역 반응은 항체 생성 속도가 빠르고 양이 많다.
항원 Y에 대한 1차 면역 반응	특정 항체는 특정 항원에 대해서만 작용하는 항원 항체 반응의 특이성 때문에 항원 Y에 대한 면역 반응은 항원 X에 대한 면역 반응과 독립적으로 일어난다. ➡ 항원 Y에 대한 면역 반응은 1차 면역 반응으로, 항체가 생성될 때까지 시간이 오래 걸리고 소량의 항체가 생성된다.

기초 탄탄 문제

정답과 해설 30쪽

핵심용어_ 이 단원에서 내가 아는 것과 아직 모르는 것을 정리하며 나의 공부를 돌아보자.

☐ 비특이적 방어 작용 ☐ 선천성 면역 ☐ 점막
☐ 라이소자임 ☐ 염증 반응 ☐ 체액성 면역
☐ 항원 항체 반응 ☐ 2차 면역 반응

01 우리 몸의 방어 작용에 대한 설명으로 옳지 **않은** 것은?

① 비특이적 방어 작용은 병원체의 종류에 관계없이 일어난다.
② 세포성 면역과 체액성 면역은 특이적 방어 작용에 해당한다.
③ 피부의 방어벽, 염증 반응은 비특이적 방어 작용에 해당한다.
④ 점액이나 침에는 세균의 세포벽을 분해하는 라이소자임이 들어 있다.
⑤ 특이적 방어 작용이 먼저 일어나고 비특이적 방어 작용이 그 후에 일어난다.

02 그림은 인체의 방어 작용을 단계적으로 나타낸 것이다.

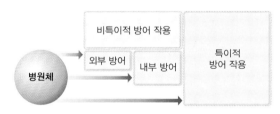

이에 대한 설명으로 옳은 것은?

① 내부 방어에는 라이소자임의 분비가 해당한다.
② 비특이적 방어 작용은 병원체의 종류를 인식한 후 나타난다.
③ 피부와 점막은 비특이적 방어 작용 중 내부 방어에 해당한다.
④ 식균 작용과 염증 반응은 비특이적 방어 작용 중 외부 방어에 해당한다.
⑤ 비특이적 방어 작용은 특이적 방어 작용보다 병원체에 대해 신속하게 반응한다.

03 그림은 우리 몸의 방어 작용을 구분한 것이다.

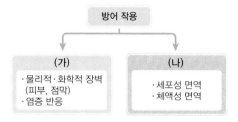

(가), (나)에 들어갈 말을 옳게 짝지은 것은?

	(가)	(나)
①	특이적 방어 작용	비특이적 방어 작용
②	비특이적 방어 작용	특이적 방어 작용
③	후천성 방어 작용	선천성 방어 작용
④	2차 방어 작용	1차 방어 작용
⑤	2차 면역 반응	1차 면역 반응

04 그림은 염증 반응이 일어나는 과정을 나타낸 것이다.

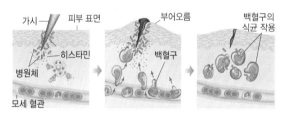

이에 대한 설명으로 옳은 것은?

① 히스타민은 병원체에서 분비된다.
② 염증 반응은 특이적 방어 작용이다.
③ 히스타민은 모세 혈관을 확장시킨다.
④ 백혈구는 병원체를 구분하여 식균 작용을 한다.
⑤ 히스타민에 의해 모세 혈관 벽의 물질 투과성이 감소한다.

05 다음은 우리 몸에서 분비되는 어떤 물질에 대한 설명이다.

- 효소의 한 종류이다.
- 세균의 세포벽을 용해하여 제거한다.
- 눈물, 콧물, 침 등에 포함되어 분비된다.

이에 해당하는 물질로 옳은 것은?

① 항체　　　　　　② 항원
③ 점막　　　　　　④ 프라이온
⑤ 라이소자임

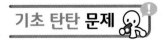
06 우리 몸의 방어 작용에 대한 설명으로 옳지 <u>않은</u> 것은?

① 항원 항체 반응은 체액성 면역이다.

② 세포성 면역은 특이적 방어 작용이다.

③ B림프구는 골수에서 생성되어 가슴샘에서 성숙한다.

④ 상처 부위의 고름은 백혈구의 사체와 세균 등이 모여 생긴 것이다.

⑤ 점액이나 침에는 세균의 세포벽을 분해하는 라이소자임이 들어 있다.

07 체액성 면역에 관여하는 세포가 <u>아닌</u> 것은?

① B림프구   ② 형질 세포

③ 기억 세포   ④ 보조 T림프구

⑤ 세포독성 T림프구

08 그림은 항체의 구조를 나타낸 것이다.

이에 대한 설명으로 옳지 <u>않은</u> 것은?

① A는 항원 결합 부위이다.

② 단백질은 항체의 구성 성분이다.

③ 항체는 A와 구조가 일치하는 특정 항원하고만 반응한다.

④ 항체는 2개의 긴 사슬과 2개의 짧은 사슬이 결합된 구조이다.

⑤ A의 구조는 항원의 종류에 따라 변형되어 여러 종류의 항원과 결합이 가능하다.

09 면역에 관여하는 T림프구와 B림프구에 대한 설명으로 옳지 <u>않은</u> 것은?

① B림프구는 골수에서 생성되고 성숙한다.

② B림프구의 도움으로 T림프구에서 항체가 생성된다.

③ T림프구는 골수에서 생성되고 가슴샘에서 성숙한다.

④ 세포독성 T림프구는 병원체에 감염된 세포를 직접 파괴한다.

⑤ B림프구가 형질 세포로 분화하여 항체를 만들어 병원체를 제거하는 과정은 체액성 면역에 해당한다.

10 그림은 체내에 병원체가 1차 침입했을 때 일어나는 방어 작용의 일부를 나타낸 것이다.

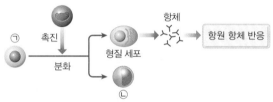

㉠과 ㉡에 해당하는 세포를 옳게 짝지은 것은?

	㉠	㉡
①	B림프구	기억 세포
②	기억 세포	B림프구
③	보조 T림프구	형질 세포
④	형질 세포	보조 T림프구
⑤	세포독성 T림프구	보조 T림프구

11 1차 면역 반응과 2차 면역 반응에 대한 설명으로 옳은 것만을 〈보기〉에서 있는 대로 고른 것은?

┤ 보기 ├

ㄱ. 염증 반응은 1차 면역 반응에 해당한다.

ㄴ. 1차 면역 반응이 일어날 때 기억 세포가 항체를 생성한다.

ㄷ. 1차 면역 반응이 일어날 때보다 2차 면역 반응이 일어날 때 항체를 더 많이 생성한다.

① ㄱ   ② ㄷ   ③ ㄱ, ㄷ

④ ㄴ, ㄷ   ⑤ ㄱ, ㄴ, ㄷ

내신 만점 **문제**

* ▪▪▪ 난이도를 나타냅니다.

01 그림은 비특이적 방어 작용 A와 특이적 방어 작용 B의 공통점과 차이점을 나타낸 것이다.
이에 대한 설명으로 옳은 것만을 〈보기〉에서 있는 대로 고른 것은?

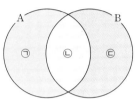

┤ 보기 ├
ㄱ. '피부와 같은 물리적 장벽이 존재한다.'는 ㉠에 해당한다.
ㄴ. '항체를 생산한다.'는 ㉡에 해당한다.
ㄷ. '특정 병원체를 제거한다.'는 ㉢에 해당한다.

① ㄱ　　　　② ㄴ　　　　③ ㄱ, ㄴ
④ ㄱ, ㄷ　　　⑤ ㄴ, ㄷ

02 그림은 골수에서 생성된 두 종류의 림프구가 성숙되는 과정을 나타낸 것이다. A와 B는 B림프구와 T림프구 중 하나이다.

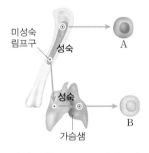

미성숙 림프구
성숙 → A
성숙 → B
가슴샘

이에 대한 설명으로 옳은 것만을 〈보기〉에서 있는 대로 고른 것은?

┤ 보기 ├
ㄱ. A는 B림프구이다.
ㄴ. A는 세포성 면역에 관여한다.
ㄷ. B는 항원이 침입하면 형질 세포로 분화된다.

① ㄱ　　　　② ㄴ　　　　③ ㄱ, ㄴ
④ ㄱ, ㄷ　　　⑤ ㄴ, ㄷ

03 그림 (가)~(다)는 체내에 항원 X가 침입했을 때 일어나는 방어 작용의 일부를 나타낸 것이다.

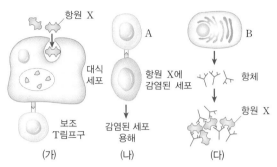

항원 X / 대식세포 / 보조 T림프구 (가)
A / 항원 X에 감염된 세포 / 감염된 세포 용해 (나)
B / 항체 / 항원 X (다)

이에 대한 설명으로 옳은 것만을 〈보기〉에서 있는 대로 고른 것은?

┤ 보기 ├
ㄱ. (가)의 대식세포는 항원 제시의 역할을 한다.
ㄴ. (나)의 A는 가슴샘에서 성숙되며 세포성 면역에 관여한다.
ㄷ. (다)의 B는 항원 X를 기억하고 있다.

① ㄱ　　　　② ㄴ　　　　③ ㄷ
④ ㄱ, ㄴ　　　⑤ ㄴ, ㄷ

 그림은 면역 작용의 일부를 나타낸 것이다.

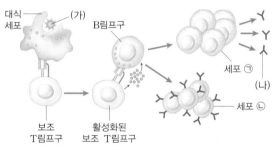

대식세포 / (가) / B림프구 / 세포 ㉠ (나) / 세포 ㉡
보조 T림프구 / 활성화된 보조 T림프구

이에 대한 설명으로 옳은 것만을 〈보기〉에서 있는 대로 고른 것은?

┤ 보기 ├
ㄱ. (가)는 항원, (나)는 항체이다.
ㄴ. 세포 ㉠은 기억 세포, 세포 ㉡은 형질 세포이다.
ㄷ. 대식세포의 작용은 비특이적 방어 작용에 해당한다.

① ㄱ　　　　② ㄷ　　　　③ ㄱ, ㄴ
④ ㄱ, ㄷ　　　⑤ ㄱ, ㄴ, ㄷ

05 그림은 항원 A의 1차 침입과 2차 침입에 따른 항체 A의 농도 변화를 나타낸 것이다.

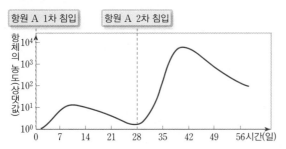

이에 대한 설명으로 옳은 것만을 〈보기〉에서 있는 대로 고른 것은?

| 보기 |

ㄱ. 항체의 농도가 증가하다가 감소하는 것은 형질 세포의 수가 감소하기 때문이다.

ㄴ. 보조 T림프구의 활동을 억제하는 약물을 투여한다면 1차 면역 반응과 2차 면역 반응이 모두 잘 일어나지 않을 것이다.

ㄷ. 항원 A의 2차 침입 시 기억 세포에서 직접 항체를 생성한다.

① ㄱ   ② ㄴ   ③ ㄱ, ㄴ
④ ㄱ, ㄷ   ⑤ ㄴ, ㄷ

06 그림은 생쥐를 이용하여 항원 X에 대한 면역 반응을 알아보는 실험을 나타낸 것이다. 생쥐 B_2는 B_1에 항원 X를 주사한 것이다.

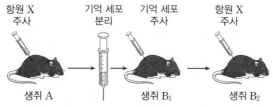

이에 대한 설명으로 옳은 것만을 〈보기〉에서 있는 대로 고른 것은? (단, 실험에 이용한 모든 생쥐는 유전적으로 동일하며, 실험 전 항원 X에 노출된 적이 없다.)

| 보기 |

ㄱ. B_1의 체내에는 항원 X에 대한 항체가 없다.

ㄴ. 항원 X에 대한 항체의 농도는 B_2가 A보다 높다.

ㄷ. A와 B_2에서 항원 X에 대한 1차 면역 반응이 일어난다.

① ㄱ   ② ㄴ   ③ ㄷ
④ ㄱ, ㄴ   ⑤ ㄴ, ㄷ

07 다음은 면역 반응에 대한 실험이다.

[실험 과정]

(가) 생쥐 A에게 항원 X를 2회에 걸쳐 주사하였다.

(나) 생쥐 A의 혈액에서 ㉠과 ㉡을 추출한 후 ㉠은 생쥐 B, ㉡은 생쥐 C에게 주사하였다. ㉠과 ㉡은 각각 X에 대한 기억 세포와 항체 중 하나이다.

(다) 일정 시간이 지난 다음 생쥐 B와 C에게 항원 X를 주사하였다.

[실험 결과]

그림은 생쥐 B와 C에서 측정한 X에 대한 항체의 농도 변화를 나타낸 것이다.

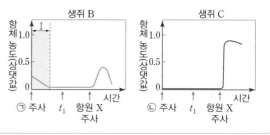

이에 대한 설명으로 옳은 것만을 〈보기〉에서 있는 대로 고른 것은? (단, 생쥐 A~C는 유전적으로 동일하며, 실험 전 항원 X에 노출된 것이 없다.)

| 보기 |

ㄱ. Ⅰ 구간에서 항원 항체 반응이 일어난다.

ㄴ. ㉠은 항체, ㉡은 기억 세포이다.

ㄷ. t_1 시기에 생쥐 C의 혈액에는 기억 세포가 존재한다.

① ㄱ   ② ㄴ   ③ ㄷ   ④ ㄱ, ㄷ   ⑤ ㄴ, ㄷ

08 그림은 우리 몸의 방어 작용을 분류한 것을 나타낸 것이다. ㉠에 대한 설명으로 옳은 것만을 〈보기〉에서 있는 대로 고른 것은?

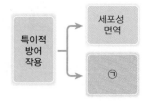

| 보기 |

ㄱ. 형질 세포가 항체를 생성하여 나타나는 반응이다.

ㄴ. T림프구가 감염된 세포를 직접 파괴하는 반응이다.

ㄷ. 항원에 감염된 후 B림프구의 일부는 기억 세포로 분화한다.

① ㄱ   ② ㄴ   ③ ㄷ   ④ ㄱ, ㄷ   ⑤ ㄴ, ㄷ

그림 (가)는 항원 X를 2회 주사한 생쥐 A로부터 림프구의 일종인 ㉠을 분리하여 생쥐 B에게 주사한 다음, 생쥐 B에게 항원 X와 Y를 주사하는 실험 과정을, (나)는 항원 X와 Y에 대한 생쥐 B의 혈중 항체 농도 변화를 나타낸 것이다.

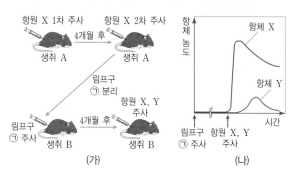

(가)   (나)

이에 대한 옳은 설명만을 〈보기〉에서 있는 대로 고른 것은? (단, 생쥐 A와 B는 항원 X와 Y에 노출된 적이 없다.)

┤ 보기 ├
ㄱ. 림프구 ㉠은 형질 세포이다.
ㄴ. 생쥐 B에 림프구 ㉠을 주사한 후 항원 X를 주사하면 생쥐 B에서 2차 면역 반응이 일어난다.
ㄷ. (나)의 항체 Y는 생쥐 B로부터 생성된 것이다.

① ㄱ　② ㄷ　③ ㄱ, ㄴ　④ ㄱ, ㄷ　⑤ ㄴ, ㄷ

10 백혈구의 일종인 호중구는 식균 작용으로 병원성 세균을 죽인다. 표는 호중구의 식균 작용에 대한 항체의 역할을 조사한 결과이다. X와 Y는 서로 다른 세균이다.

호중구 배양 시 처리된 조건		식균 작용 정도
세균의 종류	항체	
없음	없음	−
X 또는 Y	없음	+
X	항 X 항체	++++
X	항 Y 항체	+

(−: 일어나지 않음, +: 약함, ++++: 강함)

이에 대한 설명으로 옳은 것만을 〈보기〉에서 있는 대로 고른 것은?

┤ 보기 ├
ㄱ. 호중구는 세균에 대해 비특이적으로 반응한다.
ㄴ. 항체는 항원에 대해 비특이적 방어 작용을 한다.
ㄷ. 호중구는 항체의 도움을 받을 때 식균 작용을 더 활발히 할 수 있다.

① ㄱ　② ㄴ　③ ㄱ, ㄴ　④ ㄱ, ㄷ　⑤ ㄴ, ㄷ

서술형 문제

11 그림은 체내에 침입한 항원에 대한 방어 작용을 나타낸 것이다.

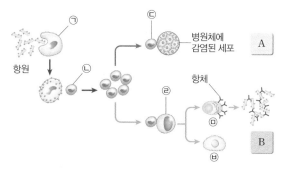

(1) A와 B는 체액성 면역과 세포성 면역 중 하나를 나타낸 것이다. A와 B는 각각 무엇인지 쓰시오.

_____

_____

(2) 체액성 면역과 세포성 면역에 관여하는 세포 ㉠~㉫은 무엇인지 쓰시오.

_____

_____

(3) 세포 ㉠~㉫ 중 비특이적 방어 작용에 관여하는 세포는 무엇인지 쓰고, 그 세포의 역할을 서술하시오.

_____

12 그림은 체내에 침입한 항원에 대한 면역 반응을 나타낸 것이다.

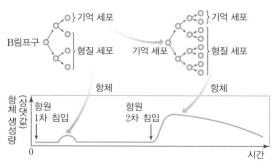

항원의 1차 침입 때보다 2차 침입 때 항체가 신속하게 다량 생성되는 까닭을 서술하시오.

_____

03 III. 항상성과 몸의 조절 | 3. 방어 작용

내 교과서는 어디에?
천재 p.106~107 동아 p.102~105 미래엔 p.111~115
비상 p.100~103 금성 p.119~121 교학사 p.106~109 지학사 p.96~99

우리 몸의 방어 작용(2)

핵심 Point
● ABO식 혈액형 판정 원리와 수혈 관계를 이해한다.
● 백신의 원리를 이해하고, 면역 관련 질환을 안다.

1 혈액의 응집 반응과 혈액형

1. **혈액의 응집 반응** 서로 다른 두 혈액이 섞일 때 적혈구가 서로 엉겨 크고 작은 혈구 덩어리가 형성되는 반응 ➡ 사람의 적혈구 세포막에는 항원으로 작용하는 응집원이 있고, 혈장에는 항체로 작용하는 응집소가 있어 나타나는 항원 항체 반응의 일종이다.

2. **ABO식 혈액형** 적혈구 세포막의 응집원에 따라 혈액형을 A형, B형, O형, AB형으로 나눈다.

① 응집원과 응집소: 응집원에는 A와 B가 있고, 응집소에는 α와 β가 있다.

구분	A형	B형	AB형	O형
응집원 (적혈구)	응집원 A	응집원 B	응집원 A 응집원 B	응집원 없음
응집소 (혈장)	응집소 β	응집소 α	없음	응집소 β 응집소 α

② 혈액형의 판정[1]: 응집원 A는 응집소 α와, 응집원 B는 응집소 β와 응집 반응이 일어난다.
 • 항 A 혈청(B형 표준 혈청): 응집소 α가 들어 있다. ➡ 항 A 혈청에 응집 반응이 일어나는 혈액에는 응집원 A가 있다.
 • 항 B 혈청(A형 표준 혈청): 응집소 β가 들어 있다. ➡ 항 B 혈청에 응집 반응이 일어나는 혈액에는 응집원 B가 있다.

구분	A형(응집원 A)	B형(응집원 B)	AB형(응집원 A, B)	O형(응집원 없음)
항 A 혈청 (응집소 α)	A α 응집○	B α 응집✕	A α B 응집○	α 응집✕
항 B 혈청 (응집소 β)	A β 응집✕	B β 응집○	B β A 응집○	β 응집✕

③ **ABO식 혈액형의 수혈 관계[2]**: 같은 혈액형끼리는 수혈 가능하며, O형은 응집원이 없어 모든 혈액형에게 소량 수혈 가능하고, AB형은 응집소가 없어 모든 혈액형으로부터 소량 수혈받을 수 있다.

3. **Rh식 혈액형** 적혈구 세포막에 Rh 응집원이 있으면 Rh^+형, 없으면 Rh^-형으로 구분한다.

① 응집원과 응집소

혈액형	Rh^+형	Rh^-형
응집원(적혈구)	있음	없음
응집소(혈장, 혈청)	없음	Rh 응집원에 노출 시 생성

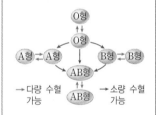
항 Rh 혈청 / 항 Rh 혈청
Rh^+형 + / Rh^-형 −

② 혈액형의 판정: Rh 응집소가 있는 항 Rh 혈청에 혈액을 떨어뜨렸을 때 응집 반응이 일어나면 Rh^+형, 응집 반응이 일어나지 않으면 Rh^-형이다.

---

❶ ABO식 혈액형의 판정

혈액형	응집 반응
A형	항 A 혈청에만 응집
B형	항 B 혈청에만 응집
AB형	두 혈청에 모두 응집
O형	모두 응집하지 않음

❷ 수혈 관계

같은 혈액형끼리 수혈하는 것이 원칙이며, 혈액을 주는 사람의 응집원과 혈액을 받는 사람의 응집소가 응집 반응하는 경우가 아니면 다른 혈액형끼리 소량 수혈이 가능하다.

O형
O형
A형 ⇄ A형   B형 ⇄ B형
AB형
→다량 수혈 가능   AB형   →소량 수혈 가능

강의 콕

혈액의 응집 반응 결과를 제시하여 혈액 속에 들어 있는 응집원과 응집소를 파악하는 문제가 자주 출제된다.

─── 용어 ───

▶ 응집(엉길 凝, 모을 集): 적혈구가 한데 모여 엉기는 현상으로 항원 항체 반응의 일종이다.

Rh식 혈액형의 판정 ❸

Rh 응집원이 있는 붉은털원숭이의 혈액을 토끼에게 주사해 항 Rh 혈청을 얻은 다음, 이에 대한 응집 여부를 확인해 Rh식 혈액형을 판정한다.

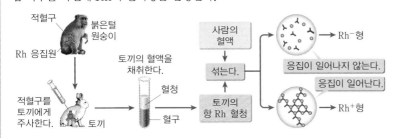

혈액을 액체 성분인 혈청(혈장)과 고체 성분인 혈구로 분리했을 때 혈청에는 항체 성분이, 혈구에는 기억 세포를 비롯한 세포가 들어 있다.

---

❸ Rh식 혈액형과 응집소

Rh⁺형의 적혈구에 노출되기 전에는 Rh⁻형 사람의 체내에는 Rh 응집소가 없다. Rh⁻형이 Rh⁺형의 혈액을 수혈받으면 2~4개월 후에 Rh 응집원에 대한 응집소가 생겨, 다시 Rh⁺형 혈액을 수혈받을 경우 응집 반응이 일어나 생명이 위험해진다. 따라서 Rh⁺형은 Rh⁻형에서 수혈받을 수 있지만 Rh⁻형은 Rh⁺형에서 수혈받을 수 없다.

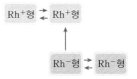

---

2 백신과 면역 관련 질환

1. **백신** 죽인 병원체나 병원체의 일부 조각, 또는 독성을 약화시킨 병원체 ➡ 감염성 질병을 예방하기 위해 만든다. ❹

2. **백신의 원리** 병에 걸리기 전에 인위적으로 백신을 투여하면 체내에서 1차 면역 반응이 일어나 항원의 특성을 기억하는 기억 세포가 형성된다. ➡ 실제 병원체가 들어왔을 때 2차 면역 반응에 의해 빠르게 병원체를 제거하여 질병에 걸리지 않게 한다.

3. **면역 관련 질환** 면역 체계에 이상이 생기면 심각한 질환이 발생한다.

알레르기	• 외부로부터 들어온 항원에 대항하는 과정에서 인체에 유해한 과민 반응이 일어나 발생하는 질환

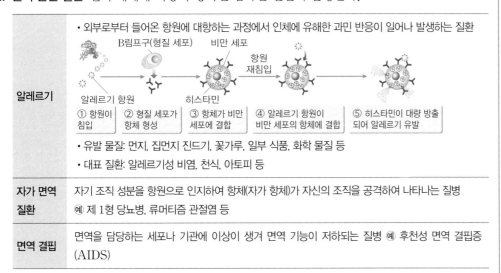

① 항원이 침입 ② 형질 세포가 항체 형성 ③ 항체가 비만 세포에 결합 ④ 알레르기 항원이 비만 세포의 항체에 결합 ⑤ 히스타민이 대량 방출되어 알레르기 유발

	• 유발 물질: 먼지, 집먼지 진드기, 꽃가루, 일부 식품, 화학 물질 등 • 대표 질환: 알레르기성 비염, 천식, 아토피 등
자가 면역 질환	자기 조직 성분을 항원으로 인지하여 항체(자가 항체)가 자신의 조직을 공격하여 나타나는 질병 예) 제1형 당뇨병, 류머티즘 관절염 등
면역 결핍	면역을 담당하는 세포나 기관에 이상이 생겨 면역 기능이 저하되는 질병 예) 후천성 면역 결핍증 (AIDS)

---

❹ 백신과 면역 혈청

다른 동물에게 병원체를 주사하여 항체를 생성시켜 항체가 포함된 혈청을 채취한 것을 면역 혈청이라고 한다. 면역 혈청은 항원을 제거하는 치료제 역할을 한다.

백신	면역 혈청
항원 주사	항체 주사
주사 후 기억 세포 형성	기억 세포 형성되지 않음

HIV(사람 면역 결핍 바이러스)의 감염(후천성 면역 결핍증 – AIDS)

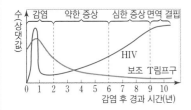

• HIV는 보조 T림프구를 공격해 파괴한다.
• 감염 초기에는 비특이적 방어 작용에 의해 HIV의 수가 급격히 감소한다.
• 시간이 지날수록 보조 T림프구가 파괴되어 특이적 방어 작용이 일어나지 않아 HIV의 수가 증가한다.

용어

▶ **혈청(피 血, 맑을 淸):** 혈액의 액체 성분인 혈장에서 혈액 응고와 관련된 성분을 제거한 맑은 액체 물질로 항체를 포함한다.
▶ **백신:** 독성이 제거되거나 약화된 항원으로, 질병에 걸리는 것을 예방하기 위해 이용한다.

개념 확인하기

1 항 A 혈청에는 응집소 α가, 항 B 혈청에는 응집소 β가 존재한다. (○ , ×)

2 A형인 사람은 적혈구 세포막에 응집원 A를 가지고, 혈장에 응집소 β를 가진다. (○ , ×)

답 1. ○ 2. ×

▶ 응집 반응 결과를 보고 혈액형을 판정할 수 있다.

혈액형 판정하기

＊혈액형 판정 과정

❶ 받침 유리에 항 A 혈청, 항 B 혈청, 항 Rh 혈청을 각각 한 방울씩 떨어뜨린다.

❷ 소독용 솜을 이용해 손가락 끝 부분을 닦고 채혈침을 이용해 피를 낸다.

❸ 받침 유리의 혈청 위에 혈액을 각각 한 방울씩 떨어뜨린다.

❹ 이쑤시개로 잘 섞어 준 다음 응집 여부를 확인한다.

＊＊ 혈액형 판정 결과　　　　　　　　(＋: 응집됨, －: 응집 안 됨)

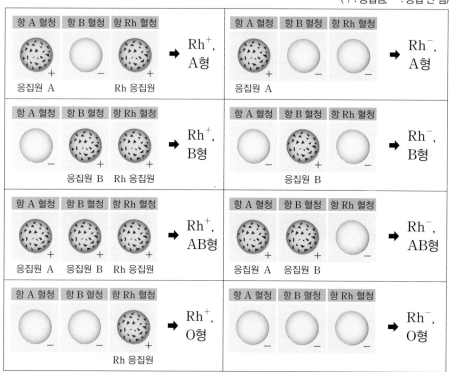

❶ 채혈 전 소독을 꼭 하고, 채혈침을 주의하여 사용해야 한다.

❷ 이쑤시개로 혈액과 혈청을 섞을 때 이쑤시개를 혈청에 따라 각각 따로 사용해야 한다.

❶ 항 A 혈청과 항 B 혈청에는 어떤 종류의 응집소가 들어 있는가?
▶ 항 A 혈청: 응집소 α
　항 B 혈청: 응집소 β

❷ 모든 혈액형에 소량 수혈할 수 있는 ABO식 혈액형은 어떤 혈액형인가?
▶ O형

❸ 모든 혈액형으로부터 소량 수혈받을 수 있는 혈액형은 무엇인가?
▶ AB형

---

1 그림은 학생 X의 혈액형 판정 실험 결과이다.

항 A 혈청	항 B 혈청	항 Rh 혈청

＋: 응집됨
－: 응집 안 됨

학생 X가 소량 수혈해 줄 수 있는 혈액형은?

① O형, Rh⁺형　　② O형, Rh⁻형

③ B형, Rh⁺형　　④ B형, Rh⁻형

⑤ AB형, Rh⁻형

| 해설 | 학생 X는 A형이므로 응집소 α가 없는 AB형에게 소량 수혈이 가능하고 Rh⁻형이므로 같은 Rh⁻형에게 수혈이 가능하다.
답 ⑤

2 표는 (가)~(라) 네 사람의 혈액형 판정 실험 결과를 나타낸 것이다. (가)~(라) 모두 한 번도 수혈받은 적이 없다.

검사 대상	(가)	(나)	(다)	(라)
항 A 혈청	응집 ○	응집 ×	응집 ×	응집 ○
항 B 혈청	응집 ×	응집 ○	응집 ×	응집 ○
항 Rh 혈청	응집 ○	응집 ○	응집 ○	응집 ×

(가)~(라)의 혈액형을 각각 쓰시오.

(가):　　　　(나):　　　　(다):　　　　(라):

답 (가) Rh⁺ A형, (나) Rh⁺ B형, (다) Rh⁺ O형, (라) Rh⁻ AB형

기초 탄탄 문제

정답과 해설 32쪽

핵심용어_ 이 단원에서 내가 아는 것과 아직 모르는 것을 정리하며 나의 공부를 돌아보자.

□ 응집원   □ 응집소
□ ABO식 혈액형   □ 백신
□ 알레르기   □ 후천성 면역 결핍증

01 그림 (가)는 철수의 혈액형 판정 실험 결과를, (나)는 영희의 혈액형 판정 실험 결과를 나타낸 것이다.

항 A 혈청   항 B 혈청   항 Rh 혈청

(가)
　　　　+　　　　+　　　　−

항 A 혈청   항 B 혈청   항 Rh 혈청

(나)
　　　　−　　　　−　　　　+

+: 응집됨
−: 응집 안 됨

철수와 영희의 혈액형은 무엇인가?

	철수	영희
①	AB형, Rh⁻형	O형, Rh⁺형
②	AB형, Rh⁺형	O형, Rh⁺형
③	AB형, Rh⁻형	O형, Rh⁻형
④	O형, Rh⁻형	AB형, Rh⁺형
⑤	O형, Rh⁺형	AB형, Rh⁻형

02 항 A 혈청과 항 B 혈청에 들어 있는 응집소를 옳게 묶은 것은?

구분	①	②	③	④	⑤
항 A 혈청	α	β	α	β	α, β
항 B 혈청	β	α	α, β	α, β	β

03 ABO식 혈액형 중에서 소량 수혈이 필요한 AB형에게 수혈이 가능한 혈액형을 〈보기〉에서 있는 대로 고른 것은? (단, ABO식 혈액형의 수혈 관계만 고려한다.)

┤ 보기 ├
ㄱ. A형　ㄴ. B형　ㄷ. AB형　ㄹ. O형

① ㄱ, ㄴ　　　　② ㄴ, ㄷ
③ ㄱ, ㄴ, ㄷ　　④ ㄴ, ㄷ, ㄹ
⑤ ㄱ, ㄴ, ㄷ, ㄹ

04 다음은 어느 학급 학생 30명을 대상으로 ABO식 혈액형을 조사한 결과이다.

・항 A 혈청에 응집한 학생: 14명
・항 B 혈청에 응집한 학생: 13명
・두 혈청에 모두 응집한 학생: 4명

혈장에 응집소 α와 β를 모두 갖고 있는 학생은 몇 명인가?

① 4명　② 7명　③ 9명　④ 10명　⑤ 12명

05 백신에 대한 설명으로 옳은 것만을 〈보기〉에서 있는 대로 고른 것은?

┤ 보기 ├
ㄱ. 백신은 인공적으로 만든 항체이다.
ㄴ. 백신을 이용하여 질병을 예방할 수 있다.
ㄷ. 독감에 대한 백신 주사를 미리 접종한 사람의 체내에 독감 바이러스에 대한 기억 세포가 형성된다.

① ㄱ　　　　② ㄴ　　　　③ ㄱ, ㄷ
④ ㄴ, ㄷ　　⑤ ㄱ, ㄴ, ㄷ

06 면역 관련 질병에 대한 설명으로 옳은 것은?

① 류머티즘 관절염은 알레르기 질환이다.
② 알레르기 반응은 항원이 처음 체내에 들어왔을 때 일어난다.
③ 알레르기는 면역계가 과민하게 반응하여 불필요한 면역 반응을 나타내는 현상이다.
④ 면역계가 자기 몸을 구성하는 조직을 공격하는 질환을 후천성 면역 결핍증이라고 한다.
⑤ 사람 면역 결핍 바이러스(HIV)는 체내에 침입하여 B림프구를 파괴하여 면역 능력을 상실하게 한다.

내신 만점 문제

정답과 해설 33쪽   * ▮▮▮ 난이도를 나타냅니다.

 그림은 사람 X의 혈액형 판정 실험 결과를 나타낸 것이다.

항 A 혈청   항 B 혈청   항 Rh 혈청

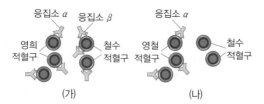

(+ : 응집됨 − : 응집 안 됨)

이에 대한 설명으로 옳은 것만을 〈보기〉에서 있는 대로 고른 것은? (단, X는 이전에 한 번도 수혈받은 적이 없다.)

┤ 보기 ├
ㄱ. X의 적혈구에는 응집원 A가 있다.
ㄴ. X는 AB형이면서 Rh⁻형인 사람에게 소량 수혈 받을 수 있다.
ㄷ. X의 혈액에는 Rh 응집소가 없다.

① ㄱ   ② ㄴ   ③ ㄷ   ④ ㄱ, ㄷ   ⑤ ㄴ, ㄷ

02 그림 (가)는 B형인 철수의 혈액을 영희의 혈액과 섞었을 때, (나)는 철수의 혈액을 영철이의 혈액과 섞었을 때의 모습을 응집원을 제외하고 나타낸 것이다.

응집소 α 응집소 β   응집소 α

영희   철수   영철   철수
적혈구   적혈구 적혈구   적혈구

(가)   (나)

이에 대한 설명으로 옳은 것만을 〈보기〉에서 있는 대로 고른 것은? (단, ABO식 혈액형에 대한 응집 반응만 고려한다.)

┤ 보기 ├
ㄱ. 영희의 혈액형은 A형이다.
ㄴ. 영철이는 철수에게 소량 수혈해 줄 수 있다.
ㄷ. 영철이의 혈액에는 응집원 A와 B가 모두 있다.

① ㄱ   ② ㄱ, ㄴ   ③ ㄱ, ㄷ
④ ㄴ, ㄷ   ⑤ ㄱ, ㄴ, ㄷ

 다음은 철수 아버지와 어머니의 혈액형 판정 실험 결과이다.

항 A 혈청	항 B 혈청	항 A 혈청	항 B 혈청

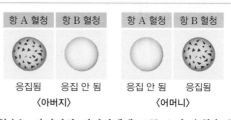

응집됨   응집 안 됨   응집 안 됨   응집됨
〈아버지〉   〈어머니〉

철수는 아버지와 어머니에게 모두 소량 수혈을 할 수 있다.

이에 대한 설명으로 옳은 것만을 〈보기〉에서 있는 대로 고른 것은? (단, 돌연변이와 Rh식 혈액형은 고려하지 않는다.)

┤ 보기 ├
ㄱ. 철수의 혈청과 어머니의 적혈구를 섞으면 응집이 일어난다.
ㄴ. 아버지는 B형인 사람에게 수혈할 수 있다.
ㄷ. 아버지와 어머니로부터 태어날 수 있는 자손의 혈액형은 총 3가지이다.

① ㄱ   ② ㄴ   ③ ㄷ
④ ㄱ, ㄴ   ⑤ ㄱ, ㄷ

04 그림은 세 가지 혈액형 ㉠~㉢을 분류하는 과정을 나타낸 것이다. ㉠~㉢의 ABO식 혈액형은 각각 B형, O형, AB형 중 하나이다.

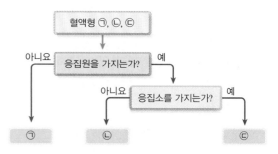

이에 대한 설명으로 옳은 것만을 〈보기〉에서 있는 대로 고른 것은? (단, ABO식 혈액형만을 고려한다.)

┤ 보기 ├
ㄱ. ㉠은 AB형이다.
ㄴ. 혈액형이 ㉡인 사람과 ㉢인 사람은 ㉠인 사람으로부터 소량 수혈받을 수 있다.
ㄷ. ㉢인 사람은 응집소 β를 가진다.

① ㄱ   ② ㄴ   ③ ㄷ
④ ㄱ, ㄷ   ⑤ ㄴ, ㄷ

05 표는 200명의 학생으로 구성된 집단을 대상으로 ABO식 혈액형에 대한 응집원 ㉠과 응집소 ㉡의 유무를 조사한 것이다. 이 집단에는 A형, B형, AB형, O형이 모두 있다.

구분	사람 수(명)
응집원 ㉠이 있는 사람	83
응집소 ㉡이 있는 사람	105
응집원 ㉠과 응집소 ㉡이 모두 있는 사람	48

이 집단에서 ABO식 혈액형이 AB형인 사람과 O형인 사람의 수를 더한 값은?

① 188 ② 153 ③ 131 ④ 92 ⑤ 57

06 그림은 ABO식 혈액형이 A형인 영희의 혈액을 철수의 혈액과 섞었을 때의 응집 반응 결과를, 표는 철수의 혈액을 혈구와 혈장으로 분리하여 학생 100명의 혈액과 반응시킨 결과를 나타낸 것이다.

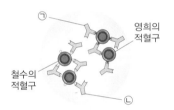

ABO식 혈액형	철수의 혈액		인원 (명)
	혈구	혈장	
(가)	+	−	21
(나)	−	+	18
(다)	+	+	32
(라)	−	−	29

(+: 응집됨, −: 응집 안 됨)

이에 대한 설명으로 옳은 것만을 〈보기〉에서 있는 대로 고른 것은? (단, ABO식 혈액형에 대한 응집 반응만 고려한다.)

┤ 보기 ├
ㄱ. ㉠을 가지는 학생은 50명이다.
ㄴ. AB형인 학생이 O형인 학생보다 많다.
ㄷ. 영희와 (다)의 ABO식 혈액형은 같다.

① ㄱ ② ㄱ, ㄴ ③ ㄱ, ㄷ
④ ㄴ, ㄷ ⑤ ㄱ, ㄴ, ㄷ

07 그림 (가)는 사람 X의 혈액형 판정 실험 결과를, (나)는 이 사람의 혈액을 채취하여 항응고제를 처리한 후 원심 분리한 결과를 나타낸 것이다.

이에 대한 설명으로 옳은 것만을 〈보기〉에서 있는 대로 고른 것은?

┤ 보기 ├
ㄱ. 사람 X의 ABO식 혈액형은 O형이다.
ㄴ. ㉠에 응집소 α와 β가 들어 있다.
ㄷ. ㉡과 O형의 혈액을 섞으면 응집 반응이 일어난다.

① ㄱ ② ㄴ ③ ㄷ
④ ㄱ, ㄷ ⑤ ㄴ, ㄷ

08 사람의 Rh식 혈액형은 붉은털원숭이의 혈액을 이용해 판정한다. 그림은 A, B 두 사람의 Rh식 혈액형을 조사하기 위해서 혈청을 만드는 과정을 나타낸 것이다. A와 B는 이전에 한 번도 수혈받은 적이 없다.

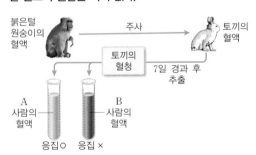

이에 대한 설명으로 옳은 것만을 〈보기〉에서 있는 대로 고른 것은?

┤ 보기 ├
ㄱ. A는 Rh⁺형, B는 Rh⁻형이다.
ㄴ. B의 혈액에는 Rh 응집원이 존재하지 않는다.
ㄷ. 토끼의 혈청과 붉은털원숭이의 혈청을 섞으면 응집 반응이 일어난다.

① ㄱ ② ㄴ ③ ㄱ, ㄴ
④ ㄴ, ㄷ ⑤ ㄱ, ㄴ, ㄷ

09 꽃가루는 많은 사람에게 알레르기를 일으킨다. 그림 (가)는 어떤 사람이 꽃가루에 처음 노출되었을 때, (나)는 동일한 꽃가루에 다시 노출되었을 때 일어나는 반응을 나타낸 것이다.

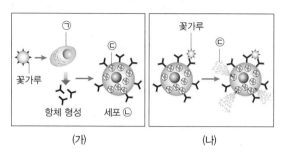

이에 대한 설명으로 옳은 것만을 〈보기〉에서 있는 대로 고른 것은?

│ 보기 │
ㄱ. 세포 ㉠은 형질 세포이다.
ㄴ. 항체는 세포 ㉡을 항원으로 인식한다.
ㄷ. ㉢은 히스타민으로, 과다 분비되면 알레르기 증상이 나타난다.

① ㄱ   ② ㄷ   ③ ㄱ, ㄷ
④ ㄴ, ㄷ   ⑤ ㄱ, ㄴ, ㄷ

10 그림은 사람 면역 결핍 바이러스(HIV)에 감염되었을 때 시간에 따른 사람의 혈액에 있는 HIV 수, HIV 항체 농도, 보조 T림프구 수 변화를 나타낸 것이다. (가)와 (나)는 각각 보조 T림프구와 HIV 항체 중 하나이다.

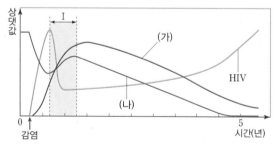

이에 대한 설명으로 옳은 것만을 〈보기〉에서 있는 대로 고른 것은?

│ 보기 │
ㄱ. (가)는 HIV 항체, (나)는 보조 T림프구이다.
ㄴ. 구간 I에서 HIV의 수가 감소하는 것은 항원 항체 반응이 일어나기 때문이다.
ㄷ. HIV에 감염되면 점차 면역력이 감소할 것이다.

① ㄱ   ② ㄴ   ③ ㄱ, ㄴ
④ ㄴ, ㄷ   ⑤ ㄱ, ㄴ, ㄷ

서술형 문제

11 그림은 철수의 혈액 응집 반응 결과를 나타낸 것이고, 표는 100명의 학생으로 구성된 집단을 대상으로 ABO식 혈액형에 대한 응집원 ㉠과 응집소 ㉡의 유무를 조사한 것이다. 이 집단에는 철수가 포함되지 않으며, A형, B형, AB형, O형이 모두 있다.

항 A 혈청	항 B 혈청
응집 안 됨	응집 안 됨

구분	사람 수(명)
응집원 ㉠이 있는 사람	38
응집소 ㉡이 있는 사람	55
응집원 ㉠과 응집소 ㉡이 모두 있는 사람	27

철수의 ABO식 혈액형을 그렇게 판단한 까닭과 함께 서술하고, 이 집단에서 ABO식 혈액형이 철수와 같은 사람의 수를 쓰시오.

_____

_____

12 표는 철수네 가족 사이의 ABO식 혈액형에 대한 혈액 응집 반응 결과를 나타낸 것이다. 철수의 혈장에는 ABO식 혈액형에 대한 한 가지의 응집소만 있다.

구분	아버지의 적혈구	어머니의 적혈구	철수의 적혈구
아버지의 혈장	−	+	㉠
어머니의 혈장	㉡	−	−
철수의 혈장	+	+	−

(+: 응집됨, −: 응집 안 됨)

(1) 어머니의 혈액형은 무엇인지 쓰고, 그렇게 판단한 까닭을 서술하시오.

_____

_____

(2) ㉠과 ㉡은 무엇인지 +와 −로 쓰시오.

_____

_____

1. 세균과 바이러스

구분	세균	바이러스
구조	• 핵을 가지고 있지 않은 단세포 원핵생물로, 세포벽으로 둘러싸여 있다. • 유전 물질로 하나의 큰 DNA가 세포질에 퍼져 있다. 	• 세균보다 크기가 작으며, 세포 구조가 아니다. • DNA, RNA 같은 핵산과 이를 둘러싼 단백질 껍질로 구성된다.
특징	하나의 독립된 세포로서 DNA와 RNA 및 효소가 있어 스스로 물질대사를 한다.	세포 밖에서는 단백질 결정으로 존재하며, 숙주 세포에 침입했을 때 숙주 세포의 물질대사 체계를 이용하여 증식한다.

2. 비특이적 방어 작용과 특이적 방어 작용

구분	비특이적 방어 작용	특이적 방어 작용
뜻	병원체의 종류를 가리지 않고 반응하는 방어 작용이다. ➡ 이전의 감염 여부에 관계없이 일어나는 선천적인 방어 작용이다.	병원체의 종류를 인식하고, 그에 따라 반응하는 방어 작용이다. ➡ 병원체 감염 후에 나타나는 후천적인 방어 작용이다.
종류	피부의 방어막, 상피 세포의 점막, 백혈구의 식균 작용, 염증 반응 등	세포성 면역, 체액성 면역

3. 염증 반응

상처를 통해 세균이 들어오면 비만 세포가 히스타민을 분비한다. → 모세 혈관이 확장되고 혈관의 투과성이 증가하여 백혈구가 상처 부위로 → 백혈구들이 식균 작용으로 세균을 제거한다.(백혈구와 세균의 사체 등으로 고름 생성)

4. 세포성 면역과 체액성 면역

세포성 면역	항원을 인식해 활성화된 보조 T림프구가 세포독성 T림프구를 활성화시키고, 활성화된 세포독성 T림프구가 병원체에 감염된 세포를 직접 파괴한다.
체액성 면역	보조 T림프구에 의해 활성화된 B림프구가 형질 세포와 기억 세포로 분화하고, 형질 세포가 항체를 분비하여 항원 항체 반응을 일으킨다.

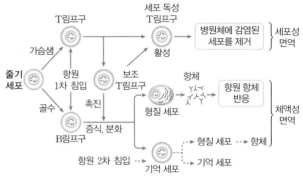

5. 1차 면역 반응과 2차 면역 반응

1차 면역 반응	항원의 최초 침입 시 대식세포와 T림프구의 도움으로 B림프구가 형질 세포와 기억 세포로 분화하고, 형질 세포가 항체를 분비하는 과정 ➡ 최초로 항체를 생성하기까지 시간이 걸리며, 항체의 양도 많지 않다.
2차 면역 반응	동일한 항원이 재침입할 때 1차 면역 반응에서 생성된 기억 세포가 빠르게 형질 세포로 분화하여 대량의 항체를 생성하는 과정 ➡ 항원이 빠르게 제거된다.

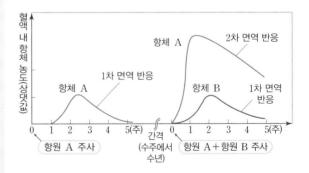

6. 혈액의 응집 반응

혈액형이 다른 두 사람의 혈액을 섞었을 때 적혈구끼리 서로 엉겨 크고 작은 혈구 덩어리가 형성되는 현상을 응집 반응이라고 하며, 이는 항원 항체 반응의 일종이다.

구분	ABO식 혈액형				Rh식 혈액형	
	A형	B형	O형	AB형	Rh⁺형	Rh⁻형
응집원	A	B	없음	A, B	있음	없음
응집소	β	α	α, β	없음	없음	Rh 응집원에 노출 시 생성

01 그림은 병원체의 한 종류인 세균을 나타낸 것이다.

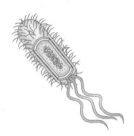

이에 대한 설명으로 옳은 것만을 〈보기〉에서 있는 대로 고른 것은?

┤ 보기 ├
ㄱ. 세포벽을 가지고 있다.
ㄴ. 핵이 있는 단세포 생물이다.
ㄷ. 항생제를 사용해 제거할 수 있다.

① ㄱ   ② ㄴ   ③ ㄱ, ㄴ
④ ㄱ, ㄷ   ⑤ ㄱ, ㄴ, ㄷ

02 그림은 사람의 6가지 질병을 (가), (나), (다)로 구분하여 나타낸 것이다.

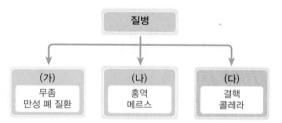

이에 대한 설명으로 옳은 것만을 〈보기〉에서 있는 대로 고른 것은?

┤ 보기 ├
ㄱ. (가)는 핵이 없는 병원체에 의한 것이다.
ㄴ. (나)의 병원체는 핵산의 종류에 따라 구분할 수 있다.
ㄷ. (다)는 전염되지 않는 질병이다.

① ㄱ   ② ㄴ   ③ ㄷ
④ ㄱ, ㄴ   ⑤ ㄴ, ㄷ

| 서술형 |

03 다음은 병원체의 종류를 나타낸 것이다.

세균, 바이러스, 원생생물, 곰팡이

(1) 독감의 원인이 되는 병원체가 무엇인지 쓰고, 그 병원체의 특징을 한 가지 서술하시오.

(2) 항생제를 사용하여 제거할 수 있는 병원체는 무엇인지 쓰고, 그 병원체의 특징을 한 가지 서술하시오.

(3) 무좀의 원인이 되는 병원체가 무엇인지 쓰고, 그 병원체의 특징을 한 가지 서술하시오.

04 표는 우리 몸에서 일어나는 두 가지 방어 작용을 나타낸 것이다.

(가)	피부, 눈물, 기관지 내의 점막
(나)	식균 작용, 염증 반응

이에 대한 설명으로 옳은 것만을 〈보기〉에서 있는 대로 고른 것은?

┤ 보기 ├
ㄱ. (가)는 우리 몸 표면의 방어벽이다.
ㄴ. (나)는 특이적 방어 작용이다.
ㄷ. 눈물과 점막의 분비액에는 라이소자임이 있어 세균의 감염을 막는다.

① ㄱ   ② ㄱ, ㄴ   ③ ㄱ, ㄷ
④ ㄴ, ㄷ   ⑤ ㄱ, ㄴ, ㄷ

05 그림 (가)는 어떤 사람이 세균 X에 감염되었을 때 일어나는 방어 작용을, (나)는 이 사람이 세균 X와는 다른 병원체에 감염되었을 때 일어나는 방어 작용 중 일부를 나타낸 것이다.

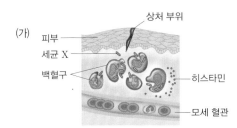

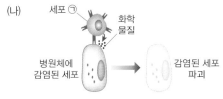

이에 대한 설명으로 옳은 것만을 〈보기〉에서 있는 대로 고른 것은?

┤ 보기 ├
ㄱ. (가)에서 일어나는 식균 작용은 비특이적 방어 작용이다.
ㄴ. (나)는 체액성 면역이다.
ㄷ. 세포 ㉠은 세포독성 T림프구이다.

① ㄱ   ② ㄴ   ③ ㄷ
④ ㄱ, ㄴ   ⑤ ㄱ, ㄷ

06 그림은 항원 항체 반응을 나타낸 것이다. ㉠과 ㉡은 각각 항체와 항원 중 하나이다.
이에 대한 설명으로 옳은 것만을 〈보기〉에서 있는 대로 고른 것은?

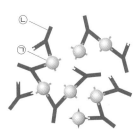

┤ 보기 ├
ㄱ. ㉠은 항원, ㉡은 항체이다.
ㄴ. 병원체만 체내에서 항원으로 작용한다.
ㄷ. 항체는 항원 결합 부위와 맞는 특정 항원에만 결합한다.

① ㄱ   ② ㄱ, ㄴ   ③ ㄱ, ㄷ
④ ㄴ, ㄷ   ⑤ ㄱ, ㄴ, ㄷ

07 그림은 체액성 면역 A와 세포성 면역 B의 공통점과 차이점을 모식적으로 나타낸 것이다.

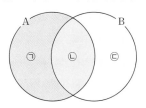

이에 대한 설명으로 옳은 것만을 〈보기〉에서 있는 대로 고른 것은?

┤ 보기 ├
ㄱ. '형질 세포가 기억 세포로 분화한다'는 ㉠에 해당한다.
ㄴ. '특이적 방어 작용이다'는 ㉡에 해당한다.
ㄷ. '보조 T림프구가 관여한다'는 ㉢에 해당한다.

① ㄱ   ② ㄴ   ③ ㄱ, ㄴ
④ ㄱ, ㄷ   ⑤ ㄴ, ㄷ

08 그림은 우리 몸 내부에서 일어나는 방어 작용의 일부를 나타낸 것이다.

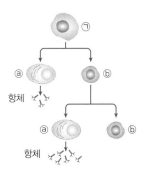

이에 대한 설명으로 옳은 것만을 〈보기〉에서 있는 대로 고른 것은?

┤ 보기 ├
ㄱ. ㉠은 가슴샘에서 생성된 세포이다.
ㄴ. ⓐ는 기억 세포이다.
ㄷ. ⓑ의 증식 및 분화로 2차 면역 반응이 일어난다.

① ㄱ   ② ㄴ   ③ ㄷ
④ ㄱ, ㄴ   ⑤ ㄱ, ㄷ

09 그림 (가)~(라)는 체내에 항원 A가 1차 침입할 때 일어나는 방어 작용의 일부를 순서 없이 나타낸 것이다. 세포 ㉠~㉢은 각각 B림프구, 보조 T림프구, 대식세포 중 하나이다.

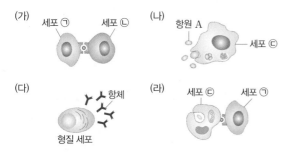

이에 대한 설명으로 옳은 것은?

① 세포 ㉠은 대식세포이다.
② 세포 ㉡은 보조 T림프구이다.
③ 세포 ㉠과 ㉡은 골수에서 생성된다.
④ 세포 ㉢은 히스타민을 분비한다.
⑤ 방어 작용은 (가) → (라) → (나) → (다)의 순으로 일어난다.

10 그림은 항원 X가 인체에 침입했을 때 X에 대한 항체의 혈중 농도를 시간에 따라 나타낸 것이다.

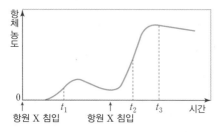

이에 대한 설명으로 옳은 것만을 〈보기〉에서 있는 대로 고른 것은?

┃ 보기 ┃
ㄱ. 이 사람은 과거에 항원 X에 노출된 적이 있다.
ㄴ. t_1일 때보다 t_2일 때 형질 세포가 더 많이 존재한다.
ㄷ. t_3에서 항체 농도가 감소하는 것은 기억 세포의 수가 감소하기 때문이다.

① ㄱ　　　　② ㄴ　　　　③ ㄱ, ㄴ
④ ㄱ, ㄷ　　　⑤ ㄴ, ㄷ

| 서술형 |

11 그림은 토끼에서 일어나는 방어 작용을 알아보기 위한 실험을 나타낸 것이다. X에는 항원을 제거하는 단백질 성분이 포함되어 있다. X는 ㉠과 ㉡ 중 하나이다. (단, 세균 A는 토끼에 감염 시 치사에 이르게 하는 병원체이다.)

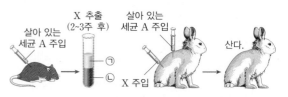

⑴ X는 ㉠과 ㉡ 중 어떤 것에 해당하는지 쓰시오.

⑵ 살아 있는 세균 A를 주입한 토끼가 죽지 않은 까닭을 서술하시오.

12 그림은 철수, 영희, 영수의 ABO식 혈액형 판정 실험 결과를 나타낸 것이다.

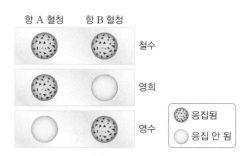

이에 대한 설명으로 옳은 것만을 〈보기〉에서 있는 대로 고른 것은?

┃ 보기 ┃
ㄱ. 철수와 영희의 혈액을 섞으면 응집 반응이 일어난다.
ㄴ. 영희는 A형이다.
ㄷ. 영수는 철수에게 소량 수혈해 줄 수 있다.

① ㄱ　　　　② ㄱ, ㄴ　　　③ ㄱ, ㄷ
④ ㄴ, ㄷ　　　⑤ ㄱ, ㄴ, ㄷ

13 그림은 항 Rh 혈청을 만들고, 이 혈청을 이용하여 철수의 Rh식 혈액형을 판정하는 과정을 나타낸 것이다.

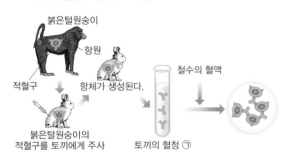

이에 대한 설명으로 옳은 것만을 〈보기〉에서 있는 대로 고른 것은?

┤ 보기 ├
ㄱ. 철수는 Rh^+형이다.
ㄴ. 토끼에게 Rh 응집원이 존재한다.
ㄷ. 붉은털원숭이의 혈액과 토끼의 혈청 ㉠을 섞으면 응집 반응이 일어난다.

① ㄱ 　　② ㄴ 　　③ ㄱ, ㄴ
④ ㄱ, ㄷ 　　⑤ ㄴ, ㄷ

| 서술형 |

14 그림은 철수의 혈액을 항 A 혈청과 항 B 혈청에 각각 섞었을 때 일어나는 응집원과 응집소의 반응을 나타낸 것이다.

구분	항 A 혈청	항 B 혈청
응집원과 응집소의 반응	㉠	㉡

㉠과 ㉡은 각각 어떤 응집소인지 쓰고, 철수의 ABO식 혈액형을 쓰시오.

_____

15 그림은 사람 면역 결핍 바이러스(HIV)에 감염된 후 체내의 T림프구와 HIV 항체의 농도 변화를 나타낸 것이다.

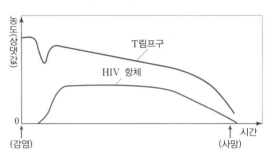

이에 대한 설명으로 옳은 것만을 〈보기〉에서 있는 대로 고른 것은?

┤ 보기 ├
ㄱ. HIV는 T림프구를 파괴한다.
ㄴ. 감염 기간이 길어지면 T림프구의 농도가 낮아져 면역력이 감소한다.
ㄷ. HIV에 감염되면 체액성 면역이 전혀 일어나지 않는다.

① ㄱ 　　② ㄱ, ㄴ 　　③ ㄱ, ㄷ
④ ㄴ, ㄷ 　　⑤ ㄱ, ㄴ, ㄷ

| 서술형 |

16 그림은 꽃가루에 의해 면역 질환이 나타나는 과정을 나타낸 것이다.

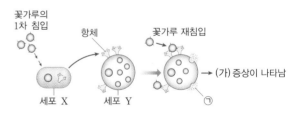

(1) 세포 X와 Y가 무엇인지 쓰시오

_____

(2) 세포 Y가 분비하는 ㉠이 무엇인지 쓰고, ㉠의 작용을 서술하시오.

_____

(3) (가)는 면역 관련 질환 중 하나이다. 무엇인지 쓰시오.

_____

반성유전
생식세포 분열 **염색체**
상동 염색체 **결실**
염색체 수 이상
유전 가계도 ABO식 혈액형 **적록 색맹**
상염색체 유전자 이상 염색체 성염색체
감수 2분열 가계도 염색체 수 이상
상동 염색체 가계도 **핵상** **감수 2분열**
유전자 이상 **돌연변이** 세포 주기 보조개 이마선
피부색 유전 염색체 구조 이상 유전체 돌연변이 혀 말기 증후군
유전적 다양성 **상염색체 유전**
복대립 유전 낫 모양 적혈구 빈혈증
염색체 구조 이상 **세포 주기** 반성유전 가계도 복대립 유전
염색체 비분리 이중 나선 구조 **핵상** **뉴클레오솜**
DNA **유전자** 다인자 유전
적록 색맹 핵형 체세포 분열
2가 염색체 **염색 분체**
역위 귓불 유전 전좌

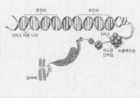

유전

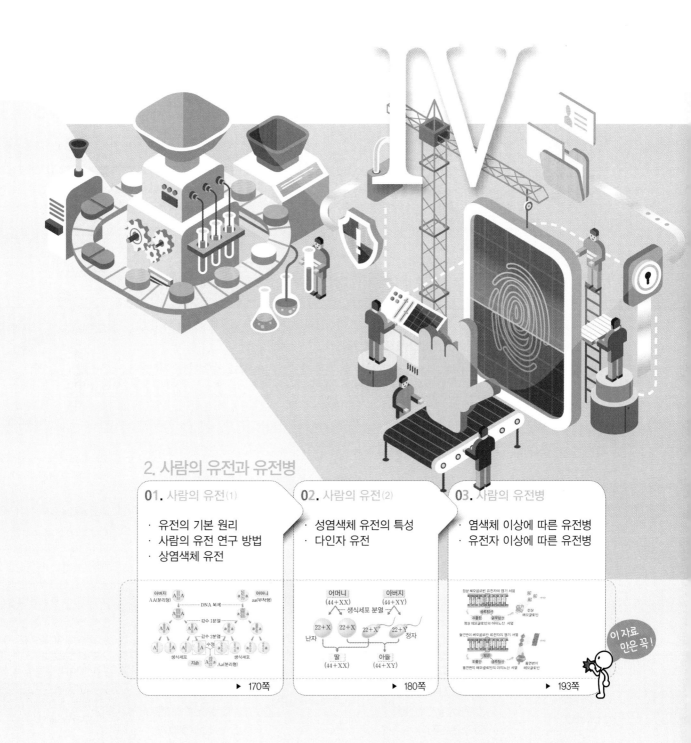

2. 사람의 유전과 유전병

이 자료 만은 꼭!

염색체와 체세포 분열

내 교과서는 어디에?

천재 p.118~125 동아 p.116~123 미래엔 p.126~131

비상 p.115~121 금성 p.132~138 교학사 p.121~127 지학사 p.112~119

핵심 Point
- 염색체의 구조와 유전자, DNA, 염색체, 유전체의 관계를 이해한다.
- 사람의 핵형을 알아보고, 염색 분체의 형성과 분리를 DNA 복제 및 세포 분열과 관련지어 이해한다.

1 염색체와 유전 물질

1. 염색체●

① 세포 안에 존재하며, 유전 물질인 DNA❷가 포함된 구조이다.

② 세포가 분열할 때 DNA를 효율적으로 두 딸세포로 나누어 이동시키기 위해 응축된다(뭉친 다). ➡ 분열 중인 세포에서는 염색체가 끈이나 막대 모양으로 관찰된다.

자료 파헤치기

염색체와 DNA의 구조 ┌ 하나의 유전자는 DNA의 특정 부분에 위치한다.

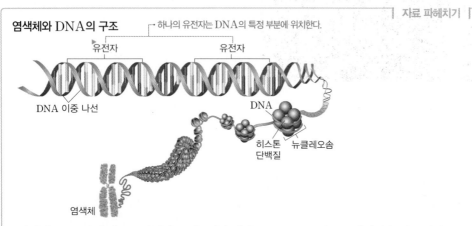

- 염색체는 DNA와 히스톤 단백질로 이루어져 있다. → DNA는 히스톤 단백질 주위를 감아 뉴클레오솜을 형성한다.
- 하나의 DNA는 하나의 염색체를 형성한다. → 하나의 염색체에는 많은 수의 뉴클레오솜이 존재한다. → 뉴클레오솜은 분열하는 세포와 분열하지 않는 세포에 모두 존재한다.
- DNA는 기본 단위인 뉴클레오타이드가 길게 연결된 두 개의 가닥이 꼬여 있는 이중 나선 구조이다. → 뉴클레오타이드는 인산, 당(디옥시리보스), 염기로 이루어져 있다.

---

2. 유전 물질인 유전자, DNA❸, 염색체, 유전체의 관계

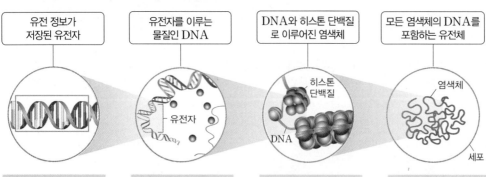

유전자	DNA	염색체	유전체
개체의 유전 정보가 저장된 DNA의 특정 부위이다.	유전자를 포함하며, 부모로부터 자손에게 전달되어 유전 현상을 일으키는 물질이다.	DNA와 히스톤 단백질로 이루어진 구조이다.	한 생명체가 가진 모든 염색체를 구성하는 DNA에 저장된 유전 정보 전체이다.

---

❶ 염색체

특정 염색액으로 잘 염색되기 때문에 붙여진 이름이다. 세포가 분열할 때에는 응축되지만, 분열하지 않을 때에는 핵 안에 실처럼 풀어져서 존재한다. 부모의 염색체(DNA)는 생식 과정을 거쳐 자손에게 전달된다.

세포 분열 시 ➡

셀파 콕콕

염색체에는 DNA만 있는 것이 아니라 DNA가 히스톤 단백질과 함께 뉴클레오솜을 구성하고 있다는 점을 알아 두자.

❷ DNA의 구조

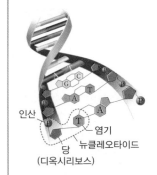

인산 염기 당 뉴클레오타이드 (디옥시리보스)

DNA의 구성 단위는 인산, 염기, 당으로 이루어진 뉴클레오타이드이다.

❸ 유전자와 DNA

하나의 DNA(염색체)에는 많은 수의 유전자가 각각 정해진 부위에 존재한다. 사람은 46개의 염색체에 약 25000개의 유전자가 존재한다.

용어

▶ 응축(엉길 凝, 줄일 縮): 한데 엉겨 줄어드는 현상을 뜻한다.

▶ 유전자(남길 遺, 전할 傳, 아들 子): 유전 형질(예 혈액형, 피부색 등)을 결정하는 유전 정보가 저장되어 있는 유전 단위이다.

1. 핵형④ 염색체의 수, 모양, 크기 등 겉으로 관찰 가능한 염색체의 특성을 말한다.

① 핵형은 생물종의 고유한 특성이다. → 서로 다른 생물종은 염색체의 수가 서로 같아도 모양, 크기 등이 서로 다르므로 핵형이 서로 다르다.

② 핵형 분석: 염색체가 가장 많이 응축된 체세포 분열 중기 세포의 염색체를 사진으로 찍어 분석한다. → 핵형 분석을 통해 성별이나, 염색체의 구성과 이상 여부 등을 알 수 있다.

| 자료 파헤치기 |

사람의 핵형 분석

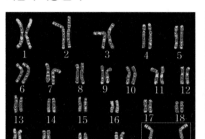
▲ 여자의 핵형
└ 성염색체 XX

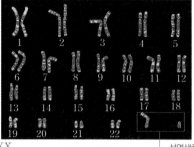
▲ 남자의 핵형
└ 성염색체 XY

- 사람의 체세포에는 총 23쌍의 상동 염색체가 있다. ➡ 46개의 염색체로 구성
- 상동 염색체⑤: 사람의 체세포에서 모양과 동원체의 위치가 같은 한 쌍의 염색체로, 어머니와 아버지에게서 각각 한 세트씩 물려받는다.
- 사람의 염색체는 상염색체와 성염색체로 나뉜다.

상대적으로 크기 큰 X 염색체와 크기가 작은 Y 염색체가 있다. X와 Y 염색체는 크기와 모양이 다르지만 부모로부터 하나씩 물려받아 생식세포 분열 시 쌍을 이루므로 상동 염색체로 취급한다.

상염색체	1번부터 22번까지 남자와 여자가 공통으로 가지는 22쌍(44개)의 염색체이다.
성염색체	성별에 따라 구성이 다른 1쌍(2개)의 염색체이다. → 여자는 X 염색체가 2개(XX)이고, 남자는 X 염색체 1개와 Y 염색체 1개(XY)이다.

2. 핵상 한 세포에 들어 있는 염색체의 구성 상태로, 염색체의 상대적인 수이다.

염색체의 상대적인 수(핵상) → 염색체 수는 동원체의 수와 같다.

상동 염색체⑤

$[2n=8]$ $[2n=8]$ $[n=4]$
▲ DNA 복제   ▲ DNA 복제   ▲ 생식세포
전 체세포   후 체세포

$2n$	• 염색체가 2개씩 상동 염색체 쌍을 이루고 있는 경우 예 사람의 체세포: $2n=46$ • 아버지, 어머니로부터 각각 한 세트(n)씩 물려받아 2세트($2n$) 형성
n	상동 염색체 중 1개씩만 있어 염색체가 쌍을 이루지 않는 경우 예 사람의 생식세포: $n=23$

④ 여러 생물종의 염색체 수와 핵형

생물종	염색체 수	생물종	염색체 수
사람	46	개	78
감자	48	닭	78

- 생물종이 구조적·기능적으로 복잡한 정도는 염색체 수와 관련이 없다.
- 개와 닭은 염색체 수가 같지만, 염색체의 크기와 모양이 달라 핵형이 서로 다르다. 즉, 염색체 수가 같아도 종이 다르면 염색체의 크기나 모양이 다르다.

셀파 콕콕 🔍

성염색체는 핵형 분석 결과 그림에서 가장 마지막 부분에 배열하기 때문에 문제를 풀 때 가장 마지막 상동 염색체의 모양을 보면 쉽게 성별을 확인할 수 있음을 알아 두자.

⑤ 상동 염색체

- 부모로부터 1개씩 물려받으며, 모양과 크기가 같아 쌍을 이루는 두 염색체이다.
- 특정 형질에 대한 대립유전자 구성이 서로 같을 수도 있고 다를 수도 있다.

셀파 콕콕 🔍

염색체를 구성하고 있는 염색체의 핵상을 알아보는 문제에서 상동 염색체의 구성을 살펴보면 쉽게 알 수 있다. 상동 염색체가 2개씩 쌍을 이루고 있으면 핵상이 $2n$, 모양과 크기가 서로 다른 염색체가 1개씩 있으면 핵상이 n임을 알아 두자.

━━━━ 용어 ━━━━

▶ 핵형(씨 核, 모형 型): 각 생물종이 가진 염색체의 특성으로, 같은 생물종에서는 성별이 같으면 핵형이 같다.

개념 확인하기

1 염색체에서 개체의 유전 정보는 ( )에 저장되어 있다.

2 염색체에서 DNA는 히스톤 단백질 주위를 감아 뉴클레오솜을 형성한다. (○, ×)

3 한 생명체가 가진 모든 염색체를 구성하는 DNA에 저장된 유전 정보 전체를 ( )라고 한다.

4 사람의 성염색체는 여자가 XY, 남자가 XX이다. (○, ×)

5 사람의 체세포는 핵상이 ( )이고, 생식세포는 핵상이 ( )이다.

답 1.DNA 2. ○ 3.유전체 4. × 5. 2n, n

3. 대립유전자와 상동 염색체

대립유전자	상동 염색체의 같은 위치에 존재하며 한 가지 형질의 결정에 관여하는 유전자 ➡ 서로 다른 대립유전자에 의해 서로 다른 대립 형질이 표현형으로 나타난다.
상동 염색체	부모로부터 1개씩 물려받았으며, 크기와 모양이 같아 쌍을 이루는 두 염색체이다. ➡ 같은 위치에 대립유전자가 존재한다.
염색 분체	DNA가 복제되어 형성된 것이므로 두 염색 분체를 구성하는 DNA의 유전 정보는 동일하다.

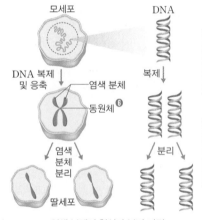

대립유전자와 상동 염색체

▲ 분리형 귓불   ▲ 부착형 귓불

(개체의 유전자형: AABbCcDdEe)

- 상동 염색체의 같은 위치에는 대립유전자가 있다.
- 대립유전자는 한 형질을 결정하지만 하나는 부계로부터, 다른 하나는 모계로부터 물려받았기 때문에 A와 A처럼 같을 수도 있고, D와 d처럼 다를 수도 있다.

4. 염색 분체의 형성과 분리
유전 물질을 딸세포에 동일하게 분배하기 위해 세포 분열 전 간기에 DNA 복제가 일어난다. 복제로 생긴 두 가닥의 DNA가 각각 응축되어 염색 분체가 된다.
➡ 세포 분열 초기에 나타나는 염색체는 2개의 염색 분체로 이루어져 있으며, 두 염색 분체의 유전자 구성은 동일하다.

염색 분체 형성	세포가 분열하기 전에 하나의 DNA가 둘로 복제된다. → 세포 분열이 시작되면 복제된 두 DNA가 응축하면서 동원체 부위에서 연결되어 염색 분체가 형성된다.

염색 분체 분리	세포 분열 과정에서 두 염색 분체는 분리된 후 서로 다른 딸세포로 이동한다. → 염색 분체의 분리를 통해 복제된 DNA가 두 딸세포에게로 분배된다.

▲ 염색 분체의 형성과 분리 과정

➏ 동원체
- 두 염색 분체가 연결된 부위로, 염색체에서 잘록하게 관찰된다.
- 세포 분열 시 방추사가 부착되어 염색 분체를 분리한다.

셀파 콕콕
염색 분체와 상동 염색체에서 대립유전자 구성을 묻는 문제가 자주 출제된다. 염색 분체는 대립유전자의 구성이 같고, 상동 염색체는 대립유전자의 구성이 같을 수도 있고, 다를 수도 있다는 점을 알아 두자.

───── 용어 ─────
▶ 동원체(움직일 動, 근원 原, 몸 體): 세포 분열 시 방추사가 연결되는 염색체 부위를 말한다. 염색체는 2개의 염색 분체로 구성되어 있지만 동원체는 하나이므로 염색체의 수는 동원체의 수와 같다.

개념 확인하기

1 상동 염색체는 부모로부터 1개씩 물려받았으며, 크기와 모양이 같아 쌍을 이루는 두 염색체이다. (○ , ×)

2 어떤 형질을 결정하는 (   )는 상동 염색체의 같은 위치에 존재한다.

3 한 쌍의 상동 염색체에 존재하는 두 대립유전자는 유전자 구성이 항상 같다. (○ , ×)

답 1. ○ 2. 대립유전자 3. ×

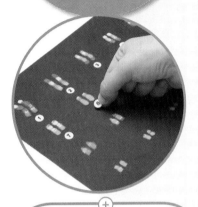

셀파 탐구

핵형 분석하기

+ 유의점

• 성염색체에는 상대적으로 크기가 큰 X 염색체와 크기가 작은 Y 염색체가 있다. X와 Y 염색체는 크기와 모양이 다르지만 부모로부터 하나씩 물려받아 생식세포 분열 시 쌍을 이루므로 상동 염색체로 취급한다.
• 핵형 분석은 세포 분열 중기에 있는 세포의 염색체를 촬영하여 사용한다.
• 혈액 속 백혈구를 이용해 분석하는 경우가 많다.

🔍 탐구 돋보기

핵형 분석을 할 때 상동 염색체 쌍을 염색체의 크기가 큰 것부터 작은 것 순서로 배열하여 1번부터 순서대로 번호를 매기고, 성염색체는 맨 마지막에 별도로 배열한다.

📋 시험 유형은?

❶ 사람의 체세포 속에 있는 염색체 수는?
▶ 46개
❷ 핵형 분석에서 모양과 크기가 같은 염색체 쌍을 무엇이라고 하는가?
▶ 상동 염색체
❸ 핵형 분석을 통해 알 수 있는 유전병은?
▶ 다운 증후군 등의 염색체 수 이상으로 나타나는 유전병을 알 수 있다.
❹ 그림은 다운 증후군의 핵형 분석 결과를 나타낸 것이다.

다운 증후군 환자의 핵형이 정상인 사람의 핵형 분석과 다른 점은 무엇인가?
▶ 21번 염색체가 1개 더 많다.

목표 핵형 분석을 통해 사람의 염색체 구성을 이해할 수 있다.

과정

❶ 염색체 모형을 오려 낸 후 크기와 모양이 같은 것끼리 짝 짓는다.
❷ 짝 지은 염색체 쌍을 크기가 큰 것에서 작은 것 순서로 붙이고 번호를 쓴다.

결과 및 정리

1. 사람의 핵형 분석 결과는?
→ 사람의 체세포에는 23쌍의 상동 염색체(46개의 염색체)가 있다.
→ 여자의 핵상과 염색체 구성은 $2n=44+XX$, 남자의 핵상과 염색체 구성은 $2n=44+XY$이다.

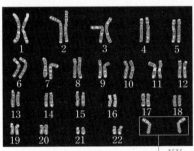

▲ 여자의 핵형 분석 결과 — XX

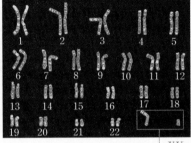

▲ 남자의 핵형 분석 결과 — XY

2. 핵형 분석 결과 모양과 크기가 같은 염색체가 쌍으로 존재하는 까닭은 무엇인가?
→ 상동 염색체 중 하나는 아버지로부터, 다른 하나는 어머니로부터 물려받았기 때문에 체세포에는 염색체가 쌍으로 존재한다.

3. 핵형 분석을 통해 알 수 있는 것은?
→ 분석한 사람의 성별, 염색체 수 이상 등을 알 수 있다.

탐구 대표 문제 정답과 해설 36쪽

01 그림은 핵형 분석을 통해 두 사람 (가)와 (나)의 체세포에 들어 있는 염색체의 수와 모양을 비교한 것이다.

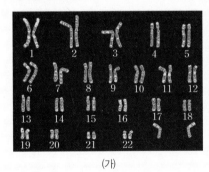

(가)

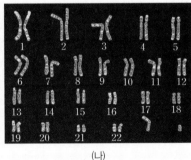

(나)

이에 대한 설명으로 옳은 것만을 〈보기〉에서 있는 대로 고른 것은?

보기

ㄱ. (가)는 상염색체가 22쌍인 여자이다.
ㄴ. (가)의 핵상과 염색체 구성은 $2n=22+XY$이다.
ㄷ. (나)는 성염색체 수에 이상이 있는 여자이다.

① ㄱ　　　② ㄴ　　　③ ㄷ　　　④ ㄱ, ㄴ　　　⑤ ㄴ, ㄷ

3 세포 주기와 체세포 분열

1. 세포 주기[7] 분열하는 세포에서 분열 결과 만들어진 딸세포가 생장 과정을 거쳐 다시 분열하기 까지의 기간 ➡ 세포 주기는 반복적으로 일어난다.

세포 주기　　　　　　　　　　　　　　　　　　　　　　　　　　　　　　│ 자료 파헤치기 │

- 세포 주기의 구성: 크게 간기와 분열기(M기)로 나뉜다. → 간기는 다시 G_1기, S기, G_2기로 나뉜다.

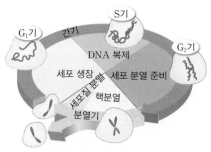

	G_1기	세포의 구성 물질을 합성하고, 세포 소기관의 수를 늘린다. → 세포가 가장 많이 생장한다.
간기	S기	DNA를 복제한다. → S기가 끝나면 세포당 DNA양이 2배가 된다.
	G_2기	방추사를 구성하는 단백질을 합성하고 세포가 생장한다. → 세포 분열을 준비한다.
분열기(M기)		핵분열(DNA 분리)과 세포질 분열이 일어난다.

└ 감수 분열의 감수 1분열은 M_1, 감수 2분열은 M_2로 나타낸다.

- 세포 주기의 대부분은 간기가 차지하며, G_1기, S기, G_2기 내내 세포의 생장이 일어난다.
- 빠르게 분열하는 세포일수록 세포 주기가 짧으며, 더 이상 분열하지 않는 세포는 세포 주기가 S기로 진행하지 않고 멈추어 있다.[8]

---

2. 체세포 분열 다세포 생물의 발생, 생장, 조직 재생 과정이나 단세포 생물의 무성 생식 과정에서 일어난다.

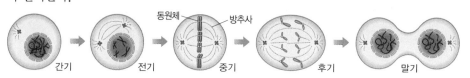

간기　　　　전기　　　　중기　　　　후기　　　　말기

간기(분열 전)		세포가 생장하고, DNA가 복제된다. ➡ 세포 주기의 대부분을 차지한다
분열기	전기	· 핵막이 일시적으로 사라지고, 염색체가 응축된다. → 2개의 염색 분체로 구성된 염색체가 관찰된다. · 방추사가 동원체 부위에 부착한다.
	중기	방추사가 부착된 염색체가 세포 중앙(적도판)에 배열된다.
	후기	방추사가 짧아지면서 염색 분체가 분리되어 세포의 양극으로 이동한다.
	말기	염색체가 풀어지고, 핵막이 나타나며, 세포질 분열[9]이 시작된다.

① DNA 복제 후 1회의 핵분열과 세포질 분열이 일어나 염색 분체가 분리된다.

② 모세포와 유전자 구성이 동일한 2개의 딸세포를 형성한다.

체세포 분열 동안의 ▶
핵 1개당 DNA양 변화

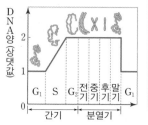

---

[7] 세포 주기 조절 이상

암세포는 세포 주기 조절에 이상이 생겨 무한정 분열한다. 정상 세포는 배양 시 주변 세포와 접촉하면 분열을 멈추고 한 층을 이룰 때까지만 분열하지만 암세포는 주변 세포와 접촉해도 세포 분열이 계속되어 세포가 여러 층으로 쌓인다.

▲ 암세포의 세포 분열

[8] 세포 주기의 조절

- 신경 세포, 근육 세포: 완전히 분화된 세포로, 세포 주기가 G_1기에서 S기로 진행되지 않는다. ➡ G_0기
- 난할: G_1기와 G_2기가 거의 없고 S기와 분열기가 반복되며, 세포 주기가 매우 짧다. ➡ 난할 결과 세포당 DNA양은 변하지 않지만, 세포 1개의 크기는 점점 작아진다.

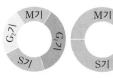

▲ 체세포 분열　　▲ 난할

[9] 세포질 분열

동물 세포와 식물 세포에서 각각 다른 방식으로 일어난다.

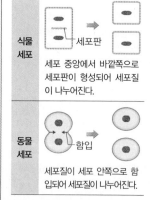

| 식물 세포 | 세포 중앙에서 바깥쪽으로 세포판이 형성되어 세포질이 나누어진다. |
| 동물 세포 | 세포질이 세포 안쪽으로 함입되어 세포질이 나누어진다. |

개념 확인하기

1 세포 주기는 간기와 (　　　　)로 나뉜다.

2 세포 주기 중 DNA 복제가 일어나는 시기는 (　　　　)이다.

답 1. 분열기(M기) 2. S기

기초 탄탄 문제

정답과 해설 36쪽

핵심용어 이 단원에서 내가 아는 것과 아직 모르는 것을 정리하며 나의 공부를 돌아보자.

☐ 염색체 ☐ DNA ☐ 뉴클레오솜 ☐ 유전자
☐ 핵형 ☐ 상동 염색체 ☐ 핵상 ☐ 염색 분체
☐ 체세포 분열 ☐ 세포 주기

01 그림은 염색체 구조를 나타낸 것이다.

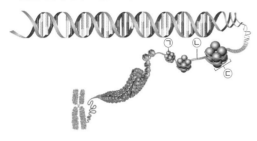

㉠~㉢에 해당하는 이름을 옳게 짝 지은 것은?

	㉠	㉡	㉢
①	히스톤 단백질	DNA	뉴클레오솜
②	히스톤 단백질	RNA	뉴클레오타이드
③	DNA	유전자	뉴클레오타이드
④	DNA	RNA	뉴클레오솜
⑤	유전체	방추사	뉴클레오솜

02 다음은 유전 현상과 관련된 (가)~(다)에 대한 설명이다.

> (가) 한 생명체가 가지는 유전 정보 전체
> (나) 개체의 유전 정보가 저장된 DNA의 특정 부위
> (다) 부모로부터 자손에게 전달되어 유전 현상을 일으키는 물질

(가)~(다)를 옳게 짝 지은 것은?

	(가)	(나)	(다)
①	DNA	유전자	염색체
②	유전체	염색체	유전자
③	유전체	유전자	DNA
④	염색체	유전자	DNA
⑤	염색체	유전자	유전체

03 그림은 어떤 사람의 핵형 분석 결과를 나타낸 것이다.

이에 대한 설명으로 옳은 것만을 〈보기〉에서 있는 대로 고른 것은?

| 보기 |

ㄱ. ㉠과 ㉡은 상동 염색체이다.
ㄴ. 이 사람은 정상보다 상염색체가 1개 많다.
ㄷ. ㉠은 DNA가 복제되지 않은 세포에서 관찰된다.

① ㄱ ② ㄷ ③ ㄱ, ㄴ
④ ㄱ, ㄷ ⑤ ㄴ, ㄷ

04 표는 3종의 생물(2n)에서 체세포 1개에 존재하는 염색체 수를 나타낸 것이다.

생물종	염색체 수
사람	46
침팬지	48
감자	48

이에 대한 설명으로 옳은 것만을 〈보기〉에서 있는 대로 고른 것은?

| 보기 |

ㄱ. 침팬지와 감자의 핵형은 같다.
ㄴ. 사람의 유전자 수는 염색체 수보다 많다.
ㄷ. 사람의 정자에 존재하는 상염색체는 23개이다.

① ㄴ ② ㄷ ③ ㄱ, ㄴ
④ ㄱ, ㄷ ⑤ ㄴ, ㄷ

05 핵형에 대한 설명으로 옳지 <u>않은</u> 것은?

① 염색체의 크기는 핵형에 해당한다.
② 서로 다른 두 생물종은 핵형이 다르다.
③ 염색체의 수가 같은 두 생물은 핵형이 같다.
④ 체세포 분열 중기 세포를 이용해 핵형을 분석한다.
⑤ 같은 생물종이라도 성별이 다르면 핵형이 다를 수 있다.

06 그림은 세포 주기를 나타낸 것이다. ㉠~㉢에 해당하는 이름을 옳게 짝 지은 것은?

	㉠	㉡	㉢
①	S기	G_2기	G_1기
②	G_1기	G_2기	세포질 분열
③	G_1기	S기	G_2기
④	G_1기	G_2기	S기
⑤	G_2기	핵분열	G_1기

07 어떤 생물의 G_1기 상태 체세포의 DNA 상대량은 4이고 염색체 수는 20개이다. 이 생물의 체세포가 분열하여 생긴 딸세포의 DNA 상대량 (가)와 염색체 수 (나)를 옳게 짝 지은 것은?

	(가)	(나)		(가)	(나)
①	1	5	②	2	10
③	2	20	④	4	10
⑤	4	20			

08 세포 주기에 대한 설명으로 옳지 <u>않은</u> 것은?

① 분열기와 간기로 구분한다.
② 간기의 S기에 DNA 복제가 일어난다.
③ 간기는 G_1기 → S기 → G_2기 순으로 진행된다.
④ 분열기에 세포의 생장이 가장 많이 일어난다.
⑤ 세포 주기의 대부분을 차지하는 시기는 간기이다.

09 체세포 분열에 대한 설명으로 옳은 것은?

① 분열 전에 DNA 복제가 1회 일어난다.
② 상동 염색체가 접합하는 시기가 있다.
③ 생식세포를 형성하기 위한 분열이다.
④ 핵분열보다 세포질 분열이 먼저 일어난다.
⑤ 분열 결과 세포의 염색체 수가 반으로 줄어든다.

10 다음은 체세포 분열 과정 (가)~(라)를 순서 없이 나타낸 것이다.

(가) 염색체가 세포 중앙에 배열된다.
(나) 염색체가 풀어지고, 핵막이 나타난다.
(다) 핵막이 사라지고, 염색체가 응축된다.
(라) 염색 분체가 분리되어 세포의 양극으로 이동한다.

체세포 분열 과정을 순서대로 옳게 나열한 것은?

① (가) → (다) → (라) → (나)
② (나) → (가) → (라) → (다)
③ (나) → (라) → (다) → (가)
④ (다) → (가) → (라) → (나)
⑤ (다) → (라) → (가) → (나)

내신 만점 **문제**

* ■■■ 난이도를 나타냅니다.

---

01 그림은 염색체의 구조를 나타낸 것이다. ㉠과 ㉡은 염색체의 구성 성분이다.

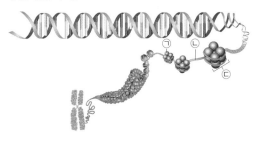

이에 대한 설명으로 옳은 것만을 〈보기〉에서 있는 대로 고른 것은?

┌─ 보기 ├─
ㄱ. ㉠은 히스톤 단백질이다.
ㄴ. ㉡에는 유전 정보가 저장되어 있다.
ㄷ. ㉢은 뉴클레오타이드이다.

① ㄱ ② ㄴ ③ ㄷ ④ ㄱ, ㄴ ⑤ ㄴ, ㄷ

---

02 다음은 생명체의 유전 정보와 관련된 설명이다. ㉠~㉣은 각각 DNA, 유전자, 염색체, 유전체 중 하나이다.

• ㉠은 ㉡과 히스톤 단백질로 이루어진 구조이다.
• ㉢은 유전 정보가 저장된 ㉡의 특정 부위이다.
• ㉣은 한 생명체가 가진 모든 ㉡에 저장된 유전 정보 전체이다.

이에 대한 설명으로 옳은 것만을 〈보기〉에서 있는 대로 고른 것은?

┌─ 보기 ├─
ㄱ. 하나의 ㉠에는 하나의 ㉢이 존재한다.
ㄴ. ㉡은 기본 단위가 뉴클레오타이드인 물질이다.
ㄷ. ㉣은 유전체이다.

① ㄱ ② ㄴ ③ ㄷ ④ ㄱ, ㄴ ⑤ ㄴ, ㄷ

---

03 표는 사람의 체세포 Ⅰ과 Ⅱ의 특징을, 그림은 사람의 세포에서 관찰되는 어떤 구조를 나타낸 것이다. Ⅰ과 Ⅱ는 각각 G_1기와 세포 분열 중기의 세포 중 하나이고, ㉠과 ㉡은 각각 DNA와 뉴클레오솜 중 하나이다.

세포	특징
Ⅰ	세포의 구성 물질을 합성한다.
Ⅱ	핵막이 관찰되지 않는다.

이에 대한 설명으로 옳은 것만을 〈보기〉에서 있는 대로 고른 것은?

┌─ 보기 ├─
ㄱ. ㉠에는 유전자가 존재한다.
ㄴ. Ⅰ에는 ㉡이 없다.
ㄷ. 세포당 DNA양은 Ⅰ과 Ⅱ가 같다.

① ㄱ ② ㄴ ③ ㄷ ④ ㄱ, ㄴ ⑤ ㄴ, ㄷ

---

04 다음은 어떤 사람의 혈액을 이용한 핵형 분석 과정을 나타낸 것이다.

(가) 혈액에서 ㉠세포를 분리한 후, 체세포 분열을 유도하는 약품을 처리하고 배양한다.
(나) 세포 분열을 멈추게 하는 물질을 처리한 후 염색한다.
(다) 현미경으로 관찰한 후 ㉡세포의 염색체 사진을 찍어 핵형 분석을 한 결과가 그림과 같다.

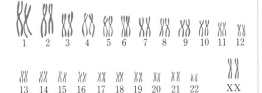

이에 대한 설명으로 옳은 것만을 〈보기〉에서 있는 대로 고른 것은?

┌─ 보기 ├─
ㄱ. 이 사람은 여자이다.
ㄴ. ㉠에는 핵과 DNA가 있다.
ㄷ. ㉡은 체세포 분열 말기의 세포를 주로 이용한다.

① ㄴ ② ㄷ ③ ㄱ, ㄴ ④ ㄱ, ㄷ ⑤ ㄱ, ㄴ, ㄷ

05 다음은 어떤 세포에 존재하는 염색체 (가)와 (나)에 존재하는 유전자에 대한 설명이다. A와 a, B와 b는 각각 대립유전자이다.

> • (가)에 A가 존재한다.
> • (나)에 a와 B가 모두 존재한다.

이에 대한 설명으로 옳은 것만을 〈보기〉에서 있는 대로 고른 것은? (단, 제시된 대립유전자만 고려하며, 돌연변이는 고려하지 않는다.)

> ┤ 보기 ├
> ㄱ. (가)와 (나)는 상동 염색체이다.
> ㄴ. 이 세포의 핵상은 $2n$이다.
> ㄷ. (가)에 B와 b 중 하나가 존재한다.

① ㄴ   ② ㄷ   ③ ㄱ, ㄴ
④ ㄴ, ㄷ   ⑤ ㄱ, ㄴ, ㄷ

06 그림은 유전자형이 AaBbDd인 어떤 사람의 1번 염색체 한 쌍과 유전자를 나타낸 것이다.

이에 대한 설명으로 옳은 것만을 〈보기〉에서 있는 대로 고른 것은? (단, 돌연변이는 고려하지 않는다.)

> ┤ 보기 ├
> ㄱ. ㉠은 a이다.
> ㄴ. b를 아버지로부터 물려받았다면 ㉡은 어머니로부터 물려받았다.
> ㄷ. ㉢에 저장된 유전 정보는 D에 저장된 유전 정보와 다르다.

① ㄱ   ② ㄷ   ③ ㄱ, ㄴ
④ ㄴ, ㄷ   ⑤ ㄱ, ㄴ, ㄷ

07 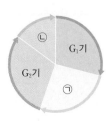 그림은 어떤 세포의 세포 주기를 나타낸 것이다. ㉠과 ㉡은 각각 S기와 M기 중 하나이다.

이에 대한 설명으로 옳은 것만을 〈보기〉에서 있는 대로 고른 것은?

> ┤ 보기 ├
> ㄱ. ㉠은 S기이다.
> ㄴ. ㉡ 시기에 핵막이 없어졌다가 다시 형성된다.
> ㄷ. 핵 1개당 DNA양은 G_1기의 세포가 G_2기 세포의 2배이다.

① ㄱ   ② ㄷ   ③ ㄱ, ㄴ
④ ㄴ, ㄷ   ⑤ ㄱ, ㄴ, ㄷ

08 그림 (가)는 어떤 동물의 세포 주기를 구성하는 ㉠~㉣ 시기를, (나)는 ㉡ 시기에 관찰되는 어떤 세포의 염색체를 나타낸 것이다. ㉠~㉣ 시기는 각각 S기, M기, G_1기, G_2기 중 하나이다.

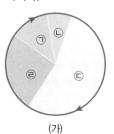 

(가)   (나)

이에 대한 설명으로 옳은 것만을 〈보기〉에서 있는 대로 고른 것은?

> ┤ 보기 ├
> ㄱ. 신경 세포는 ㉡ 시기에 머물러 있다.
> ㄴ. 세포당 DNA양은 ㉠ 시기 세포와 (나)의 세포가 같다.
> ㄷ. ㉢ → ㉣ → ㉠ 시기를 거치면서 세포의 생장이 일어난다.

① ㄱ   ② ㄴ   ③ ㄷ
④ ㄱ, ㄴ   ⑤ ㄴ, ㄷ

09 그림은 어떤 조직에서 세포당 DNA양에 따른 세포 수를 나타낸 것이다.

이에 대한 설명으로 옳은 것만을 〈보기〉에서 있는 대로 고른 것은? (단, 돌연변이는 고려하지 않는다.)

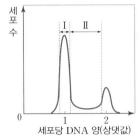

세포 수 / 세포당 DNA 양(상댓값)

┤ 보기 ├
ㄱ. 핵형 분석에는 I의 세포가 이용된다.
ㄴ. II의 세포에는 모두 방추사가 존재한다.
ㄷ. 이 조직에서 생성되는 딸세포는 모두 모세포와 유전자 구성이 같다.

① ㄴ ② ㄷ ③ ㄱ, ㄴ ④ ㄱ, ㄷ ⑤ ㄴ, ㄷ

10 그림은 어떤 생물($2n=4$)의 세포 분열 과정을 순서 없이 나타낸 것이다.

(가)   (나)   (다)   (라)

이에 대한 설명으로 옳은 것만을 〈보기〉에서 있는 대로 고른 것은?

┤ 보기 ├
ㄱ. (가)에서 복제된 DNA가 분리되고 있다.
ㄴ. (나)에서 핵막과 인이 형성되고 있다.
ㄷ. 방추사는 (다)에는 존재하지만, (라)에는 존재하지 않는다.

① ㄱ ② ㄴ ③ ㄱ, ㄷ ④ ㄴ, ㄷ ⑤ ㄱ, ㄴ, ㄷ

11 그림은 분열 중인 사람의 어떤 세포에서 시간에 따른 핵 1개당 DNA 상대량을 나타낸 것이다.

이에 대한 설명으로 옳은 것만을 〈보기〉에서 있는 대로 고른 것은?

DNA 상대량 / 시간(s)

┤ 보기 ├
ㄱ. 구간 I에서 상동 염색체가 분리된다.
ㄴ. 구간 II에는 DNA가 복제되기 전 G_1기 세포가 있다.
ㄷ. 구간 III에서 세포당 염색체 수가 증가한다.

① ㄱ ② ㄴ ③ ㄷ ④ ㄱ, ㄴ ⑤ ㄴ, ㄷ

서술형 문제

12 그림은 염색체의 구조를 단계적으로 나타낸 것이다.

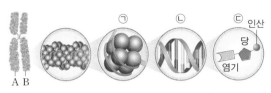

A B   ㉠   ㉡   ㉢ 인산 / 당 / 염기

(1) ㉠~㉢의 이름을 순서대로 쓰시오.

(2) A와 B를 각각 구성하는 유전 물질에 저장된 유전 정보는 서로 같은지 다른지 그렇게 생각한 까닭과 함께 서술하시오. (단, 돌연변이는 고려하지 않는다.)

13 그림 (가)는 세포 주기를, (나)는 양파의 뿌리 끝을 이용한 세포 분열 관찰 결과 중 일부를 나타낸 것이다. ㉠~㉢은 각각 M기, G_1기, G_2기 중 하나이다.

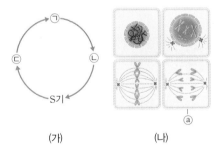

(가)   (나)

(1) ㉠~㉢에 해당하는 주기를 순서대로 쓰시오.

(2) ⓐ로부터 형성되는 두 딸세포는 유전자 구성이 같은지 다른지를 그렇게 생각한 까닭과 함께 서술하시오. (단, 돌연변이는 고려하지 않는다.)

02 생식세포 분열과 유전적 다양성

내 교과서는 어디에?

천재 p.126~129 동아 p.124~129 미래엔 p.132~139
비상 p.122~129 금성 p.139~144 교학사 p.128~133 지학사 p.120~125

핵심 Point
● 체세포 분열과 구분되는 생식세포의 형성 과정을 이해한다.
● 생식세포의 유전적 다양성을 염색체의 조합으로 이해한다.

---

1 생식세포 분열

1. 유성 생식[1]과 생식세포 분열

유성 생식	• 암수 생식세포의 결합(수정)으로 자손이 태어난다. • 생식세포의 염색체 수는 부모 체세포의 염색체 수의 절반이다. ➡ 자손의 염색체 수는 부모와 같다.
생식세포 분열	• 염색체 수가 모세포의 절반인 생식세포가 형성되는 세포 분열로, 생식세포 분열에 의해 세대가 거듭되더라도 유성 생식을 하는 생물종의 염색체 수가 보존된다. ➡ 감수 분열이라고도 한다. • 생식 기관에서 일어난다.

2. 생식세포 분열 과정 연속 2회의 핵분열과 세포질 분열이 일어난다.

간기(S기)	➡	감수 1분열[2]($2n \rightarrow n$)	➡	감수 2분열($n \rightarrow n$)
DNA가 복제된다.		상동 염색체가 분리된다.		염색 분체가 분리된다.

감수 1분열

 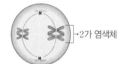  

←2가 염색체   ←상동 염색체

감수 1분열 전기	➡	감수 1분열 중기	➡	감수 1분열 후기	➡	감수 1분열 말기
• 상동 염색체끼리 접합해 2가 염색체가 형성된다. • 방추사가 2가 염색체에 연결된다.		2가 염색체가 세포 중앙(적도판)에 배열된다.		방추사가 짧아지면서 상동 염색체가 분리되어 세포의 양극으로 이동한다. → 상동 염색체 분리		세포질 분열이 시작된다. → 염색체 수가 모세포의 절반인 2개의 딸세포가 형성된다.[2]

감수 2분열

염색 분체

감수 2분열 전기	➡	감수 2분열 중기	➡	감수 2분열 후기	➡	감수 2분열 말기
DNA 복제 없이 바로 시작되며, 방추사가 염색체에 연결된다. → 간기없이 감수 2분열이 시작된다.		염색체가 세포 중앙(적도판)에 배열된다.		방추사가 짧아지면서 염색 분체가 분리되어 세포의 양극으로 이동한다. → 염색 분체 분리		세포질 분열이 시작된다. → 핵상이 n인 4개의 딸세포(생식세포)가 형성된다.

---

❶ 유성 생식

유성 생식으로 태어난 자손은 부모로부터 DNA(유전자)를 각각 절반씩 물려받는다. → 자손은 부모를 닮지만, 부모 중 어느 한쪽과도 유전적으로 동일하지 않다.

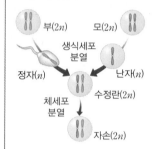

부($2n$)   모($2n$)
생식세포 분열
정자(n)   난자(n)
체세포 분열   수정란($2n$)
자손($2n$)

셀파 콕콕

감수 1분열에서는 상동 염색체가 분리되어 염색체 수가 절반으로 감소하고, 감수 2분열에서는 염색 분체가 분리되어 염색체 수가 변하지 않는다는 내용이 자주 출제된다.

❷ 감수 1분열

감수 1분열 결과 형성된 두 딸세포는 각각 상동 염색체 쌍 중 부계 또는 모계에서 유래된 염색체 1개씩을 가진다. 따라서 감수 1분열 결과 형성된 두 딸세포는 유전자 구성이 서로 다르다.

═ 용어 ═

▶ **2가 염색체**: 감수 1분열 전기에 상동 염색체가 접합한 것으로, 4개의 염색 분체로 이루어져 있어 4분 염색체라고도 한다.

2가 염색체

염색 분체

❸ 체세포 분열과 생식세포 분열 비교

구분	체세포 분열	생식세포 분열
DNA 복제	간기(S기)에 1회 일어남	
핵분열 횟수	1회(염색 분체 분리)	2회(상동 염색체 분리 → 염색 분체 분리)
상동 염색체의 접합	일어나지 않음	일어남(2가 염색체 형성)
딸세포의 수(핵상)	2개($2n$)	4개(n)
역할	체세포의 증식	생식세포의 형성

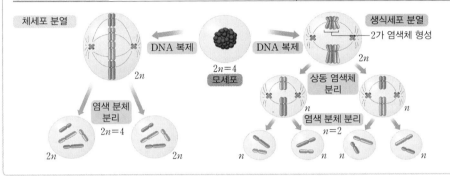

❸ 체세포 분열과 생식세포 분열 시 DNA양의 변화

- 체세포 분열: DNA양이 염색 분체가 분리될 때 1회만 절반으로 감소한다.

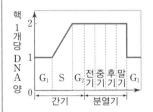

- 생식세포 분열: DNA양이 상동 염색체가 분리될 때와 염색 분체가 분리될 때 각각 절반으로 감소한다.

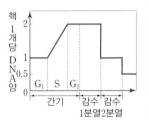

---

2. 유전적 다양성

1. **유전적 다양성** 같은 생물종이라도 한 형질에 대해 개체마다 대립유전자▸조합이 달라 표현형이 다양하게 나타나는 것을 말한다.

2. **유전적 다양성이 나타나는 까닭** 생식세포 분열 시 상동 염색체가 무작위로 배열, 분리❹되어 염색체 조합(대립유전자 조합)이 다양한 생식세포가 만들어지기 때문이다.

   ㉇ 대립유전자 A와 a, B와 b가 각각 서로 다른 상동 염색체 쌍에 존재하는 경우, 유전자형이 AaBb인 개체($2n=4$)에서는 상동 염색체의 무작위 배열과 분리로 인해 대립유전자 조합이 각각 AB, Ab, aB, ab인 $2^2=4$가지 생식세포가 만들어진다.

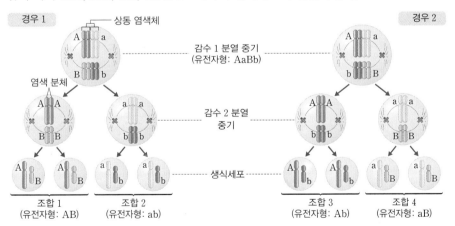

❹ 상동 염색체의 무작위 분리

- 감수 1분열 시 2가 염색체가 무작위로 배열되므로 한 상동 염색체 쌍의 분리는 다른 상동 염색체 쌍의 분리와는 독립적으로 일어난다.
- 사람은 23쌍의 상동 염색체를 가지므로 생식세포 분열 결과 2^{23}가지 염색체 조합의 생식세포가 만들어진다.

암기 콕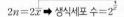

x쌍의 상동 염색체를 가진 생물($2n=2x$)로부터 염색체 조합(대립유전자 조합)이 서로 다른 2^x가지의 생식세포가 만들어진다는 것을 알면 암기하기 쉽다.

$$2n=2\underline{x} \Rightarrow 생식세포 수 = 2^{\underline{x}}$$

= 용어 =

▶ **조합**(짤 組, 합할 合): 여러 개 가운데에서 몇 개를 순서에 관계없이 뽑아내어 모으는 것이다.

개념 확인하기

1 감수 1분열에서 염색 분체가 분리된다. (○, ×)

2 세포당 DNA양은 G_1기 모세포와 생식세포가 같다. (○, ×)

3 생식세포 분열 시 ( )가 무작위로 배열, 분리되어 염색체 조합이 다양한 생식세포가 만들어지므로 유전적 다양성이 나타난다.

답 1. × 2. × 3. 상동 염색체

생식세포 분열과
유전적 다양성 모형
활동하기

같은 주제 다른 탐구

탐구 돋보기

서로 다른 상동 염색체 쌍의 배열과 분리는 독립적으로 일어나므로 Y와 y의 분리, T와 t의 분리, R와 r의 분리는 모두 서로에게 영향을 미치지 않음을 알아두자.

시험 유형은?

❶ 3쌍의 상동 염색체에 대립유전자 Y와 y, T와 t, R와 r가 존재할 때 형성되는 생식세포의 유전자형을 모두 쓰시오.
▶ YTR, YTr, YtR, Ytr, yTR, yTr, ytR, ytr

❷ 체세포의 핵상과 염색체 수가 $2n=10$인 어떤 생물에서 형성되는 생식세포의 염색체 조합의 가짓수를 쓰시오.
▶ 2^5가지

❸ 그림은 $2n=6$인 체세포를 나타낸 것이다.

이 세포의 감수 1분열 중기에서 나올 수 있는 염색체의 배열을 모두 그리시오. (단, 상동 염색체 쌍의 순서는 고려하지 않는다.)

▶

목표 모형 활동을 통해 생식세포 분열 과정과 유전적 다양성이 획득되는 과정을 이해할 수 있다.

과정

❶ Y 또는 y, T 또는 t, R 또는 r가 적힌 상동 염색체 모형을 각각 2개씩 준비한다.
❷ 준비한 3쌍의 상동 염색체 모형을 원 모양의 세포 모형 안에 대립유전자가 적힌 글씨가 보이지 않도록 뒤집어 올려놓는다.
❸ 염색체를 잘 섞은 후, 세포 모형 중앙에 각 상동 염색체 쌍을 무작위로 배열한다.
❹ 배열된 상동 염색체 쌍 각각을 그대로 양방향으로 분리한 후, 양쪽 염색체 세트에서 생식세포의 유전자형을 확인한다.

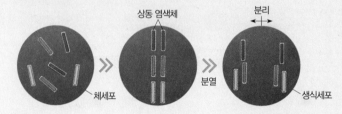

결과 및 정리

1. 과정 ❷~❹를 10회 반복하여 생식세포의 유전자형을 기록한다.
(예시)

횟수	1	2	3	4	5	6	7	8	9	10
유전자형	YTR	Ytr	YtR	Ytr	yTR	ytr	ytr	yTr	YtR	ytR
	ytr	yTR	yTr	yTR	Ytr	YTR	YTR	YtR	yTr	YTr

2. 이 활동 결과 형성될 수 있는 생식세포의 유전자형은 모두 몇 가지인가?
→ $2^3=8$(가지)

탐구 대표 문제 정답과 해설 38쪽

01 다음은 생식세포 분열 모의 활동 과정이다.

(가) ㉠A 또는 a가 적힌 염색체, B 또는 b가 적힌 염색체 모형을 각각 2개씩 준비한다.
(나) 원 모양의 세포 모형 안에 2쌍의 염색체 모형을 대립유전자가 적힌 글씨가 보이지 않도록 뒤집어 올려놓는다.
(다) 염색체를 잘 섞은 후, 원의 중앙에 각 염색체 쌍을 무작위로 배열한다.
(라) 배열된 염색체 쌍 각각을 그대로 양방향으로 분리한다.

이에 대한 설명으로 옳은 것만을 〈보기〉에서 있는 대로 고른 것은?

| 보기 |
ㄱ. ㉠은 염색 분체에 해당한다.
ㄴ. (다)와 (라)는 상동 염색체의 무작위 배열과 분리를 나타낸다.
ㄷ. 활동 결과 4가지 염색체 조합의 생식세포가 나타난다.

① ㄱ ② ㄴ ③ ㄷ ④ ㄱ, ㄴ ⑤ ㄴ, ㄷ

체세포 분열과 감수 분열 비교

그림은 어떤 동물($2n=4$)에서 일어나는 2가지 세포 분열 과정을 나타낸 것이다.

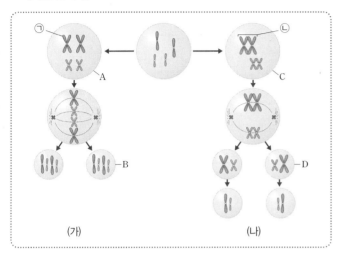

(가)   (나)

이에 대한 설명으로 옳은 것은 ○, 옳지 않은 것은 ×를 하시오.

1. (가)는 체세포 분열, (나)는 생식세포 분열을 나타낸 것이다.
   (   )

2. (가)와 같은 분열은 식물의 생장점에서 일어난다. (   )

3. A와 B의 핵상은 $2n$으로 같다. (   )

4. A와 C의 핵상은 같다. (   )

5. B와 D의 핵상은 모두 n이다. (   )

6. A의 $\dfrac{염색\ 분체\ 수}{염색체\ 수}$ 는 C의 절반이다. (   )

7. ㉠은 상동 염색체가 접합된 것이다. (   )

8. ㉡은 2가 염색체이다. (   )

9. (가)에서는 S기가 1번, (나)에서는 2번 나타난다. (   )

10. A와 C의 DNA양은 같고, C의 DNA양은 D의 2배이다.
    (   )

| 해설 | 체세포 분열은 상동 염색체의 접합이 일어나지 않고, 감수 분열은 상동 염색체의 접합이 일어나 2가 염색체가 형성된다. S기는 체세포 분열 전 간기와 감수 1분열 전 간기에서 1번만 나타난다.

그림 (가)와 (나)는 어떤 동물의 세포 분열 과정에서 시기에 따른 핵 1개당의 DNA양을, (다)는 (나)의 과정 중에서 관찰되는 염색체의 모형을 나타낸 것이다.

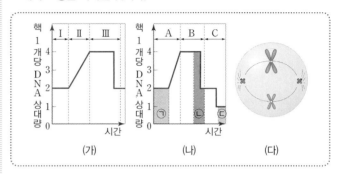

(가)   (나)   (다)

이에 대한 설명으로 옳은 것은 ○, 옳지 않은 것은 ×를 하시오.

1. (가)는 체세포 분열, (나)는 생식세포 분열에서의 DNA 상대량을 나타낸 것이다. (   )

2. (가)의 구간 I 은 DNA가 복제되기 전인 G_1기에 해당한다.
   (   )

3. (가)의 구간 Ⅱ는 DNA 복제가 일어나는 S기에 해당한다.
   (   )

4. (가)의 구간 Ⅲ에서 염색 분체가 분리된다. (   )

5. (나)의 A 단계에서 (다)를 관찰할 수 있다. (   )

6. (나)의 B 단계에서 염색체 수가 반감된다. (   )

7. (나)의 A, B, C 단계에서 모두 DNA양의 변화가 일어난다.
   (   )

8. (나)의 ㉠ 시기에 핵막과 인이 사라진다. (   )

9. (나)의 ㉡ 시기에 상동 염색체가 분리된다. (   )

10. (나)의 ㉠과 ㉢시기에 세포의 핵상은 모두 $2n$이다. (   )

11. 이 동물의 체세포의 염색체 수는 4이다. (   )

| 해설 | 세포 주기에서 S기에 DNA 복제가 일어나 DNA 상대량이 2배로 늘어난다.

답 1.○ 2.○ 3.× 4.○ 5.× 6.× 7.× 8.○ 9.× 10.○

답 1.○ 2.○ 3.× 4.○ 5.× 6.○ 7.○ 8.× 9.○ 10.× 11.○

기초 탄탄 문제

정답과 해설 38쪽

핵심용어_ 이 단원에서 내가 아는 것과 아직 모르는 것을 정리하며 나의 공부를 돌아보자.

- □ 생식세포 분열
- □ 감수 1분열
- □ 2가 염색체
- □ 감수 2분열
- □ 유전적 다양성

01 다음은 어떤 모세포 하나에서 일어나는 생식세포 분열 과정 (가)~(라)를 순서 없이 나타낸 것이다.

> (가) 2가 염색체가 형성된다.
> (나) 핵상이 n인 4개의 딸세포가 형성된다.
> (다) 방추사가 짧아지며 염색 분체가 분리된다.
> (라) 상동 염색체가 분리되어 세포의 양극으로 이동한다.

(가)~(라)를 일어나는 순서대로 옳게 나열한 것은?

① (가) → (다) → (라) → (나)
② (가) → (라) → (다) → (나)
③ (다) → (가) → (나) → (라)
④ (다) → (가) → (라) → (나)
⑤ (다) → (나) → (가) → (라)

02 사람의 감수 1분열 중기 세포에 존재하는 2가 염색체의 수와 감수 2분열 중기 세포에 존재하는 염색 분체의 수를 차례대로 옳게 나열한 것은?

① 23개, 23개
② 23개, 46개
③ 46개, 23개
④ 46개, 46개
⑤ 92개, 46개

03 핵상과 염색체 수가 $2n=8$인 어떤 개체에 염색 분체의 수가 16개인 세포 X가 존재한다. 다음 중 X에 해당하는 세포는?

① 생식세포
② G_1기 세포
③ 감수 1분열 중기 세포
④ 감수 2분열 전기 세포
⑤ 감수 2분열 중기 세포

04 체세포 분열과 생식세포 분열을 비교한 것으로 옳지 <u>않은</u> 것은?

	구분	체세포 분열	생식세포 분열
①	DNA 복제	간기(S기)에 1회 일어남	
②	핵분열 횟수	1회	2회
③	상동 염색체의 접합	일어나지 않음	일어남
④	딸세포의 수	4개	4개
⑤	딸세포의 핵상	$2n$	n

05 그림은 어떤 동물($2n=4$)에서 관찰되는 세포 분열 중인 두 세포를 나타낸 것이다.

(가)   (나)

이에 대한 설명으로 옳지 <u>않은</u> 것은?

① (가)와 같은 분열을 통해 생물이 생장한다.
② (나)에서 2가 염색체를 관찰할 수 있다.
③ 세포 분열 후 핵상이 변하는 것은 (나)이다.
④ (나)와 같은 분열은 상처 부위가 재생될 때 일어난다.
⑤ 모세포와 딸세포의 유전 물질의 양에 변화가 없는 것은 (가)이다.

06 유전자형이 PpQqRr이고, 서로 다른 상동 염색체 쌍에 대립유전자 P와 p, Q와 q, R와 r가 각각 존재하는 어떤 개체에서 형성되는 생식세포의 유전자형은 모두 몇 가지인가?

① 3가지
② 6가지
③ 8가지
④ 27가지
⑤ 64가지

내신 만점 문제

정답과 해설 39쪽

* ▮▮▮ 난이도를 나타냅니다.

01 그림은 생식세포 분열 과정을 순서에 관계없이 나타낸 것이다.

(가)

(나)

(다)

(라)

(마)

이에 대한 설명으로 옳은 것만을 〈보기〉에서 있는 대로 고른 것은?

┤ 보기 ├
ㄱ. 분열이 일어나는 순서는 (라) → (마) → (다) → (가) → (나)이다.
ㄴ. (다)와 (라)의 세포에는 모두 2가 염색체가 존재한다.
ㄷ. 식물의 생장점에서도 동일한 세포 분열 과정을 관찰할 수 있다.

① ㄱ　　② ㄴ　　③ ㄷ　　④ ㄱ, ㄴ　⑤ ㄴ, ㄷ

02 다음은 어떤 동물에 대한 설명이다.

• 체세포는 핵상이 $2n$이고, 생식세포는 핵상이 n이다.
• 감수 1분열 중기 세포에 4개의 2가 염색체가 존재한다.

이에 대한 설명으로 옳은 것만을 〈보기〉에서 있는 대로 고른 것은?

┤ 보기 ├
ㄱ. 체세포에 2쌍의 상동 염색체가 존재한다.
ㄴ. 감수 2분열 중기 세포에 8개의 염색 분체가 존재한다.
ㄷ. 생식세포의 염색체 수는 4이다.

① ㄱ　　② ㄴ　　③ ㄷ　　④ ㄱ, ㄴ　⑤ ㄴ, ㄷ

03 그림은 어떤 동물의 생식 기관에서 분열 중인 세포 (가)와 (나)에 존재하는 염색체를 모두 나타낸 것이다. A와 a는 대립유전자이다.

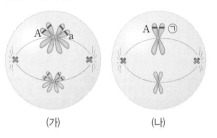
(가)　　　　(나)

이에 대한 설명으로 옳은 것만을 〈보기〉에서 있는 대로 고른 것은? (단, 돌연변이는 고려하지 않는다.)

┤ 보기 ├
ㄱ. (가)는 감수 1분열 중기 세포이다.
ㄴ. ㉠은 a이다.
ㄷ. 세포당 DNA양은 (가)가 (나)의 2배이다.

① ㄱ　② ㄴ　③ ㄱ, ㄴ　④ ㄱ, ㄷ　⑤ ㄴ, ㄷ

04 그림 (가)는 어떤 남자의 정자 형성 과정을, (나)는 ㉠~㉢ 중 한 세포에 존재하는 1번 염색체와 성염색체를 모두 나타낸 것이다. ⓐ와 ⓑ는 각각 1번 염색체와 성염색체 중 하나이다. 이 사람의 특정 유전 형질에 대한 유전자형은 Aa이고, A와 a는 대립유전자이다.

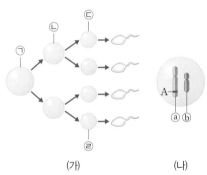
(가)　　　　(나)

이에 대한 설명으로 옳은 것만을 〈보기〉에서 있는 대로 고른 것은?

┤ 보기 ├
ㄱ. ㉠에 있는 $\dfrac{\text{a의 수}}{\text{A의 수}}=1$이다.
ㄴ. 세포당 DNA양은 ㉡과 ㉣이 같다.
ㄷ. ㉣에는 크기와 모양이 각각 ⓐ, ⓑ와 동일한 두 염색체가 모두 존재한다.

① ㄱ　　　　② ㄴ　　　　③ ㄷ
④ ㄱ, ㄴ　　　⑤ ㄴ, ㄷ

05 그림은 어떤 동물에서 생식세포 분열이 일어날 때 핵 1개당 DNA 상대량의 변화를 나타낸 것이다.

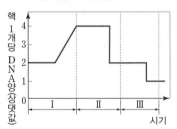

이에 대한 설명으로 옳은 것만을 〈보기〉에서 있는 대로 고른 것은? (단, 돌연변이는 고려하지 않는다.)

┤ 보기 ├

ㄱ. I 시기에는 S기에 해당하는 세포가 있다.

ㄴ. II 시기에 2가 염색체가 관찰된다.

ㄷ. III 시기에 세포 1개당 염색체 수가 반으로 줄어든다.

① ㄱ ② ㄷ ③ ㄱ, ㄴ

④ ㄴ, ㄷ ⑤ ㄱ, ㄴ, ㄷ

07 그림 (가)와 (나)는 각각 동물 A($2n=?$)와 B($2n=6$)의 어떤 세포에 들어 있는 모든 염색체를 나타낸 것이다. A와 B의 성염색체는 모두 XY이다.

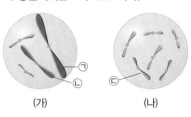

(가)   (나)

이에 대한 설명으로 옳은 것만을 〈보기〉에서 있는 대로 고른 것은?

┤ 보기 ├

ㄱ. A의 감수 1분열 시 ㉠과 ㉡은 서로 접합한다.

ㄴ. ㉢은 성염색체이다.

ㄷ. A와 B의 생식세포에 존재하는 염색체 수는 같다.

① ㄱ ② ㄴ ③ ㄱ, ㄴ

④ ㄱ, ㄷ ⑤ ㄴ, ㄷ

06 그림은 유전자형이 AaBbDD인 사람이 가지는 염색체 중 하나를, 표는 이 사람의 세포 (가)~(다)에 들어 있는 대립유전자 a, B, D의 DNA 상대량을 나타낸 것이다. (가)~(다) 중 둘은 중기 세포이다.

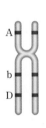

세포	DNA 상대량		
	a	B	D
(가)	1	1	2
(나)	0	ⓐ	2
(다)	2	2	2

이에 대한 설명으로 옳은 것만을 〈보기〉에서 있는 대로 고른 것은? (단, a, B, D 각 1개의 DNA 상대량은 같다.)

┤ 보기 ├

ㄱ. (가)는 핵상이 $2n$이다.

ㄴ. ⓐ는 2이다.

ㄷ. (다)에 2가 염색체가 존재한다.

① ㄱ ② ㄷ ③ ㄱ, ㄴ

④ ㄱ, ㄷ ⑤ ㄴ, ㄷ

08 그림은 어떤 동물에서 일어나는 감수 분열 과정의 일부를, 표는 이 과정에서 관찰되는 세포 A~C의 핵상과 핵 1개당 DNA 상대량을 나타낸 것이다.

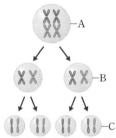

구분	핵상	핵 1개당 DNA 상대량
A	㉠	4
B	n	㉡
C	n	㉢

이에 대한 설명으로 옳은 것만을 〈보기〉에서 있는 대로 고른 것은? (단, 돌연변이는 고려하지 않는다.)

┤ 보기 ├

ㄱ. ㉠은 $2n$이다.

ㄴ. ㉡+㉢=4이다.

ㄷ. A가 B로 되는 과정에서 세포 1개당 염색체 수와 DNA양이 모두 반감된다.

① ㄱ ② ㄷ ③ ㄱ, ㄴ

④ ㄱ, ㄷ ⑤ ㄱ, ㄴ, ㄷ

09 표는 어떤 동물의 세포 분열 과정의 일부를, 그림은 세포 ㉠ ~㉢ 중 하나에 들어 있는 염색체를 모두 나타낸 것이다. 표의 과정에서 DNA 복제와 세포질 분열은 각각 1회 일어났으며, ㉠~㉢ 중 하나는 후기의 세포이다.

- ㉠에서 DNA 복제가 일어난 후 ㉡이 형성되었다.
- ㉡에서 세포질 분열이 일어난 후 ㉢과 ㉣이 형성되었다.

이에 대한 설명으로 옳은 것만을 〈보기〉에서 있는 대로 고른 것은? (단, 돌연변이는 고려하지 않는다.)

┃ 보기 ┃
ㄱ. ㉠에서 염색 분체가 관찰된다.
ㄴ. ㉢과 ㉣은 유전자 구성이 동일하다.
ㄷ. ㉡의 염색 분체 수는 ㉢의 염색체 수의 4배이다.

① ㄴ   ② ㄷ   ③ ㄱ, ㄴ
④ ㄱ, ㄷ   ⑤ ㄴ, ㄷ

10 그림은 동물 X와 Y의 분열 중인 세포 (가)~(다)에 들어 있는 염색체를 모두 나타낸 것이다. (가)는 X의 세포이다.

(가)   (나)   (다)

이에 대한 설명으로 옳은 것만을 〈보기〉에서 있는 대로 고른 것은? (단, 돌연변이는 고려하지 않는다.)

┃ 보기 ┃
ㄱ. (가)의 염색 분체 수는 (다)의 2가 염색체 수의 2배이다.
ㄴ. (나)의 분열 과정에서 상동 염색체가 분리된다.
ㄷ. $\dfrac{\text{Y의 생식세포 염색체 수}}{\text{X의 체세포 염색체 수}} = \dfrac{1}{3}$ 이다.

① ㄱ   ② ㄴ   ③ ㄷ
④ ㄱ, ㄴ   ⑤ ㄴ, ㄷ

11 그림은 어떤 동물($2n$)의 세포 분열 과정 (가)와 (나)를, 표는 세포 ㉠~㉣에서 대립유전자 A와 a의 DNA 상대량을 나타낸 것이다. ㉠~㉣ 중에 2가 염색체가 존재하는 세포가 있다.

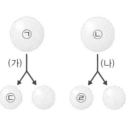

구분	A	a
㉠	2	2
㉡	2	ⓐ
㉢	1	1
㉣	ⓑ	2

이에 대한 설명으로 옳은 것만을 〈보기〉에서 있는 대로 고른 것은? (단, A와 a 각 1개의 DNA양은 같고, 돌연변이는 고려하지 않는다.)

┃ 보기 ┃
ㄱ. ⓐ－ⓑ＝1이다.
ㄴ. 2가 염색체가 존재하는 세포는 ㉡이다.
ㄷ. (가)와 (나)는 모두 생식세포 분열 과정이다.

① ㄴ   ② ㄷ   ③ ㄱ, ㄴ   ④ ㄱ, ㄷ   ⑤ ㄴ, ㄷ

12 그림은 유전자형이 AaBb인 어떤 개체에서 상동 염색체의 배열에 따른 생식세포 분열 과정을 나타낸 것이다. A와 B는 각각 a와 b의 대립유전자이고, 염색체 ㉠에 A, ㉡에 b가 존재한다.

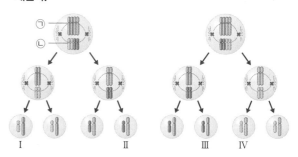

생식세포 Ⅰ~Ⅳ의 유전자형을 옳게 짝 지은 것은? (단, 돌연변이는 고려하지 않는다.)

	Ⅰ	Ⅱ	Ⅲ	Ⅳ
①	AB	AB	aB	ab
②	AB	aB	AB	aB
③	Ab	aB	AB	ab
④	aB	aB	AB	ab
⑤	ab	Ab	ab	AB

13 그림 (가)는 어떤 동물의 생식세포가 정상적으로 형성될 때의 세포 주기를, (나)는 (가)의 한 시기에서 관찰되는 세포를 나타낸 것이다.

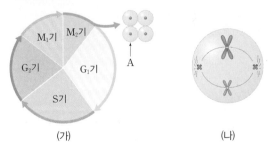

(가)　　　　　　　　　(나)

이에 대한 설명으로 옳은 것만을 〈보기〉에서 있는 대로 고른 것은? (단, 이 동물의 체세포 염색체 수는 4개이고, M_1은 감수 1분열, M_2는 감수 2분열이다.)

보기
ㄱ. (나)는 (가)의 M_1기에 관찰된다.
ㄴ. (나)의 염색체 수는 2개이다.
ㄷ. 핵상은 A와 (나)가 서로 같다.

① ㄱ　　　② ㄴ　　　③ ㄷ
④ ㄱ, ㄴ　　　⑤ ㄴ, ㄷ

14 그림 (가)와 (나)는 어떤 동물($2n=4$)의 세포 분열 과정 중 일부를 나타낸 것이다.

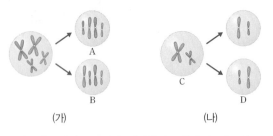

(가)　　　　　　　　　(나)

이에 대한 설명으로 옳은 것만을 〈보기〉에서 있는 대로 고른 것은? (단, 돌연변이는 고려하지 않는다.)

보기
ㄱ. (가)는 체세포 분열 과정의 일부이다.
ㄴ. 세포 A와 B에 있는 유전자의 종류는 같다.
ㄷ. 세포 C와 D의 염색체 수는 같다.

① ㄱ　　　② ㄷ　　　③ ㄱ, ㄴ
④ ㄴ, ㄷ　　　⑤ ㄱ, ㄴ, ㄷ

서술형 문제

15 그림은 동물 X의 생식세포에 들어 있는 염색체를 모두 나타낸 것이다. 이 세포의 DNA 상대량은 2이다.

(1) X의 체세포 분열 중기 세포 1개당 DNA 상대량을 쓰시오.

_____

(2) X의 감수 1분열 중기 세포 1개당 염색 분체 수를 쓰고 그렇게 생각한 까닭을 그림의 세포와 연관지어 서술하시오.

_____

16 그림은 어떤 생물($2n=4$)의 분열 중인 세포 (가)~(다)에 존재하는 염색체를 모두 나타낸 것이다.

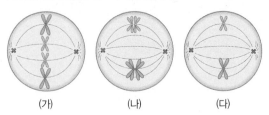

(가)　　　　　(나)　　　　　(다)

(1) (가)~(다) 중 체세포 분열 중인 세포를 모두 쓰시오.

_____

(2) (가)~(다) 중 두 개의 딸세포로 분열할 때 핵상이 변하는 세포를 쓰고, 그렇게 생각한 까닭을 서술하시오.

_____

1. 유전자, DNA, 염색체, 유전체의 관계

유전자	개체의 유전 정보가 저장된 DNA의 특정 부위
DNA	유전자를 포함하며, 부모로부터 자손에게 전달되어 유전 현상을 일으키는 물질
염색체	DNA와 히스톤 단백질로 이루어진 구조
유전체	한 생명체가 가진 모든 염색체를 구성하는 DNA에 저장된 유전 정보 전체

2. 핵형과 핵상

① 사람의 염색체: 상염색체와 성염색체로 구성

상염색체	1번부터 22번까지 남녀가 공통으로 가지는 염색체
성염색체	남녀에 따라 구성이 다른 2개의 염색체 → 여자는 XX, 남자는 XY

② 핵상

$2n$	염색체가 2개씩 상동 염색체 쌍을 이루고 있는 경우	
n	상동 염색체 중 1개씩만 있어 염색체가 쌍을 이루지 않는 경우	

3. 대립유전자와 상동 염색체

대립유전자	상동 염색체의 같은 위치에 존재하며 한 가지 형질의 결정에 관여하는 유전자 → 서로 다른 대립 형질이 표현형으로 나타난다.
상동 염색체	• 부모로부터 1개씩 물려받아 크기와 모양이 같은 두 염색체 → 대응되는 위치에 대립유전자가 존재한다. • 상동 염색체의 대립유전자 구성은 서로 같을 수도 있고, 다를 수도 있다.

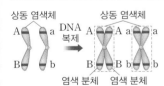

4. 세포 주기: 간기(G_1기 → S기 → G_2기) → 분열기(M기)

① 간기: 세포 생장과 DNA 복제 시기
• G_1기: 세포의 구성 물질을 합성하고, 세포 소기관의 수를 늘린다.
• S기: DNA를 복제한다.
• G_2기: 방추사 구성 단백질을 합성하고, 세포가 생장한다.
② 분열기: 핵분열(DNA 분리)과 세포질 분열이 일어난다.

5. 생식세포 분열

• 2회 연속 분열 결과 염색체 수와 DNA양이 반으로 줄어든 4개의 딸세포가 형성된다($2n → n$).

감수 1 분열 ($2n → n$)

전기	중기	후기	말기
2가 염색체 형성	2가 염색체가 적도판에 배열	상동 염색체 분리	2개의 딸세포가 형성

감수 2 분열 ($n → n$)

전기	중기	후기	말기
간기 없이 시작되며 방추사가 염색체에 결합	염색체가 적도판에 배열	염색 분체 분리	세포질 분열이 시작 → 핵상이 n인 4개의 생식세포(딸세포)가 형성

6. 체세포 분열과 생식세포 분열 비교

구분	체세포 분열	생식세포 분열
핵분열 횟수	1회(염색 분체 분리)	2회(상동 염색체 분리 → 염색 분체 분리)
상동 염색체 접합	일어나지 않음	일어남(2가 염색체 형성)
딸세포의 수(핵상)	2개($2n$)	4개(n)
역할	체세포의 증식	생식세포의 형성

7. 유전적 다양성

• 유전적 다양성이 나타나는 까닭: 상동 염색체가 무작위로 배열, 분리되어 대립유전자 조합이 다양한 생식세포가 만들어지기 때문이다. 예 유전자형이 AaBb인 개체에서 대립유전자 조합이 AB, Ab, aB, ab인 생식세포가 만들어진다.

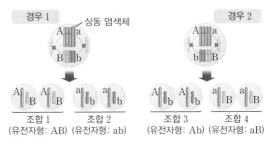

01 그림 (가)는 염색체의 구조를, (나)는 ㉠과 ㉡ 중 하나의 기본 단위를 나타낸 것이다.

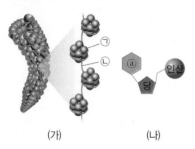

(가)   (나)

이에 대한 설명으로 옳은 것만을 〈보기〉에서 있는 대로 고른 것은?

┤ 보기 ├
ㄱ. ㉠은 히스톤 단백질이다.
ㄴ. (나)는 ㉡의 기본 단위이다.
ㄷ. ⓐ는 염기이다.

① ㄴ   ② ㄷ   ③ ㄱ, ㄴ
④ ㄱ, ㄷ   ⑤ ㄱ, ㄴ, ㄷ

02 그림은 생물의 유전 정보와 관련된 ㉠과 ㉡ 사이의 관계를 나타낸 것이다. ㉠과 ㉡은 DNA, 유전자 중 하나이다.

이에 대한 설명으로 옳은 것만을 〈보기〉에서 있는 대로 고른 것은?

┤ 보기 ├
ㄱ. ㉠은 유전 정보가 저장된 부위이다.
ㄴ. 하나의 ㉡에는 많은 수의 ㉠이 존재한다.
ㄷ. 유전체는 한 생명체가 가진 모든 ㉡의 유전 정보를 말한다.

① ㄱ   ② ㄴ   ③ ㄱ, ㄷ
④ ㄴ, ㄷ   ⑤ ㄱ, ㄴ, ㄷ

03 그림은 어떤 사람 체세포의 핵형 분석 결과 일부를 나타낸 것이다. ㉠~㉢은 염색체이다.

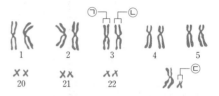

이에 대한 설명으로 옳은 것만을 〈보기〉에서 있는 대로 고른 것은? (단, 돌연변이는 고려하지 않는다.)

┤ 보기 ├
ㄱ. 남자의 핵형 분석 결과이다.
ㄴ. ㉠은 ㉡의 상동 염색체이다.
ㄷ. ㉢은 아버지로부터 물려받은 것이다.

① ㄱ   ② ㄴ   ③ ㄷ
④ ㄴ, ㄷ   ⑤ ㄱ, ㄴ, ㄷ

| 서술형 |

04 그림은 어떤 생물의 체세포 (가)와 (나)에 들어 있는 모든 염색체를 나타낸 것이다.

(가)   (나)

(가)와 (나)의 차이를 제시된 단어를 모두 이용하여 서술하시오.

염색체 수   DNA양

_____

_____

| 서술형 |

05 표는 동물 A와 B의 체세포 1개에 존재하는 염색체 수를, 그림은 A와 B 중 한 동물의 어떤 세포에 들어 있는 모든 염색체를 나타낸 것이다.

동물	염색체 수
A	6
B	12

(1) 그림은 A와 B 중 누구의 세포인지 쓰시오.

_____

(2) ㉠과 ㉡의 형성 과정을 세포 주기와 관련지어 서술하시오.

_____

_____

06 그림 (가)와 (나)는 각각 동물 Ⅰ과 Ⅱ를 이루는 세포에 들어 있는 모든 염색체를 나타낸 것이다. 동물 Ⅰ과 Ⅱ는 성별이 서로 다르며, 성염색체는 수컷일 경우 XY, 암컷일 경우 XX이다. A는 유전자이다.

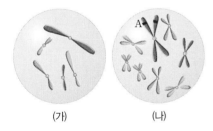

(가)   (나)

이에 대한 설명으로 옳은 것만을 〈보기〉에서 있는 대로 고른 것은? (단, 돌연변이는 고려하지 않는다.)

┤ 보기 ├
ㄱ. Ⅰ과 Ⅱ는 같은 종이다.
ㄴ. Ⅱ가 모계로부터 A를 물려받았을 확률은 50 %이다.
ㄷ. $\dfrac{\text{Ⅱ의 감수 1분열 중기 세포의 2가 염색체 수}}{\text{Ⅰ의 체세포 분열 중기 세포의 X 염색체 수}}=2$이다.

① ㄱ   ② ㄴ   ③ ㄷ
④ ㄱ, ㄴ   ⑤ ㄴ, ㄷ

07 그림 (가)~(다)는 어떤 동물에서 볼 수 있는 정상 세포의 염색체를 모두 나타낸 것이다. 이 동물의 성염색체는 XY이다.

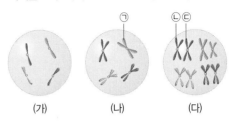

(가)   (나)   (다)

이에 대한 설명으로 옳은 것만을 〈보기〉에서 있는 대로 고른 것은? (단, 돌연변이는 고려하지 않는다.)

┤ 보기 ├
ㄱ. (가)와 (나)의 핵상은 $n=4$로 같다.
ㄴ. ㉠은 성염색체이다.
ㄷ. ㉡과 ㉢은 생식세포 분열 과정에서 2가 염색체를 형성한다.

① ㄱ   ② ㄴ   ③ ㄱ, ㄷ
④ ㄴ, ㄷ   ⑤ ㄱ, ㄴ, ㄷ

08 그림 (가)는 어떤 동물에서 체세포의 세포 주기를, (나)는 이 동물의 ㉢ 시기에 관찰되는 세포를 나타낸 것이다. ㉠~㉣은 각각 G_1기, G_2기, M기, S기 중 하나이다.

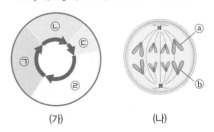

(가)   (나)

이에 대한 설명으로 옳은 것만을 〈보기〉에서 있는 대로 고른 것은? (단, 돌연변이는 고려하지 않는다.)

┤ 보기 ├
ㄱ. ㉠ 시기에 DNA가 복제된다.
ㄴ. ⓐ와 ⓑ에는 같은 형질을 결정하는 유전자가 있다.
ㄷ. 핵상은 ㉡ 시기 세포와 ㉣ 시기 세포가 같다.

① ㄱ   ② ㄷ   ③ ㄱ, ㄴ
④ ㄴ, ㄷ   ⑤ ㄱ, ㄴ, ㄷ

09 그림 (가)는 생물 X의 어떤 조직에서 세포당 DNA양에 따른 세포 수를, (나)는 이 조직을 구성하는 세포의 세포 주기를 나타낸 것이다. ㉠~㉣은 각각 S기, M기, G_1기, G_2기 중 하나이며, 각 부분의 넓이는 소요 시간에 비례한다.

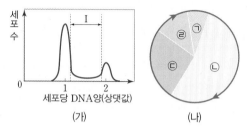

(가)   (나)

이 조직에 대한 설명으로 옳은 것만을 〈보기〉에서 있는 대로 고른 것은? (단, 돌연변이는 고려하지 않는다.)

┤ 보기 ├
ㄱ. I의 세포는 ㉡ 시기에 있다.
ㄴ. ㉠ 시기 세포 중에 2가 염색체가 존재하는 것이 있다.
ㄷ. 세포당 DNA양이 X의 생식세포의 2배인 세포의 비율은 50 %보다 높다.

① ㄱ   ② ㄴ   ③ ㄷ   ④ ㄱ, ㄴ ⑤ ㄴ, ㄷ

10 생식세포 분열에 대한 설명으로 옳은 것만을 〈보기〉에서 있는 대로 고른 것은?

┤ 보기 ├
ㄱ. 상동 염색체가 분리된다.
ㄴ. 염색체 수가 반으로 줄어든다.
ㄷ. 분열 결과 4개의 딸세포가 만들어진다.

① ㄱ   ② ㄴ   ③ ㄱ, ㄴ   ④ ㄱ, ㄷ   ⑤ ㄱ, ㄴ, ㄷ

11 생식세포 분열 시 염색체 수가 절반으로 감소하는 까닭과 가장 관련 깊은 것은?

① 세포의 크기가 작아진다.
② 4개의 생식세포가 형성된다.
③ 암수 생식세포의 수정으로 생긴 자손의 DNA양이 어버이보다 많다.
④ 암수 생식세포의 수정으로 생긴 자손의 염색체 수가 어버이와 같다.
⑤ 암수 생식세포의 수정으로 생긴 자손의 유전자 구성이 어버이와 같다.

12 그림은 어떤 동물의 생식세포 분열 과정 중인 세포의 모든 염색체와 유전자 A, a, B, b를 나타낸 것이다.

이 세포에서 생성될 수 있는 있는 생식세포로 옳은 것만을 〈보기〉에서 있는 대로 고른 것은? (단, 돌연변이는 고려하지 않는다.)

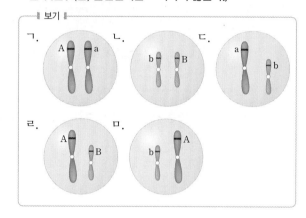

① ㄱ, ㄴ   ② ㄷ, ㄹ
③ ㄷ, ㄹ, ㅁ   ④ ㄱ, ㄴ, ㄹ, ㅁ
⑤ ㄴ, ㄷ, ㄹ, ㅁ

13 그림은 어떤 생물의 세포 분열 과정을 나타낸 것이다. 단, 세포에 들어 있는 상동 염색체 중 한 쌍만을 나타낸 것이다.

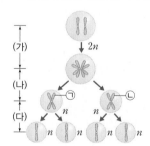

이에 대한 설명으로 옳은 것만을 〈보기〉에서 있는 대로 고른 것은? (단, 돌연변이는 고려하지 않는다.)

┤ 보기 ├
ㄱ. (가) 과정에서 DNA가 복제된다.
ㄴ. (나) 과정에서는 염색 분체가, (다) 과정에서는 상동 염색체가 분리된다.
ㄷ. ㉠이 아버지로부터 물려받은 것이면 ㉡은 어머니로부터 물려받은 것이다.

① ㄱ   ② ㄴ   ③ ㄱ, ㄷ
④ ㄴ, ㄷ   ⑤ ㄱ, ㄴ, ㄷ

14 그림은 어떤 동물의 세포 분열 과정의 일부를 나타낸 것이다.

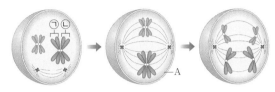

이에 대한 설명으로 옳은 것만을 〈보기〉에서 있는 대로 고른 것은?

┤ 보기 ├

ㄱ. ㉠과 ㉡은 부모에게서 각각 하나씩 물려받은 것이다.

ㄴ. 세포 A의 상태는 세포 분열 후기에 해당한다.

ㄷ. 감수 2분열 과정을 나타낸 것이다.

① ㄱ 　　② ㄴ 　　③ ㄷ

④ ㄱ, ㄴ 　　⑤ ㄱ, ㄷ

15 자료는 생물 (가)와 (나)의 세포 분열과 관련된 내용을, 그림은 어떤 세포에 들어 있는 염색체를 모두 나타낸 것이다. 이 세포는 (가)와 (나)의 세포 중 하나이다.

• (가)의 체세포 분열 전기 세포에는 4개의 염색 분체가 있다.

• (나)의 감수 1분열 중기 세포에는 ㉠개의 2가 염색체가 있다.

이에 대한 설명으로 옳은 것만을 〈보기〉에서 있는 대로 고른 것은? (단, 돌연변이는 고려하지 않는다.)

┤ 보기 ├

ㄱ. 그림은 (나)의 세포이다.

ㄴ. $\dfrac{\text{(가)의 감수 2분열 중기 세포 염색체 수}}{㉠} = \dfrac{1}{2}$이다.

ㄷ. (나)의 체세포 분열 전기 세포에는 8개의 염색 분체가 존재한다.

① ㄱ 　　② ㄷ 　　③ ㄱ, ㄴ

④ ㄴ, ㄷ 　　⑤ ㄱ, ㄴ, ㄷ

16 그림 (가)는 어떤 생물의 세포 분열 과정에서 핵 1개당 DNA 상대량의 변화를, (나)는 A와 B 중 한 구간에서 관찰된 세포의 염색체를 모두 나타낸 것이다.

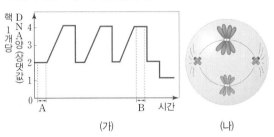

이에 대한 설명으로 옳은 것만을 〈보기〉에서 있는 대로 고른 것은? (단, 돌연변이는 고려하지 않는다.)

┤ 보기 ├

ㄱ. (가)에서 상동 염색체의 분리가 1회 일어났다.

ㄴ. (나)의 세포는 A에서 관찰된다.

ㄷ. 이 생물의 생식세포는 염색체 수가 2개이다.

① ㄱ 　　② ㄷ 　　③ ㄱ, ㄴ

④ ㄱ, ㄷ 　　⑤ ㄴ, ㄷ

17 그림 (가)와 (나)는 어떤 동물의 체세포 분열과 생식세포 분열 과정에서 볼 수 있는 세포를 순서 없이 나타낸 것이다.

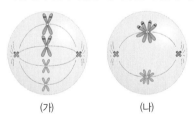

이에 대한 설명으로 옳은 것만을 〈보기〉에서 있는 대로 고른 것은?

┤ 보기 ├

ㄱ. (가)의 분열은 식물의 생장이 일어나는 생장점에서도 관찰된다.

ㄴ. (나)는 2가 염색체가 형성된 상태이다.

ㄷ. (가)와 (나)는 모두 분열 후 염색체 수가 반으로 줄어든다.

① ㄱ 　　② ㄴ 　　③ ㄷ 　　④ ㄱ, ㄴ 　　⑤ ㄴ, ㄷ

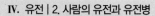

01 사람의 유전 (1)

핵심 Point
- 대립 형질과 사람의 유전 연구 방법을 이해한다.
- 사람의 상염색체 유전의 특징을 이해하고 가계도를 분석하는 방법을 안다.
- ABO식 혈액형을 바탕으로 복대립 유전을 이해하고 가계도를 분석하는 방법을 안다.

1 유전의 기본 원리

1. 유전의 기본 원리 멘델의 유전 법칙❶인 분리 법칙과 독립 법칙이 적용된다.

2. 유전 정보의 전달과 자손의 유전자형

① 유전 정보의 전달 과정

생식세포를 통한 유전 정보의 전달 과정

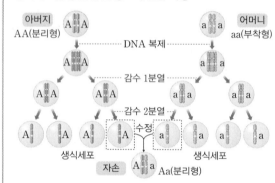

- **생식세포의 형성:** 생식세포는 체세포가 가지는 2개의 대립유전자 중 하나만 가지게 된다.
- 아버지에게서 A, 어머니에게서 a를 물려받아 자손의 유전자형은 Aa가 된다.
- **우성과 열성:** 자손의 유전자형은 Aa, 표현형은 분리형이므로 분리형 대립유전자 A가 우성, 부착형 대립유전자 a가 열성이다.

② 대립 형질과 자손의 유전자형❷

- **대립 형질:** 한 형질을 결정하는 서로 다른 대립유전자에 의해 표현형으로 나타나는 형질이다. → 우성과 열성으로 명확히 구분되는 형질의 대립유전자는 우열 관계가 분명하다.

우성	유전자형이 이형접합성❸인 개체에서 표현형으로 나타나는 대립 형질
열성	유전자형이 이형접합성인 개체에서 표현형으로 나타나지 않는 대립 형질

대립 형질과 자손이 유전자형 예상 방법

아버지와 어머니 모두 쌍꺼풀을 가지며, 유전자형이 Dd일 때 자손의 유전자형을 알아 보자. (단, 쌍꺼풀의 대립유전자가 D로 우성, 외까풀의 대립유전자가 d로 열성이다.

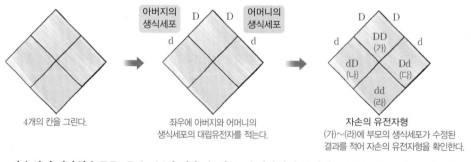

4개의 칸을 그린다.　　좌우에 아버지와 어머니의 생식세포의 대립유전자를 적는다.　　자손의 유전자형 (가)~(라)에 부모의 생식세포가 수정된 결과를 적어 자손의 유전자형을 확인한다.

- 자손의 유전자형은 DD, Dd, dd가 나올 수 있고, 유전자형의 분리비는 DD : Dd : dd=1 : 2 : 1이다.

- 자손의 표현형의 분리비는 쌍꺼풀 : 외까풀=3 : 1 ➡ 쌍꺼풀인 자손이 태어날 확률은 $\frac{3}{4}$이고, 외까풀인 자손이 태어날 확률은 $\frac{1}{4}$이다.

---

❶ 멘델의 유전 법칙

- **분리 법칙:** 한 쌍의 대립유전자는 감수 분열 과정에서 분리되어 각각 다른 생식세포로 나누어 들어간다. 그 결과 자손에서 우성과 열성 형질이 일정한 비율(우성 : 열성=3 : 1)로 나타난다.
- **독립 법칙:** 두 쌍 이상의 대립 형질이 동시에 유전될 때 각각의 형질을 나타내는 유전자는 다른 유전자에 영향을 주지 않고 독립적으로 분리 법칙에 따라 유전된다.

❷ 유전자형을 표시하는 방법

귓불과 같은 형질은 분리형과 부착형이 있고 두 개의 대립유전자에 의해 결정되므로 체세포의 유전자형은 두 개의 문자로, 생식세포의 유전자형은 한 개의 문자로 표기한다. 이때 우성 대립유전자는 알파벳 대문자로, 열성 대립유전자는 알파벳 소문자로 표기하며, 이형접합일 경우 대문자를 먼저 쓴다.

⑩ 귓불: 분리형 대립유전자를 D, 부착형 대립유전자를 d로 쓴다.

❸ 이형접합성과 동형접합성

- **이형접합성(잡종):** 하나의 형질에 대한 대립유전자 구성이 서로 다른 경우 ⑩ Rr, Yy
- **동형접합성(순종):** 하나의 형질에 대한 대립유전자 구성이 서로 같은 경우 ⑩ RR, YY, yy

━━ 용어 ━━

▶ **이형접합(다를 異, 모양 型, 사귈 接, 합할 合):** 형태상으로 모양이나 크기가 서로 다른 것끼리 결합하는 현상이다.

▶ **동형접합(같을 同, 모양 型, 사귈 接, 합할 合):** 형태상으로 모양이나 크기가 서로 비슷한 것끼리 결합하는 현상이다.

2 사람의 유전 연구

1. 사람의 유전 연구 방법

가계도 조사	• 가계도: 특정 형질에 대해 가족 관계와 각 구성원의 표현형을 기호로 나타낸 그림이다. • 사람의 가장 대표적인 유전 연구 방법이다. → 형질의 우열 관계와 구성원의 유전자형을 알 수 있고, 태어날 자손의 형질을 예측할 수 있다.	
집단 조사	여러 가계를 포함하는 집단을 조사하여 자료를 수집한 후 통계 처리하여 유전 형질의 특징을 알아낸다.	
쌍둥이 연구❹	1란성 쌍둥이와 2란성 쌍둥이의 형질 차이를 연구하여 유전자와 환경이 형질에 미치는 영향을 알아 내는 연구 방법이다.	
	1란성 쌍둥이	1개의 수정란에서 유래되므로 유전자 구성이 동일하다. → 1란성 쌍둥이 사이의 형질 차이는 환경에 의한 것이다.
	2란성 쌍둥이	서로 다른 2개의 수정란에서 각각 유래되므로 유전자 구성이 서로 다르다. → 2란성 쌍둥이 사이의 형질 차이는 유전자와 환경에 의한 것이다.
세포 및 분자 생물학 연구	핵형을 분석하거나 특정 유전자의 염기 서열을 분석하여 유전 형질의 특징을 연구한다.	

| 자료 파헤치기 |

가계도 작성 방법

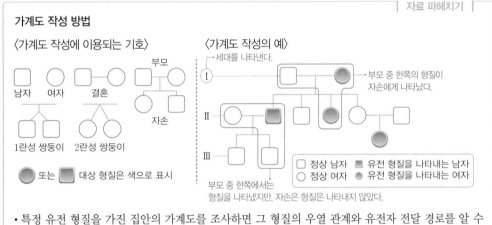

〈가계도 작성에 이용되는 기호〉

〈가계도 작성의 예〉

→ 세대를 나타낸다.

부모 중 한쪽의 형질이 자손에게 나타났다.

부모 중 한쪽에서는 형질을 나타냈지만, 자손은 형질은 나타내지 않았다.

□ 정상 남자 ■ 유전 형질을 나타내는 남자
○ 정상 여자 ● 유전 형질을 나타내는 여자

● 또는 ■ 대상 형질은 색으로 표시

남자 여자 결혼 부모 자손 1란성 쌍둥이 2란성 쌍둥이

• 특정 유전 형질을 가진 집안의 가계도를 조사하면 그 형질의 우열 관계와 유전자 전달 경로를 알 수 있다.
• 특정 형질에 대한 유전자형과 앞으로 태어날 자손에게서 그 형질이 나타날 수 있는 확률을 알 수 있다.

2. 사람의 유전 연구❺가 어려운 까닭
다른 생물보다 한 세대의 길이가 길고, 한 번에 낳을 수 있는 자손의 수가 적으며, 인위적으로 교배할 수 없어 간접적인 방법으로 유전 현상을 연구해야 한다.

3. 사람 유전 현상의 구분
① 유전자 수에 따른 구분: 형질에 관여하는 유전자의 수에 따라 한 쌍의 대립유전자에 의해 형질이 결정되는 단일 인자 유전과 하나의 형질 발현에 두 쌍 이상의 대립유전자가 관여하는 다인자 유전으로 구분된다.
② 형질에 관여하는 유전자가 위치하는 염색체에 따른 구분: 상염색체에 의한 유전과 성염색체에 의한 유전으로 구분된다.

개념 확인하기

1 유전자형이 이형접합성인 개체에서는 열성 형질이 표현형으로 나타난다. (○ , ×)

2 사람의 가장 대표적인 유전 연구 방법은 특정 형질에 대해 가족 관계와 각 구성원의 표현형을 기호로 나타낸 (　　　　)를 분석하는 것이다.

답 1 × 2 가계도

▶ 멘델의 유전 법칙을 통해 유전의 기본 원리를 이해해 보자.

멘델의 유전 법칙: 완두를 이용한 분리 법칙과 독립 법칙 확인 실험

01 분리 법칙

① 염색체의 관점과 대립유전자의 관점에서 본 분리 법칙

염색체의 관점	• 핵상이 $2n$인 모세포에는 부모로부터 1개씩 물려받아 2개씩 쌍을 이룬 상동 염색체가 존재한다. • 생식세포 분열 시 상동 염색체 쌍은 분리되어 서로 다른 딸세포(생식세포)로 이동한다.
대립유전자의 관점	• 한 개체는 특정 형질에 대해 부모로부터 1개씩 물려받은 2개의 대립유전자를 가진다. • 생식세포 형성 시 두 대립유전자는 분리되어 서로 다른 생식세포로 들어간다.

② 개체의 유전자형이 Rr이고, R가 r에 대해 우성인 경우

생식세포의 비율	R : r=1 : 1
자가 교배에 의한 자손의 비율	(그림) • 자손의 유전자형에 따른 비율은 RR : Rr : rr=1 : 2 : 1이다. • 자손의 표현형에 따른 비율은 R_ : rr=3 : 1이다.

+ Plus 자료

멘델의 유전 법칙
• 오스트리아의 생물학자 멘델(Mendel, G. J., 1822~1884)이 완두를 이용한 교배 실험을 통해 발견한 법칙이다.
• 사람을 비롯하여 생식세포 분열과 유성 생식을 하는 모든 생물체의 유전에 적용된다.

02 독립 법칙

① 염색체의 관점과 대립유전자의 관점에서 본 독립 법칙

염색체의 관점	• 생식세포 분열 시 한 상동 염색체 쌍의 분리는 다른 상동 염색체 쌍의 분리에 영향을 미치지 않는다. • 서로 다른 상동 염색체 쌍의 분리는 무작위로(독립적으로) 일어난다.
대립유전자의 관점	• 생식세포 형성 시 한 상동 염색체 쌍에 존재하는 대립유전자의 분리는 다른 상동 염색체 쌍에 존재하는 대립유전자의 분리에 영향을 미치지 않는다. • 서로 다른 상동 염색체 쌍에 존재하는 대립유전자의 분리는 독립적으로 일어난다.

② 개체의 유전자형이 RrYy이고, R가 r에 대해, Y가 y에 대해 우성인 경우

생식세포의 비율	RY : Ry : rY : ry=1 : 1 : 1 : 1
자가 교배에 의한 자손의 비율	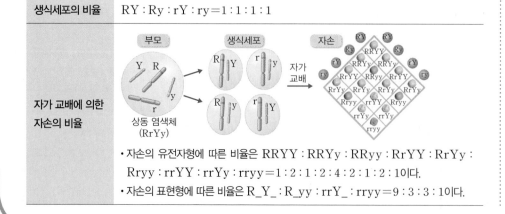

• 자손의 유전자형에 따른 비율은 RRYY : RRYy : RRyy : RrYY : RrYy : Rryy : rrYY : rrYy : rryy=1 : 2 : 1 : 2 : 4 : 2 : 1 : 2 : 1이다.
• 자손의 표현형에 따른 비율은 R_Y_ : R_yy : rrY_ : rryy=9 : 3 : 3 : 1이다.

+ Plus 자료

자가 교배
꽃가루가 같은 그루의 꽃에 있는 암술머리에 수정되는 것이다.

3 **상염색체 유전**

1. 상염색체 유전 형질을 나타내는 유전자가 상염색체에 있는 유전
- 상염색체 구성은 성별에 따른 차이가 없다. → 유전자가 자손에게 전달되는 방식이나 자손에서 특정 표현형이 나타날 확률이 남자와 여자에서 같다.

| 자료 파헤치기 |

상염색체 유전 가계도 분석[6]의 예: 이마선 모양 유전

그림은 사람의 이마선 모양에 대한 가계도이다. 이마선 모양을 결정하는 우성 대립유전자는 A, 열성 대립유전자는 a이다.

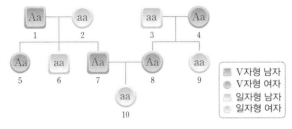

- ■ V자형 남자
- ● V자형 여자
- □ 일자형 남자
- ○ 일자형 여자

① 우성과 열성 파악: V자형 부모 7과 8 사이에서 일자형 자녀 10이 태어났다. → V자형이 우성(A), 일자형이 열성(a) 형질이다.

② 일자형(열성) 어머니 2로부터 V자형 아들 7이 태어났다. → 7은 1로부터 A를 물려받았으므로 이마선 모양은 상염색체 유전 형질이다.

> **이마선 모양이 상염색체 유전 형질임을 알 수 있는 또 다른 경우**
> - V자형 아버지 7로부터 일자형 딸 10이 태어났다. → 10은 7로부터 a를 물려받았으므로 7의 유전자형은 Aa이다. → 남자인 7이 2개의 대립유전자를 가지므로 이마선 모양은 상염색체 유전 형질이다.

③ 열성 형질의 유전자형 파악: 일자형인 2, 3, 6, 9, 10은 모두 유전자형이 aa이다.

④ 열성 대립유전자가 있는 우성 형질의 사람을 찾아내어 유전자형 파악: V자형인 1, 4, 7, 8은 일자형(aa) 자녀 6, 9, 10에게 a를 1개씩 물려주었다. → 1, 4, 7, 8의 유전자형은 모두 Aa이다.

⑤ 5는 일자형(aa) 어머니 2로부터 a를 1개 물려받았으므로 유전자형이 Aa이다.

⑥ 7(Aa)과 8(Aa) 사이에서 태어날 수 있는 자녀의 유전자형은 AA, Aa, Aa, aa이고, V자형 자녀 (AA 또는 Aa)가 태어날 확률은 $\frac{1}{4}+\frac{1}{2}=\frac{3}{4}$이고, 일자형 자녀(aa)가 태어날 확률은 $\frac{1}{4}$이다.

2. 하나의 형질에 대한 대립유전자의 종류가 2개인 상염색체 유전

① 단일 인자 유전: 형질을 결정하는 2개(한 쌍)의 대립유전자가 상염색체에 있고, 대립유전자는 우성과 열성 두 가지이다.

② 표현형이 2개의 대립 형질로 뚜렷하게 구분된다.

③ 우성과 열성이 뚜렷하게 구별되어 나타나고, 분리 법칙과 독립 법칙을 따른다. ➡ 멘델의 유전 법칙이 적용된다.

셀파 콕콕

가계도 분석 순서
첫째, 우성과 열성 파악
둘째, 열성 형질의 유전자형 파악
셋째, 열성 대립유전자가 있는 우성 형질(이형접합성)의 사람을 찾아내어 유전자형 파악
넷째, 유전자형을 알 수 없는 사람 분류하는 순서로 가계도를 분석한다.
가계도 분석 문제에 대비하여 가계도 분석하는 순서를 알아 두자.

[6] 가계도 분석의 일반 원칙
부모와 자녀의 표현형이 서로 다를 때, 부모의 표현형이 우성, 자녀의 표현형이 열성이다. 그 까닭은 열성 형질의 부모(aa)로부터 우성 형질의 자녀(AA, Aa)는 태어날 수 없지만, 우성 형질의 부모(Aa)로부터 열성 형질의 자녀(aa)는 태어날 수 있기 때문이다.

개념 확인하기

1 형질을 나타내는 유전자가 상염색체에 있는 유전은 (   ) 유전이다.

2 상염색체 유전은 특정 형질이 남자, 여자에게서 나타날 확률이 서로 같다. (○ , ×)

3 단일 인자 유전을 하는 형질의 표현형은 2개의 대립 형질로 뚜렷하게 구분된다. (○ , ×)

답 1 상염색체 2 ○ 3 ○

3. 하나의 형질에 대한 대립유전자가 2개인 상염색체 유전 형질의 예

형질		귓불	눈꺼풀	보조개	이마선	혀 말기	엄지손가락의 젖혀짐[7]
대립형질	우성	분리형	쌍꺼풀	있음	V자형 (M자형)	가능	젖혀짐
	열성	부착형	외꺼풀	없음	일자형	불가능	젖혀지지 않음

▲ 분리형 귓불 ▲ 부착형 귓불 ▲ V자형(M자형) 이마선 ▲ 일자형 이마선 ▲ 보조개 있음 ▲ 보조개 없음

4. 하나의 형질에 대한 대립유전자가 3개 이상인 유전(복대립 유전[8])

① 복대립 유전의 특징: 하나의 형질이 3가지 이상의 대립유전자에 의해 결정된다. → 대립유전자가 2가지인 형질보다 대립 형질(표현형)의 가짓수가 더 많다.

② ABO식 혈액형: 사람의 대표적인 복대립 유전 형질이다.
- 대립유전자: 상염색체에 존재하는 3가지 대립유전자 I^A, I^B, i[9]에 의해 결정된다. → I^A와 I^B 사이에는 우열이 없으며(공동 우성[10]), i는 I^A와 I^B 모두에 대해 열성이다. ($I^A = I^B > i$)

가능한 세 가지 대립유전자
ABO식 혈액형을 결정하는 유전자 위치 → I^A / I^B / i

- ABO식 혈액형의 유전자형과 표현형

표현형	A형		B형		AB형	O형
유전자형	$I^A I^A$	$I^A i$	$I^B I^B$	$I^B i$	$I^A I^B$	ii
	I^A I^A	I^A i	I^B I^B	I^B i	I^A I^B	i i

자료 파헤치기

ABO식 혈액형 유전의 가계도 분석

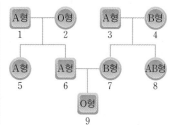

- AB형인 8은 유전자형이 $I^A I^B$이다.
- O형인 2, 9는 유전자형이 모두 ii이다.
- 5와 6은 각각 2(ii)로부터 i를 1개씩 물려받았으므로 유전자형이 $I^A i$이다.
- 7은 9(ii)에게 i를 1개 물려주었으므로 유전자형이 $I^B i$이다.
- 3은 7에게 i를 1개 물려주었으므로 3의 유전자형은 $I^A i$이다.
- 1은 유전자형이 $I^A I^A$ 또는 $I^A i$이고, 4는 유전자형이 $I^B I^B$ 또는 $I^B i$이다.

---

❼ 엄지손가락의 젖혀짐

엄지손가락이 뒤로 젖혀지는 우성 형질을 '히치하이커 엄지'라고도 부른다.

〈젖혀짐〉　〈젖혀지지 않음〉

❽ 복대립 유전

대립유전자의 종류가 많아도 한 사람은 부모로부터 각각 1개씩 물려받은 2개의 대립유전자만 가진다. (단일 인자 유전)

❾ ABO식 혈액형의 대립유전자

대립유전자 I^A, I^B, i를 각각 A, B, O로 표기하기도 한다.

❿ 공동 우성

대립유전자 사이에 우열 관계가 없어 유전자형이 이형접합성일 때 두 대립유전자가 나타내는 형질이 동일한 정도로 발현되는 것이다.

강의 쏙

상염색체 유전 가계도를 분석하여 대립유전자 사이의 우열 관계와 가족 구성원의 유전자형을 파악하고, 자손이 특정 형질을 가질 확률을 묻는 문제가 자주 출제된다.

▶ 시험에 자주 나오는 예시를 모았습니다. 반복적으로 학습하여 시험에 대비하세요.

가계도 분석

| 상염색체 유전의 가계도 분석 |

그림은 유전병을 가진 어떤 집안의 가계도를 나타낸 것이다.

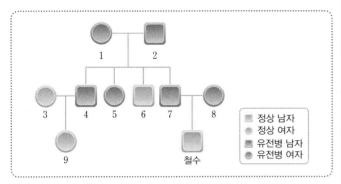

이에 대한 설명으로 옳은 것은 ○, 옳지 <u>않은</u> 것은 ×를 하시오. (단, 돌연변이는 고려하지 않는다.)

1. 유전병 유전자는 성염색체에 있다.　　　　　(　　　)

2. 정상이 우성, 유전병이 열성이다.　　　　　(　　　)

3. 이 가계도에서 유전병 대립유전자를 가진 사람은 모두 5명이다.　　　　　(　　　)

4. 이 가계도에서 유전병에 대한 유전자형이 이형접합성임이 확실한 사람은 1, 2, 4, 7, 8로 모두 5명이다.　(　　　)

5. 5와 정상인 남자가 결혼하여 정상인 자손이 태어날 확률은 정확히 알 수 없다.　　　　　(　　　)

6. 6이 정상인 여자와 결혼하여 정상인 자손이 태어날 확률은 100 %이다.　　　　　(　　　)

7. 9와 철수의 유전자형은 같다.　　　　　(　　　)

8. 철수 동생이 태어날 때, 유전병일 확률은 $\frac{1}{2}$이다. (　　　)

9. 철수 동생이 태어날 때, 여자이면서 정상일 확률은 $\frac{3}{8}$이다.
　　　　　(　　　)

10. 철수 동생이 태어날 때, 남자이면서 유전병을 가질 확률은 $\frac{1}{8}$이다.　　　　　(　　　)

| 해설 | 유전병인 1과 2로부터 정상인 6이 태어났으므로 유전병이 우성 형질이다.

| 가계도와 DNA 상대량 분석 |

그림 (가)는 대립유전자 T와 T*에 의해 결정되는 어떤 유전병 X에 관한 가계도를, (나)는 (가)의 구성원 4와 5의 체세포 1개당 대립유전자 T의 DNA 상대량을 나타낸 것이다.

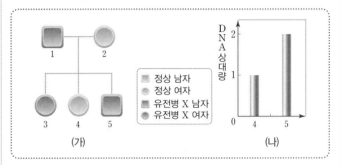

이에 대한 설명으로 옳은 것은 ○, 옳지 <u>않은</u> 것은 ×를 하시오. (단, 돌연변이는 고려하지 않는다.)

1. 유전병 X는 열성 형질이다.　　　　　(　　　)

2. T*는 T에 대해 열성이다.　　　　　(　　　)

3. 유전병 X의 유전자는 상염색체에 있다.　　(　　　)

4. 이 가계도에서 유전병 대립유전자를 가진 사람은 모두 3명이다.　　　　　(　　　)

5. 이 가계도에서 유전자형을 정확하게 알 수 없는 사람은 모두 3명이다.　　　　　(　　　)

6. 이 가계도의 모든 구성원은 대립유전자 T를 갖는다.
　　　　　(　　　)

7. 1의 유전자형은 TT*이다.　　　　　(　　　)

8. 3이 정상인 남자와 결혼할 경우 자손이 3과 같은 유전자형을 가질 확률은 50 %이다.　　　　　(　　　)

9. 4가 유전병인 남자와 결혼하여 정상이며, 여자인 자손이 태어날 확률은 정확히 알 수 없다.　　　　　(　　　)

10. 5의 동생이 1명 태어날 때 정상 남자일 확률은 50 %이다.
　　　　　(　　　)

| 해설 | 모든 구성원에서 유전자 T와 T*의 DNA 상대량의 합은 2가 되어야 한다. 따라서 4의 유전자형은 TT*, 5의 유전자형은 TT가 된다.

답　1. × 2. × 3. × 4. ○ 5. ○ 6. ○ 7. × 8. × 9. × 10. ×

답　1. ○ 2. × 3. × 4. ○ 5. × 6. ○ 7. × 8. × 9. × 10. ×

기초 탄탄 문제

정답과 해설 43쪽

핵심용어_ 이 단원에서 내가 아는 것과 아직 모르는 것을 정리하며 나의 공부를 돌아보자.

□ 대립 형질　　□ 우성　　□ 열성
□ 가계도　　□ 상염색체 유전
□ 복대립 유전　　□ ABO식 혈액형

01 사람의 유전 현상을 연구하는 방법으로 옳은 것은?

① 집단 조사 방법으로 특정 형질의 우열 관계를 판단한다.

② 핵형 분석은 어느 집안에서 특정 형질이 유전되는 방식을 연구한다.

③ 가계도 분석을 통해 한 형질을 결정하는 대립유전자의 DNA 염기 서열을 조사한다.

④ 어느 한 집단의 유전 형질에 대한 자료를 통계 처리하여 염색체의 수와 모양을 분석한다.

⑤ 쌍둥이 연구를 통해 특정 형질이 유전자와 환경 중 어느 요인의 영향을 더 많이 받는지 조사한다.

02 표는 사람의 3가지 상염색체 유전 형질의 우열 관계를 나타낸 것이다. (단, 제시된 형질은 모두 우열 관계가 분명한 2가지 대립유전자에 의해 결정된다.)

형질	혀 말기	보조개	이마선 모양
우성	가능	있음	V자형
열성	불가능	없음	일자형

위 3가지 유전 형질에 대한 설명으로 옳지 <u>않은</u> 것은?

① 혀 말기 가능과 불가능은 대립 형질이다.

② 유전자형이 이형접합성인 사람은 보조개가 있다.

③ 일자형 이마선이 나타날 확률은 남자와 여자에서 같다.

④ 혀 말기가 가능한 사람 중에 열성 대립유전자를 가진 사람이 있다.

⑤ 일자형 이마선의 부모 사이에서 V자형 이마선의 자녀가 태어날 수 있다.

03 표는 어떤 가족의 귓불 모양에 대한 표현형을 나타낸 것이다. 귓불 모양은 상염색체 유전 형질이다.

구성원	어머니	아버지	아들	딸
표현형	분리형	분리형	부착형	분리형

어머니의 체세포 분열 전기 상태의 세포에서 귓불 대립유전자를 염색체 상에 옳게 나타낸 것은? (단, 귓불 모양을 결정하는 대립유전자는 E와 e이며, E는 e에 대해 완전 우성이다.)

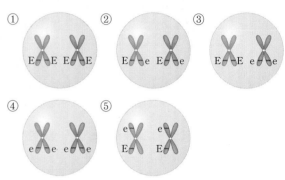

04 그림은 귓불 모양에 대한 가계도를 나타낸 것이다. 귓불 모양을 결정하는 우성 대립유전자는 E, 열성 대립유전자는 e이다.

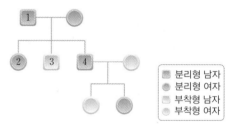

■ 분리형 남자
● 분리형 여자
□ 부착형 남자
○ 부착형 여자

1~4의 유전자형을 옳게 짝 지은 것은?

	1	2	3	4
①	ee	ee	Ee	ee
②	ee	ee	EE	EE 또는 Ee
③	Ee	Ee	ee	Ee
④	Ee	EE 또는 Ee	ee	Ee
⑤	EE 또는 Ee	EE	ee	Ee

05 표는 철수네 가족의 ABO식 혈액형을 나타낸 것이다. ABO식 혈액형을 결정하는 대립유전자는 I^A, I^B, i이다.

구성원	어머니	아버지	철수
혈액형	AB형	B형	A형

철수의 동생이 철수와 유전자형이 같은 여자로 태어날 확률은?

① 0　　② $\frac{1}{2}$　　③ $\frac{1}{4}$　　④ $\frac{1}{8}$　　⑤ $\frac{2}{3}$

내신 만점 문제

정답과 해설 43쪽

* ■■■ 난이도를 나타냅니다.

01 사람의 유전을 연구하는 방법으로 적절한 것을 〈보기〉에서 모두 고른 것은?

┤ 보기 ├
ㄱ. 쌍둥이 연구 ㄴ. 집단 조사
ㄷ. 인공 교배 실험 ㄹ. 분자 생물학 연구
ㅁ. 가계도 조사

① ㄱ, ㄴ ② ㄷ, ㅁ ③ ㄱ, ㄴ, ㄹ
④ ㄷ, ㄹ, ㅁ ⑤ ㄱ, ㄴ, ㄹ, ㅁ

02 다음은 사람의 유전 연구 방법 중 하나를 설명한 것이다.

> 1란성 쌍둥이와 2란성 쌍둥이에서 형질의 일치율을 조사한다.

이에 대한 설명으로 옳은 것만을 〈보기〉에서 있는 대로 고른 것은?

┤ 보기 ├
ㄱ. 집단 조사 방법이다.
ㄴ. 인위적인 교배를 통해 유전을 연구하는 방법이다.
ㄷ. 유전과 환경이 형질에 미치는 영향을 알 수 있다.

① ㄱ ② ㄴ ③ ㄷ
④ ㄱ, ㄴ ⑤ ㄴ, ㄷ

03 상염색체에 의한 유전에 대한 설명으로 옳은 것만을 〈보기〉에서 있는 대로 고른 것은?

┤ 보기 ├
ㄱ. X 염색체 위에 관련 대립유전자가 있다.
ㄴ. 형질이 남녀의 성별에 관계없이 유전된다.
ㄷ. ABO식 혈액형 유전과 같은 복대립 유전도 단일 인자 유전 중 상염색체에 의한 유전에 해당한다.

① ㄱ ② ㄴ ③ ㄱ, ㄷ
④ ㄴ, ㄷ ⑤ ㄱ, ㄴ, ㄷ

04 그림은 귓불 모양 가계도이다. 귓불 모양을 결정하는 우성 대립유전자는 A, 열성 대립유전자는 a이다.

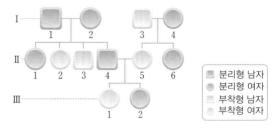

	분리형 남자
	분리형 여자
	부착형 남자
	부착형 여자

이에 대한 설명으로 옳은 것만을 〈보기〉에서 있는 대로 고른 것은?

┤ 보기 ├
ㄱ. I−2와 II−6은 유전자형이 같다.
ㄴ. a를 가지지 않은 사람은 모두 2명이다.
ㄷ. II−4와 II−5 사이에서 분리형 귓불을 가진 아들은 태어나지 않는다.

① ㄱ ② ㄴ ③ ㄷ ④ ㄱ, ㄴ ⑤ ㄴ, ㄷ

05 표는 자녀 A~D와 이들의 부모 (가)~(라)에서 쌍꺼풀과 보조개 유무를 나타낸 것이다. 쌍꺼풀은 외꺼풀에 대해 우성이고, 보조개는 '있음'이 '없음'에 대해 우성이다.

자녀(성별)	A(남)	B(여)	C(남)	D(여)
쌍꺼풀	쌍꺼풀	외꺼풀	외꺼풀	쌍꺼풀
보조개	있음	없음	있음	없음

부모	쌍꺼풀		보조개	
	아버지	어머니	아버지	어머니
(가)	쌍꺼풀	쌍꺼풀	있음	없음
(나)	외꺼풀	외꺼풀	없음	있음
(다)	쌍꺼풀	외꺼풀	없음	없음
(라)	외꺼풀	외꺼풀	없음	없음

이에 대한 설명으로 옳은 것만을 〈보기〉에서 있는 대로 고른 것은? (단, 돌연변이는 고려하지 않는다.)

┤ 보기 ├
ㄱ. A의 부모는 (가)이다.
ㄴ. B는 쌍꺼풀과 보조개에 대한 유전자형이 모두 동형접합성이다.
ㄷ. C의 동생이 태어날 때, 이 동생은 쌍꺼풀을 가질 수 있다.

① ㄱ ② ㄷ ③ ㄱ, ㄴ ④ ㄱ, ㄷ ⑤ ㄴ, ㄷ

06 그림은 유전자가 상염색체에 존재하는 단지증에 대한 가계도이다.

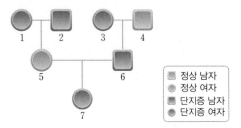

▣	정상 남자
●	정상 여자
▣	단지증 남자
●	단지증 여자

이에 대한 설명으로 옳은 것만을 〈보기〉에서 있는 대로 고른 것은?

| 보기 |

ㄱ. 단지증은 정상에 대해 열성이다.

ㄴ. 5와 6 사이에서 아이가 태어날 때, 이 아이가 단지증일 확률은 $\frac{1}{2}$이다.

ㄷ. 유전자형을 정확히 알 수 없는 사람은 모두 1명이다.

① ㄴ 　　② ㄷ 　　③ ㄱ, ㄴ

④ ㄱ, ㄷ 　　⑤ ㄴ, ㄷ

 그림은 어떤 유전병에 대한 가계도이다. 이 유전병은 상염색체에 존재하는 우열 관계가 분명한 2가지 대립유전자에 의해 결정된다.

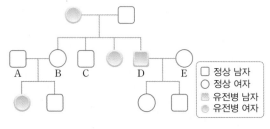

□	정상 남자
○	정상 여자
▨	유전병 남자
●	유전병 여자

이에 대한 설명으로 옳은 것만을 〈보기〉에서 있는 대로 고른 것은?

| 보기 |

ㄱ. 유전병이 나타날 확률은 남자보다 여자에서 높다.

ㄴ. A와 B 사이에서 아이가 태어날 때, 이 아이의 유전자형이 D와 같을 확률은 $\frac{1}{4}$이다.

ㄷ. C와 E의 유전자형이 같을 확률은 100 %이다.

① ㄱ 　　② ㄴ 　　③ ㄱ, ㄴ

④ ㄱ, ㄷ 　　⑤ ㄴ, ㄷ

08 다음은 사람의 어떤 유전병에 대한 자료이다.

- 이 유전병은 우열 관계가 분명한 2가지 대립유전자에 의해 결정된다.
- ㉠정상인 부모 사이에서 태어나는 딸이 병에 걸릴 수 있다.

이 유전병에 대한 설명으로 옳은 것만을 〈보기〉에서 있는 대로 고른 것은? (단, 돌연변이는 고려하지 않는다.)

| 보기 |

ㄱ. 상염색체 유전 형질이다.

ㄴ. ㉠ 중에 유전자형이 이형접합성인 사람이 있다.

ㄷ. 병에 걸린 부모 사이에서 태어나는 자녀는 항상 병에 걸린다.

① ㄱ 　　② ㄷ 　　③ ㄱ, ㄴ

④ ㄴ, ㄷ 　　⑤ ㄱ, ㄴ, ㄷ

09 그림은 어떤 집안의 엄지손가락의 젖혀짐에 대한 가계도를 나타낸 것이다. 엄지손가락의 젖혀짐은 우열 관계가 분명한 2가지 대립유전자에 의해 결정되며, 엄지손가락이 젖혀지지 않는 부모 사이에서는 항상 엄지손가락이 젖혀지지 않는 자녀만 태어난다.

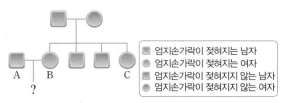

▣	엄지손가락이 젖혀지는 남자
●	엄지손가락이 젖혀지는 여자
▣	엄지손가락이 젖혀지지 않는 남자
●	엄지손가락이 젖혀지지 않는 여자

이에 대한 설명으로 옳은 것만을 〈보기〉에서 있는 대로 고른 것은?

| 보기 |

ㄱ. 엄지손가락이 젖혀지지 않는 형질이 나타날 확률은 남녀가 같다.

ㄴ. C는 엄지손가락이 젖혀지지 않는 형질의 대립유전자를 가진다.

ㄷ. A와 B 사이에서 아이가 태어날 때, 이 아이가 엄지손가락이 젖혀지는 형질을 가질 확률은 $\frac{1}{2}$이다.

① ㄱ ② ㄴ ③ ㄱ, ㄷ ④ ㄴ, ㄷ ⑤ ㄱ, ㄴ, ㄷ

10 표는 세 가족에서 부모와 자녀의 ABO식 혈액형을 순서 없이 나타낸 것이다. 1~3은 각각 (가)~(다) 중 한 부모의 자녀이며, 1과 2는 성별이 서로 다르다.

부모	(가)	(나)	(다)
혈액형	A형, B형	A형, A형	AB형, O형

자녀	1	2	3
혈액형	B형	O형	AB형

이에 대한 설명으로 옳은 것만을 〈보기〉에서 있는 대로 고른 것은?

―― 보기 ――
ㄱ. (가)의 자녀는 3이다.
ㄴ. (나)의 부모는 유전자형이 같다.
ㄷ. 1과 2 사이에서 아이가 태어날 때, 이 아이의 유전자형이 동형접합성일 확률은 $\frac{1}{2}$이다.

① ㄴ ② ㄷ ③ ㄱ, ㄴ ④ ㄱ, ㄷ ⑤ ㄱ, ㄴ, ㄷ

11 다음은 철수네 가족의 ABO식 혈액형에 대한 자료이다.

- 철수네 가족은 아버지, 어머니, 누나, 철수로 구성된다.
- 철수네 가족 구성원 4명은 모두 혈액형이 서로 다르다.
- 아버지와 어머니는 서로 공통된 대립유전자를 가지지 않는다.

이에 대한 설명으로 옳은 것만을 〈보기〉에서 있는 대로 고른 것은?

―― 보기 ――
ㄱ. 어머니와 아버지는 모두 유전자형이 이형접합성이다.
ㄴ. 누나와 철수는 서로 공통된 대립유전자를 가진다.
ㄷ. 철수의 동생이 태어날 때, 이 동생의 혈액형이 철수와 같을 확률은 $\frac{1}{2}$이다.

① ㄴ ② ㄷ ③ ㄱ, ㄴ ④ ㄱ, ㄷ ⑤ ㄴ, ㄷ

서술형 문제

12 그림 (가)와 (나)는 1란성 쌍둥이와 2란성 쌍둥이의 발생 과정을 순서 없이 나타낸 것이다.

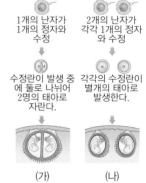

1개의 난자가 1개의 정자와 수정
2개의 난자가 각각 1개의 정자와 수정

수정란이 발생 중에 둘로 나뉘어 2명의 태아로 자란다.
각각의 수정란이 별개의 태아로 발생한다.

(가)   (나)

(1) (가)와 (나)가 각각 1란성 쌍둥이와 2란성 쌍둥이 중 어디에 해당하는지 쓰시오.

_____

(2) (가)와 (나)에서 각각 형질의 차이가 나타나는 까닭을 서술하시오.

_____

13 그림은 두 가족의 ABO식 혈액형에 대한 가계도이다.

1 AB형 — 2 O형   4 A형 — 5 B형
3 B형   6 A형

(1) 1~6 중 유전자형을 정확히 알 수 <u>없는</u> 사람을 모두 쓰시오.

_____

(2) 3과 6 사이에서 아이가 태어날 때, 이 아이가 부모와 다른 혈액형을 가질 확률을 쓰고, 구하는 과정을 서술하시오.

_____
_____
_____

02 사람의 유전 (2)

내 교과서는 어디에?

천재 p.138~140 동아 p.138~143 미래엔 p.143~145
비상 p.135~139 금성 p.150~152 교학사 p.139~141 지학사 p.128~133

핵심 Point
● 사람의 **성염색체 유전**의 특징을 가계도 분석을 통해 이해한다.
● 피부색 유전 모형을 바탕으로 다인자 유전을 이해한다.
● 가계도를 분석하여 **상염색체 유전**과 **성염색체 유전**의 차이점을 이해한다.

---

1 성염색체 유전의 특징

1. 사람의 성 결정

성 결정 방법

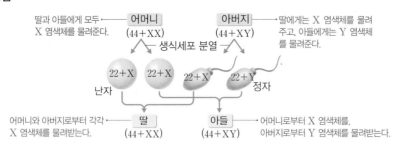

딸과 아들에게 모두 X 염색체를 물려준다.
어머니 (44+XX) 아버지 (44+XY)
딸에게는 X 염색체를 물려주고, 아들에게는 Y 염색체를 물려준다.
생식세포 분열
22+X 22+X 난자 / 22+X 22+Y 정자
어머니와 아버지로부터 각각 X 염색체를 물려받는다.
딸 (44+XX) 아들 (44+XY)
어머니로부터 X 염색체를, 아버지로부터 Y 염색체를 물려받는다.

- 사람의 성은 성염색체에 의해 결정되며 여자는 XX, 남자는 XY이다.
- 아버지(XY)의 정자 중 절반에는 X 염색체가, 나머지 절반에는 Y 염색체가 존재한다. → 태어나는 자녀가 남자일 확률과 여자일 확률은 같다.

2. 성염색체 유전● 형질을 나타내는 유전자가 성염색체에 있는 유전

① 반성유전●: 어떤 형질이 X 염색체에 의해 유전되는 현상이다. ⑩ 적록 색맹, 혈우병
② X 염색체가 여자(XX)는 2개, 남자(XY)는 1개이므로 X 염색체 유전 형질의 경우, 대립유전자를 여자는 2개, 남자는 1개만 가진다. ➡ 성별에 따라 형질이 나타나는 빈도가 달라진다.

딸(XX)	• 어머니와 아버지로부터 각각 대립유전자를 1개씩 물려받는다. • 우성 형질의 아버지가 있는 딸은 항상 우성 형질을 나타낸다. → 우성 형질의 아버지는 우성 대립유전자만 1개 가지며, 딸에게 우성 대립유전자를 물려주기 때문이다.
아들(XY)	• 어머니로부터만 대립유전자를 1개 물려받는다. • 열성 형질의 어머니가 있는 아들은 항상 열성 형질을 나타낸다. → 열성 형질의 어머니는 열성 대립유전자만 2개 가지며, 아들에게 열성 대립유전자를 물려주기 때문이다.

3. 적록 색맹의 유전 적록 색맹●은 사람의 대표적인 반성유전 형질이다.

① 적록 색맹은 시각 세포의 이상으로 빨간색과 초록색을 구별하지 못하는 유전병이며, 정상에 대해 열성이다. → 정상 대립유전자(X^R)가 우성, 적록 색맹 대립유전자(X^r)가 열성이다.
② 적록 색맹의 유전자형과 표현형

구분	여자			남자	
유전자형	$X^R X^R$	$X^R X^r$	$X^r X^r$	$X^R Y$	$X^r Y$
표현형	정상	정상(보인자)	적록 색맹	정상	적록 색맹

③ 어머니가 적록 색맹($X^r X^r$)이면 아들은 항상 적록 색맹($X^r Y$)이고, 아버지가 정상($X^R Y$)이면 딸은 항상 정상($X^R X^R$ 또는 $X^R X^r$)이다.
④ 여자는 X^r를 2개 가져야만 적록 색맹이 나타나는 반면, 남자는 X^r를 1개 가지면 적록 색맹이 나타난다. ➡ 적록 색맹이 나타날 확률은 여자보다 남자에서 높다.

● 성염색체 유전

유전자가 성염색체에 존재해 형질의 유전이 성별과 연관되어 있다. 따라서 '성을 동반한 유전'이라는 의미로 반성(짝 伴, 성 性)유전이라고도 부른다.

셀파 콕콕 🔍

어떤 형질이 성염색체 유전 형질인지 상염색체 유전 형질인지 파악하기 어려운 경우가 있다 그럴 때 아래 두 가지 경우를 살펴보자.
• 열성 형질의 어머니에게서 우성 형질의 아들이 태어난 경우
• 우성 형질의 아버지에게서 열성 형질의 딸이 태어난 경우
위의 두 가지 경우 중 하나라도 해당한다면 상염색체 유전이라는 점을 알아 두자.

❷ 반성유전과 한성 유전
• 반성유전: 성염색체에 있는 유전자에 의한 유전이지만, 사람에서는 X 염색체에 존재하는 유전자에 의한 유전의 의미로 주로 사용됐다.
• 한성 유전: 유전자형은 동일하지만 한쪽 성에서만 형질이 나타나는 유전 현상을 의미한다.

❸ 적록 색맹 검사표

적록 색맹일 경우 숫자 전체가 무채색으로 보여 45를 읽을 수 없다.

▬▬▬ 용어 ▬▬▬

▶ **보인자**(지킬 保, 인할 因, 놈 者): 열성으로 유전되는 형질의 경우 대립유전자 구성이 이형접합성일 때는 형질이 겉으로 드러나지 않는다. 이와 같이 보인자는 형질이 겉으로 드러나지는 않지만, 형질을 나타내는 유전자를 가지고 있는 사람을 뜻한다.

적록 색맹 유전의 특징

· 딸(XX)은 아버지와 어머니로부터 대립유전자를 1개씩, 아들은 어머니로부터 1개 물려받는다.

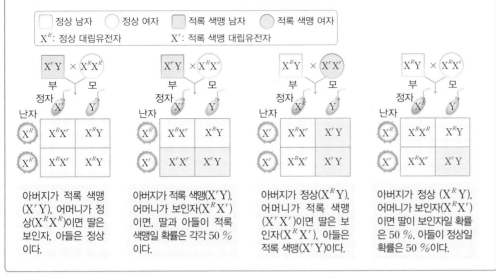

정상 남자	정상 여자	적록 색맹 남자	적록 색맹 여자

X^R: 정상 대립유전자 X^r: 적록 색맹 대립유전자

아버지가 적록 색맹 (X^rY), 어머니가 정상(X^RX^R)이면 딸은 보인자, 아들은 정상이다.

아버지가 적록 색맹(X^rY), 어머니가 보인자(X^RX^r)이면, 딸과 아들이 적록 색맹일 확률은 각각 50 %이다.

아버지가 정상(X^RY), 어머니가 적록 색맹(X^rX^r)이면 딸은 보인자(X^RX^r), 아들은 적록 색맹(X^rY)이다.

아버지가 정상 (X^RY), 어머니가 보인자(X^RX^r)이면 딸이 보인자일 확률은 50 %, 아들이 정상일 확률은 50 %이다.

| 자료 파헤치기 |

적록 색맹 유전 가계도 분석

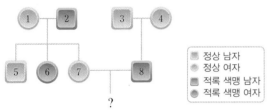

| 정상 남자 |
| 정상 여자 |
| 적록 색맹 남자 |
| 적록 색맹 여자 |

· 3과 4는 정상, 8는 적록 색맹이므로 정상 (X^R)이 우성, 적록 색맹(X^r)이 열성이다.
· 3과 5는 정상 남자이므로 유전자형이 X^RY, 2와 8은 적록 색맹 남자이므로 유전자형이 X^rY이다.

· 6은 적록 색맹 여자이므로 유전자형이 X^rX^r이다.
· 1과 4는 각각 6(X^rX^r)과 8(X^rY)에게 X^r를 1개씩 물려주었으므로 유전자형이 X^RX^r이다.
· 7은 2(X^rY)으로부터 X^r를 1개씩 물려받았으므로 유전자형이 X^RX^r이다.
· 7(X^RX^r)과 8(X^rY) 사이에서 태어나는 자녀의 유전자형에 따른 확률

유전자형(표현형)	X^RX^r(정상 딸)	X^RY(정상 아들)	X^rX^r(적록 색맹 딸)	X^rY(적록 색맹 아들)
확률	$\frac{1}{4}$	$\frac{1}{4}$	$\frac{1}{4}$	$\frac{1}{4}$

4. **혈우병의 유전** 혈우병은 혈액 응고가 정상적으로 일어나지 않아 출혈이 계속되는 유전병이다.

· 혈우병 대립유전자는 X 염색체에 있으며, 혈우병 대립유전자는 정상 대립유전자에 대해 열성이다.

구분	여자			남자	
유전자형	X^RX^R	X^RX^r	X^rX^r	X^RY	X^rY
표현형	정상	정상(보인자)	치사	정상	혈우병

암기 콕 ✏️
어머니가 적록 색맹이면, 아들은 반드시 적록 색맹이고, 딸이 적록 색맹이면 아버지는 반드시 적록 색맹이라는 점을 암기해 두자.

④ 혈우병의 특징
적록 색맹 이외에 혈우병도 반성유전 형질이다. 혈우병은 혈액이 잘 응고되지 않아 상처가 났을 때 출혈이 멈추지 않는 유전병이다. 혈우병은 정상에 대해 열성이며, 혈우병 대립유전자를 2개 가지는 경우에는 태어나지 못하고 죽는 경우가 많으므로 (치사) 혈우병 환자는 주로 남자이다.

▪▪▪▪▪▪ 용어 ▪▪▪▪▪▪
▶ 응고(엉길 凝, 굳을 固): 혈액이 혈관 밖으로 나왔을 때 젤리 모양으로 굳어지는 현상이다.

개념
확인하기

1 아버지로부터 X 염색체를 물려받아 태어난 자녀는 아들이다. (○ , ×)
2 형질을 나타내는 유전자가 성염색체에 있는 유전은 (　　　)유전이다.
3 적록 색맹이 나타날 확률은 남자와 여자에서 같다. (○ , ×)

답 1. × 2. 반성(伴性, 짝 伴 성질 性) 3. ×

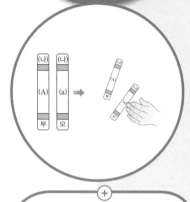

목표 모형 활동을 통해 여러 가지 유전 형질이 전달되는 과정을 이해할 수 있다.

과정

❶ 사람의 5가지 형질을 나타낸 표를 보고, (예시)와 같이 부모의 형질을 임으로 완성한다.

구분	눈꺼풀		보조개		귓불 모양		이마선 모양		적록 색맹	
유전 자형	우성	열성	우성	열성	우성	열성	우성	열성	우성	열성
	A	a	D	d	E	e	V	v	X^R	X^r
대립 형질	쌍꺼풀	외꺼풀	있음	없음	분리형	부착형	V자형	일자형	정상	적록 색맹

(예시)

구분		눈꺼풀	보조개	귓불 모양	이마선 모양	적록 색맹
아버지	유전자형	Aa	Dd	Ee	Vv	X^rY
	표현형	쌍꺼풀	있음	분리형	V자형	색맹
어머니	유전자형	Aa	Dd	Ee	Vv	X^RX^r
	표현형	외꺼풀	있음	분리형	V자형	정상(보인자)

❷ 아버지와 어머니 역할을 하는 사람이 각 형질의 염색체 모형을 한 번씩 던져 나오는 유전자형을 적어 첫째의 유전자형을 완성하고, 한 번 더 던져 둘째의 유전자형을 완성한다.

결과

1. 첫째와 둘째의 유전자형과 표현형은? (예시)

구분		눈꺼풀	보조개	귓불 모양	이마선 모양	적록 색맹
첫째	유전자형	Aa	Dd	Ee	Vv	X^rY
	표현형	쌍꺼풀	있음	분리형	V자형	색맹
둘째	유전자형	Aa	Dd	Ee	Vv	X^RX^r
	표현형	쌍꺼풀	있음	분리형	V자형	정상(보인자)

2. 유전자 모형을 던지는 것은 유전 형질 전달 과정 중 어떤 과정에 해당하는가?
→ 생식세포 분열 과정에서 각 상동 염색체가 무작위로 배열되고, 분리되어 생식세포가 형성되고, 생식세포가 수정하는 과정에 해당한다.

같은 주제 다른 탐구

[과정]
1. 눈꺼풀, 보조개, 귓불 모양, 이마선 모양, 적록 색맹에 해당하는 다른 색의 나무 막대를 6개씩 준비한다.
2. 6개의 나무 막대 중 3개에는 우성 대립유전자, 나머지에는 열성 대립유전자를 쓴다. 각 형질의 대립유전자형의 우성과 열성은 눈꺼풀의 경우 A와 a, 보조개는 D와 d, 귓불 모양은 E와 e, 이마선 모양은 V와 v, 적록 색맹은 X^R와 X^r로 나타낸다.
3. 2명씩 짝을 지어 부모의 역할을 맡고, 각자 5종류의 나무 막대를 각각 2개씩 임의로 뽑아 자신의 컵에 담은 후 부모의 유전자형과 표현형을 기록한다.
4. 각자 자신의 컵에서 나무 막대를 색깔별로 하나씩 뽑아 첫째의 유전자형과 표현형을 기록하고, 같은 방법으로 둘째의 유전자형과 표현형을 기록한다.

[결과]
1. 부모의 형질에 따라 자손의 형질이 달라진다.
2. 부모 각각에게서 하나씩 전달받은 대립유전자가 쌍을 이루어 자손의 형질을 결정한다.

탐구 대표 문제 정답과 해설 45쪽

01 눈꺼풀, 보조개, 귓불 모양에 대한 아버지의 유전자형이 AAddEe이고, 어머니는 aaDdee인 경우에 나타날 수 있는 자손의 유전자형과 표현형으로 옳지 **않은** 것은?

① 쌍꺼풀와 보조개가 있고, 분리형 귓불인 자손(AaDdEe)

② 쌍꺼풀이 있고, 보조개가 없으며, 분리형 귓불인 자손(AaddEe)

③ 쌍꺼풀과 보조개가 있고, 분리형 귓불인 자손(AaDDEe)

④ 쌍꺼풀과 보조개가 있고, 부착형 귓불인 자손(AaDdee)

⑤ 쌍꺼풀이 있고, 보조개는 없으며, 부착형 귓불인 자손(Aaddee)

2 다인자 유전

1. **다인자 유전** 여러 쌍의 대립유전자에 의해 형질이 결정되는 유전 현상 → 대립 형질(표현형)이 명확하게 구분되지 않고, 환경의 영향을 받아 다양하고 연속적이다. 예 키, 피부색 등

| 자료 파헤치기 |

다인자 유전의 예: 사람 피부색 유전

① 피부색 유전 모형에서의 가정

- 피부색은 서로 다른 상염색체에 존재하는 3쌍의 대립유전자(A와 a, B와 b, C와 c)에 의해 결정된다.
- 표현형은 유전자형에서 A~C의 개수 합에 의해서만 결정되며, A~C의 개수 합이 많을수록 피부색이 검어진다.

② 유전자형이 AaBbCc인 피부색이 갈색인 부모(F_1) 사이에서 태어나는 자녀(F_2)의 피부색에 따른 비율

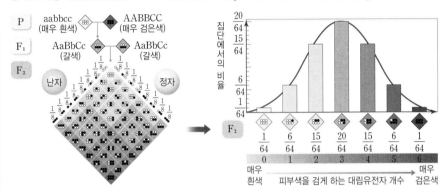

- 유전자형이 AaBbCc인 사람이 만들 수 있는 생식세포의 유전자형: ABC, ABc, AbC, Abc, aBC, aBc, abC, abc로 8가지이다.
- 피부색의 결정: F_2에서 피부색을 검게 만드는 대립유전자를 0~6개 가진 사람이 나올 수 있으므로, 피부색의 표현형은 총 7가지이다. 피부색의 7가지 표현형에 대한 유전자형에서 A~C의 개수 합이 각각 6개, 5개, 4개, 3개, 2개, 1개, 0개인 경우에 따라 다른 7가지의 피부색이 나타난다. ❺

---

2. 단일 인자 유전과 다인자 유전의 비교

구분	단일 인자 유전	다인자 유전
특징	어떤 형질이 한 쌍의 대립유전자에 의해 결정된다. → 대립 형질(표현형)이 명확하게 구분되며, 가짓수가 몇 가지로 한정되어 있다.	어떤 형질이 여러 쌍의 대립유전자에 의해 결정된다. → 대립 형질이 명확하게 구분되지 않고, 환경의 영향을 받아 다양하고 연속적이다.
예❻	이마선 모양, 보조개 유무, ABO식 혈액형, 적록 색맹 등	키, 몸무게, 피부색, 눈 색깔, 지문의 형태 등
개체 수 분포	대립 형질에 따라 개체 수 분포가 뚜렷하게 구분된다. [ABO식 혈액형] [눈꺼풀 모양]	개체 수 분포가 정규 분포 곡선 형태로 나타난다. [키]

---

❺ **다인자 유전에서 표현형에 따른 개체 수**

유전자형이 AaBbCc인 부모 사이에서 태어나는 자녀의 피부색에 따른 비율의 예

- 피부가 매우 흰색인 경우: 표현형은 매우 흰색이며 유전자형은 aabbcc이다. 이와 같은 피부색이 나타날 확률은 $\frac{1}{4} \times \frac{1}{4} \times \frac{1}{4} = \frac{1}{64}$

- 피부가 매우 검은색인 경우: 표현형은 매우 검은색이며 유전자형은 AABBCC이다. 이와 같은 피부색이 나타날 확률은

$$\frac{1}{4} \times \frac{1}{4} \times \frac{1}{4} = \frac{1}{64}$$

- 피부가 부모(AaBbCc)와 같은 색인 경우: 부모와 같은 피부 색을 가질 수 있는 자손의 유전자형은 AABbcc, AAbbCc, AaBBcc, AaBbCc, AabbCC, aaBBCc, aaBbCC이다. 그러므로 피부가 부모와 같은 색인 경우의 확률은

$$\frac{1}{32} + \frac{1}{32} + \frac{1}{32} + \frac{1}{8} + \frac{1}{32}$$
$$+ \frac{1}{32} + \frac{1}{32} = \frac{5}{16} \text{이다.}$$

❻ **단일 인자 유전과 다인자 유전의 예**

- 단일 인자 유전: 눈꺼풀 모양, 이마선 모양, 귓불 모양, 보조개 유무, 혀 말기 가능성, 엄지손가락 젖혀짐 유무, ABO식 혈액형, 적록 색맹, 혈우병 등
- 다인자 유전: 키, 몸무게, 피부색, 눈 색깔, 지문의 형태 등

--- 용어 ---

▶ **다인자**(많을 多, 인할 因, 아들 子): 관여하는 유전 인자(유전자)가 많다는 의미이다.

개념 확인하기

1 (　　　) 유전에서는 형질이 여러 쌍의 대립유전자에 의해 결정된다.

2 3쌍의 대립유전자 A와 a, B와 b, C와 c에 의해 결정되는 사람의 피부색 유전 모형에 따르면 유전자형이 AaBbCc인 사람과 AABbcc인 사람의 피부색은 같다. (○, ×)

답 1. 다인자 2. ○

| 성염색체 유전의 가계도 분석 |

그림은 적록 색맹 유전에 관한 가계도를 나타낸 것이다. 우성 대립유전자를 X^R, 열성 대립유전자를 X^r로 나타낸다.

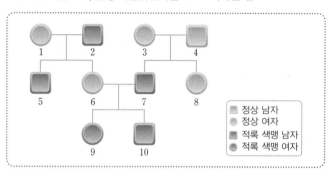

- 정상 남자
- 정상 여자
- 적록 색맹 남자
- 적록 색맹 여자

이에 대한 설명으로 옳은 것은 ○, 옳지 않은 것은 ×를 하시오. (단, 돌연변이는 고려하지 않는다.)

1. 적록 색맹은 정상에 대해 우성 형질이다. ( )

2. 적록 색맹을 결정하는 유전자는 Y 염색체에 있다. ( )

3. 아버지가 적록 색맹이면 딸은 반드시 적록 색맹이다. ( )

4. 1과 3의 적록 색맹에 대한 유전자형은 서로 같다. ( )

5. 4의 유전자형은 $X^R Y$이다. ( )

6. 5의 적록 색맹 대립유전자는 2로부터 물려받았다. ( )

7. 1과 3의 유전자형은 정확히 알 수 없다. ( )

8. 6과 8의 유전자형은 같다. ( )

9. 9의 동생이 한 명 더 태어날 때, 이 아이가 적록 색맹일 확률은 25 %이다. ( )

10. 10이 가진 적록 색맹 대립유전자의 전달 경로는 2 → 6 → 10이다. ( )

| 해설 | 적록 색맹 대립유전자는 X 염색체 상에 있어서 어머니가 색맹이면 아들은 반드시 색맹이고, 아버지가 정상(4)이면 딸(8)은 반드시 정상이다.

답 1. × 2. × 3. × 4. ○ 5. ○ 6. ○ 7. × 8. × 9. × 10. ○

| 두 가지 형질의 유전에 대한 가계도 분석 |

그림은 어떤 집안의 적록 색맹과 ABO식 혈액형의 가계도를 나타낸 것이다.

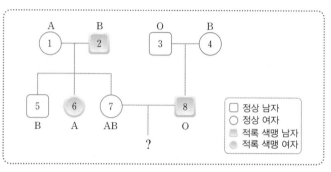

- 정상 남자
- 정상 여자
- 적록 색맹 남자
- 적록 색맹 여자

이에 대한 설명으로 옳은 것은 ○, 옳지 않은 것은 ×를 하시오. (단, 돌연변이는 고려하지 않는다.)

1. 1과 4는 각각 6($X^r X^r$)과 8($X^r Y$)에게 X^r를 1개씩 물려주었으므로 유전자형이 $X^R X^r$이다. ( )

2. 3과 4는 정상, 8은 적록 색맹이므로 정상 대립유전자(X^R)가 우성, 적록 색맹 대립유전자(X^r)가 열성이다. ( )

3. 3과 5는 정상 남자이므로 유전자형이 $X^R Y$이고, 2와 8은 적록 색맹 남자이므로 유전자형이 $X^r Y$이다. ( )

4. ABO식 혈액형에서 유전자 I^A와 I^B는 모두 유전자 i에 대해 우성이다. ( )

5. 2와 4의 ABO식 혈액형에 대한 유전자형은 같다. ( )

6. 7과 8 사이에서 태어나는 자손의 ABO식 혈액형의 유전자형은 $I^A i$ 또는 $I^B i$이다. ( )

7. 7과 8 사이에서 태어나는 자손이 여자이면서 적록 색맹이 나타날 확률은 50 %이다. ( )

8. 7과 8 사이에서 태어나는 자손이 A형의 정상 남자일 확률은 50 %이다. ( )

| 해설 | 부모 중 한 명이 B형(2)인데 A형인 자녀(6)가 나타났다면 부모 중 B형인 사람의 유전자형은 $I^B i$이고 A형인 자녀의 유전자형은 $I^A i$이다.

답 1. ○ 2. ○ 3. ○ 4. ○ 5. ○ 6. ○ 7. ○ 8. ×

기초 탄탄 문제

정답과 해설 45쪽

핵심용어_ 이 단원에서 내가 아는 것과 아직 모르는 것을 정리하며 나의 공부를 돌아보자.

☐ 성의 결정 ☐ 반성유전
☐ 적록 색맹 ☐ 다인자 유전
☐ 피부색 유전

01 사람의 성염색체 유전에 대한 설명으로 옳지 않은 것은?

① 아버지는 아들에게 Y 염색체를 물려준다.

② 아버지는 딸에게 X 염색체를 물려준다.

③ 어머니로부터 X 염색체를 물려받은 자녀는 항상 딸이 된다.

④ 성염색체 유전의 예 중 적록 색맹과 혈우병의 유전 자는 X 염색체에 존재한다.

⑤ 형질이 겉으로 드러나지 않지만 형질을 나타내는 대립유전자를 가진 보인자도 있다.

02 다음은 어떤 유전병에 대한 자료이다.

(가) 정상 남자와 ㉠유전병 여자 사이에서 태어난 자녀 중 ㉡딸은 모두 정상이고, 아들은 모두 유전병이다.
(나) 철수와 영희 사이에서 정상 아들과 유전병 딸이 태어났다.

이에 대한 설명으로 옳지 않은 것은? (단, 돌연변이는 고려하지 않는다.)

① 유전병은 정상에 대해 열성이다.

② ㉠의 유전자형은 동형접합성이다.

③ ㉡은 유전병 대립유전자를 가지고 있다.

④ 철수와 영희는 유전병에 대한 표현형이 같다.

⑤ 철수와 영희 사이에서 정상 딸이 태어날 수 있다.

03 사람의 적록 색맹 유전 가계도에서 나타날 수 없는 부모와 자녀의 표현형은? (단, 돌연변이는 고려하지 않는다.)

① 정상 아버지와 정상 딸

② 정상 아버지와 적록 색맹 아들

③ 정상 어머니와 적록 색맹 딸

④ 적록 색맹 아버지와 정상 딸

⑤ 적록 색맹 어머니와 정상 아들

04 다음은 어떤 유전병에 대한 자료이다.

• 이 유전병은 대립유전자 A와 a에 의해 결정되며, A는 a에 대해 완전 우성이다.

• 정상 여자 ㉠과 유전병 남자 ㉡은 같은 수의 a를 가진다.

㉠과 ㉡ 사이에서 딸이 태어날 때, 이 딸이 정상일 확률은?

① $\frac{1}{2}$ ② $\frac{1}{4}$ ③ $\frac{3}{4}$

④ $\frac{1}{8}$ ⑤ $\frac{1}{16}$

05 다음은 사람의 피부색 유전 모형에 대한 자료이다.

• 피부색은 서로 다른 상염색체에 존재하는 3쌍의 대립유전자(A와 a, B와 b, C와 c)에 의해 결정된다.

• 피부색의 표현형은 유전자형에서 A~C의 개수 합에 의해서만 결정되며, A~C의 개수 합이 많을수록 피부색이 검어진다.

• 철수네 가족에서 부모의 유전자형은 모두 AaBbCc이고, 철수의 유전자형은 AABBCc이다.

철수의 동생이 태어날 때, 이 동생이 철수와 피부색이 같을 확률은?

① $\frac{1}{8}$ ② $\frac{1}{16}$ ③ $\frac{3}{16}$

④ $\frac{3}{32}$ ⑤ $\frac{5}{16}$

06 다인자 유전의 특성에 대한 설명으로 옳지 않은 것은?

① 여러 쌍의 대립유전자가 관여한다.

② 표현형은 우성과 열성의 구분이 뚜렷하다.

③ 환경의 영향에 의해 표현형은 더욱 다양해진다.

④ 표현형의 개체 수를 조사하면 중간값이 가장 큰 정상 분포 곡선을 나타낸다.

⑤ 표현형이 연속적인 변이를 보인다.

내신 만점 문제

정답과 해설 46쪽

* ▨▨▨ 난이도를 나타냅니다.

01 다음은 사람의 성 결정 과정에 대한 자료이다. (가)와 (나)는 부모이고, ㉠~㉣은 생식세포이다.

- (가)에서 ㉠과 ㉡이, (나)에서 ㉢과 ㉣이 각각 형성된다.
- ㉠과 ㉢이 수정하여 발생하면 아들이 태어난다.
- ㉡과 ㉣이 수정하여 발생하면 딸이 태어난다.
- ㉠과 ㉣에 존재하는 성염색체의 종류는 같다.

이에 대한 설명으로 옳은 것만을 〈보기〉에서 있는 대로 고른 것은?

┤ 보기 ├
ㄱ. ㉢에는 Y 염색체가 존재한다.
ㄴ. (가)는 아들에게 X 염색체를 물려준다.
ㄷ. ㉡과 ㉢이 수정하여 발생하면 딸이 태어난다.

① ㄱ   ② ㄴ   ③ ㄷ
④ ㄱ, ㄴ   ⑤ ㄴ, ㄷ

02 표는 어떤 가족의 유전병 A에 대한 표현형을 나타낸 것이다. 유전병 A의 대립유전자는 X 염색체에 존재한다.

구성원	어머니	아버지	아들	딸
표현형	유전병 A	?	정상	정상

이에 대한 설명으로 옳은 것만을 〈보기〉에서 있는 대로 고른 것은? (단, 돌연변이는 고려하지 않는다.)

┤ 보기 ├
ㄱ. 유전병 A는 정상에 대해 열성이다.
ㄴ. 아버지는 정상이다.
ㄷ. 딸의 유전자형은 동형접합성이다.

① ㄴ   ② ㄷ   ③ ㄱ, ㄴ
④ ㄱ, ㄷ   ⑤ ㄴ, ㄷ

03 그림은 적록 색맹에 대한 두 집안의 가계도이다. 적록 색맹을 결정하는 우성 대립유전자는 X^R, 열성 대립유전자는 X^r이다.

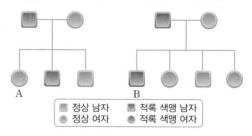

□ 정상 남자   ▨ 적록 색맹 남자
○ 정상 여자   ◐ 적록 색맹 여자

이에 대한 설명으로 옳은 것만을 〈보기〉에서 있는 대로 고른 것은? (단, 돌연변이는 고려하지 않는다.)

┤ 보기 ├
ㄱ. B는 아버지에게서 X^r를 물려받았다.
ㄴ. 유전자형을 정확히 알 수 없는 사람은 1명이다.
ㄷ. A와 B 사이에서 아이가 태어날 때, 이 아이가 정상 딸일 확률은 $\frac{1}{4}$이다.

① ㄱ   ② ㄴ   ③ ㄷ   ④ ㄱ, ㄴ   ⑤ ㄴ, ㄷ

04 그림은 남녀 5명이 가지고 있는 한 쌍의 상동 염색체에 존재하는 어떤 유전병을 결정하는 대립유전자(D, d)와 표현형을 나타낸 것이다.

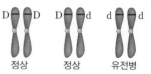

D / D   d / d   D / D   D / d   d / d
정상   유전병   정상   정상   유전병

이에 대한 설명으로 옳은 것만을 〈보기〉에서 있는 대로 고른 것은? (단, 돌연변이는 고려하지 않는다.)

┤ 보기 ├
ㄱ. 유전병은 정상에 대해 열성이다.
ㄴ. 아버지가 정상이면 딸은 항상 정상이다.
ㄷ. 유전병을 나타내는 적록 색맹 남자에서는 d와 적록 색맹 대립유전자가 같은 염색체에 존재한다.

① ㄱ   ② ㄴ   ③ ㄱ, ㄷ
④ ㄴ, ㄷ   ⑤ ㄱ, ㄴ, ㄷ

05 그림은 적록 색맹에 대한 가계도를 나타낸 것이다.

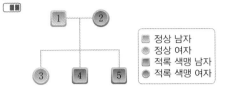

- 정상 남자
- 정상 여자
- 적록 색맹 남자
- 적록 색맹 여자

이에 대한 설명으로 옳은 것만을 〈보기〉에서 있는 대로 고른 것은? (단, 돌연변이는 고려하지 않는다.)

─ 보기 ├

ㄱ. 1과 5의 유전자형은 같다.

ㄴ. 1과 3은 같은 수의 정상 대립유전자를 가진다.

ㄷ. 2와 4는 같은 수의 적록 색맹 대립유전자를 가진다.

① ㄱ　　② ㄴ　　③ ㄱ, ㄴ　④ ㄱ, ㄷ　⑤ ㄴ, ㄷ

06 다음은 어떤 가족의 유전병 ㉠과 ㉡에 대한 자료이다. ㉠과 ㉡ 중 하나는 상염색체 유전, 다른 하나는 적록 색맹이다.

- ㉠은 대립유전자 A와 a, ㉡은 대립유전자 B와 b에 의해 결정되며, A와 B는 각각 a와 b에 대해 완전 우성이다.
- ㉠에 대해 어머니는 정상이고, 딸은 ㉠을 나타낸다.
- ㉡에 대해 아버지와 어머니는 모두 정상이고, 딸은 ㉡을 나타낸다.
- 표는 세포 (가)와 (나)에 들어 있는 유전자의 DNA 상대량을 나타낸 것이다. (가)와 (나)는 각각 아버지와 어머니의 세포 중 하나이다.

세포	A	a	B	b
(가)	ⓐ	ⓑ	1	1
(나)	1	1	1	1

이에 대한 설명으로 옳은 것만을 〈보기〉에서 있는 대로 고른 것은? (단, 돌연변이는 고려하지 않는다.)

─ 보기 ├

ㄱ. ㉡은 적록 색맹이다.

ㄴ. ⓐ는 0, ⓑ는 1이다.

ㄷ. 어머니와 아버지 사이에서 아이가 태어날 때, 이 아이에게서 ㉠과 ㉡이 모두 나타날 확률은 $\frac{1}{4}$이다.

① ㄱ　　② ㄴ　　③ ㄱ, ㄴ　④ ㄱ, ㄷ　⑤ ㄴ, ㄷ

[07~08] 그림은 적록 색맹에 대한 가계도를 나타낸 것이다. 우성 대립유전자는 X^R, 열성 대립유전자는 X^r이다.

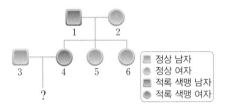

- 정상 남자
- 정상 여자
- 적록 색맹 남자
- 적록 색맹 여자

07 1~6 중 X^r를 갖지 않는 사람을 있는 대로 고른 것은?

① 2　　② 3　　③ 2, 3　　④ 5, 6　　⑤ 3, 5, 6

08 3과 4 사이에서 아이가 태어날 때, 이 아이가 정상 딸일 확률은? (단, 돌연변이는 고려하지 않는다.)

① $\frac{1}{2}$　② $\frac{1}{4}$　③ $\frac{3}{4}$　④ $\frac{1}{8}$　⑤ $\frac{3}{8}$

09 그림 (가)는 어떤 유전병에 대한 영희네 가족의 가계도를, (나)는 어머니와 아버지의 열성 대립유전자의 DNA양을 나타낸 것이다. 이 유전병은 우열 관계가 분명한 2가지 대립유전자에 의해 결정되며, 각 대립유전자 1개당 DNA 상대량은 같다.

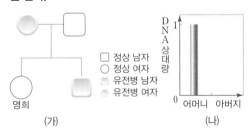

- 정상 남자
- 정상 여자
- 유전병 남자
- 유전병 여자

영희

(가)　　　　　　　(나)

이에 대한 설명으로 옳은 것만을 〈보기〉에서 있는 대로 고른 것은? (단, 돌연변이는 고려하지 않는다.)

─ 보기 ├

ㄱ. 유전병은 정상에 대해 열성이다.

ㄴ. 아버지의 정상 대립유전자의 DNA 상대량은 0.5이다.

ㄷ. 영희와 정상 남자 사이에서 유전병 자녀는 태어나지 않는다.

① ㄱ　　② ㄴ　　③ ㄷ　　④ ㄱ, ㄴ　⑤ ㄴ, ㄷ

10 다음은 어떤 유전병에 대한 설명이다.

- 정상 부모 사이에서 유전병을 나타내는 아들이 태어난다.
- 어머니가 유전병을 나타내면 아들은 항상 유전병을 나타낸다.

이 유전병에 대한 설명으로 옳은 것만을 〈보기〉에서 있는 대로 고른 것은? (단, 돌연변이는 고려하지 않는다.)

┤ 보기 ├

ㄱ. 아버지가 정상이면 딸은 항상 정상이다.

ㄴ. 어머니가 정상이면 아들은 항상 정상이다.

ㄷ. 유전병이 나타날 확률은 여자보다 남자에서 높다.

① ㄴ   ② ㄷ   ③ ㄱ, ㄴ

④ ㄱ, ㄷ   ⑤ ㄴ, ㄷ

11 그림은 어떤 유전병에 대한 가계도를, 표는 이 가계도의 구성원이 갖고 있는 유전병 발현에 관여하는 대립유전자 T와 T*의 DNA 상대량을 나타낸 것이다. T와 T* 1개의 DNA 상대량은 같다.

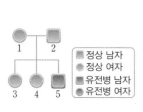

구분	T	T*
1	㉠	㉡
2	50	0
3	100	0
4	50	50

- 정상 남자
- 정상 여자
- 유전병 남자
- 유전병 여자

이에 대한 설명으로 옳은 것만을 〈보기〉에서 있는 대로 고른 것은? (단, 돌연변이는 고려하지 않는다.)

┤ 보기 ├

ㄱ. ㉠은 100, ㉡은 50이다.

ㄴ. 3에서 T는 X 염색체에 위치한다.

ㄷ. 5의 동생이 태어났을 때, 이 동생이 유전병 남자일 확률은 25 %이다.

① ㄱ   ② ㄴ   ③ ㄷ

④ ㄱ, ㄷ   ⑤ ㄴ, ㄷ

12 그림은 어떤 집단을 대상으로 세 가지 형질 ABO식 혈액형, 지문선의 수, 눈꺼풀 모양의 표현형에 따른 사람수를 나타낸 것이다.

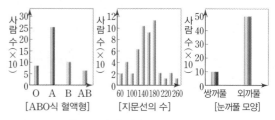

이에 대한 설명으로 옳은 것만을 〈보기〉에서 있는 대로 고른 것은? (단, 집단의 크기는 충분히 크고, 돌연변이는 고려하지 않는다.)

┤ 보기 ├

ㄱ. 눈꺼풀 모양은 복대립 유전 형질이다.

ㄴ. 혈액형을 결정하는 대립유전자는 2가지이다.

ㄷ. 지문선의 수는 여러 쌍의 대립유전자에 의해 결정된다.

① ㄴ   ② ㄷ   ③ ㄱ, ㄴ

④ ㄱ, ㄷ   ⑤ ㄴ, ㄷ

13 그림은 남자 (가)와 여자 (나)의 체세포에 들어 있는 3쌍의 염색체와 대립유전자를 나타낸 것이다. 유전자 A는 형질 ㉠을, 유전자 E와 F는 형질 ㉡을 결정한다. ㉠을 결정하는 대립유전자 사이의 우열은 모두 분명하며, ㉡의 표현형은 E와 F의 개수에 의해서만 결정된다.

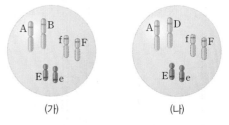

이에 대한 설명으로 옳은 것만을 〈보기〉에서 있는 대로 고른 것은? (단, 제시된 유전자만 고려하며, 돌연변이는 고려하지 않는다.)

┤ 보기 ├

ㄱ. ㉠은 복대립 유전, ㉡은 다인자 유전 형질이다.

ㄴ. ㉠의 표현형은 모두 3가지이다.

ㄷ. (가)와 (나) 사이에서 태어나는 자손의 ㉡ 표현형은 모두 4가지이다.

① ㄴ   ② ㄷ   ③ ㄱ, ㄴ

④ ㄱ, ㄷ   ⑤ ㄴ, ㄷ

14 표는 형질 (가)와 (나)의 특징을 나타낸 것이다.

형질	특징
(가)	• 한 쌍의 대립유전자에 의해 결정된다. • 대립유전자는 X, Y, Z이며, 우열 관계는 X = Y > Z이다.
(나)	• 세 쌍의 대립유전자(A와 a, B와 b, D와 d)에 의해 결정된다. • 표현형은 A, B, D의 개수 합에 의해서만 결정된다.

이에 대한 설명으로 옳은 것만을 〈보기〉에서 있는 대로 고른 것은? (단, 돌연변이와 환경의 영향은 고려하지 않는다.)

┤ 보기 ├

ㄱ. (가)는 복대립 유전 형질로 표현형은 모두 4가지이다.
ㄴ. (나)는 다인자 유전 형질로 표현형은 모두 6가지이다.
ㄷ. (나)의 유전자형이 AaBbDd인 개체와 AAbbDd 인 개체의 표현형은 같다.

① ㄱ ② ㄷ ③ ㄱ, ㄷ
④ ㄴ, ㄷ ⑤ ㄱ, ㄴ, ㄷ

15 다음은 사람의 피부색 유전에 관한 자료이다.

• A, B, C는 피부색을 검게 만드는 대립유전자이고, a, b, c는 피부색을 희게 만드는 대립유전자이면, A ~C는 서로 다른 상염색체에 존재한다고 가정한다.
• 피부색은 피부색을 검게 만드는 유전자의 개수에 의해서만 결정되며, 제시된 유전자 이외의 다른 유전자는 피부색을 결정하지 않는다고 가정한다.
• 매우 검은색 피부(AABBCC)의 여자와 매우 흰색 피부(aabbcc)의 남자 사이에서 ㉠갈색 피부의 딸이 태어났다.

이에 대한 설명으로 옳은 것만을 〈보기〉에서 있는 대로 고른 것은?

┤ 보기 ├

ㄱ. 피부색은 복대립 유전 형질이다.
ㄴ. ㉠에서 형성되는 난자의 유전자형은 8가지이다.
ㄷ. ㉠이 aaBbcc인 유전자형을 갖는 남자와 결혼하여 아이를 낳았을 때, 이 아이에게서 나타날 수 있는 피부색은 최대 5가지이다.

① ㄴ ② ㄷ ③ ㄱ, ㄷ
④ ㄴ, ㄷ ⑤ ㄱ, ㄴ, ㄷ

서술형 문제

16 표는 철수네 가족에서 어떤 유전병의 표현형을 나타낸 것이다. 이 유전병의 대립유전자는 X 염색체에 존재하며, 우열 관계가 분명한 2가지 대립유전자에 의해 형질이 결정된다.

구성원	어머니	아버지	누나	철수
표현형	?	유전병	정상	유전병

(1) 이 유전병은 정상에 대해 우성인지, 열성인지 쓰시오.

(2) (1)과 같이 생각한 까닭을 서술하시오.

17 그림 (가)는 두 가족의 ABO식 혈액형을, (나)는 같은 두 가족의 적록 색맹을 조사한 가계도이다. (단, 돌연변이는 고려하지 않는다.)

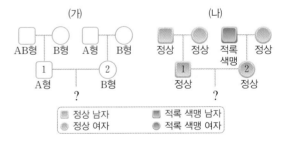

| 정상 남자 | 적록 색맹 남자 |
| 정상 여자 | 적록 색맹 여자 |

(1) 1과 2 사이에서 A형이고, 적록 색맹인 아들이 태어날 확률을 쓰시오.

(2) 1과 2 사이에서 적록 색맹인 딸이 태어날 수 있는지 없는지 그렇게 생각한 까닭과 함께 서술하시오.

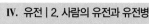

IV. 유전 | 2. 사람의 유전과 유전병

03 사람의 유전병

내 교과서는 어디에?

천재 p.141~146 동아 p.144~151 미래엔 p.146~152

비상 p.142~149 금성 p.153~158 교학사 p.142~149 지학사 p.134~139

핵심 Point ─── • 염색체의 수와 구조 이상을 이해하고, 염색체 이상에 따른 유전병을 안다.
• 유전자 이상으로 유전병이 나타나는 까닭을 이해하고, 유전자 이상에 따른 유전병을 안다.

---

1 염색체 이상에 따른 유전병

1. 돌연변이와 유전병

① 돌연변이는 '갑작스럽게 변한다.'는 뜻으로, DNA가 복제되거나 세포가 분열하는 동안 염색
───▸생식세포에 생긴 돌연변이는 다음 세대로 유전된다.
체 또는 DNA에 변화가 일어나는 것이다.

② 돌연변이는 자연적으로도 발생하지만 방사능, 자외선, 화학 물질 등과 같은 외부적 요인으
로 생기기도 한다.

③ 돌연변이는 여러 가지 유전병의 원인이 된다.

2. 염색체 이상에 따른 유전병이 나타나는 까닭

| 염색체는 유전 물질인 DNA로 이루어진다. | ➡ | 돌연변이가 일어나 염색체의 수나 구조에 이상이 생기면 DNA의 유전 정보에 이상이 생긴다. | ➡ | 특정 형질에 이상이 생겨 생존에 불리한 유전병이 나타난다. |

3. 염색체 수 이상❶ 생식세포 분열 시 염색체 비분리 현상이 일어나면 염색체 수에 이상이 있는 생식세포가 형성되고, 그 결과 염색체 수에 이상이 있는 자손이 태어난다.

① 염색체 비분리는 감수 1분열과 감수 2분열에서 일어날 수 있다.

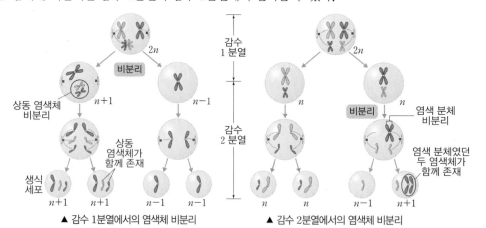

▲ 감수 1분열에서의 염색체 비분리   ▲ 감수 2분열에서의 염색체 비분리

비분리 시기	감수 1분열에서의 염색체 비분리	감수 2분열에서의 염색체 비분리
특징(염색체 비분리가 1회 일어나는 경우)	• 상동 염색체가 비분리된다. • 염색체 수가 정상보다 1개 많은($n+1$) 생식세포와 1개 적은($n-1$) 생식세포가 형성된다. • 핵상이 $n+1$인 생식세포에는 유전자 구성이 다른 한 쌍의 상동 염색체가 존재한다.	• 염색 분체가 비분리된다. • 염색체 수가 정상인(n) 생식세포, 정상보다 1개 많은($n+1$) 생식세포, 1개 적은($n-1$) 생식세포가 형성된다. • 핵상이 $n+1$인 생식세포에는 유전자 구성이 동일한 한 쌍의 염색체가 존재한다.

---

❶ 염색체 수 이상

• 이수성(다를 異, 셈 數, 성질 性): 일부 염색체가 비분리되어 염색체 수가 정상보다 1~2개 많거나 적은 특성이다.

• 배수성(곱 倍, 셈 數, 성질 性): 모든 염색체가 비분리되어 핵상이 $3n$, $4n$ 등이 되는 특성이다. 배수성은 동물에서는 보기 어렵지만, 식물에서는 흔하게 발견된다. 인위적으로 만들어진 배수성 돌연변이로는 씨 없는 수박($3n$), 통밀($4n$, $6n$) 등이 있다.

셀파 콕콕 🔍

• 하나의 생식세포에 서로 다른 대립유전자가 위치한 2개의 염색체가 존재하면 감수 1분열에서 상동 염색체가 비분리된 것임을 알아 두자.

• 염색체 비분리가 일어났을 때 핵상이 n인 정상 생식세포가 형성되었다면 비분리는 감수 2분열에서 일어난 것임을 알아 두자.

암기 콕 🧭

염색체 비분리 결과 생성된 생식세포 중 핵상이 정상(n)인 생식세포가 있는 경우는 감수 2분열에서 비분리가 일어났다고 알아 두면 비분리가 일어나는 시기를 쉽게 암기할 수 있다.

─── 용어 ───

▶ 유전병(남길 遺, 전할 傳, 병 病): 일반적으로 유전으로 자손에게 전해지는 병을 뜻하지만, 넓은 의미로는 유전자나 염색체 등의 유전체가 원인이 되어 나타나는 질병을 뜻한다. 따라서 만성 골수성 백혈병도 부모로부터 유전되는 병은 아니지만 유전병으로 볼 수 있다.

---

② 염색체 수 이상에 따른 대표적인 유전병 ❷ → 핵형 분석으로 확인할 수 있다.

유전병	에드워드▶ 증후군	다운 증후군❸	터너 증후군	클라인펠터 증후군❹
염색체 이상	18번 염색체가 3개 이다.	21번 염색체가 3개 이다.	성염색체가 X 염색체 1개이다.	성염색체가 XXY로 3개이다.
염색체 구성	45+XX 또는 XY	45+XX 또는 XY	44+X	44+XXY
특징	지적 장애가 심하며, 콩팥과 여러 장기의 기형으로 유아기에 사망하는 경우가 많다.	지적 장애가 나타나며, 눈과 눈 사이가 멀고, 머리가 작다.	외관상 여자지만 불임이다. 목이 짧고 두꺼우며, 만성적 중이염이 나타난다.	외관상 남자지만 불임이며, 여자의 신체적 특징이 나타난다.

→ 결실, 중복, 전좌는 핵형 분석으로 확인이 가능하고, 역위의 경우는 염색체 이상 부위가 큰 경우만 핵형 분석으로 확인할 수 있다.

4. 염색체 구조 이상

① 종류와 특징: 염색체 구조 이상 부위와 방법에 따라 결실, 중복, 역위, 전좌로 구분

결실	중복	역위	전좌
염색체의 일부가 떨어져 없어진다.	염색체의 일부분과 같은 부분이 삽입되어 반복된다.	염색체의 일부가 떨어졌다가 거꾸로 붙는다.	한 염색체의 일부가 상동 염색체가 아닌 다른 염색체에 붙는다.

② 염색체 구조 이상에 따른 대표적인 유전병

유전병	특징
만성 골수성 백혈병	• 9번과 22번 염색체 끝부분이 전좌되어 나타난다. • 특징: 전좌가 일어나 두 유전자가 융합되어 발암 단백질이 생겨나고 그 결과 백혈구가 암세포로 변해 과도하게 증식한다. 중년층 이상에서 주로 발생하기 때문에 성인 백혈병이라고도 한다.
고양이 울음 증후군	• 5번 염색체의 특정 부분이 결실되어 나타난다. • 특징: 울음소리가 고양이 울음소리처럼 들리며, 머리가 작고, 지적 장애를 보이며, 보통 유아 시절에 사망한다.

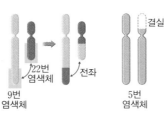

9번 염색체 / 22번 염색체 → 전좌
▲ 만성 골수성 백혈병

5번 염색체 / 결실
▲ 고양이 울음 증후군

개념 확인하기

1 ( ) 환자는 21번 염색체가 3개이고, ( ) 환자는 성염색체가 XXY이다.

2 염색체의 구조 이상 중 염색체의 일부가 떨어졌다가 거꾸로 붙는 것은 ( ), 한 염색체의 일부가 상동 염색체가 아닌 다른 염색체에 붙는 것은 ( )이다.

답 1. 다운 증후군, 클라인펠터 증후군
2. 역위, 전좌

---

❷ 염색체 수 이상에 의한 유전병

• 에드워드 증후군과 다운 증후군은 상염색체 수의 이상에 의한 것이므로 남자와 여자에서 모두 나타날 수 있다.

• 터너 증후군 환자는 외관상 여자이고, 클라인펠터 증후군 환자는 외관상 남자이지만 모두 불임이다.

❸ 다운 증후군과 산모의 나이

산모의 나이가 많을수록 난자 형성 과정에서 염색체 비분리 현상이 나타날 가능성이 높아져 다운 증후군인 아이를 낳을 확률이 높아진다.

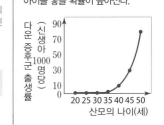

❹ 클라인펠터 증후군이 나타나는 경우

성염색체가 XX인 난자와 Y인 정자가 수정되는 경우, X인 난자와, XY인 정자가 수정되는 경우 클라인펠터 증후군인 사람이 태어날 수 있다.

═══ 용어 ═══

▶ 증후군(증세 症, 기후 候, 무리 群): 한 질환의 특징적인 증상의 조합으로, 그 질환의 진단에 도움이 되는 경우 '~증후군'으로 이름 붙인다.

셀파 세미나 ─── S·H·E·R·P·A

▶ 염색체 비분리 시기에 따라 다르게 나타나는 생식세포의 특징을 알아 보자.

염색체 비분리 시기 판단하기

01 생식세포의 핵상을 통한 염색체 비분리 시기 파악하는 방법

그림 (가), (나)는 생식세포 분열 과정과 형성된 생식세포 중 일부의 핵상을 나타낸 것이다. (가)와 (나)에서 염색체 비분리가 각각 1회 일어났다.

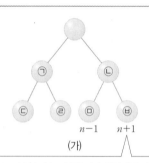

(가)

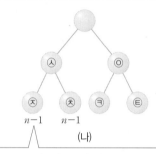

(나)

① ⓒ으로부터 감수 2분열 결과 형성된 ⓜ과 ⓗ의 핵상이 각각 $n-1$, $n+1$이다.
→ (가)에서는 ⓜ과 ⓗ이 형성되는 감수 2분열 과정에서 염색 분체의 비분리가 일어났다.
→ ⓗ에는 유전자 구성이 동일한 2개의 염색체가 존재한다.
② ⓒ과 ⓔ이 형성되는 감수 2분열 과정에서는 염색체 비분리가 일어나지 않았다.
→ ㉠, ㉡, ㉢, ㉣의 핵상은 각각 n으로 같다.

① ㉥으로부터 감수 2분열 결과 형성된 ㉦과 ㉧의 핵상이 각각 $n-1$로 같으므로 ㉥의 핵상도 $n-1$이다.
→ (나)에서는 감수 1분열 과정에서 상동 염색체의 비분리가 일어났다.
② ㉨의 핵상은 $n+1$이다.
→ ㉩과 ㉪의 핵상도 각각 $n+1$로 같다.
→ ㉩과 ㉪에는 각각 유전자 구성이 다른 한 쌍의 상동 염색체가 존재한다.

+ **Plus 자료**

그림은 어떤 사람의 난자 형성 과정과 일부 딸세포의 핵상을 나타낸 것이다. 난자 형성 과정에서 성염색체 비분리가 1회 일어났다.

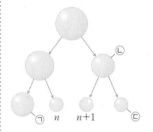

• 핵상이 n인 딸세포가 형성되었으므로 감수 2분열에서 염색체 비분리가 일어났다.
• ㉠이 형성되는 감수 2분열 과정에서는 염색체 비분리가 일어나지 않았으므로 ㉠의 핵상은 n이다.
• 감수 1분열 과정에서는 염색체 비분리가 일어나지 않았으므로 ㉡의 핵상은 n이다.
• ㉢이 형성되는 감수 2분열 과정에서 염색체 비분리가 일어났으므로 ㉢의 핵상은 $n-1$이다.

---

02 가계도 분석을 통한 염색체 비분리 시기 파악하는 방법

그림은 적록 색맹에 대한 가계도이다. 1~4 중 세 사람에게서 염색체 비분리가 1회씩 일어났으며, 8은 핵형이 정상이다. 정상 대립유전자는 X^R, 적록 색맹 대립유전자는 X^r이다.

■ 정상 남자 ● 정상 여자 ● 적록 색맹 여자

① 1은 적록 색맹 여자이므로 유전자형이 $X^r X^r$이고, 2는 정상 남자이므로 유전자형이 $X^R Y$이다.
→ 정상적인 경우라면 5는 1($X^r X^r$)로부터 X^r를 물려받으므로 적록 색맹을 나타낸다.
→ 그런데 5는 정상이므로 1로부터 X^r를 물려받고, 2로부터 X^R와 Y를 모두 물려받아 유전자형이 $X^R X^r Y$이다.
② X와 Y는 상동 염색체이므로 2의 감수 1분열 과정에서 염색체 비분리가 일어나 성염색체가 XY인 정자($n+1=22+XY$)가 형성되었다.
③ 5는 성염색체가 XXY이므로 클라인펠터 증후군을 나타낸다.
④ 4는 정상 남자이므로 유전자형이 $X^R Y$이다.
→ 8은 적록 색맹 여자이고, 핵형이 정상이므로 유전자형이 $X^r X^r$이다.
→ 8은 3으로부터 X^r를 물려받았으므로 3은 유전자형이 $X^R X^r$이다.
⑤ 정상적인 경우라면 8은 4($X^R Y$)로부터 X^R를 물려받으므로 정상이다.
→ 그런데 8($X^r X^r$)은 적록 색맹을 나타내므로 3으로부터 X^r를 2개 물려받고, 4로부터는 성염색체를 물려받지 않았다.
→ 4는 염색체 비분리가 일어난 시기를 정확히 알 수 없다.
⑥ 3($X^R X^r$)이 8에게 물려준 2개의 X^r는 두 염색 분체에 있었으므로 3의 감수 2분열 과정에서 염색체 비분리가 일어나 성염색체가 XX인 난자($n+1=22+XX$)가 형성되었다.

+ **Plus 자료**

X 염색체 유전 형질과 염색체 비분리

• 정상인 경우, 어머니의 형질이 열성이면 아들의 형질은 항상 열성이다. → 어머니의 형질이 열성이고, 아들의 형질이 우성이면 아들은 아버지로부터 우성 대립유전자를 물려받았다. → 아버지는 X와 Y 염색체를 모두 아들에게 물려주었으므로 감수 1분열 과정에서 염색체 비분리가 일어났다.
• 정상인 경우, 아버지의 형질이 우성이면 딸의 형질은 항상 우성이다. → 아버지의 형질이 우성이고, 딸의 형질이 열성이면 딸은 아버지로부터 대립유전자(X 염색체)를 물려받지 않았다. → 아버지는 감수 1분열 또는 감수 2분열 과정에서 염색체 비분리가 일어났다.

2. 유전자 이상에 따른 유전병

1. 유전자 이상에 따른 유전병[5]의 발병 과정

유전자에는 단백질의 아미노산 서열 정보가 DNA의 염기 서열 형태로 저장되어 있다. ➡ 돌연변이가 일어나 DNA의 염기 서열이 달라지면 유전자의 기능에 이상이 생긴다. ➡ 정상 단백질과 아미노산 서열이 다른 돌연변이 단백질이 만들어진다. ➡ 돌연변이 단백질이 정상적인 기능을 수행하지 못해 유전병이 나타난다.

2. 유전자 이상에 따른 유전병의 예

① 낫 모양 적혈구 빈혈증[6]: 헤모글로빈 유전자의 이상(돌연변이)으로 나타나는 유전병이다.

② 페닐케톤뇨증: 페닐알라닌 분해 효소 유전자의 이상으로 아미노산의 일종인 페닐알라닌이 과도하게 축적되어 나타나는 질병이다.

③ 낭성 섬유증: 상피 세포의 물질 수송을 담당하는 단백질 유전자에 돌연변이가 생겨 기관지에 끈적한 점액이 과도하게 생성된다.

④ 알비노증: 멜라닌 색소 합성 효소 유전자의 이상으로 멜라닌 색소가 결핍되어 나타난다.

⑤ 헌팅턴 무도병: 유전자 돌연변이로 나타나는 뇌신경계 퇴행성 질환이다.

자료 파헤치기

유전자 이상에 의한 유전병의 예: 낫 모양 적혈구 빈혈증

정상 헤모글로빈 유전자의 염기 서열

글루탐산 / 프롤린 / 글루탐산
정상 헤모글로빈의 아미노산 서열

돌연변이 헤모글로빈 유전자의 염기 서열

발린 / 프롤린 / 글루탐산
돌연변이 헤모글로빈의 아미노산 서열

정상 헤모글로빈

돌연변이 헤모글로빈

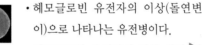
▲ 정상 적혈구

▲ 낫 모양 적혈구

- 헤모글로빈 유전자의 이상(돌연변이)으로 나타나는 유전병이다.
- 헤모글로빈 유전자의 일부 염기 서열이 달라져 정상과 일부 아미노산 서열이 다른 돌연변이 헤모글로빈이 만들어진다. → 혈액의 산소 농도가 낮을 때 적혈구에 들어 있는 돌연변이 헤모글로빈이 비정상적으로 길게 결합한다. → 적혈구가 길쭉한 낫 모양으로 변형된다.

---

3. 유전병의 진단[7]

양수 검사와 융모막 검사 등이 있으며, 태아의 유전적 결함을 조기에 발견하여 대처 방안 마련에 도움을 준다.

양수 검사	융모막 융모 검사
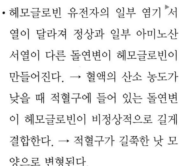 초음파 탐침으로 태아의 위치를 알아낸다. / 흡입관 / 양수 추출 임신부의 양수를 채취하여 그 속의 태아의 체세포에서 염색체나 DNA를 얻어서 검사하는 방법이다.	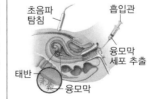 초음파 탐침 / 흡입관 / 융모막 세포 추출 / 태반 / 융모막 태아의 융모 세포를 채취하여 태아의 유전적 결함 여부를 검사하는 방법이다.

---

❺ 유전자 이상에 따른 유전병의 생존률

유전자 돌연변이는 DNA 염기 서열에 이상이 생긴 것으로 사람의 생존에 치명적으로 작용하지 않는 경우가 많지만, 염색체의 구조나 수 이상에 의한 돌연변이는 유전자의 결손이 크기 때문에 정상적으로 생장하지 못하거나 생존이 어려우며, 자손을 남기지 못하는 경우가 많다.

❻ 낫 모양 적혈구 빈혈증

- 상염색체 유전 형질이며, 정상에 대해 열성이다.
- 낫 모양 적혈구는 정상 적혈구보다 수명이 짧고 산소 운반 기능이 떨어져 빈혈을 일으키며, 좁은 모세 혈관을 막아 혈액 순환을 방해한다.

정상 적혈구

모세 혈관 / 낫 모양 적혈구

❼ 유전병 진단이 필요한 이유

염색체 수 이상, 염색체 구조 이상과 같은 염색체 돌연변이는 대부분 핵형 분석으로 알 수 있지만, 유전자 돌연변이는 핵형 분석 결과가 정상인과 같기 때문에 알 수 없다. 따라서 부모에게서 특정 유전자의 이상을 물려받았을 가능성이 있는 경우에는 태아 세포에서 DNA를 추출하여 유전자를 분석해야 한다.

━━━ 용어 ━━━

▶ 서열(차례 序, 별일 列): 일정한 기준에 따라 순서대로 늘어선 순서이다.

개념 확인하기

1 유전자 돌연변이가 일어나면 정상과 아미노산 서열이 다른 단백질이 만들어질 수 있다. (○ , ×)

2 낫 모양 적혈구 빈혈증은 헤모글로빈 유전자의 이상으로 나타난다. (○ , ×)

답 1. ○ 2. ○

낫 모양 적혈구의 막 변형 현상 알아보기

목표 유전자 이상으로 나타나는 낫 모양 적혈구의 특징을 이해할 수 있다.

과정

❶ A 물 풍선 안에는 공 모양의 비즈를 낱개로 10개 넣고, B 물 풍선에는 10개의 비즈를 연결하여 넣는다.

❷ 책상 위에 책을 놓아 A 물 풍선 지름보다 약간 넓은 길을 직선 구간과 갈라진 구간이 있게 만든 다음, A 물 풍선과 B 물 풍선을 각각 넣고 펜으로 굴려 보자.

A 물 풍선 / B 물 풍선 / B 물 풍선 A 물 풍선

결과 및 정리

1. A 물 풍선과 B 물 풍선은 모양이 어떻게 다른가?

→ 풍선 안에 들어 있는 비즈의 수는 같지만 비즈가 따로 떨어져 들어 있는 A 물 풍선은 구형이고, 비즈가 연결되어 들어 있는 B 물 풍선은 길고 휘어진 모양이다.

2. A 물 풍선과 B 물 풍선을 각각 길에 놓고 굴렸을 때 이동에 어떤 차이가 있는가?

→ 긴 B 물 풍선은 구형의 A 물 풍선에 비해 잘 구르지 않으며, 길이 구부러진 부분에서는 지나가지 못하고 모서리에 걸린다.

3. A 물 풍선은 정상 적혈구, B 물 풍선은 낫 모양 적혈구를 나타낸 모형이다. 낫 모양 적혈구가 생기면 인체 내에 어떤 문제가 생겨날 수 있는가?

→ 낫 모양 적혈구는 모세 혈관 안에서 혈액을 따라 이동할 때 깨지기 쉬우며, 혈관을 막아 혈액 순환의 장애를 초래하여 빈혈증이 나타날 수 있다.

같은 주제 다른 탐구

[과정]

모형을 이용하여 전지에 아래 예시와 같이 정상인과 낫 모양 적혈구 빈혈증 환자에서 혈액 속 산소 농도가 높을 때와 낮을 때의 적혈구 모습을 각각 표현한다.

[예시]

정상 헤모글로빈	
산소 결합 상태	산소 유리 상태

돌연변이 헤모글로빈	
산소 결합 상태	산소 유리 상태

[결과]

정상인

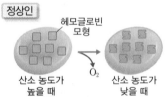

헤모글로빈 모형

산소 농도가 높을 때 → O₂ → 산소 농도가 낮을 때

낫 모양 적혈구 빈혈증 환자

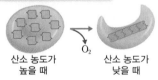

산소 농도가 높을 때 → O₂ → 산소 농도가 낮을 때

낫 모양 적혈구는 헤모글로빈이 비정상적으로 길게 연결되어 적혈구 모양이 찌그러진다. 그 결과 모세 혈관을 따라 이동하기 어려워진다.

탐구 대표 문제 정답과 해설 48쪽

01 다음은 사람 (가)와 (나)의 헤모글로빈을 구성하는 아미노산의 종류와 적혈구 모양의 차이점을 나타낸 것이다.

이에 대한 설명으로 옳은 것만을 〈보기〉에서 있는 대로 고른 것은? (단, 다른 아미노산은 (가)와 (나)에서 모두 같다.)

구분	(가)	(나)
헤모글로빈의 6번째 아미노산	…글루탐산…	…발린…
적혈구 모양		

보기

ㄱ. (가)의 산소 운반 능력이 (나)보다 높다.

ㄴ. (가)와 (나)의 유전적 차이는 핵형 분석을 통해 확인할 수 있다.

ㄷ. (나)는 유전자 돌연변이에 의한 유전병 환자이다.

① ㄱ ② ㄷ ③ ㄱ, ㄴ ④ ㄱ, ㄷ ⑤ ㄴ, ㄷ

02 핵형 분석으로 알 수 <u>없는</u> 유전 질환은?

① 터너 증후군 ② 다운 증후군 ③ 고양이 울음 증후군

④ 낫 모양 적혈구 빈혈증 ⑤ 클라인펠터 증후군

기초 탄탄 문제

정답과 해설 48쪽

핵심용어_ 이 단원에서 내가 아는 것과 아직 모르는 것을 정리하며 나의 공부를 돌아보자.

□ 돌연변이　　　　□ 염색체 수 이상
□ 염색체 비분리　　□ 염색체 구조 이상
□ 유전자 이상　　　□ 낫 모양 적혈구 빈혈증

01 돌연변이와 유전병에 대한 설명으로 옳지 <u>않은</u> 것은?

① 유전자나 염색체의 이상에 의해 나타난다.
② 돌연변이에 의해 부모에게 없던 새로운 형질이 나타날 수 있다.
③ 모든 돌연변이는 유전된다.
④ 자연적으로 발생할 수 있지만. 자외선, 방사선 등에 의해 발생 할 수도 있다.
⑤ 다운 증후군 등의 돌연변이는 핵형 분석을 통해 알아낼 수 있다.

02 그림은 정상 염색체와 돌연변이 염색체 (가)~(라)를 나타낸 것이다.

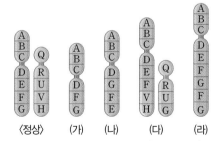

(가)~(라)에서 일어난 구조 이상을 옳게 짝 지은 것은?

	(가)	(나)	(다)	(라)
①	결실	역위	중복	전좌
②	결실	역위	전좌	중복
③	전좌	역위	결실	중복
④	전좌	중복	결실	역위
⑤	역위	결실	전좌	중복

03 성염색체가 XXY일 때 나타나는 유전병의 이름으로 옳은 것은?

① 다운 증후군
② 고양이 울음 증후군
③ 터너 증후군
④ 헌팅턴 무도병
⑤ 클라인펠터 증후군

04 그림은 적록 색맹에 대한 가계도를 나타낸 것이다. 1과 2 중한 사람에게서 염색체 비분리가 1회 일어났다.

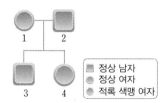

□ 정상 남자
● 정상 여자
● 적록 색맹 여자

이에 대한 설명으로 옳지 <u>않은</u> 것은? (단, 제시된 비분리 이외의 다른 돌연변이는 고려하지 않는다.)

① 1의 유전자형은 동형접합성이다.
② 2는 3에게 X 염색체를 물려주었다.
③ 3은 클라인펠터 증후군을 나타낸다.
④ 2의 감수 2분열 과정에서 염색체 비분리가 일어났다.
⑤ 1은 3과 4에게 각각 적록 색맹 대립유전자를 물려주었다.

05 다음은 어떤 가족에 대한 자료이다. 이 가족의 부모 중 한 사람에게서 염색체 비분리가 1회 일어났다.

- 부모는 정상이고, 딸은 적록 색맹을 나타낸다.
- 딸은 정자 ㉠과 난자 ㉡의 수정으로 태어났다.

㉠과 ㉡의 염색체 수를 옳게 짝 지은 것은? (단, 제시된 비분리 이외의 다른 돌연변이는 고려하지 않는다.)

	㉠	㉡		㉠	㉡
①	22	23	②	23	22
③	23	24	④	24	23
⑤	24	25			

내신 만점 문제

정답과 해설 49쪽   * ▦▦▦ 난이도를 나타냅니다.

01 그림은 어떤 남자의 정자 형성 과정과 일부 딸세포의 핵상을 나타낸 것이다. 정자 형성 과정에서 염색체 비분리는 1회 일어났다.

이에 대한 설명으로 옳은 것만을 〈보기〉에서 있는 대로 고른 것은? (단, 제시된 비분리 이외의 다른 돌연변이는 고려하지 않는다.)

$n-1$ $n+1$

┤ 보기 ├
ㄱ. ㉠~㉣의 핵상은 모두 같다.
ㄴ. ㉫에는 한 쌍의 상동 염색체가 존재한다.
ㄷ. ㉭으로부터 형성된 정자가 정상 난자와 수정하면 다운 증후군 아이가 태어난다.

① ㄱ   ② ㄴ   ③ ㄷ   ④ ㄱ, ㄴ   ⑤ ㄴ, ㄷ

02 다음은 생식세포 분열 (가)와 (나)에서 각각 형성된 4개 생식세포의 핵상을 나타낸 것이다. (가)와 (나)에서 염색체 비분리가 각각 1회 일어났다.

• (가): n, n, $n+1$, $n-1$
• (나): $n+1$, $n+1$, $n-1$, $n-1$

이에 대한 설명으로 옳은 것만을 〈보기〉에서 있는 대로 고른 것은? (단, 제시된 비분리 이외의 다른 돌연변이는 고려하지 않는다.)

┤ 보기 ├
ㄱ. (가)에서는 상동 염색체가 비분리되었다.
ㄴ. (나)는 감수 2분열에서 염색체 비분리가 일어났다.
ㄷ. (가)에서 형성된 생식세포 중에 유전자 구성이 같은 2개의 염색체가 존재하는 것이 있다.

① ㄱ   ② ㄴ   ③ ㄷ   ④ ㄱ, ㄴ   ⑤ ㄴ, ㄷ

03 표는 영희네 가족 중 일부에서 어떤 형질을 결정하는 대립유전자 A와 A*의 DNA 상대량을 나타낸 것이다. 영희는 정자 ㉠과 난자 ㉡의 수정으로 태어났다. A와 A*의 1개당 DNA 상대량은 같다.

구분	할아버지	할머니	어머니	영희
A	2	0	2	1
A*	0	2	0	2

이에 대한 설명으로 옳은 것만을 〈보기〉에서 있는 대로 고른 것은? (단, 부모 중 한 사람에게서만 염색체 비분리가 1회 일어났으며, 이외의 다른 돌연변이는 고려하지 않는다.)

┤ 보기 ├
ㄱ. 아버지의 유전자형은 AA*이다.
ㄴ. ㉠과 ㉡에 존재하는 상염색체의 수는 같다.
ㄷ. ㉠이 형성될 때 감수 1분열 과정에서 염색체 비분리가 일어났다.

① ㄱ   ② ㄴ   ③ ㄷ
④ ㄱ, ㄴ   ⑤ ㄴ, ㄷ

04 그림 (가)는 적록 색맹에 대한 가계도를, (나)는 철수의 체세포에 들어 있는 성염색체를 모두 나타낸 것이다.

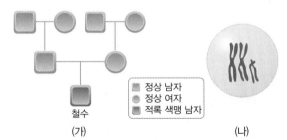

철수
(가)

■ 정상 남자
● 정상 여자
▦ 적록 색맹 남자

(나)

이에 대한 설명으로 옳은 것만을 〈보기〉에서 있는 대로 고른 것은? (단, 염색체 비분리는 철수의 부모 중 한 사람에게서 1회만 일어났으며, 이외의 다른 돌연변이는 고려하지 않는다.)

┤ 보기 ├
ㄱ. 철수는 외할머니로부터 유래된 적록 색맹 대립유전자를 가진다.
ㄴ. 철수는 감수 1분열에서 염색체 비분리가 일어나서 형성된 난자와 정상 정자의 수정으로 태어났다.
ㄷ. 이 가계도에서 적록 색맹에 대한 유전자형을 정확히 알 수 없는 사람은 1명이다.

① ㄴ   ② ㄷ   ③ ㄱ, ㄴ
④ ㄱ, ㄷ   ⑤ ㄴ, ㄷ

그림 (가)는 사람의 정자 형성 과정을, (나)는 (가)의 정자 형성 과정에서 일어난 성염색체의 비분리 현상을 나타낸 것이다. 정자 B는 C보다 염색체 수가 적다.

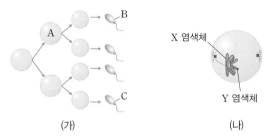

(가)   (나)

이에 대한 설명으로 옳은 것만을 〈보기〉에서 있는 대로 고른 것은? (단, (가)에서 상염색체는 정상적으로 분리되었다.)

┃ 보기 ┃
ㄱ. A는 C보다 염색체 수가 1개 적다.
ㄴ. $\dfrac{\text{B의 총 염색체 수}}{\text{C의 상염색체 수}} = 1$이다.
ㄷ. C가 정상 난자와 수정하면 터너 증후군 아이가 태어난다.

① ㄱ   ② ㄴ   ③ ㄷ
④ ㄱ, ㄴ   ⑤ ㄴ, ㄷ

---

06 표는 어떤 개체($2n$)에서 형성된 생식세포 ㉠~㉣에 존재하는 대립유전자 A와 a의 DNA 상대량을 나타낸 것이다. A와 a의 1개당 DNA 상대량은 같다.

구분	㉠	㉡	㉢	㉣
A	1	0	1	0
a	0	2	1	1

이에 대한 설명으로 옳은 것만을 〈보기〉에서 있는 대로 고른 것은? (단, 이외의 다른 돌연변이는 고려하지 않는다.)

┃ 보기 ┃
ㄱ. 이 개체의 유전자형은 Aa이다.
ㄴ. ㉡이 형성될 때 염색 분체의 비분리가 일어났다.
ㄷ. 감수 1분열에서 염색체 비분리가 1회 일어나면 하나의 모세포로부터 ㉢과 ㉣이 모두 형성된다.

① ㄱ   ② ㄴ   ③ ㄷ
④ ㄱ, ㄴ   ⑤ ㄴ, ㄷ

---

07 그림은 어떤 사람의 정상 체세포와, 이 사람에게서 형성된 두 생식세포에 존재하는 1번과 2번 염색체를 모두 나타낸 것이다. 대립유전자 A~G는 각각 a~g와 대립유전자이다.

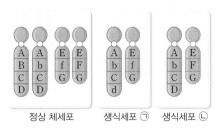

정상 체세포   생식세포 ㉠   생식세포 ㉡

이에 대한 설명으로 옳은 것만을 〈보기〉에서 있는 대로 고른 것은? (단, 제시된 염색체 이외의 나머지 염색체는 모두 정상이다.)

┃ 보기 ┃
ㄱ. ㉠이 형성될 때 유전자 돌연변이가 일어났다.
ㄴ. ㉡이 형성될 때 상동이 아닌 두 염색체 사이에서 전좌가 일어났다.
ㄷ. ㉠과 ㉡은 모두 정상 생식세포와 염색체 수가 같다.

① ㄱ   ② ㄴ   ③ ㄱ, ㄷ
④ ㄴ, ㄷ   ⑤ ㄱ, ㄴ, ㄷ

---

08 그림은 정상 염색체와 구조 이상 돌연변이가 일어난 염색체를 순서 없이 나타낸 것이다. 돌연변이 염색체는 중복이 일어나 형성되었다.

이에 대한 설명으로 옳은 것만을 〈보기〉에서 있는 대로 고른 것은? (단, A~G는 염색체의 서로 다른 부위이다.)

┃ 보기 ┃
ㄱ. 돌연변이 염색체가 형성될 때 역위와 결실이 모두 일어났다.
ㄴ. 돌연변이 염색체에는 동일한 유전자가 2개 이상 존재할 수 있다.
ㄷ. 돌연변이 염색체보다 정상 염색체를 구성하는 DNA의 길이가 길다.

① ㄴ   ② ㄷ   ③ ㄱ, ㄴ
④ ㄱ, ㄷ   ⑤ ㄱ, ㄴ, ㄷ

09 그림은 돌연변이 (가)와 (나)를 나타낸 것이다. A~F는 염색체의 서로 다른 부위이고, ㉠~㉢은 서로 다른 종류의 아미노산이다. (가)와 (나)는 각각 염색체 돌연변이와 유전자 돌연변이 중 하나이다.

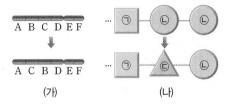

(가)   (나)

이에 대한 설명으로 옳은 것만을 〈보기〉에서 있는 대로 고른 것은?

┤ 보기 ├
ㄱ. (가)는 염색체 구조 이상 중 역위이다.
ㄴ. (나)는 유전자의 염기 서열이 달라져 나타난다.
ㄷ. (가)와 (나)를 각각 나타내는 사람은 모두 염색체 수가 정상인과 다르다.

① ㄱ ② ㄷ ③ ㄱ, ㄴ ④ ㄱ, ㄷ ⑤ ㄴ, ㄷ

10
표는 적혈구 (가)와 (나)에서의 차이를 나타낸 것이다. (가)와 (나)는 각각 정상 적혈구와 낫 모양 적혈구 중 하나이다.

구분	(가)	(나)
헤모글로빈의 아미노산 서열	⋯ 프롤린–발린 ⋯	⋯ 프롤린–글루탐산 ⋯
헤모글로빈의 응집 정도		
헤모글로빈 유전자의 염기 서열	⋯ CCTCAT ⋯ ⋯ GGAGTA ⋯	⋯ CCTCTT ⋯ ⋯ GGAGAA ⋯

이에 대한 설명으로 옳은 것만을 〈보기〉에서 있는 대로 고른 것은?

┤ 보기 ├
ㄱ. (가)는 정상 적혈구이다.
ㄴ. 헤모글로빈 유전자의 염기 서열 중 T가 A으로 바뀌어 낫 모양 적혈구가 나타난다.
ㄷ. (가)와 (나)에서 헤모글로빈의 아미노산 서열 차이는 헤모글로빈 유전자의 염기 서열 차이에 의해 나타난다.

① ㄱ ② ㄴ ③ ㄷ ④ ㄱ, ㄴ ⑤ ㄴ, ㄷ

서술형 문제

11 그림은 적록 색맹을 나타내는 어머니와 적록 색맹을 나타내지 않는 아버지 사이에서 태어난 자손 (가)의 핵형 분석 결과를 나타낸 것이다. (가)는 적록 색맹을 나타내지 않는다. 이러한 현상이 나타나는 까닭을 서술하시오. (단, 염색체 비분리가 일어난 사람과 시기를 반드시 포함시키오.)

_____
_____
_____

12 그림은 각각 정상 체세포(G_2기)와 생식세포 ㉠~㉢에 들어 있는 성염색체를 모두 나타낸 것이다. (단, 나머지 염색체는 모두 정상이다.)

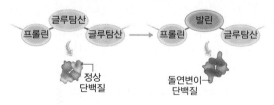

X 염색체 Y 염색체   ㉠   ㉡   ㉢

(1) ㉠과 ㉡에서 각각 일어난 염색체 구조 이상을 순서대로 쓰시오.

_____

(2) ㉢에서 염색체 수의 이상이 나타나게 된 까닭을 서술하시오.

_____

13 그림은 사람의 유전병 X가 발생할 때 일어나는 일부 과정을 나타낸 것이다. 프롤린, 글루탐산, 발린은 아미노산이다.

글루탐산   발린
프롤린 글루탐산 → 프롤린 글루탐산

정상 단백질   돌연변이 단백질

X가 발생하는 까닭을 그림과 연관지어 서술하시오.

_____
_____

1. 사람의 유전 연구 방법

가계도 조사	• 가계도: 특정 형질에 대해 가족 관계와 각 구성원의 표현형을 기호로 나타낸 그림이다. • 사람의 가장 대표적인 유전 연구 방법이다.
집단 조사	집단을 조사하여 자료를 수집한 후 통계 처리한다.
쌍둥이 연구	1란성 쌍둥이와 2란성 쌍둥이의 형질 차이를 연구한다. → 유전자와 환경이 형질에 미치는 영향을 알 수 있다.
세포 및 분자 생물학 연구	핵형을 분석하거나 특정 유전자의 염기 서열 등을 분석하여 연구한다.

2. 단일 인자 유전

• 대표적인 단일 인자 유전 형질

형질	귓불 모양	눈꺼풀 모양	보조개	이마선 모양	혀 말기
우성	분리형	쌍꺼풀	있음	V자형 (M자형)	가능
열성	부착형	외꺼풀	없음	일자형	불가능

3. 복대립 유전

① 특징: 형질이 3종류 이상의 대립유전자에 의해 결정된다.
② ABO식 혈액형: 상염색체에 존재하는 대립유전자 I^A, I^B, i에 의해 결정된다($I^A = I^B > i$).

유전자형	$I^A I^A$	$I^A i$	$I^B I^B$	$I^B i$	$I^A I^B$	ii
표현형	A형		B형		AB형	O형

4. 반성유전(성염색체 유전)

① 반성유전 형질의 특징: 대립유전자를 여자는 2개, 남자는 1개 가져 남자와 여자에서 형질이 나타나는 빈도가 다르다. 예 적록 색맹, 혈우병 등
• 우성 형질의 아버지가 있는 딸은 항상 우성 형질을, 열성 형질의 어머니가 있는 아들은 항상 열성 형질을 나타낸다.
② 적록 색맹: 반성유전 형질이며, 정상에 대해 열성이다. → 여자보다 남자에서 높은 확률로 나타난다.

구분	여자			남자	
유전자형	$X^R X^R$	$X^R X^r$	$X^r X^r$	$X^R Y$	$X^r Y$
표현형	정상	정상 (보인자)	적록 색맹	정상	적록 색맹

5. 다인자 유전

• 형질이 여러 쌍의 대립유전자에 의해 결정된다.
• 일반적으로 대립 형질이 명확하게 구분되지 않고, 환경의 영향을 받아 변이가 다양하고 연속적이다. 예 피부색, 키 등

6. 염색체 수 이상에 따른 유전병

① 염색체 수 이상: 감수 분열 과정에서 염색체 비분리에 의해 일어난다.

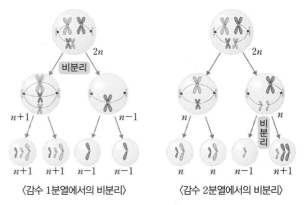

〈감수 1분열에서의 비분리〉　　〈감수 2분열에서의 비분리〉

② 염색체 수 이상에 의한 사람의 유전병

에드워드 증후군	다운 증후군	터너 증후군	클라인펠터 증후군
18번 염색체 3개	21번 염색체 3개	성염색체 X	성염색체 XXY

7. 염색체 구조 이상에 따른 유전병

• 염색체 구조 이상의 종류

결실	염색체의 일부가 떨어져 없어진다.
중복	염색체의 일부분과 같은 부분이 삽입되어 반복된다.
역위	염색체의 일부가 떨어졌다가 거꾸로 붙는다.
전좌	한 염색체의 일부가 상동이 아닌 다른 염색체에 붙는다.

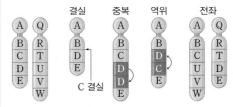

8. 유전자 이상에 따른 유전병

① 유전자를 구성하는 DNA의 염기 서열에 돌연변이가 일어나면 유전자의 기능에 이상이 생겨 형질이 변한다. 예 낫 모양 적혈구 빈혈증, 낭성 섬유증, 알비노증, 헌팅턴 무도병 등
② 낫 모양 적혈구 빈혈증: 헤모글로빈 유전자에 이상(돌연변이)이 생긴다. → 정상과 아미노산 서열이 다른 돌연변이 헤모글로빈이 만들어진다. → 돌연변이 헤모글로빈이 길게 결합한다. → 적혈구가 낫 모양으로 변형된다.

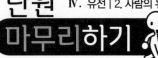
01 표는 부모와 자녀의 귓불 모양을 나타낸 것이다. 상염색체 유전 형질인 귓불 모양에는 부착형과 분리형의 2가지가 있다.

구분	부모	자녀	
		부착형	분리형
(가)	부착형×부착형	○	×
(나)	부착형×분리형	×	○
(다)	분리형×분리형	○	○

(○: 나타남, ×: 나타나지 않음)

이에 대한 설명으로 옳은 것만을 〈보기〉에서 있는 대로 고른 것은?

─┤ 보기 ├─
ㄱ. 부착형인 사람의 유전자형은 모두 동형접합성이다.
ㄴ. (나)와 (다)의 분리형 부모는 모두 유전자형이 같다.
ㄷ. (다)에서 자녀가 태어날 때, 이 자녀가 부착형일 확률은 $\frac{1}{2}$이다.

① ㄱ ② ㄴ ③ ㄷ
④ ㄱ, ㄴ ⑤ ㄴ, ㄷ

| 서술형 |

02 표는 사람의 세 가지 형질 (가)~(다)에 대한 쌍둥이의 일치율을 나타낸 것이다. 일치율이 1에 가까울수록 형질이 비슷하다.

형질	1란성 쌍둥이	2란성 쌍둥이
(가) 낫 모양 적혈구 빈혈증	1.0	0.25
(나) 치매	0.6	0.3
(다) 알코올 중독	0.2	0.4

(1) (가)~(다) 중 유전의 영향을 가장 많이 받는 형질을 쓰시오.

_____

(2) (가)~(다) 중 환경의 영향을 가장 많이 받는 형질을 쓰고, 그 까닭을 서술하시오.

_____

03 다음은 사람의 유전 형질 ㉠과 ㉡에 대한 자료이다.

• 형질 ㉠과 ㉡을 결정하는 대립유전자는 각각 2가지이며, 대립유전자 사이의 우열 관계는 모두 분명하다.
• 형질 ㉠과 ㉡의 유전자형이 모두 이형접합성인 부모 사이에서 아이가 태어날 때, 이 아이의 표현형에 따른 비율은 표와 같다. ⓐ와 ⓑ는 각각 0보다 크고, 9보다 작다.

표현형	㉠ 나타남, ㉡ 나타남	㉠ 나타남, ㉡ 나타나지 않음	㉠ 나타나지 않음, ㉡ 나타남	㉠ 나타나지 않음, ㉡ 나타나지 않음
비율	9	3	ⓐ	ⓑ

이에 대한 설명으로 옳은 것만을 〈보기〉에서 있는 대로 고른 것은? (단, 돌연변이는 고려하지 않는다.)

─┤ 보기 ├─
ㄱ. 부모의 표현형은 모두 '㉠ 나타남, ㉡ 나타남'이다.
ㄴ. ⓐ : ⓑ=3 : 1이다.
ㄷ. '㉠ 나타남, ㉡ 나타남' 아이의 가능한 유전자형은 최대 2가지이다.

① ㄴ ② ㄷ ③ ㄱ, ㄴ ④ ㄱ, ㄷ ⑤ ㄱ, ㄴ, ㄷ

| 서술형 |

04 표는 어떤 가족의 이마선 모양을 나타낸 것이다. 이마선 모양은 V자형이 일자형에 대해 우성이다.

구성원	아버지	어머니	아들
이마선 모양	V자형	일자형	V자형

이마선 모양은 상염색체 유전 형질인지 반성유전 형질인지 쓰고, 그렇게 판단한 근거를 서술하시오. (단, 사람의 성염색체는 여자가 XX, 남자가 XY이다.)

_____

_____

05 그림은 어떤 유전병에 대한 가계도를 나타낸 것이다. 이 유전병은 대립유전자 A와 A*에 의해 결정되며, 두 대립유전자 사이의 우열 관계는 분명하다. 체세포 1개당 A의 DNA 상대량은 ⓒ>ⓒ>㉠이다.

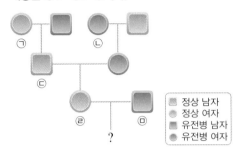

▨	정상 남자
◐	정상 여자
▧	유전병 남자
●	유전병 여자

이에 대한 설명으로 옳은 것만을 〈보기〉에서 있는 대로 고른 것은? (단, 돌연변이는 고려하지 않는다.)

┤ 보기 ├

ㄱ. A는 A*에 대해 열성이다.

ㄴ. ⓒ은 아버지로부터 A를 물려받았다.

ㄷ. ㉣과 ㉤ 사이에서 아이가 태어날 때, 이 아이가 정상 딸일 확률은 $\frac{1}{3}$이다.

① ㄴ   ② ㄷ   ③ ㄱ, ㄴ   ④ ㄱ, ㄷ   ⑤ ㄱ, ㄴ, ㄷ

06 표는 어떤 가족 구성원 ㉠~㉣의 여러 형질을 나타낸 것이다. ABO식 혈액형 유전자는 9번 염색체에, 적록 색맹 유전자는 X 염색체에 존재한다.

구성원	ABO식 혈액형	적록 색맹
아버지	A형	적록 색맹
어머니	B형	보인자
아들	A형	?
딸	O형	적록 색맹

아들과 AB형, 적록 색맹인 여자 사이에서 자녀가 태어날 때, 이 자녀가 B형, 적록 색맹일 확률은? (단, 돌연변이는 고려하지 않는다.)

① $\frac{3}{4}$ ② $\frac{1}{8}$ ③ $\frac{3}{8}$ ④ $\frac{3}{16}$ ⑤ $\frac{3}{32}$

07 그림은 어떤 집안의 유전병 (가)와 ABO식 혈액형에 대한 가계도를 나타낸 것이다. (가)는 대립유전자 R와 r에 의해 결정되며, R는 r에 대해 완전 우성이다. (가)와 ABO식 혈액형을 결정하는 유전자는 같은 염색체에 존재하며, 같은 염색체에 존재하는 대립유전자들은 생식세포 분열 시 같은 생식세포로 이동한다.

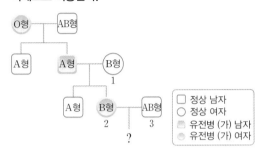

□	정상 남자
○	정상 여자
▨	유전병 (가) 남자
◑	유전병 (가) 여자

이에 대한 설명으로 옳은 것만을 〈보기〉에서 있는 대로 고른 것은? (단, 돌연변이는 고려하지 않는다.)

┤ 보기 ├

ㄱ. R는 정상 대립유전자이다.

ㄴ. 1과 2는 ABO식 혈액형의 유전자형이 서로 같다.

ㄷ. 2와 3 사이에서 (가)를 나타내는 AB형의 아이는 태어나지 않는다.

① ㄱ   ② ㄷ   ③ ㄱ, ㄴ

④ ㄴ, ㄷ   ⑤ ㄱ, ㄴ, ㄷ

08 단일 인자 유전과 다인자 유전에 대한 설명으로 옳은 것만을 〈보기〉에서 있는 대로 고른 것은?

┤ 보기 ├

ㄱ. 단일 인자 유전은 한 쌍의 대립유전자에 의해 형질이 결정된다.

ㄴ. 단일 인자 유전은 대립 형질을 뚜렷하게 구별할 수 없다.

ㄷ. 다인자 유전은 여러 가지 유전자가 관여하고 환경의 영향을 받아 표현형이 매우 다양하게 나타난다.

ㄹ. 단일 인자 유전을 나타내는 사람의 수를 그래프로 나타내면 정규 분포 곡선 형태로 나타낸다.

ㅁ. 다인자 유전을 나타내는 유전 형질의 예로는 이마선 모양, 피부색, 적록 색맹 등이 있다.

① ㄱ, ㄴ   ② ㄱ, ㄷ   ③ ㄴ, ㄷ, ㄹ

④ ㄷ, ㄹ, ㅁ   ⑤ ㄴ, ㄷ, ㄹ, ㅁ

| 서술형 |

09 그림은 어떤 유전병의 가계도를 나타낸 것이다.

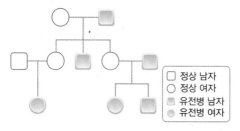

□	정상 남자
○	정상 여자
▨	유전병 남자
●	유전병 여자

이 유전병이 상염색체 유전 형질인지, 반성유전 형질인지 쓰고, 그렇게 생각한 까닭을 서술하시오.

_____

_____

10 그림은 어떤 동물의 정자 형성 과정을, 표는 세포 ㉠~㉣에서 대립유전자 A와 a의 DNA 상대량을 나타낸 것이다. 정자 형성 과정에서 염색체 비분리는 1회만 일어났으며, Ⅰ~Ⅳ는 각각 ㉠~㉣ 중 하나이다. A와 a의 1개당 DNA 상대량은 같다.

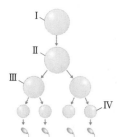

세포	DNA 상대량	
	A	a
㉠	2	0
㉡	2	2
㉢	1	1
㉣	0	2

이에 대한 설명으로 옳은 것만을 〈보기〉에서 있는 대로 고른 것은? (단, 제시된 비분리 이외의 다른 돌연변이는 고려하지 않는다.)

| 보기 |
ㄱ. 염색체 비분리는 감수 1분열에서 일어났다.
ㄴ. 염색체 수는 Ⅲ보다 Ⅳ가 1개 많다.
ㄷ. 그림의 4개 정자 중 A와 a의 DNA 상대량의 합이 1인 것이 있다.

① ㄱ   ② ㄷ   ③ ㄱ, ㄴ
④ ㄴ, ㄷ   ⑤ ㄱ, ㄴ, ㄷ

11 그림은 어느 고등학교의 학생 100명을 대상으로 3가지 유전 형질을 조사하여 얻은 결과를 나타낸 것이다.

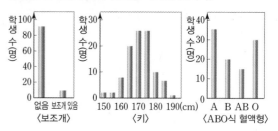

이에 대한 설명으로 옳은 것만을 〈보기〉에서 있는 대로 고른 것은?

| 보기 |
ㄱ. 보조개의 유무는 환경의 영향을 받는다.
ㄴ. 키는 대립 형질이 뚜렷하지 않다.
ㄷ. ABO식 혈액형의 유전자형은 4가지이다.

① ㄱ   ② ㄴ   ③ ㄷ
④ ㄱ, ㄴ   ⑤ ㄴ, ㄷ

12 그림 (가)는 영희네 가족의 혈우병에 대한 가계도를, (나)는 생식세포 분열 과정을 나타낸 것이다. 혈우병 대립유전자는 적록 색맹 대립유전자와 같은 염색체에 존재한다.

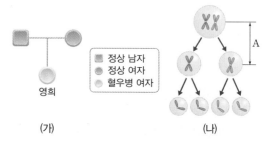

▨	정상 남자
●	정상 여자
◐	혈우병 여자

이에 대한 설명으로 옳은 것만을 〈보기〉에서 있는 대로 고른 것은? (영희 부모의 생식세포 형성 시 염색체 비분리는 1회 일어났으며, 이외의 다른 돌연변이는 고려하지 않는다.)

| 보기 |
ㄱ. 영희는 터너 증후군을 나타낸다.
ㄴ. 영희와 어머니는 혈우병 대립유전자의 DNA 상대량이 서로 같다.
ㄷ. 영희는 정상 정자와 A 과정에서 염색체 비분리가 일어난 난자의 수정으로 태어났다.

① ㄱ   ② ㄴ   ③ ㄷ
④ ㄱ, ㄴ   ⑤ ㄴ, ㄷ

13 그림은 어떤 유전병에 대한 가계도를 나타낸 것이다. 이 유전병은 우열 관계가 분명한 대립유전자 A와 A*에 의해 결정되며, 1과 2 중 한 사람은 A만 가진다.

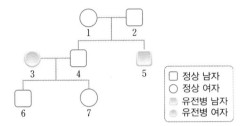

□ 정상 남자
○ 정상 여자
▨ 유전병 남자
◍ 유전병 여자

이에 대한 설명으로 옳은 것만을 〈보기〉에서 있는 대로 고른 것은? (단, 3과 4 중 한 사람에게서 염색체 비분리가 1회 일어났으며, 이외의 다른 돌연변이는 고려하지 않는다.)

┤ 보기 ├
ㄱ. 1, 6, 7은 모두 A*를 가진다.
ㄴ. 7은 터너 증후군을 나타낸다.
ㄷ. 염색체 비분리는 4의 감수 2분열 과정에서 일어났다.

① ㄱ　　　　② ㄴ　　　　③ ㄱ, ㄴ
④ ㄱ, ㄷ　　　⑤ ㄴ, ㄷ

14 그림은 어느 유전병 환자의 핵형 분석 결과를 나타낸 것이다.

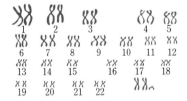

이 사람에 대한 설명으로 옳은 것만을 〈보기〉에서 있는 대로 고른 것은?

┤ 보기 ├
ㄱ. 상염색체의 수가 정상인보다 하나 더 많다.
ㄴ. 이 사람이 태어날 때 부모의 생식세포 분열 과정에서 성염색체가 비분리되었다.
ㄷ. 외관상 남자지만 여자의 신체적인 특징이 나타나는 클라인펠터 증후군이다.

① ㄴ　　　　② ㄷ　　　　③ ㄱ, ㄷ
④ ㄴ, ㄷ　　　⑤ ㄱ, ㄴ, ㄷ

15 그림은 백혈병 환자인 어떤 사람의 간세포와 백혈구에 있는 9번과 22번 염색체를 나타낸 것이다.

〈간세포〉　　　　〈백혈구〉

이에 대한 설명으로 옳은 것만을 〈보기〉에서 있는 대로 고른 것은? (단, 주어진 염색체 이상만 고려하며, 유전자 이상은 고려하지 않는다.)

┤ 보기 ├
ㄱ. 이 사람의 백혈병은 부모로부터 물려받은 것이다.
ㄴ. 염색체 수는 백혈구가 간세포보다 많다.
ㄷ. 백혈구의 9번 염색체와 22번 염색체 사이에서 전좌가 일어났다.

① ㄴ　　　　② ㄷ　　　　③ ㄱ, ㄴ
④ ㄱ, ㄷ　　　⑤ ㄴ, ㄷ

16 표는 두 돌연변이 (가)와 (나)로 인해 일어나는 현상을 각각 나타낸 것이다. (가)와 (나)는 각각 유전자 돌연변이와 염색체 돌연변이 중 하나이다.

돌연변이	일어나는 현상
(가)	적록 색맹 어머니로부터 ⊙정상 아들이 태어난다.
(나)	ⓒ비정상적인 헤모글로빈 단백질이 만들어져 적혈구가 낫 모양이 된다.

이에 대한 설명으로 옳은 것만을 〈보기〉에서 있는 대로 고른 것은?

┤ 보기 ├
ㄱ. ⊙은 아버지로부터 X와 Y 염색체를 모두 물려받았다.
ㄴ. (나)는 DNA의 염기 서열에 이상이 생겨 일어난다.
ㄷ. ⓒ은 정상 헤모글로빈 단백질과 아미노산 서열이 다르다.

① ㄱ　　　　② ㄷ　　　　③ ㄱ, ㄴ
④ ㄴ, ㄷ　　　⑤ ㄱ, ㄴ, ㄷ

생태계 다양성 종 다양성

텃세 순위제 생존 곡선 생산자

생산자 가족생활 **생태계 평형** 우점종

소비자 생태계 다양성 생태계 다양성 천이

질소 순환 우점종 에너지 흐름

개체군 내의 상호 작용

천이 **군집 내 개체군 사이의 상호 작용**

군집의 생태 분포 사회생활 지표종

군집 먹이 사슬과 먹이 그물 종 다양성 생장 곡선 리더제

탄소 순환 **개체군** 유전적 다양성 이론적 생장 곡선

분해자 소비자 **물질의 생산** 생물 다양성

비생물적 요인

질소 순환 **개체군의 주기적 변동**

생태계 군집의 층상 구조 순위제

종 다양성 생물적 요인

생태계와 상호 작용

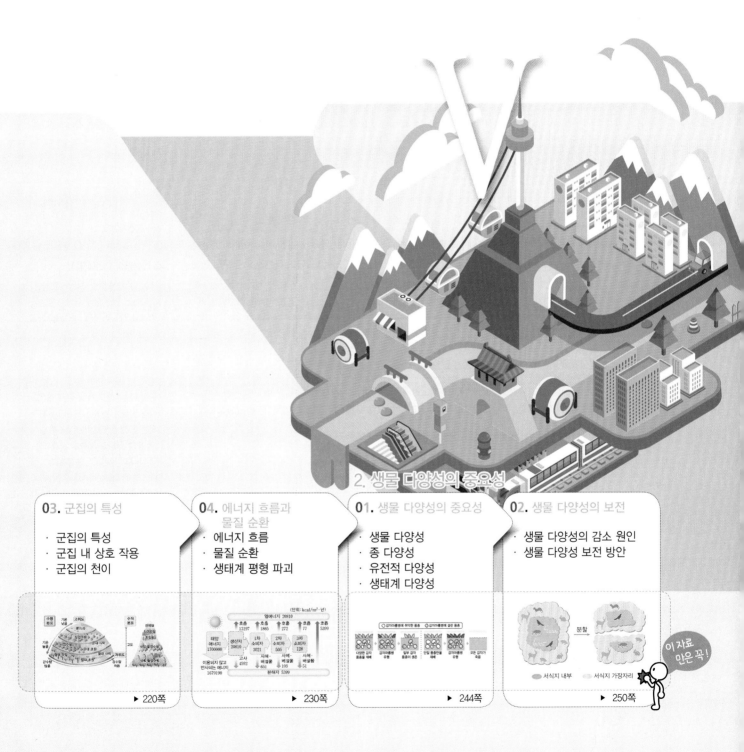

2. 생물 다양성의 중요성

이 자료
만은 꼭!

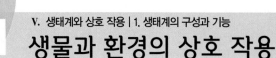

01 생물과 환경의 상호 작용

내 교과서는 어디에?
천재 p.157~159 동아 p.163~166 미래엔 p.166~169
비상 p.159~160 금성 p.168~171 교학사 p.157~162 지학사 p.152~154

핵심 Point
● 생태계의 의미와 구성 요소를 안다.
● 생물과 환경의 상호 작용과 관련된 예를 안다.

---

1 생태계의 구성

1. 생태계의 구성 요소 군집을 이루는 생물과 이들을 둘러싼 비생물적 요인이 상호 작용하며 하나의 `계`인 생태계를 이룬다.

개체	개체군	군집	생태계
일정 지역에 사는 독립된 하나의 생물체	일정 지역에서 함께 생활하는 같은 종❶의 생물 무리	일정 지역에서 여러 개체군이 모여 살아가면서 형성한 집단	군집을 구성하는 개체군이 다른 종으로 구성된 개체군이나 빛, 온도 등의 환경과 영향을 주고받는 계

① **생물적 요인❷**: 생태계의 모든 생물로 그 역할에 따라 생산자, 소비자, 분해자로 구분된다.

생산자	광합성을 하여 무기물로부터 유기물을 합성하는 생물이다. 예 녹색 식물, 조류❸ 등
소비자	광합성을 하지 않고, 다른 생물을 먹어서 양분을 얻는 생물로 동물이 해당하며, 먹이 사슬에서 차지하는 위치에 따라 1차 소비자, 2차 소비자, 3차 소비자 등으로 구분된다. 예 토끼, 여우, 사슴, 호랑이 등
분해자	다른 생물의 사체나 배설물 속의 유기물을 무기물로 분해하여 필요한 에너지를 얻는 생물이다. 예 세균, 곰팡이, 버섯 등

② **비생물적 요인❹**: 빛, 온도, 공기, 물, 토양과 같이 생물을 둘러싼 환경이다.

2. 생태계 구성 요소 사이의 관계 생태계를 구성하는 요소는 서로 영향을 주고받는다.

> **┌ 자료 파헤치기 ┐**
>
> **생물적 요인과 비생물적 요인의 상호 관계**
> • **작용**: 비생물적 요인이 생물적 요인에 영향을 주는 것을 말한다. 예 빛의 세기에 따라 식물 잎의 두께가 다르다.
> • **반작용**: 생물적 요인이 비생물적 요인에 영향을 주는 것을 말한다. 예 지렁이나 두더지는 토양의 통기성을 높인다.
> • **상호 작용**: 생물과 생물 사이에서 서로 영향을 주고받는 것이다. 예 눈신토끼의 수가 증가하면 스라소니의 수도 증가한다.

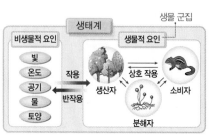

---

❶ 종

생물 분류의 기본 단위이다. 다른 생물종끼리는 생식적으로 격리되어 있어, 생식 능력이 있는 자손을 낳을 수 없다.

❷ 생물적 요인

생물적 요인에는 개체군과 군집이 포함된다. 한 생태계에서 같은 종으로 이루어진 집단이 개체군, 개체군들의 집단이 군집이다.

❸ 조류

광합성을 하는 원생생물로 수중 생태계의 생산자이다.

❹ 비생물적 요인의 특성

• 내성 범위: 생물은 각각의 환경에서 살아가는 동안 환경 요인의 영향을 받는데, 생물이 견딜 수 있는 환경의 범위를 말한다.
• 최적 조건: 내성 범위 내에서 가장 활발하게 생명 활동을 할 수 있는 환경 조건을 말한다.
• 한정 요인(제한 요인): 환경 조건이 내성 범위를 벗어나 지나치게 부족하거나 과다하면 이 환경 조건에 의해 생명 활동이 제한을 받게 되는데, 이때의 환경 요인을 말한다.
예 식물이 광합성을 할 때 빛의 양과 물이 충분하더라도 이산화 탄소가 없으면 광합성이 일어나지 않는다.

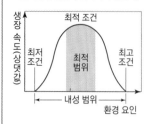

용어

▶ 계(맬 係): 체계, 조직 등을 이루는 낱낱의 구성 요소가 짜임새 있게 조직되어 통일된 전체를 이루는 것이다.

2 생물과 환경의 상호 작용

1. **빛과 생물** 빛은 광합성의 에너지원으로, 생태계에 공급되는 모든 에너지의 근원이다. 생물은 빛의 세기, 빛의 파장, 빛이 비추는 방향, 일조 시간 등에 따라 다양한 반응을 나타낸다.

<table>
<tr><td rowspan="2">빛의
세기와
생물

미래엔 교과서
에 자세히 설
명하고 있다.</td><td colspan="1">빛의 세기와 광합성량</td><td colspan="1">빛의 세기와 잎의 두께</td></tr>
<tr><td>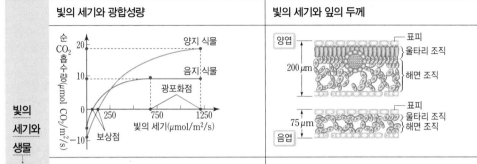</td><td>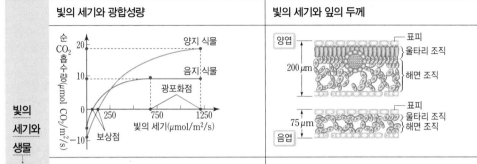</td></tr>
<tr><td></td><td>강한 세기의 빛 환경에서 적응한 양지 식물은 약한 세기의 빛 환경에서 적응한 음지 식물보다 호흡량, 보상점[5], 광포화점[6]이 높다.</td><td>• 빛을 많이 받는 양엽은 빛을 적게 받는 음엽에 비해 울타리 조직[7]이 발달하여 두꺼운 잎 구조를 갖는다.
• 음엽은 빛이 약한 곳에서 빛을 잘 흡수하기 위해 잎이 얇고 넓게 발달한다.</td></tr>
<tr><td rowspan="2">빛의
파장과
생물</td><td colspan="2">바다의 깊이에 따라 투과되는 빛의 파장과 양이 다르기 때문에 바다의 깊이에 따라 분포하는 해조류의 종류가 다르다.</td></tr>
<tr><td colspan="2">바다의 깊이와 빛의 파장에 따른 해조류의 분포[8]
• 0~20 m: 엽록소가 많이 있는 녹조류가 많이 분포하고, 투과력이 약한 적색광을 광합성에 주로 이용한다. 예 파래, 해캄 등
• 20~40 m: 엽록소와 갈조소가 있는 갈조류가 많이 분포하며 황색광을 광합성에 이용한다. 예 미역, 다시마 등
• 40 m 이상: 엽록소와 홍조소가 있는 홍조류가 많이 분포하며 투과력이 강한 청색광을 광합성에 주로 이용한다. 예 김, 우뭇가사리 등 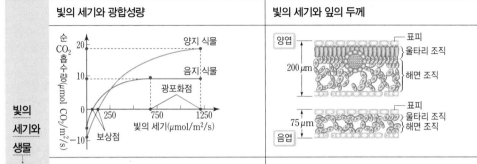</td></tr>
<tr><td rowspan="4">일조
시간과
생물</td><td colspan="2">일조 시간에 따라 식물의 개화나 동물의 산란 시기가 달라진다.   봄에 성호르몬 분비가 촉진되어 알을 낳는다.</td></tr>
<tr><td rowspan="2">식물의 개화[9]</td><td>장일 식물 일조 시간이 길어지는 봄과 초여름에 꽃이 핀다. 예 토끼풀, 보리 등</td></tr>
<tr><td>단일 식물 일조 시간이 짧아지는 가을에 꽃이 핀다. 예 코스모스, 나팔꽃 등</td></tr>
<tr><td>동물의 산란</td><td>꾀꼬리, 종달새 등 대부분의 새는 일조 시간이 길어지는 봄에 알을 낳는다.</td></tr>
</table>

2. **토양과 생물** 토양은 물질과 에너지를 순환하게 하고, 육상 식물과 지렁이, 두더지, 미생물 등 수많은 생물의 서식지가 된다.

① 토양 속 세균이나 곰팡이 등은 죽은 생물이나 배설물을 무기물로 분해하여 다른 생물에게 제공하거나 환경으로 돌려보낸다.

② 토양 속 물에는 다양한 무기 양분이 녹아 있어서 식물의 양분으로 이용된다.

---

⑤ 보상점

광합성에 의한 CO_2 흡수량과 호흡에 의한 CO_2 방출량이 같아 외관상 CO_2의 출입이 없을 때의 빛의 세기

⑥ 광포화점

광합성량이 최대일 때 최소한의 빛의 세기

⑦ 울타리 조직

잎의 표피 밑에 있는 조직으로 가늘고 긴 세포들이 울타리처럼 빽빽하게 들어서 있고, 엽록체가 많아 광합성이 활발하게 일어난다.

⑧ 해조류의 분포

파장이 긴 적색광은 깊은 물속으로 들어가지 못하므로 이를 이용하는 녹조류는 수면 가까이 분포하고, 파장이 짧은 청색이나 청자색광은 깊은 물속까지 들어가므로 이를 이용하는 홍조류는 바다 속 깊은 곳에 분포할 수 있다.

⑨ 식물의 개화 →금성교과서에서 자세히 설명하고 있다.

빛의 변화에 따라 일어나는 생물의 주기적 행동이나 활동에 변화가 나타난다. 장일 식물은 일조 시간이 길어지는 봄과 여름에 꽃이 피고, 단일 식물은 일조 시간이 짧아지는 가을에 꽃이 핀다.

◀━━ 용어 ━━▶

▶ **일조 시간**(날 日, 비칠 照, 때 時, 사이 間): 구름이나 안개 등에 가려지지 않고 빛이 실제로 내리쬐는 시간이다.

---

3. **온도와 생물** 생물이 생명 현상의 특성을 나타내기 위해서는 효소가 필요하다. 효소의 작용은 일정한 온도 범위에서 일어나므로 생물은 주변 온도에 다양한 방법으로 적응하며 살아간다.

식물의 적응	• 온대 지방의 낙엽수[⑩]: 온대 지방의 낙엽수는 온도가 내려가면 단풍이 들고, 수분 손실을 줄이기 위해 잎을 떨어뜨리고, 겨울눈을 만들어 월동을 준비한다. • 춘화 현상: 보리, 밀과 같은 식물은 싹이 튼 후 일정 기간 저온 상태가 유지되어야 꽃이 핀다. 이와 같이 일정 기간 저온 상태가 유지되어야 꽃이 피고 결실을 맺는 현상을 말한다.
동물의 적응	• 포유류는 서식지의 기온에 따라 몸 크기와 몸 말단부의 크기가 다르다. **온도에 따른 여우의 적응** • 추운 지역의 여우(북극여우)는 몸의 크기가 크고, 몸의 말단부가 작아서 열의 방출을 막는다. • 더운 지역의 여우(사막여우)는 몸집이 작고, 몸의 말단부가 커서 열을 잘 방출한다. ▲ 북극여우 ▲ 사막여우 • 겨울잠[⑪](동면): 일부 동물은 겨울에 기온이 낮아지면 에너지의 소비를 줄이기 위해 겨울잠을 잔다. 예 개구리, 곰, 박쥐 • 계절형: 계절에 따라 몸의 크기, 형태, 색이 달라지는 것을 계절형이라고 한다. 예 여름에 태어난 호랑나비는 봄에 태어난 호랑나비보다 번데기 시절에 주변의 온도가 높기 때문에 몸의 크기가 크고, 색도 진하다.  ▲ 봄형 ▲ 여름형 [호랑나비의 계절형]

4. **물과 생물** 물은 생물체를 구성하는 물질 중 가장 많은 물질이며, 각종 물질대사 반응의 매개체가 된다. 생물은 물을 이용하기 위해 다양한 방식으로 적응하며 살아간다.

동물의 예	• 곤충의 몸은 키틴질로 되어 있어 물의 손실을 막는다. • 조류의 알은 단단한 껍질로 싸여 있어 물의 손실을 막는다.  ▲ 곤충의 키틴질 껍데기 ▲ 조류의 알
식물의 예	• 사막에 사는 식물은 물을 잘 흡수하기 위해 관다발과 뿌리가 발달되어 있고, 물의 저장 조직(저수 조직)이 발달되어 있다. • 물에 사는 식물은 관다발과 뿌리가 잘 발달하지 않고, 통기 조직이 발달해 있다.  ▲ 사막의 선인장 ▲ 물에 사는 부레옥잠

5. **공기와 생물** 대부분의 생물은 공기 중의 산소를 이용하여 생명 활동을 하기 때문에 공기의 영향을 크게 받는다.
예 • 고산 지대에 사는 사람은 저지대에 사는 사람보다 적혈구[⑫] 수가 많아 낮은 산소 분압에서도 산소를 효율적으로 이용할 수 있다. ┄┄ 고산 지대에 산소가 부족하여 나타나는 현상이다.
• 고산 지대에 사는 사람의 폐 표면적은 저지대에 사는 사람보다 넓다.
• 공기 중의 산소(O_2)는 생물의 호흡에, 이산화 탄소(CO_2)는 식물의 광합성에 이용된다.

개념 확인하기

1 더운 지역에 사는 여우의 몸집이 작고, 몸의 말단부가 큰 것은 온도에 적응한 결과이다. (○ , ×)
2 사막에 사는 식물은 물에 사는 식물에 비해 뿌리가 발달되어 있다. (○ , ×)
3 공기 중의 산소는 생물의 (   )에, 이산화 탄소는 식물의 (   )에 이용된다.

답 1 ○ 2 ○ 3. 호흡, 광합성

---

⑩ 낙엽수
잎의 수명이 1년 이내이고, 보통 여름에 잎이 무성하고 겨울에 일제히 잎을 떨어뜨린다.

⑪ 겨울잠
겨울잠에 들었을 때 나타나는 가장 큰 변화는 생명을 유지할 수 있는 최소 온도 이상으로 체온이 떨어지고 대사 작용이 느려지는 것이다.

⑫ 적혈구
사람 몸속에는 약 25조 개의 적혈구가 존재하며, 적혈구는 산소를 요구하는 세포나 기관에 산소를 운반하고, 이산화 탄소를 제거하는 데 관여한다.

━━ 용어 ━━
▶ 말단부(끝 末, 끝 端, 구역 部): 부착된 부위에서 먼 곳으로 귀, 손끝, 발 끝, 코, 턱 등 신체의 끝 부분이다.
▶ 키틴질(chitin): 게, 새우, 가재와 같은 갑각류, 곤충의 겉껍질에 많이 분포하면서 단백질과 복합체를 이루고 있는 다당류이다.

기초 탄탄 문제

정답과 해설 54쪽

핵심용어_ 이 단원에서 내가 아는 것과 아직 모르는 것을 정리하며 나의 공부를 돌아보자.

□ 생태계 □ 생물적 요인 □ 비생물적 요인
□ 소비자 □ 생산자 □ 분해자
□ 적응

01 생태계를 구성하는 요소 중 생물적 요인에 해당하지 <u>않는</u> 것은?

① 소비자 ② 조류 ③ 토양
④ 생산자 ⑤ 곰팡이

02 다음은 생태계 구성 요소 사이의 관계에 대한 자료이다.

> 비생물적 요인이 생물적 요인에 미치는 영향을 (㉠),
> 생물적 요인이 비생물적 요인에 미치는 영향을 (㉡),
> 생물들끼리 서로 영향을 주고받는 것을 (㉢)이라
> 한다.

㉠~㉢에 들어갈 말로 알맞은 것은?

	㉠	㉡	㉢
①	작용	상호 작용	반작용
②	작용	반작용	상호 작용
③	반작용	작용	상호 작용
④	반작용	상호 작용	작용
⑤	상호 작용	반작용	작용

03 그림은 호랑나비의 계절형을 나타낸 것이다.
이와 같은 현상을 나타나게 한 환경 요인이 생물에 미친 영향으로 가장 적절한 것은?

▲ 봄형 ▲ 여름형

① 꾀꼬리는 봄에 알을 낳는다.
② 개구리와 곰은 겨울철에 겨울잠을 잔다.
③ 식물은 빛이 비치는 방향으로 굽어 자란다.
④ 고산 지대에 사는 사람은 적혈구 함량이 높다.
⑤ 파충류는 몸이 비늘로 덮여 있다.

04 그림은 생태계 내의 생물적 요인과 비생물적 요인 사이의 관계를 나타낸 것이다.

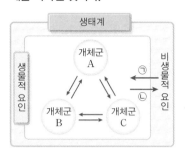

이에 대한 설명으로 옳은 것은?

① ㉠은 반작용, ㉡은 작용이라고 한다.
② ㉠과 ㉡을 합쳐 상호 작용이라고 한다.
③ 생물적 요인은 생산자와 소비자로만 구성된다.
④ 식물의 광합성량이 증가하여 대기 중 O_2 농도가 증가하는 것은 ㉡의 예이다.
⑤ 뿌리혹박테리아가 공기 중의 질소를 고정시켜 콩과식물에게 공급하는 것은 ㉡의 예이다.

05 다음은 생물의 적응 현상을 설명한 것이다.

> (가) 곤충의 몸 표면은 키틴질의 껍데기로 싸여 있다.
> (나) 고지대에 사는 사람은 저지대에 사는 사람보다 적혈구 수가 많다.
> (다) 녹조류는 홍조류가 서식할 수 있는 수심보다 얕은 곳에 서식한다.

(가)~(다)에서 생물이 적응한 비생물적 요인에 해당하는 것을 옳게 짝 지은 것은?

	(가)	(나)	(다)
①	빛	온도	물
②	빛	토양	물
③	물	빛	토양
④	물	공기	빛
⑤	공기	토양	온도

내신 만점 문제

정답과 해설 54쪽

* ▮▮▮ 난이도를 나타냅니다.

01 그림은 생태계 구성 요소 중 일부를, 표는 (가)를 구성하는 개
▮▮▮ 체군 A~C의 특징을 나타낸 것이다. A~C는 각각 생산자,
소비자, 분해자 중 하나이다. ㉠은 B가 A에 미치는 영향이다.

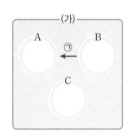

A	빛에너지를 이용해 유기물을 합성한다.
B	다른 생물을 먹이로 섭취한다.
C	생물의 사체나 배설물을 분해한다.

이에 대한 설명으로 옳은 것만을 〈보기〉에서 있는 대로 고른
것은?

┤ 보기 ├

ㄱ. 곰팡이는 C에 해당한다.

ㄴ. 소가 풀을 먹는 것은 ㉠의 예에 해당한다.

ㄷ. A를 구성하는 생물은 모두 다른 종이다.

① ㄱ ② ㄷ ③ ㄱ, ㄴ ④ ㄱ, ㄷ ⑤ ㄴ, ㄷ

02
▮▮▮ 그림은 수심에 따라 도
달하는 빛의 파장과 해
조류의 분포를 나타낸
것이다. A~C는 각각
갈조류, 녹조류, 홍조류
중 하나이다.

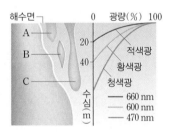

이에 대한 설명으로 옳은
것만을 〈보기〉에서 있는 대로 고른 것은?

┤ 보기 ├

ㄱ. 수심에 따라 해조류의 분포가 다른 것은 반작용의
예이다.

ㄴ. B는 갈조류로 파장이 660 nm인 빛이 없으면 죽는다.

ㄷ. 수심 40 m에서 홍조류인 C의 수는 녹조류인 A의
수보다 많다.

① ㄱ ② ㄷ ③ ㄱ, ㄴ ④ ㄱ, ㄷ ⑤ ㄴ, ㄷ

03
▮▮ 그림은 생태계를 구성하는 요소 사이의 상호 관계를 나타낸
것이다.

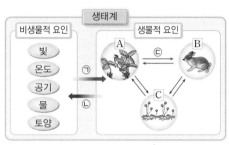

이에 대한 설명으로 옳은 것만을 〈보기〉에서 있는 대로 고른
것은?

┤ 보기 ├

ㄱ. 대기 중 CO_2 농도가 식물의 광합성에 영향을 주는
것은 ㉠의 예에 해당한다.

ㄴ. 스라소니의 개체 수가 증가하자 토끼의 개체 수가
감소하는 것은 ㉢의 예에 해당한다.

ㄷ. 세균과 곰팡이는 모두 비생물적 환경 요인에 속한다.

① ㄱ ② ㄷ ③ ㄱ, ㄴ

④ ㄴ, ㄷ ⑤ ㄱ, ㄴ, ㄷ

04 그림은 어떤 한 식물 개체에서 서로 다른 잎의 내부 구조를
▮▮ 나타낸 것이다. (가)와 (나)는 각각 음엽과 양엽 중 하나이다.

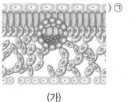
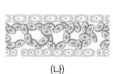

(가) (나)

이에 대한 설명으로 옳은 것만을 〈보기〉에서 있는 대로 고른
것은?

┤ 보기 ├

ㄱ. ㉠은 울타리 조직이다.

ㄴ. (나)는 양엽이다.

ㄷ. (가)와 (나)의 잎의 두께 차이에 영향을 준 비생물
적 요인은 빛의 세기이다.

① ㄱ ② ㄷ ③ ㄱ, ㄴ

④ ㄱ, ㄷ ⑤ ㄴ, ㄷ

05 그림은 동일한 종의 식물 X가 건조한 곳과 습한 곳에서 자랄 때 뿌리가 발달하는 정도를 나타낸 것이다. (가)와 (나)는 각각 습한 곳과 건조한 곳 중 하나이다. 이에 대한 설명으로 옳은 것만을 〈보기〉에서 있는 대로 고른 것은?

(가)　(나)

┤ 보기 ├
ㄱ. X는 생산자이다.
ㄴ. (나)는 습한 곳이다.
ㄷ. X의 뿌리 발달 정도는 생태계 구성 요소 간의 관계 중 작용에 속한다.

① ㄴ　　　　② ㄷ　　　　③ ㄱ, ㄴ
④ ㄱ, ㄷ　　　⑤ ㄱ, ㄴ, ㄷ

06 그림은 위도가 서로 다른 세 지역 (가)~(다)에 사는 성체 곰의 크기를 나타낸 것이다.

(가)　　　　(나)　　　　(다)

이에 대한 설명으로 옳은 것만을 〈보기〉에서 있는 대로 고른 것은? (단, 성체 곰의 크기에 영향을 준 요인으로 온도 이외의 요인은 고려하지 않는다.)

┤ 보기 ├
ㄱ. (가)는 (나)보다 더 추운 지역이다.
ㄴ. $\dfrac{\text{몸의 표면적}}{\text{몸의 부피}}$ 의 값은 (나)의 곰이 (다)의 곰보다 작다.
ㄷ. 이와 동일한 환경 요인이 생물에 영향을 미친 예로 호랑나비의 계절형이 있다.

① ㄱ　　　　② ㄷ　　　　③ ㄱ, ㄴ
④ ㄴ, ㄷ　　　⑤ ㄱ, ㄴ, ㄷ

서술형 문제

07 그림은 여러 지역에 서식하는 여우 (가)~(다)의 모습을 나타낸 것이다. (가)~(다)는 각각 사막여우, 온대여우, 북극여우 중 하나이다.

(가)　　　(나)　　　(다)

(1) (가)~(다) 중 가장 더운 곳에 서식할 것으로 생각되는 여우의 기호를 쓰시오.

_____

(2) 여우가 추운 지역에 적응한 결과 나타난 몸의 특징을 2가지만 서술하시오.

_____

_____

08 그림은 사막에 사는 선인장과 물에 떠서 사는 부레옥잠을 나타낸 것이다.

▲ 선인장　　　　　　▲ 부레옥잠

선인장과 부레옥잠의 차이점을 제시된 용어를 모두 사용하여 서술하시오.

| 물 | 뿌리 | 통기 조직 | 저수 조직 |

_____

_____

_____

02 개체군의 특성

내 교과서는 어디에?

천재 p.160~164 동아 p.167~172 미래엔 p.170~175
비상 p.161~169 금성 p.172~179 교학사 p.163~167 지학사 p.155~161

핵심 Point ● 개체군의 의미를 이해하고, 개체군의 특징을 안다.
● 개체군 내의 상호 작용의 종류와 그 예를 안다.

1 개체군의 특성

1. **개체군** 한 장소에 모여 사는 같은 종의 생물 집단

2. **개체군의 밀도** 일정 공간에 서식하는 개체군의 개체 수이다.

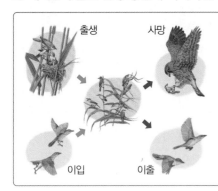

$$개체군의 밀도(D) = \frac{개체군을 구성하는 개체 수(N)}{생활 공간의 면적(S)}$$

- 개체군의 밀도를 증가시키는 요인: 출생, 이입
- 개체군의 밀도를 감소시키는 요인: 사망, 이출
- 개체군 밀도 변화 요인: 출생, 사망, 이입, 이출 외에 먹이의 양, 기후, 질병, 천적 등의 환경 요인 또한 개체군의 밀도 변화에 영향을 준다.

3. **개체군의 생장 곡선** 개체군의 개체 수가 시간에 따라 증가하는 것을 개체군의 생장이라 하고, 개체군의 개체 수 변화를 시간에 따라 나타낸 것을 생장 곡선이라고 한다.

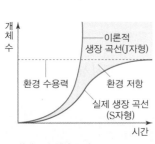

▲ 개체군의 생장 곡선

이론적 생장 곡선 (J자형)	개체군에 속한 개체들이 먹이가 풍부하고, 서식지에 여유가 있는 등 이상적인 환경 조건에서 생식 활동에 제약을 받지 않고 계속 번식한다면 개체 수가 기하급수적으로 증가하여 J자형의 생장 곡선을 나타낸다.
실제 생장 곡선 (S자형)	실제 개체군의 개체 수는 처음에는 급격히 증가하다가 어느 정도 시간이 지나면 환경 저항에 의해 개체 수 증가가 둔화되어 S자형의 생장 곡선을 나타낸다.
환경 저항	개체군의 밀도가 증가함에 따라 먹이 부족, 서식지 부족, 노폐물 증가, 질병 증가 등과 같은 환경 저항에 의해 개체 수 증가 속도가 느려진다.
환경 수용력	한 서식지에서 증가할 수 있는 개체 수의 한계로, 주어진 환경 조건에서 서식할 수 있는 개체군의 최대 크기이다.

4. **개체군의 생존 곡선[1]** 동시에 출생한 일정 수의 개체군에 대해 상대 연령에 따른 생존 개체 수를 그래프로 나타낸 것이다.

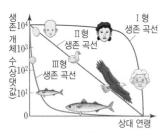

▲ 개체군의 생존 곡선

I형	부모의 보호 기간이 길어서 초기 사망률이 낮고 후기 사망률이 높다. 대부분의 개체가 수명을 다하고, 적은 수의 새끼를 낳는다. 예 사람, 코끼리 등 대형 포유류
II형	상대 연령에 따른 사망률이 일정하다. 예 다람쥐와 같은 설치류, 참새와 같은 조류 등
III형	산란 수가 많지만, 초기 사망률이 높고, 극히 일부만이 생리적 수명을 다한다. 예 물고기, 굴, 조개 등 어패류

❶ **생존 곡선과 사망률 곡선**

생존 곡선을 사망률 곡선으로 나타내면 다음과 같다.

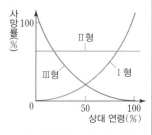

- I형: 연령대가 높아질수록 사망률이 점점 증가한다.
- II형: 전 연령대에서 사망률이 일정하다.
- III형: 연령대가 높아질수록 사망률이 감소한다.

──── 용어 ────

▶ **이입**(옮길 移, 들어갈 入): 개체군이 생활하는 공간으로 공간 밖의 개체가 들어오는 현상이다.
▶ **이출**(옮길 移, 나갈 出): 개체군이 생활하는 공간 밖으로 공간 안의 개체가 나가는 현상이다.

5. 개체군의 연령 분포❷ 한 개체군 내에서 전체 개체 수에 대한 각 연령대별 개체 수의 비율이다.

- 연령 피라미드: 연령 분포를 낮은 연령층부터 차례대로 쌓아 올린 것이다. 연령 피라미드는 발전형, 안정형, 쇠퇴형으로 구분된다.→ 개체군의 크기 변화를 예측할 수 있다.

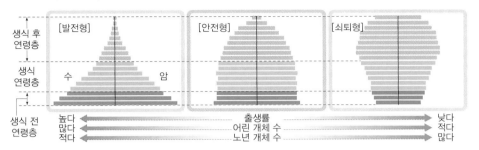

발전형	안정형	쇠퇴형
생식 전 연령층의 개체 수가 많아 앞으로 개체군의 크기가 증가한다.	생식 전 연령층과 생식 연령층의 개체 수가 비슷하여 개체군의 크기 변화가 적다.	생식 전 연령층의 개체 수가 적어 앞으로 개체군의 크기가 점차 감소한다.

6. 개체군의 주기적 변동 변동 주기가 짧은 단기적 변동도 있지만, 수십 년에 걸쳐 일어나는 장기적 변동도 있다.

① 계절에 따른 단기적 변동: 계절에 따른 환경 요인의 변화로 1년 주기로 개체군의 크기가 변한다.

┌ 자료 파헤치기 ┐

돌말❸ 개체군의 계절에 따른 개체 수 변화 → 계절에 따른 단기적 변동의 예이다.

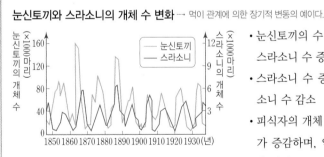

- 봄: 영양염류가 충분한 상태에서 빛과 수온이 증가하여 돌말 개체군의 밀도 크게 증가
- 여름: 영양염류 감소로 자원이 고갈되어 돌말 개체군의 밀도 감소
- 가을: 영양염류 증가로 돌말 개체군의 밀도가 약간 증가하지만, 가을 이후 빛의 세기와 수온이 감소하면서 돌말 개체군의 밀도 감소

② 먹이 관계에 의한 장기적 변동: 포식과 피식에 의해 두 개체군의 개체 수가 수년을 주기로 변한다.

눈신토끼와 스라소니의 개체 수 변화 → 먹이 관계에 의한 장기적 변동의 예이다.

- 눈신토끼의 수 증가 ➡ 눈신토끼를 먹이로 하는 스라소니 수 증가
- 스라소니 수 증가 ➡ 눈신토끼 수 감소 ➡ 스라소니 수 감소
- 피식자의 개체 수 증감에 따라 포식자의 개체 수가 증감하며, 약 10년을 주기로 개체 수의 증감을 반복

개념 확인하기

1 한 장소에 모여 사는 같은 종의 생물 집단을 (　　　　)이라고 한다.
2 이론적 생장 곡선의 모양은 (　　　　), 실제 생장 곡선의 모양은 (　　　　)을 나타낸다.
3 한 개체군 내에서 전체 개체 수에 대한 각 연령대별 개체 수의 비율을 (　　　　)라 한다.

답 1. 개체군 2. J자형, S자형, 3. 연령 분포

목표 효모 개체군의 생장 곡선을 그리고, 생장 곡선의 특징을 말할 수 있다.

과정

❶ 효모 개체군 A는 포도당 농도가 0.5 %인 조건에서, 효모 개체군 B는 포도당 농도가 1 %인 조건에서 배양한다.

❷ A와 B를 동일한 상황에 두고, 두 시간마다 효모의 개체 수를 측정하여 나타낸다.
→ (예시)

구분	포도당 농도	온도	시간(h)						
			0	2	4	6	8	10	12
A	0.5 %	35 ℃	10	20	40	65	70	70	70
B	1 %	35 ℃	10	25	60	105	120	120	120

결과 및 정리

1. 효모 개체군 A와 B의 개체 수 변화를 그래프로 나타내면?

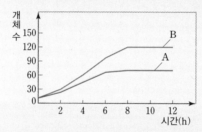

2. A와 B의 생장 곡선에서 나타나는 공통점과 차이점은?
→ A와 B 모두 S자형 생장 곡선을 나타냈고, 환경 저항을 받았음을 알 수 있다. 최대 개체 수는 B가 A보다 높다는 차이점이 있다.

3. A와 B의 생장 곡선에 차이가 나타나는 까닭은?
→ 포도당 농도가 다르기 때문에 효모 개체 수의 증가 속도가 다르다. 포도당 농도가 높은 B에서 효모 증가 속도가 빠르고, 최대 효모 개체 수도 많다.

같은 주제 다른 탐구

[과정]
좀개구리밥을 서로 다른 pH에서 배양한 후 개체 수 변화를 측정한다.
[결과]

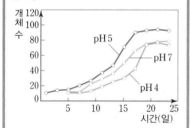

▲ pH에 따른 좀개구리밥의 개체 수 변화

· 좀개구리밥의 개체 수는 처음에는 빠르게 증가하다가 나중에는 더 이상 증가하지 않고 일정하게 유지된다.
➡ S자형 생장 곡선을 보인다.
· 좀개구리밥 개체 수는 pH 5에서 배양할 때가 pH 4와 7에서 배양할 때보다 증가 속도도 빠르고 개체 수도 많다.
➡ 좀개구리밥 개체군의 생장 속도는 pH에 영향을 받는다.

탐구 돋보기

환경 저항이 없는 이론적 생장 곡선은 J자형이고, 환경 저항이 있는 실제 생장 곡선은 S자형이다. 실제 생장 곡선에서 환경 저항은 개체 수가 증가하면서부터 나타난다.

시험 유형은?

❶ 개체군의 생장 곡선에는 어떤 유형이 있는지 쓰시오.
▶ J형 생장 곡선, S형 생장 곡선
❷ 환경 저항에는 어떤 것들이 있는지 쓰시오.
▶ 먹이 부족, 서식지 부족, 노폐물 증가, 질병 증가 등이 있다.

탐구 대표 문제 정답과 해설 55쪽

01 그림은 개체군의 생장 곡선을 나타낸 것이다. A와 B는 각각 실제 생장 곡선과 이론적 생장 곡선 중 하나이다.
이에 대한 설명으로 옳은 것만을 〈보기〉에서 있는 대로 고른 것은? (단, 이 개체군에서 이입과 이출은 없다.)

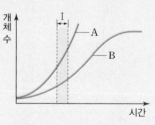

| 보기 |

ㄱ. A는 실제 생장 곡선이다.

ㄴ. 구간 Ⅰ에서 B는 환경 저항을 받고 있다.

ㄷ. B에서 시간이 지날수록 개체 수 증가율이 커진다.

① ㄴ ② ㄷ ③ ㄱ, ㄴ
④ ㄱ, ㄷ ⑤ ㄱ, ㄴ, ㄷ

개체군의 밀도가 증가하면 먹이, 서식지, 배우자 등을 차지하기 위해 개체군 내에서 구성원 간에 경쟁이 일어난다. 개체군 내에서 구성원 간 경쟁을 피하고 질서를 유지하기 위해 순위제, 텃세, 리더제, 사회생활, 가족생활 등 다양한 형태의 상호 작용을 한다.

1. **순위제**[4] 개체군을 구성하는 개체들 사이에서 힘의 서열에 따라 순위가 정해지고, 순위에 따라 먹이나 배우자를 차지하는 것이다. 개체군 내에서 순위가 정해지면 질서가 유지되고, 불필요한 경쟁을 줄일 수 있다.
   (예) 닭의 먹이를 먹는 순위, 큰뿔양 수컷의 뿔 크기에 따른 순위, 고릴라, 일본원숭이 등

▲ 닭의 순위제

2. **텃세** 개체군 내의 각 개체가 자신의 생활 구역을 확보하여 다른 개체의 접근을 막고 먹이, 배우자, 공간 등을 독점하는 것을 텃세라고 하며, 이렇게 확보된 생활 구역을 세력권이라고 한다. 생활 조건이 같은 개체들을 분산시켜 개체군의 밀도를 조절한다.
   (예) 은어, 까치, 버들붕어, 백조, 얼룩말, 물개, 북양가마우지 등

| 자료 파헤치기 |

은어의 텃세[5]**와 세력권(텃세권)**
- 은어는 수심이 얕은 곳에서 개체군을 형성하고, 각 개체는 서식하는 범위가 정해져 있다. ➡ 세력권 형성
- 세력권은 생활 조건이 같은 개체들을 분산시켜 개체군의 밀도를 알맞게 조절하는 기능을 한다.
- 육상 동물의 경우 배설물을 뿌리거나 송곳니나 뿔을 나무에 비벼 텃세권을 표시한다.

자갈 / 물의 흐름 / 세력권 / 은어

3. **리더제** 리더가 개체군의 이동 방향을 결정하거나 적으로부터 도망치도록 하는 등 행동을 지휘하여 개체군의 질서를 유지한다.
   (예) 기러기, 양, 순록, 늑대, 코끼리 등의 이동

▲ 기러기의 리더제

4. **사회생활** 개체군을 구성하는 각 개체가 역할을 나누어 수행하는 분업화된 체제를 형성한다.
   (예) 꿀벌, 개미, 벌거숭이두더지쥐[6] 등

▲ 개미의 사회생활

5. **가족생활** 개체군 중 특정 수컷이나 암컷을 중심으로 가족생활을 한다. 새끼가 독립할 때까지 부모와 함께 생활하는 것처럼 혈연 관계의 개체들이 모여 함께 살아간다.
   (예) 사자, 하이에나, 코요테, 제비, 코끼리, 침팬지 등

▲ 사자의 가족생활

셀파 콕콕
개체군 내의 상호 작용과 군집 내 개체군 사이의 상호 작용의 예를 함께 제시하여 오답을 유도하는 경우가 많으므로, 개체군 내의 상호 작용의 예와 정의를 정확히 알아 두자.

[4] 순위제의 순위 결정
순위를 결정할 때 서로 상처를 입힐 수 있는 직접적인 충돌을 피하기 위해 몸의 크기, 장식, 체력 등을 비교하거나 과시하는 행동을 주고받으며 순위를 결정한다. 또 강한 상대를 만나면 미리 항복 의사를 표시하여 싸움을 피해 치명적인 상처를 입지 않고 순위를 결정하게 된다.

[5] 텃세를 이용한 은어 낚시
은어의 텃세를 이용하여 은어로 은어를 잡는 낚시를 놀림낚시라고 한다. 미끼 은어를 침입자로 인식한 은어가 미끼를 몰아내기 위해 몸을 부딪치다가 낚시 바늘에 걸려 잡히게 된다.

[6] 벌거숭이두더지쥐의 사회생활
벌거숭이두더지쥐는 땅속에서 20~300마리 단위로 살아간다. 벌거숭이두더지쥐는 1마리의 여왕과 1~3마리의 수컷만 생식을 담당하고 나머지는 병장, 일꾼으로 역할을 나누어 사회생활을 한다.

--- 용어 ---
▶ **세력권**(기세 勢, 힘 力, 우리 圈): 동물의 개체 또는 집단이 같은 종인 다른 개체나 다른 동물 집단으로부터 방어하여 점유하고 있는 지역으로 텃세권이라고도 한다.

개념 확인하기

1 개체군을 구성하는 개체들 사이에서 힘의 서열에 따라 순위가 정해지는 것을 ( )라고 한다.

2 일정한 생활 구역을 확보하여 다른 개체의 접근을 막는 것은 ( )이다.

3 꿀벌은 개체군 내에서 각 개체가 역할을 나누어 수행하는 가족생활을 한다. (○, ×)

답 1. 순위제 2. 텃세 3. ×

기초 탄탄 문제

정답과 해설 55쪽

핵심용어_ 이 단원에서 내가 아는 것과 아직 모르는 것을 정리하며 나의 공부를 돌아보자.

☐ 개체군   ☐ 생장 곡선   ☐ 생존 곡선
☐ 개체군의 주기적 변동   ☐ 순위제   ☐ 텃세
☐ 리더제   ☐ 사회생활   ☐ 가족생활

01 다음은 개체군에 대한 학생 A~C의 대화 내용이다.

A: 개체군은 한 지역에서 동일한 종의 개체들로 이루어진 집단이야.
B: 출생과 이입은 모두 개체군 밀도 증가의 원인이야.
C: 개체군의 밀도는 일정 면적에 서식하는 개체군의 개체 수의 비율이야.

옳게 설명한 사람만을 있는 대로 고른 것은?

① B   ② C   ③ A, B
④ A, C   ⑤ A, B, C

02 그림은 개체군의 생존 곡선을 나타낸 것이고, (가)~(다)는 각각 그림의 Ⅰ형~Ⅲ형에 대한 설명을 순서 없이 나열한 것이다.

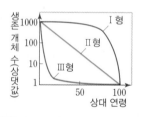

(가) 비교적 적은 수의 자손을 낳고, 생리적 수명을 다 하는 개체가 많다.
(나) 다람쥐 등의 설치류가 속하며, 상대 연령에 따른 생존 개체들의 사망률이 일정하다.
(다) 많은 수의 자손을 낳지만, 성체로 생장하는 비율은 매우 낮은 편이다.

(가)~(다) 설명에 해당하는 곡선을 옳게 고른 것은?

	Ⅰ형	Ⅱ형	Ⅲ형
①	(가)	(나)	(다)
②	(가)	(다)	(나)
③	(나)	(가)	(다)
④	(나)	(다)	(가)
⑤	(다)	(나)	(가)

03 개체군의 특성을 알 수 있는 요소로 옳지 <u>않은</u> 것은?

① 개체군의 밀도   ② 기생
③ 생장 곡선   ④ 개체군의 주기적 변동
⑤ 생존 곡선

04 개체군 내의 상호 작용에 해당하지 <u>않는</u> 것은?

① 순위제   ② 리더제   ③ 상리 공생
④ 가족생활   ⑤ 사회생활

05 다음은 은어의 행동을 관찰한 자료이다.

은어는 그림과 같이 자신의 영역(세력권)을 차지하고, 다른 은어의 접근을 막는다.

이 자료에 나타난 개체군 내의 상호 작용과 가장 관련이 깊은 것은?

① 닭들은 모이를 먹는 순서가 있다.
② 스라소니는 눈신토끼를 잡아먹는다.
③ 여왕벌과 일벌은 서로 다른 일을 한다.
④ 호랑이는 배설물로 자기 영역을 표시한다.
⑤ 우두머리 사슴은 리더가 되어 무리를 이끈다.

06 다음은 개체군 내의 상호 작용과 그 예를 나타낸 것이다. ㉠~㉢은 각각 순위제, 리더제, 사회생활 중 하나이다.

• ㉠의 예: 닭의 먹이 먹는 순위
• ㉡의 예: 기러기의 이동
• ㉢의 예: 꿀벌 개체군의 생활

㉠~㉢에 해당하는 상호 작용을 옳게 고른 것은?

	㉠	㉡	㉢
①	리더제	순위제	사회생활
②	순위제	리더제	사회생활
③	순위제	사회생활	리더제
④	리더제	순위제	사회생활
⑤	사회생활	순위제	리더제

내신 만점 **문제**

정답과 해설 56쪽

* ▣▣▣ 난이도를 나타냅니다.

---

01 그림은 어떤 개체군의 생장 곡선을 나타낸 것이다. A와 B는 각각 실제 생장 곡선과 이론적 생장 곡선 중 하나이다. 이에 대한 설명으로 옳은 것만을 〈보기〉에서 있는 대로 고른 것은?

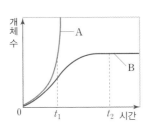

┤ 보기 ├

ㄱ. A는 이론적 생장 곡선이다.

ㄴ. B에서 환경 저항은 t_1에서가 t_2에서보다 크다.

ㄷ. B에서 개체 수 증가율은 t_1에서가 t_2에서보다 높다.

① ㄱ   ② ㄷ   ③ ㄱ, ㄴ

④ ㄱ, ㄷ   ⑤ ㄴ, ㄷ

---

02 그림은 어떤 개체군에서 밀도와 개체 크기의 관계를 나타낸 것이다.
이에 대한 설명으로 옳은 것만을 〈보기〉에서 있는 대로 고른 것은?

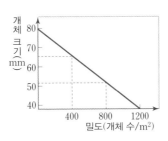

┤ 보기 ├

ㄱ. 밀도가 높아질수록 환경 저항이 증가한다.

ㄴ. 밀도가 2배 증가하면 개체 크기는 $\frac{1}{2}$로 줄어든다.

ㄷ. 같은 면적에 서식하는 개체 수가 증가할수록 개체 크기가 감소한다.

① ㄱ   ② ㄴ   ③ ㄱ, ㄷ

④ ㄴ, ㄷ   ⑤ ㄱ, ㄴ, ㄷ

---

03 표는 효모 개체군의 생장을 알아보기 위해 시간에 따른 효모의 개체 수를 조사한 결과이다.

시간(시)	0	2	4	6	8
개체 수	5	14	36	88	176
시간(시)	10	12	14	16	18
개체 수	256	298	320	328	328

이에 대한 설명으로 옳은 것만을 〈보기〉에서 있는 대로 고른 것은?

┤ 보기 ├

ㄱ. 효모 개체군의 생장 곡선은 S자형으로 나타난다.

ㄴ. 배양 후 10시간 이후에 환경 저항이 사라진다.

ㄷ. 배양 후 16시간 이후에 새로운 효모 개체의 출생은 없다.

① ㄱ   ② ㄷ   ③ ㄱ, ㄴ

④ ㄱ, ㄷ   ⑤ ㄴ, ㄷ

---

04 그림은 어떤 개체군을 배양할 때 시간에 따른 개체 수를 나타낸 것이다. t_4 이후에 개체 수는 P 수준으로 유지되고, 이입과 이출은 없다.

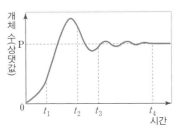

이에 대한 설명으로 옳은 것만을 〈보기〉에서 있는 대로 고른 것은?

┤ 보기 ├

ㄱ. $\dfrac{출생한\ 개체\ 수}{사망한\ 개체\ 수}$ 는 t_2에서가 t_3에서보다 낮다.

ㄴ. t_1에서의 환경 저항은 t_4에서의 환경 저항보다 크다.

ㄷ. 이 개체군에 먹이와 서식 공간을 더 제공하여 배양한다면 P의 값은 낮아질 것이다.

① ㄱ   ② ㄴ   ③ ㄱ, ㄷ

④ ㄴ, ㄷ   ⑤ ㄱ, ㄴ, ㄷ

05 그림은 생물 A~C의 상대 연령에 따른 사망률을, 표는 A~C에 대한 특징을 나타낸 것이다.

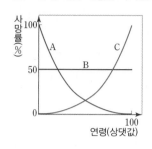

A~C의 특징

· A~C는 각각 생존 곡선 Ⅰ ~Ⅲ형을 따르는 생물의 예이다.
· A~C는 각각 사람, 굴, 히드라 중 하나이다.

이에 대한 설명으로 옳은 것만을 〈보기〉에서 있는 대로 고른 것은?

┤ 보기 ├

ㄱ. A는 사람이다.
ㄴ. B는 Ⅱ형 생존 곡선을 따르는 생물의 예이다.
ㄷ. 한 부모에서 태어난 자손 개체의 수는 A에서가 C에서보다 많다.

① ㄱ   ② ㄴ   ③ ㄱ, ㄷ
④ ㄴ, ㄷ   ⑤ ㄱ, ㄴ, ㄷ

06 그림은 연령 피라미드를 나타낸 것이다. (가)~(다)는 각각 발전형, 안정형, 쇠퇴형 연령 피라미드 중 하나이다.

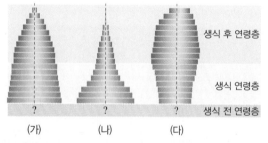

이에 대한 설명으로 옳은 것만을 〈보기〉에서 있는 대로 고른 것은?

┤ 보기 ├

ㄱ. (가)는 발전형 연령 피라미드이다.
ㄴ. (가)~(다) 중 생식 전 연령층의 개체 수 비율은 (나)에서 가장 높다.
ㄷ. (다)에서 개체 수는 시간에 따라 점점 증가하게 된다.

① ㄱ   ② ㄴ   ③ ㄱ, ㄷ
④ ㄴ, ㄷ   ⑤ ㄱ, ㄴ, ㄷ

07 그림은 어떤 하천에서 계절에 따른 환경 요인의 변화와 식물 플랑크톤의 일종인 돌말의 개체 수 변화를 나타낸 것이다.

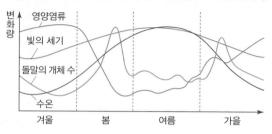

이에 대한 설명으로 옳은 것만을 〈보기〉에서 있는 대로 고른 것은?

┤ 보기 ├

ㄱ. 돌말의 밀도는 봄에 가장 높다.
ㄴ. 겨울에 돌말 개체군의 생장을 제한하는 요인으로 수온이 있다.
ㄷ. 여름에 돌말 개체군의 생장을 제한하는 요인으로 영양염류의 부족이 있다.

① ㄱ   ② ㄴ   ③ ㄱ, ㄷ
④ ㄴ, ㄷ   ⑤ ㄱ, ㄴ, ㄷ

08 그림은 어떤 안정된 생태계에서 생물종 A와 B의 개체 수 변화를 나타낸 것이다.

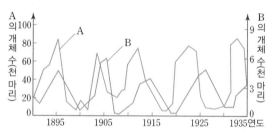

이에 대한 설명으로 옳은 것만을 〈보기〉에서 있는 대로 고른 것은?

┤ 보기 ├

ㄱ. A가 사라지면 B의 개체 수는 일시적으로 증가한다.
ㄴ. B 개체군의 밀도 변화는 약 10년을 주기로 반복된다.
ㄷ. A와 B의 주기적인 개체 수 변화의 원인은 계절에 따른 온도의 변화이다.

① ㄱ   ② ㄴ   ③ ㄱ, ㄴ
④ ㄴ, ㄷ   ⑤ ㄱ, ㄴ, ㄷ

09 표는 생물 간의 상호 작용 A~C의 예를 나타낸 것이다.

구분	예
A	새끼 사자는 독립할 때까지 부모와 함께 생활한다.
B	양은 한 개체가 리더가 되어 다른 개체들을 이끈다.
C	큰뿔양 수컷은 뿔의 크기에 따라 순위를 정한다.

이에 대한 설명으로 옳은 것만을 〈보기〉에서 있는 대로 고른 것은?

┃ 보기 ┃
ㄱ. A는 가족생활이다.
ㄴ. B는 개체군 내의 상호 작용이다.
ㄷ. C에는 리더제의 예이다.

① ㄱ   ② ㄷ   ③ ㄱ, ㄴ
④ ㄴ, ㄷ   ⑤ ㄱ, ㄴ, ㄷ

10 다음은 여러 생물들의 상호 작용의 예를 나타낸 것이다.

(가) 조류와 포유류는 번식기에 다른 개체의 침입을 막고 자신의 영역을 확보하기 위해 배설물을 뿌리거나, 뿔이나 송곳니를 나무에 비비기도 하며 페로몬을 분비한다.
(나) 꿀벌의 경우 여왕벌과 수벌은 생식을 담당하고, 일벌은 먹이를 나르고 침입자를 막는다.
(다) 기러기들은 이동할 때 경험이 많은 기러기를 리더로 하여 V자 모양으로 날아간다.

이에 대한 설명으로 옳은 것만을 〈보기〉에서 있는 대로 고른 것은?

┃ 보기 ┃
ㄱ. (가)는 군집 내의 상호 작용이다.
ㄴ. (나)는 사회생활의 예이다.
ㄷ. (다)에서 리더를 제외한 나머지는 힘의 서열에 의해 순위를 정한다.

① ㄱ   ② ㄴ   ③ ㄱ, ㄴ
④ ㄱ, ㄷ   ⑤ ㄴ, ㄷ

서술형 문제

11 그림 (가)는 지역 ㉠에 서식하는 식물 P의 개체 수를, (나)는 지역 ㉡에 서식하는 식물 P의 개체 수를 시간에 따라 나타낸 것이다. ㉠의 면적은 ㉡의 2배이다.

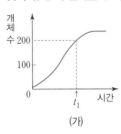 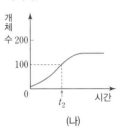

(1) ㉠에서 t_1일 때 P의 밀도와 ㉡에서 t_2일 때 P의 밀도를 비교하시오. (단, 면적은 S로 표시한다.)

_____

_____

(2) ㉠에서 환경 저항은 시간에 따라 어떻게 변하는지 서술하시오.

_____

_____

12 그림은 개체군 밀도의 변화 요인을 나타낸 것이다. ㉠~㉣은 각각 출생, 사망, 이입, 이출 중 하나이다.

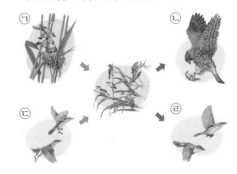

㉠~㉣ 중 개체군 크기의 증가 요인과 감소 요인을 구분하여 서술하시오.

_____

_____

핵심 Point
- 군집의 특성을 알고 군집에서 나타나는 **다양한 상호 작용의 예**를 이해한다.
- 식물 군집 조사 활동을 통해 **중요치를 계산**하고, **우점종**을 안다.

1 군집의 특성

소비자의 구분: 식물을 먹는 초식동물을 1차 소비자, 1차 소비자를 먹는 동물을 2차 소비자, 2차 소비자를 먹는 동물을 3차 소비자, 3차 소비자를 먹는 동물을 4차 소비자로 구분한다.

1. **군집** 한 지역에 서식하며 상호 작용하는 여러 개체군이 모여 이루어진 집단
   - **먹이 사슬과 먹이 그물❶**: 군집을 이루는 여러 개체군은 역할에 따라 생산자, 소비자, 분해자로 구분되고, 군집에서는 여러 먹이 사슬이 복잡하게 얽힌 먹이 그물이 형성된다.

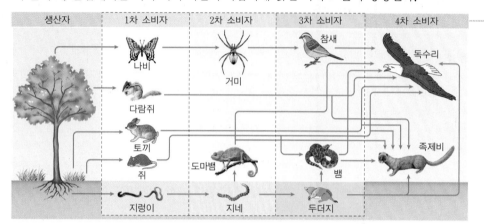

2. **군집의 종류** 육상 군집과 ▶수생 군집이 있다.

① 육상 군집: 기온과 강수량에 따라 군집의 종류와 특징이 달라지며, 삼림, 초원, 사막 등이 있다.
   - **삼림❷**: 육상의 대표적인 군집으로 키가 큰 나무가 외관을 결정한다. 강수량이 많고 식물이 자라기에 온도가 적당한 곳에서 형성된다. → 삼림은 많은 종류의 목본과 초본 개체군을 포함하고 있으며, 오랫동안 안정된 상태를 유지할 수 있다.
   - **초원❸**: 지표의 약 50 % 이상이 초본 식물로 덮여 있는 군집이다. 강수량이 적은 곳에서 형성된다.
   - **사막❹**: 척박한 환경으로 환경에 적응한 몇몇 식물만이 자랄 수 있는 군집이다. 강수량이 아주 적고 바람이 강한 곳에서 형성된다.

② ▶수생 군집: 하천, 호수 등이 연결된 곳이나 물속에서 형성된다. 형성되는 장소에 따라 하천이나 호수에 형성되는 담수 군집과 바다에 형성되는 해수 군집으로 구분된다.

3. **군집의 생태 분포** 서식하고 있는 지역의 기온, 강수량 등 환경 요인에 따라 나타나는 식물 군집의 분포이다.

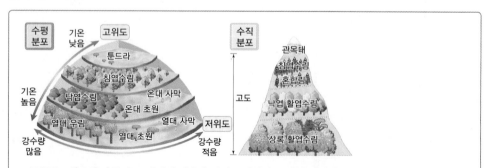

- **수평 분포**: 위도에 따른 온도 차이와 강수량 차이로 나타나는 식물 군집의 분포이다.
- **수직 분포**: 특정 지역에서 고도가 높아질 때 온도가 낮아지면서 나타나는 식물 군집의 분포이다.

---

❶ 먹이 사슬과 먹이 그물

생태계 (가)는 한 가닥으로 된 단순한 먹이 사슬을, 생태계 (나)는 여러 먹이 사슬이 얽힌 먹이 그물을 형성하고 있다. 먹이 그물이 복잡하게 형성될수록 생태계가 안정적이다.

❷ 삼림의 예

열대 지방의 열대 우림, 아열대와 난대 지방의 상록 활엽수림, 온대 지방의 낙엽 활엽수림, 아한대 지방의 침엽수림 등이 있다.

❸ 초원의 예

열대 지방의 열대 초원과 온대 지방의 온대 초원이 있다.

❹ 사막의 예

열대 지방의 열대 사막, 온대 지방의 온대 사막, 한대와 극지방의 툰드라 등이 있다.

--- 용어 ---

▶ 수생 군집(물 水, 살 生, 무리 群, 모을 集): 물속에서 생활하는 생물 군집이다.

4. 군집의 층상 구조 삼림을 형성하는 식물 군집에서는 빛의 세기, 온도, CO_2 농도 등에 따라 교목층, 아교목층, 관목층, 초본층 등으로 나누어지는 층상 구조를 이룬다.

| 자료 파헤치기 |

식물 군집의 층상 구조 **⑤**

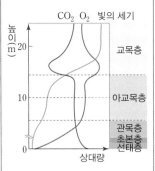

높이(m): 20, 10, 0
빛의 세기(%): 50, 100
교목층 / 아교목층 / 관목층 / 초본층 / 선태층 / 지중층

교목, 아교목, 관목, 초본층에서는 식물의 잎에서 광합성이 일어나 광합성층이라고 한다. 또, 잎을 이용해 살아가는 조류와 곤충류가 서식한다.
· 교목과 아교목: 교목은 뿌리에서 한 개의 굵은 줄기가 나와서 자라며, 보통 높이가 8 m 이상이다. 아교목은 교목과 형태는 비슷하지만 작은 나무이다.
· 관목: 뿌리에서 여러 개의 줄기가 나와 자라는 나무로 높이는 보통 2 m 이하이다.

지중층은 땅 밑으로 지렁이, 두더지와 같은 동물과 분해자인 균류 등이 서식한다.

선태층(지표층)에서는 빛이 적게 도달하며, 생산자인 이끼류, 소비자인 곤충류, 분해자인 균류 등이 모두 서식한다.

---

5. 식물 군집의 조사 → 식물로 이루어진 군집을 군락이라 하고, 우점종으로 이름이 결정된다.

① 방형구를 설치하고, 식물의 밀도, 빈도, 피도**⑥**를 구하여 우점종을 알아낸다.

· 밀도 $= \dfrac{\text{특정 종의 개체 수}}{\text{전체 방형구의 면적}(\text{m}^2)}$

· 빈도 $= \dfrac{\text{특정 종이 출현한 방형구 수}}{\text{전체 방형구의 수}}$

· 피도 $= \dfrac{\text{특정 종의 점유 면적}(\text{m}^2)}{\text{전체 방형구의 면적}(\text{m}^2)}$

· 상대 밀도 $(\%) = \dfrac{\text{특정 종의 밀도}}{\text{조사한 모든 종의 밀도의 합}} \times 100$

· 상대 빈도 $(\%) = \dfrac{\text{특정 종의 빈도}}{\text{조사한 모든 종의 빈도의 합}} \times 100$

· 상대 피도 $(\%) = \dfrac{\text{특정 종의 피도}}{\text{조사한 모든 종의 피도의 합}} \times 100$

② 중요치와 우점종**⑦**: 군집 내에서 상대 밀도, 상대 빈도, 상대 피도를 합한 값이 중요치이며, 중요치가 가장 높은 종이 군집의 우점종이다.

$$\text{중요치}(\%) = \text{상대 밀도} + \text{상대 빈도} + \text{상대 피도}$$

③ 군집을 구성하는 종의 구분

우점종⑥	· 군집에서 다른 종의 생육과 비생물적 요인에 영향을 주어 군집의 구조에 가장 큰 영향을 미치는 종 · 군집을 이루는 개체군 중 중요치가 가장 큰 종	**핵심종**	· 군집의 구조를 유지하는 역할을 하는 종 · 먹이 그물의 상위 포식자 등 군집의 구조에 큰 영향을 미치는 종 ⑩ 담치를 잡아먹는 불가사리, 강에 댐을 쌓는 비버 등
지표종	특정 환경 조건을 충족하는 군집에서만 볼 수 있는 종으로 군집의 특징을 나타내는 종 ⑩ 이산화 황의 오염 정도를 예측할 수 있는 지의류, 고산 지대에 서식하여 고도와 온도 범위를 예측할 수 있는 에델바이스 등	**희귀종**	개체 수가 매우 적은 종

---

⑤ 군집의 층상 구조에 따른 O_2와 CO_2의 양

높이(m): 20, 10, 0
CO_2 O_2 빛의 세기
상대량
교목층 / 아교목층 / 관목층 / 초본층 / 선태층

· 교목층에서 CO_2의 양이 감소하고, O_2의 양이 증가하는 것은 광합성이 가장 활발하게 일어나기 때문이다.(광합성 과정에 CO_2를 흡수하고 O_2를 방출한다.)
· 초본층에서 CO_2의 양이 증가하고, O_2의 양이 감소하는 것은 초본층, 지표층, 지중층에 서식하는 곤충과 토양 미생물의 호흡 작용이 활발하기 때문이다.

⑥ 식물의 밀도, 빈도, 피도
방형구를 이용한 군집의 조사 과정에서 밀도는 방형구에서 관찰되는 특정 종의 종류와 개체 수를 조사한 것이다. 빈도는 특정 종이 출현한 방형구의 수를, 피도는 특정 종이 지표를 덮고 있는 정도를 조사한 것이다.

⑦ 삼림의 우점종
삼림의 이름은 우점종의 이름을 딴 것이다.
⑩ 신갈나무가 우점종인 삼림은 신갈나무림, 소나무가 우점종인 삼림은 소나무림이라고 한다.

━━━ 용어 ━━━

▶ **방형구**(본뜰 方, 모양 形, 나눌 區): 조사 지역에 식물의 종류와 각 종의 밀도, 빈도, 피도를 구하는 데 이용되는 표본이다. 방형구를 이용한 조사 방법을 방형구법이라고 하며 식물 군집뿐만 아니라 따개비, 해조류와 같은 부착 생물 군집을 조사할 때도 쓰인다.

개념 확인하기

1 한 지역에 서식하며, 상호 작용하는 여러 개체군이 모여 이루어진 집단을 (　　　　)이라고 한다.

2 먹이 그물이 복잡할수록 안정된 생태계이다. (○ , ×)

3 어떤 지역에 서식하는 여러 종들 중에서 중요치가 가장 큰 종이 우점종이다. (○ , ×)

답 1. 군집 2. ○ 3. ○

셀파 탐구

방형구법으로 식물 군집 조사하기

목표 방형구법으로 식물 군집을 조사하고, 각 식물의 중요치와 우점종을 구할 수 있다

과정

방형구 안에 있는 각 식물 종의 이름, 개체 수, 피도를 기록한다. (단, 피도는 정확히 측정하기 어려우므로 1 m × 1 m 방형구의 한 칸에 출현한 종은 그 칸의 면적을 모두 차지하는 것으로 한다.) 이를 이용하여 군집 내의 우점종을 알아낸다.

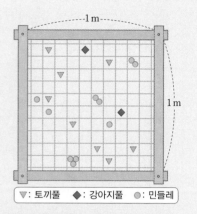

▽: 토끼풀　◆: 강아지풀　◉: 민들레

[각 식물 종의 밀도, 빈도, 피도, 상대 밀도, 상대 빈도, 상대 피도를 구하는 방법]

- 밀도 = $\dfrac{\text{특정 종의 개체 수}}{\text{전체 방형구의 면적 (m}^2)}$
- 상대 밀도 (%) = $\dfrac{\text{특정 종의 밀도}}{\text{조사한 모든 종의 밀도의 합}} \times 100$

- 빈도 = $\dfrac{\text{특정 종이 출현한 방형구 수}}{\text{전체 방형구의 수}}$
- 상대 빈도 (%) = $\dfrac{\text{특정 종의 빈도}}{\text{조사한 모든 종의 빈도의 합}} \times 100$

- 피도 = $\dfrac{\text{특정 종의 점유 면적 (m}^2)}{\text{전체 방형구의 면적 (m}^2)}$
- 상대 피도 (%) = $\dfrac{\text{특정 종의 피도}}{\text{조사한 모든 종의 피도의 합}} \times 100$

결과 및 정리

1. 식물 종의 밀도, 빈도, 피도, 상대 밀도, 상대 빈도, 상대 피도는?

식물	밀도(개체 수/m²)	빈도	피도	상대 밀도 (%)	상대 빈도 (%)	상대 피도 (%)
토끼풀	8	0.08	0.08	40	50	50
강아지풀	2	0.02	0.02	10	12.5	12.5
민들레	10	0.06	0.06	50	37.5	37.5
합계	20	0.16	0.16	100	100	100

(밀도(개체 수/m²) → 종의 개체 수 / 빈도 → 종이 출현한 방형구 수 / 피도 → 종이 지표를 덮고 있는 정도)

2. 각 식물의 중요치와 군집의 우점종은?
→ 중요치는 토끼풀: 140, 강아지풀: 35, 민들레: 125이다. 중요치가 가장 높은 토끼풀이 우점종이다.

탐구 대표 문제　정답과 해설 57쪽

01 그림은 방형구를 이용하여 어떤 지역의 식물 분포를 조사한 것이다. 이에 대한 설명으로 옳은 것만을 〈보기〉에서 있는 대로 고른 것은? (단, 제시된 종 이외의 다른 종은 고려하지 않으며, 방형구의 한 칸에 출현한 종은 그 칸의 면적을 모두 차지하는 것으로 한다.)

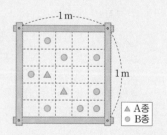

▲ A종　◉ B종

┤ 보기 ├
ㄱ. A종의 밀도는 B종의 밀도보다 작다.
ㄴ. B종의 빈도는 A종의 빈도보다 크다.
ㄷ. 우점종은 A종이다.

① ㄴ　　② ㄷ　　③ ㄱ, ㄴ　　④ ㄱ, ㄷ　　⑤ ㄱ, ㄴ, ㄷ

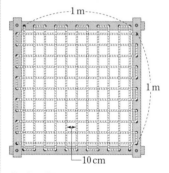

군집 내 개체군 사이의 상호 작용

군집 내 개체군 사이에는 생태적 지위[8]를 유지하기 위해 다양한 상호 작용이 일어난다.

1. **종간 경쟁[9]** 먹이와 서식지처럼 생존에 필요한 자원이 비슷한 두 개체군이 함께 있을 때 그들은 자원을 두고 종간 경쟁한다.

＞ 자료 파헤치기 ｜

종간 경쟁의 예: 카우다툼(짚신벌레)과 아우렐리아(애기짚신벌레)

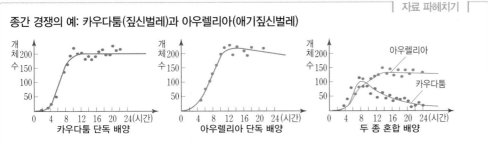

- 경쟁배타 원리: 생태적 지위가 같은 두 종이 함께 서식할 때 경쟁에서 이긴 종이 살아남고, 진 종이 사라지는 것을 말한다.
- 카우다툼과 아우렐리아를 단독 배양하면 각각 S자형의 생장 곡선을 이루지만, 혼합 배양하면 두 종 사이에 경쟁이 일어나 아우렐리아만 살아남고, 카우다툼은 사라진다.

2. **공생과 기생[10]**

공생		기생
상리 공생	**편리 공생**	
두 종의 생물이 서로 이익을 얻는 경우 예 곤충과 꽃, 청소놀래기와 도미, 흰동가리와 말미잘, 뿌리혹박테리아와 콩과식물 등	한 종은 이익을 얻지만, 다른 종은 영향을 받지 않는 경우 예 혹등고래와 따개비, 빨판상어와 거북이, 황소와 들소 등	두 종의 개체군이 함께 생활할 때, 한쪽 생물이 다른 생물에 붙어 살며 해를 주는 경우 예 기생벌, 촌충, 말라리아 원충, 진드기, 십이지장충, 구두충 등
![흰동가리, 말미잘]	![혹등고래, 따개비]	![기생벌, 애벌레]
말미잘은 흰동가리가 유인한 먹이를 먹고, 흰동가리는 천적으로부터 말미잘의 보호를 받는다. 그러므로 두 종은 서로 이익이 된다.	따개비는 혹등고래에 붙어 새로운 서식지로 이동할 수 있다는 이익이 있지만, 혹등고래는 따개비로부터 영향을 받지 않는다.	기생벌은 다른 곤충의 애벌레에 알을 낳고 알에서 깨어난 기생벌 유충은 숙주 애벌레의 양분을 섭취하며 생장한다.

3. **포식과 피식** 개체군 사이에서 먹고 먹히는 관계이다.
- 포식자는 먹이를 잡기 유리하도록, 피식자는 포식자를 잘 피할 수 있도록 적응한다.
- 예 눈신토끼와 스라소니, 치타와 가젤, 사마귀와 귀뚜라미, 치타와 톰슨가젤

 개념 확인하기

1 생태적 지위가 같은 두 개체군이 함께 있을 때 먹이 등의 자원을 두고 (   ) 경쟁을 한다.

2 곤충이 꽃의 꿀을 먹고 꽃의 수분을 도와주는 것은 편리 공생의 예이다. (○ , ×)

답 1. 종간 2. ×

---

8 생태적 지위

먹이 지위와 공간 지위를 합쳐서 생태적 지위라고 한다.
- 먹이 지위: 군집을 구성하는 개체군이 먹이 사슬에서 차지하고 있는 위치
- 공간 지위: 개체군이 차지하는 서식 공간

9 경쟁이 일어나는 조건

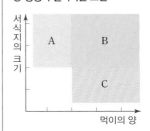

▢ 개체군 (가)만 생존 가능한 범위
▢ 개체군 (나)만 생존 가능한 범위
▢ 개체군 (가)와 (나)가 모두 생존 가능한 범위

(가) 종이 생존 가능한 범위가 A, B, (나) 종이 생존 가능한 범위가 B, C 일 때, 서식지와 먹이가 겹치는 B 조건에서 경쟁이 심하게 일어난다. 경쟁은 일반적으로 개체군 사이에서 일어나지만, 개체군을 이루는 동일 종 사이에서도 일어난다.

10 공생과 기생의 여러 가지 예
- 상리 공생의 예: 청소놀래기는 도미의 아가미와 입속 찌꺼기를 먹음으로써, 도미의 아가미와 입속을 청소한다.
- 편리 공생의 예: 황로는 들소가 이동할 때 풀숲에서 나오는 벌레를 잡아먹기 위해 들소를 따라 다닌다.
- 기생의 예: 십이지장충은 우리 몸속에 기생하며 양분을 빼앗고, 여러 가지 질병을 유발한다. 구두충은 입 주변에 갈고리가 있으며, 절지동물, 어류 등의 창자 안에 기생한다.

━━━ 용어 ━━━
▶ **상리**(서로 相, 이로울 利): 서로에게 이로운 경우이다.
▶ **편리**(절반 片, 이로울 利): 한 쪽만 이로운 경우이다.

4. 분서(생태 지위 분화) 생태적 지위가 비슷한 개체군이 서로 서식지나 먹이의 종류, 활동 시간 등을 달리하여 경쟁을 피하는 현상이다. ⑩ 아메리카솔새, 피라미와 은어, 피라미와 갈겨니, 도미니카 공화국의 같은 지역에 사는 7종의 도마뱀 등

솔새의 분서	피라미와 은어의 분서	피라미와 갈겨니의 분서
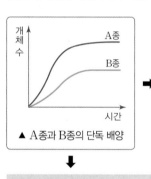 아메리카솔새는 경쟁을 피하기 위해 같은 전나무 내에서 여러 종이 다른 높이와 위치에 서식한다.	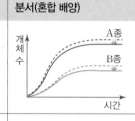 피라미는 은어가 없을 때는 하천 중앙에서 서식하지만 은어가 이주해오면 가장자리로 이동하여 서식한다.	수서 곤충, 식물성 플랑크톤 등 다양한 먹이를 먹는 피라미가 사는 곳에 수서 곤충만 먹는 갈겨니가 이주해오면 피라미는 수서 곤충을 적게 먹어 경쟁을 피한다.

| 자료 파헤치기 |

군집 내 개체군 사이의 상호 작용

▲ A종과 B종의 단독 배양

종간 경쟁(혼합 배양)	분서(혼합 배양)
A종만 살아남고 B종은 사라진다. ➡ 경쟁배타 원리가 적용	혼합 배양해도 A종과 B종이 서로의 개체 수에 큰 영향을 주지 않는다.

상리 공생(혼합 배양)	편리 공생(혼합 배양)	포식과 피식(혼합 배양)
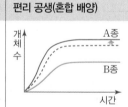 서로 이익을 얻어 A종과 B종의 개체 수가 모두 증가한다.	B종은 영향이 없고, A종은 이익을 얻는다. ➡ A종의 개체 수만 증가	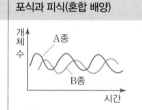 A종의 증감에 따라 B종이 증감한다.

• 군집 내의 두 개체군을 혼합 배양할 때 이익과 손해 관계(단, 이익을 얻으면 +, 손해를 입으면 −, 영향이 없는 것은 0으로 나타낸다.)

구분	종간 경쟁	분서	상리 공생	편리 공생	포식과 피식
개체군 A	−	0	+	+	+
개체군 B	−	0	+	0	−

③ 군집의 천이

1. 천이 생물 군집이 환경의 변화에 따라 오랜 세월에 걸쳐 서서히 그 구성과 특성이 변하는 현상

2. 1차 천이 화산 활동으로 생성된 ▶용암 대지처럼 생명체가 없고, 토양 발달이 미약한 곳에서 시작하는 천이이다.

① 건성 천이: 용암 대지, 황무지 등 건조한 곳에서 시작되는 천이
② 습성 천이: 연못이나 호수에 퇴적물이 쌓여 육지화가 된 후 일어나는 천이

3. 2차 천이 화재, 홍수, 벌목, 산사태 등으로 생물 군집이 파괴된 후, 기존에 남아 있던 토양에서 시작하는 천이이다. 초본류에서 시작하며 1차 천이보다 빠른 속도로 진행된다.

⑪ 천이 과정에 영향을 미치는 주된 환경 요인
· 척박한 땅~초본류(초원): 토양의 형성 속도, 무기염류의 축적 농도, 수분의 양
· 초본류(초원)~음수림: 지표면에 도달하는 빛의 세기

천이의 과정⑪

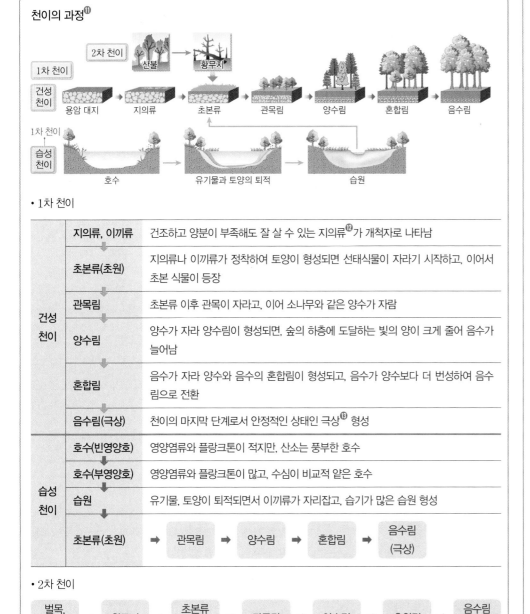

· 1차 천이

<table>
<tr><td rowspan="6">건성 천이</td><td>지의류, 이끼류</td><td>건조하고 양분이 부족해도 잘 살 수 있는 지의류⑫가 개척자로 나타남</td></tr>
<tr><td>초본류(초원)</td><td>지의류나 이끼류가 정착하여 토양이 형성되면 선태식물이 자라기 시작하고, 이어서 초본 식물이 등장</td></tr>
<tr><td>관목림</td><td>초본류 이후 관목이 자라고, 이어 소나무와 같은 양수가 자람</td></tr>
<tr><td>양수림</td><td>양수가 자라 양수림이 형성되면, 숲의 하층에 도달하는 빛의 양이 크게 줄어 음수가 늘어남</td></tr>
<tr><td>혼합림</td><td>음수가 자라 양수와 음수의 혼합림이 형성되고, 음수가 양수보다 더 번성하여 음수림으로 전환</td></tr>
<tr><td>음수림(극상)</td><td>천이의 마지막 단계로서 안정적인 상태인 극상⑬ 형성</td></tr>
<tr><td rowspan="4">습성 천이</td><td>호수(빈영양호)</td><td>영양염류와 플랑크톤이 적지만, 산소는 풍부한 호수</td></tr>
<tr><td>호수(부영양호)</td><td>영양염류와 플랑크톤이 많고, 수심이 비교적 얕은 호수</td></tr>
<tr><td>습원</td><td>유기물, 토양이 퇴적되면서 이끼류가 자리잡고, 습기가 많은 습원 형성</td></tr>
<tr><td>초본류(초원)</td><td>→ 관목림 → 양수림 → 혼합림 → 음수림(극상)</td></tr>
</table>

· 2차 천이

벌목, 산불 ➡ 황무지 ➡ 초본류(초원) ➡ 관목림 ➡ 양수림 ➡ 혼합림 ➡ 음수림(극상)

⑫ 지의류

조류(algae)와 균류(fungi)가 상리공생하는 생물체이다. 주로 나무줄기나 바위 등에 부착하여 살아간다.

⑬ 극상

천이의 마지막에 안정된 상태를 이루는 군집을 말한다. 극상에서 생물의 다양성과 생물량은 최대이며, 먹이사슬은 천이의 중간 단계보다 훨씬 복잡하다. 또, 물질 순환과 에너지 흐름이 천이의 중간 단계보다 훨씬 빠르며, 군집의 안정성이 크다.

개념 확인하기

1 (   )는 생태적 지위가 비슷한 두 개체군이 경쟁을 피하기 위해 서식지나 먹이 등을 달리하는 것이다.

2 건조한 지역에서 일어나는 천이는 습성 천이이다. (○ , ×)

3 건성 천이의 개척자로는 지의류나 이끼류가 있다. (○ , ×)

4 건성 천이는 지의류 → 초본류 → (   ) → 양수림 → (   ) → 음수림 순으로 일어난다.

답 1. 분서(생태 지위 분화)
2. × 3. ○
4. 관목림, 혼합림

기초 탄탄 문제

정답과 해설 57쪽

핵심용어_ 이 단원에서 내가 아는 것과 아직 모르는 것을 정리하며 나의 공부를 돌아보자.

□ 군집 □ 먹이 사슬과 먹이 그물
□ 생태적 지위 □ 우점종
□ 군집의 층상 구조 □ 군집 내 개체군 사이의 상호 작용

01 다음 설명에 해당하는 개체군 사이의 상호 작용을 그래프로 옳게 나타낸 것은?

> 생태적 지위가 같은 두 종 A와 B가 함께 서식할 때 경쟁에서 이긴 종이 살아남고, 진 종이 사라지는 것을 말한다.

02 (가)~(다)는 군집 내 개체군 사이의 상호 작용의 예를 나타낸 것이다. 단, (가)~(다)는 종간 각각 경쟁, 분서, 포식과 피식의 예 중 하나이다.

> (가) 눈신토끼는 스라소니의 개체 수 변동에 영향을 미친다.
> (나) 같은 하천에 서식하는 은어와 피라미는 서로 다른 먹이를 먹는다.
> (다) 아우렐리아와 카우다툼을 함께 배양하면 아우렐리아만 남는다.

(가)~(다)가 어떤 상호 작용의 예인지 옳게 짝 지은 것은?

	(가)	(나)	(다)
①	분서	포식과 피식	종간 경쟁
②	종간 경쟁	분서	포식과 피식
③	종간 경쟁	포식과 피식	분서
④	포식과 피식	분서	종간 경쟁
⑤	포식과 피식	종간 경쟁	분서

03 생태적 지위가 일치하는 두 종이 경쟁을 피할 수 있는 방법으로 옳은 것은?

① 기생 ② 분서
③ 가족생활 ④ 편리 공생
⑤ 포식과 피식

04 다음은 군집을 구성하는 종에 대한 학생 A~C의 대화 내용이다.

군집에서 중요치 값이 가장 큰 종이 우점종이야. A
핵심종은 군집의 구조를 유지하는 역할을 해. B
군집에서 밀도가 가장 높은 종은 상대 밀도가 가장 낮아. C

옳게 설명한 사람을 있는 대로 고른 것은?

① B ② C ③ A, B
④ A, C ⑤ A, B, C

05 그림은 건성 천이 과정을 나타낸 것이다. ㉠~㉢은 각각 음수림, 양수림, 초본류 중 하나이다.

척박한 땅 지의류 ㉠ 관목림 ㉡ 혼합림 ㉢

㉠~㉢에 해당하는 이름을 순서대로 옳게 짝지은 것은?

	㉠	㉡	㉢
①	초본류(초원)	음수림	양수림
②	초본류(초원)	양수림	음수림
③	양수림	초본류(초원)	음수림
④	양수림	음수림	초본류(초원)
⑤	음수림	초본류(초원)	양수림

내신 만점 문제

정답과 해설 58쪽

* ▪▪▪ 난이도를 나타냅니다.

01 ▪▪ 군집에 대한 설명으로 옳은 것만을 〈보기〉에서 있는 대로 고른 것은?

┃ 보기 ┃
ㄱ. 하나의 개체군으로 구성된다.
ㄴ. 먹이 사슬 관계가 존재한다.
ㄷ. 먹이 그물에서 1차 소비자를 먹는 동물을 2차 소비자라고 한다.

① ㄱ   ② ㄴ   ③ ㄱ, ㄷ
④ ㄴ, ㄷ   ⑤ ㄱ, ㄴ, ㄷ

02 ▪▪▪ 그림은 생물종 A∼H로 구성된 어떤 안정된 육상 생태계에서의 먹이 그물을 나타낸 것이다. (가)∼(다)는 각각 생산자, 1차 소비자, 2차 소비자 중 하나이고, →는 유기물의 이동을 나타낸다.

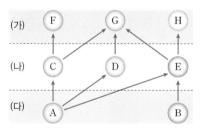

이에 대한 설명으로 옳은 것만을 〈보기〉에서 있는 대로 고른 것은?

┃ 보기 ┃
ㄱ. G는 A와 B로부터 에너지를 얻는다.
ㄴ. A가 사라지면 적어도 세 종의 생물이 사라질 것이다.
ㄷ. (가)∼(다) 중 스스로 유기물을 합성할 수 있는 집단은 (다)이다.

① ㄱ   ② ㄷ   ③ ㄱ, ㄴ
④ ㄴ, ㄷ   ⑤ ㄱ, ㄴ, ㄷ

03 ▪▪ 그림 (가)와 (나)는 서로 다른 생태계의 먹이 관계를 나타낸 것이다. (단, (가)와 (나)는 먹이 사슬과 먹이 그물 중 하나이다.)

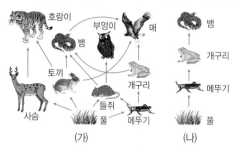

(가)   (나)

이에 대한 설명으로 옳은 것만을 〈보기〉에서 있는 대로 고른 것은?

┃ 보기 ┃
ㄱ. (가)의 생태계가 (나)의 생태계보다 안정된 생태계이다.
ㄴ. (가)에는 생산자, 소비자, 분해자가 모두 존재한다.
ㄷ. (나)에서 풀이 사라지면 뱀도 사라질 것이다.

① ㄱ   ② ㄷ   ③ ㄱ, ㄴ
④ ㄱ, ㄷ   ⑤ ㄴ, ㄷ

★ ▪▪▪ 그림은 특정 지역에서 고도에 따른 식물 군집의 분포를 나타낸 것이다. ㉠∼㉢은 각각 혼합림, 침엽수림, 낙엽 활엽수림 중 하나이다.

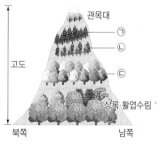

이에 대한 설명으로 옳은 것만을 〈보기〉에서 있는 대로 고른 것은?

┃ 보기 ┃
ㄱ. ㉠∼㉢ 중 양수가 우점종인 곳은 ㉠이다.
ㄴ. ㉡에는 침엽수와 활엽수가 같이 존재한다.
ㄷ. ㉠∼㉢의 분포에 가장 큰 영향을 미치는 환경 요인은 온도이다.

① ㄱ   ② ㄴ   ③ ㄱ, ㄷ
④ ㄴ, ㄷ   ⑤ ㄱ, ㄴ, ㄷ

05 그림은 층상 구조가 발달한 어떤 삼림 군집에서 높이에 따른 O_2 농도와 CO_2 농도 및 빛의 세기 변화를 나타낸 것이다. ㉠과 ㉡은 각각 O_2와 CO_2중 하나이다.

이에 대한 설명으로 옳은 것만을 〈보기〉에서 있는 대로 고른 것은?

| 보기 |

ㄱ. ㉠은 광합성 결과 발생하는 기체, ㉡은 호흡 결과 발생하는 기체이다.

ㄴ. 광합성은 교목층에서보다 아교목층에서 활발하다.

ㄷ. 10 m 아래로 내려갈수록 광합성보다 호흡과 분해 작용이 우세하게 일어난다.

① ㄱ ② ㄷ ③ ㄱ, ㄴ
④ ㄴ, ㄷ ⑤ ㄱ, ㄴ, ㄷ

07 그림 (가)는 환경 조건 X에서 A종과 B종을 각각 단독 배양했을 때, (나)는 X에서 A종과 B종을 혼합 배양했을 때 시간에 따른 개체 수를 나타낸 것이다.

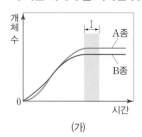
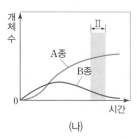

(가) (나)

이에 대한 설명으로 옳은 것만을 〈보기〉에서 있는 대로 고른 것은?

| 보기 |

ㄱ. 구간 I 에서 A종과 B종 모두에 환경 저항이 작용한다.

ㄴ. 구간 II에서 B종의 $\dfrac{출생률}{사망률}$ 은 1보다 크다.

ㄷ. X에서 A종과 B종은 생태적 지위가 겹친다.

① ㄱ ② ㄴ ③ ㄱ, ㄷ
④ ㄴ, ㄷ ⑤ ㄱ, ㄴ, ㄷ

06 그림은 방형구를 이용하여 식물 분포를 조사한 결과이다. A~C종 1개가 차지하는 면적은 서로 같다.

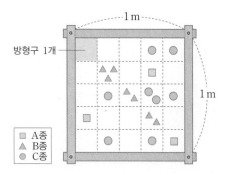

이에 대한 설명으로 옳은 것만을 〈보기〉에서 있는 대로 고른 것은? (단, 제시된 종 이외의 다른 종은 고려하지 않는다.)

| 보기 |

ㄱ. B종의 밀도는 $7/m^2$이다.

ㄴ. A~C 중 피도가 가장 높은 종은 B종이다.

ㄷ. A종의 빈도와 B종의 빈도는 서로 같다.

① ㄱ ② ㄴ ③ ㄱ, ㄷ
④ ㄴ, ㄷ ⑤ ㄱ, ㄴ, ㄷ

08 표는 종 사이의 상호 작용을 나타낸 것이며, A~C는 각각 기생, 상리 공생, 편리 공생 중 하나이고, ㉠과 ㉡은 각각 손해와 이익 중 하나이다.

상호 작용	종1	종2
A	영향 없음	㉠
B	㉡	㉠
C	㉠	㉠

이에 대한 설명으로 옳은 것만을 〈보기〉에서 있는 대로 고른 것은?

| 보기 |

ㄱ. ㉠은 '이익'이다.

ㄴ. A는 편리 공생이다.

ㄷ. 콩과식물과 뿌리혹박테리아의 관계는 B에 해당한다.

① ㄱ ② ㄴ ③ ㄱ, ㄴ
④ ㄱ, ㄷ ⑤ ㄴ, ㄷ

09 그림은 종 사이의 상호 작용을 나타낸 것이다. ㉠~㉣은 각각 기생, 종간 경쟁, 상리 공생 중 하나이다. 이에 대한 설명으로 옳은 것만을 〈보기〉에서 있는 대로 고른 것은?

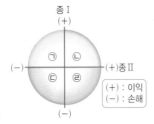

보기

ㄱ. 눈신토끼와 스라소니의 관계는 ㉣에 해당한다.

ㄴ. 생태적 지위가 일치하는 두 종을 함께 배양하면 ㉢이 일어난다.

ㄷ. 벌이 꽃의 꿀을 얻고 꽃의 수분을 도와주는 것은 ㉡에 해당한다.

① ㄱ   ② ㄷ   ③ ㄱ, ㄴ
④ ㄴ, ㄷ   ⑤ ㄱ, ㄴ, ㄷ

 식물 군집의 천이 과정에서 극상에 대한 설명으로 옳은 것만을 〈보기〉에서 있는 대로 고른 것은?

보기

ㄱ. 천이의 초기 상태에 나타난다.

ㄴ. 극상 이후에 혼합림이 나타난다.

ㄷ. 건성 천이 과정에서 극상일 때 우점종은 음수이다.

① ㄱ   ② ㄷ   ③ ㄱ, ㄴ
④ ㄴ, ㄷ   ⑤ ㄱ, ㄴ, ㄷ

11 그림은 어떤 지역에서 일어나는 천이 과정을 나타낸 것이다.

이에 대한 설명으로 옳은 것만을 〈보기〉에서 있는 대로 고른 것은?

보기

ㄱ. 2차 천이 과정이다.

ㄴ. 과정 Ⅰ에서 목본 식물이 등장한다.

ㄷ. 과정 Ⅱ에 영향을 준 환경 요인으로 빛이 있다.

① ㄱ   ② ㄷ   ③ ㄱ, ㄴ
④ ㄴ, ㄷ   ⑤ ㄱ, ㄴ, ㄷ

서술형 문제

12 그림은 서로 다른 지역에 방형구 (가)와 (나)를 설치하여 조사한 식물 종의 분포를 나타낸 것이다. 방형구에 나타낸 각 도형은 식물 1개체를 의미하고, 제시된 종 이외의 종은 고려하지 않으며, 방형구 한 칸에 출현한 종은 그 칸의 면적을 모두 차지하는 것으로 한다.

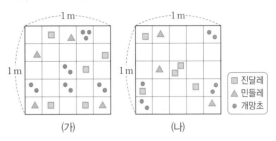

(1) 군집 조사에서 밀도의 의미를 서술하고, (가)에서 진달래, 민들레, 개망초의 밀도를 구하시오.

(2) 표는 (나)의 군집 조사 결과이다. ⓐ~ⓔ에 알맞은 숫자를 쓰시오.

구분	밀도 (수/m²)	빈도	피도	상대 밀도 (%)	상대 빈도 (%)	상대 피도 (%)
진달래	ⓐ	0.16	0.16	33.3	36.4	36.4
민들레	3	ⓑ	0.12	ⓒ	27.3	27.3
개망초	ⓓ	0.16	0.16	46.7	36.4	ⓔ

13 그림은 어떤 지역에서 식물 군집의 천이 과정을 나타낸 것이다. A~D는 각각 관목림, 초본류, 음수림, 양수림 중 하나이다.

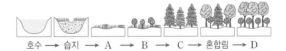

(1) 이 과정은 어떤 천이 과정인지 쓰고, A~D에 해당하는 천이 단계의 이름을 쓰시오.

(2) 이 군집에서 극상을 이루는 단계를 서술하시오.

04 에너지 흐름과 물질 순환

내 교과서는 어디에?
천재 p.172~175 동아 p.183~189 미래엔 p.188~193
비상 p.180~187 금성 p.189~197 교학사 p.178~183 지학사 p.176~181

핵심 Point
- 생태계에서의 에너지 흐름을 이해하고, 에너지 흐름과 물질 순환의 차이를 이해한다.
- 생태계 평형의 파괴 원인과 회복 과정을 이해한다.

1 에너지 흐름

1. 에너지 흐름[1]

① 생태계 에너지의 근원은 태양의 빛에너지이다. 생산자의 광합성에 의해 태양의 빛에너지가 화학 에너지 형태로 전환되어 먹이 사슬을 따라 이동한다.

② 각 영양 단계에서 전달받은 에너지의 일부는 호흡을 통해 생명 활동에 사용되고, 일부는 열에너지 형태로 생태계 밖으로 방출되며, 일부는 상위 영양 단계로 전달되거나 사체나 배설물의 형태로 분해자에게 제공된다.

③ 생태계 내에서 에너지는 순환하지 않고, 한쪽 방향으로 흐른다.

2. 에너지 효율 한 영양 단계에서 다음 영양 단계로 이동하는 에너지의 비율이다.

- 일반적으로 에너지 효율은 상위 영양 단계로 갈수록 증가[2]하는 경향이 있다.

$$에너지 효율(\%) = \frac{현 영양 단계의 에너지 총량}{전 영양 단계의 에너지 총량} \times 100$$

생태계에서의 에너지 흐름과 각 영양 단계의 에너지 효율[3] | 자료 파헤치기

(단위: kcal/m²·년)

[각 영양 단계의 에너지 효율]

- 생산자: $\dfrac{20810}{1700000} \times 100 = 1.2\,(\%)$
- 1차 소비자: $\dfrac{3021}{20810} \times 100 = 14.5\,(\%)$
- 2차 소비자: $\dfrac{505}{3021} \times 100 = 16.7\,(\%)$
- 3차 소비자: $\dfrac{128}{505} \times 100 = 25.3\,(\%)$

열에너지 20810
호흡 13197 호흡 1865 호흡 272 호흡 77 호흡 5399
태양 에너지 1700000 → 생산자 20810 → 1차 소비자 3021 → 2차 소비자 505 → 3차 소비자 128
이용되지 않고 반사되는 에너지 1679190
고사 4592 사체·배설물 651 사체·배설물 105 사체·배설물 51
분해자 5399

▲ 생태계에서의 에너지 흐름

---

3. 생태 피라미드

① 먹이 사슬에서 각 영양 단계에 속하는 생물의 생체량, 개체 수, 에너지양을 하위 영양 단계에서부터 상위 영양 단계로 차례로 쌓아 올린 것이다.

② 생태 피라미드에는 생물의 개체 수를 기준으로 한 개체 수 피라미드, 생체량(생물량)을 기준으로 한 생물량 피라미드, 각 영양 단계별로 저장하고 있는 에너지양을 기준으로 한 에너지양 피라미드가 있다.

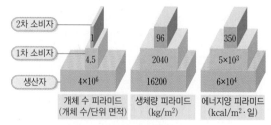

	개체 수 피라미드 (개체 수/단위 면적)	생체량 피라미드 (kg/m²)	에너지양 피라미드 (kcal/m²·일)
2차 소비자	1	96	350
1차 소비자	4.5	2040	5×10³
생산자	4×10⁶	16200	6×10⁴

▲ 생태 피라미드

---

① 에너지 흐름

생태계 내에서 에너지는 한 반향으로 흐른다.

태양의 빛에너지
↓ 광합성
유기물 속의 화학 에너지
↓ 먹이 사슬
생물의 생활 에너지
↓
열에너지

② 상위 영양 단계로 갈수록 에너지 효율이 증가하는 이유

상위 영양 단계의 생물일수록 영양가가 높은 먹이를 섭취하고, 몸집이 커져서 단위 무게당 에너지 소모가 적기 때문이다.

③ 에너지 효율

에너지 효율은 생태계에 따라 다르지만 대체로 5 %~20 %로 나타난다.

── 용어 ──

▶ **영양 단계**(짓다 營, 기를 養, 층계 段, 층계 階): 먹이 사슬에서 차지하는 위치로, 생산자, 1차 소비자, 2차 소비자 등을 말한다.

2 물질의 생산과 소비

생태계의 모든 생물은 생산자가 생산하는 유기물을 이용하므로 생산자가 충분한 양의 유기물을 생산하는 것은 생태계 유지에 중요하다.

생산자의 총생산량❹❺

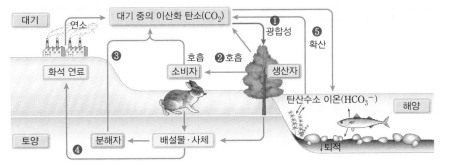

- 총생산량=호흡량+순생산량
- 순생산량=총생산량−호흡량
- 호흡량=총생산량−순생산량

총생산량	생산자가 광합성을 하여 생산한 유기물의 총량
순생산량❻	총생산량에서 호흡량을 제외한 유기물의 양
호흡량	생산자의 호흡으로 소비되는 유기물의 양
고사량, 낙엽량	말라 죽거나 낙엽으로 없어지는 유기물의 양
피식량	동물이 섭취하는 식물의 양
생장량	순생산량 중에서 1차 소비자에게 먹히는 피식량과 고사, 낙엽 등으로 분해자에게 전달되고 남은 유기물의 양

3 물질 순환

생물은 외부로부터 끊임없이 물질을 받아들이고 생물로부터 배출된 물질은 다시 생물이 이용할 수 있는 형태가 된다. 따라서 생태계에서 물질은 에너지와 달리 순환한다.

1. **탄소❼ 순환** 탄소는 생물체를 구성하는 유기물의 골격을 구성한다. 탄소는 대기에서 주로 이산화 탄소(CO_2)의 형태로, 물속에서 주로 탄산수소 이온(HCO^-)의 형태로 존재한다.

탄소 순환 과정과 특징

❶ 생산자는 대기의 이산화 탄소를 광합성을 통해 포도당과 같은 유기물로 전환한다.

❷ 유기물 속의 탄소는 먹이 사슬을 따라 소비자로 이동한다. 생산자와 소비자는 유기물 일부를 호흡에 이용하고, 이때 탄소는 이산화 탄소(CO_2) 형태로 대기나 물속으로 돌아간다.

❸ 생물의 사체나 배설물에 들어 있는 탄소는 분해자에 의해 이산화 탄소로 분해되어 대기나 물속으로 돌아간다.

❹ 생물의 사체 중 분해되지 않은 유기물은 퇴적되어 화석 연료로 되었다가 연소되면서 이산화 탄소 형태로 대기 중으로 방출된다.

❺ 수면에서 일부 CO_2가 대기 중으로 확산되고, 대기 중 CO_2 일부도 다시 물속으로 용해된다.

자료 파헤치기

❹ **총생산량과 생장량**
군집에서 생산자가 일정 기간 동안 광합성으로 생산한 유기물의 총량을 총생산량이라고 한다. 군집에서 가지고 있는 유기물의 총량은 생물량으로 나타낸다.

❺ **식물(생산자)과 초식 동물의 물질 총생산량과 소비**

동물의 경우 섭식량에서 배출량을 제외한 것이 동화량이며, 동화량의 일부는 동물 자신의 호흡으로 소비되고 일부만 생장에 이용된다. ➡ 동물에 의한 동화량은 식물 군집의 생산량에 비해 훨씬 적다.

❻ **순생산량**
'총생산량−호흡량'이다. 천이 초기 단계의 초본류는 빠르게 성장하기 때문에 순생산량이 많다. 그러나 극상 단계의 음수림은 생산량과 소비량이 균형을 이루므로 순생산량이 적다.

❼ **탄소**
생명체를 구성하는 주요 구성 물질이면서 에너지원인 탄수화물, 단백질, 지방의 주요 구성 원소이다.

용어

▶ **고사량**(마를 枯, 죽을 死, 헤아릴 量): 생산자의 줄기, 가지, 뿌리가 말라죽어 소실되는 유기물의 양이다.

개념 확인하기

1 생태계 에너지의 근원은 태양의 빛에너지이다. (○ , ×)

2 생태계 내에서 에너지는 순환한다. (○ , ×)

3 대기 중 이산화 탄소는 광합성을 통해 유기물로 전환된다. (○ , ×)

정답 1 ○ 2 × 3 ○

2. 질소 순환 아미노산, 핵산, 엽록소의 주요 구성 성분인 질소는 대기 중에 약 78%를 차지할 정도로 풍부하지만 질소 기체(N_2)는 매우 안정하여 대부분의 생물이 이용할 수 없다. 그러나 질소 기체(N_2)가 암모늄 이온(NH_4^+)이나 질산 이온(NO_3^-)으로 전환되면 생물이 흡수할 수 있다.

자료 파헤치기

질소 순환 과정

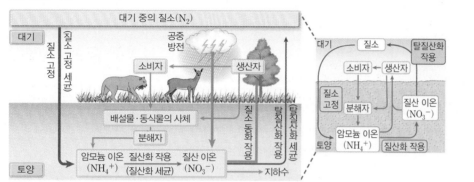

① 질소 고정[8]과 공중 방전: 대기 중의 질소는 뿌리혹박테리아, 아조토박터(남세균) 등 질소 고정 세균[9]에 의해 암모늄 이온(NH_4^+)으로 고정되거나, 공중 방전에 의해 질산 이온(NO_3^-)으로 된다.

② 질산화 작용: 토양 속 일부 암모늄 이온(NH_4^+)은 질산화 세균(질산균, 아질산균)에 의해 질산 이온(NO_3^-)으로 전환된다.

③ 질소 동화 작용: 식물은 뿌리를 통해 암모늄 이온(NH_4^+)이나 질산 이온(NO_3^-)을 흡수하여 단백질과 같은 질소 화합물을 합성한다.

④ 소비자: 식물에서 합성된 질소 화합물은 소비자로 이동하고, 소비자의 배설물을 통해 질소 노폐물이 배설된다.

⑤ 분해자: 생물의 사체나 배설물에 포함된 질소 화합물은 분해자인 균류와 세균에 의해 암모늄 이온(NH_4^+) 형태로 분해되어 다시 토양으로 돌아가 식물로 흡수되거나 질산 이온(NO_3^-)으로 전환된다.

⑥ 탈질산화 작용: 토양 속 일부 질산 이온(NO_3^-)은 탈질산화 세균[10]의 작용으로 질소 기체(N_2)로 전환되어 대기 중으로 방출된다.

---

3. 물질 순환과 에너지 흐름 비교 생태계 내에서 물질은 순환하지만, 에너지는 순환하지 않고 흘러 생태계 밖으로 열의 형태로 빠져나간다.

생태계에서의 물질 순환과 에너지 흐름

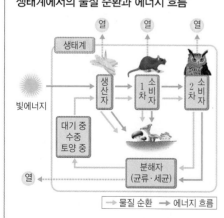

• 생태계에서의 물질 순환: 식물이 생산한 유기물이나 외부에서 흡수한 물질은 먹이 사슬을 따라 이동하면서 다시 무기 환경으로 돌아가 순환한다.

• 생태계에서의 에너지 흐름: 물질과 함께 이동한 에너지는 순환하지 않고 열에너지의 형태로 생태계 밖으로 빠져 나간다. 생태계가 유지되려면 끊임없이 태양의 빛에너지가 유입되어야 한다.

---

❽ 질소 고정이 필요한 이유

대기 중의 질소는 3중 공유 결합으로 결합되어 있어 매우 안정적이다. 그래서 식물의 효소로는 이 결합을 깨 이용하지 못한다. 그래서 질소 고정 세균이 암모늄 이온(NH_4^+)으로 만든 후에야 비로소 생물이 이를 이용할 수 있다. 하지만 질소 비료의 경우 인공적으로 만들어진 질소 화합물로 자연계의 질소 고정 작용 없이 바로 식물에 흡수된다.

❾ 질소 고정 세균

대기 중의 질소를 암모늄 이온(NH_4^+)으로 전환하는 세균이다.
예 뿌리혹박테리아: 콩과식물의 뿌리에 혹을 만들어 식물과 공생하면서 대기 중의 질소를 식물이 흡수할 수 있는 암모늄 이온으로 전환시킨다.

▲ 콩과식물의 뿌리 혹박테리아

❿ 탈질산화 세균

질산 이온에서 질소를 분리해 주는 탈질산화 작용을 하는 세균이다.

강의 콕

탄소 순환과 질소 순환 각 과정에 관련된 생물과 물질 변화가 어떻게 일어나는지 묻는 문제가 자주 출제된다.

4 **생태계 평형 파괴**

1. **생태계 평형** 환경 요인의 급격한 변화가 없는 조건에서 생물 군집의 크기와 개체 수, 에너지 흐름 등이 안정된 상태를 유지하는 것을 말한다.

① 생태계 평형에 영향을 주는 요인: 먹이 사슬, 무기 환경

② 생태계 평형이 잘 유지되는 조건
- 먹이 그물이 복잡하고 생물종의 수가 많아야 한다.
- 천이가 진행 중인 군집보다는 극상의 안정된 생태계에서 평형이 잘 유지된다.
- 급격한 환경 변화가 없고, 물질 순환이 안정적이며 에너지 흐름도 원활해야 한다.

2. **생태계 평형 유지의 원리** 안정된 생태계는 어떤 요인에 의해 일시적으로 생태계의 평형이 깨지더라도 다시 안정된 생태계의 상태를 회복하는 능력이 있다.

① 복잡한 먹이 그물: 안정된 생태계에서 어떤 요인에 의해 한 영양 단계에 속하는 개체 수가 일시적으로 감소하거나 증가하더라도 시간이 지나면 평형을 회복한다.

② 무기 환경: 빛, 물, 공기, 온도, 공간 등 비생물적 요인도 생태계 평형 유지에 영향을 미친다.
- ⑩ 남극의 펭귄은 먹이가 충분하더라도 추위 때문에 개체 수가 계속 증가하지 않는다.

| 자료 파헤치기 |

생태계 평형 파괴와 회복 과정

2차 생산자 / 1차 생산자 / 생산자 → 증가 → 증가 / 감소 → 감소 / 증가 → 감소 / 증가

평형이 유지된 상태　평형이 깨짐　　　　　　　　　　평형이 회복됨

① 일시적으로 1차 소비자가 증가하면, 2차 소비자는 증가하고, 생산자는 감소한다.

② 생산자가 감소하고, 2차 소비자가 증가함에 따라 1차 소비자가 감소한다.

③ 1차 소비자가 감소하면 1차 소비자를 먹이로 하는 2차 소비자가 감소하고, 생산자가 다시 증가하며 생태계가 원래의 상태를 회복한다.

➡ 생태계를 이루는 생물종이 다양하여 먹이 그물이 복잡하게 형성될수록 다른 영양 단계의 개체 수 변화로 인한 영향을 적게 받기 때문에 생태계의 평형이 잘 유지된다.

---

3. **생태계 평형의 파괴 요인** 자연재해⑪, 외래종⑫의 무분별한 유입, 인간의 간섭 등이 있다.

1905년 이후 카이바브 고원의 사슴과 포식자(퓨마, 코요테, 늑대)

사슴의 개체 수 (1×10³ 마리) / 초원의 생산량 (1×10⁴ 건조t) / 늑대의 개체 수 (1×10² 마리)

개체 수·생산량: 10 8 6 4 2 0 / 1905 1915 1925 1935 연도(년)

- 먹이 사슬: 초원의 풀 → 사슴 → 퓨마, 코요테, 늑대
- 1905년 포식자의 사냥이 허가된 직후 변화: 사슴의 개체 수 급격히 증가
- 1920년대 초반 이후: 사슴의 증가로 초원의 생산량 감소 ➡ 사슴의 개체 수 감소
- 결론: 생태계에 인위적으로 간섭하면 생태계 평형에 심각한 문제를 일으킬 수 있다.

개념 확인하기

1 대기 중 질소(N_2)가 암모늄 이온(NH_4^+)으로 전환되는 과정은 (　　　　) 작용이다.

2 생태계에서 에너지는 순환하고, 물질은 생태계 밖으로 빠져 나간다. (○ , ×)

3 먹이 그물이 단순할수록 생태계 평형이 잘 유지된다. (○ , ×)

답 1. 질소 고정 2. × 3. ×

셀파 세미나 S·H·E·R·P·A

▶ 시험에 자주 나오는 예시를 모았습니다. 반복적으로 학습하여 시험에 대비하세요.

| 생태계 내에서의 에너지 흐름 |

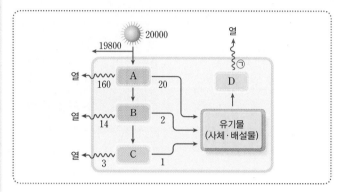

그림에 대한 설명으로 옳은 것은 ○, 옳지 않은 것은 ×를 하시오.
(단, A~D는 각각 생산자, 분해자, 1차 소비자, 2차 소비자 중 하나이다.)

1. A는 생산자, B와 C는 소비자, D는 분해자이다. (   )

2. 각 영양 단계의 에너지양은 A＞B＞C이다. (   )

3. 에너지 효율은 A＞B＞C이다. (   )

4. 1차 소비자의 에너지 효율은 $\dfrac{20}{200} \times 100 = 10\,\%$이다.
(   )

5. 2차 소비자의 에너지 효율은 $\dfrac{4}{20} \times 100 = 20\,\%$이다.
(   )

6. 생산자의 순생산량은 40이다. (   )

7. 생산자의 $\dfrac{순생산량}{총생산량}$은 $\dfrac{1}{2}$보다 크다. (   )

8. ㉠은 177이다. (   )

9. 에너지는 A → B → C 순서로 이동한다. (   )

| 해설 | 에너지 효율 (%) = $\dfrac{\text{현 영양 단계가 보유한 에너지 총량}}{\text{전 영양 단계가 보유한 에너지 총량}} \times 100$이다.
순생산량은 총생산량－호흡량이다.

| 생태계 내에서의 물질 순환 |

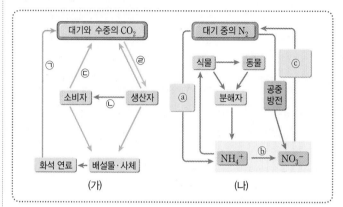

그림에 대한 설명으로 옳은 것은 ○, 옳지 않은 것은 ×를 하시오.

1. ㉠에서 화석 연료가 환원된다. (   )

2. ㉡에서 탄소는 유기물의 형태로 이동한다. (   )

3. ㉠은 연소, ㉢은 호흡, ㉣은 광합성이다. (   )

4. ㉣은 식물 세포의 엽록체에서 일어난다. (   )

5. 대기 중의 탄소는 ㉠을 통해 생물계로 유입된다. (   )

6. 뿌리혹박테리아는 과정 ⓐ에 작용한다. (   )

7. 과정 ⓑ는 질산화 작용을 나타낸다. (   )

8. 과정 ⓒ에서 탈질산화 세균이 작용한다. (   )

9. ⓐ는 식물이 대기 중의 질소를 흡수하여 직접 이용하는 과정이다. (   )

10. 아조토박터와 같은 질소 고정 세균의 작용으로 대기 중의 질소가 암모늄 이온으로 전환되는 과정은 ⓑ이다. (   )

| 해설 | ㉠은 연소, ㉢은 호흡, ㉣은 광합성이다. ⓐ는 질소 고정, ⓑ는 질산화 작용, ⓒ는 탈질산화 작용이다.

답 1. ○ 2. ○ 3. × 4. ○ 5. ○ 6. ○ 7. ○ 8. × 9. ○

답 1. × 2. ○ 3. ○ 4. ○ 5. × 6. ○ 7. ○ 8. ○ 9. × 10. ×

기초 탄탄 문제

정답과 해설 59쪽

핵심용어_ 이 단원에서 내가 아는 것과 아직 모르는 것을 정리하며 나의 공부를 돌아보자.

☐ 에너지 흐름　　　　☐ 에너지 효율　　　　☐ 생태 피라미드
☐ 탄소 순환　　　　　☐ 질소 순환　　　　　☐ 물질의 생산
☐ 생태계 평형

01 생태계 내에서의 에너지 흐름에 대한 설명으로 옳지 <u>않은</u> 것은?

① 생물이 살아가기 위해 필요한 에너지의 근원은 빛에너지이다.

② 생태계에서 에너지는 먹이 사슬을 따라 상위 영양 단계로 이동한다.

③ 각 영양 단계에서 전달받은 에너지의 일부는 호흡을 통해 생물체의 생명 활동에 사용된다.

④ 식물은 광합성을 통해 태양의 빛에너지를 생물이 이용할 수 있는 형태로 바꾸는 역할을 한다.

⑤ 식물 군집의 순생산량은 태양의 빛에너지가 광합성에 의해 화학 에너지 형태로 전환되어 저장된 유기물의 총량을 의미한다.

02 그림은 어느 안정된 생태계의 에너지양 피라미드를 나타낸 것이다.

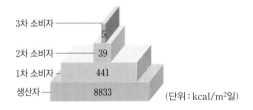

3차 소비자 ── 5
2차 소비자 ── 39
1차 소비자 ── 441
생산자 ── 8833

(단위 : kcal/m²·일)

이에 대한 설명으로 옳은 것은?

① 2차 소비자의 에너지 효율은 약 8.84 %이다.

② 상위 영양 단계로 갈수록 에너지양과 에너지 효율은 점점 감소한다.

③ 생산자로 유입된 에너지는 여러 영양 단계를 거치며 무한히 순환한다.

④ 각 영양 단계가 가진 에너지양은 생태계의 종류와 관계없이 모두 동일한 값을 가진다.

⑤ 에너지의 이동은 먹이 사슬과는 관계없이 생물 군집 사이에서 무작위적으로 이루어진다.

03 식물 군집의 물질 생산과 소비에 대한 설명으로 옳지 <u>않은</u> 것은?

① 총생산량에서 호흡량을 제외하면 순생산량이 된다.

② 현재 식물 군집이 가지고 있는 유기물의 총량을 생물량이라고 한다.

③ 식물 군집에서 말라죽는 양이 고사량이다.

④ 식물은 생활에 필요한 에너지를 얻기 위해 광합성으로 만든 유기물을 분해하여 사용한다.

⑤ 1차 소비자에게 먹히거나 낙엽으로 떨어지고 말라죽는 녹색 식물의 양은 순생산량에 해당하지 않는다.

04 생태계 내의 탄소 순환에 대한 설명으로 옳지 <u>않은</u> 것은?

① 생산자는 이산화 탄소의 형태로 공기 중의 탄소를 흡수한다.

② 생산자는 광합성을 통해 탄소가 포함된 유기물을 합성한다.

③ 생산자와 소비자의 사체나 배설물에는 탄소가 포함되어 있다.

④ 사체나 배설물 속의 탄소는 분해자에 의해 이산화 탄소의 형태로 대기로 돌아간다.

⑤ 생산자에서 소비자 쪽으로 이동하는 탄소의 양과 소비자에서 분해자 쪽으로 이동하는 탄소의 양은 같다.

05 그림은 어떤 식물 군집의 개체 수 피라미드를 나타낸 것이다. B의 개체 수가 일시적으로 증가했을 때 나타나는 현상으로 옳은 것은?

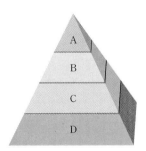

① A와 C의 개체 수는 모두 증가한다.

② C와 D의 개체 수가 동시에 증가한다.

③ A의 개체 수는 증가하고, C의 개체 수는 감소한다.

④ A의 개체 수는 감소하고, C의 개체 수는 증가한다.

⑤ A와 C의 개체 수는 감소하고, D의 개체 수는 증가한다.

내신 만점 **문제**

정답과 해설 60쪽   * ▨▨▨ 난이도를 나타냅니다.

01 그림은 어떤 안정된 생태계의 에너지 흐름을 나타낸 것이다. A~C는 생태계를 구성하는 생물적 요인이며, 에너지양은 상댓값으로 나타냈다.

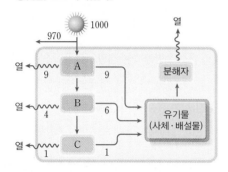

이에 대한 설명으로 옳은 것만을 〈보기〉에서 있는 대로 고른 것은?

보기
ㄱ. A에서 B로 이동하는 에너지양은 12이다.
ㄴ. 2차 소비자의 에너지 효율은 20 %이다.
ㄷ. 분해자에서 방출되는 열에너지양은 14이다.

① ㄱ   ② ㄷ   ③ ㄱ, ㄴ ④ ㄱ, ㄷ ⑤ ㄴ, ㄷ

02 그림은 어떤 생태계의 개체 수 피라미드와 물질의 이동을 나타낸 것이다. A~C는 각각 생산자, 소비자, 분해자 중 하나이고, →는 물질의 이동이다.
이에 대한 설명으로 옳은 것만을 〈보기〉에서 있는 대로 고른 것은?

보기
ㄱ. A는 동·식물의 사체를 분해한다.
ㄴ. C는 B를 통해 에너지를 얻는다.
ㄷ. 1차 소비자가 외부에서 유입되면 일시적으로 B의 개체 수가 줄어든다.

① ㄱ ② ㄴ ③ ㄱ, ㄷ ④ ㄴ, ㄷ ⑤ ㄱ, ㄴ, ㄷ

03 그림은 어떤 안정된 생태계의 에너지양 피라미드를 나타낸 것이다.

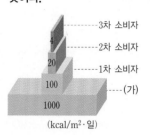

이에 대한 설명으로 옳은 것만을 〈보기〉에서 있는 대로 고른 것은?

보기
ㄱ. (가)는 생산자이다.
ㄴ. 에너지양은 상위 영양 단계로 갈수록 적어진다.
ㄷ. 에너지 효율은 1차 소비자에서가 2차 소비자에서보다 낮다.

① ㄱ   ② ㄴ   ③ ㄱ, ㄷ
④ ㄴ, ㄷ   ⑤ ㄱ, ㄴ, ㄷ

04 그림은 어느 생물 군집의 개체 수 피라미드를 나타낸 것이다. A~D 중 하나는 생산자이고, 나머지는 소비자이다.

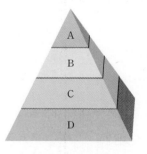

이에 대한 설명으로 옳은 것만을 〈보기〉에서 있는 대로 고른 것은?

보기
ㄱ. A는 최종 소비자이다.
ㄴ. D는 광합성을 통해 유기물을 합성한다.
ㄷ. B의 개체 수가 일시적으로 증가하면 C의 개체 수는 일시적으로 증가한다.

① ㄱ   ② ㄴ   ③ ㄱ, ㄴ
④ ㄱ, ㄷ   ⑤ ㄴ, ㄷ

05 표는 어떤 안정된 생태계에서 영양 단계 A~E의 생물량, 에너지양, 에너지 효율을 나타낸 것이다. A~E는 각각 생산자, 1차 소비자, 2차 소비자, 3차 소비자, 4차 소비자이다.

영양 단계	생물량 (상댓값)	에너지양 (상댓값)	에너지 효율 (%)
A	2	5	16.7
B	800	2000	1
C	10	30	15
D	50	200	㉠
E	0.7	㉡	20

이에 대한 설명으로 옳은 것만을 〈보기〉에서 있는 대로 고른 것은?

보기
ㄱ. ㉠+㉡=11 이다.
ㄴ. A는 종속 영양을 한다.
ㄷ. 이 생태계에서 먹이 사슬을 통한 유기물의 이동은 B → C → D → A → E 경로를 거친다.

① ㄱ   ② ㄴ   ③ ㄱ, ㄴ
④ ㄱ, ㄷ   ⑤ ㄴ, ㄷ

06 그림은 어떤 식물 군집에서 물질의 생산량과 소비량의 관계를 나타낸 것이다. ㉠~㉢은 각각 순생산량, 총생산량, 생장량 중 하나이다.

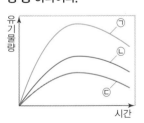

이에 대한 설명으로 옳은 것만을 〈보기〉에서 있는 대로 고른 것은?

보기
ㄱ. 식물 군집의 호흡량은 '㉡-㉢'이다.
ㄴ. ㉠은 광합성을 통해 생성된 유기물의 총량이다.
ㄷ. ㉢은 순생산량에서 피식량을 제외한 유기물의 양이다.

① ㄴ   ② ㄷ   ③ ㄱ, ㄴ
④ ㄱ, ㄷ   ⑤ ㄱ, ㄴ, ㄷ

07 표는 면적이 서로 같은 곳에 서식하는 식물 군집 Ⅰ~Ⅲ에서 1년 동안 조사한 총생산량에 대한 호흡량, 고사량, 낙엽량, 생장량, 피식량의 백분율을 조사한 것이다. Ⅰ과 Ⅲ의 총생산량은 같고, Ⅱ의 총생산량은 Ⅲ의 2배이다.

구분	식물 군집		
	Ⅰ	Ⅱ	Ⅲ
호흡량	40	45	60
고사량, 낙엽량	15	15	20
생장량	30	30	10
피식량	15	10	10
합계	100	100	100

이에 대한 설명으로 옳은 것만을 〈보기〉에서 있는 대로 고른 것은?

보기
ㄱ. Ⅰ에서 호흡량은 생산자의 호흡량이다.
ㄴ. Ⅰ~Ⅲ 중 1차 소비자로 이동하는 물질량은 Ⅰ에서 가장 크다.
ㄷ. 순생산량은 Ⅰ에서가 Ⅲ에서보다 작다.

① ㄱ   ② ㄴ   ③ ㄷ
④ ㄱ, ㄷ   ⑤ ㄴ, ㄷ

08 그림은 생산자와 1차 소비자의 물질 생산과 소비를 나타낸 것이다.

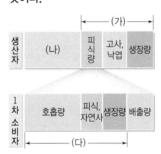

이에 대한 설명으로 옳은 것만을 〈보기〉에서 있는 대로 고른 것은?

보기
ㄱ. 생산자에서 총생산량은 '(가)+(나)'이다.
ㄴ. (나)는 다음 영양 단계로 이동하는 유기물의 양이다.
ㄷ. 1차 소비자의 동화량은 (다)이다.

① ㄱ   ② ㄷ   ③ ㄱ, ㄴ
④ ㄱ, ㄷ   ⑤ ㄴ, ㄷ

09 표는 어떤 생태계에서 일어나는 에너지 흐름의 일부를, 그림은 이 생태계의 식물 군집에서 시간에 따른 유기물량을 나타낸 것이다. A와 B는 각각 호흡량과 총생산량 중 하나이다.

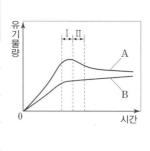

구분	에너지양 (상댓값)
빛	100000
생산자	1000
1차 소비자	100
2차 소비자	20

이에 대한 설명으로 옳은 것만을 〈보기〉에서 있는 대로 고른 것은?

┤ 보기 ├
ㄱ. 에너지 효율은 1차 소비자가 생산자의 5배이다.
ㄴ. 2차 소비자의 생장량은 A에 포함된다.
ㄷ. 이 식물 군집에서 순생산량은 구간 Ⅰ에서가 구간 Ⅱ에서보다 크다.

① ㄴ ② ㄷ ③ ㄱ, ㄷ
④ ㄴ, ㄷ ⑤ ㄱ, ㄴ, ㄷ

10 그림은 생태계에서의 탄소 순환 과정을 나타낸 것이다. A와 B는 각각 소비자와 생산자 중 하나이다.

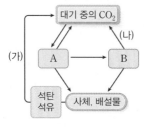

이에 대한 설명으로 옳은 것만을 〈보기〉에서 있는 대로 고른 것은?

┤ 보기 ├
ㄱ. A는 광합성과 호흡이 모두 일어난다.
ㄴ. (가)와 (나) 과정은 동일한 과정이다.
ㄷ. A에서 B로 탄소는 유기물 형태로 이동한다.

① ㄱ ② ㄴ ③ ㄱ, ㄷ
④ ㄴ, ㄷ ⑤ ㄱ, ㄴ, ㄷ

11 그림은 생태계에서의 질소(N_2) 순환 과정 중 일부를 나타낸 것이다.

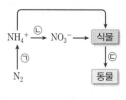

이에 대한 설명으로 옳은 것만을 〈보기〉에서 있는 대로 고른 것은?

┤ 보기 ├
ㄱ. 질소 고정 세균은 ⊙에 관여한다.
ㄴ. ⓛ은 탈질산화 작용이다.
ㄷ. ⓒ에서 질소(N_2)는 무기물 형태로 이동한다.

① ㄱ ② ㄴ ③ ㄱ, ㄴ
④ ㄱ, ㄷ ⑤ ㄴ, ㄷ

12 표는 생태계에서 일어나는 물질 전환을, 그림은 질소 순환 과정 중 표의 (가)와 (다) 과정이 일어나는 단계를 나타낸 것이다. ⓐ~ⓒ는 각각 NO_3^-, NH_4^+, N_2 중 하나이다.

과정	물질 전환
(가)	ⓐ → ⓑ
(나)	ⓑ → ⓒ
(다)	ⓒ → ⓐ

이에 대한 설명으로 옳은 것만을 〈보기〉에서 있는 대로 고른 것은?

┤ 보기 ├
ㄱ. 식물은 ⓐ를 흡수할 수 있다.
ㄴ. (나) 과정에 질산화 세균이 관여한다.
ㄷ. 공중 방전에 의해 ⓑ가 ⓒ로 된다.

① ㄱ ② ㄴ ③ ㄱ, ㄷ
④ ㄴ, ㄷ ⑤ ㄱ, ㄴ, ㄷ

13 생태계 파괴의 원인으로 옳은 것만을 〈보기〉에서 있는 대로 고른 것은?

┤ 보기 ├
ㄱ. 자연재해
ㄴ. 외래종의 무분별한 도입
ㄷ. 인간의 간섭 배제

① ㄱ ② ㄷ ③ ㄱ, ㄴ
④ ㄴ, ㄷ ⑤ ㄱ, ㄴ, ㄷ

14 그림은 어떤 안정된 생태계에서 일어나는 물질과 에너지의 이동 경로를 나타낸 것이다. 경로 A와 B는 각각 에너지와 물질의 이동 경로 중 하나이다.

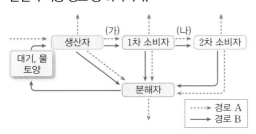

이에 대한 설명으로 옳은 것만을 〈보기〉에서 있는 대로 고른 것은?

┤ 보기 ├
ㄱ. 경로 A는 에너지의 이동 경로이다.
ㄴ. (가)에서 이동하는 에너지양은 (나)에서 이동하는 에너지양보다 크다.
ㄷ. 생태계에서 대기 중의 이산화 탄소는 경로 B를 따라 이동한다.

① ㄱ　　　　② ㄴ　　　　③ ㄱ, ㄷ
④ ㄴ, ㄷ　　　⑤ ㄱ, ㄴ, ㄷ

15 그림은 1905년에 사슴을 보호하기 위해 늑대 사냥을 허가한 후 사슴과 늑대의 개체 수 및 초원의 생산량 변화를 나타낸 것이다. 이에 대한 설명으로 옳은 것만을 〈보기〉에서 있는 대로 고른 것은?

┤ 보기 ├
ㄱ. 먹이 사슬은 초원의 풀 → 사슴 → 늑대이다.
ㄴ. 늑대 사냥이 허가된 후 사슴의 개체 수가 급격히 증가하였다.
ㄷ. 1920년대 초반에 사슴의 개체 수 감소는 초원의 생산량 감소 때문이다.

① ㄱ　　　　② ㄴ　　　　③ ㄱ, ㄴ
④ ㄴ, ㄷ　　　⑤ ㄱ, ㄴ, ㄷ

서술형 문제

16 그림은 세 가지 먹이 사슬에서 각 영양 단계의 에너지양을 상댓값으로 나타낸 것이다.

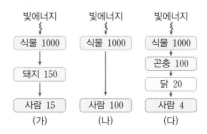

(1) 사람에게 같은 양의 식물로부터 가장 많은 식량을 제공할 수 있는 먹이 사슬은 무엇인지 쓰시오.

(2) (가)~(다)의 사람의 에너지 효율을 각각 서술하시오. (단, 이 먹이 사슬 외의 다른 요소는 고려하지 않는다.)

17 그림은 생태계의 질소 순환 과정의 일부를 나타낸 것이다. ㉠~㉢은 각각 소비자, 생산자, 분해자 중 하나이다.

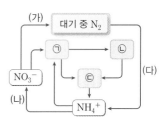

(1) ㉠~㉢은 무엇인지 각각 쓰시오.

(2) (가)~(다) 중 질소 고정 과정을 고르고, 이 과정의 특징을 세균을 포함하여 서술하시오.

18 그림은 어떤 안정된 생태계에서 1차 소비자의 개체 수 증가로 평형이 깨진 후 회복되기까지의 과정을 나타낸 것이다.

(가) 단계에서 2차 소비자의 개체 수 변화를 서술하시오.

1. 생태계의 구성 요소 사이의 관계

2. 생물과 환경의 상호 작용

3. 개체군의 생장 곡선

- 이론적 생장 곡선(J자형): 시간이 지날수록 개체 수가 계속 증가한다.
- 실제 생장 곡선(S자형): 어느 정도 시간이 지나면 개체 수가 더 이상 증가하지 않고 일정한 수준을 유지한다.

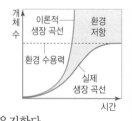

4. 개체군의 생존 곡선

- Ⅰ형: 초기 사망률이 낮고 후기 사망률이 높다.
- Ⅱ형: 상대 연령에 따라 사망률이 일정하다.
- Ⅲ형: 초기 사망률이 높고, 일부만이 생리적 수명을 다한다.

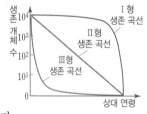

5. 개체군 내의 상호 작용

순위제	여러 개체 사이에서 순위를 형성하여 살아가는 생활 방식
텃세	일정 공간을 점유, 다른 개체의 침입을 막아 자기 세력을 구축
리더제	리더가 무리 전체의 행동을 유도
사회생활	구성원이 생식, 방어, 먹이 획득 등의 역할을 분담
가족생활	혈연 관계인 개체들이 함께 생활

6. 군집 내 개체군 사이의 상호 작용

종간 경쟁	• 같은 장소에 사는 여러 개체군이 요구하는 자원이 비슷할 때 나타나는 상호 작용 • 개체군 사이에 경쟁배타 원리가 나타남
분서	생활 공간, 먹이 등을 서로 나누어 가짐
편리 공생	한 종은 이익을 얻고 다른 종은 이익도 해도 없는 경우
상리 공생	두 종이 함께 살아가며 둘 다 이익을 얻는 경우
기생	한 종이 다른 종에 붙어 살며 해를 주는 경우
포식·피식	개체군 사이에서 먹고 먹히는 관계

7. 군집의 천이

① 1차 천이: 화산 활동으로 생성된 용암 대지처럼 생명체가 없고, 토양 발달이 미약한 곳에서 시작하는 천이이다.

지의류 → 초본류 → 관목림 → 양수림 → 혼합림 → 음수림

② 2차 천이: 화재나 산사태 등이 일어난 후 기존에 남아 있던 토양에서 시작하는 천이이다.

8. 에너지 흐름

- 에너지 효율은 상위 영양 단계로 갈수록 높아진다.

$$\text{에너지 효율(\%)} = \frac{\text{현 영양 단계가 보유한 에너지 총량}}{\text{전 영양 단계가 보유한 에너지 총량}} \times 100$$

- 생태계 내의 에너지는 순환하지 않고, 한 방향으로 흐른다.

9. 물질 순환

생태계 내에서 물질은 순환한다.

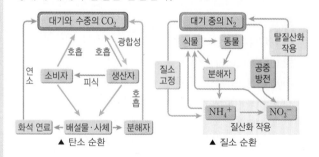

▲ 탄소 순환　　　　▲ 질소 순환

10. 생태계 평형

- 생태계를 구성하는 생물 군집의 종류나 개체 수, 에너지 흐름 등이 안정된 상태를 유지하는 것으로 자연재해, 인간의 간섭 등으로 파괴될 수 있다.
- 안정된 생태계는 평형이 일시적으로 파괴되어도 곧 평형을 회복할 수 있다.

학교 시험에 꼭 나오는 문제를 모았어요. 꼼꼼하게 풀어봐요~

01 그림 (가)는 생태계를 구성하는 요소 사이의 상호 관계를, (나)는 3종의 새가 가문비나무에서 활동하는 공간을 나타낸 것이다.

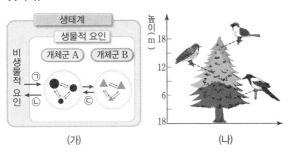

(가)   (나)

이에 대한 설명으로 옳은 것만을 〈보기〉에서 있는 대로 고른 것은?

보기
ㄱ. 위도에 따라 식물 군집의 분포가 달라지는 것은 ㉠에 해당한다.
ㄴ. ㉡은 작용이다.
ㄷ. (나)는 ㉢에 해당한다.

① ㄱ   ② ㄴ   ③ ㄱ, ㄷ
④ ㄴ, ㄷ   ⑤ ㄱ, ㄴ, ㄷ

02 그림은 어떤 생태계를 구성하는 요소 사이의 관계를 나타낸 것이다. A~D는 생태계를 구성하는 생물적 요인이다.

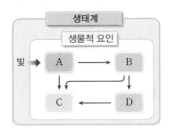

이에 대한 설명으로 옳은 것만을 〈보기〉에서 있는 대로 고른 것은? (단, →는 물질의 이동을 나타낸다.)

보기
ㄱ. 토끼풀은 A에 해당한다.
ㄴ. B에서 D로 유기물이 이동한다.
ㄷ. C는 분해자이다.

① ㄱ   ② ㄴ   ③ ㄱ, ㄷ
④ ㄴ, ㄷ   ⑤ ㄱ, ㄴ, ㄷ

03 그림은 암기의 길이에 따른 식물의 개화 정도를 나타낸 것이다. A와 B는 각각 단일 식물과 장일 식물 중 하나이다.

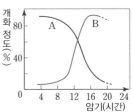

이에 대한 설명으로 옳은 것만을 〈보기〉에서 있는 대로 고른 것은?

보기
ㄱ. A는 암기의 길이가 길수록 개화가 잘 된다.
ㄴ. B는 장일 식물이다.
ㄷ. 암기의 길이에 따른 A와 B의 개화 정도의 차이는 생태계 구성 요소 간의 관계 중 작용에 해당한다.

① ㄴ   ② ㄷ   ③ ㄱ, ㄴ
④ ㄱ, ㄷ   ⑤ ㄴ, ㄷ

04 그림은 개체군의 생장 곡선을 나타낸 것이다. A와 B는 각각 실제 생장 곡선과 이론적 생장 곡선 중 하나이다.

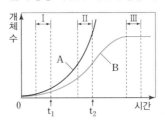

이에 대한 설명으로 옳은 것만을 〈보기〉에서 있는 대로 고른 것은?

보기
ㄱ. 개체 수 증가율은 A의 구간 Ⅰ에서가 B의 구간 Ⅱ에서보다 낮다.
ㄴ. A에서 환경 저항은 t_1에서가 t_2에서보다 약하다.
ㄷ. B에서 개체 간의 경쟁은 구간 Ⅰ에서보다 구간 Ⅲ에서 심하다.

① ㄱ   ② ㄴ   ③ ㄱ, ㄴ
④ ㄱ, ㄷ   ⑤ ㄴ, ㄷ

05 그림은 개체군의 생존 곡선 유형 Ⅰ~Ⅲ을, 표는 굴의 생존 특징을 나타낸 것이다.

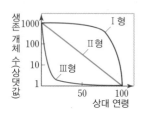

• 초기 사망률이 후기 사망률보다 높다.
• 한 개체가 한번에 낳는 자손의 수가 대형 포유류보다 훨씬 많다.

이에 대한 설명으로 옳은 것만을 〈보기〉에서 있는 대로 고른 것은?

┤ 보기 ├
ㄱ. 굴의 생존 곡선은 Ⅲ형이다.
ㄴ. 초기의 사망률은 Ⅱ형이 Ⅲ형보다 높다.
ㄷ. Ⅰ형 생존 곡선을 나타내는 생물은 출생 직후 대부분의 개체가 사망한다.

① ㄱ   ② ㄴ   ③ ㄱ, ㄴ
④ ㄱ, ㄷ   ⑤ ㄴ, ㄷ

06 그림 (가)는 배양 조건에 따른 종 A의 개체 수 변화를, (나)는 같은 배양 조건에서 B의 개체 수 변화를 나타낸 것이다. ㉠과 ㉡은 각각 A와 B를 혼합 배양할 때와 A와 B를 단독 배양할 때 중 하나이고, A와 B의 생태적 지위는 일부 일치한다.

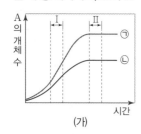 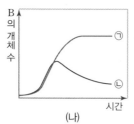

이에 대한 설명으로 옳은 것만을 〈보기〉에서 있는 대로 고른 것은?

┤ 보기 ├
ㄱ. ㉡ 조건에서 A와 B는 경쟁을 한다.
ㄴ. 구간 Ⅱ에서 환경 저항은 사라진다.
ㄷ. 구간 Ⅰ에서 개체 수 증가율은 단독 배양할 때가 혼합 배양할 때보다 크다.

① ㄱ   ② ㄴ   ③ ㄱ, ㄷ
④ ㄴ, ㄷ   ⑤ ㄱ, ㄴ, ㄷ

| 서술형 |

07 그림은 종 ⓐ와 종 ⓑ를 단독 배양과 혼합 배양했을 때 시간에 따른 개체 수를, 표는 종 사이의 상호 작용을 나타낸 것이다. ㉠~㉢은 각각 종간 경쟁, 기생, 상리 공생 중 하나이다. 단, ⓐ와 ⓑ를 단독 배양했을 때와 혼합 배양했을 때 배양 조건은 동일하며, 이입과 이출은 없다.

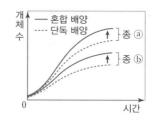

상호 작용	종1	종2
㉠	손해	이익
㉡	?	손해
㉢	?	이익

(1) ㉡은 어떤 상호 작용인지 쓰시오.

_____

(2) 혼합 배양했을 때 ⓐ와 ⓑ 사이의 상호 작용은 ㉠~㉢ 중 무엇인지 그렇게 생각한 까닭과 함께 서술하시오.

_____

08 그림은 식물 군집에서 높이에 따른 빛의 세기와 층상 구조를 나타낸 것이다.

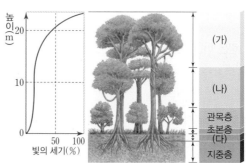

이에 대한 설명으로 옳은 것만을 〈보기〉에서 있는 대로 고른 것은?

┤ 보기 ├
ㄱ. (가)는 아교목층, (나)는 교목층이다.
ㄴ. (가)~초본층까지는 주로 새와 곤충 등이 서식하고 지중층에는 지렁이, 두더지, 세균류 등이 서식한다.
ㄷ. (다)에는 빛이 거의 도달하지 않기 때문에 생산자는 존재하지 않고 균류나 일부 곤충류 등만 존재한다.

① ㄱ   ② ㄴ   ③ ㄷ
④ ㄱ, ㄷ   ⑤ ㄴ, ㄷ

09 그림은 어떤 지역의 식물 군집에서 산불이 발생하기 전과 후의 천이 과정 일부를 나타낸 것이다.

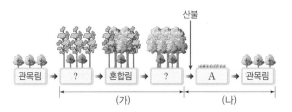

이에 대한 설명으로 옳은 것만을 〈보기〉에서 있는 대로 고른 것은?

┤ 보기 ├
ㄱ. (가) 과정에 영향을 미치는 환경 요인으로 빛이 있다.
ㄴ. (나) 과정은 2차 천이 과정이다.
ㄷ. A 단계의 우점종은 지의류이다.

① ㄴ   ② ㄷ   ③ ㄱ, ㄴ
④ ㄱ, ㄷ   ⑤ ㄴ, ㄷ

10 그림은 어떤 안정된 생태계에서의 에너지(E) 흐름을 나타낸 것이다 E_1은 생산자로 이동한 에너지이다.

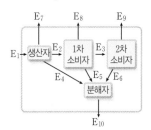

이에 대한 설명으로 옳은 것만을 〈보기〉에서 있는 대로 고른 것은?

┤ 보기 ├
ㄱ. $E_1 = E_7 + E_8 + E_9 + E_{10}$이다.
ㄴ. $E_2 \sim E_6$은 유기물 형태로 전달된다.
ㄷ. 1차 소비자의 에너지 효율은 $\dfrac{E_2}{E_1} \times 100$이다.

① ㄱ   ② ㄴ   ③ ㄱ, ㄷ
④ ㄴ, ㄷ   ⑤ ㄱ, ㄴ, ㄷ

11 그림은 생태계의 탄소 순환 과정을 나타낸 것이다. A ~ C는 각각 소비자, 생산자, 분해자 중 하나이다.

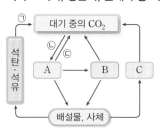

이에 대한 설명으로 옳은 것만을 〈보기〉에서 있는 대로 고른 것은?

┤ 보기 ├
ㄱ. ㉠과 ㉢은 모두 환원 작용에 해당한다.
ㄴ. ㉡ 과정에 빛에너지가 필요하다.
ㄷ. 곰팡이는 B에 속한다.

① ㄴ   ② ㄷ   ③ ㄱ, ㄴ
④ ㄱ, ㄷ   ⑤ ㄱ, ㄴ, ㄷ

12 그림 (가)는 생태계 평형이 일시적으로 파괴된 생태계의 생태 피라미드이고, (나)는 생태계 평형이 유지되던 시기의 A, B 중 하나의 물질 생산과 소비를 나타낸 것이다.

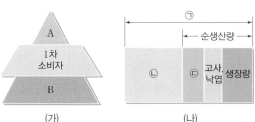

이에 대한 설명으로 옳은 것만을 〈보기〉에서 있는 대로 고른 것은

┤ 보기 ├
ㄱ. (나)는 B의 물질 생산과 소비를 나타낸 것이다.
ㄴ. 1차 소비자의 증가로 인해 (나)의 ㉠, ㉡, ㉢의 양이 모두 증가한다.
ㄷ. ㉡은 피식량으로 A에게로 흘러 들어간 유기물의 총량이다.
ㄹ. ㉢은 1차 소비자의 섭식량에 해당한다.

① ㄱ, ㄹ   ② ㄴ, ㄷ   ③ ㄷ, ㄹ
④ ㄱ, ㄴ, ㄷ   ⑤ ㄴ, ㄷ, ㄹ

01
V. 생태계와 상호 작용 | 2. 생물 다양성과 보전

생물 다양성의 중요성

내 교과서는 어디에?
천재 p.181~185 동아 p.194~197 미래엔 p.194~197
비상 p.188~192 금성 p.198~203 교학사 p.184~187 지학사 p.182~187

핵심 Point ⎯ • 생물 다양성의 의의와 중요성을 이해한다.
• 생물 다양성의 중요성에 대한 근거를 안다.

1 생물 다양성

1. **생물 다양성** 생태계에 존재하는 생물의 다양한 정도를 의미하며, 생물이 지닌 유전적 다양성, 한 지역 내에 존재하는 종 다양성, 생물이 서식하는 생태계 다양성을 모두 포함한다.

유전적 다양성	종 다양성	생태계 다양성

유전적 다양성❶	• 한 개체군을 구성하는 개체들 사이의 유전자가 다양한 정도를 의미한다. • 한 개체군에서 개체 사이의 유전적 변이와 여러 개체군 사이에서의 유전적 변이를 모두 포함한다. 예) 사람의 눈동자 색, 무당벌레 등의 무늬와 색, 들쥐의 털색, 달팽이의 껍데기 무늬와 색 등 • 환경 변화에 개체군을 적응하게 하는 다양한 원천을 제공하므로 유전적 다양성이 높은 개체군은 환경 변화에 적응하여 생존할 가능성이 크다. 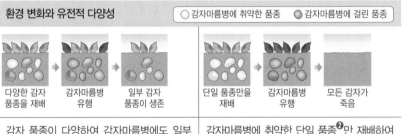 **환경 변화와 유전적 다양성**　○감자마름병에 취약한 품종　●감자마름병에 걸린 품종 다양한 감자 품종을 재배 → 감자마름병 유행 → 일부 감자 품종이 생존　／　단일 품종만을 재배 → 감자마름병 유행 → 모든 감자가 죽음 감자 품종이 다양하여 감자마름병에도 일부 품종이 생존　／　감자마름병에 취약한 단일 품종❷만 재배하여 감자마름병의 유행으로 모든 감자가 죽음 • 유전적 다양성이 높으면 환경 변화나 돌림병 등이 나타나도 살아남는 품종이 있어 종이 멸종되지 않는다. ➡ 유전적 다양성이 높으면 환경 적응력이 높아진다.
종 다양성❸	• 한 생태계에 서식하고 있는 생물종의 다양한 정도를 의미한다. • 종 다양성이 높을수록 먹이 그물이 복잡해져 생물 군집이 안정되게 유지된다. • 군집과 먹이 사슬의 구조를 유지하는 데 중요하다. • 강과 바다가 만나는 강 하구와 같이 두 생태계가 인접한 지역은 종 다양성이 높다.
생태계 다양성	• 일정한 지역에서 나타나는 생태계의 다양함을 의미한다. • 열대 우림, 온대림, 툰드라, 사막, 바다, 갯벌, 습지, 하천 등의 다양한 생태계가 존재하며, 생물과 환경의 상호 작용에 의해 생태계마다 독특한 생물 군집이 나타난다.

2. **생물 다양성의 상관 관계** 개체들 사이의 유전적 다양성이 높으면 종 다양성이 높게 유지되고, 종 다양성이 높게 유지되면 생태계 다양성이 높게 유지된다. ➡ 생물 다양성 유지에 유전적 다양성, 종 다양성, 생태계 다양성이 모두 중요한 역할을 한다.

생태계 다양성

생물 다양성 유지

종 다양성 ⎯ 유전적 다양성

▲ 생물 다양성의 상관 관계

---

❶ 유전적 다양성과 돌연변이

같은 종의 생물이라도 색, 모양, 크기 등이 다양하게 나타나는데, 이는 한 개체군의 개체들의 유전자가 다양하기 때문이다. 개체들 사이에는 유전자와 환경의 영향에 따라 여러 가지 돌연변이가 나타난다. 돌연변이는 유전자에 일어나는 변화로, 유전적 다양성을 높이는 요인 중 하나이다.

❷ 단일 품종 바나나의 멸종 위기

경제성과 생산성만을 고려하여 단일 품종의 바나나만 재배하여 바나나마름병 등의 전염병으로 인해 종 전체가 멸종할 위기에 처해 있다.

▲ 야생 바나나

❸ 종 다양성의 의미

종 다양성은 종 수(종 풍부도)와, 분포 비율의 균등함(종 균등도)을 모두 포함한다.
• 종 풍부도: 일정한 지역에 서식하는 생물종의 다양한 정도를 나타낸다.
• 종 균등도: 일정한 지역에 서식하는 생물종의 분포 비율을 나타낸다.

━━━ 용어 ━━━

▶ 유전적 변이(따를 遺, 전할 傳, 목표 的, 변할 變, 다를 異): 유전자 차이로 나타나는 변이이다.

종 다양성과 생태계 안정성

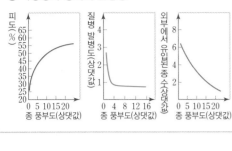

• 피도: 지표를 덮고 있는 정도를 나타내는 피도는 종 풍부도가 높으면 함께 증가한다.
• 질병 발병도: 종 풍부도가 높으면 낮아진다.
• 외부에서 유입된 종의 수: 종 풍부도가 높으면 낮게 나타난다.

셀파 콕콕

종의 수가 많고, 각 종이 균등하게 분포한 지역일수록 종 다양성이 높은 지역임을 알아 두고 종 수가 많아도 종이 균등하게 분포하고 있지 않으면 종 다양성이 낮은 지역이다.

3. **생물 다양성의 중요성** 생물 다양성은 생태계의 기능 및 평형 유지에 중요한 역할을 한다.
① 생태계 평형❹ 유지: 생물종이 다양해서 생물 다양성이 유지되는 생태계는 먹이 사슬이 복잡하게 형성되어 외부 환경에 의한 교란이 있더라도 생태계 평형을 유지할 수 있다.
② 생태계 평형이 깨지면 물질의 순환과 에너지 흐름에 이상을 초래하여 생물의 생존이 위협을 받게 되고, 쉽게 회복되지 않거나 회복 시간이 오래 걸린다.

생물 다양성과 생태계 평형

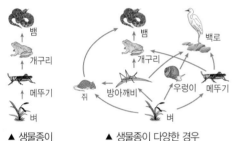

▲ 생물종이 적은 경우   ▲ 생물종이 다양한 경우

• 생물종이 적은 경우: 먹이 사슬이 단순해서 먹이 사슬 중 어떤 한 종의 생물이 사라지면 그 종을 대신할 수 있는 다른 생물이 적어 생태계 평형이 깨지기 쉽다.
• 생물종이 다양한 경우: 먹이 그물이 복잡하게 형성되어 어떤 한 종이 사라져도 다른 종의 생물이 대신하여 생태계 평형이 쉽게 깨지지 않는다.

❹ 생태계 평형

생태계를 구성하는 생물의 종류와 수가 급격히 변하지 않고 안정된 상태를 유지하는 것을 말한다.

③ 생물 자원❺으로 이용: 생물은 직접적으로 의식주, 의약품, 연료 등 필요한 각종 자원을 공급하고, 생태계의 생태적·문화적 가치는 간접적으로 사회적·심미적 가치를 제공한다.

❺ 생물 자원

인간의 삶에 이용되는 모든 생물을 의미한다. 생물 다양성이 높을수록 생물 자원이 풍부해진다.

의식주	의	목화로부터 면섬유, 양으로부터 털, 누에로부터 비단 등을 얻는다.
	식	쌀, 밀, 옥수수, 콩 등의 식량을 얻는다.
	주	나무, 풀 등으로부터 목재와 같은 주택 재료를 얻는다.
의약품		• 푸른곰팡이 → 페니실린(항생제)　• 주목 → 택솔(항암제) • 일일초 → 혈액암 치료제　• 청자고둥(바다달팽이) → 진통제
자원		• 석탄, 석유, 천연가스 등과 같은 화석 연료의 원료를 제공한다. • 종이 원료, 천연 향료나 천연 염색약, 고무 등의 원료를 제공한다.
환경 조절자		• 홍수나 산사태와 같은 자연재해를 예방하고, 적합한 기후 조건을 만드는 식물의 조절자 역할 • 오염 물질을 처리하는 습지와 해안 지역의 자연 정화 기능
휴식, 관광 자원 및 교육 활동		휴양림, 생태 관광의 자원이나, 생태 체험 학습장(습지와 갯벌) 등 교육 활동의 장소를 제공한다.

━━━ 용어 ━━━

▶ 생물 자원(날 生, 사물 物, 자본 資, 근원 源): 인간의 생활과 생산 활동에 이용되는 모든 생물을 말한다.

개념 확인하기

1 생물 다양성에는 (　　　) 다양성, (　　　) 다양성, (　　　) 다양성이 있다.
2 종 다양성이 낮을수록 생태계의 안정성은 높다. (○, ×)

답 1. 유전적, 종, 생태계 2. ×

목표 특정 지역에서의 종 다양성을 비교해 볼 수 있다.

과정

그림은 서로 다른 세 개의 군집을 구성하고 있는 식물 종을 나타낸 것이다. (단, (가)~(다)의 면적은 같다.

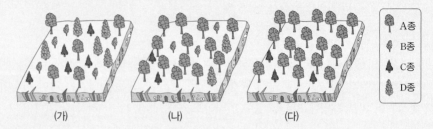

| (가) | (나) | (다) |

A종
B종
C종
D종

결과 및 정리

1. 군집 (가)~(다)의 종 수와 개체 수는?
→ 군집 (가)와 (나)의 종 수는 4종으로 서로 같고, (다)의 종의 수는 2종이다. 개체 수는 모두 20그루로 서로 같다.

2. 군집 (가)~(다)의 A~D종의 분포 비율은?
→ (가)에서 각 종의 분포 비율은 A종 25 %, B종 25 %, C종 25 %, D종 25 %
→ (나)에서 각 종의 분포 비율은 A종 65 %, B종 15 %, C종 10 %, D종 10 %
→ (다)에서 각 종의 분포 비율은 A종 85 %, B종과 D종 0 %, C종 15 %이다.

3. 어느 군집의 종 다양성이 가장 높은가?
→ (가)와 (나)는 모두 A~D 4종이 분포하여 종의 수가 같고, (다)는 A와 C 2종만 분포한다. 또, 종의 분포를 보면 (가)가 (나)보다 더 고르게 분포하고 있으므로 종 다양성은 (가)가 (나)와 (다)보다 더 높다.

유의점

❶ 종의 수가 많고, 각 종이 균등하게 분포한 지역일수록 종 다양성이 높은 지역이다.
❷ 종 다양성은 한 지역에 사는 생물종의 다양한 정도와 각 종의 개체 수가 균등한 정도를 의미하므로, 서로 다른 군집의 종 다양성을 비교할 때는 각 군집의 종의 수와 각 종의 분포 비율을 계산해서 판단하도록 한다.

탐구 돋보기

종 다양성을 비교하는 군집 사이에서 전체 종 수가 같다면 각 종의 개체 수에 차이가 적은 군집이 종 다양성이 높은 것이다.

시험 유형은?

❶ 생물 다양성의 세 가지 요소를 쓰시오.
▶ 유전적 다양성, 종 다양성, 생태계 다양성
❷ 종 다양성의 의미를 쓰시오.
▶ 특정 지역에 얼마나 많은 종이 얼마나 균등하게 분포하여 있는지를 나타내는 것이다.

탐구 대표 문제 정답과 해설 63쪽

01 그림은 두 지역 (가)와 (나)에 서식하는 식물 종을 나타낸 것이다.

○ 질경이　△ 토끼풀　◇ 민들레　☆ 억새

◇	○	◇	△	○
☆	○	☆	○	☆
△	○	☆	△	△
◇	○	△	◇	◇

○	○	○	○	○
☆	○	△	◇	○
△	◇	△	△	○
○	○	◇	○	○

(가)　　　　　　　(나)

이에 대한 설명으로 옳은 것만을 〈보기〉에서 있는 대로 고른 것은?

보기
ㄱ. 두 지역에 서식하는 식물 종의 수는 동일하다.
ㄴ. (가) 지역에서 각 종의 분포 비율은 모두 동일하다.
ㄷ. (가) 지역이 (나) 지역보다 종 다양성이 더 높다.

① ㄱ　　　　　　② ㄴ　　　　　　③ ㄱ, ㄷ
④ ㄴ, ㄷ　　　　⑤ ㄱ, ㄴ, ㄷ

기초 탄탄 문제

정답과 해설 63쪽

핵심용어_ 이 단원에서 내가 아는 것과 아직 모르는 것을 정리하며 나의 공부를 돌아보자.

☐ 개체군 　　　　☐ 군집 　　　　☐ 생태계
☐ 유전적 다양성 　☐ 종 다양성 　☐ 생태계 다양성
☐ 생태계 평형

01 생물 다양성에 대한 설명으로 옳은 것은?

① 돌연변이는 종 다양성을 높이는 요인 중 하나이다.
② 생물 다양성은 생태계 평형 유지에 중요한 역할을 한다.
③ 유전적 다양성이 높을수록 먹이 그물이 복잡하게 형성된다.
④ 두 생태계가 인접한 지역일수록 종 다양성이 상대적으로 낮게 나타난다.
⑤ 두 군집에 서식하는 종의 수가 동일하면, 각 종의 분포 비율 차이가 클수록 종 다양성이 높다.

02 그림은 생물 다양성의 세 가지 의미를 나타낸 것이다.

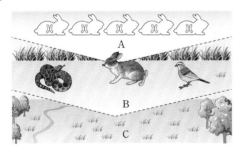

A~C에 해당하는 생물 다양성의 종류를 옳게 짝 지은 것은?

	A	B	C
①	유전적 다양성	생태계 다양성	종 다양성
②	유전적 다양성	종 다양성	생태계 다양성
③	종 다양성	생태계 다양성	유전적 다양성
④	종 다양성	유전적 다양성	생태계 다양성
⑤	생태계 다양성	종 다양성	유전적 다양성

03 유전적 다양성에 대한 설명으로 옳은 것은?

① 종 다양성 증가의 요인이 된다.
② 생물과 비생물의 다양성을 모두 포함한다.
③ 유전적 다양성이 낮은 종은 멸종될 가능성이 낮다.
④ 서식지의 환경 특성과 같은 비생물적 요인과 관련이 깊다.
⑤ 한 지역에 사는 생물종의 다양한 정도와 각 종의 개체 수가 균등한 정도를 의미한다.

04 다음은 생물 다양성의 의미를 설명한 자료이다.

(가) 서식하는 종의 수와 종의 분포 비율을 고려하여 판단한다.
(나) 생태계의 종류에 따라 서식지의 환경 특성과 생물의 종류, 생물의 상호 작용이 다양하게 나타난다.
(다) 환경 변화에 대한 개체군의 적응과 생존에 영향을 미친다.

(가)~(다)에 해당하는 생물 다양성의 의미로 가장 적절한 것은?

	(가)	(나)	(다)
①	유전적 다양성	생태계 다양성	종 다양성
②	유전적 다양성	종 다양성	생태계 다양성
③	종 다양성	생태계 다양성	유전적 다양성
④	종 다양성	유전적 다양성	생태계 다양성
⑤	생태계 다양성	종 다양성	유전적 다양성

05 생물 자원에 대한 설명으로 옳지 <u>않은</u> 것은?

① 생물 다양성은 교육 활동의 장소를 제공한다.
② 생물 자원은 인간이 생물로부터 얻는 자원이다.
③ 생물로부터 의식주, 의약품, 연료 등 필요한 각종 자원을 얻을 수 있다.
④ 버드나무 껍질, 곰팡이 등에서 추출한 원료가 의약품 합성에 이용된다.
⑤ 최상위 영양 단계의 외래종을 도입하면 종 다양성이 높아져 생물 자원이 더 풍부해진다.

내신 만점 문제

정답과 해설 64쪽

* ▮▮▮ 난이도를 나타냅니다.

 표는 생물 다양성의 의미를 설명한 것이다. (가)~(다)는 각각 유전적 다양성, 종 다양성, 생태계 다양성 중 하나이다.

구분	의미
(가)	초원, 삼림, 강, 습지 등의 다양함을 의미한다.
(나)	동일한 종에서 개체 간의 형질이 다르게 나타남을 의미한다.
(다)	어떤 생태계에 존재하는 생물의 다양한 정도를 의미한다.

이에 대한 설명으로 옳은 것만을 〈보기〉에서 있는 대로 고른 것은?

┤ 보기 ├

ㄱ. (가)는 생물적 요인과 비생물적 요인의 다양성을 모두 포함한다.

ㄴ. (나)는 여러 개체군 사이에서의 유전적 변이를 포함하지 않는다.

ㄷ. (다)가 높아지면 생태계 평형이 깨지기 쉽다.

① ㄱ ② ㄷ ③ ㄱ, ㄴ ④ ㄴ, ㄷ ⑤ ㄱ, ㄴ, ㄷ

02 그림은 어떤 무당벌레 개체군에서 개체들의 다양한 반점 무늬를 나타낸 것이다.

이에 대한 설명으로 옳은 것만을 〈보기〉에서 있는 대로 고른 것은?

┤ 보기 ├

ㄱ. 껍질의 다양한 무늬는 유전적 다양성에 해당한다.

ㄴ. 무당벌레의 다양한 무늬와 관련된 생물 다양성은 동물 종에서만 나타난다.

ㄷ. 무당벌레의 무늬가 다양해질수록 환경 변화에 적응하여 생존할 가능성이 크다.

① ㄱ ② ㄴ ③ ㄱ, ㄷ ④ ㄴ, ㄷ ⑤ ㄱ, ㄴ, ㄷ

03 그림은 생물 다양성 중 2가지 다양성 (가)와 (나)를 나타낸 것이다. (가)와 (나)는 각각 종 다양성과 생태계 다양성 중 하나이다.

(가)　　　　　　　(나)

이에 대한 설명으로 옳은 것만을 〈보기〉에서 있는 대로 고른 것은?

┤ 보기 ├

ㄱ. (가)는 지구상의 모든 지역에서 동일하다.

ㄴ. 단일 품종의 재배를 통해 (나)를 높일 수 있다.

ㄷ. 인접 지역에서 (나)가 다양할수록 (가)가 높게 나타난다.

① ㄱ ② ㄷ ③ ㄱ, ㄴ
④ ㄴ, ㄷ ⑤ ㄱ, ㄴ, ㄷ

 그림은 식물 군집 (가)와 (나)를 나타낸 것이다.

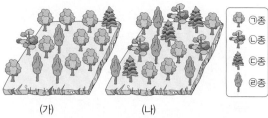

(가)　　　　　　　(나)

이에 대한 설명으로 옳은 것만을 〈보기〉에서 있는 대로 고른 것은? (단, (가)와 (나)의 면적은 같다.)

┤ 보기 ├

ㄱ. 서식하는 종의 수는 (나)가 (가)보다 많다.

ㄴ. ㄹ종의 분포 비율은 (가)와 (나)가 동일하다.

ㄷ. 종 다양성은 (나)가 (가)보다 높다.

① ㄱ ② ㄷ ③ ㄱ, ㄴ
④ ㄴ, ㄷ ⑤ ㄱ, ㄴ, ㄷ

05 그림은 두 생태계의 먹이 사슬을 나타낸 것이다.

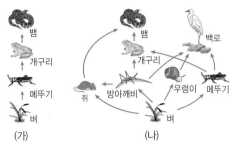

(가)   (나)

이에 대한 설명으로 옳은 것만을 〈보기〉에서 있는 대로 고른
것은?

┌─ 보기 ────────────────────────────────┐
│ ㄱ. (가)보다 (나)가 종 다양성이 높다.   │
│ ㄴ. (나)보다 (가)에서 생태계의 평형이 더 잘 유지된다.   │
│ ㄷ. 개구리가 멸종될 경우 (가)와 (나)에서 모두 뱀이   │
│   사라진다.   │
└──────────────────────────────────────┘

① ㄱ   ② ㄷ   ③ ㄱ, ㄴ
④ ㄱ, ㄷ   ⑤ ㄴ, ㄷ

06 그림은 종 풍부도에 따라 달라지는 여러 조건을 나타낸 것
이다.

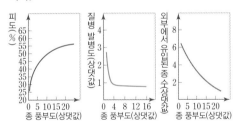

이에 대한 설명으로 옳은 것만을 〈보기〉에서 있는 대로 고른
것은?

┌─ 보기 ────────────────────────────────┐
│ ㄱ. 종 풍부도가 높으면 피도가 높아진다.   │
│ ㄴ. 종 풍부도가 높아지면 질병 발병도는 낮아진다.   │
│ ㄷ. 종 풍부도가 높은 생태계에서는 외부에서 종이 유   │
│   입되기 어렵다.   │
└──────────────────────────────────────┘

① ㄱ   ② ㄴ   ③ ㄷ
④ ㄴ, ㄷ   ⑤ ㄱ, ㄴ, ㄷ

07 그림은 감자마름병이 퍼진 경작지 (가)와 (나)를 나타낸 것이다.

○ 감자마름병에 취약한 감자 품종	⬤ 감자마름병에 걸린 감자

다양한 감자   감자마름병 유행   개량된 단일   감자마름병 유행
품종을 재배   품종만을 선택적
                              으로 재배

경작지 (가)   경작지 (나)

(1) 경작지 (가)와 (나) 중 감자마름병이 유행하고 난 후
더 많은 감자가 살아남을 것으로 예상되는 경작지를 쓰
시오.

_____

(2) (1)과 같이 생각한 까닭을 서술하시오.

_____

_____

08 표는 서로 다른 지역 (가)와 (나)에 서식하고 있는 모든 식물 종
A~F의 개체 수를 나타낸 것이다. 면적은 (나)가 (가)의 절반
이다.

지역＼종	A	B	C	D	E	F
(가)	50	30	28	33	51	60
(나)	40	30	14	0	30	0

(1) 지역 (가)와 (나)에서 밀도가 같은 종은 무엇인가?

_____

(2) (가)와 (나) 중 어느 곳의 종 다양성이 높은지 그렇게
생각한 까닭과 함께 서술하시오.

_____

_____

_____

02 생물 다양성의 보전

내 교과서는 어디에?
천재 p.186~193 동아 p.198~202 미래엔 p.198~201
비상 p.193~199 금성 p.204~207 교학사 p.188~191 지학사 p.188~191

핵심 Point
- 생물 다양성이 감소하는 원인과 사례를 안다.
- 생물 다양성을 보전할 수 있는 방안을 안다.

1 생물 다양성의 감소 원인

생물 다양성 감소의 주요 원인은 인간 활동과 관련이 있으며, 서식지 파괴와 단편화, 최근의 기후 변화가 가장 큰 원인으로 알려져 있다.

1. **서식지 파괴** 도시 개발 및 농경지 확장이나 숲의 벌채, 습지의 매립 등으로 인해 서식지가 파괴되면 생물들이 먹이 활동과 생식 활동에 제약을 받게 되므로 종 수가 감소하여 종 다양성이 감소한다.

2. **서식지 단편화** 자연적인 생물의 서식지가 도로 건설, 철도 건설 등에 의해서 나눠지는 것이다.
① 서식지가 단편화되면 서식지의 면적이 감소하고, 생물의 이동이 제한되어 고립되기 때문에 개체 수가 감소하면서 개체군이 멸종될 수 있다.
② 도로 건설 등으로 인해 서식지가 분리되면 야생 동물이 로드킬❶에 의해 죽게 된다.

| 자료 파헤치기 |

서식지 단편화로 인한 서식지 감소

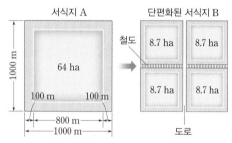

서식지 단편화와 생물 다양성

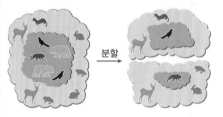

- 대부분의 생물은 서식지의 가장자리보다 내부에 서식한다.
- 서식지 A의 면적: 800 m × 800 m = 64 ha
- 단편화된 서식지 B의 면적: 8.7 ha × 4 = 34.8 ha
- 철도나 도로에 의해 서식지가 단편화되었을 때 실제 감소하는 면적은 작더라도 가장자리의 길이와 면적이 늘어나 서식지는 절반 가까이 감소하게 된다.

- 서식지가 단편화되면 가장자리의 길이와 면적은 증가하지만 내부의 면적은 절반 가까이 감소한다. 이로 인해 내부에 서식하는 종의 대부분은 멸종하기 쉽다. ➡ 생물 다양성 감소
- 도로나 철도에 의해 생물의 이동이 제한되어 생물들 간의 유전적 교류가 일어나지 않게 된다. ➡ 유전적 다양성과 생물종의 분포 비율 감소

3. **불법 포획❷과 남획❸** 야생 동물의 밀렵과 희귀 식물의 채취 등 불법 포획과 남획으로 인해 일부 종은 멸종 위기에 처해 있으며, 생태계의 먹이 사슬을 변화시켜 생물 다양성이 감소한다.
㉠ 지리산에 반달가슴곰, 무분별한 밀렵이 행해지는 코끼리와 코뿔소, 바다코끼리의 무분별한 남획, 기름과 고기를 얻기 위한 고래와 바다사자의 무분별한 포획 등

▲ 코끼리 상아

❶ 로드킬
야생 동물이 도로를 건너다가 자동차에 치여 죽는 것이다.

❷ 불법 포획
개체 수 보전을 위해 포획이 금지된 종을 포획하는 것이다.

❸ 남획
개체군의 크기가 회복되지 못할 정도로 과도하게 포획하는 것이다.

━━ 용어 ━━
▶ 단편(끊을 斷, 조각 片): 끊어지거나 쪼개진 조각이다.

4. **외래종 도입④** 유입된 외래종이 천적이 없거나 질병에 강해서 새로운 환경에 적응을 하게 되면 대량으로 번식할 수 있다. 그 결과 외래종이 고유종의 서식지를 차지하고 먹이 사슬을 변화시켜▶생태계를 교란하여 생물 다양성을 감소시키거나 생태계 평형을 파괴할 수 있다.

  ⑩ 큰입 배스, 블루길, 가시박, 뉴트리아, 돼지풀, 붉은귀거북 등

5. **환경 오염과 기후 변화**

① 인간 활동으로 인해 발생하는 쓰레기와 폐수의 증가, 비료와 농약의 남용 등이 환경 오염의 주된 원인이다.

② 대기 오염으로 인한 산성비는 하천, 호수, 토양을 산성화시켜 생태계를 파괴하고, 생물 다양성을 감소시킨다.

③ 담수나 바다에 유입된 유해 화학 물질과 중금속은 생물 농축⑤을 유발하여 생태계 평형을 깨뜨리는 요인이 된다.

④ 지구 온난화에 의한 기후 변화로 인한 생물종의 변화가 생물 다양성을 위협한다.

2 생물 다양성 보전 방안

1. 생물 다양성 보전 방안

단편화된 서식지 연결	도로, 철도 등을 건설할 때 동물들이 이동할 수 있는 생태 통로를 만들어 서식지를 연결해 줌으로써 개체의 이동을 원활하게 하여 개체군이 넓은 지역에 분포할 수 있도록 한다. ▲ 생태 통로
외래종의 도입 검증	외래종이 기존 생태계에 미치는 영향에 대해 철저히 검증한 후 도입하도록 한다.
불법 포획 및 남획 금지	멸종 위기종, 멸종 위협종⑥ 등의 희귀 생물의 불법 포획 및 남획을 금지하는 법을 제정하고 단속하도록 한다.
멸종 위기종의 보호	멸종 위험이 큰 종을 희귀종이나 멸종 위기종으로 지정하고, 멸종 위기종을 보호하기 위해 다른 지역의 개체들을 이동시키거나 인공적으로 사육하여 원래 서식지로 돌려보내도록 한다.
보호 구역 지정	생물 다양성이 보전되어야 하는 지역을 보호 구역으로 지정하여 인간의 활동으로 인한 파괴적인 영향이 미치지 않도록 한다.
종자 은행	다양한 자생종의 종자를 보관하여 생물종 멸종에 대비하고 있다.

2. **생물 다양성 보전을 위한 국제 협약** 전 세계 여러 국가가 람사르 협약이나 생물 다양성 협약⑦ 등에 가입하여 종 다양성 보전을 위해 노력하고 있다.

  • 람사르(Ramsar) 협약: 국제적으로 중요한 습지에 관한 협약으로 우리나라는 1997년 가입하였으며 창녕 우포늪, 순천만갯벌 등 총 22개의 습지가 람사르 습지로 등록되어 있다.

심화 내용 (우측 여백)

④ 외래종 도입

외래종은 본래 살고 있던 지역을 벗어나 다른 지역으로 옮겨 서식하는 종이다. 일부 외래종은 고유종과 함께 서식하며 생물 다양성을 높이는 경우도 발생한다.

⑤ 생물 농축

중금속이나 유해 화학 물질이 먹이 사슬을 따라 상위 영양 단계로 이동하면서 생물의 체내에서 분해되지 않고 농축되는 현상

⑥ 보호가 필요한 생물종

• 멸종 위기종(Endangered species): 종이 분포하는 전체 또는 상당 지역에서 멸종 위험에 처한 종이다. 국제 자연 보호 연맹에서 가까운 미래에 멸종 위험이 높은 희귀종으로 지정한 야생 생물이다.

• 멸종 위협종(Threatened species): 가까운 미래에 절멸 위기를 맞을 수 있는 종이다.

⑦ 생물 다양성 협약
(Convention on Biological Diversity, CBD)

생물 다양성 보전, 생물 다양성의 구성 요소의 지속 가능한 이용, 생물 유전 자원 관련 이익의 공평한 공유를 목적으로 한다. 우리나라는 1994년 10월에 154번째로 가입하였다.

■■■■■■ 용어 ■■■■■■

▶ **생태계 교란**(날 生, 모습 態, 맬 系, 흔들 攪, 어지럽힐 亂): 화산 분출, 지진, 화재, 홍수, 귀화종의 침입, 식물의 병이나 해충의 발생, 포식자나 인간 활동에 의한 파괴 등 여러 가지 외부 요인에 의해 생태계 평형이 파괴되는 현상이다.

개념 확인하기

1 서식지 파괴와 단편화 및 기후 변화는 (   ) 감소의 주요 원인이다.

2 서식지 면적이 넓을수록 종 다양성이 증가한다.　　　　　　(○, ×)

3 단편화된 서식지를 이어 주는 통로를 (   )라고 한다.

답 1. 생물 다양성 2. ○
3. 생태 통로

01 서식지 파괴와 생물 다양성

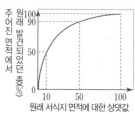

• 서식지 면적이 원래 서식지 면적의 절반이 되면 그 지역에 살던 종 수의 10 %가 감소한다.

• 서식지 면적이 원래 서식지 면적의 10 %로 감소하면 그 지역에 살던 종 수의 50 %가 감소한다.

→ 원래 서식지의 보존 면적이 넓을수록 발견되는 종이 증가하는 것으로 보아 서식지 면적이 넓을수록 종 다양성이 증가한다. 따라서 생물 다양성을 유지하기 위해 서식지 단편화를 일으키는 사람의 활동을 줄여야 한다.

+ Plus 자료

서식지가 단편화되었을 때 실제 감소되는 면적이 작다고 하더라도 가장자리의 길이와 면적이 늘어나고 중심 부위의 면적이 크게 감소하게 되므로 숲 속에서 살아가는 생물의 경우에는 서식지 면적이 절반 가까이 줄어들게 된다.

02 서식지 파괴와 생물 다양성

(가)~(다)와 같은 이끼 서식지를 만들고, 6개월 후 이끼 밑에 서식하는 소형 동물의 종 수 변화를 조사한다.

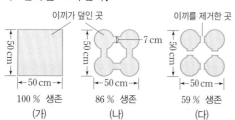

• (가) → (나)와 (다)로 변할 때 이끼 서식지 크기가 (가)에 비해 감소하였기 때문에 소형 동물의 종 수가 감소한다.

• (나)와 (다)에서 서식하는 소형 동물의 종 수가 다른 이유: (나)는 (가)에 비해 서식지 크기가 감소하였지만 서식지가 단편화되지 않아 이끼 제거로 서식지가 단편화된 (다)에 비해 종 다양성 감소가 적게 일어났다.

+ Plus 문제

Q 자연적인 생물의 서식지가 도로 건설, 철도 건설 등 인간의 개발에 의해서 나눠지는 것을 무엇이라고 하는가?

A 서식지 단편화

Q 생물 다양성 감소의 주된 원인을 쓰시오.

A 서식지 파괴와 단편화, 기후 변화

03 우리 학교 주변의 식물 다양성(자생 식물 및 귀화 식물 조사)

학교 배치도를 그린 후 학교 근처에 분포하는 식물 분포도를 작성한다.

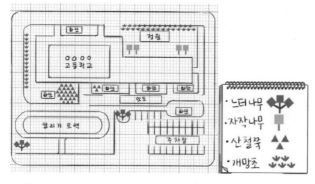

• 학교 화단에서 발견된 식물: 느티나무, 자작나무, 산철쭉, 개망초

• 학교 화단에서 발견된 식물 중 자생 식물: 느티나무, 자작나무, 산철쭉

• 학교 화단에서 발견된 식물 중 귀화 식물: 개망초

• 귀화 식물: 귀화 식물은 외래종의 일종으로, 인위적 또는 자연적으로 들어와서 자연 생태계에 도태되지 않고 자력으로 토착하여 나름대로 공존하면서 살아가는 식물이다.

+ Plus 문제

Q 화단에서 발견된 식물 중 개망초와 같이 다른 지역에서 들어와 자력으로 토착하여 살아가는 식물을 무엇이라고 하는가?

A 귀화 식물

기초 탄탄 문제

정답과 해설 65쪽

핵심용어_ 이 단원에서 내가 아는 것과 아직 모르는 것을 정리하며 나의 공부를 돌아보자.

□ 남획 □ 외래종 □ 불법 포획
□ 서식지 단편화 □ 생태 통로 □ 서식지 보전
□ 종자 은행

01 생물 다양성을 감소시키는 요인에 해당하지 <u>않는</u> 것은?

① 환경 오염
② 불법 포획
③ 지구 온난화
④ 보호 구역 지정
⑤ 서식지 단편화

02 다음은 생물 다양성 감소 요인에 대한 자료이다.

> (가) 대규모의 서식지를 소규모로 분할하는 것이다.
> (나) 대기 중의 이산화 탄소의 증가로 나타나는 기후 변화이다.
> (다) 개체군이 회복할 수 없을 정도로 과도하게 포획하는 것이다.

(가)~(다)에 해당하는 생물 다양성 감소 요인으로 가장 적절한 것은?

	(가)	(나)	(다)
①	서식지 단편화	지구 온난화	불법 포획
②	서식지 단편화	지구 온난화	남획
③	서식지 파괴	환경오염	외래종 도입
④	서식지 파괴	환경오염	남획
⑤	도시 개발	산업 활동	불법 포획

03 생물 다양성의 감소와 보전 방법에 대한 설명으로 옳지 <u>않은</u> 것은?

① 생물 다양성 감소의 가장 큰 원인은 서식지 파괴이다.
② 천적이 없는 외래종의 유입은 고유종 위협과 생태계 교란의 원인이 될 수 있다.
③ 멸종 위기종을 보호하기 위해 보호 구역을 설치하면 생물 다양성을 보전할 수 있다.
④ 식물 자원을 연구하고 보존하기 위해 다양한 식물 종자를 보관하는 종자 은행이 있다.
⑤ 단편화된 서식지를 생태 통로로 연결하면 유전자 교란이 일어나 생물 다양성이 감소한다.

04 생물 다양성의 감소와 보전에 대한 설명으로 옳지 <u>않은</u> 것은?

① 생물 다양성의 감소로 생태계가 파괴될 수 있다.
② 한 지역에서의 생태계 파괴는 이웃한 다른 생태계의 파괴로 연결될 수 있다.
③ 멸종 위기종을 보호하기 위해 다른 지역의 개체들을 이동시키기도 한다.
④ 생물 서식지는 소규모로 나누어 관리하는 것이 생물 다양성 유지에 효과적이다.
⑤ 도로나 철도를 건설할 때 산을 절개하기보다 터널을 만들거나 통로를 만들어야 한다.

05 다음은 생물 다양성의 보전에 대한 학생 A~C의 의견이다.

생물 다양성을 높이기 위해 포식자가 없는 외래종을 생태계에 도입해야 해. A

생태적으로 보전 가치가 있는 지역은 국립 공원으로 지정, 관리하는 것이 좋아. B

멸종 위기에 처한 종과 보전 가치가 있는 종은 천연기념물로 지정하여 보호해야 해. C

제시한 의견이 옳은 학생만을 있는 대로 고른 것은?

① A ② B ③ A, C
④ B, C ⑤ A, B, C

내신 만점 문제

정답과 해설 65쪽

* ▮▮▮ 난이도를 나타냅니다.

01 서식지 단편화에 대한 설명으로 옳은 것만을 〈보기〉에서 있는 대로 고른 것은?

┤ 보기 ├
ㄱ. 서식지 단편화는 생물의 유전자 교류가 차단되는 원인 중 하나이다.
ㄴ. 서식지 단편화에 의해 서식지 면적이 감소하면 생물 다양성이 감소한다.
ㄷ. 서식지가 단편화되면 서식지의 가장자리 면적과 내부 면적이 모두 감소한다.

① ㄱ   ② ㄷ   ③ ㄱ, ㄴ
④ ㄴ, ㄷ   ⑤ ㄱ, ㄴ, ㄷ

02 표는 생물 다양성의 감소 요인에 대한 특성을 나타낸 것이다. (가)와 (나)는 각각 서식지 단편화와 불법 포획 중 하나이다.

요인	특성
(가)	포획이 금지된 종을 포획하는 것
서식지 파괴	㉠
(나)	큰 서식지가 작은 서식지로 나뉘는 것

이에 대한 설명으로 옳은 것만을 〈보기〉에서 있는 대로 고른 것은?

┤ 보기 ├
ㄱ. (가)는 불법 포획이다.
ㄴ. ㉠은 '생물 다양성 감소의 가장 큰 원인 중 하나이다.'가 될 수 있다.
ㄷ. 생태 통로 설치는 (나)에 의한 생물 다양성의 감소를 줄일 수 있는 방법 중 하나이다.

① ㄱ   ② ㄷ   ③ ㄱ, ㄴ
④ ㄴ, ㄷ   ⑤ ㄱ, ㄴ, ㄷ

03 그림은 생물의 서식지에 철도나 도로가 건설되면서 일어나는 서식지의 변화를 나타낸 것이다.

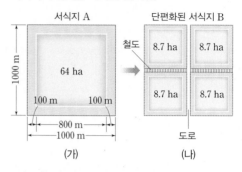

이에 대한 설명으로 옳은 것만을 〈보기〉에서 있는 대로 고른 것은?

┤ 보기 ├
ㄱ. (가)보다 (나)의 가장자리 면적이 더 크다.
ㄴ. (가)의 서식지 면적은 (나)의 두 배 이상이다.
ㄷ. (가)보다 (나)에서 종 다양성이 더 높게 나타난다.
ㄹ. (가)에서 (나)로 되는 과정은 서식지 단편화이다.

① ㄴ   ② ㄱ, ㄹ   ③ ㄴ, ㄷ
④ ㄷ, ㄹ   ⑤ ㄱ, ㄴ, ㄹ

04 그림은 생물 다양성 보전 방안 중 하나를 나타낸 것이다.

이에 대한 설명으로 옳은 것만을 〈보기〉에서 있는 대로 고른 것은?

┤ 보기 ├
ㄱ. 야생 동물의 로드킬을 방지할 수 있다.
ㄴ. 산을 통과하는 도로를 건설할 때 터널을 설계하는 것도 동일한 효과를 얻을 수 있다.
ㄷ. 서식지 단편화로 인한 생물 다양성 감소를 줄일 수 있는 방안이다.

① ㄱ   ② ㄷ   ③ ㄱ, ㄴ
④ ㄴ, ㄷ   ⑤ ㄱ, ㄴ, ㄷ

05 다음은 황소개구리에 대한 설명이다.

> 농가 소득을 위해 의도적으로 들여온 ㉠황소개구리는 어마어마한 식욕으로 우리나라 생태계를 쑥대밭으로 만들었다. 황소개구리는 물고기, 개구리, 곤충, 파충류 등을 먹는 육식성으로, 한동안 천적이 없어 급속히 번식하면서 우리나라 생태계를 파괴하며 ㉡생물 다양성을 감소시켰다. 현재 너구리와 뱀 등 여러 천적이 생기고, 주 서식지가 파괴되면서 개체 수가 많이 줄어들었다.

이에 대한 설명으로 옳은 것만을 〈보기〉에서 있는 대로 고른 것은?

┤ 보기 ├
ㄱ. ㉠은 멸종 위기종이다.
ㄴ. 종 다양성은 ㉡에 해당한다.
ㄷ. 천적이 없는 새로운 종이 유입되면 고유종이 위협을 받을 수 있다.

① ㄱ   ② ㄴ   ③ ㄱ, ㄷ
④ ㄴ, ㄷ   ⑤ ㄱ, ㄴ, ㄷ

06 생물 다양성의 감소와 보전에 대한 내용으로 옳은 것만을 〈보기〉에서 있는 대로 고른 것은?

> ㄱ. 개체군의 크기가 회복될 수 없을 정도로 과도하게 포획하는 것을 불법 포획이라고 한다.
> ㄴ. 멸종 위기에 놓인 종을 보호하기 위해 인공적으로 사육하여 원래 서식지로 돌려보내기도 한다.
> ㄷ. 모든 외래종은 새로운 환경에 적응하면서 기존에 서식하던 고유종을 위협하고 생태계를 교란시켜 생물 다양성을 감소시킨다.

① ㄱ   ② ㄴ   ③ ㄱ, ㄷ
④ ㄴ, ㄷ   ⑤ ㄱ, ㄴ, ㄷ

서술형 문제

07 그림은 대규모 서식지가 소규모 서식지는 서식지 단편화를 나타낸 것이다.

● 서식지 내부   ● 서식지 가장자리

(1) 서식지 단편화가 일어날 때 서식지 내부와 서식지 가장자리의 면적 변화에 대해 서술하시오.

_____

_____

(2) 위와 같은 서식지 단편화가 개체군에 미치는 영향을 두 가지 서술하시오.

_____

_____

08 그림은 동일 지역의 생태계에서 환경 변화 ㉠에 따른 생물적 요인의 변화를 나타낸 것이다.

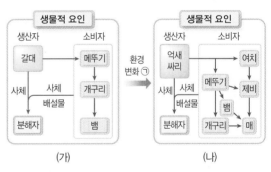

(가)   (나)

(1) (가)와 (나) 중 환경 변화에 유리한 생태계를 쓰시오.

_____

(2) (1)과 같이 생각한 까닭을 서술하시오.

_____

_____

_____

1. 생물 다양성

생물 다양성은 생태계에 존재하는 생물의 다양한 정도를 의미한다.

▲ 유전적 다양성　　▲ 종 다양성　　▲ 생태계 다양성

유전적 다양성	• 동일한 생물종이라도 형질이 각 개체 간에 다르게 나타나는 것을 의미한다. 예 사람의 눈동자 색, 기린의 무늬 모양, 무당벌레 등의 무늬와 색, 들쥐의 털색, 달팽이의 껍데기 무늬와 색 등
종 다양성	• 어떤 생태계에 존재하는 생물 종의 다양한 정도를 의미한다. • 종의 수가 많을수록, 종의 개체수가 균등할수록 종 다양성이 높다.
생태계 다양성	• 생태계가 다양하게 형성되는 것을 의미한다. • 서로 다른 생태계가 인접한 지역에서는 두 생태계의 자원을 모두 이용하여 살아가는 생물 종들이 출현하기 때문에 종 다양성이 상대적으로 높게 나타난다. 예 사막, 초원, 삼림, 강, 습지 등

2. 생물 다양성의 중요성

① 생태계 평형 유지

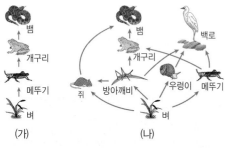

(가)　　　　　(나)

• 서식하는 생물종이 적은 경우(가): 먹이 사슬이 단순하므로 어떤 한 종의 생물이 사라지면 그 종을 대체할 수 있는 생물이 적기 때문에 생태계 평형이 깨지기 쉽다.

• 서식하는 생물종이 다양한 경우(나): 먹이 사슬이 복잡하고 다양하게 형성되어 어떤 한 종이 사라지더라도 다른 종이 대체할 수 있기 때문에 생태계 평형이 쉽게 깨지지 않는다.

② 생물 자원

• 인간의 생활과 생산 활동에 이용하기 위해 인간이 생물로부터 얻는 모든 자원을 생물 자원이라고 한다.

• 인간은 생물로부터 의식주, 의약품, 연료 등의 여러 가지 자원을 얻으며, 다양한 생태계는 인간에게 생태적·문화적·심미적 가치를 제공한다.

3. 생물 다양성의 감소 원인

서식지 파괴 및 단편화	• 과도한 개발로 생물의 서식지가 파괴되면 생물 다양성이 감소한다. • 도로, 철도 등의 건설로 하나의 생태계가 여러 개로 분할되어 단편화되면 생물의 이동 및 자원 획득 범위 등이 줄어들어 생물 다양성이 감소한다. 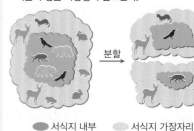 ● 서식지 내부　● 서식지 가장자리
외래종의 도입	• 외래종이 천적이 없는 새로운 환경에 적응하여 대량으로 번식하면 고유종이 감소하고, 생태계 평형이 깨져 생물 다양성이 감소한다.
불법 포획과 남획	• 멸종 위기종의 보호 등으로 포획이 금지된 종을 불법으로 포획하거나 개체군의 크기가 회복하지 못할 정도로 과도하게 생물을 포획하면 종이 멸종되거나 멸종될 가능성이 높아진다.
환경 오염과 기후 변화	인간의 활동으로 인한 환경 오염이나 기후 변화도 생물 다양성 감소의 원인이 된다.

4. 생물 다양성의 보전 방안

단편화된 서식지 연결	도로, 철도 등을 건설할 때 동물들이 이동할 수 있는 생태 통로를 만들어 서식지를 연결해 줌으로써 개체의 이동을 원활하게 하여 개체군이 넓은 지역에 분포할 수 있도록 한다.  ▲ 생태 통로
외래종의 도입 검증	외래종이 기존 생태계에 미치는 영향에 대해 철저히 검증한 후 도입하도록 한다.
불법 포획과 남획 금지	희귀 생물의 불법 포획 및 남획을 금지하는 법을 제정하고 단속하도록 한다.
멸종 위기 생물의 보호	멸종 위험이 큰 종을 희귀종이나 멸종 위기종으로 지정하고, 멸종 위기종을 보호하기 위해 다른 지역의 개체들을 이동시키거나 인공적으로 사육하여 원래 서식지로 돌려보내도록 한다.
보호 구역 지정	생물 다양성이 보전되어야 하는 지역을 보호 구역으로 지정하여 인간의 활동으로 인한 파괴적인 영향이 미치지 않도록 한다.

단원 마무리하기

학교 시험에 꼭 나오는 문제를 모았어요. 꼼꼼하게 풀어봐요~

01 그림은 생물 다양성의 세 가지 요소를 나타낸 것이다.

(가)   (나)   (다)

이에 대한 설명으로 옳은 것만을 〈보기〉에서 있는 대로 고른 것은?

┤ 보기 ├

ㄱ. (가)는 한 생태계 내에 존재하는 생물 군집의 다양한 정도를 의미한다.

ㄴ. (나)가 높을수록 생태계가 안정적으로 유지된다.

ㄷ. (다)가 높을수록 환경이 급격하게 변화하여도 개체군이 사라지지 않고 유지될 수 있다.

① ㄱ   ② ㄴ   ③ ㄷ

④ ㄱ, ㄴ   ⑤ ㄴ, ㄷ

02 그림 (가)는 원산지에 서식하던 다양한 종류의 조류가 주변의 섬으로 이동하여 분포된 양상을, (나)는 섬의 면적에 따른 조류의 종 수를 나타낸 것이다.

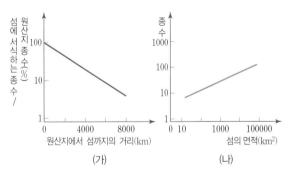

(가)   (나)

이에 대한 설명으로 옳은 것만을 〈보기〉에서 있는 대로 고른 것은?

┤ 보기 ├

ㄱ. 섬에 서식하는 조류의 종 수는 원산지로부터 멀어질수록 감소한다.

ㄴ. 섬의 면적이 작을수록 종 다양성이 낮다.

ㄷ. 원산지로부터의 거리가 같을 때 생태계의 안정성은 섬의 면적이 10000일 때가 1000일 때보다 높다.

① ㄱ   ② ㄷ   ③ ㄱ, ㄴ

④ ㄴ, ㄷ   ⑤ ㄱ, ㄴ, ㄷ

03 표는 생물 다양성 중 2가지 다양성의 의미를 설명한 것이고, 그림은 위도에 따라 서식하고 있는 생물종의 수를 나타낸 것이다. 조사 지역의 크기는 동일하고 각 지역에서 생물종의 분포는 고르다.

구분	특징	
(가)	한 종에서 유전자가 다양한 것	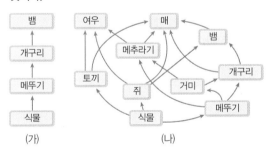
(나)	한 생태계에서 서식하는 종의 다양한 정도	

이에 대한 설명으로 옳은 것만을 〈보기〉에서 있는 대로 고른 것은?

┤ 보기 ├

ㄱ. 위도에 따라 각 지역에 서식하는 생물종의 수가 다른 것은 (나)에 해당한다.

ㄴ. 고위도로 갈수록 종 다양성이 증가한다.

ㄷ. 남극보다 적도의 생태계가 더 안정적으로 유지된다.

① ㄱ   ② ㄴ   ③ ㄱ, ㄷ   ④ ㄴ, ㄷ   ⑤ ㄱ, ㄴ, ㄷ

04 그림은 두 종류의 생태계 (가)와 (나)의 먹이 사슬을 나타낸 것이다.

뱀 ← 개구리 ← 메뚜기 ← 식물

(가)   (나)

이에 대한 설명으로 옳은 것만을 〈보기〉에서 있는 대로 고른 것은?

┤ 보기 ├

ㄱ. 생물 다양성의 모든 측면을 보여주고 있다.

ㄴ. 개구리가 멸종될 경우 (가), (나) 두 생태계에 미치는 영향은 같다.

ㄷ. 종 다양성이 높으면 먹이 그물이 복잡해진다.

① ㄴ   ② ㄷ   ③ ㄱ, ㄴ   ④ ㄱ, ㄷ   ⑤ ㄱ, ㄴ, ㄷ

05 표는 바닷가 갯바위 A에는 불가사리를 계속 그대로 두고, B에는 지속적으로 불가사리를 제거하며 2년마다 A와 B에 서식하는 생물종의 수를 조사하여 나타낸 것이다.

장소＼시기	처음	2년 후	4년 후	6년 후	8년 후
A	16	17	18	19	20
B	16	6	5	3	2

이에 대한 설명으로 옳은 것만을 〈보기〉에서 있는 대로 고른 것은? (단, A와 B에서 불가사리를 제외한 나머지 환경 조건은 동일한 것으로 가정한다.)

보기
ㄱ. 8년 후 종 다양성은 B보다 A에서 높다.
ㄴ. 갯바위에서 불가사리가 제거되면 종 다양성은 감소한다.
ㄷ. B보다 A의 생태계가 더 안정적으로 유지된다.

① ㄱ   ② ㄷ   ③ ㄱ, ㄴ
④ ㄴ, ㄷ   ⑤ ㄱ, ㄴ, ㄷ

06 그림은 어떤 종의 개체군 크기에 따른 유전자 변이의 수를 나타낸 것이다. 이에 대한 설명으로 옳은 것만을 〈보기〉에서 있는 대로 고른 것은?

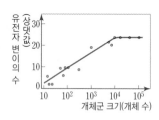

보기
ㄱ. 개체군의 크기에 따른 유전자 변이의 수 변화는 생물 다양성 중 유전적 다양성에 해당한다.
ㄴ. 환경 변화에 대한 적응력은 개체군의 크기가 10^2일 때가 10^5일 때보다 높다.
ㄷ. 종 다양성은 개체군의 크기가 10^4일 때가 10^3일 때보다 높다.

① ㄱ   ② ㄴ   ③ ㄱ, ㄷ
④ ㄴ, ㄷ   ⑤ ㄱ, ㄴ, ㄷ

07 생물 다양성 감소의 원인으로 옳은 것만을 〈보기〉에서 있는 대로 고른 것은?

보기
ㄱ. 남획   ㄴ. 서식지 단편화
ㄷ. 종자 은행   ㄹ. 외래종의 도입

① ㄱ, ㄷ   ② ㄱ, ㄹ   ③ ㄴ, ㄹ
④ ㄱ, ㄴ, ㄹ   ⑤ ㄴ, ㄷ, ㄹ

08 그림은 (가)와 (나) 지역에 분포하는 식물들을 조사한 것이다.

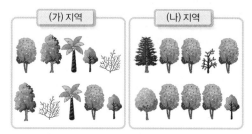

이에 대한 설명으로 옳은 것만을 〈보기〉에서 있는 대로 고른 것은?

보기
ㄱ. 종 다양성은 생물종 수와 분포 비율을 모두 포함한 개념이다.
ㄴ. (가)보다 (나) 지역이 더 다양한 생물들의 서식지가 될 수 있다.
ㄷ. (가)와 (나)에 분포하는 식물의 전체 개체 수는 동일하므로 (가)와 (나)의 종 다양성은 같다.

① ㄱ   ② ㄴ   ③ ㄷ   ④ ㄱ, ㄷ   ⑤ ㄴ, ㄷ

| 서술형 |

09 그림은 보존되는 면적에 따라 기존 종 중 살아남은 종의 비율을 나타낸 것이다.
그림을 통해 알 수 있는 사실을 제시된 단어를 모두 이용하여 서술하시오.

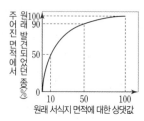

생물종의 수   서식지 면적   생물 다양성

10 그림은 바위에 덮인 이끼층을 그림과 같이 나눈 다음, 6개월 후에 이끼 밑에 서식하는 소형 동물의 종 수 변화를 나타낸 것이다. (나)와 (다)에서의 종 수 변화는 (가)에서 관찰하는 종 수에 대한 상대적인 비율이다.

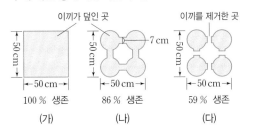

이에 대한 설명으로 옳은 것만을 〈보기〉에서 있는 대로 고른 것은?

┤ 보기 ├
ㄱ. 종 다양성은 (가)＞(나)＞(다) 순서이다.
ㄴ. 서식지 단편화는 종 다양성을 감소시킨다.
ㄷ. 산에 도로를 만들 때 산을 절개하기보다는 터널이나 고가도로를 만들어야 한다.

① ㄱ ② ㄴ ③ ㄱ, ㄷ ④ ㄴ, ㄷ ⑤ ㄱ, ㄴ, ㄷ

11 다음의 (가)~(다)는 각각 서식지 단편화, 기후 변화, 외래종에 대한 설명 중 하나이다.

(가) 인간의 산업 활동으로 기후 변화가 일어나 생물 다양성이 감소된다.
(나) 원래 서식지에 없던 생물이 유입되어 생태계가 교란될 수 있다.
(다) 서식지가 소규모로 나눠지면 생물들이 이동이 제한되어 고립된다.

이에 대한 설명으로 옳은 것만을 〈보기〉에서 있는 대로 고른 것은?

┤ 보기 ├
ㄱ. (가)의 예로 대기 중의 이산화 탄소가 증가되어 나타나는 지구 온난화를 들 수 있다.
ㄴ. (나)에서 유입된 생물 중 하나는 가시박이다.
ㄷ. (다)에 의해 생물들이 특정 지역에 고립되어 생물들 간의 유전자 교류가 원활해진다.

① ㄱ ② ㄷ ③ ㄱ, ㄴ ④ ㄴ, ㄷ ⑤ ㄱ, ㄴ, ㄷ

12 그림은 서식지가 분할되었을 때 나타나는 생물 종 A~F의 분포를 나타낸 것이다.

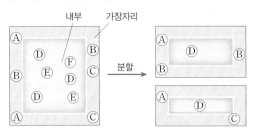

이에 대한 설명으로 옳은 것만을 〈보기〉에서 있는 대로 고른 것은? (단, A~F의 위치는 생물의 분포 지역을 나타내고, 제시된 생물 종만 고려한다.)

┤ 보기 ├
ㄱ. 서식지 분할은 생물 다양성을 감소시킨다.
ㄴ. 서식지가 분할되면 $\dfrac{\text{내부 면적}}{\text{가장자리 면적}}$ 의 값이 증가한다.
ㄷ. 서식지가 분할되면 내부보다 가장자리에 서식하는 종이 더 많이 감소한다.

① ㄱ ② ㄴ ③ ㄱ, ㄷ ④ ㄴ, ㄷ ⑤ ㄱ, ㄴ, ㄷ

13 그림 (가)는 서식지 면적에 따른 새의 종 수를, (나)는 보존되는 면적에 따라 기존 종 중 살아남은 종의 비율을 나타낸 것이다.

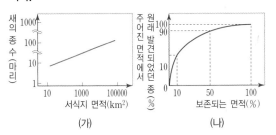

이에 대한 설명으로 옳은 것만을 〈보기〉에서 있는 대로 고른 것은?

┤ 보기 ├
ㄱ. 서식지 면적이 클수록 새의 종 다양성이 증가한다.
ㄴ. 서식지 면적이 50 % 감소하면 그 지역에서 살던 종의 90 %가 감소한다.
ㄷ. 보존되는 면적이 감소할수록 새의 멸종 가능성이 높아진다.

① ㄱ ② ㄴ ③ ㄱ, ㄷ ④ ㄴ, ㄷ ⑤ ㄱ, ㄴ, ㄷ

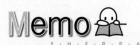

● 수험생에게 고 단 백 이란?

두렵지 않은 1교시

고효율 단기 학습

최신 출제 경향 반영

수능 국어 등급 상승

고효율 학습 단 기간에 빠르게 백 전백승

선택과 집중!
수능 단기 특강서

기본편 / 문학 / 현대시 / 고전시가 /
독서 / 언어와 매체 / 화법과 작문 /
고난도 독서·문학

실전 대비!
미니 모의고사

문학 / 독서 / 언어와 매체 /
화법과 작문

Sherpa

Sherpa

생명과학 I

강희정·권태현·김대준·문태주·이재경·현원석

BOOK 1

개념 기본서 | **정답과 해설**

천재교육

I 생명 과학의 이해

1. 생명 과학의 이해

01 | 생물의 특성

탐구 대표 문제
p. 013

01 ③　　**02** A: 머리, B: DNA(핵산), C: 꼬리

01 **오답 피하기**

강아지는 세포로 구성되어 있고 세포 분열을 통해 생장하지만, 강아지 로봇은 여러 부품으로 이루어져 있고 생장하지 않는다.

02 박테리오파지는 DNA(핵산)가 들어 있는 머리와 6개의 꼬리로 구성되어 있다.

문제 속 자료	**바이러스의 일반적인 특징**

• 바이러스의 크기: 10~100 nm 정도로 세균보다 크기가 훨씬 작다.
• 바이러스의 구성: 핵산(DNA 또는 RNA)과 단백질로 구성된다.
• 바이러스의 특장: 생물적 특성과 비생물적 특성을 모두 가지고 있다.

기초 탄탄 문제
p. 014

01 ③　**02** ⑤　**03** ④　**04** ②　**05** ④　**06** ⑤

01 생물의 특성에는 세포로 구성, 물질대사, 자극에 대한 반응, 생식과 유전, 발생과 생장, 항상성, 적응과 진화가 있다.

오답 피하기

③ 발생과 생장 모두 생명 현상의 특성이다.

02 물질대사는 효소에 의해 진행되는 생체 내 화학 반응으로 에너지 출입이 따르며, 동화 작용과 이화 작용으로 구분할 수 있다.

오답 피하기

⑤ 더우면 땀이 나는 현상은 일정한 체온을 유지하기 위한 것이므로 항상성의 예이다.

03 생물은 세포로 이루어져 있으며 세포 하나가 개체인 단세포 생물과 많은 수의 세포로 이루어진 다세포 생물로 구분할 수 있다. 아메바, 짚신벌레, 대장균은 단세포 생물이며, 개나리는 다세포 생물이다.

오답 피하기

④ 박테리오파지는 바이러스로 생물과 비생물의 중간 형태이며, 세포 구조가 아닌 핵산과 단백질로 이루어져 있다.

04 항상성은 외부 환경이 변하여도 생물체 내의 상태가 일정하게 유지되는 것을 말하며, 내분비계와 신경계의 작용을 통해 조절된다.

오답 피하기

①은 물질대사, ③은 적응, ④는 생장, ⑤의 광합성과 세포 호흡은 물질대사의 예이다.

05 생물이 환경에 적합하게 몸의 구조와 기능, 형태, 습성 등이 변화하는 현상은 적응이며, 그로 인해 집단의 유전적 구성이 변화하여 새로운 종이 나타나는 과정은 진화이다.

06 (가)는 바이러스, (나)는 대장균, (다)는 동물 세포이다.

오답 피하기

① 바이러스(가)는 스스로 물질대사를 할 수 없다.
②, ③ (가)는 바이러스, (나)는 대장균이다.
④ 바이러스(가)는 세포로 되어 있지 않고, 단백질 껍질 속에 핵산이 들어 있다.

내신 만점 문제
p. 015~017

01 ⑤　**02** ②　**03** ④　**04** ①　**05** ⑤　**06** ①
07 ④　**08** ④　**09** ③　**10** ①　**11~12** 해설 참조

01 (가)는 단세포 생물, (나)는 다세포 생물로 모두 세포로 이루어져 있고, 물질대사가 가능하다.

오답 피하기

ㄴ. 일반적으로 (가)는 무성 생식으로 동일한 유전자를 가진 자손을 만들고, (나)는 유성 생식으로 다양한 유전자를 가진 자손을 만든다.

02 개체 유지에 관계된 생물의 특성은 세포로 구성, 물질대사, 발생과 생장, 자극에 대한 반응과 항상성이다. 종족 유지에 관계된 생물의 특성은 생식과 유전, 적응과 진화이다.

03 이 실험은 생물의 특성 중 물질대사를 통해 생명체의 존재를 확인하려는 것이다. (가)는 동화 작용, (나)는 이화 작용을 확인하는 것으로, 만약 화성 토양에 생명체가 있다면 (가)와 (나)에서 방사성 기체가 검출될 것이다.

ㄷ. 미모사의 잎을 건드리면 잎이 접히는 현상은 자극에 대한 반응에 해당한다. 동화 작용(가)은 물질대사의 예이다.

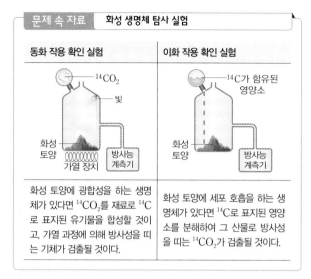

문제 속 자료 | **화성 생명체 탐사 실험**

동화 작용 확인 실험	이화 작용 확인 실험
화성 토양에 광합성을 하는 생명체가 있다면 $^{14}CO_2$를 재료로 ^{14}C로 표지된 유기물을 합성할 것이고, 가열 과정에 의해 방사성을 띠는 기체가 검출될 것이다.	화성 토양에 세포 호흡을 하는 생명체가 있다면 ^{14}C로 표지된 영양소를 분해하여 그 산물로 방사성을 띠는 $^{14}CO_2$가 검출될 것이다.

04 밝기에 따라 고양이의 동공 크기가 달라지는 것은 빛이라는 외부 자극에 대한 반응의 예이다.

②는 항상성의 예, ③은 물질대사의 예, ④와 ⑤는 적응과 진화의 예이다.

05 ㉠은 물질대사 중 동화 작용에 해당하며, ㉡은 적응과 진화의 예이다. 생물의 특성은 개체 유지에 필요한 특성과 종족 유지에 필요한 특성으로 나눌 수 있는데, 개체를 유지하는 데 필요한 특성은 세포로 구성, 물질대사, 발생과 생장, 자극에 대한 반응과 항상성이고, 종족을 유지하는 데 필요한 특성은 생식과 유전, 적응과 진화이다. 사막에 사는 캥거루쥐가 진한 오줌을 하루에 한두 번만 배설하도록 콩팥 기능이 발달한 것은 물이 없는 사막 환경에 적응하여 진화한 예이다.

ㄴ. ㉠은 개체 유지, ㉡은 종족 유지와 관계된 생물의 특성이다.

06 ㉠은 이화 작용으로 효소에 의해 진행되는 물질대사이다.

ㄴ. ㉠은 개체를 유지하기 위한 생물의 특성에 해당한다.

ㄷ. 바이러스가 살아 있는 숙주 세포 내에서 증식하는 과정에서 많은 변종 바이러스가 형성되는 현상은 적응 및 진화와 관계 깊은 생물의 특성이다.

07 그림은 먹이의 종류나 서식지에 따라 새의 발 모양이 달라진 것으로, 이는 적응과 진화에 관한 예이다.

ㄴ. 식물을 넣은 유리 상자에 빛을 비추면 상자 내의 산소 농도가 높아지는 것은 광합성을 했기 때문이므로 이는 물질대사에 해당한다.

08 바이러스는 생물과 비생물의 중간 형태로 바이러스의 생물적 특성에는 '핵산이 있음, 살아 있는 숙주 세포 내에서 물질대사와 증식 가능, 돌연변이 발생' 등이 있으며, 비생물적 특성으로는 '핵산과 단백질로 이루어진 비세포 구조, 효소가 없어 독자적인 물질대사를 할 수 없음' 등이 있다.

09 바이러스는 생물과 비생물의 중간 형태로 생물적 특성과 비생물적 특성을 모두 가진다.

③ 숙주 세포 내에서 증식하는 과정에서 변종 바이러스가 발생하며 이는 적응과 진화의 예이다.

① 바이러스는 단백질과 핵산으로 구성되어 있으며, 생물과 비생물의 중간 형태이므로 생물에 해당하지 않는다.

② 모두 동물 세포에 기생하는 바이러스이다.

④ 바이러스는 효소가 없어 독자적인 물질대사를 하지 못하고 숙주 세포의 효소를 이용하여 물질대사와 증식을 한다.

⑤ 바이러스는 핵산만을 숙주 세포 안으로 침투시켜 증식한다.

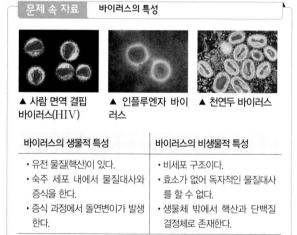

문제 속 자료 | **바이러스의 특성**

▲ 사람 면역 결핍 바이러스(HIV)　　▲ 인플루엔자 바이러스　　▲ 천연두 바이러스

바이러스의 생물적 특성	바이러스의 비생물적 특성
• 유전 물질(핵산)이 있다. • 숙주 세포 내에서 물질대사와 증식을 한다. • 증식 과정에서 돌연변이가 발생한다.	• 비세포 구조이다. • 효소가 없어 독자적인 물질대사를 할 수 없다. • 생물체 밖에서 핵산과 단백질 결정체로 존재한다.

10 바이러스는 단백질로 이루어진 껍질 속에 DNA나 RNA 등의 핵산을 유전 물질로 가지고 있고, 메뚜기를 구성하는 세포의 핵 속에도 유전 물질이 들어 있다.

ㄴ. 바이러스(가)는 숙주 세포 내에서만 물질대사를 할 수 있다.

ㄷ. 바이러스는 숙주 세포 내에서 자신의 유전 물질을 복제하고 단백질 껍질을 만들어 증식한다.

11 [모범 답안] (1) 자극에 대한 반응

(2) 무의 싹은 세포 분열로 세포의 수를 늘려 생장하지만 스마트폰은 세포 분열과 생장을 하지 않는다.

해설 무의 싹은 빛이 들어오는 방향으로 굽어 자라고, 스마트폰은 터치를 하면 반응하여 정보를 제공한다. 둘 다 자극에 대한 반응을 나타내지만, 스마트폰은 세포 분열과 생장을 하지 않으므로 비생물이다.

[서술형 Tip]

생물의 특성을 정확히 파악한 후 서술한다.

	채점 기준	배점
(1)	자극에 대한 반응을 옳게 쓴 경우	20 %
(2)	제시된 단어를 모두 이용하여 모범 답안과 같이 옳게 서술한 경우	80 %
	제시된 단어를 하나만 이용하여 서술한 경우	30 %

12 [모범 답안] (1) 핵산(또는DNA)

(2) 유전 물질인 핵산이 있으며, 살아 있는 숙주 세포 내에서 물질대사와 증식이 가능하다.

해설 바이러스는 생물적 특성과 비생물적 특성을 모두 가진다. 자료에서는 바이러스가 숙주 세포 내에 들어가 자신의 유전 물질을 이용하여 증식하는 과정을 보여주고 있다.

[서술형 Tip]

바이러스의 증식 과정에서 나타나는 생물의 특성에는 어떤 것이 있는지 찾아본 후 서술하도록 한다.

	채점 기준	배점
(1)	핵산 또는 DNA를 쓴 경우	30 %
(2)	모범 답안과 같이 옳게 서술한 경우	70 %
	숙주 세포 내에서 증식한다고만 쓴 경우	30 %

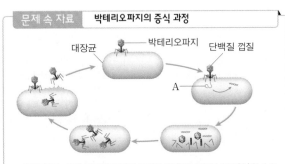

문제 속 자료 박테리오파지의 증식 과정

• 바이러스는 숙주 세포의 표면에 부착한 후 유전 물질인 핵산(A)을 숙주 세포 안으로 침투시킨다.
• 바이러스는 숙주 세포의 효소를 이용하여 자신의 유전 물질을 복제하고 단백질 껍질을 합성한다.
• 새롭게 증식한 바이러스들은 숙주 세포 밖으로 나오는데, 이 과정에서 숙주 세포가 손상되거나 파괴되어 숙주에 질병을 일으키기도 한다.

02 | 생명 과학의 특성과 탐구 방법

기초 탄탄 문제 p. 022

01 ③ **02** ⑤ **03** ① **04** ② **05** ⑤

01 생명 과학은 지구에 살고 있는 생물의 기원, 구조와 기능, 생식과 유전, 분류 및 분포 등을 연구하는 학문이다. 생명 과학의 연구 성과는 인류의 생존과 복지에 관한 여러 문제 해결에 이용되며, 현재는 생물 정보학, 생물 기계 공학 등과 같은 통합 학문 분야가 발달하고 있다.

[오답 피하기]

③ 생명 과학은 생물뿐만 아니라 생물과 환경과의 관계를 포함한 생태계까지 다양한 범위의 생명 현상을 연구한다.

02 구달 박사의 연구는 관찰을 통해 일반적인 원리를 도출하는 귀납적 탐구 방법을 이용한 것이다. 귀납적 탐구을 이용하여 연구한 예로는 세포설의 발견, 진화설의 발견, 사람 유전체 사업 등이 있다.

[오답 피하기]

⑤ 가설을 설정하고 이를 확인하는 실험을 통해 생명 현상을 연구하는 것은 연역적 탐구 방법이다.

03 귀납적 탐구 방법은 자연 현상을 관찰하여 얻은 자료를 종합하고 분석하여 일반적인 원리나 법칙을 이끌어 내는 탐구 방법으로, 가설을 설정하여 검증하지는 않는다.

[오답 피하기]

②, ③ 가설을 세우고, 대조 실험을 통해 가설을 증명하여 생명 현상의 원리를 알아내는 탐구 방법은 연역적 탐구 방법이다.

④ 생명 과학과 관련한 연구에는 연역적 탐구 방법과 귀납적 탐구 방법이 이용되며, 두 탐구 방법이 모두 이용되는 경우도 있다.

⑤ 변인 통제는 연역적 탐구 과정 중 가설을 증명하는 대조 실험에서 조작 변인 이외에 실험 결과에 영향을 줄 수 있는 다른 모든 조건을 동일하게 하는 것이다.

04 연역적 탐구 과정은 '관찰 및 문제 인식 → 가설 설정 → 탐구 설계 및 수행 → 탐구 결과 정리 및 해석' 순서이고, 탐구 결과가 가설과 일치하는 경우에는 결론을 도출하지만, 가설과 일치하지 않을 경우에는 가설을 수정하여 다시 설정해야 한다.

05 (가)에서는 귀납적 탐구 방법이, (나)에서는 연역적 탐구 방법이 이용되었다. (나)에서 시험관 A(배즙 + 달걀흰자)는 실험군, 시험관 B(증류수 + 달걀흰자)는 대조군이다.

[오답 피하기]

② 연역적 탐구 방법(나)에서는 가설을 설정하고 이를 대조 실험으로 검증한다.

③ 사람 유전체 사업은 귀납적 탐구 방법(가)으로 연구하였다.

④ 귀납적 탐구 방법(가)은 가설 설정 단계가 없고 자연 현상을 관찰하는 과정에서 수집된 자료를 통해 결론을 도출한다.

내신 만점 **문제**

p. 023~025

01 ④	02 ③	03 ④	04 ①	05 ②	06 ②
07 ①	08 ②	09 ②	10 ①	11~12 해설 참조	

01 분자 수준의 생명 현상이 화학적, 물리학적 연구를 거쳐 밝혀진 이후 생명 과학은 통합적 학문으로 발달하였다. (가)는 생명 과학과 정보학이 융합된 생물 정보학이 발달한 계기가 되었다.

오답 피하기

ㄷ. (나)와 (다)는 모두 생명 과학이 물리학(광학과 초음파 연구)과 연계된 사례이다.

02 제시된 탐구 방법은 관찰을 통하여 일반적인 원리를 도출하는 귀납적 탐구 방법으로, A는 관찰 등 자료 수집 방법을 고안하는 단계이다. 세포설, 사람 유전체 사업, 다윈의 진화설은 귀납적 탐구 방법을 이용하여 연구한 대표적인 사례이다.

오답 피하기

ㄱ. 귀납적 탐구 과정에서는 대조군을 설정하지 않는다.

ㄴ. 가설 설정은 연역적 탐구 방법의 한 과정이다.

03 변인에는 독립변인과 종속변인이 있다. 실험 결과에 영향을 주는 독립변인에는 조작 변인과 통제 변인이 있다. 조작 변인은 의도적으로 변화시키는 변인이고, 통제 변인은 실험하는 동안 일정하게 유지시키는 변인이다. 종속변인은 조작 변인의 영향을 받아 변하는 변인으로 실험 결과에 해당한다.

오답 피하기

ㄴ. 조작 변인과 통제 변인은 모두 독립변인에 해당하며, 실험 결과에 영향을 미친다.

04 변인이란 실험에 영향을 미치거나 결과에 관계되는 여러 가지 요인들을 말한다. 변인의 종류에는 독립변인(가)과 종속변인(나)이 있다. 실험 결과에 영향을 미치는 요인을 통틀어 독립변인이라 하고, 실험 결과에 해당하는 변인을 종속변인이라고 한다. 독립변인 중 의도적으로 체계적인 변화를 주는 변인을 조작 변인(다)이라 하고, 온도나 위치 등 실험하는 동안 대조군과 실험군에서 일정하게 유지시켜야 하는 변인을 통제 변인(라)이라고 한다.

05 플레밍의 실험은 연역적 탐구 방법을 사용한 사례이다. ㉠은 실험군, ㉡은 대조군, ㉢은 가설이다. 푸른곰팡이의 접종 여부는 조작 변인, 세균의 증식 여부는 종속변인에 해당한다.

오답 피하기

② 이 실험을 순서대로 나열하면 (라) → (가) → (마) → (다) → (바) → (나)이다.

06 ㄱ, ㄷ. 독립변인은 실험 결과에 영향을 주는 요인으로, 조작 변인과 통제 변인이 있다.

오답 피하기

ㄴ, ㄹ. 종속변인은 조작 변인의 영향을 받아 변하는 변인으로 실험 결과에 해당하며, 변인 통제는 조작 변인 외에 실험 결과에 영향을 줄 수 있는 다른 조건을 동일하게 통제하는 것을 말한다.

07 (가)는 가설로 '소화 효소 X는 녹말을 분해할 것이다.'이고, ㉠은 조작 변인으로 '소화 효소 X가 있는 용액 + 녹말 용액'이다. ㉡은 통제 변인으로 37 ℃이다.

오답 피하기

ㄴ. ㉠은 조작 변인, ㉡은 통제 변인에 각각 해당한다.

ㄷ. 시험관 Ⅱ에서만 녹말이 분해된 것은 소화 효소 X를 첨가하였기 때문이다.

문제 속 자료 소화 효소의 작용

시험관	첨가한 물질	온도
Ⅰ	녹말 용액 + 증류수	37 ℃
Ⅱ	㉠ − 녹말 용액 + 소화 효소 X가 있는 용액	㉡ − 37 ℃

• 조작 변인(㉠)은 의도적으로 변화를 주는 변인이다. 시험관 Ⅰ의 녹말 용액 + 증류수에서 증류수 대신 특징을 알고자 하는 소화 효소 X가 있는 용액을 의도적으로 넣어 주어 소화 효소의 특징을 확인할 수 있다.
• 조작 변인이 소화 효소 X가 있는 용액의 첨가 여부이므로, 통제 변인인 ㉡은 시험관 Ⅰ과 같이 37 ℃로 유지해 주어야 한다.

08 A는 통제 변인, B는 조작 변인, C는 종속변인이다.

오답 피하기

ㄱ, ㄷ. 실험 결과에 해당하는 것은 종속변인(C)이며, 대조군과 실험군에서 동일하게 유지해야 하는 변인은 통제 변인(A)이다.

09 제시된 실험은 연역적 탐구 방법을 이용한 것으로 ㉠은 대조군, ㉡은 실험군이다.

오답 피하기

ㄱ. ㉠은 대조군, ㉡은 실험군이다.

ㄴ. 연역적 탐구 방법을 이용하여 연구한 것이다.

문제 속 자료 레디의 실험

대조군	병의 입구를 막지 않은 것
실험군	천으로 병의 입구를 막은 것
조작 변인	병의 입구를 막았는지의 여부
통제 변인	고기 조각의 크기 및 종류, 온도나 습도 등 병의 입구를 막았는지 여부를 제외한 모든 환경
종속변인	구더기 발생 여부

10 바람의 유무에 따라 증산 작용의 정도가 달라지는지 알아보기 위한 실험이므로 바람의 유무 이외의 조건은 동일하게 유지해야 한다. 따라서 온도는 통제 변인이다.

오답 피하기

바람의 유무가 조작 변인이므로 온도, 빛의 세기, 식물 잎의 수 등 다른 조건은 두 식물이 모두 동일해야 한다.

11 **[모범 답안]** (1) 조작 변인: 탄저병 백신 접종 여부, 종속변인: 양의 생존 여부

(2) 백신을 접종하지 않은 25마리의 양 집단은 대조군으로, 실험 결과의 타당성을 인정받기 위해 필요하다.

해설 조작 변인은 실험의 목적을 위해 변화시키는 변인, 통제 변인은 실험하는 동안 일정하게 유지시키는 변인이다.

서술형 Tip

대조 실험을 실시하는 까닭을 정확히 파악한 후 서술한다.

	채점 기준	배점
(1)	조작 변인과 종속변인을 모두 옳게 쓴 경우	40 %
(2)	까닭을 모범 답안과 같이 옳게 서술한 경우	60 %

12 **[모범 답안]** (1) 실험군: (나), 대조군: (가)

(2) 죽은 병원균 A를 주사하면 쥐의 체내에 병원균 A에 대한 면역력이 생길 것이다.

해설 이 실험은 쥐에게 죽은 병원균을 주사하면 체내에 면역력이 생기게 되는지를 알아보기 위한 것이다.

서술형 Tip

실험에서 대조 실험을 통해 검증하고자 하는 것이 무엇인지 생각해 본 다음 서술한다.

	채점 기준	배점
(1)	실험군과 대조군을 모두 옳게 쓴 경우	40 %
(2)	가설을 모범 답안과 같이 옳게 서술한 경우	60 %
	면역력이 생긴다고만 서술한 경우	30 %

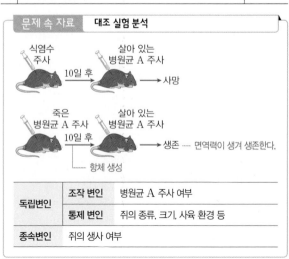

문제 속 자료 대조 실험 분석

독립변인	조작 변인	병원균 A 주사 여부
	통제 변인	쥐의 종류, 크기, 사육 환경 등
종속변인		쥐의 생사 여부

---

01 ③	02 ①	03 ③	04 ⑤	05 ②	06 ④
07 ①	08 ④	09 ③	10 해설 참조		11 ①
12 ①					

01 A는 동화 작용, B는 적응이다. 생물의 특성 중 물질대사는 생명 현상을 유지하기 위해 일어나는 화학 반응으로 개체 유지에 필요하며, 적응은 생물체가 환경 변화에 대응하여 형태나 생활 습성 등이 변화하는 현상으로 종족 유지에 필요하다.

오답 피하기

① 소화, 호흡 등은 발열 반응으로, 이화 작용에 속한다.

② 수정란이 체세포 분열을 통하여 하나의 개체가 되는 과정은 발생이다.

④ 바이러스는 숙주 세포 내에서 유전, 적응, 진화 등의 생물적 특성이 나타난다. 바이러스의 비생물적 특성은 세포로 구성되어 있지 않고, 스스로 물질대사를 하지 못하는 점이다.

⑤ 생물의 체내 환경이 외부 환경의 변화에 관계없이 항상 일정한 상태를 유지하는 것은 항상성이다.

02 서식 환경에 따라 토끼의 모습이 다른 것은 생물의 특성 중 적응과 진화의 예이며 이는 종족 유지와 관계 깊다.

오답 피하기

ㄴ. 자료에 나타난 생물의 특성은 적응과 진화이다.

ㄷ. '식물이 빛을 향해 자란다.'는 자극에 대한 반응의 예이다.

03 민물고기가 체액의 삼투압을 유지하는 것은 생물의 특성 중 항상성에 해당한다. ㄱ과 ㄹ은 항상성의 예이다.

오답 피하기

ㄴ은 생식, ㄷ은 자극에 대한 반응의 예이다.

04 약물에 저항성을 갖는 바이러스가 증식한 것은 생물의 특성 중 환경에 대한 적응과 진화이다. 바이러스는 생물과 비생물의 중간 형태이긴 하나 숙주 세포 내에서는 생물적 특성을 나타낸다.

05 이 실험은 생물의 특성 중 물질대사를 확인하는 실험이다. 특히 물질대사 중에서도 동화 작용을 이용한 것이다.

오답 피하기

ㄱ. 생명체가 물질대사를 하는 특성을 이용한 실험이다.

ㄷ. 만약 화성 토양에 바이러스만 존재하였다면 바이러스의 단백질은 기존에 존재하였던 것이고, 바이러스는 숙주 세포 없이 독자적으로 물질대사를 할 수 없기 때문에 화성 토양을 가열하면 방사능이 검출되지 않을 것이다.

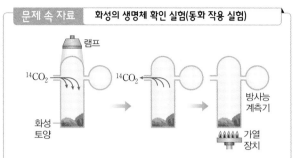

문제 속 자료 **화성의 생명체 확인 실험(동화 작용 실험)**

- 화성 토양이 든 용기에 방사성 기체($^{14}CO_2$)를 넣고 램프로 빛을 비춘다.
  ➡ 광합성에 필요한 빛에너지와 물질 공급
- 일정 시간 후 용기 내 방사성 기체를 모두 제거한다.
  ➡ 방사성 기체를 제거하여 생명체에 의해 생성된 유기물의 방사능만 측정하고자 함
- 가열 장치로 화성 토양을 가열하면서 용기 내의 방사능을 측정한다.
  ➡ 생명체에 의해 유기물이 만들어졌다면 방사능이 검출되었을 것이다.

06 A는 바이러스만 갖는 특성이며, B는 바이러스와 아메바가 공통적으로 갖는 특성이고, C는 생물인 아메바만 갖는 특성이다.

오답 피하기

ㄱ. '단백질이 있다.'은 B에 해당한다. 바이러스는 핵산과 단백질로 구성되며, 아메바는 단백질 합성을 하는 생물이다.

07 대장균(A)은 생물이며, 박테리오파지(B)는 생물과 비생물의 중간 형태로 생물적 특성과 비생물적 특성을 모두 갖는다. 바이러스의 생물적 특성은 '유전 물질(핵산)이 있다, 숙주 세포 내에서 물질대사와 증식을 한다, 증식 과정에서 돌연변이가 발생한다.'이다.

오답 피하기

ㄴ. 대장균은 체세포 분열로 개체 수가 증가하나, 박테리오파지는 숙주 세포 내에서 핵산과 단백질을 합성하여 증식하므로 세포 분열을 하는 것이 아니다.

ㄷ. 대장균은 효소가 있으나 박테리오파지는 효소가 없어 독자적인 물질대사를 할 수 없다.

08 생명 과학은 지구에 살고 있는 생물의 기원, 구조와 기능, 생식과 유전, 분류 및 분포 등 생물과 관련된 여러 현상을 연구하는 학문이다.

오답 피하기

ㄹ. 생물을 연구할 때에는 각 단계의 구성 요소들이 상호 작용하여 새로운 특성을 다음 단계에서 나타내기도 하므로 각각의 구성 요소뿐만 아니라 전체를 통합적으로 연구해야 한다.

09 **오답 피하기**

ㄱ. (가)는 귀납적 탐구 방법, (나)는 연역적 탐구 방법이다.

ㄴ. A는 관찰 등 자료 수집 방법을 고안하는 단계이고, B는 가설을 설정하는 단계이다.

10 [모범 답안] (1) 실험군: B, 대조군: A

(2) 물질대사, 물질대사는 생명체에서 일어나는 모든 화학 반응으로 이를 통해 생물은 에너지를 얻고, 이 에너지로 생명 활동을 한다.

해설 실험군은 원하는 실험 결과를 알아보기 위해 조작을 가하는 집단이고, 대조군은 실험군의 실험 결과를 비교해 볼 수 있는 기준이 되는 집단이다.

	채점 기준	배점
(1)	실험군과 대조군을 모두 옳게 서술한 경우	40 %
(2)	알아보고자 하는 생물의 특성을 쓰고, 그 의미를 옳게 서술한 경우	60 %

문제 속 자료 **효모의 물질대사**

- A는 증류수만 있으므로 효모에 의한 세포 호흡은 진행되지 않는다.
- B에서 효모의 세포 호흡 결과 이산화 탄소가 발생하고 온도가 올라갔다.
  ➡ 이산화 탄소에 의해 석회수가 뿌옇게 흐려지고 세포 호흡 과정에서 발생하는 열에너지로 온도가 올라간다.
- 세포 호흡은 물질대사 중 이화 작용에 해당하므로 에너지를 방출한다.

11 ㄷ. 귀납적 탐구 과정은 자연 현상 관찰(나) → 관찰 주제 설정(가) → 관찰 등 자료 수집 방법 고안 → 관찰 수행, 자료 수집(라) → 자료 해석 → 규칙성 발견 및 결론 도출(다) 순서로 이루어진다.

오답 피하기

ㄱ. 귀납적 탐구 과정이다.

ㄴ. 제시된 연구 과정은 귀납적 탐구 방법을 이용한 것으로 관찰을 통해 결론을 도출하므로 가설을 설정하지 않는다.

12 제시된 탐구 방법은 연역적 탐구 방법에 해당한다. 연역적 탐구 방법은 가설을 세우고, 대조 실험을 통해 가설을 검증하는 과정을 거친다.

오답 피하기

ㄴ. 관찰 등 자료 수집 방법을 고안하는 단계는 귀납적 탐구 과정에 해당하므로 이 실험에서는 실시하지 않는다.

ㄷ. 이 탐구 과정은 가설을 세워 이를 실험적으로 검증하는 연역적 탐구 과정에 해당한다.

II 사람의 물질대사

1. 사람의 물질대사

01 | 세포의 생명 활동과 에너지

탐구 대표 문제
p. 034

01 ⑤

01 효모는 세포 내에 미토콘드리아가 있어 산소가 있을 때에는 세포 호흡을 하고, 산소가 없을 때에는 알코올 발효를 한다. 효모의 알코올 발효 결과 이산화 탄소와 알코올이 생성되고 에너지가 방출된다.

기초 탄탄 문제
p. 035

01 ⑤ **02** ② **03** ③ **04** ② **05** ⑤ **06** ⑤

01 동화 작용은 에너지를 흡수하여 저분자 물질을 고분자 물질로 합성하는 과정이다. 소화 효소를 생성하는 것은 단백질을 합성하는 동화 작용의 예이다. ①~④은 이화 작용의 예이다.

02 그래프에서 반응물의 에너지가 생성물의 에너지보다 큰 것을 볼 수 있는데, 이는 고분자 물질을 저분자 물질로 분해하는 이화 작용을 나타낸다. 이화 작용은 에너지를 방출하는 발열 반응으로 A만큼의 에너지가 방출된다.

03 세포 호흡은 미토콘드리아에서 주로 진행된다.

오답 피하기
① 세포 호흡은 이화 작용으로 에너지가 방출된다.
② 포도당을 물과 이산화 탄소로 분해하는 반응이다.
④, ⑤ 영양소에 포함된 에너지 중 일부는 열에너지로 방출되어 체온 유지에 이용되고, 나머지는 에너지 저장 물질인 ATP 생성에 이용된다.

04 그림은 ATP의 구조이다. ATP를 이루는 인산기들은 고에너지 인산 결합으로 연결되는데, 끝에 있는 인산기 사이의 고에너지 인산 결합이 끊어질 때 에너지가 방출되어 생명 활동에 이용된다.

05 A는 미토콘드리아, (가)는 산소, (나)는 이산화 탄소, (다)는 ATP이다. ATP가 분해될 때 발생하는 에너지는 근육 운동과 같은 여러 생명 활동에 이용된다.

오답 피하기

① 세포 호흡은 에너지를 방출하는 이화 작용에 해당한다.
② (가)는 산소, (나)는 이산화 탄소이다.
③ 영양소에 포함된 에너지 중 일부는 열에너지로 방출되어 체온 유지에 이용되고, 나머지는 ATP에 저장되어 생명 활동에 이용된다.
④ 세포마다 미토콘드리아의 수는 다를 수 있다. 예를 들어 근육 세포에는 다른 세포에 비해 미토콘드리아의 수가 많다.

06 (가)는 ATP가 ADP와 무기 인산으로 분해되어 에너지가 방출되는 이화 작용이다. 이때 방출된 에너지는 물질 합성, 근육 운동, 체온 유지, 발성, 정신 활동, 생장 등의 생명 활동에 사용된다.

내신 만점 문제
p. 036~037

01 ③ **02** ② **03** ③ **04** ① **05** ① **06** ②
07~08 해설 참조

01 물질대사에는 흡열 반응인 동화 작용과 발열 반응인 이화 작용이 있다. (가)는 동화 작용, (나)는 이화 작용이다.

오답 피하기
ㄱ. (가)와 (나) 모두 물질대사에 해당한다.
ㄴ. 녹말이 소화 효소에 의해 엿당으로 변화되는 과정은 이화 작용으로 (나)에 해당한다.

02 I은 동화 작용, II는 이화 작용이다. 물질대사는 효소에 의해 진행되며 반응마다 관여하는 효소의 종류가 다르다.

오답 피하기
ㄱ. I에서는 에너지가 흡수되고, II에서는 에너지가 방출된다.
ㄷ. 아미노산의 에너지가 단백질의 에너지보다 작고, 글리코젠의 에너지가 포도당의 에너지보다 크다.

03 (가)는 세포 호흡으로 발열 반응인 이화 작용이고, (나)는 단백질 합성 과정으로 흡열 반응인 동화 작용이다. 세포 호흡 결과 방출된 에너지는 ATP 합성에 이용되고, ATP에 저장된 에너지는 단백질 합성과 같은 생명 활동에 이용된다.

오답 피하기
ㄱ. 동화 작용인 (나)에서는 에너지가 흡수되고, 이화 작용인 (가)에서는 에너지가 방출된다.
ㄴ. 포도당이 가진 화학 에너지는 세포 호흡 결과 일부는 열에너지로 방출되고, 일부는 ATP에 저장된다.

	채점 기준	배점
(1)	이산화 탄소(CO_2)를 옳게 쓴 경우	30 %
(2)	체온 유지와 ATP 합성의 두 가지를 모두 옳게 서술한 경우	70 %
	두 가지 중 한 가지만 서술한 경우	30 %

문제 속 자료 물질대사의 예

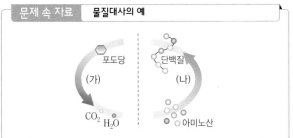

포도당

(가)

CO_2 H_2O

단백질

(나)

아미노산

• (가)의 반응: 포도당 → CO_2, H_2O
➡ 고분자 물질이 저분자 물질로 분해되는 이화 작용이다.
➡ 에너지를 방출하는 발열 반응이다.
• (나)의 반응: 아미노산 → 단백질
➡ 저분자 물질이 고분자 물질로 합성되는 동화 작용이다.
➡ 에너지를 흡수하는 흡열 반응이다.
➡ 이 반응에 필요한 에너지는 ATP를 분해함으로써 얻어진다.

04 (가)는 ATP, (나)는 ADP이다. ㉠은 ATP가 ADP로 분해 되는 이화 작용으로 에너지가 방출되고, ㉡은 ADP가 ATP 로 합성되는 동화 작용으로 에너지가 흡수된다.

[오답 피하기]
ㄴ. ㉡ 반응은 주로 미토콘드리아에서 진행되는 세포 호흡 과 정에서, ㉠ 반응은 모든 세포의 생명 활동에서 일어난다.
ㄷ. 세포 호흡에서 방출된 에너지가 저장되는 물질은 ATP이다.

05 (가)는 산소, (나)는 물, (다)는 ATP이다. (A)는 열에너지, (B)는 생명 활동에 이용되는 에너지이다. 세포 호흡 과정에서 포도당은 산소와 결합하여 물과 이산화 탄소로 분해된다.

[오답 피하기]
ㄴ. 생명 활동에 직접적으로 사용되는 에너지는 ATP에 저장 된 에너지이다. 포도당이 가진 에너지의 일부가 ATP로 전환 되고, 일부는 열에너지 형태로 방출된다.
ㄷ. (다)가 ADP와 P_i로 전환되는 과정은 이화 작용이며, 이 때 나오는 에너지 (B)는 생명 활동에 사용된다.

06 (가)와 B는 동화 작용, (나)와 A는 이화 작용이다. 동화 작용 은 저분자 물질로부터 고분자 물질을 합성하는 반응으로 생성 물의 에너지가 반응물의 에너지보다 크다. 이화 작용은 고분 자 물질을 저분자 물질로 분해하는 반응으로 생성물의 에너지 가 반응물의 에너지보다 작다.

07 [모범 답안] 이산화 탄소(CO_2), 체온을 유지한다. 생명 활동에 필요한 ATP를 합성한다.
해설 세포 호흡 과정에서 발생한 에너지 중 일부는 열에너지 로 방출되어 체온 유지에 이용되고, 나머지는 ATP 합성에 이용된다.
[서술형 Tip]
세포 호흡 결과 발생되는 에너지의 역할을 정확히 파악한 후 서술한다.

08 [모범 답안] (1) 수산화 칼륨 수용액은 이산화 탄소를 흡수하는 특성이 있기 때문이다. (2) 단당류인 포도당은 효모의 발효 과 정에 바로 쓰일 수 있기 때문이다.
해설 설탕보다 더 작은 분자인 포도당은 발효에 바로 이용되 므로 포도당 용액에서 이산화 탄소가 더 빠르게 발생한다.
[서술형 Tip]
수산화 칼륨 수용액의 특성을 파악하고, 크기가 작은 포도당이 있을 때 알코올 발효가 더 빨리 일어난다는 점을 서술한다.

	채점 기준	배점
(1)	수산화 칼륨이 이산화 탄소를 흡수한다고 옳게 서술한 경우	40 %
(2)	포도당은 크기가 작아 발효에 바로 이용되어 더 빨리 일어난 다고 서술한 경우	60 %

02 | 소화·순환·호흡과 에너지 생성

기초 탄탄 문제 p. 041

01 ⑤ **02** ② **03** ④ **04** ⑤ **05** ①

01 세포 호흡에 이용되는 에너지원은 탄수화물(녹말), 단백질, 지 방이며 각각은 포도당, 아미노산, 지방산과 모노글리세리드로 분해된다. 포도당과 아미노산은 융털의 모세 혈관으로, 지방 산과 모노글리세리드는 암죽관으로 흡수된 후 세포로 운반되 어 세포 호흡의 원료로 쓰인다.

02 세포 호흡에 필요한 영양소와 산소는 순환계를 통해 조직 세포 로 운반된다.

03 폐포는 호흡계에 속한다. 동맥과 정맥, 모세 혈관, 심장과 혈 액은 순환계를 구성한다.

04 [오답 피하기]
⑤ 폐포와 모세 혈관 사이의 기체 교환은 분압 차에 따른 확산 에 의해 이루어지므로 에너지가 사용되지 않는다.

05 산소는 폐포에서 모세 혈관으로 이동해 조직 세포에 공급되 고, 이산화 탄소는 조직 세포에서 모세 혈관으로 이동해 폐를 통해 몸 밖으로 배출된다.

내신 만점 문제   p. 042~043

01 ②   **02** ②   **03** ④   **04** ②   **05** ③   **06** ①

07~09 해설 참조

01 융털은 표면적을 넓혀 영양소를 효율적으로 흡수한다.

> **오답 피하기**
>
> ㄱ. (가)는 융털, (나)는 암죽관, (다)는 모세 혈관이다.
>
> ㄷ. 포도당과 아미노산은 모세 혈관으로 이동하고, 지방산과 모노글리세리드는 암죽관으로 이동한다. 크기가 큰 녹말은 포도당으로 분해되어 흡수된다.

02 (가)는 소장에서 바로 흡수될 수 있는 작은 크기의 영양소이고, (나)는 크기가 커 소화 과정을 거쳐야 흡수될 수 있는 영양소이다. 포도당과 아미노산은 융털의 모세 혈관으로, 지방산과 모노글리세리드는 융털의 암죽관으로 흡수된다.

03 (가)는 폐포로 호흡계에 속하며 표면적을 넓히는 구조이다. 폐포에서 모세 혈관으로 이동하는 A는 산소, 모세 혈관에서 폐포로 이동하는 B는 이산화 탄소이다. 산소와 이산화 탄소는 분압 차에 따른 확산 현상으로 이동한다.

> **오답 피하기**
>
> ㄴ. 이산화 탄소는 세포 호흡에 이용되지 않는다.

04 폐포에서 모세 혈관으로 이동하는 A는 산소이고 모세 혈관에서 폐포로 이동하는 C는 이산화 탄소이다. 산소 외에 모세 혈관에서 조직 세포로 이동하는 B는 영양소이고, 조직 세포에서 모세 혈관으로 이동하는 D는 노폐물이다.

> **오답 피하기**
>
> ㄱ. A는 산소, B는 영양소, C는 이산화 탄소, D는 노폐물이다.
>
> ㄷ. (가)는 호흡계와 순환계 사이의 기체 교환, (나)는 순환계와 조직 세포 사이의 기체 및 물질 교환을 나타낸 것이다.

문제 속 자료   **혈액 순환과 물질 교환**

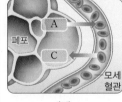 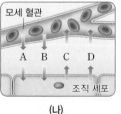

(가)   (나)

• (가)는 폐포와 모세 혈관 사이의 물질 교환을 나타낸다. 폐포에서 모세 혈관으로 이동하는 A는 산소, 모세 혈관에서 폐포로 이동하는 C는 이산화 탄소이다.

• (나)는 모세 혈관과 조직 세포 사이의 물질 교환을 나타낸다. A와 C가 각각 산소와 이산화 탄소이므로, 모세 혈관에서 조직 세포로 이동하는 B는 영양소, 조직 세포에서 모세 혈관으로 이동하는 D는 노폐물이다.

---

05 (가)는 이산화 탄소, (나)는 산소, (다)는 폐이다. 주로 혈장에 녹아 운반된 이산화 탄소는 심장을 거쳐 폐로 이동한 후 몸 밖으로 빠져나간다. 폐를 통해 들어온 산소는 적혈구의 헤모글로빈과 결합하여 심장을 거쳐 조직 세포로 이동한다.

> **오답 피하기**
>
> ㄱ. A에는 온몸을 순환하여 이산화 탄소가 많은 혈액이 흐르고, B에는 폐에서 산소를 얻어 산소가 풍부한 혈액이 흐른다.
>
> ㄴ. 이산화 탄소 분압은 폐포 내부가 혈관 A의 혈액보다 낮다.

06 (가)는 조직 세포, (나)는 순환계, (다)는 호흡계이다. ㉠은 세포 호흡 결과 발생한 이산화 탄소, ㉡은 세포 호흡에 필요한 산소이다.

> **오답 피하기**
>
> ㄴ. 조직 세포와 순환계 사이의 기체 교환 결과 혈액이 이산화 탄소 분압이 높아진다.
>
> ㄷ. (나)와 (다) 사이에서 산소와 이산화 탄소의 이동은 확산에 의해 이루어지므로 ATP를 사용하지 않는다.

07 **[모범 답안]** (다), 폐에서 이산화 탄소를 내보내고 산소를 얻은 혈액이 흐르기 때문이다.

채점 기준	배점
(다)를 쓰고, 폐에서 산소를 공급받은 혈액이 흐르기 때문이라고 옳게 서술한 경우	100 %
(다)만 쓴 경우	30 %

08 **[모범 답안]** A: 산소, B: 영양소, 산소는 호흡계를 통해 들어와 혈액을 통해 운반되고, 영양소는 소화계에서 흡수되어 혈액을 통해 운반된다.

채점 기준	배점
산소와 영양소를 옳게 쓰고, 운반 과정을 옳게 서술한 경우	100 %
산소와 영양소만 옳게 쓴 경우	30 %

09 **[모범 답안]** 심한 운동을 할 때에는 휴식할 때보다 조직 세포에 더 많은 영양소와 산소가 필요하기 때문에 이를 조직 세포에 빠르게 운반하기 위해 심장 박동 수가 증가한다.

> **해설** 심장은 온몸의 조직 세포에 영양소와 산소를 공급한다.
>
> **[서술형 Tip]**
>
> 운동 시에는 몸에서 어떤 변화가 일어나는지를 파악하여 평상시와 비교하여 서술한다.

채점 기준	배점
운동 시에 더 많은 산소와 영양소가 필요해 물질을 빠르게 운반해야 한다고 서술한 경우	100 %
영양소와 산소를 빠르게 공급하기 위해서라고만 서술한 경우	70 %

03 | 배설과 기관계의 통합적 작용

탐구 대표 문제 p. 046

01 ③

01 용액의 색이 파란색으로 변한 것은 액성이 염기성으로 변했기 때문이다. 이는 생콩즙 속 효소인 유레이스에 의해 오줌 속 요소가 분해되어 암모니아가 발생했기 때문이다.

기초 탄탄 문제 p. 047

01 ⑤ **02** ③ **03** ② **04** ① **05** ④ **06** ③

01 단백질이 세포 호흡에 의해 분해되면 물과 이산화탄소, 암모니아가 생성된다.

[오답 피하기]

① 단백질의 구성 원소는 탄소(C), 수소(H), 산소(O), 질소(N)이다.

② 탄수화물과 지방의 구성 원소는 탄소(C), 수소(H), 산소(O)이다.

③, ④ 탄수화물과 지방이 세포 호흡에 의해 분해되면 물과 이산화 탄소가 생성된다.

02 [오답 피하기]

①, ② 물은 콩팥과 폐를 통해, 이산화 탄소는 폐를 통해 배설된다.

④ 단백질의 분해 결과 생성된 노폐물 중 암모니아는 간에서 독성이 약한 요소로 전환된 후 콩팥에서 오줌으로 배설된다.

⑤ 지방이 분해되면 이산화 탄소와 물이 생성되어 콩팥과 폐를 통해 배설된다.

03 배설계에 속하는 기관은 콩팥, 방광, 요도, 오줌관 등이다. 항문은 소화계에 해당한다.

04 [오답 피하기]

ㄴ. 세포에서 단백질이 분해된 결과 생성된 암모니아는 간에서 독성이 약한 요소로 전환된 후 콩팥에서 오줌으로 배설된다.

ㄷ. 탄수화물, 지방, 단백질의 분해 결과 공통적으로 생성되는 노폐물은 물과 이산화 탄소이다. 질소가 포함된 노폐물인 암모니아는 단백질의 분해 결과 생성된다.

05 [오답 피하기]

ㄱ. 이산화 탄소는 호흡계인 폐를 통해, 물은 호흡계와 배설계를 통해, 요소는 배설계를 통해 몸 밖으로 배설된다.

06 [오답 피하기]

③ 각 기관계를 구성하는 조직 세포에 산소와 영양소를 공급하는 기관계는 순환계이다.

내신 만점 문제 p. 048~049

01 ③ **02** ② **03** ② **04** ① **05** ③ **06** ④

07~08 해설 참조

01 A는 포도당이고, 포도당의 구성 원소는 탄소(C), 수소(H), 산소(O)이다. B는 이산화 탄소이다. 이산화 탄소는 혈액에 의해 폐로 운반된다. (가)는 폐, (나)는 콩팥이다.

[오답 피하기]

ㄷ. 폐는 호흡계를 구성하고, 콩팥은 배설계를 구성한다.

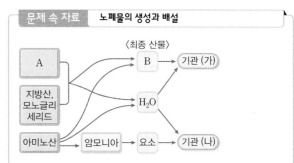

문제 속 자료 **노폐물의 생성과 배설**

- 탄수화물(녹말), 지방, 단백질은 최종 소화되어 각각 포도당, 지방산과 모노글리세리드, 아미노산이 생성된다. ➡ A는 포도당이다.
- 탄수화물과 지방은 수소, 탄소, 산소로 이루어져 세포 호흡 결과 노폐물로 물(H_2O)과 이산화 탄소(CO_2)가 발생한다. ➡ B는 이산화 탄소(CO_2)이다.
- 이산화 탄소는 폐로 운반되어 날숨의 형태로 배출되고, 물은 폐와 콩팥으로 운반되어 각각 날숨(수증기)과 오줌의 형태로 배설된다.

02 (가)는 단백질의 분해 반응(소화), (나)는 포도당이 세포 호흡에 의해 분해되는 반응, (다)는 간에서 암모니아가 요소로 전환되는 반응이다. (가)와 (다)가 일어나는 기관은 모두 소화계에 속한다.

[오답 피하기]

ㄴ. ㉠은 산소, ㉡은 이산화 탄소이므로 ㉠과 ㉡은 모두 호흡계를 통해 출입한다.

03 (가)는 녹말이 포도당으로 소화되는 과정, (나)는 단백질이 아미노산으로 소화되는 과정, (다)는 간에서 암모니아가 요소로 전환되는 과정이다. 세포 호흡에 쓰이는 ㉠은 산소이다. 산소(㉠)는 폐를 통해 체내로 흡수된다.

04 (가)는 소화계, (나)는 순환계, (다)는 배설계이고, ㉠은 영양소, ㉡은 이산화 탄소이다. 물질 A는 소화계에서 흡수되지 않

은 물질로, 대장과 항문을 통해 몸 밖으로 배출된다.

오답 피하기

ㄴ. 영양소는 소화계 (가)에서 처음 흡수된 후 순환계를 통해 조직 세포로 운반된다.

ㄷ. 이산화 탄소는 호흡계인 폐를 통해 배출된다. 그러므로 ⓛ은 배설계를 통해 배설되는 물질 B에 포함되지 않는다.

05 (가)는 소화계, (나)는 순환계, (다)는 배설계이다. 소화계 (가)에서 영양소의 소화와 흡수가 일어난다. 순환계를 구성하는 기관은 심장과 혈관 등이다.

오답 피하기

ㄷ. 배설계 (다)를 통해 배출되는 물질 A에는 요소와 같은 노폐물과 여분의 물이 있다.

문제 속 자료   기관계의 통합적 작용

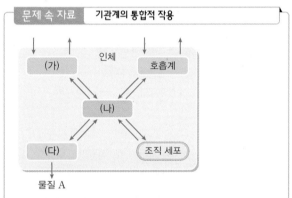

• 음식물이 섭취되고 흡수되지 못한 영양소가 나가는 (가)는 소화계, 각 기관계와 조직 세포 사이에서 물질을 운반하는 (나)는 순환계, 노폐물을 배설하는 (다)는 배설계이다.
• 소화계, 순환계, 호흡계, 배설계는 에너지를 생성하고 그 과정에서 발생한 노폐물을 배설하는 과정에서 각각 고유의 기능을 수행하면서 긴밀히 연결되어 통합적으로 작용한다.

06 A는 순환계, B는 소화계, C는 배설계이다. 요소를 합성하는 기관인 간은 소화계(B)에 속한다. 배설계에 속하는 콩팥은 체내 삼투압을 일정하게 조절하는 기능을 한다.

오답 피하기

ㄱ. 산소의 흡수, 이산화 탄소의 배출은 호흡계에서 일어난다.

07 [모범 답안] 암모니아는 순환계에 의해 소화계에 속하는 간으로 운반되어 요소로 전환된 후, 순환계에 의해 배설계로 이동하여 물과 함께 오줌으로 배설된다.

서술형 Tip

간에서의 전환 작용, 배설계에서의 배설 과정을 서술한다.

채점 기준	배점
암모니아가 간에서 요소로 전환되어 배설계를 통해 배설되며, 이 과정에 순환계가 관여함을 옳게 서술한 경우	100 %
단순히 간에서 요소로 전환되어 배설된다고만 서술한 경우	30 %

08 [모범 답안] (1) A: 순환계, B: 소화계, C: 호흡계, D: 배설계
(2) 산소와 영양소를 조직 세포에 공급하고, 이산화 탄소 등의 노폐물을 호흡계와 배설계로 운반한다.

서술형 Tip

산소와 영양소의 공급, 노폐물의 운반 경로를 서술한다.

	채점 기준	배점
(1)	A~D 기관계의 명칭을 옳게 쓴 경우	30 %
(2)	산소와 영양소, 이산화 탄소를 포함한 노폐물의 운반을 옳게 서술한 경우	70 %
	단순히 물질을 운반한다고만 서술한 경우	30 %

04 | 대사성 질환과 에너지 대사

기초 탄탄 문제   p. 052

01 ③ **02** ⑤ **03** ① **04** ④ **05** ③ **06** ②

01 오답 피하기
③ 심혈관계 질환, 뇌혈관계 질환 등도 대사성 질환에 해당한다.

02 균형 잡힌 식사와 꾸준한 운동을 통해 에너지 섭취량과 에너지 소비량의 균형을 유지할 수 있는 생활 습관을 갖도록 노력해야 한다. 에너지 소모량이 에너지 섭취량보다 많은 상황이 지속되면 체중 감소와 면역력의 약화 등이 수반된다.

03 독감은 병원체인 인플루엔자 바이러스의 감염으로 유발되는 질병이다.

04 오답 피하기
ㄱ. 당뇨병 환자는 소변량이 많아져 오줌을 자주 누거나 갈증을 자주 느껴 물을 많이 마시게 되고, 체중이 줄어들게 된다.

05 오답 피하기
③ 에너지 소비량이 에너지 섭취량보다 많은 상태가 지속되면 부족한 에너지를 보충하기 위해 체지방과 체단백질이 지속적으로 분해된다. 그 결과 체중이 감소하고 면역 기능이 떨어진다.

06 기초 대사량은 체온 조절, 심장 박동, 혈액 순환, 호흡 운동과 같은 생명 현상을 유지하는 데 필요한 최소한의 에너지양이다.

오답 피하기
ㄱ. 하루 동안 생활하는 데 필요한 에너지양은 1일 대사량이다. 활동 대사량은 공부, 운동 등 다양한 신체 활동을 하는 데 소모되는 에너지양이다.

ㄷ. 에너지 소비량이 에너지 섭취량보다 많은 경우 체중이 감소하며, 면역력이 떨어져 각종 질병에 걸리기 쉬워진다.

내신 만점 문제   p. 053~054

01 ⑤   **02** ②   **03** ④   **04** ①   **05** ③   **06** ③

07~08 해설 참조

---

01 물질대사 조절에 관여하는 효소나 호르몬 등의 이상, 오랜 기간 영양 과잉이나 운동 부족 등과 같은 생활 습관의 영향에 의해 에너지의 불균형이 지속되면 대사성 질환이 발생할 수 있다. 대사성 질환에는 당뇨병, 고지혈증, 구루병 등이 있다. 대사성 질환을 예방하려면 균형 잡힌 식사와 꾸준한 운동을 통해 에너지 섭취량과 에너지 소비량의 균형을 유지할 수 있는 생활 습관을 가져야 한다.

02 (가)는 구루병, (다)는 고지혈증 증상이므로 (나)는 당뇨병이다. 오줌을 자주 누거나 갈증을 자주 느끼는 것은 당뇨병의 증상이다.

오답 피하기

ㄱ. 구루병은 비타민 D의 결핍으로 발병한다.

ㄷ. (다)는 고지혈증이다.

03 혈당량이 비정상적으로 높게 유지되는 질환은 당뇨병으로, 혈당량 조절 호르몬인 인슐린의 분비가 부족하거나 분비되라도 정상적으로 작용하지 못해 발생한다.

04 (가)는 기초 대사량, (나)는 1일 대사량, (다)는 활동 대사량이다. 근육 조직은 지방보다 에너지 소비가 많아 근육량이 많을수록 기초 대사량이 증가한다.

오답 피하기

ㄴ. 1일 대사량은 기초 대사량과 활동 대사량, 섭취한 음식물을 소화·흡수하는 데 필요한 에너지양을 모두 더한 값이다.

ㄷ. 체온 조절, 심장 박동, 혈액 순환, 호흡 운동 등에 소모되는 에너지양은 기초 대사량(가)에 포함된다.

05 (가)는 에너지 섭취량이 에너지 소비량보다 적은 상태이고, (나)는 에너지 섭취량이 에너지 소비량보다 많은 상태이다. (가)의 상태가 지속되면 체지방과 체단백질이 감소하여 체중이 감소하게 된다. (나)의 상태가 지속되면 체지방의 축적으로 비만이 될 확률이 높아진다.

오답 피하기

ㄷ. (나)의 상태가 지속되면 대사성 질환에 걸릴 확률이 높아진다.

06 같은 에너지양을 소모하는 데 걸리는 시간이 C < B < A이므로 활동에 필요한 에너지양은 C > B > A이다. 오렌지주스 한 잔에 포함된 에너지를 소모하기 위한 활동 A 시간은 약 1.5시간, 피자 한 조각에 포함된 에너지를 소모하기 위한 활동 A 시간은 약 2.5시간, 땅콩 한 그릇에 포함된 에너지를 소모하기 위한 활동 A 시간은 약 10.5시간이므로 땅콩 한 그릇에 포함된 에너지는 오렌지주스 한 잔과 피자 한 조각에 포함된 에너지의 합보다 크다.

오답 피하기

ㄷ. 오렌지주스 한 잔 + 피자 한 조각 + 불고기 100 g에 포함된 에너지를 활동 C로 소모하는 데 걸리는 시간은 약 2시간이다.

07 [모범 답안] (1) 물질대사에 관여하는 효소나 호르몬에 이상이 있거나, 에너지 섭취량과 소비량의 불균형이 계속되어 나타날 수 있다. (2) 적절한 영양 섭취와 신체 활동을 통해 에너지 섭취량과 소비량이 균형을 이룰 수 있도록 한다.

서술형 Tip

에너지 섭취량과 소비량 사이의 균형을 이룬다는 표현을 넣어 서술한다.

	채점 기준	배점
(1)	효소나 호르몬의 이상, 에너지의 불균형을 모두 옳게 서술한 경우	50 %
	에너지의 불균형이 지속되는 경우만 서술한 경우	40 %
(2)	에너지 섭취량과 소비량 사이의 균형을 이뤄야 한다고 옳게 서술한 경우	50 %

08 [모범 답안] (1) A: 380 × 4 + 30 × 4 + 50 × 9 = 2090 (kcal), B: 400 × 4 + 100 × 4 + 200 × 9 = 3800 (kcal)

(2) B, A는 평균 에너지 소비량보다 평균 에너지 섭취량이 적은 반면, B는 평균 에너지 소비량보다 평균 에너지 섭취량이 1100 kcal 정도 많기 때문이다.

	채점 기준	배점
(1)	A와 B의 에너지 섭취량을 계산식과 함께 옳게 쓴 경우	40 %
(2)	B를 답하고 에너지 섭취량이 에너지 소비량보다 많기 때문이라고 옳게 서술한 경우	60 %

단원 마무리하기   p. 056~059

01 ⑤   **02** ③   **03** ④   **04** 해설 참조   **05** ④

06 ①   **07** ①   **08** 해설 참조   **09** ④   **10** ①

11 ④   **12** ⑤   **13** ⑤   **14** 해설 참조   **15** ④

16 ⑤

01 (가)와 (라)는 이화 작용, (나)와 (다)는 동화 작용이다. 이화 작용은 반응물의 에너지가 생성물의 에너지보다 크므로 에너지를 방출하고, 동화 작용은 반응물의 에너지가 생성물의 에너지보다 작으므로 에너지를 흡수한다.

[오답 피하기]

ㄱ. ADP가 ATP로 전환되는 것은 동화 작용으로 (나)와 (다)에 해당한다.

02 A는 ADP이고, B는 ATP이다. ⓐ는 산소, ⓑ는 ATP이다. (나)는 세포 호흡 과정으로, 영양소에 포함된 에너지는 열에너지로 방출되거나 ATP 합성에 사용된다. 세포 호흡에 쓰이는 산소는 호흡계를 통해 들어와 모세 혈관 속 혈액으로 이동하고, 혈액에 있는 적혈구의 헤모글로빈과 결합하여 조직 세포까지 운반된다.

[오답 피하기]

ㄱ. ⓐ는 산소이며, ⓑ는 ATP로 B에 해당한다.

ㄴ. (나)의 과정에서 영양소가 가진 에너지의 일부가 (ㄴ) 과정에 이용되고, 일부는 열에너지 형태로 방출된다.

03 발효관의 입구를 솜으로 막아 산소를 차단하였으므로 효모에 의한 알코올 발효가 진행되며, 그 결과 이산화 탄소가 발생한다. 포도당의 함량이 가장 높은 용액은 이산화 탄소의 발생량이 가장 많은 C이다. 알코올 발효는 포도당을 크기가 작은 물질인 에탄올과 이산화 탄소로 분해하는 과정이므로 이화 작용에 해당한다.

[오답 피하기]

ㄷ. 산소의 유입을 차단하였으므로 맹관부에 모인 이산화 탄소는 효모의 알코올 발효 과정을 통해 생성된 것이다.

04 [모범 답안] (가): 포도당, (나): 아미노산, (다): 모세 혈관, (라): 암죽관

[해설] 녹말과 단백질은 각각 포도당과 아미노산으로 최종 분해되는데, 이들은 수용성 영양소로 소장 융털 내부의 모세 혈관으로 흡수된다. 지방은 지용성 영양소이므로 지방산과 모노글리세리드로 최종 분해되며, 소장 융털 내부의 암죽관으로 흡수된다.

채점 기준	배점
포도당, 아미노산, 모세 혈관, 암죽관을 모두 옳게 쓴 경우	100 %
그 외의 경우	0 %

05 (가)는 녹말이 포도당으로 최종 분해되는 소화 과정, (나)는 세포 호흡 과정이다. A는 포도당, B는 이산화 탄소이다. 소화는 소화계에서, 세포 호흡은 주로 미토콘드리아에서 일어나며, 두 과정 모두 고분자 물질을 저분자 물질로 분해하는 이화 작용에 해당한다. 포도당은 융털의 모세 혈관을 통해 흡수되어 순환계의 작용으로 조직 세포까지 운반된다.

[오답 피하기]

ㄷ. 세포 호흡을 통해 발생한 이산화 탄소는 확산에 의해 이동하므로 ATP 에너지가 사용되지 않는다.

06 (가)는 소화계, (나)는 호흡계, (다)는 순환계이다. 영양소는 소화계에서 소화 및 흡수되고, 산소는 호흡계를 통해 체내로 들어온다. 산소와 영양소는 순환계를 통해 조직 세포로 운반되고 미토콘드리아로 전해져 세포 호흡에 이용된다.

[오답 피하기]

ㄴ. 산소가 (나)에서 (다)로, (다)에서 조직 세포로 이동하는 과정은 확산에 의해 이루어진다.

ㄷ. 조직 세포에서 산소와 영양소가 반응해 ATP를 합성하는 반응은 이화 작용이다.

07 A는 산소, B는 이산화 탄소, C는 ADP, D는 ATP이다. ADP에서 ATP를 합성하는 과정은 동화 작용이다. 포도당이 분해되어 ATP가 생성되는 것은 이화 작용이다. 산소는 폐를 통해 체내로 들어오고, 대부분 적혈구의 헤모글로빈과 결합하여 조직 세포까지 운반된다.

[오답 피하기]

ㄴ. 포도당은 융털 내부의 모세 혈관으로 흡수된다.

ㄷ. ADP와 무기인산이 결합하여 ATP가 만들어지는 과정은 저분자 물질이 고분자 물질로 합성되는 동화 작용이다.

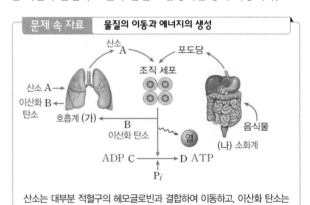

[문제 속 자료] **물질의 이동과 에너지의 생성**

산소는 대부분 적혈구의 헤모글로빈과 결합하여 이동하고, 이산화 탄소는 주로 혈장에 녹아 이동한다.

08 [모범 답안] (가): 소화계, 음식물에 들어 있는 영양소를 작은 영양소로 분해하여 몸속으로 흡수한다. (나): 순환계, 영양소와 산소를 조직 세포로 운반하고, 조직 세포에서 생성된 이산화 탄소를 호흡계로 운반한다. (다): 호흡계, 세포 호흡에 필요한 산소를 흡수하고, 세포 호흡으로 생성된 이산화 탄소를 배출한다.

채점 기준	배점
소화계, 순환계, 호흡계를 옳게 쓰고, 그 기능을 모두 옳게 서술한 경우	100 %
세 기관계 중 두 기관계만 옳게 서술한 경우	50 %
한 기관계만 옳게 서술한 경우	20 %

09 A는 아미노산이고, B는 요소이다. 오줌이 만들어지는 기관 (가)는 콩팥이다. 암모니아는 간에서 요소로 전환된 후 콩팥을 통해 몸 밖으로 배설된다. 콩팥에서는 물이 재흡수되어 순환계인 혈관으로 이동한다.

10 (가)는 소화계, (나)는 배설계이다. 암모니아를 요소로 전환하는 기관은 간으로 소화계에 속한다.

오답 피하기

ㄴ. 소화계 (가)에서 흡수하지 못한 영양소는 소화계인 대장과 항문을 통해 몸 밖으로 내보내진다.

ㄷ. 물은 호흡계인 폐와 배설계인 콩팥을 통해 배설된다.

11 A는 호흡계, B는 배설계, C는 소화계이다. 배설계를 구성하는 콩팥에서 노폐물이 걸러지고 체내 수분량이 조절된다. 암모니아를 요소로 전환하는 간은 소화계에 속한다.

오답 피하기

ㄱ. 폐의 내부는 표면적을 늘리는 구조인 폐포로 이루어진다.

12 (가)는 소화계, (나)는 호흡계, (다)는 순환계, (라)는 배설계이다. 소화계 (가)를 통해 흡수된 영양소와 호흡계 (나)를 통해 흡수된 산소는 순환계를 통해 조직 세포로 운반된다. 혈액이 폐를 거치면 혈중 산소 농도가 증가하여 동맥혈이 된다. 배설계를 통해 배출되는 오줌 속에는 요소가 포함되어 있다.

13 비커 A는 처음에는 산성이었다가 염기성으로 액성이 변하였다. 오줌에 BTB 용액을 넣었을 때 초록색을 띠므로, 오줌 자체는 중성임을 알 수 있다. A와 C의 색 변화가 같으므로, 같은 성분이 생성되었으며, 이는 암모니아이다.

14 [모범 답안] 고지혈증, 혈액에 콜레스테롤의 양이 과다하여 나타나는 대사성 질환으로 고지혈증이 심해지면 혈관이 막혀 뇌졸중과 같은 병으로 발전할 수 있다.

해설 고지혈증으로 콜레스테롤이 많아져 혈관 벽에 쌓이면 동맥 경화를 일으키고, 고혈압, 심장병, 뇌졸중의 원인이 된다.

채점 기준	배점
고지혈증을 쓰고, 혈관이 막혀 뇌졸중과 같은 합병증이 발생할 수 있다고 옳게 서술한 경우	100 %
고지혈증은 썼지만 위험한 까닭을 서술하지 못한 경우	30 %

문제 속 자료 　고지혈증

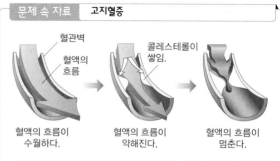

혈관벽
혈액의 흐름
콜레스테롤이 쌓임.

혈액의 흐름이 수월하다.　혈액의 흐름이 약해진다.　혈액의 흐름이 멈춘다.

• 혈액 속에 중성 지방이나 콜레스테롤의 양이 과도하게 축적되면 혈관벽에 침전물이 쌓여 혈관 지름이 좁아지고 탄력이 떨어진다. 이러한 상태를 고지혈증이라고 한다.
• 고지혈증이 심화되면 혈관이 딱딱하게 굳어 혈액 순환이 막히는 동맥 경화로 발전할 수 있고, 이를 계속 방치하면 심장마비, 뇌졸중 등의 심각한 질환을 유발할 수 있다.

15 당뇨병 환자는 혈당량이 비정상적으로 높게 유지되고, 오줌으로 포도당이 배출된다. 이 환자의 경우 인슐린 농도가 매우 낮게 유지되고 있으므로 인슐린을 주사하면 혈당량을 낮출 수 있다.

오답 피하기

ㄱ. 인슐린은 이자의 β세포에서 분비되는데, 이 환자의 인슐린 농도가 거의 0에 가까우므로 이 환자는 이자의 β세포에 이상이 생겨 인슐린이 정상적으로 분비되지 않음을 알 수 있다.

16 영희가 섭취한 평균 에너지양은 1780 kcal, 소비한 평균 에너지양은 2100 kcal이다. 철수가 섭취한 평균 에너지양은 3260 kcal, 소비한 평균 에너지양은 2500 kcal이다. 영수가 섭취한 평균 에너지양은 2640 kcal, 소비한 평균 에너지양은 2500 kcal이다. 철수는 탄수화물을 통해 1200 kcal의 에너지를 섭취하였으므로 탄수화물을 300 g 섭취했고, 지방을 통해 1500 kcal의 에너지를 섭취했으므로 지방을 약 166.7g 섭취했다. 그러므로 철수가 하루 동안 섭취한 탄수화물의 양은 지방보다 약 133.3 g 더 많다. 철수가 섭취한 평균 에너지양은 3260 kcal, 영수가 섭취한 평균 에너지양은 2640 kcal이고, 소비한 평균 에너지양은 모두 2500 kcal이므로 비만이 될 가능성은 철수가 영수보다 높다.

문제 속 자료 　에너지 섭취량과 에너지 소비량

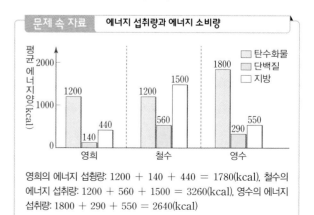

평균 에너지양(kcal)

탄수화물
단백질
지방

영희　철수　영수

영희의 에너지 섭취량: 1200 + 140 + 440 = 1780(kcal), 철수의 에너지 섭취량: 1200 + 560 + 1500 = 3260(kcal), 영수의 에너지 섭취량: 1800 + 290 + 550 = 2640(kcal)

III 항상성과 몸의 조절

1. 신경계

01 | 흥분의 전도와 전달

기초 탄탄 문제 p. 068~069

01 ② 02 ③ 03 ⑤ 04 ② 05 ② 06 ①
07 ③ 08 ④ 09 ③ 10 ② 11 ③ 12 ④

01 A는 가지 돌기, B는 신경 세포체, C는 말이집(슈반 세포), D는 랑비에 결절, E는 축삭 돌기 말단이다.

02 (가)는 원심성 뉴런으로 연합 뉴런에서 내린 명령을 반응 기관으로 전달한다. (나)는 연합 뉴런으로 뇌와 척수에 분포하며, 구심성 뉴런으로부터 받아들인 정보를 통합하여 원심성 뉴런으로 명령을 내린다. (다)는 구심성 뉴런으로 감각 기관에서 받아들인 자극을 연합 뉴런으로 전달한다.

03 오답 피하기
⑤ Na^+-K^+ 펌프는 ATP가 공급되는 한 계속 작동하므로 자극을 받지 않을 때에도 이온의 이동은 나타난다.

04 분극 상태에서 Na^+ 통로가 열리면 Na^+이 세포 밖에서 세포 안으로 들어오면서 막전위가 상승하고 탈분극이 진행된다. 이후 Na^+ 통로가 닫히고 K^+ 통로가 열리면서 K^+이 세포 안에서 밖으로 빠져나가 막전위가 하강하고 재분극이 진행된다.

05 Na^+-K^+ 펌프의 작동으로 농도에 역행하여 이온이 운반될 때에는 ATP가 사용된다.
오답 피하기
ㄱ, ㄷ, ㄹ. 이온 통로를 통한 Na^+, K^+의 이동은 농도 차에 따른 확산으로 이루어져 ATP가 소모되지 않는다.

06 오답 피하기
① 세포 내로 유입된 Na^+은 세포막 내에서 양 옆으로 확산되고, 이에 따라 축삭 돌기를 따라 양 방향으로 흥분이 전도된다.

07 오답 피하기
③ 시냅스에서 흥분은 축삭 돌기 말단에서 다음 뉴런의 가지 돌기나 신경 세포체, 반응기의 세포막으로만 전달된다. 반대 방향으로는 전달되지 않는다.

08 축삭 돌기 중간 지점에 자극을 주었을 때 축삭 돌기에서의 흥분의 전도는 양쪽 방향으로 진행되지만, 시냅스에서의 흥분의 전달은 축삭 돌기 말단에 연결된 뉴런의 가지 돌기나 신경 세포체 방향으로만 진행된다.

09 민말이집 신경보다 말이집 신경의 흥분 전도 속도가 더 빠르다. 시냅스에서는 신경 전달 물질의 확산에 의해 흥분이 전달되기 때문에 축삭 돌기에서의 전기적 전도에 비해 속도가 느리다.

10 활동 전위가 축삭 돌기 말단에 도달하면 시냅스 소포가 세포막과 융합하여 신경 전달 물질이 시냅스 틈으로 방출된다. 방출된 신경 전달 물질은 다음 뉴런의 수용체에 결합하여 탈분극을 유도하여 흥분이 전달된다.

11 오답 피하기
① B는 구심성 뉴런의 가지 돌기이므로 시냅스 소포가 없어 신경 전달 물질이 분비되지 않는다.
② (나)는 (가)의 시냅스 이전 뉴런이다.
④ 흥분의 전달은 (다) 구심성 뉴런 → (나) 연합 뉴런 → (가) 원심성 뉴런 방향으로 진행된다.
⑤ (가) → (나) 방향으로 흥분의 전달이 일어나지 않으므로 (다)에서는 활동 전위가 발생하지 않는다.

12 약물을 과도하게 사용하면 신경계에 심각한 영향을 줄 수 있다.

내신 만점 문제 p. 070~073

01 ④ 02 ④ 03 ④ 04 ③ 05 ③ 06 ②
07 ② 08 ⑤ 09 ② 10 ⑤ 11 ① 12 ①
13 ⑤ 14 ④ 15~16 해설 참조

01 A는 가지 돌기, B는 신경 세포체, C는 말이집, D는 랑비에 결절, E는 축삭 돌기 말단이다.
오답 피하기
④ 랑비에 결절은 이온의 투과성이 나타나며 활동 전위가 발생하는 부위이다.

02 (가)는 원심성 뉴런, (나)는 연합 뉴런, (다)는 구심성 뉴런이므로 신호는 (다) → (나) → (가)로 전달된다. 연합 뉴런은 뇌와 척수를 구성한다.

03 Na^+ 통로가 열려 있으므로 휴지 전위가 아닌 탈분극 상태를

나타낸다. Na^+ 통로를 통해 일어나는 이온의 이동은 확산 현상으로 Na^+은 세포 밖에서 세포 안으로 들어온다. Na^+-K^+ 펌프에 의한 이온의 이동은 농도 기울기에 역행하여 물질을 수송하는 것으로 에너지(ATP)가 소모된다.

04 구간 Ⅰ은 분극, 구간 Ⅱ는 탈분극, 구간 Ⅲ은 재분극 시기이다. 탈분극이 진행될 때 세포 안쪽의 전위값은 상승하며, Na^+의 막 투과성은 탈분극 시기인 t_1일 때 더 크다.

> **오답 피하기**
> ㄷ. 활동 전위의 발생과 상관 없이 Na^+은 세포 밖에서, K^+은 세포 안에서 농도가 높게 유지된다.

05 ㉠은 Na^+, ㉡은 K^+이다. 이온 통로를 통한 이온의 이동은 농도 기울기에 따른 확산 현상에 의해 일어나므로 ATP가 소모되지 않는다.

> **오답 피하기**
> ㄷ. t_1에서 Na^+의 막 투과도 > K^+의 막 투과도이며, t_2에서 Na^+의 막 투과도 < K^+의 막 투과도이다. 따라서 $\dfrac{K^+의\ 막\ 투과도}{Na^+의\ 막\ 투과도}$ 값은 t_2일 때가 더 크다.

06 Na^+ 통로를 통해 Na^+이 세포 밖에서 안으로 유입되어 막전위가 상승하면서 탈분극이 진행된다.

> **오답 피하기**
> ㄱ. Na^+-K^+ 펌프를 통해 Na^+과 K^+은 각각 농도가 낮은 쪽에서 높은 쪽으로 이동한다.
> ㄴ. K^+ 통로를 통한 K^+의 유출로 재분극이 진행된다.

07 (가)의 t_2 시점은 재분극에 속한다. 따라서 (나)에서 K^+은 세포 안에서 밖으로 확산되며, 이에 따라 ㉠은 세포 안, ㉡은 세포 밖이다.

> **오답 피하기**
> ㄱ. 분극 상태에서 Na^+-K^+ 펌프를 통해 Na^+, K^+은 이동한다.
> ㄷ. 세포 안에서 세포 밖으로의 K^+의 이동은 확산에 의해 일어나므로 ATP가 소모되지 않는다.

08 Na^+-K^+ 펌프는 세포 호흡을 통해 ATP가 공급되는 한 계속 작동한다. 세포막 안으로 유입된 Na^+은 양 옆으로 확산하여 연속적인 탈분극을 유도한다. t_1은 재분극이 진행되는 시기로, K^+이 세포 안에서 밖으로 유출되면서 막전위가 하강한다.

09 A는 이온 통로가 모두 막혀 있으므로 분극 상태를 나타낸다. B는 Na^+이 유입되므로 탈분극, C는 K^+이 유출되므로 재분

극 시기이다. 탈분극과 재분극 시 이온 통로를 통한 이온 이동은 모두 확산으로 일어난다.

> **오답 피하기**
> ㄱ. Na^+-K^+ 펌프에 의한 이동이 일어나고 있다.
> ㄷ. C 구간은 재분극 상태이므로 탈분극 상태인 B 구간보다 먼저 흥분이 발생했다. 따라서 흥분의 전도 방향은 C → B → A이다.

10 약한 자극 시와 강한 자극 시를 비교해 보면 활동 전위의 크기는 달라지지 않고 발생 빈도가 늘어났음을 확인할 수 있다. 또한, 강한 자극 시 활동 전위가 자주 발생했을 때가 약한 자극 시보다 신경 전달 물질의 분비량이 더 많다.

11 (가)는 시냅스 이전 뉴런, (나)는 시냅스 이후 뉴런이며, A는 시냅스 소포이고, B는 시냅스 틈이다.

> **오답 피하기**
> ㄴ. 시냅스 틈에서 신경 전달 물질은 확산에 의해 이동하므로 ATP를 소모하지 않는다.
> ㄷ. 신경 전달 물질은 시냅스 이후 뉴런의 탈분극을 유도한다.

12 흥분의 이동 속도는 A > B > C의 순서로 나타났으며, D에서는 흥분이 전달되지 않았다. 이는 말이집 신경인 A가 민말이집 신경인 B보다 흥분 전도 속도가 빠르고, 축삭 돌기를 통한 흥분 전도가 시냅스에서의 흥분의 전달보다 빠르기 때문이다. 가지 돌기에서 다른 뉴런의 축삭 돌기 방향으로는 흥분 전달이 일어나지 않아 D에서 활동 전위가 발생하지 않았다.

13 E_1, E_2 각각은 역치 미만의 자극으로 활동 전위를 발생시키지 못하지만 짧은 시간 동안 연속해서 자극하거나 동시에 자극하면 활동 전위가 발생함을 확인할 수 있다. 이는 시냅스에서 신경 전달 물질의 양이 합쳐져서 활동 전위가 나타나기 때문이다.

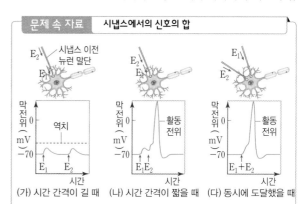

문제 속 자료 **시냅스에서의 신호의 합**

(가) 시간 간격이 길 때 (나) 시간 간격이 짧을 때 (다) 동시에 도달했을 때

• 역치 미만인 2개의 신호가 짧은 시간 간격으로 전달될 경우 활동 전위가 발생한다.
• 역치 미만인 2개의 신호가 동시에 전달될 경우 활동 전위가 발생한다.

14 약물 A, B는 시냅스에서의 흥분 전달을 억제하는 약물로 시냅스 이후 뉴런의 탈분극을 억제하고, 약물 C는 시냅스에서의 흥분 전달을 촉진하는 약물이다.

15 [모범 답안] (1) Na^+, K^+ (2) Na^+-K^+ 펌프에 의해 Na^+은 세포막 바깥으로, K^+은 세포막 안쪽으로 이동하며 일부 열려 있는 K^+ 통로를 통해 K^+이 세포 밖으로 확산되기 때문이다.

해설 뉴런의 세포막에 있는 Na^+-K^+ 펌프는 ATP를 소비하여 Na^+은 세포 밖으로, K^+은 세포 안으로 이동시키므로 뉴런의 내부는 외부보다 K^+ 농도가 높고, Na^+ 농도는 낮다.

서술형 Tip
Na^+-K^+ 펌프와 일부 열려 있는 K^+ 통로로 인해 이온이 불균등하게 분포함을 서술한다.

채점 기준		배점
(1)	Na^+, K^+을 옳게 쓴 경우	20 %
(2)	Na^+-K^+ 펌프의 작동과 일부 열려 있는 K^+ 통로를 통한 이온의 이동을 모두 옳게 서술한 경우	80 %

16 [모범 답안] (1) ㉠에서 활동 전위가 나타나지 않는다.
(2) 가지 돌기에는 시냅스 소포가 없어서 신경 전달 물질을 분비할 수 없고, 축삭 돌기 말단에는 신경 전달 물질 수용체가 없기 때문에 흥분은 시냅스 이전 뉴런의 축삭 돌기에서 시냅스 이후 뉴런의 가지 돌기 쪽으로만 전달된다.

해설 시냅스에서의 흥분 전달은 축삭 돌기에서 다른 뉴런의 가지 돌기 방향으로만 진행된다.

채점 기준		배점
(1)	㉠에서 활동 전위가 나타나지 않는다고 옳게 서술한 경우	30 %
(2)	가지 돌기에는 시냅스 소포가 없고, 축삭 돌기 말단에는 신경 전달 물질의 수용체가 없다고 옳게 서술한 경우	70 %

02 | 근육 수축의 원리

🔭 탐구 대표 문제   p. 076

01 ③   02 ①

01 A대는 마이오신 필라멘트 자체를 의미하며 A대의 일부는 마이오신 필라멘트와 액틴 필라멘트가 겹치는 부위이다. A대에서 마이오신 필라멘트만 있는 부분을 H대라고 한다.

02 액틴 필라멘트가 마이오신 필라멘트 사이로 미끄러져 들어갈 때 ATP가 필요하다.

기초 탄탄 문제   p. 077

01 ②   02 ②   03 ①   04 ③   05 ⑤

01 골격근은 2개가 짝을 지어 뼈대를 움직인다. 팔을 구부릴 때 이두박근 (가)는 수축, 삼두박근 (나)는 이완된다.

02 운동 뉴런의 말단에서 신경 전달 물질인 아세틸콜린이 분비되면 근육 원섬유에 활동 전위가 발생하고, 이에 따라 액틴 필라멘트와 마이오신 필라멘트 사이에 결합이 형성된다. 이때 ATP가 소모되면서 액틴 필라멘트가 마이오신 필라멘트 사이로 미끄러져 들어가면서 근육 원섬유 마디가 짧아진다.

03 ㉠은 근육 원섬유 마디, ㉡은 A대, ㉢은 I대, ㉣은 H대, ㉤은 Z선이다.

04 근육 수축이 일어나면 I대와 H대의 길이가 짧아지고, A대의 길이는 변화가 없다.

문제 속 자료   **근육 수축 시 근육 원섬유 마디의 변화**

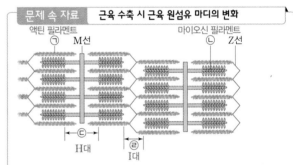

• 액틴 필라멘트가 마이오신 필라멘트 사이로 미끄러져 들어가면서 근육 원섬유 마디가 짧아지고, 그 결과 근육이 수축한다.
• 액틴 필라멘트와 마이오신 필라멘트가 겹치는 부분이 늘어나면 H대와 I대의 길이가 짧아진다. ➡ ㉢, ㉣ 부분

05 근육 섬유에 저장된 ATP가 모두 소모되면 크레아틴 인산이 분해되어 발생한 에너지가 ATP 생성에 이용된다.

내신 만점 문제   p. 078~079

01 ①   02 ③   03 ①   04 ④   05 ④   06 ⑤
07~08 해설 참조

01 (가)는 근육 ㉠이 수축하는 과정으로, 액틴 필라멘트와 마이오신 필라멘트 자체의 길이는 변하지 않고 두 필라멘트가 겹치는 길이가 길어진다.

오답 피하기
ㄱ. 골격근은 여러개의 근육 섬유 다발로 구성된다.
ㄷ. 근육 수축 시 두 필라멘트가 겹치는 부분은 늘어난다.

02 근육이 수축하면 액틴 필라멘트와 마이오신 필라멘트의 자체 길이는 변화가 없고 두 필라멘트가 겹치는 부위가 늘어난다. 이에 따라 H대와 I대의 길이가 짧아진다. 이렇게 겹치는 부위가 늘어나면 M선과 Z선 사이가 가까워지면서 근육 원섬유 마디가 짧아진다.

03 근육 ㉠은 팔을 구부렸을 때 수축하여 길이가 짧아진다.

오답 피하기

ㄴ. 근육의 수축, 이완에 상관없이 마이오신 필라멘트 자체의 길이는 변하지 않는다.

ㄷ. 근육이 수축할 때는 두 필라멘트가 겹치는 부위가 늘어나면서 H대의 길이는 짧아진다.

04 ㉠은 A대로 마이오신 필라멘트가 있는 부분이고, ㉡은 액틴 필라멘트이다. (가)는 근육이 수축하는 과정을, (나)는 근육이 이완하는 과정을 나타낸다. 근육이 수축하는 과정에서 액틴 필라멘트가 마이오신 필라멘트 사이로 미끄러져 들어가게 되고, 이 과정에서 ATP가 소모된다. 근육이 이완할 때는 근육 원섬유 마디가 늘어나면서 전체 근육의 길이도 늘어난다.

오답 피하기

ㄴ. 근육이 수축할 때 마이오신 필라멘트와 액틴 필라멘트 자체의 길이는 짧아지지 않는다.

05 마이오신 필라멘트(A대)와 액틴 필라멘트 자체의 길이는 근육 수축 과정에서 변하지 않는다. 문제에서 A대의 길이는 1.6 μm이며, 액틴 필라멘트에 해당하는 부분의 길이는 1.0 μm이다. ⓐ 시기는 근육이 수축할 때, ⓑ 시기는 근육이 이완할 때이다. 근육이 수축할 때 X의 길이가 2.4 μm이므로, 가운데 M선을 기준으로 양쪽이 1.2 μm여야 한다. 이때 한 쪽 액틴 필라멘트의 길이는 변하지 않고 1.0 μm이므로, 겹치지 않는 부분은 0.2 μm가 된다. H대는 양쪽의 겹치지 않는 부분이므로, 0.4 μm가 된다. 이완 시(ⓑ) X의 길이가 3.2 μm이므로 M선을 기준으로 한쪽은 1.6 μm가 된다. 액틴 필라멘트의 길이는 1.0 μm이므로, 겹치지 않는 부분의 길이는 0.6 μm가 되고, 겹치는 부분(㉠)의 길이는 0.2 μm가 된다.

오답 피하기

ㄱ. A대의 길이는 근육의 수축과 이완 시에 변화가 없으므로 1.6 μm가 된다.

06 상대적으로 가는 ㉠은 액틴 필라멘트, 굵은 ㉡은 마이오신 필라멘트이다. C는 액틴 필라멘트와 마이오신 필라멘트가 겹치는 부분의 단면이므로 근육이 수축할수록 이와 같은 부분이 길어진다.

07 [모범 답안] 축삭 돌기 말단에서 아세틸콜린이 방출되어 근육 섬유에 작용하면 근육 섬유에서 탈분극이 일어나면서 마이오신 필라멘트 사이로 액틴 필라멘트가 미끄러져 들어가 근육이 수축한다.

해설 운동 신경의 흥분은 반응기인 골격근에 전달된다.

서술형 Tip

아세틸콜린 방출에 의한 운동 신경과 근육 섬유 사이의 신호의 전달을 서술한다.

채점 기준	배점
축삭 돌기 말단과 골격근이 형성하는 시냅스에서 신경 전달 물질의 작용으로 신호가 전달되는 것을 옳게 서술한 경우	100 %
운동 뉴런의 흥분 전달에 의한 자극으로 근육이 수축한다고만 서술한 경우	80 %

08 [모범 답안] (1) ㉠: 마이오신 필라멘트, ㉡: 액틴 필라멘트
(2) ㉠, ㉡의 길이는 변하지 않는다.
(3) 마이오신 필라멘트 사이로 액틴 필라멘트가 미끄러져 들어가 겹치는 부분이 많아지기 때문에 근육 원섬유 마디는 짧아진다.

해설 액틴 필라멘트가 마이오신 필라멘트 사이로 들어가 근육 원섬유 마디의 길이가 짧아지면서 근육 수축이 일어난다.

	채점 기준	배점
(1)	마이오신 필라멘트와 액틴 필라멘트를 옳게 쓴 경우	20 %
(2)	액틴 필라멘트와 마이오신 필라멘트 자체의 길이는 변하지 않는다고 옳게 서술한 경우	20 %
(3)	마이오신 필라멘트 사이로 액틴 필라멘트가 미끄러져 들어간다고 옳게 서술한 경우	60 %
	마이오신 필라멘트와 액틴 필라멘트가 겹치는 부분이 길어지기 때문이라고만 서술한 경우	30 %

03 | 중추 신경계

기초 탄탄 문제   p. 083

01 ④   02 ③   03 ①   04 ⑤   05 ②   06 ③

01 오답 피하기

④ 중추 신경계는 무수히 많은 뉴런이 밀집한 구조이며, 말초 신경계는 중추 신경계에 연결되어 온몸에 나뭇가지 모양으로 뻗어 있다.

02 오답 피하기

③ 뇌줄기는 중간뇌, 뇌교, 연수로 이루어지며 호흡, 심장 박동 등 생명과 직결된 기능을 조절한다.

03 겉질은 신경 세포체가 많이 분포해 회색질, 속질은 축삭 돌기

가 분포해 백색질이며 수의 운동과 고등 정신 활동을 담당하는 부위는 대뇌이다.

04 오답 피하기
⑤ 척수의 배 쪽에는 운동 신경 다발이 전근을 이루고, 등 쪽에는 감각 신경 다발이 후근을 이룬다.

05 척수는 회피 반사, 무릎 반사, 배변, 배뇨 등의 반사를 담당한다. 기침, 재채기, 하품 등의 반사 중추는 연수이다.

06 회피 반사는 팔다리에 강한 자극이 주어질 때 팔다리가 몸통을 향해 오므라드는 현상으로, 위험으로부터 몸을 보호하기 위한 빠른 반응이다. 회피 반사는 척수가 중추인 무조건 반사로, 감각 신경 → 척수 → 운동 신경의 경로를 거친다. 그림에서는 (가) → (나) → (다)이다. 등 쪽에 있는 후근을 이루는 (가)는 감각 뉴런, 배 쪽에 있는 전근을 이루는 (다)는 운동 뉴런이다.

오답 피하기
③ 자극은 감각 뉴런을 통해 대뇌로도 전달된다. 다만, 대뇌가 통증을 느끼기 전에 회피 반사가 먼저 일어난다.

내신 만점 **문제**   p. 084~085

01 ②　**02** ④　**03** ④　**04** ④　**05** ④　**06** ③
07~08 해설 참조

---

01 겉질은 회색질, 속질은 백색질인 A는 뇌, B는 척수이다.
오답 피하기
ㄱ. '많은 뉴런이 밀집되어 있다.'는 말초 신경계에 해당하지 않는 특징이므로 (가)에 올 수 없다.
ㄴ. 뇌 신경은 말초 신경계를 구성한다.

02 A는 간뇌, B는 연수, C는 대뇌, D는 소뇌이다. 대뇌와 소뇌는 함께 수의 운동을 조절하며, 연수에서 신경의 좌우 교차가 일어난다.
오답 피하기
ㄱ. 안구 운동을 조절하는 것은 중간뇌이다. 간뇌는 체온, 삼투압, 혈당량 등 체내 항상성을 조절하는 중추이다.

03 소뇌, 연수, 중간뇌, 대뇌 중에서 좌우 반구로 나누어진 것은 대뇌, 소뇌이고, 뇌줄기를 구성하는 것은 중간뇌, 연수이다. 동공 반사의 중추는 중간뇌이다. 따라서 A~D 중 하나에만 해당하는 특징인 ㉠은 '동공 반사의 중추이다.'이며, C가 중간뇌이다. 중간뇌에 해당하는 다른 특징인 ㉡은 '뇌줄기를 구성한다.'가 되고, 중간뇌와 ㉡을 공유하는 D는 연수가 된다. 나머지 A, B는 각각 대뇌와 소뇌 중 하나이며, 이 둘이 공유하

는 특징인 ㉢은 '좌우 반구로 나뉘어 있다.'가 된다.
오답 피하기
ㄱ. 소화 운동, 심장 박동, 호흡 운동의 중추는 연수이므로 D에 해당한다.

04 전근을 이루는 A는 운동 뉴런, B는 척수의 속질에 분포하는 연합 뉴런, 후근을 이루는 C는 감각 뉴런이다. D는 대뇌를 구성하는 연합 뉴런을 나타낸다. 고무 망치에 의한 자극은 척수가 중추인 무릎 반사로 나타나고, 동시에 대뇌에도 전달된다. 무릎 반사가 속도가 빠르므로 무릎 반사가 나타난 후에 대뇌에서 자극을 느끼게 된다.
오답 피하기
ㄹ. 무릎 반사의 경로는 C → B → A이다.

> **문제 속 자료**　**무릎 반사의 경로**
>
>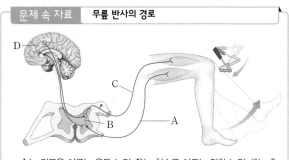
>
> • A는 전근을 이루는 운동 뉴런, B는 척수를 이루는 연합 뉴런, C는 후근을 이루는 감각 뉴런이다.
> • 척수가 중추인 무릎 반사는 C → B → A의 경로로 일어난다.

05 오답 피하기
ㄱ. 눈에서 감지된 시각 자극은 뇌 신경을 따라 대뇌에 전달되므로 척수를 거치지 않는다.

06 (가)는 대뇌의 판단과 명령에 따라 일어나는 의식적인 반응, (나)는 척수가 중추인 무조건 반사의 경로를 나타낸 것이다. 손으로 주머니 속의 동전을 골라 내는 것은 대뇌가 중추가 되는 의식적인 반응이다. 반면, 뜨거운 주전자에 손이 닿자마자 손을 떼는 것은 척수가 중추가 되는 회피 반사이다.
오답 피하기
ㄷ. 위급한 상황에 빠르게 대처할 수 있는 것은 반응 경로가 짧아 빠르게 일어나는 무조건 반사인 (나)이다.

07 [모범 답안] (1) 후두엽 (2) 대뇌 겉질은 영역에 따라 기능이 다르다.

	채점 기준	배점
(1)	후두엽을 옳게 쓴 경우	30 %
(2)	대뇌 겉질이 영역에 따라 기능이 다르다고 옳게 서술한 경우	70 %

08 [모범 답안] (1) ㉠: (나) → 척수 → C, ㉡: (가) → 뇌 → 척수 → B

② 무조건 반사는 의식적인 반응보다 경로가 짧아서 반응 속도가 빠르기 때문이다.

해설 의식적인 반응의 경로에 비해 무조건 반사의 반응 경로가 짧다.

서술형 Tip

반응의 경로를 비교하여 무조건 반사의 특성을 서술한다.

	채점 기준	배점
(1)	㉠, ㉡의 반응 경로를 옳게 쓴 경우	40 %
(2)	두 반응의 반응 경로를 비교하여 무조건 반사가 반응이 빠르게 나타난다고 옳게 서술한 경우	60 %
	반응이 빠르게 나타나기 때문이라고만 설명한 경우	40 %

04 | 말초 신경계

01 **오답 피하기**
③ 자율 신경계는 대뇌의 직접적인 지배를 받지 않는 불수의 운동을 조절한다.

02 자율 신경계는 원심성 신경의 한 종류로, 기능에 따라 교감 신경과 부교감 신경으로 구분한다. 각종 내장 기관과 혈관에 분포하며, 대뇌가 아닌 연수, 중간뇌, 척수 등에서 뻗어 나와 주로 생명 유지에 관한 기능을 조절한다.
오답 피하기
① 뇌와 척수를 구성하는 뉴런은 연합 뉴런이다. 자율 신경계는 운동 뉴런으로 구성된다.

03 교감 신경이 활성화되면 방광이 확장되고, 부교감 신경이 활성화되면 방광이 수축한다.

04 (가)는 하나의 뉴런으로 되어 있으며 말이집이 있는 체성 운동 신경이다. (나)는 신경절 이전 뉴런이 짧은 교감 신경, (다)는 신경절 이전 뉴런이 긴 부교감 신경이다. 교감 신경과 부교감 신경은 같은 기관에 분포하면서 서로 반대되는 길항 작용으로 기관의 기능을 조절한다.
오답 피하기
① 말초 신경계를 구성하는 신경은 기능적으로 구심성 신경과 원심성 신경으로 나뉘며, 원심성 신경을 다시 체성 신경계와 자율 신경계로 구분한다.
② 체성 신경은 골격근과 시냅스를 이룬다.
④ A와 B는 모두 아세틸콜린으로 같은 신경 전달 물질이다.

⑤ A, B, D는 아세틸콜린이고, C는 노르에피네프린이다.

05 **오답 피하기**
② 교감 신경이 활성화되면 소화를 억제하는 방향으로 반응이 나타나므로 소화 기관으로 공급되는 혈액의 양은 줄어든다.

06 근위축성 측삭 경화증은 말초 신경계인 운동 신경의 손상으로 나타나는 질병이다.

01 신경 A는 감각기에서 받은 자극을 중추 신경계로 전달하는 구심성 신경이다. 원심성 신경 중 내장 기관에 분포한 신경 B는 자율 신경, 골격근에 분포한 신경 C는 체성 운동 신경을 나타낸다. 자율 신경은 두 개의 뉴런이 신경절에서 시냅스를 이루며 연결된다.
오답 피하기
ㄱ. 눈과 중추 신경계를 연결하는 신경 A는 뇌 신경으로 척수를 통과하지 않는다.
ㄷ. 신경 C는 체성 운동 신경이므로 신경 C의 축삭 돌기 말단에서는 아세틸콜린이 분비된다.

02 중추에서 반응기에 이르기까지 뉴런 2개가 신경절에서 시냅스를 형성하는 것은 자율 신경의 특성이다. 따라서 B, C는 자율 신경, A는 체성 신경이다. '대뇌의 지배를 받는가?'는 체성 신경계에만 적용되는 내용으로 (가)에 적합하다.
B는 신경절 이후 뉴런이 짧은 부교감 신경에 해당하고, 부교감 신경이 흥분하면 소화 운동이 촉진된다.
오답 피하기
ㄴ. B, C는 자율 신경계로 내장 기관에 연결된다. 골격근에 연결되는 것은 체성 신경계이다.

03 (가)는 신경절 이전 뉴런이 긴 부교감 신경, (나)는 신경절 이전 뉴런이 짧은 교감 신경이다. 교감 신경과 부교감 신경은 위에 연결되어 길항 작용을 통해 소화 작용을 조절한다.
오답 피하기
ㄴ. 교감 신경의 신경절 이전 뉴런의 신경 세포체는 척수에 있다.
ㄷ. A는 아세틸콜린, B는 노르에피네프린으로 서로 다르다.

04 연수에서 뻗어 나오며 신경절 이전 뉴런이 긴 (가)는 부교감

신경, 척수에서 나오고 신경절 이전 뉴런이 짧은 (나)는 교감 신경이다. 교감 신경이 흥분하면 심장 박동과 호흡 속도가 빨라진다.

오답 피하기

① 부교감 신경이 흥분하면 방광이 수축된다.
② 자율 신경은 내장근에 연결되어 있다.
③ 자율 신경은 대뇌의 직접적인 지배를 받지 않는다.
④ A, B는 아세틸콜린, C는 노르에피네프린이다.

문제 속 자료 | **교감 신경과 부교감 신경**

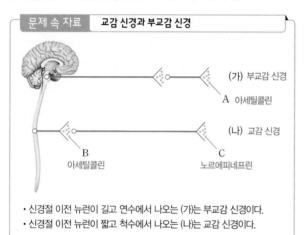

(가) 부교감 신경
A 아세틸콜린

(나) 교감 신경

B 아세틸콜린
C 노르에피네프린

• 신경절 이전 뉴런이 길고 연수에서 나오는 (가)는 부교감 신경이다.
• 신경절 이전 뉴런이 짧고 척수에서 나오는 (나)는 교감 신경이다.

---

05 A는 교감 신경, B는 부교감 신경이며, 심장 박출량과 호흡수가 많은 ⓒ은 운동 시, ⓐ은 평상시에 해당한다. 운동 시에는 교감 신경이 흥분하여 심장 박출량과 호흡수를 증가시키고, 평상시에는 부교감 신경이 작용하여 심장 박출량과 호흡수를 낮춘다. 또한, 운동 시에 교감 신경이 흥분하면 글리코젠이 포도당으로 분해되는 과정을 촉진하여 혈당량을 높인다.

오답 피하기

ㄱ. 교감 신경의 신경절 이전 뉴런의 신경 세포체는 척수에 있다.

06 교감 신경과 부교감 신경은 같은 기관에 분포하면서 서로 반대되는 작용을 하는 길항 작용을 통해 기관의 기능을 조절한다. 스트레스를 받으면 소화가 잘 되지 않는 것은 교감 신경이 활성화되어 소화 운동과 소화액 분비를 억제하기 때문이다.

오답 피하기

ㄱ. 달리기와 같은 운동을 할 때 심장 박동과 호흡 운동이 촉진되는 것은 교감 신경이 활성화되기 때문이다.

07 A가 자극되었을 때 심장 박동 주기가 길어졌으므로 A는 부교감 신경이다. B가 자극되었을 때 심장 박동 주기가 짧아졌으므로 B는 교감 신경이다. 신경절 이전 뉴런이 신경절 이후 뉴런보다 짧은 것은 교감 신경이다. 교감 신경의 신경절 이전 뉴런의 신경 세포체는 척수에 있다.

08 X가 Y보다 길므로 부교감 신경이다. 동공의 크기를 조절하는

부교감 신경의 신경절 이전 뉴런의 신경 세포체는 중간뇌에 있으며, 신경절 이전 뉴런과 신경절 이후 뉴런의 축삭 돌기 말단에서 분비되는 신경 전달 물질은 아세틸콜린이다. 부교감 신경의 작용으로 동공은 축소된다.

09 심장근의 활동 전위 발생 빈도는 자율 신경에 의해 조절된다. (가)보다 (나)에서 활동 전위의 발생 빈도가 높은 것으로 보아 (나)는 교감 신경이 흥분한 상태이다. 교감 신경은 노르에피네프린을 분비하여 기관을 조절한다. 교감 신경이 흥분하면 호흡량도 늘어나고 이에 따라 기체 교환도 활발히 일어난다. 따라서 (가)보다 (나)에서 모세 혈관에서 폐포로 이동하는 이산화 탄소의 양이 더 많다.

오답 피하기

ㄱ. 심장근은 자율 신경계와 연결된다.

10 (가)는 척수가 중추가 되는 척수 반사의 경로를, (나)는 자율 신경계가 중추에 연결되어 있는 모습을 나타낸다. (가), (나)에서 모두 대뇌의 지배를 받지 않고 반응이 일어난다.

오답 피하기

ㄱ. 무조건 반사 경로인 (가)에서 운동 신경은 골격근에 연결되고, (나)의 자율 신경은 내장 기관이나 혈관 등에 분포한다.
ㄷ. (가)의 운동 신경 말단과 (나)의 부교감 신경의 신경절 이후 뉴런의 말단에서는 아세틸콜린이, 교감 신경의 신경절 이후 뉴런의 말단에서는 노르에피네프린이 분비된다.

11 [모범 답안] (1) 연수 (2) A: 아세틸콜린, B: 아세틸콜린 (3) (나)에서 자극 시점 이후 위 내부의 pH가 내려갔으므로 자율 신경 A, B는 위액 분비를 촉진한다.

해설 A가 B보다 긴 것으로 보아 자율 신경 A, B는 부교감 신경이다. 부교감 신경 중 소화액 분비를 조절하는 뉴런의 신경 세포체는 연수에 있다. 위액에는 위산이 포함되어 있어 위액 분비가 촉진될수록 위 내부의 pH는 내려간다.

	채점 기준	배점
(1)	연수를 옳게 쓴 경우	20 %
(2)	아세틸콜린을 옳게 쓴 경우	20 %
(3)	(나)를 근거로 자율 신경 A, B는 위액 분비를 촉진한다고 옳게 서술한 경우	60 %
	위액의 분비를 촉진한다고만 서술한 경우	30 %

12 [모범 답안] (가)는 중추 신경계 이상 질환이며, (나)는 말초 신경계 이상 질환이다.

해설 중간뇌는 중추 신경계에 속하고 운동 뉴런은 말초 신경계에 속한다.

채점 기준	배점
(가)와 (나)를 옳게 서술한 경우	100 %
그 외의 경우	0 %

단원 마무리하기   p. 094~097

01 ①   02 ③   03 ④   04 ①   05 해설 참조
06 ⑤   07 ⑤   08 ⑤   09 ④   10 ③   11 ②
12 해설 참조   13 ④   14 ①   15 ③   16 해설 참조

01 C는 랑비에 결절로 말이집에 싸여 있지 않아 활동 전위가 발생하는 부분이다. B에서 활동 전위가 발생하였으므로 도약전도가 일어나 C에서도 활동 전위가 발생한다.

오답 피하기
ㄴ. 구간 Ⅰ은 분극 상태로 Na^+-K^+ 펌프의 작용으로 Na^+은 세포 밖으로, K^+은 세포 안으로 능동 수송된다.
ㄷ. 구간 Ⅱ에서 Na^+의 유입은 확산에 의해 일어나는 현상이므로 ATP가 소모되지 않는다.

02 자극을 받을 때 막전위가 급격히 상승했다가 다시 되돌아오는 막전위의 변화를 활동 전위라고 한다. C 구간은 재분극이 일어나는 구간으로, K^+의 막 투과성이 높아져 K^+ 통로를 통해 K^+이 세포 안에서 밖으로 유출되고, 이에 따라 막전위가 하강하게 된다.

오답 피하기
ㄴ. 막전위가 (+)에서 (−)로 바뀌는 것은 1 ms가 조금 지났을 때이다.

03 자극을 준 지점에서 A가 더 가까우므로, A에서 먼저 활동 전위가 발생하고 B에서 나중에 발생한다. 따라서 ㉠이 A에서의 활동 전위 그래프이고, ㉡은 B에서의 활동 전위 그래프이다. A에서 활동 전위가 발생하면 흥분이 전도됨에 따라 B에서의 탈분극이 유도된다.

오답 피하기
ㄷ. (가)의 뉴런은 말이집 신경이므로 도약전도가 일어난다.

04 Na^+-K^+ 펌프로 인해 Na^+의 농도는 세포 안보다 세포 밖이, K^+의 농도는 세포 밖보다 세포 안이 항상 높게 유지된다. 막 투과도가 먼저 증가하는 ㉠은 Na^+이고, ㉡은 K^+이다.

오답 피하기
ㄴ. K^+의 농도는 항상 세포 안이 밖보다 더 높다.
ㄷ. 활동 전위가 발생하는 동안 이동하는 이온의 양은 전체 이

온양에 비해 미량이므로, 전체 이온의 농도에 거의 영향을 주지 않는다. 따라서 탈분극 시기인 t_1에서도 Na^+의 농도는 세포 밖이 안보다 더 높다.

05 [모범 답안] A−Ⅲ, B−Ⅱ, C−Ⅰ, 말이집 신경으로 도약전도가 일어나는 C가 민말이집 신경인 B보다 흥분 전도 속도가 빠르며, A에서는 흥분 전달이 일어나지 않아 Q 지점에서 활동 전위가 발생하지 않기 때문이다.

채점 기준	배점
3개 모두 옳게 연결하고 그 까닭을 옳게 서술한 경우	100 %
막전위 변화는 옳게 연결했지만 까닭은 서술하지 못한 경우	30 %

06 물질 X는 시냅스 이후 뉴런의 활동 전위 발생을 유발하고, 물질 Y는 시냅스 이후 뉴런의 활동 전위 발생을 억제했음을 알 수 있다.

오답 피하기
ㄱ. 말이집으로 싸여 있는 부분에서는 활동 전위가 발생하지 않는다.

07 t_1에서 탈분극이, t_2에서 재분극이 일어나고 있으므로 K^+의 막 투과성은 t_1보다 t_2에서 더 크다. 역치 이상의 자극을 주어도 t_3에서 활동 전위가 나타나지 않았으므로 물질 X는 Na^+의 이동을 억제했음을 알 수 있다.

08 (가)는 골격근, (나)는 근육 세포에 해당하는 근육 섬유, (다)는 근육 원섬유 마디이다. 골격근은 수의근으로 대뇌의 조절을 받아 수축과 이완 작용을 한다. 근육 섬유는 골격근을 구성하는 기본 단위이며, 근육 원섬유 마디가 짧아지기 위해서는 ATP의 소모가 필요하다.

09 (가)는 H대, (나)는 I대, (다)는 A대이다. 근육 수축 시 액틴 필라멘트와 마이오신 필라멘트가 겹치는 부분이 늘어나면서 H대, I대는 길이가 줄어들고, A대는 마이오신 필라멘트 자체를 의미하므로 근육 수축과 이완 시 길이가 변하지 않는다.

10 A 과정에서 근육 ㉠은 이완하고, B 과정에서 근육 ㉠은 수축한다. 근육이 수축할 때에는 근육 원섬유 마디에서 H대와 I대의 길이가 줄어들므로, B 과정에서 (나)의 H대가 줄어든다.

오답 피하기
ㄱ. A 과정에서 근육 ㉠의 전체 길이는 늘어난다.
ㄴ. A 과정에서 (나)의 A대의 길이는 변하지 않는다.

11 ㉠은 액틴 필라멘트, ㉡은 마이오신 필라멘트이다. A는 액틴 필라멘트만 있는 I대의 단면을, B는 마이오신 필라멘트만 있

는 H대의 단면을, C는 A대에서 H대가 아닌 부분의 단면을 나타낸다. 액틴 필라멘트만 존재하는 I대는 근육 원섬유 마디에서 가장 밝게 관찰된다.

오답 피하기

ㄱ. 마이오신 필라멘트는 액틴 필라멘트보다 더 굵다.

ㄷ. C는 A대에서 H대를 제외한 액틴 필라멘트와 마이오신 필라멘트가 겹치는 부분의 단면이다.

12 [모범 답안] (1) 액틴 필라멘트

(2) 근육이 수축하면 (가)는 마이오신 필라멘트 자체이므로 그 길이가 변하지 않지만 액틴 필라멘트와 마이오신 필라멘트의 겹치는 부분이 늘어나면서 (나)의 길이는 짧아지므로 $\frac{(나)의\ 길이}{(가)의\ 길이}$ 값은 감소한다.

	채점 기준	배점
(1)	액틴 필라멘트라고 옳게 쓴 경우	20 %
(2)	근육 수축 시 (가)와 (나)의 변화를 근거로 $\frac{(나)의\ 길이}{(가)의\ 길이}$ 값이 감소한다고 옳게 서술한 경우	80 %
	$\frac{(나)의\ 길이}{(가)의\ 길이}$ 값이 감소한다고만 서술한 경우	40 %

13 A는 간뇌, B는 중간뇌, C는 연수, D는 척수, E는 대뇌이다. 간뇌는 항상성 조절의 중추로 체온, 혈당량, 삼투압 등을 일정하게 조절하는 기능을 한다. 생명 유지 기능을 담당하는 뇌줄기는 중간뇌와 연수, 이 둘을 연결하는 뇌교로 이루어진다.

오답 피하기

ㄷ. 대뇌의 겉질은 신경 세포체가 모여 있는 회색질이고, 척수의 겉질은 축삭 돌기가 주로 분포하는 백색질이다.

14 A는 후근을 이루는 감각 뉴런이고, B는 전근을 이루는 운동 뉴런이다.

오답 피하기

ㄴ. B와 같이 골격근에 연결되어 있는 원심성 신경은 체성 신경계에 속한다.

ㄷ. ⓐ의 자극은 척수에서 무릎 반사의 경로로도 전달되고, 동시에 척수를 거쳐 대뇌로도 전달된다.

15 A는 CO_2 농도 변화 수용기에서 감지한 자극을 중추로 전달하는 감각 뉴런이므로 구심성 뉴런이다. B, C는 심장에 연결되므로 자율 신경계에 속하는 원심성 뉴런이며, 신경절 이전 뉴런이 긴 B는 부교감 신경, 신경절 이전 뉴런이 짧은 C는 교감 신경이다. 교감 신경이 활성화될 때 심장 박동이 빨라진다.

오답 피하기

ㄴ. ㉠에서 아세틸콜린이, ㉡에서 노르에피네프린이 분비된다.

16 [모범 답안] (1) 중간뇌 (2) X: 아세틸콜린, Y: 아세틸콜린
(3) X, Y가 흥분할 경우 동공은 축소된다.

	채점 기준	배점
(1)	중간뇌라고 옳게 쓴 경우	30 %
(2)	둘 다 아세틸콜린이라고 옳게 쓴 경우	30 %
(3)	X, Y가 동공을 축소시킨다고 옳게 서술한 경우	40 %

2. 호르몬과 항상성
01 | 호르몬과 항상성

기초 탄탄 문제 p. 102~103

01 ⑤ **02** ① **03** ⑤ **04** ① **05** ⑤ **06** ④
07 ④ **08** ⑤ **09** ③ **10** ② **11** ③ **12** ①

01 척추동물들 간의 호르몬은 종 특이성이 없기 때문에 다른 종의 호르몬을 체내에 주사해도 같은 기능을 나타낸다.

02 A는 호르몬을 생성하는 내분비샘, B는 호르몬, C는 표적 기관, D는 혈관을 나타낸다. 내분비샘은 별도의 분비관이 없어 혈액으로 호르몬을 분비하고, 호르몬은 혈액을 따라 순환하다가 자신의 수용체가 있는 표적 세포에 결합하여 신호를 전달한다.

03 **오답 피하기**
⑤ 호르몬은 효과가 오래 지속되지만, 신경은 효과가 빨리 사라진다.

04 (가)는 뇌하수체, (나)는 갑상샘, (다)는 부신, (라)는 이자, (마)는 정소와 난소이다. 여러 내분비샘의 호르몬 분비를 조절하여 내분비계의 중심으로 작용하는 기관은 뇌하수체이다.

05 남성과 여성의 2차 성징을 나타나게 하는 것은 테스토스테론, 에스트로젠과 같은 성호르몬이며, 이는 정소와 난소에서 각각 분비된다.

06 결핍 시 왜소증이 나타나는 호르몬은 생장 호르몬이다. 결핍 시 오줌에서 포도당이 검출되는 호르몬은 인슐린이다. 묽은 오줌을 다량 배설하는 것은 항이뇨 호르몬이 부족할 때 나타난

다. 과다 분비되면 체중 감소와 안구 돌출 등의 증상이 나타나는 호르몬은 티록신이다.

07 오답 피하기

④ 호르몬의 분비량은 체내 조건을 일정하게 유지하기 위해 계속 변화한다.

08 오답 피하기

⑤ 음성 피드백은 결과가 그 과정을 억제하는 현상이다. 호르몬 B의 농도가 높아지면 호르몬 A의 분비는 감소한다.

09 식사 후 포도당 섭취로 인해 혈당량이 증가하므로, 정상인의 체내에서는 혈당량을 줄이는 조절 작용이 나타난다. 근육 세포에서 포도당을 흡수하는 것, 간세포에서 포도당이 글리코젠으로 합성되는 것 등은 혈당량을 줄이는 작용이다.
간세포에서의 포도당 생성, 교감 신경의 활성에 의해 이자의 α 세포에서 글루카곤의 분비가 촉진되거나 부신 속질에서 에피네프린 분비가 촉진되는 것은 모두 혈당량을 높이는 작용이다.

10 인슐린은 간에서 포도당이 글리코젠으로 합성되는 과정을 촉진하며, 세포가 혈액 속의 포도당을 흡수하도록 한다.

11 이자에서 분비되어 혈당량을 감소시키는 호르몬은 인슐린이다. 이자에서 분비되어 혈당량을 증가시키는 호르몬은 글루카곤이다. 부신 속질에서 분비되는 에피네프린은 글리코젠이 포도당으로 전환되는 과정을 촉진해 혈당량을 높인다.

12 글리코젠이 포도당으로 분해되는 과정을 촉진하는 호르몬 X는 글루카곤이다. 반대로 포도당이 글리코젠으로 합성되는 과정을 촉진해 혈당량을 낮추는 호르몬 Y는 인슐린이다.

기초 탄탄 문제 p. 106

| 01 ④ | 02 ② | 03 ② | 04 ⑤ | 05 ④ | 06 ③ |

01 오답 피하기

④ 체온이 낮을 때 열 발산량을 낮추기 위해 교감 신경이 활성화되어 털세움근을 수축시킨다.

02 무의식적으로 몸이 떨리는 것, 유아에서 물질대사량이 증가하는 것은 모두 열 발생량을 늘리는 작용이다.

03 체온이 낮을 때는 교감 신경이 작용하여 털세움근을 수축시키

는데, 이는 표면에서의 열 발산량을 줄이는 작용이다.

오답 피하기

① 체온 조절의 중추는 간뇌이다.
③ 열 발산량을 줄이는 작용이다.
④ 털세움근의 수축과 세포 호흡과는 관련이 없다.
⑤ 피부 표면으로 가는 혈류량을 줄이는 작용이다.

04 음식물을 짜게 먹어서 체액의 삼투압이 증가하면, 항이뇨 호르몬의 분비량이 증가하여 콩팥에서의 수분 재흡수량을 늘려 체액의 삼투압을 낮춘다. 항이뇨 호르몬은 시상 하부에서 생성되며, 뇌하수체 후엽에 저장되었다가 혈액으로 분비된다.

05 항이뇨 호르몬(ADH)은 콩팥에서 수분의 재흡수를 증가시키는 호르몬이다.

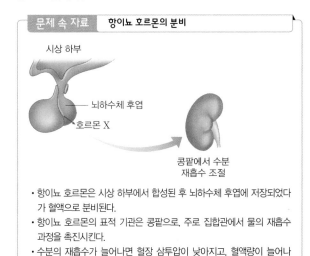

문제 속 자료 **항이뇨 호르몬의 분비**

시상 하부
뇌하수체 후엽
호르몬 X
콩팥에서 수분 재흡수 조절

• 항이뇨 호르몬은 시상 하부에서 합성된 후 뇌하수체 후엽에 저장되었다가 혈액으로 분비된다.
• 항이뇨 호르몬의 표적 기관은 콩팥으로, 주로 집합관에서 물의 재흡수 과정을 촉진시킨다.
• 수분의 재흡수가 늘어나면 혈장 삼투압이 낮아지고, 혈액량이 늘어나 혈압이 높아진다.

06 항이뇨 호르몬의 분비가 많아지면 콩팥에서 수분 재흡수량이 많아져 혈액 내 수분량이 증가한다. 이에 따라 혈액량이 증가하여 혈압이 높아지고 혈장 삼투압은 낮아진다.

내신 만점 문제 p. 107~110

01 ④	02 ③	03 ③	04 ③	05 ③	06 ⑤
07 ④	08 ⑤	09 ③	10 ②	11 ③	12 ②
13 ④	14 ③	15~16 해설 참조			

01 (가)는 신경계에 의한 신호의 전달, (나)는 호르몬에 의한 신호의 전달을 나타낸다.

오답 피하기

ㄴ. 외분비샘은 생성된 물질을 별도의 분비관으로 분비하는 조직이나 기관이다. 외분비샘에는 땀샘, 소화샘 등이 있다.

02 제시된 환자의 증상은 갑상샘 기능 항진증으로, 티록신이 과다하게 분비될 때 나타난다.

> **오답 피하기**
>
> ㄱ. 티록신을 분비하는 갑상샘과 관련된 질환이다. 부신과는 관련이 없다.
>
> ㄴ. 오줌 속에서 포도당이 검출되는 것은 당뇨병의 증상으로, 인슐린의 분비와 관련된다.

03 B가 A보다 많은 종류의 호르몬을 분비하므로 A는 뇌하수체 후엽, B는 뇌하수체 전엽이다. 뇌하수체 전엽을 제거하면 갑상샘 자극 호르몬이 분비되지 않아 갑상샘에서 티록신 생성이 억제되며, 생장 호르몬이 부족하여 뼈와 근육의 생장이 부진해질 것이다.

04 호르몬 X는 갑상샘 자극 호르몬, 호르몬 Y는 부신 겉질 자극 호르몬이므로 (가)는 뇌하수체 전엽이다. 갑상샘 자극 호르몬은 갑상샘을 자극해 티록신의 생성과 분비를 촉진한다.

> **오답 피하기**
>
> ㄷ. 호르몬 Y는 부신 겉질 자극 호르몬이므로 수용체는 부신 겉질에 있다.

05 (가)는 간뇌의 시상 하부, (나)는 뇌하수체 전엽이다. 뇌하수체 전엽을 제거하면 TSH가 분비되지 않으므로 티록신이 분비되지 않고, 티록신의 양이 부족하므로 TRH의 분비가 증가할 것이다.

> **오답 피하기**
>
> ㄷ. 티록신의 농도가 증가하면 티록신의 분비를 억제하는 방향으로, 티록신의 농도가 감소하면 티록신의 분비를 촉진하는 방향으로 작용하므로 ⓐ, ⓑ는 모두 음성 피드백에 해당한다.

06 ㉠은 신경절 이전 뉴런이 신경절 이후 뉴런보다 긴 부교감 신경, ㉡은 신경절 이전 뉴런이 신경절 이후 뉴런보다 짧은 교감 신경이다. 호르몬 X는 부교감 신경이 활성화되어 분비되며 혈당량을 낮추는 인슐린이고, 호르몬 Y는 교감 신경이 활성화되어 분비되며 혈당량을 높이는 글루카곤이다. 인슐린은 간에서 포도당이 글리코젠으로 합성되는 과정을 촉진한다.

07 X는 인슐린으로 혈당량을 낮추는 ㉠ 과정을 촉진한다. 따라서 혈당량이 높을 때 호르몬 X의 혈중 농도가 높아진다. 인슐린 농도가 가장 높은 t_2 시기가 t_1 시기보다 혈당량이 더 높다.

> **오답 피하기**
>
> ㄷ. ㉡ 과정은 인슐린 농도가 낮을 때 활발하다.

08 운동을 하면 세포 호흡이 활발해져 혈액의 포도당 농도가 감소

하므로 시간에 따라 인슐린 분비량은 감소하고 글루카곤의 분비량은 증가한다. 따라서 호르몬 X는 인슐린, 호르몬 Y는 글루카곤이다. 인슐린과 글루카곤은 간에서 길항 작용을 통해 혈당량을 조절한다.

09 혈당량이 높을 때 분비되어 혈당량을 낮추는 인슐린은 이자의 β세포에서 분비된다. 환자는 혈당량 변화와 무관하게 인슐린 농도가 매우 낮으므로 β세포에 이상이 있고, 오줌에서 포도당이 검출될 것이다.

> **오답 피하기**
>
> ㄴ. 인슐린은 이자의 β세포에서 분비된다.

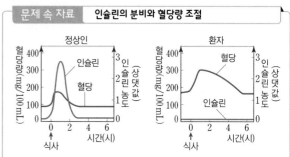

> **문제 속 자료** | 인슐린의 분비와 혈당량 조절
>
> • 식사 직후에 혈당량이 증가하고, 이에 따라 혈당량을 낮추기 위해 인슐린 분비가 늘어난다.
> • 환자의 경우 인슐린 수치가 거의 0에 가까우므로, 인슐린을 분비하는 이자의 β세포에 이상이 있음을 알 수 있다.

10 ㉠이 완화되어 피부 근처 혈관이 확장되고 땀 분비가 증가하고 있으므로 ㉠은 교감 신경이다.

> **오답 피하기**
>
> ㄱ. 체온 조절의 중추는 간뇌의 시상 하부이다.
> ㄷ. 교감 신경은 신경절 이전 뉴런이 신경절 이후 뉴런보다 짧다.

11 > **오답 피하기**
>
> ㄷ. (가)는 호르몬에 의한 조절을 나타내고, (나)는 신경계에 의한 조절을 나타낸다.

12 (가)는 더울 때, (나)는 추울 때의 피부 모세 혈관의 모습이다. 체온이 올라갈 때 교감 신경의 작용이 완화되어 피부 근처의 혈관이 확장되고 땀 분비가 증가하여 열 발산량이 늘어난다. 반대로 체온이 내려갈 때에는 교감 신경이 활성화되어 피부 근처의 혈관이 수축해 열 발산량이 줄어든다.

> **오답 피하기**
>
> ㄱ. (가)는 교감 신경의 작용이 완화된 결과이다.
> ㄷ. (나)보다 (가)일 때 땀 분비가 촉진된다.

13 (가)는 항이뇨 호르몬(ADH)으로, 혈장 삼투압이 높을 때 분비되어 콩팥에서 수분 재흡수를 촉진한다. 그 결과 혈액 속 수분량이 많아져 혈장의 삼투압이 낮아지고 오줌의 농도는 높아

져 오줌의 삼투압은 증가한다.

오답 피하기

ㄴ. 음식물을 짜게 먹으면 혈액의 농도가 높아져 삼투압이 높아지므로, 항이뇨 호르몬의 분비량이 증가한다.

14 ADH는 뇌하수체 후엽에서 분비되어 콩팥에서 수분 재흡수를 촉진하는 작용을 한다. p_1보다 p_2에서 혈중 ADH의 농도가 높으므로 수분 재흡수량은 p_2일 때가 p_1일 때보다 더 높다. 구간 Ⅰ보다 구간 Ⅱ에서 오줌 생성량이 적은 것으로 보아 혈중 ADH의 농도는 구간 Ⅰ보다 구간 Ⅱ에서 더 높다.

오답 피하기

ㄷ. 혈중 ADH의 농도가 높을수록 콩팥에서의 수분 재흡수량이 증가하므로, 오줌 생성량은 줄어든다.

15 [모범 답안] (1) 호르몬 X와 Y는 혈액으로 분비되어 운반되며, 호르몬 X는 표적 세포 A에, 호르몬 Y는 표적 세포 B에 각각 신호를 전달한다.

(2) 표적 세포의 세포막에는 특정 호르몬과 결합하는 수용체가 있기 때문이다.

해설 호르몬은 혈액으로 분비되어 수용체가 있는 표적 세포에 작용한다.

	채점 기준	배점
(1)	혈액으로 분비되어 운반되고, X는 표적 세포 A에, Y는 표적 세포 B에 작용한다고 옳게 서술한 경우	40 %
(2)	표적 세포의 세포막에는 특정 호르몬과 결합하는 수용체가 있다고 옳게 서술한 경우	60 %

16 [모범 답안] (1) 호르몬 B는 혈당량이 높을 때 많이 분비되므로 혈당량을 떨어뜨리는 역할을 하며, 호르몬 A는 혈당량이 높을 때 분비되는 양이 감소하므로 혈당량을 높이는 역할을 한다.

(2) 호르몬 A는 글루카곤으로 이자의 α세포에서 분비되며, 호르몬 B는 인슐린으로 이자의 β세포에서 분비된다.

	채점 기준	배점
(1)	자료를 근거로 들어 호르몬 B는 혈당량을 낮추고, 호르몬 A는 혈당량을 높인다고 옳게 서술한 경우	60 %
	근거는 제시하지 않고 호르몬의 기능만 옳게 서술한 경우	40 %
(2)	호르몬 A, B의 명칭과 분비 장소를 모두 옳게 서술한 경우	40 %

단원 마무리하기   p. 112~115

01 ④   **02** ③   **03** 해설 참조   **04** ④   **05** ①
06 ②   **07** 해설 참조   **08** ③   **09** ②   **10** ②
11 ①   **12** ③   **13** ②   **14** ③   **15** ②
16 해설 참조

01 호르몬은 별도의 분비관이 없어 혈액으로 분비되어 온몸을 순환하다가 수용체를 가진 표적 세포에 이르면 이에 결합하여 작용한다. 또한, 척추동물 내에서는 호르몬의 종 특이성이 없으므로 돼지의 인슐린은 사람에게도 똑같이 기능한다.

02 (가)는 뇌하수체, (나)는 갑상샘, (다)는 이자이다. 뇌하수체는 다른 내분비샘의 기능을 조절하는 여러 호르몬을 분비하여 다른 내분비샘을 조절한다. 이자의 α세포와 β세포에서는 각각 글루카곤과 인슐린이 분비되며, 두 호르몬은 길항 작용을 통해 혈당량을 조절한다.

오답 피하기

ㄴ. 티록신의 농도가 높아지면 티록신의 분비를 억제하는 방향으로 음성 피드백이 작동한다.

03 [모범 답안] (1) (가): 신경계, (나): 내분비계

(2) (가)는 신경에 의한 신호의 전달로, 전달 속도가 빠르지만 축삭 돌기가 닿아 있는 부분에만 영향을 끼친다. (나)는 호르몬에 의한 신호의 전달로, 전달 속도가 빠르지 않지만 표적 세포에 지속적으로 영향을 미친다.

	채점 기준	배점
(1)	신경계와 내분비계를 옳게 쓴 경우	30 %
(2)	(가)와 (나)의 신호 전달 방식을 빠르기와 지속성에 대해 비교하여 옳게 서술한 경우	70 %
	(가)와 (나)의 신호 전달 방식을 빠르기나 지속성 중 하나에 대해서만 비교하여 서술한 경우	40 %

04 (가)는 갑상샘에서 분비되어 물질대사를 촉진하는 티록신, (나)는 당질 코르티코이드, (다)는 항이뇨 호르몬이다.

오답 피하기

ㄴ. (나)의 농도가 높아지면 음성 피드백 작용으로 부신 겉질 자극 호르몬의 분비량은 감소할 것이다.

05 티록신의 농도는 그 결과를 억제하는 방향으로 작동하는 음성 피드백에 의해 조절된다. 갑상샘을 제거하여 티록신의 분비량이 줄어들면, TRH와 TSH의 분비가 늘어난다.

오답 피하기

ㄴ. 혈액에 다량의 티록신을 주사하면 티록신의 농도가 높아지므로 TRH, TSH의 분비가 억제되고 갑상샘의 티록신 분비량도 감소한다.

ㄷ. 티록신의 농도가 낮아지면 간뇌의 시상 하부가 이를 감지하여 TRH와 TSH의 분비를 증가시켜 티록신의 분비량을 늘린다. 이는 양성 피드백과 관련이 없다.

06 혈당량을 증가시키는 내분비샘 B는 부신 속질과 이자의 α세

포가 해당될 수 있다.

오답 피하기

ㄱ. 뇌하수체 전엽의 신호에 의해 혈당량을 증가시키는 호르몬을 분비하는 내분비샘 A는 부신 겉질이다. 부신 겉질에서 분비되는 당질 코르티코이드는 혈당량을 높인다.

ㄷ. (가)는 신경계에 의한 조절로 효과가 즉각적이며, 뉴런과 연결된 좁은 범위에서 나타난다.

07 [모범 답안] (1) 당뇨병 환자 A는 혈중 인슐린 농도가 정상인과 같지만 혈당량이 높게 유지되므로 체내에서 인슐린이 적절하게 작용하지 않는다.

(2) 당뇨병 환자 B는 정상인에 비해 혈중 인슐린 농도가 낮으므로 이자의 β세포에 이상이 있어 인슐린이 적절하게 분비되지 않는다.

채점 기준	배점
(1) 자료를 근거로 들어 A의 당뇨병 원인을 옳게 서술한 경우	50 %
(2) 자료를 근거로 들어 B의 당뇨병 원인을 옳게 서술한 경우	50 %

08 인슐린은 혈당량을 낮추는 호르몬이다. 그래프 상에서 정상인은 식사 후 1시간이 경과할 때 인슐린 농도가 가장 높다.

오답 피하기

ㄷ. 환자는 정상인보다 인슐린이 매우 적게 분비된다.

09 호르몬 X는 혈당량을 감소시키므로 이자의 β세포에서 분비되는 인슐린이고, 호르몬 Y는 혈당량을 증가시키므로 이자의 α세포에서 분비되는 글루카곤이다. 인슐린과 글루카곤은 교감 신경, 부교감 신경과 같이 길항 작용을 한다.

오답 피하기

ㄱ. 호르몬 X는 이자의 β세포에서 분비되는 인슐린이다.

ㄴ. 글루카곤이 분비되면 글리코젠이 포도당으로 분해된다.

10 (가)와 (다)는 피부 표면의 모세 혈관과 털세움근이 수축하는 모습으로, 열 발산량을 줄이는 작용이다. (나)와 (라)는 반대로 모세 혈관이 확장되고 털세움근이 이완되는 작용으로, 열 발산량을 늘리는 더울 때의 변화이다. (가)와 (다)는 교감 신경의 작용이 활발해져 일어난다.

오답 피하기

ㄱ. 열 발산량이 감소하는 것은 (가)와 (다)이다.

ㄷ. (라)에서 (다)로의 변화는 체온이 낮아질 때로, 간과 근육의 물질대사가 증가해 열 발생량을 증가시킨다.

11 표에서 간뇌 시상 하부의 온도가 높으면 대사율이 감소해 체온이 내려가고, 시상 하부의 온도가 낮으면 대사율이 증가해 체

온이 상승한다. 즉, 시상 하부가 체온 조절의 중추로 작용하는 것을 알 수 있다.

오답 피하기

ㄴ. 시상 하부의 온도가 높으면 대사율이 감소하므로 세포 호흡은 감소한다.

ㄷ. 시상 하부의 온도가 낮으면 열 발산량을 줄이기 위해 피부 모세 혈관으로 흐르는 혈류량은 감소한다.

12 북극여우가 사막여우보다 단위 부피당 표면적이 작은 것은 열 발산량을 줄이는 형태로 환경에 적응한 결과이다. 몸이 떨리는 현상은 열 발생량을 늘려 체온을 높이기 위한 반응이다.

오답 피하기

ㄴ. 피부의 혈관이 확장되는 것은 교감 신경의 활성이 낮아지기 때문에 나타난다.

13 운동할 때 오줌의 양이 줄어드는 것은 땀으로 인한 수분 배출량이 급격히 증가하여 오줌을 통한 수분 배출을 줄이기 위해 항이뇨 호르몬의 분비량이 증가하기 때문이다.

오답 피하기

ㄱ. 운동 시에 수분 비율이 적은 진한 농도의 오줌이 배설되므로 오줌의 삼투압은 높아진다.

ㄷ. 땀을 많이 흘리는 것은 체온을 유지하기 위한 반응이다.

14 호르몬 X가 투입된 이후 오줌 생성량이 급격히 감소하므로 호르몬 X는 항이뇨 호르몬이다. 오줌 생성량이 많다는 것은 그만큼 혈액의 삼투압이 낮아 수분 배출량이 증가했다는 뜻이므로 t_1일 때의 혈액의 삼투압이 t_2일 때보다 더 높다.

오답 피하기

ㄷ. t_2에서의 오줌 생성량이 t_3에서의 오줌 생성량보다 많다는 것은 t_2에서 더 많은 양의 수분이 배설되었다는 것을 의미한다. 따라서 t_2에서의 오줌 삼투압이 t_3에서의 오줌 삼투압보다 더 낮다.

15 물을 섭취하여 혈액의 삼투압이 낮아지면 항이뇨 호르몬의 분비량이 감소하여 오줌양이 증가한다. 혈액의 삼투압이 다시 회복되면 항이뇨 호르몬의 분비량이 회복되고, 오줌의 생성량은 줄어든다. 혈액의 삼투압이 낮은 t_2 시기는 혈액에 수분량이 많은 상태이고, t_3 시기는 오줌을 통한 수분 배출이 이루어져 다시 혈액 속 수분량이 정상 범위로 돌아오는 때이다.

오답 피하기

ㄱ. 호르몬 X는 항이뇨 호르몬으로 뇌하수체 후엽에서 분비된다.

ㄴ. t_2에서 오줌의 삼투압이 t_1보다 더 낮으므로 t_2 시기에 많은 양의 물이 오줌으로 빠져나가고 있음을 알 수 있다. 따라서 콩팥에서의 수분 재흡수량은 t_1에서보다 t_2에서 더 적다.

16 [모범 답안] (1) 항이뇨 호르몬(ADH)

(2) ADH는 콩팥에서 수분 재흡수를 촉진하므로 ADH가 부족하면 수분 재흡수량이 줄어들어 묽은 오줌을 다량으로 배설하기 때문이다.

해설 다량의 묽은 오줌을 누는 것은 오줌을 통한 수분 배출이 비정상적으로 많아지기 때문이다. 이는 항이뇨 호르몬의 분비가 부족해 콩팥에서의 수분 재흡수가 원활히 일어나지 않기 때문임을 유추할 수 있다.

	채점 기준	배점
(1)	항이뇨 호르몬(ADH)을 옳게 쓴 경우	20 %
(2)	ADH의 기능과 관련지어 증상이 나타나는 까닭을 옳게 서술한 경우	80 %
	ADH가 부족하기 때문이라고만 서술한 경우	40 %

3. 방어 작용

01 | 질병과 병원체

기초 탄탄 문제   p. 119

01 ④   02 ③   03 ⑤   04 ①   05 ④   06 ⑤

01 세균은 핵막이 없는 원핵생물이고, 곰팡이는 핵막을 가지는 진핵생물이다.

02 제시된 질병 중 비감염성 질병은 고혈압, 당뇨병의 2가지이다.

오답 피하기

① 고혈압은 비감염성 질병으로 항생제로 치료할 수 없다.

② 독감은 바이러스에 감염되어 발생하는 질병으로 항생제를 사용하여 치료할 수 없다.

④ 광우병은 변형된 프라이온에 감염되어 발생한다.

⑤ 결핵은 세균에 감염되어 발생한 감염성 질병이지만, 당뇨병은 비감염성 질병이다.

03 오답 피하기

① 바이러스는 자체적인 효소가 없다.

② 바이러스는 독립된 세포 구조가 아니다.

③ 바이러스는 돌연변이가 잘 일어난다.

④ 바이러스는 단백질 껍질과 내부의 유전 물질로 구성된다.

04 (가)는 세균, (나)는 바이러스를 나타낸다. 세균과 바이러스는 모두 유전 물질인 핵산을 가지고 있다.

오답 피하기

② 세균은 세포막을 가지지만 바이러스는 비세포 구조이다.

③ 바이러스는 숙주 세포 내에서만 증식이 가능하기 때문에 배양액에서는 증식하지 못한다.

④ 바이러스는 독립적으로 물질대사를 할 수 없다.

⑤ 세균과 바이러스는 병원체로서 전염될 수 있다.

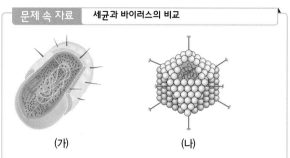

문제 속 자료   **세균과 바이러스의 비교**

(가)   (나)

• 세포 구조로 되어 있으며 세포질에 유전 물질이 퍼져 있는 (가)는 세균(박테리아)이다.

• 단백질 껍질에 싸여 있으며 내부에 유전 물질이 있는 (나)는 바이러스이다.

05 원생생물이 일으키는 질병인 말라리아와 수면병은 대부분 열대 지역에서 매개 곤충에 의해 감염된다.

06 호흡기를 통해 감염되는 질병에는 결핵, 감기, 독감이 있고, 소화기를 통해 감염되는 질병에는 콜레라가 있다. 무좀과 파상풍은 피부 접촉을 통해 감염될 수 있다.

내신 만점 문제   p. 120~121

01 ②   02 ②   03 ③   04 ①   05 ④   06 ⑤

07~09 해설 참조

01 ⓐ는 세균, ⓑ는 바이러스이다. DNA와 RNA 중 한 가지만 가지는 병원체는 바이러스이므로 A는 바이러스이고, ⓑ이다. B는 세균이 되고, ⓐ이다. '스스로 증식이 가능하다.'는 바이러스는 해당되지 않으므로 ⓒ에 해당한다.

오답 피하기

ㄱ. 병원체 ⓐ는 세균으로 B에 해당한다.

ㄴ. '독립적으로 물질대사를 한다.'는 세균만 가지는 특징으로 ⓒ에 해당한다.

02 (가)는 비감염성 질병이고, (나)는 감염성 질병이다.

오답 피하기

ㄱ. (가)는 비감염성 질병, (나)는 감염성 질병이다.

ㄴ. 결핵은 세균에 의해 발생한다.

03 4가지 병원체 중 변형된 프라이온은 단백질성 감염 입자로 핵산이 없으므로 ㉠에 '핵산을 가지고 있는가?'는 적합하다. 바이러스는 비세포 구조이므로 A는 바이러스이고, B는 핵막이 있는 곰팡이, C는 핵막이 없는 세균이다. 바이러스에 의한 질

병은 항바이러스제로 치료하고, 세균에 의한 질병은 항생제로 치료한다.

오답 피하기

ㄷ. 곰팡이와 같은 진핵생물에 의한 질병은 항생제로 치료가 어렵기 때문에 항진균제 등을 사용하여 치료한다.

04 **오답 피하기**

ㄴ. 비정상 구조의 변형된 프라이온이 축적됐을 때 신경 세포가 파괴된다.

ㄷ. 프라이온은 구조가 매우 안정적이어서 끓이거나 삶는 것으로 제거되지 않는다.

05 여과액을 건강한 담뱃잎에 발랐을 때 담배 모자이크병이 나타났으므로, 바이러스는 세균보다 크기가 작아 세균 여과기를 통과했음을 알 수 있다.

실험 결과 주변의 담뱃잎에서도 병이 나타났으므로 바이러스는 증식이 가능하다. 바이러스는 유전 물질인 핵산이 있어 숙주 세포 내에서 증식이 가능하다.

오답 피하기

ㄱ. 바이러스는 비세포 구조이다.

06 매개 곤충을 통해 인체 내로 들어오는 원생생물 병원체는 말라리아가 대표적이다. 곰팡이는 진핵생물 병원체로 효소를 가지고 있어 스스로 물질대사를 할 수 있다.

오답 피하기

A: 독감을 일으키는 바이러스는 핵막이 존재하지 않는다.

07 **[모범 답안]** (1) 바이러스, 세균, 원생생물, 곰팡이 등과 같은 병원체에 감염되어 질병이 발생한다.

(2) 병원체의 감염에 의해 발생하는지의 여부로 구분한다.

해설 (가)는 유전적 요인이나 생활 습관의 영향으로 발생하는 비감염성 질병이며, (나)는 병원체의 감염으로 발생하는 감염성 질병이다.

	채점 기준	배점
(1)	병원체의 감염으로 발생한다고 옳게 서술한 경우	50 %
(2)	병원체의 감염으로 발생하는지의 여부라고 옳게 서술한 경우	50 %

08 **[모범 답안]** 항생제를 남용하면 항생제에 내성을 가지는 세균이 출현하여 결국에는 항생제로 치료할 수 없는 경우가 발생할 수 있다.

채점 기준	배점
항생제 내성 세균이 출현할 수 있다고 옳게 서술한 경우	100 %
그 외의 경우	0 %

09 **[모범 답안]** (가)는 호흡기를 통한 감염, (나)는 소화기를 통한 감염, (다)는 매개 곤충을 통한 감염, (라)는 신체 접촉을 통한 감염 경로이다.

채점 기준	배점
4가지 경로를 모두 옳게 서술한 경우	100 %
그 외의 경우	0 %

02 | 우리 몸의 방어 작용(1)

기초 탄탄 문제 p. 127~128

01 ⑤	02 ⑤	03 ②	04 ③	05 ⑤	06 ③
07 ⑤	08 ⑤	09 ②	10 ①	11 ②	

01 **오답 피하기**

⑤ 사람의 방어 작용은 비특이적 방어 작용이 먼저 일어난 후 특이적 방어 작용이 일어난다.

02 우리 몸의 방어 작용은 병원체의 종류에 관계없이 일어나는 비특이적 방어 작용과 특정 병원체에 대해 선별적으로 일어나는 특이적 방어 작용으로 구분할 수 있다. 비특이적 방어 작용 중 피부와 점막은 외부의 방어벽, 식균 작용과 염증 반응은 내부 방어에 해당한다.

03 피부와 점막과 같은 물리적·화학적 장벽, 염증 반응은 비특이적 방어 작용에 해당하고, 세포성 면역과 체액성 면역은 특이적 방어 작용에 해당한다.

04 병원체가 침입한 부위의 비만 세포가 히스타민을 분비하면 히스타민이 모세 혈관을 확장시키고 혈관 투과성을 증가시킨다.

오답 피하기

① 히스타민은 비만 세포에서 분비된다.

② 염증 반응은 비특이적 방어 작용이다.

④ 백혈구의 식균 작용은 병원체의 종류에 관계없이 일어난다.

⑤ 히스타민은 모세 혈관 벽의 물질 투과성을 증가시킨다.

05 라이소자임은 눈물, 콧물 등에 포함되어 분비되며, 세균을 제거하는 화학적 방어 작용을 담당한다.

06 **오답 피하기**

③ B림프구는 골수에서 생성되어 골수에서 성숙한다. 골수에서 생성되어 가슴샘에서 성숙하는 것은 T림프구이다.

07 세포독성 T림프구는 세포성 면역에 관여한다.

08 **오답 피하기**

⑤ 항체는 항원 결합 부위와 형태가 맞는 한 종류의 항원하고만 결합이 가능하다.

09 B림프구는 골수에서 생성되고 골수에서 성숙하는 세포로, 보조 T림프구의 도움을 받아 형질 세포와 기억 세포로 분화하고 형질 세포에서 항체를 생성한다. T림프구는 골수에서 생성되어 가슴샘에서 성숙하는 세포이다.

10 B림프구는 보조 T림프구의 도움을 받아 형질 세포와 기억 세포로 분화하고, 형질 세포는 항체를 생성한다. ㉠은 B림프구, ㉡은 기억 세포이다.

11 항원이 체내에 처음 침입하였을 때 B림프구로부터 분화한 형질 세포가 항체를 생성하는 1차 면역 반응이 일어난다. 2차 면역 반응은 같은 항원이 재침입하였을 때 기억 세포의 작용으로 다량의 항체를 빠르게 생성하는 반응이다.

오답 피하기

ㄱ. 염증 반응은 비특이적 방어 작용으로 1차 면역 반응에 해당하지 않는다.

ㄴ. 항체는 형질 세포가 생성한다.

내신 만점 문제   p. 129~131

01 ④	02 ①	03 ④	04 ④	05 ③	06 ④
07 ⑤	08 ④	09 ⑤	10 ④	11~12 해설 참조	

01 ㉠은 비특이적 방어 작용에만 해당되는 특징으로 '피부와 점막 등의 물리적 장벽이 존재한다.'는 ㉠에 해당한다. 특정 병원체를 제거하는 것은 특이적 방어 작용의 특징이므로 ㉢에 해당한다.

오답 피하기

ㄴ. 항체는 특이적 방어 작용의 체액성 면역 과정에 의해 생성되는 것이므로 ㉢에 해당한다.

02 골수에서 생성된 미성숙 림프구의 일부는 가슴샘으로 이동하여 T림프구로 분화하고, 나머지는 골수에 남아 계속 성숙하여

B림프구로 분화한다. A는 B림프구, B는 T림프구이다.

오답 피하기

ㄴ. A는 B림프구로 체액성 면역에 관여한다.

ㄷ. B는 T림프구로 형질 세포로 분화될 수 없다.

03 대식세포는 식균 작용을 통해 보조 T림프구에게 항원을 제시한다. A는 항원에서 감염된 세포를 직접 제거하는 세포독성 T림프구이고, B는 항체를 생성하는 형질 세포이다. 세포독성 T림프구는 골수에서 생성되어 가슴샘에서 성숙되며 세포성 면역에 관여한다. 항원 X를 기억하는 것은 기억 세포이다.

04 대식세포가 식균 작용으로 항원을 제시하면 보조 T림프구가 항원을 인식한다. 활성화된 보조 T림프구에 의해 B림프구가 활성화되어 형질 세포와 기억 세포로 분화된다. (나)는 항체이고 항체를 생성하는 세포 ㉠은 형질 세포이다. ㉡은 항원의 특성을 기억하는 기억 세포이다.

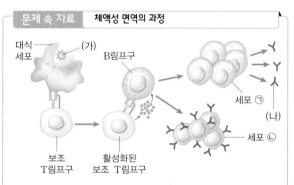

문제 속 자료   **체액성 면역의 과정**

• (가)는 항원인 병원체로 대식세포의 식균 작용에 의해 제거되고, 대식세포의 항원 제시 작용이 일어난다.

• 항원을 인식한 보조 T림프구는 B림프구를 자극하여 형질 세포와 기억 세포로 분화하게 하고, 형질 세포는 항체를 생성·분비한다.

05 체액성 면역 과정에서 항원이 제거되면 형질 세포의 수가 감소하면서 항체의 농도가 줄어든다. 기억 세포가 형질 세포로 분화될 때에도 보조 T림프구가 관여하므로 보조 T림프구의 활동을 억제하는 약물을 투여하면 1차 면역 반응과 2차 면역 반응이 모두 잘 일어나지 않을 것이다.

오답 피하기

ㄷ. 기억 세포는 항체를 직접 생성하지 않는다.

06 항원 X를 주사한 A에서는 1차 면역 반응이 일어나 기억 세포가 형성된다. 이 기억 세포를 분리하여 B_1에게 주사하고, 다시 B_1에게 항원 X를 주사하여 B_2가 되었으므로, B_2에서는 2차 면역 반응이 일어난다.

07 생쥐 A에게 항원 X를 2회 주사하였기 때문에 체액성 면역이 일어나 생쥐 A의 체내에서는 X에 대한 항체와 기억 세포가

생성되었다. ㉠을 주사했을 때 항체 농도가 증가한 것으로 보아 ㉠은 항체이고, ㉡을 주사했을 때 항체의 농도는 변화 없지만 ㉡을 주사한 후 항원 X를 주사했을 때 2차 면역 반응이 일어났으므로 ㉡은 기억 세포이다. 생쥐 C에게 항원 X를 주사했을 때 항체를 더 많이 더 빠르게 생성하는 것으로 보아 t_1 시기에는 X에 대한 기억 세포가 존재한다.

오답 피하기

ㄱ. 구간 Ⅰ에서 항원이 침입하지 않았기 때문에 항체가 있어도 항원 항체 반응이 일어나지 않는다.

08 ㉠은 특이적 방어 작용 중 체액성 면역에 해당한다. 체액성 면역은 B림프구가 기억 세포와 형질 세포로 분화하여 항체를 생성하여 나타나는 반응이다.

오답 피하기

ㄴ. T림프구가 감염된 세포를 직접 파괴하는 반응은 세포성 면역에 해당한다.

09 생쥐 A로부터 분리한 림프구 ㉠은 X에 대한 기억 세포이다. 항원 X와 Y를 동시에 생쥐 B에게 주사하였을 때 항체 X를 다량으로 생성하는 2차 면역 반응이 나타났으므로 기억 세포임을 알 수 있다. (나)의 항체 Y는 생쥐 B에서 1차 면역 반응이 일어나 생성된 것으로, 생쥐 B의 B림프구로부터 분화된 형질 세포에서 생성된 것이다.

오답 피하기

ㄱ. 림프구 ㉠은 기억 세포이다.

10 호중구와 세균 X와 Y를 함께 배양하였을 때 식균 작용이 일어났으므로 호중구는 세균의 종류에 상관없이 비특이적으로 반응한다는 것을 알 수 있다. 세균 X와 X에 대한 항체를 함께 배양했을 때 식균 작용이 강하게 일어났으므로 호중구는 해당 항원에 대한 항체가 있을 때 식균 작용을 더 활발하게 함을 알 수 있다.

오답 피하기

ㄴ. 항체는 특정 항원에만 특이적으로 결합해 반응한다.

11 [모범 답안] (1) A: 세포성 면역, B: 체액성 면역
(2) ㉠: 대식세포, ㉡: 보조 T림프구, ㉢: 세포독성 T림프구, ㉣: B림프구, ㉤: 형질 세포, ㉥: 기억 세포
(3) 비특이적 방어 작용에 관여하는 세포는 ㉠인 대식세포이다. 대식세포는 식균 작용으로 병원체를 제거하고 항원을 제시한다.

해설 항체를 생성해 항원을 제거하는 것은 체액성 면역, 병원체에 감염된 세포를 직접 제거하는 것은 세포성 면역이다.

채점 기준	배점
(1) 세포성 면역과 체액성 면역을 구분하여 옳게 쓴 경우	30 %
(2) ㉠~㉥ 세포를 모두 옳게 쓴 경우	30 %
(3) 대식세포를 쓰고, 항원 제시의 역할을 옳게 서술한 경우	40 %
(3) 대식세포만 답하고 그 기능은 서술하지 못한 경우	10 %

12 [모범 답안] 항원의 1차 침입 때 기억 세포가 생성되고, 2차 침입 때 기억 세포가 빠르게 형질 세포로 분화하여 다량의 항체를 생성하기 때문이다.

해설 1차 면역 반응 때 생성된 기억 세포가 빠르게 형질 세포로 분화하면서 2차 면역 반응이 시작된다.

채점 기준	배점
1차 면역 반응 때 생성된 기억 세포가 빠르게 형질 세포로 분화한다고 옳게 서술한 경우	100 %
단순히 기억 세포가 관여한다고만 서술한 경우	30 %

03 | 우리 몸의 방어 작용(2)

기초 탄탄 문제 p. 135

01 ① **02** ① **03** ⑤ **04** ② **05** ④ **06** ③

01 철수는 응집원 A와 응집원 B가 있으므로 Rh^- AB형, 영희는 응집원 A, B는 없고 Rh 응집원만 있으므로 Rh^+ O형이다.

02 항 A 혈청에는 응집소 α가, 항 B 혈청에는 응집소 β가 있다.

03 같은 혈액형끼리 수혈하는 것이 원칙이며, 혈액을 주는 사람의 응집원과 혈액을 받는 사람의 응집소가 응집하는 경우가 아니면 다른 혈액형끼리 소량 수혈이 가능하다. AB형의 혈액에는 응집소가 없으므로 이론상으로는 A형, B형, AB형, O형 모두로부터 소량 수혈받을 수 있다.

04 응집소 α와 β를 모두 갖는 혈액형은 O형으로, 응집원 A와 B를 모두 갖지 않는다. 따라서 전체 학생 수에서 응집원 A 또는 응집원 B를 갖는 학생의 수를 빼서 구한다. 항 A혈청과 항 B 혈청에 모두 응집한 학생은 AB형으로 4명이고, 14명에서 4명을 뺀 10명이 A형, 13명에서 4명을 뺀 9명이 B형이다. 따라서 O형은 30 − 10 − 9 − 4 = 7(명)이다.

05 백신은 병원체의 독성을 약화시키거나 비활성 상태로 만든 것으로 인체에서 항원으로 작용한다. 독감에 대한 백신 주사를 미리 접종한 사람의 체내에서는 1차 면역 반응이 일어나 독감 바이러스에 대한 기억 세포가 형성된다.

06 **오답 피하기**

① 류머티즘 관절염은 자가 면역 질환이다.

② 먼지, 꽃가루 등의 항원이 처음 체내에 들어왔을 때에는 알레르기 반응이 나타나지 않으며, 2차 침입 때부터 나타난다.

④ 면역계가 자기 몸을 구성하는 조직을 공격하는 질환을 자가 면역 질환이라고 한다.

⑤ 사람 면역 결핍 바이러스(HIV)는 체내에 침입하여 보조 T 림프구를 파괴하여 면역 능력을 상실하게 한다.

내신 만점 문제   p. 136~138

| 01 ③ | 02 ③ | 03 ① | 04 ② | 05 ④ | 06 ③ |
| 07 ③ | 08 ③ | 09 ③ | 10 ⑤ | 11~12 해설 참조 | |

01 사람 X는 항 B 혈청에만 응집하였으므로 응집원 B만 존재하는 B형이고, 항 Rh 혈청에는 응집하지 않았으므로 Rh⁻형이다. 사람 X는 응집원 B와 응집소 α를 가지므로 AB형에게 소량 수혈해 줄 수는 있지만 수혈받을 수는 없다. 또한, 사람 X는 Rh⁻형이고 수혈받은 적이 없으므로 Rh 응집소는 없다.

02 철수는 B형이므로 응집원 B와 응집소 α를 가진다. 철수와 영희의 혈액을 섞었을 때 철수의 적혈구가 응집소 β와 응집하므로 영희는 응집소 β를 가지고 있고, 영희의 적혈구는 응집소 α와 응집했으므로 영희의 혈액형은 A형이다. 영철이와 철수의 혈액을 섞었을 때 영철이의 혈액에는 응집소 α와 β가 없고 응집원 A는 존재하므로 AB형임을 알 수 있다. 따라서 영철이의 혈액에는 응집원 A와 B가 모두 존재한다.

오답 피하기

ㄴ. 영철이는 AB형이기 때문에 B형인 철수에게 수혈하면 영철이의 응집원 A와 철수의 응집소 α가 응집 반응을 일으킨다.

03 혈액형 판정 실험 결과 아버지의 ABO식 혈액형은 A형이고 어머니의 혈액형은 B형이다. 철수는 각각 A형과 B형인 아버지와 어머니에게 모두 소량 수혈할 수 있으므로 응집원 A와 B가 없는 O형이다. O형인 철수의 혈청에는 응집소 α와 β가 존재한다. 어머니의 적혈구에는 응집원 B가 존재하므로 철수의 응집소 β와 응집 반응이 일어난다.

오답 피하기

ㄴ. 아버지는 A형이므로 B형인 사람에게 수혈할 수 없다.

ㄷ. A형과 B형 사이에서 O형인 철수가 태어났으므로 아버지와 어머니의 유전자형은 AO와 BO라는 것을 알 수 있다. AO와 BO 사이에서 태어날 수 있는 자손의 유전자형은 AO, BO, AB, OO로 4가지이고 표현형인 혈액형은 A형, B형, AB형, O형 4가지이다.

04 응집원을 가지지 않는 혈액형은 O형이므로 ㉠은 O형이다. 응집소를 가지지 않는 혈액형은 AB형이므로 ㉡은 AB형, ㉢은 B형이다. AB형과 B형은 O형으로부터 소량 수혈받을 수 있다. B형인 ㉢은 응집소 α를 가진다.

05 표에서 응집원과 응집소를 동시에 갖는 경우가 존재하므로, 응집원 ㉠과 응집소 ㉡은 (A, β) 또는 (B, α) 중 한 경우이다. (A, β)인 경우를 가정하면, 응집원 ㉠이 있는 사람은 A형과 AB형을 모두 포함하고, 응집소 ㉡이 있는 사람은 A형과 O형을 모두 포함한다. 응집원 ㉠과 응집소 ㉡을 모두 갖는 사람은 A형이고, 이 수가 48명이므로 AB형인 사람의 수는 83 − 48 = 35(명)이다. 또한 O형인 사람의 수는 105 − 48 = 57(명)이다. 따라서 AB형인 사람과 O형인 사람의 수를 더하면 35 + 57 = 92(명)이다.

06 A형인 영희의 적혈구의 응집원과 응집한 ㉠은 응집소 α이다. ㉡은 영희가 가지고 있는 응집소로 응집소 β이다. 따라서 철수의 혈액형은 B형이다. (가)는 철수의 혈구와 응집하므로 응집소 β를 가지고 있으나 혈장과는 응집하지 않으므로 응집원 A가 없는 O형이다. (나)는 응집소 β가 없고 응집원 A가 있는 AB형이며, (다)는 철수의 혈구와 혈장에 모두 응집하므로 A형, (라)는 모두 응집하지 않으므로 B형이다. ㉠은 응집소 α로 응집소 α를 가지는 혈액형은 B형과 O형이다. 표에서 B형은 (라)로 29명이고, O형은 (가)로 21명이므로 이 둘의 합은 50명이다. (다)는 A형으로 영희와 ABO식 혈액형이 같다.

오답 피하기

ㄴ. AB형은 18명이고, O형은 21명이다.

07 사람 X의 혈액형 판정 결과 AB형이므로 응집소 α, β가 없다. 혈액을 원심 분리하면 ㉠에는 혈장이 존재하고 ㉡에는 세포 성분이 존재한다. ㉡에는 응집원 A와 B를 가진 적혈구가 존재하므로 O형의 혈액과 섞으면 응집 반응이 일어난다.

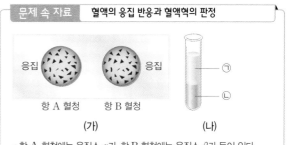

문제 속 자료   **혈액의 응집 반응과 혈액형의 판정**

응집 — 항 A 혈청   응집 — 항 B 혈청   ㉠   ㉡

(가)   (나)

- 항 A 혈청에는 응집소 α가, 항 B 혈청에는 응집소 β가 들어 있다.
➡ 항 A 혈청과 항 B 혈청에 모두 응집했으므로 응집원 A, B가 있다.
- ㉠은 혈액의 액체 성분으로 항체(응집소)가 들어 있고, ㉡은 세포 성분으로 혈구가 들어 있다.

08 붉은털원숭이의 혈액을 토끼에게 주사하면 토끼는 Rh 응집소

를 형성한다. 토끼의 혈청에 Rh 응집소가 존재하고 이를 추출하여 사람의 혈액과 섞으면 Rh식 혈액형을 판정할 수 있다. A의 혈액은 Rh 응집소와 응집이 일어났으므로 Rh 응집원을 가지고 있는 Rh^+형이고, B의 혈액은 응집이 일어나지 않았으므로 Rh^-형이다.

오답 피하기

ㄷ. 혈청에는 응집소만 존재하므로 혈청끼리 섞으면 응집 반응이 일어나지 않는다.

09 알레르기 항원이 체내에 들어오면 형질 세포가 이에 대한 항체를 생성하고 항체가 비만 세포에 결합한다. 이후 동일한 알레르기 항원이 다시 침입하면 비만 세포의 표면에 있는 항체와 알레르기 항원이 결합하여 히스타민이 과도하게 방출되면서 알레르기 증상이 나타난다. 따라서 세포 ㉠은 형질 세포, ㉡은 비만 세포, ㉢은 히스타민이다.

10 HIV는 보조 T림프구를 파괴하기 때문에 HIV에 감염되면 점차 면역력이 감소하게 된다. 구간 Ⅰ에서 (가)가 증가할 때 HIV의 수가 감소하므로 (가)는 HIV 항체이고, (나)는 보조 T림프구이다. 또한, 구간 Ⅰ에서 항원 항체 반응에 의해 HIV의 수가 감소하였다.

11 [모범 답안] 철수는 항 A 혈청과 항 B 혈청에 모두 응집 반응이 나타나지 않았으므로 혈액형은 O형이다. 이 집단에서 O형은 28명이다.

해설 응집소 ㉡이 있는 사람 수에서 응집원 ㉠과 응집소 ㉡이 모두 있는 사람 수를 빼면 응집소 α, β가 모두 있는 O형인 사람 수를 구할 수 있다.

채점 기준	배점
철수의 혈액형과 판단 근거, 철수와 혈액형이 같은 사람 수를 모두 옳게 서술한 경우	100 %
철수의 혈액형과 판단 근거는 서술했지만 철수와 혈액형이 같은 사람 수는 쓰지 못한 경우	50 %

12 [모범 답안] (1) 어머니는 AB형이다. 어머니의 적혈구와 철수의 혈장이 응집하고, 어머니의 혈장과 철수의 적혈구가 응집하지 않았으므로 어머니는 응집소를 가지지 않는다.
(2) ㉠: +, ㉡: −

해설 어머니는 AB형이기 때문에 혈장에 응집소가 없어서 어떤 혈액형의 적혈구와 섞여도 응집은 일어나지 않는다. 따라서 ㉡은 −이다. 어머니의 적혈구의 응집원과 아버지의 혈장 사이에서 응집 반응이 일어나기 때문에 아버지는 응집소를 갖는다. 아버지의 적혈구는 철수의 혈장과 응집 반응이 일어나므로 아버지의 적혈구에는 응집원이 존재한다. 따라서 아버지

의 혈액에는 응집원과 응집소가 모두 존재하므로 철수가 A형이라면 아버지는 B형, 철수가 B형이라면 아버지는 A형이 된다. 두 가지 경우 모두 ㉠은 +이다.

	채점 기준	배점
(1)	어머니의 혈액형이 AB형이라고 쓰고 그 까닭을 옳게 서술한 경우	50 %
(2)	㉠은 +, ㉡은 −라고 옳게 나타낸 경우	50 %

단원 마무리하기 p. 140~143

01 ④	**02** ②	**03** 해설 참조	**04** ③	**05** ⑤
06 ③	**07** ②	**08** ③	**09** ③	**10** ②
11 해설 참조		**12** ⑤	**13** ④	**14** 해설 참조
15 ②		**16** 해설 참조		

01 세균은 핵이 없는 단세포 생물이다. 대부분 세포벽을 가지고 있으며 페니실린과 같은 항생제로 세균을 제거한다.

02 그림의 6가지 질병은 모두 병원체에 의한 감염성 질병을 나타낸 것이다. 무좀과 만성 폐 질환의 원인이 되는 병원체는 곰팡이이고, 홍역과 메르스의 원인이 되는 병원체는 바이러스이다. 결핵과 콜레라는 세균에 의한 질병이다. 바이러스는 핵산의 종류에 따라 구분할 수 있다.

오답 피하기

ㄱ. 곰팡이는 핵이 있는 진핵생물이다.

ㄷ. 세균에 의해 감염되는 질병은 전염될 수 있다.

03 [모범 답안] (1) 바이러스, 비세포 구조이다. 숙주 세포 안에서만 물질대사가 가능하다. 등 (2) 세균, 단세포 원핵생물이다. 핵막이 존재하지 않는다. 스스로 물질대사가 가능하다. 등 (3) 곰팡이, 진핵생물이다. 실 모양의 균사로 이루어진다. 등

서술형 Tip

(1) '스스로 증식 및 물질대사를 할 수 없다.' 등의 특징을 서술해도 정답으로 인정된다. (2) '세포벽이 있다.' 등의 특징을 서술해도 정답으로 인정된다. (3) '항진균제로 치료한다.' 등의 특징을 서술해도 정답으로 인정된다.

	채점 기준	배점
(1)	바이러스를 쓰고 특징을 옳게 서술한 경우	30 %
(2)	세균을 쓰고 특징을 옳게 서술한 경우	30 %
(3)	곰팡이를 쓰고 특징을 옳게 서술한 경우	40 %

04 (가)는 우리 몸 표면의 방어벽이고, (나)는 내부 방어이다. 눈물과 점막의 점액에는 라이소자임이 있어 세균의 감염을 막는다. (가)와 (나)는 모두 비특이적 방어 작용이다.

05 (가)는 염증 반응을, (나)는 병원체에 감염된 세포를 직접 파괴하는 세포성 면역을 나타낸다. 염증 반응 과정 중에 일어나는 식균 작용은 병원체의 종류를 구분하지 않기 때문에 비특이적 방어 작용이다. 세포 ⊙은 세포독성 T림프구이다.

06 ⊙은 항원이고, Y자 모양의 단백질인 ⓒ은 항체이다. 항체는 항원 결합 부위와 맞는 특정 항원에만 결합한다.

> **오답 피하기**
> ㄴ. 병원체 이외에도 먼지, 꽃가루 등의 이물질이 체내에서 항원으로 작용한다.

07 체액성 면역과 세포성 면역은 모두 특이적 방어 작용이다. 따라서 '특이적 방어 작용이다.'는 A와 B의 공통점인 ⓒ이 될 수 있다.

> **오답 피하기**
> ㄱ. 형질 세포는 기억 세포로 분화될 수 없다.
> ㄷ. '보조 T림프구가 관여한다.'는 체액성 면역과 세포성 면역의 공통점인 ⓒ에 해당한다.

08 ⊙은 B림프구이고, 항체를 생성하는 ⓐ는 형질 세포, ⓑ는 기억 세포이다. 기억 세포는 병원체의 재침입 시 증식 및 분화하여 2차 면역 반응을 일으킨다.

> **오답 피하기**
> ㄱ. ⊙은 골수에서 생성된 B림프구이다.
> ㄴ. ⓐ는 항체를 생성하는 형질 세포이다.

09 (가) 활성화된 보조 T림프구가 B림프구를 활성화시킨다.
(나) 항원 A가 침입하면 대식세포가 식균 작용으로 항원 A를 분해한 후 항원 조각을 세포막 표면에 제시한다.
(다) 형질 세포에서 항체를 생성한다.
(라) 보조 T림프구가 제시된 항원을 인식한다.

> **오답 피하기**
> ① 세포 ⊙은 보조 T림프구이다.
> ② 세포 ⓒ은 B림프구이다.
> ④ 세포 ⓒ은 대식세포이다. 히스타민은 비만 세포가 분비한다.
> ⑤ 방어 작용은 (나) → (라) → (가) → (다)의 순서로 일어난다.

10 t_1일 때보다 t_2일 때 항체 농도가 높으므로 항체를 분비하는 형질 세포의 수도 더 많다.

> **오답 피하기**
> ㄱ. 실험 전에 항원 X에 노출된 적이 없기 때문에 항원 X가 처음 침입하고 어느 정도 시간이 지난 후 항체가 생성되는 1차 면역 반응이 일어난다.
> ㄷ. t_3에서 항체 농도가 감소하는 것은 형질 세포의 수가 감소하기 때문이다.

11 [모범 답안] (1) ⊙ (2) 이 세균에 대한 항체가 포함된 X를 주입하여 토끼의 체내에서 항원 항체 반응이 일어나 세균이 제거되었기 때문이다.

채점 기준		배점
(1)	⊙을 쓴 경우	30 %
(2)	항체를 주입하였기 때문에 항원 항체 반응으로 세균이 제거되었다고 옳게 서술한 경우	70 %
	항체를 주입하였다고만 서술한 경우	30 %

12 혈액형 판정 실험 결과 철수는 AB형, 영희는 A형, 영수는 B형이다. AB형인 철수의 혈액과 A형인 영희의 혈액을 섞으면 철수의 응집원 B와 영희의 응집소 β가 응집 반응을 일으킨다. B형인 영수는 AB형인 철수에게 소량 수혈이 가능하다.

13 철수의 혈액은 Rh 응집소(항체)와 응집이 일어났으므로 Rh 응집원을 가지고 있는 Rh^+형이다. 붉은털원숭이의 혈액과 토끼의 혈청 ⊙을 섞으면 Rh 응집원과 Rh 응집소 사이에서 응집 반응이 일어난다.

> **오답 피하기**
> ㄴ. 토끼는 Rh 응집원이 없기 때문에 붉은털원숭이의 Rh 응집원이 들어왔을 때 Rh 응집소를 형성한 것이다.

14 [모범 답안] ⊙은 응집소 α, ⓒ은 응집소 β이고, 철수의 혈액형은 B형이다.

채점 기준	배점
응집소 α, 응집소 β를 답하고, 철수의 혈액형이 B형이라고 옳게 쓴 경우	100 %
그 외의 경우	0 %

15 HIV는 보조 T림프구를 파괴한다. 따라서 시간이 지날수록 HIV 항체의 농도는 감소하게 되고 결국 면역력이 결핍된다.

> **오답 피하기**
> ㄷ. HIV에 감염된 후에도 HIV 항체가 생성되므로 체액성 면역이 일어난다.

16 [모범 답안] (1) 세포 X: 형질 세포, 세포 Y: 비만 세포
(2) 히스타민, 히스타민은 혈관을 확장시키고 혈관 벽의 투과성을 증가시킨다.
(3) 알레르기

채점 기준		배점
(1)	형질 세포와 비만 세포를 옳게 쓴 경우	30 %
(2)	히스타민을 쓰고, 그 작용을 옳게 서술한 경우	40 %
(3)	알레르기라고 옳게 쓴 경우	30 %

IV 유전

1. 유전 정보와 염색체

01 | 염색체와 체세포 분열

탐구 대표 문제   p. 149

01 ①

01 (가)는 여자, (나)는 남자의 핵형 분석이다.

> **오답 피하기**
> ㄴ. (가)의 핵상과 염색체 구성은 $2n=44+XX$이다.
> ㄷ. (나)는 남자의 핵형 분석 결과이다.

기초 탄탄 문제   pp. 151~152

01 ①	02 ③	03 ③	04 ①	05 ③	06 ③
07 ⑤	08 ④	09 ①	10 ④		

01 뉴클레오솜(ⓒ)은 DNA(ⓑ)가 히스톤 단백질(⑤)을 감고 있는 구조이다.

02 유전 현상을 일으키는 유전 물질인 DNA의 특정 부위에 유전 정보가 저장된 유전자가 존재하며, 한 생명체의 모든 DNA에 저장된 유전 정보 전체를 유전체라고 한다.

03 이 사람은 21번 염색체가 3개로 상염색체가 45개, 성염색체가 2개(XY)인 남자이므로 정상보다 상염색체가 1개 많다.

> **오답 피하기**
> ㄷ. ⑤은 2개의 염색 분체로 이루어져 있고, 염색 분체는 복제된 두 DNA가 응축해 형성된 것이므로 ⑤은 DNA가 복제된 세포에서 관찰된다.

04 ㄴ. 하나의 DNA가 하나의 염색체를 형성하는데 하나의 DNA에는 많은 수의 유전자가 각각 정해진 부위에 존재한다. 그러므로 하나의 염색체에 많은 수의 유전자가 존재하고, 사람의 유전자 수는 염색체 수보다 많다.

> **오답 피하기**
> ㄱ. 침팬지와 감자는 염색체 수는 같지만 염색체의 모양 등이 달라 핵형이 서로 다르다.
> ㄷ. 사람($2n=46$)의 정자($n=23$)에는 22개의 상염색체와 1개의 성염색체가 존재한다.

05 핵형은 염색체의 수, 모양, 크기와 같은 특성으로, 염색체가 가장 잘 관찰되는 체세포 분열 중기 세포를 이용해 분석한다.

> **오답 피하기**
> ③ 서로 다른 두 생물종은 염색체 수가 같아도 염색체의 모양, 크기 등이 다르므로 핵형이 서로 다르다.

06 세포 주기는 간기와 분열기(M기)로 구분되며, 간기는 G_1기, S기, G_2기로 구분된다. 따라서 ⑤은 G_1기, ⓑ은 S기, ⓒ은 G_2기에 해당한다. 핵분열과 세포질 분열은 M기에 일어난다.

07 체세포 분열 결과 형성된 딸세포의 염색체 수와 DNA양은 모세포와 같다. 체세포 분열에서는 간기의 S기에 DNA가 복제되고 분열기에 두 가닥의 염색 분체를 형성한 다음, 각 염색 분체가 분리되어 딸세포로 나뉘어 들어가므로, 체세포 분열 결과 염색체 수와 DNA양이 모세포와 동일한 2개의 딸세포가 만들어진다.

08 세포 주기는 세포의 생장과 유전 물질의 복제가 일어나는 간기와 핵분열과 세포질 분열이 일어나 2개의 딸세포가 형성되는 분열기로 구분된다. 간기는 G_1기 → S기 → G_2기 순으로 진행되며 DNA 복제가 일어나는 시기는 간기의 S기이고, 세포의 생장이 가장 많이 일어나는 시기는 간기의 G_1기이다.

09 체세포 분열 시 간기의 S기에 DNA 복제가 1회 일어난 후 분열이 일어난다.

> **오답 피하기**
> ②, ③, ⑤는 감수 분열에 대한 설명이다.

10 체세포 분열은 간기 → 전기 → 중기 → 후기 → 말기 순서로 일어난다. (가)는 중기, (나)는 말기, (다)는 전기, (라)는 후기에 각각 일어나는 현상이다.

내신 만점 문제   pp. 153~155

01 ④	02 ⑤	03 ①	04 ③	05 ⑤	06 ④
07 ③	08 ⑤	09 ②	10 ③	11 ②	
12~13 해설 참조

01 ⑤은 히스톤 단백질, ⓑ은 DNA, ⓒ은 뉴클레오솜이다.

> **오답 피하기**
> ㄷ. 뉴클레오타이드는 인산, 당, 염기로 구성되며, DNA를 구성하는 기본 단위이다.

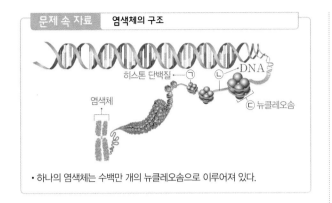

문제 속 자료 **염색체의 구조**

히스톤 단백질 ─ ㉠   ㉡   DNA
염색체   ㉢ 뉴클레오솜

• 하나의 염색체는 수백만 개의 뉴클레오솜으로 이루어져 있다.

02 염색체는 DNA와 히스톤 단백질로 구성되어 있고, DNA에 유전 정보가 저장되어 있다. ㉠은 염색체, ㉡은 DNA, ㉢은 유전자, ㉣은 유전체이다. DNA(㉡)는 기본 단위가 뉴클레오타이드이며, 하나의 염색체에는 많은 수의 유전자가 존재한다.

오답 피하기

ㄱ. 하나의 염색체(㉠)에는 수많은 유전자(㉢)가 존재한다. 하나의 DNA가 하나의 염색체를 형성하는데, 하나의 DNA에는 많은 수의 유전자가 각각 정해진 부위에 존재한다.

03 ㄱ. 그림의 구조는 염색체이며, ㉠은 염색체를 구성하는 유전 물질인 DNA이다. DNA(㉠)에는 특정 형질에 대한 정보를 저장하고 있는 유전자가 존재한다.

오답 피하기

ㄴ. Ⅱ는 핵막이 관찰되지 않으므로 분열기에 속하는 중기의 세포이고, Ⅰ은 세포의 구성 물질을 합성하므로 간기에 속하는 G_1기의 세포이다. ㉡은 DNA가 히스톤 단백질을 감고 있는 뉴클레오솜으로, G_1기 세포(Ⅰ)의 핵 안에서 DNA는 뉴클레오솜 구조를 형성한다.

ㄷ. 간기의 S기에 DNA가 복제되므로 G_1기 세포(Ⅰ)는 DNA가 복제되지 않은 상태이고, 중기 세포(Ⅱ)는 DNA가 복제된 상태이다. 따라서 세포당 DNA양은 중기 세포(Ⅱ)가 G_1기 세포(Ⅰ)의 2배이다.

04 ㄱ. 이 사람은 성염색체가 XX이므로 여자이다.

ㄴ. ㉠은 핵 안에 DNA가 존재하는 백혈구이다.

오답 피하기

ㄷ. 핵형 분석은 염색체를 관찰하기 가장 좋은 체세포 분열 중기의 세포를 이용하므로 ㉡은 체세포 분열 중기의 세포이다.

05 (가)와 (나)에 각각 대립유전자인 A와 a가 존재하므로 (가)와 (나)는 상동 염색체이다. 따라서 이 세포는 상동 염색체 쌍이 존재하므로 핵상이 $2n$이다. (나)에 B가 존재하므로 이 세포의 유전자형이 BB인 경우에는 (가)에 B가 존재하고, Bb인 경우에는 (가)에 b가 존재한다.

06 ㄴ. b와 ㉡은 상동 염색체의 대응되는 위치에 존재하므로 b를 아버지로부터 물려받았다면 ㉡은 어머니로부터 물려받았다.

ㄷ. 이 사람은 유전자형이 Dd이므로 ㉢은 d이다. D와 d는 서로 다른 대립유전자이므로 저장된 유전 정보가 다르다.

오답 피하기

ㄱ. A와 ㉠은 하나의 염색체를 이루는 두 염색 분체에 각각 존재하는 유전자이므로 ㉠은 A이다.

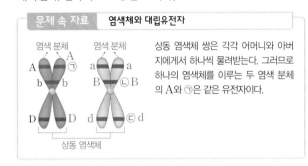

문제 속 자료 **염색체와 대립유전자**

염색 분체 염색 분체
A㉠   a a
A A
b b   B ㉡ B
D D   d ㉢ d
상동 염색체

상동 염색체 쌍은 각각 어머니와 아버지에게서 하나씩 물려받는다. 그러므로 하나의 염색체를 이루는 두 염색 분체의 A와 ㉠은 같은 유전자이다.

07 ㉠은 S기, ㉡은 M기(분열기)이다. 핵막의 소실은 세포 분열 전기에, 핵막의 재형성은 세포 분열 말기에 일어나며, 전기와 말기는 모두 M기에 해당한다. 따라서 ㉡ 시기(M기)에 핵막이 소실되었다가 다시 형성된다.

오답 피하기

ㄷ. S기에 DNA 복제가 일어나므로 핵 1개당 DNA양은 G_1기의 세포가 G_2기 세포의 절반이다.

08 (나)의 세포는 체세포 분열 중기에 있으므로 ㉡은 M기(분열기)이다. 따라서 ㉠은 G_2기, ㉢은 G_1기, ㉣은 S기이다. S기(㉣)에 DNA가 복제되므로 세포당 DNA양은 G_2기(㉠) 세포와 (나)의 세포가 같다. G_1기(㉢) → S기(㉣) → G_2기(㉠)를 거치면서 세포 생장이 일어난다.

오답 피하기

ㄱ. 신경 세포는 완전히 분화한 세포로 G_1기(㉢)에 머물러 있다.

09 이 조직에는 세포당 DNA 상대량이 각각 1과 2인 세포만 있다. 따라서 이 조직에서는 체세포 분열이 일어나며, G_1기의 세포는 DNA 상대량이 1, G_2기와 M기의 세포는 DNA 상대량이 2이다. 체세포 분열에서는 DNA가 복제된 후 염색 분체가 분리되므로 모세포와 딸세포가 유전적으로 같다.

오답 피하기

ㄱ. Ⅰ의 세포는 DNA가 복제되기 전인 G_1기 세포이다. 핵형 분석에는 M기의 세포 중 중기의 세포가 이용된다.

ㄴ. Ⅱ의 세포는 DNA 상대량이 1과 2 사이이므로 DNA가 복제 중인 S기 세포이다. 그러나 방추사는 M기의 전기에 형성되기 시작하므로 S기 세포에는 존재하지 않는다.

10 체세포 분열 과정이며, (가)는 후기, (나)는 전기, (다)는 중기, (라)는 간기이다. (가)에서 염색 분체가 분리될 때 복제된 DNA가 분리된다. 방추사는 분열기 세포에는 존재하지만 간기 세포에는 존재하지 않는다.

오답 피하기

ㄴ. (나)는 전기로 핵막과 인이 사라진다.

11 Ⅰ에서 핵 1개당 DNA 상대량이 절반으로 감소한 후 Ⅲ에서 DNA가 복제되면서 DNA 상대량이 증가하므로 이 세포는 체세포 분열을 한다. DNA양이 Ⅰ의 반인 Ⅱ에는 DNA가 복제되기 전인 G_1기 세포가 있다.

오답 피하기

ㄱ. 이 세포는 체세포 분열을 한다. 따라서 Ⅰ에서는 염색 분체가 분리된다.

ㄷ. Ⅲ에서 DNA가 복제되어 핵 1개당 DNA양은 증가하지만 세포당 염색체 수는 변하지 않는다.

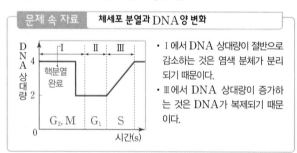

문제 속 자료 체세포 분열과 DNA양 변화

- Ⅰ에서 DNA 상대량이 절반으로 감소하는 것은 염색 분체가 분리되기 때문이다.
- Ⅲ에서 DNA 상대량이 증가하는 것은 DNA가 복제되기 때문이다.

12 [모범 답안] (1) ㉠: 뉴클레오솜, ㉡: DNA, ㉢: 뉴클레오타이드

(2) A와 B를 각각 구성하는 DNA는 하나의 DNA가 복제된 것이므로 A와 B를 각각 구성하는 유전 물질에 저장된 유전 정보는 서로 같다.

서술형 Tip DNA에 저장된 유전 정보를 바탕으로 서술한다.

채점 기준	배점
(1) 뉴클레오솜, DNA, 뉴클레오타이드를 모두 쓴 경우	30 %
(2) 복제된 DNA이므로 유전 정보가 같다고 서술한 경우	70 %
유전 정보가 같다고만 서술한 경우	30 %

13 [모범 답안] (1) ㉠ – M기, ㉡ – G_1기, ㉢ – G_2기

(2) ⓐ에서는 복제된 DNA로 이루어진 염색 분체가 분리되므로 ⓐ로부터 형성되는 두 딸세포는 유전자 구성이 같다.

서술형 Tip 염색 분체의 유전자 구성을 바탕으로 서술한다.

채점 기준	배점
(1) ㉠~㉢을 옳게 쓴 경우	20 %
(2) 염색 분체가 분리되므로 유전자 구성이 같다고 옳게 서술한 경우	80 %
유전자 구성이 같다고만 서술한 경우	30 %

02 | 생식세포 분열과 유전적 다양성

탐구 **대표 문제** — p. 158

01 ⑤

01 염색체를 잘 섞은 후 원 중앙에 각 염색체 쌍을 무작위로 배열하고, 이 염색체 쌍 각각을 양방향으로 분리하는 것은 세포 분열 시 상동 염색체의 무작위 배열과 분리를 의미하는 것으로 활동 결과 4가지 염색체 조합(AB, Ab, aB, ab)의 생식세포가 나타난다.

오답 피하기

ㄱ. A와 a는 대립유전자이며, 대립유전자는 상동 염색체의 같은 위치에 존재하므로 ㉠은 상동 염색체에 해당한다.

기초 탄탄 **문제** — p. 160

01 ② **02** ② **03** ③ **04** ④ **05** ④ **06** ③

01 (가)는 감수 1분열 전기, (나)는 감수 2분열 완료 후, (다)는 감수 2분열 후기, (라)는 감수 1분열 후기에 각각 일어나는 과정이다. 감수 1분열 결과 염색체 수가 절반으로 감소하면서 핵상이 n인 딸세포가 형성되며, DNA 복제는 감수 1분열이 시작되기 전 간기(S기)에만 일어난다.

02 사람은 23쌍의 염색체를 가지므로 감수 1분열 중기 세포에는 23개의 2가 염색체(23쌍의 상동 염색체)가 있고, 감수 2분열 중기 세포에는 46개의 염색 분체(23개의 염색체)가 있다.

03 이 개체의 체세포에는 8개의 염색체가 존재하므로 체세포 분열 중기 세포나 감수 1분열 중기 세포가 X에 해당한다.

04 오답 피하기

체세포 분열에서는 핵분열이 1회 일어나 염색 분체가 분리되므로 핵상이 $2n$인 딸세포가 2개 형성된다.

05 (가)는 체세포 분열 중기, (나)는 감수 1분열 중기이다.

오답 피하기

④ (나)는 생식 기관에서 일어나는 생식세포 분열로, 분열 결과 생식세포가 형성된다.

06 P와 p, Q와 q, R와 r가 서로 다른 상동 염색체 쌍에 존재하므로 이 개체에서 형성되는 생식세포의 유전자형은 3쌍의 상동 염색체가 무작위로 분리될 때의 염색체 조합의 가짓수와 같은 $2^3=8$가지(PQR, PQr, PqR, Pqr, pQR, pQr, pqR, pqr)이다.

내신 만점 **문제**   pp. 161~164

01 ①   **02** ⑤   **03** ④   **04** ①   **05** ③   **06** ①

07 ②   **08** ④   **09** ②   **10** ③   **11** ①   **12** ③

13 ⑤   **14** ⑤   **15~16 해설 참조**

01 (가)는 감수 2분열 후기, (나)는 감수 2분열 말기 또는 감수 분열이 끝난 시기, (다)는 감수 2분열 중기, (라)는 감수 1분열 중기, (마)는 감수 1분열 후기이다.

> **오답 피하기**
> ㄴ. (가)~(마) 중에서 2가 염색체를 관찰할 수 있는 세포는 감수 1분열 중기인 (라)이다.
> ㄷ. 식물의 생장점에서는 길이 생장을 위해 체세포 분열이 일어나며, 생식세포 분열은 일어나지 않는다.

02 감수 1분열 중기 세포에 4개의 2가 염색체가 존재하므로 핵상과 염색체 수는 $2n=8$이다. 감수 2분열 중기 세포($n=4$)에는 4개의 염색체가 존재하므로 8개의 염색 분체가 존재한다.

> **오답 피하기**
> ㄱ. 이 동물의 체세포($2n=8$)에는 4쌍의 상동 염색체가 있고, 생식세포($n=4$)에는 4개의 염색체가 있다.

03 (가)는 핵상이 $2n$인 감수 1분열 중기 세포이고, (나)는 상동 염색체가 분리되어 핵상이 n인 감수 2분열 중기 세포이다. 따라서 세포당 DNA양은 (가)가 (나)의 2배이다.

> **오답 피하기**
> ㄴ. 염색 분체는 복제된 DNA로 구성되므로 ㉠은 A이다.

04 이 사람은 유전자형이 Aa이며, ㉠은 아직 상동 염색체가 분리되지 않은 상태이므로 ㉠에 있는 A의 수와 a의 수는 같다. 그러므로 ㉠에 있는 $\dfrac{\text{a의 수}}{\text{A의 수}}=1$이다.

> **오답 피하기**
> ㄴ. ㉡은 감수 1분열이 완료된 세포, ㉢은 감수 2분열이 완료된 세포로 세포당 DNA양은 ㉡이 ㉢의 2배이다.
> ㄷ. 남자는 성염색체가 XY이며, X 염색체와 Y 염색체는 감수 1분열 과정에서 서로 다른 딸세포로 이동한다. 따라서 ㉢에는 ⓐ와 ⓑ 중 상염색체인 것과 크기와 모양이 같은 염색체는 있지만, 성염색체인 것과 크기와 모양이 같은 염색체는 없다.

05 Ⅰ 시기에 DNA양이 2배로 증가하므로 DNA 복제가 일어났음을 알 수 있다. DNA 복제는 간기의 S기에 일어나므로 Ⅰ 시기에는 S기에 해당하는 세포가 있다. Ⅱ 시기는 G_2기와 감수 1분열기이므로 감수 1분열 전기와 중기에 2가 염색체가 관찰된다.

> **오답 피하기**
> ㄷ. Ⅲ 시기에는 감수 2분열이 일어나며, 감수 2분열에서는 DNA양은 절반으로 줄어들지만 염색체 수는 변하지 않는다.

06 ㄱ. (가)에서 a와 B의 DNA 상대량은 각각 1인데 D의 DNA 상대량은 2이므로 (가)에는 AaBbDD가 존재한다. 따라서 (가)는 핵상이 $2n$이다.

> **오답 피하기**
> ㄴ, ㄷ. DNA가 복제되지 않은 상태인 (가)는 중기 세포가 아니므로 (나)와 (다)는 모두 중기 세포이다. (나)에는 AAbbDD가, (다)에는 aaBBDD가 존재하므로 둘 다 핵상이 n이다. 따라서 ⓐ는 0이고, (다)에 2가 염색체는 존재하지 않는다.

07 (가)의 핵상과 염색체 수는 $n=4$이고, (나)는 $2n=6$이다. 따라서 (가)는 A($2n=8$)의 세포이다. ㉡은 핵상이 $2n$인 세포에 크기와 모양이 같은 염색체가 없으므로 성염색체이며, 이 중 크기가 큰 X 염색체이다.

> **오답 피하기**
> ㄱ. ㉠과 ㉡은 서로 모양이 달라 상동 염색체가 아니므로 감수 1분열 시 접합하지 않는다.
> ㄷ. A의 체세포의 핵상과 염색체 수는 $2n=8$로 생식세포의 염색체 수는 4개, B($2n=6$)의 생식세포는 염색체 수가 3개로 다르다.

08 A에는 각 염색체가 쌍으로 존재하므로 A의 핵상(㉠)은 $2n$이다. A가 B로 되는 과정은 상동 염색체의 분리가 일어나는 감수 1분열이므로 세포 1개당 염색체 수와 DNA양이 모두 반감된다.

> **오답 피하기**
> ㄴ. A → B 과정은 감수 1분열이므로 ㉡은 2이고, B → C 과정은 감수 2분열이므로 ㉢은 1이다. 따라서 ㉡+㉢=3이다.

문제 속 자료   생식세포 분열 시 핵상과 DNA 상대량 변화

구분	핵상	핵 1개당 DNA 상대량
A	㉠ $2n$	4
B	n	㉡ 2
C	n	㉢ 1

09 그림의 세포에 들어 있는 4개의 염색체는 모두 모양과 크기가 서로 다르므로 이 세포($n=4$)는 감수 2분열 중기 세포이며 ⓒ이다. ⓛ은 감수 1분열 후기의 세포이므로 ⓛ의 염색 분체 수는 16개이고, ⓒ의 염색체 수는 4개이다.

오답 피하기

ㄱ. ㉠에서 DNA 복제가 일어난 후 ⓛ이 형성되었으므로 ㉠은 G_1기 세포로 염색 분체는 관찰되지 않는다.

ㄴ. ⓒ과 ⓔ은 감수 1분열 결과 상동 염색체가 분리되어 형성되었으므로 유전자 구성이 서로 다르다.

10 핵상과 염색체 수가 $n=3$인 (가)가 X의 세포이므로 X의 체세포($2n=6$)는 염색체 수가 6개이다.

ㄷ. (나)와 (다)는 모두 핵상이 $2n$이고, 염색체 수가 4개이므로 Y($2n=4$)의 세포이다. 따라서 Y의 생식세포는 염색체 수가 2개이므로 $\dfrac{\text{Y의 생식세포 염색체 수}}{\text{X의 체세포 염색체 수}}=\dfrac{2}{6}$, 즉 $\dfrac{1}{3}$이다.

오답 피하기

ㄱ. (가)($n=3$)의 염색 분체 수는 6개이고, (다)($2n=4$)의 2가 염색체 수는 2개이다. 따라서 (가)의 염색 분체 수는 (나)의 2개 염색체 수의 3배이다.

ㄴ. (나)는 핵상이 $2n$이며 상동 염색체가 접합하지 않고, 세포 가운데에 배열해 있으므로 체세포 분열 중기 세포이다. 따라서 (나)의 분열 과정에서 염색 분체가 분리된다.

11 ㉠은 대립유전자 A와 a가 모두 존재하므로 핵상이 $2n$이다. 그런데 A의 DNA양이 ㉠(AA/aa)이 ㉢(A/a)의 2배이므로 ㉠은 DNA가 복제된 상태이며, (가)에서는 체세포 분열이 일어난다. ⓛ의 딸세포인 ㉣에 a가 존재하므로 ⓛ에도 a가 존재하며, ㉠(AA/aa)에서 A의 DNA 상대량이 2이므로 ⓐ는 2이다. ⓛ은 핵상이 $2n$이며, a의 DNA양이 ⓛ과 ㉣(aa)이 같으므로 (나)에서는 감수 1분열이 일어난다. 따라서 ㉣의 핵상은 n이므로 ⓑ는 0이다. 2가 염색체는 감수 1분열 전기에 형성되므로 ⓛ에서 관찰된다.

오답 피하기

ㄱ. ⓐ는 2, ⓑ는 0이므로 $2-0=2$이다.

ㄷ. (가)는 체세포 분열 과정, (나)는 생식세포 분열 과정이다.

12 생식세포 분열 시 감수 1분열에서는 상동 염색체가, 감수 2분열에서는 염색 분체가 분리되는데 이때 서로 다른 상동 염색체 쌍이 무작위로 배열, 분리되므로 서로 다른 대립유전자 쌍도 무작위로 분리되어 유전적으로 다양한 생식세포가 만들어진다.

문제 속 자료　생식세포의 다양성

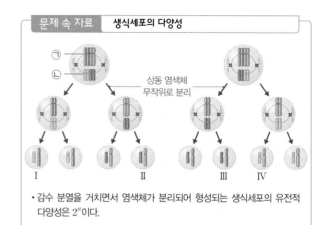

• 감수 분열을 거치면서 염색체가 분리되어 형성되는 생식세포의 유전적 다양성은 2^n이다.

13 (나)는 염색체가 세포의 중앙에 배열되어 있지만 쌍으로 있지 않으므로 감수 2분열 중기의 세포이다. 감수 1분열에서 염색체 수가 반감되므로 (나)의 염색체 수는 체세포의 절반인 2이다. A는 감수 분열 결과 형성된 생식세포로서 핵상은 n이고, (나)는 감수 2분열 중기의 세포로 핵상은 n으로 서로 같다.

오답 피하기

ㄱ. (나)는 (가)의 M_2기(감수 2분열)에 관찰된다.

14 (가)에서는 4개의 염색체를 이루는 염색 분체가 각각 분리되므로 분열 전과 후에 염색체 수의 변화가 없다. 따라서 (가)는 체세포 분열 과정의 일부라는 것을 알 수 있다. (가)의 체세포 분열에서는 염색 분체의 분리가 일어나므로 세포 A와 B의 염색체 구성과 유전 정보는 모두 같다. (나)는 감수 2분열 과정의 일부이며, 감수 2분열에서는 분열 전과 후에 염색체 수의 변화가 없다. 따라서 C와 D의 염색체 수는 체세포의 절반인 2개로 서로 같다.

15 [모범 답안] (1) 8 (2) 16, X의 생식세포의 염색체 수가 4개이므로 감수 1분열 중기 세포의 염색체 수는 8개, 염색 분체는 16개이다.

서술형 Tip　제시된 세포의 핵상과 염색체 수를 바탕으로 서술한다.

	채점 기준	배점
(1)	8을 옳게 쓴 경우	20 %
(2)	모범 답안과 같이 옳게 서술한 경우	80 %
	16을 쓰고, 그림의 세포는 염색체 수가 4개라는 것만 쓴 경우	50 %

16 [모범 답안] (1) (가) (2) (나), 상동 염색체가 분리되기 때문이다.

서술형 Tip　상동 염색체의 분리를 바탕으로 서술한다.

	채점 기준	배점
(1)	(가)를 옳게 쓴 경우	20 %
(2)	(나)를 쓰고, 모범 답안과 같이 옳게 서술한 경우	80 %
	(나)만 옳게 쓴 경우	20 %

단원 마무리하기
pp. 166 ~ 169

01 ⑤	02 ⑤	03 ⑤	04~05 해설 참조	06 ③
07 ⑤	08 ⑤	09 ③	10 ⑤	11 ④	12 ③
13 ③	14 ①	15 ⑤	16 ④	17 ④

01 ⊙은 히스톤 단백질, ⓛ은 DNA이고, (나)는 인산, 당, 염기(ⓐ)로 이루어진 뉴클레오타이드이다.

문제 속 자료 염색체와 뉴클레오타이드

(가)   (나)

- ⊙은 히스톤 단백질, ⓛ은 DNA로 ⊙+ⓛ은 뉴클레오솜이다.
- 뉴클레오타이드(나)는 인산, 당, 염기(ⓐ)로 구성되어 있고, DNA를 구성하는 기본 단위이다.

02 ㄱ. ⊙은 ⓛ의 일부 부위이므로 ⓛ은 유전 물질인 DNA이고, ⊙은 DNA에서 유전 정보가 저장된 부위인 유전자이다.
ㄴ. 하나의 DNA(ⓛ)에는 많은 수의 유전자(⊙)가 존재한다.
ㄷ. 유전체는 한 생명체가 가진 모든 DNA(ⓛ)에 저장된 유전 정보이다.

03 ㄱ. 핵형 분석 결과에서 번호가 매겨져 있는 염색체 쌍은 남녀 공통으로 존재하는 상염색체이다. 따라서 1~22번은 상염색체이고, 나머지 부분은 성염색체로 두 염색체의 크기가 다르므로 남자의 핵형임을 알 수 있다.
ㄴ. ⊙과 ⓛ은 모양과 크기가 같으며 생식세포 분열 시 접합하므로 상동 염색체이다.
ㄷ. ⓒ은 Y 염색체이므로 아버지로부터 물려받은 것이다.

04 [모범 답안] (가)와 (나)의 염색체 수는 4개로 같으며, (가)의 모든 염색체는 각각 2개의 염색 분체로 이루어져 있으므로 (가)의 DNA양은 (나)의 2배이다.
해설 2가닥으로 이루어진 경우는 DNA 복제가 일어난 후의 염색체이고, 1가닥으로 이루어진 경우는 DNA 복제가 일어나기 전의 염색체이지만, 모두 1개의 염색체이다.

서술형 Tip
염색체 수와 DNA양의 의미를 정확히 이해한 후 서술한다.

채점 기준	배점
모범 답안과 같이 옳게 서술한 경우	100 %
염색체 수와 DNA양 중 하나만 비교하여 옳게 서술한 경우	40 %

05 [모범 답안] (1) A
(2) ⊙과 ⓛ은 S기에 하나의 DNA가 둘로 복제된 후 분열기가 시작되면서 응축해 형성된 염색 분체이다.
해설 그림의 세포의 핵상과 염색체 수는 $2n=6$으로 동물 A의 체세포를 나타낸 것이다.

서술형 Tip
S기에 일어나는 DNA 복제를 바탕으로 서술한다.

	채점 기준	배점
(1)	A를 옳게 쓴 경우	20 %
(2)	S기의 DNA 복제와 응축에 의한 염색 분체 형성을 포함하여 모범 답안과 같이 옳게 서술한 경우	80 %
	DNA 응축에 의한 염색 분체 형성만 포함하여 서술한 경우	40 %

06 (나)에 모양과 크기가 다른 상동 염색체가 존재하므로 Ⅱ가 수컷, Ⅰ은 암컷이다. 따라서 Ⅰ의 체세포 분열 중기 세포의 X 염색체 수는 2개이고, Ⅱ의 감수 1분열 중기 세포의 2가 염색체 수는 4개이다.

오답 피하기
ㄱ. (가)의 핵상은 $n=5$이고, (나)의 핵상은 $2n=8$이므로 Ⅰ과 Ⅱ는 서로 다른 종이다.
ㄴ. (나)의 핵상은 $2n$이고, (나)에는 A가 있는 염색체와 크기와 모양이 동일한 염색체가 없으므로 A가 있는 염색체는 성염색체 중 크기가 큰 X 염색체이다. 따라서 Ⅱ는 성염색체가 XY인 수컷이며, 모계로부터 X 염색체를 물려받았으므로 A를 물려받았을 확률은 100 %이다.

07 ㄱ. (가)와 (나)는 상동 염색체 없이 서로 다른 염색체가 각각 1개씩 존재하므로 핵상은 n이고 염색체 수는 4개이다.
ㄴ. 이 동물의 성염색체는 XY로 염색체 X와 Y의 크기와 모양이 다르다. 핵상이 $2n$인 (다)에서 크기가 다른 염색체를 보면 ⊙이 성염색체임을 알 수 있다.
ㄷ. ⓛ과 ⓒ은 모양과 크기가 같은 상동 염색체로 생식세포 분열 과정에서 2가 염색체를 형성한다.

문제 속 자료 핵형 파악하기

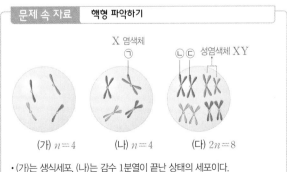

X 염색체
⊙   ⓛⓒ 성염색체 XY

(가) $n=4$ (나) $n=4$ (다) $2n=8$

- (가)는 생식세포, (나)는 감수 1분열이 끝난 상태의 세포이다.
- 성염색체가 XY인 경우 상동 염색체의 모양과 크기가 다르다.

08 ㉠은 S기, ㉡은 G₂기, ㉢은 M기(분열기), ㉣은 G₁기이다.

ㄱ. (나)는 체세포 분열 후기의 세포이므로 ㉢은 분열기(M기)이고, ㉠은 S기, ㉡은 G₂기, ㉣은 G₁기이다. DNA 복제는 S기(㉠)에 일어난다.

ㄴ. ⓐ와 ⓑ는 염색 분체이다. 염색 분체는 유전자 구성이 같다.

ㄷ. DNA가 복제되어도 핵상은 변하지 않으므로 핵상은 G₂기(㉡) 세포와 G₁기(㉣) 세포가 모두 2n으로 같다.

09 DNA양이 1 또는 2인 세포만 존재하므로 이 조직에서는 체세포 분열이 일어난다. DNA양이 1인 세포가 가장 많으므로 이 조직의 세포에서는 G₁기가 가장 길다. 따라서 ㉡는 G₁기, ㉢은 S기, ㉣은 G₂기, ㉠은 M기이다. X의 생식세포는 DNA양이 0.5이므로 이 조직에서 생식세포보다 DNA양이 2배, 즉 1인 G₁기 세포의 비율은 50 %보다 높다.

오답 피하기

ㄱ. G₁기는 DNA가 복제되기 전 시기로 이 시기의 세포의 DNA 상대량은 1이다. I의 세포는 S기(㉢)에 있다.

ㄴ. ㉠은 M기이며, 2가 염색체는 감수 1분열 전기와 중기의 세포에서 관찰되므로 체세포 분열이 일어나는 이 조직에서는 관찰되지 않는다.

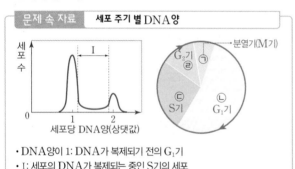

문제 속 자료 **세포 주기 별 DNA양**

• DNA양이 1: DNA가 복제되기 전의 G₁기
• I: 세포의 DNA가 복제되는 중인 S기의 세포
• DNA양이 2: DNA가 복제된 후인 G₂기와 분열기의 세포

10 감수 1분열 시 상동 염색체가 분리되므로 염색체 수가 반으로 줄어든다. 생식세포 분열 결과 4개의 딸세포가 생성된다.

11 생식세포 분열 결과 염색체 수가 반으로 줄어든 생식세포가 형성되기 때문에 암수 생식세포의 수정에 의해 형성된 자손의 염색체 수는 어버이와 같다.

12 상동 염색체의 같은 위치에 있는 A와 a는 대립유전자이다. 문제의 그림 속 세포에는 상동 염색체가 같이 존재하므로 감수 1분열 중이다. 이 동물로부터 생성될 수 있는 생식세포의 유전자형은 AB, Ab, aB, ab로 모두 4가지이다.

13 (가)에서는 S기에 DNA 복제가 일어나 2가 염색체를 형성한다. ㉠과 ㉡은 상동 염색체가 분리된 것으로 ㉠이 아버지로부터 물려받은 것이라면, ㉡은 어머니에게서 물려받은 것이다.

오답 피하기

ㄴ. (나)는 감수 1분열로 상동 염색체가 분리되어 염색체 수가 반으로 감소하고, (다)는 감수 2분열 과정으로 염색 분체가 분리되어 염색체 수는 변하지 않는다.

14 ㉠과 ㉡은 상동 염색체로 부모에게서 하나씩 물려 받은 것으로 감수 1분열 전기에 접합하여 2가 염색체를 형성한다.

오답 피하기

ㄴ. A는 2가 염색체가 세포 중앙에 배열해 있고 방추사가 연결되어 있으므로 감수 1분열 중기이다.

ㄷ. 상동 염색체가 분리되고 있으므로 감수 1분열 과정을 나타낸 것이다. 감수 2분열 과정에서는 염색 분체가 분리된다.

15 ㄱ. (가)의 체세포 분열 전기 세포에는 4개의 염색 분체가 있으므로 (가)는 핵상과 염색체 수가 2n=2이다. 그림의 세포로부터 형성되는 딸세포는 핵상과 염색체 수가 n=2이므로 그림은 (나)의 세포이며, (나)는 핵상과 염색체 수가 2n=4이다.

ㄴ. 2n=4인 (나)의 감수 1분열 중기 세포에는 2개의 2가 염색체가 있으므로 ㉠은 2이고, 2n=2인 (가)의 감수 2분열 중기 세포의 염색체 수는 1개(n=1)이다.

ㄷ. 2n=4인 (나)의 체세포 분열 전기 세포에는 4×2=8개의 염색 분체가 있다.

16 ㄱ. 핵분열이 일어날 때 핵 1개당 DNA 상대량이 절반으로 감소하므로 (가)에서 2번의 체세포 분열과 1번의 생식세포 분열이 일어났다. 따라서 (가)에서 상동 염색체의 분리는 1회 일어났다.

ㄷ. 핵상이 2n인 (나)의 세포에 염색체가 4개 존재하므로 생식세포 분열이 완료된 생식세포의 핵상과 염색체 수는 n=2이다.

오답 피하기

ㄴ. (나)의 세포는 상동 염색체끼리 접합한 2가 염색체가 세포 중앙에 배열된 감수 1분열 중기의 세포이므로 B에서 관찰된다.

17 (가)는 상동 염색체가 2가 염색체를 형성하지 않고 세포 중앙에 배열되어 있으므로 체세포 분열 중기이다. (나)는 2가 염색체가 세포 중앙에 배열되어 있으므로 감수 1분열 중기이다. 체세포 분열을 통해 생장과 상처 회복이 일어나고, 생식세포 분열을 통해 생식세포가 형성된다.

오답 피하기

ㄷ. 체세포 분열은 분열 결과 염색체 수의 변화가 없는 반면에, 생식세포 분열 결과 염색체 수가 절반으로 감소한다.

2. 사람의 유전과 유전병

01 | 사람의 유전 (1)

01 ⑤   **02** ⑤   **03** ③   **04** ④   **05** ④

01 1란성 쌍둥이 사이의 형질 차이는 환경에 의한 것이고, 2란성 쌍둥이 사이의 형질 차이는 유전자와 환경에 의한 것이므로 쌍둥이 연구를 통해 특정 형질이 유전자와 환경 중 어느 요인의 영향을 더 많이 받는지 알 수 있다.

오답 피하기
① 특정 형질의 우열 관계는 가계도 분석으로 알 수 있다.
②, ④ 핵형 분석으로 염색체의 수와 모양을 분석한다.
③ 가계도 분석을 통해 어느 집안에서 특정 형질이 유전되는 방식을 연구한다.

02 보조개가 있는 것이 우성이므로 유전자형이 이형접합성인 사람은 보조개가 있으며, 이마선 모양은 상염색체 유전 형질이므로 일자형 이마선이 나타날 확률은 남자와 여자에서 같다.

오답 피하기
⑤ 일자형 이마선이 열성이므로 일자형 이마선의 부모는 모두 유전자형이 열성 동형접합성이다. 따라서 일자형 이마선의 부모 사이에서 태어나는 자녀는 모두 일자형이다.

03 분리형 귓불인 부모 사이에서 부착형 귓불인 아들이 태어났으므로 분리형 귓불이 우성, 부착형 귓불이 열성이다. 따라서 분리형 귓불 대립유전자가 E, 부착형 귓불 대립유전자가 e이고, 아버지와 어머니의 귓불 모양에 대한 유전자형은 모두 Ee이다. 체세포 분열 전기의 세포에는 2가닥의 염색 분체로 이루어진 염색체가 존재하며, E와 e는 상동 염색체의 같은 위치에 있다.

04 분리형 귓불인 부모 사이에서 부착형 귓불인 자녀가 태어났으므로 분리형 귓불(E)이 우성, 부착형 귓불(e)이 열성이다. 따라서 3은 유전자형이 ee이고, 1은 3에게 e를 물려주었으므로 유전자형이 Ee이다. 4는 부착형 귓불인 딸(ee)에게 e를 물려주었으므로 유전자형이 Ee이고, 2는 분리형 귓불이므로 유전자형이 EE 또는 Ee이다.

문제 속 자료   **귓불 모양 유전의 가계도 분석**

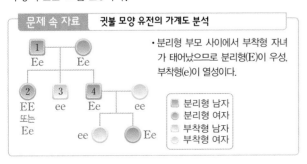

• 분리형 부모 사이에서 부착형 자녀가 태어났으므로 분리형(E)이 우성, 부착형(e)이 열성이다.

■ 분리형 남자
● 분리형 여자
□ 부착형 남자
○ 부착형 여자

05 어머니의 유전자형은 $I^A I^B$이므로 A형인 철수는 어머니로부터 I^A를 물려받았고, B형인 아버지로부터 i를 물려받았다. 따라서 아버지의 유전자형은 $I^B i$이고, 철수의 유전자형은 $I^A i$이다. $I^A I^B \times I^B i \rightarrow I^A I^B : I^A i : I^B I^B : I^B i = 1 : 1 : 1 : 1$이므로 철수의 동생이 유전자형이 $I^A i$일 확률은 $\frac{1}{4}$이고, 여자일확률은 $\frac{1}{2}$이므로 구하고자 하는 확률은 $\frac{1}{4} \times \frac{1}{2} = \frac{1}{8}$이다.

01 ⑤   **02** ③   **03** ④   **04** ①   **05** ③   **06** ⑤
07 ②   **08** ⑤   **09** ⑤   **10** ⑤   **11** ⑤
12~13 해설 참조

01 사람의 유전을 연구할 때에는 쌍둥이 연구, 집단 조사, 분자 생물학 연구, 가계도 조사 등의 간접적인 방법을 이용한다.

오답 피하기
ㄷ. 사람을 대상으로 유전학자의 의도에 따라 인공 교배 실험을 하는 것은 불가능하다.

02 1란성 쌍둥이는 1개의 수정란에서 유래하여 대립유전자 구성이 동일하므로 1란성 쌍둥이 사이의 형질 차이는 환경에 의한 것이다. 따라서 환경이 형질에 미치는 영향을 연구할 수 있다. 2란성 쌍둥이는 서로 다른 2개의 수정란에서 각각 유래하므로 유전자 구성이 서로 다르다. 2란성 쌍둥이 사이의 형질 차이는 유전자와 환경에 의해 나타난다.

오답 피하기
ㄱ, ㄴ. 이 방법은 쌍둥이 연구 방법으로, 이 방법을 통해 유전자와 환경이 형질에 미치는 영향을 알 수 있다. 사람은 인위적인 교배가 불가능하다. 집단 조사 방법은 여러 가계를 포함하는 집단을 조사하여 자료를 수집한 후 통계 처리하여 유전 형질의 특징을 알아내는 방법이다.

03 상염색체에 존재하는 1쌍의 대립유전자에 의해 결정되는 형질은 성별에 관계없이 유전된다. ABO식 혈액형과 같은 복대립 유전도 형질의 표현에 관여하는 대립유전자는 3종류이지만, 개체는 1쌍의 대립유전자에 의해 형질이 결정되므로 단일 인자 유전에 속한다.

오답 피하기
ㄱ. X 염색체에 대립유전자가 있는 유전은 반성유전이다.

04 분리형 귓불인 부모 사이에서 부착형 귓불인 자녀가 태어났으므로 분리형 귓불(A)이 우성이고, 부착형 귓불(a)이 열성이다.

ㄱ. I-2와 II-6은 유전자형이 Aa로 같다.

오답 피하기

ㄴ. 유전자형을 정확히 알 수 없는 II-1을 제외한 나머지는 모두 a를 가진다.

ㄷ. II-4의 유전자형은 Aa, II-5는 aa이므로 이 둘 사이에서 태어나는 자손의 유전자형은 Aa, aa가 있다. 그러므로 II-4와 II-5 사이에서 분리형 귓불(Aa)인 아들이 태어날 수 있다.

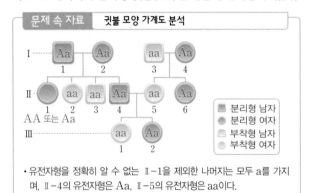

문제 속 자료　**귓불 모양 가계도 분석**

- 유전자형을 정확히 알 수 없는 II-1을 제외한 나머지는 모두 a를 가지며, II-4의 유전자형은 Aa, II-5의 유전자형은 aa이다.

05 ㄱ. 쌍꺼풀은 외까풀에 우성이고, 보조개는 '있음'이 '없음'에 대해 우성이므로 (라)의 자녀는 B, (나)의 자녀는 C, (다)의 자녀는 D, (가)의 자녀는 A이다. B는 쌍꺼풀과 보조개에 대한 유전자형이 모두 열성 동형접합성이다.

오답 피하기

ㄷ. C의 부모는 (나)이며, (나)는 모두 쌍꺼풀이 없으므로 (나)에서 쌍꺼풀이 있는 자녀는 태어나지 않는다.

06 단지증 부모 사이에서 정상 자녀가 태어났으므로 단지증이 우성, 정상이 열성이다. 3은 유전자형을 정확히 알 수 없으며, 5는 유전자형이 열성 동형접합성, 6은 이형접합성이므로 5와 6 사이에서 태어나는 아이가 단지증일 확률은 $\frac{1}{2}$이다.

오답 피하기

ㄱ. 단지증 부모 1과 2 사이에서 정상 자녀 5가 태어났으므로 단지증이 우성, 정상이 열성이다.

07 정상 부모(A, B) 사이에서 유전병 딸이 태어났으므로 정상이 유전병에 대해 우성이다. A와 B는 유전자형이 모두 이형접합성이므로 이 둘 사이에서 태어나는 아이의 유전자형이 D와 같은 열성 동형접합성일 확률은 $\frac{1}{4}$이다.

오답 피하기

ㄱ. 이 유전병은 상염색체 유전 형질이므로 유전병이 나타날 확률은 남자와 여자에서 같다.

ㄷ. C의 유전자형은 이형접합성이지만, E는 유전자형을 정확히 알 수 없다.

08 정상 부모 사이에서 태어나는 딸이 병에 걸릴 수 있으므로 유전병은 정상에 대해 열성이고, 이 정상 부모는 유전자형이 모두 이형접합성이다. 정상 아버지가 딸에게 유전병 대립유전자를 물려주므로 이 유전병은 상염색체 유전 형질이며, 병에 걸린 부모는 유전자형이 모두 열성 동형접합성이므로 이 부모 사이에서 태어나는 자녀는 항상 병에 걸린다.

09 엄지손가락이 젖혀지지 않는 부모 사이에는 항상 엄지손가락이 젖혀지지 않는 자손만 태어나므로 엄지손가락이 젖혀지지 않는 형질이 열성, 엄지손가락이 젖혀지는 형질이 우성이다.

ㄱ. 엄지손가락이 젖혀지지 않는 어머니로부터 엄지손가락이 젖혀지는 아들이 태어났으므로 엄지손가락 젖혀짐을 결정하는 대립유전자는 상염색체에 존재한다. 따라서 엄지손가락이 젖혀지지 않는 자손이 나타날 확률은 남녀가 같다.

ㄴ. C는 엄지손가락이 젖혀지지 않는 어머니로부터 엄지손가락이 젖혀지지 않는 대립유전자를 하나 물려받아 유전자형이 이형접합성이다.

ㄷ. 유전자형이 A는 열성 동형접합성, B는 이형접합성이다. 따라서 A와 B 사이에서 태어나는 아이가 엄지손가락이 젖혀지는 형질을 가질 확률은 $\frac{1}{2}$이다.

10 부모의 경우 자손의 혈액형을 정확히 알 수 있는 것은 (다)로 $I^A I^B$, ii인 부모에게서 $I^A i$, $I^B i$인 자녀가 태어날 수 있으므로 (다)의 자녀는 1이다. AB형인 자손이 태어날 수 있는 경우는 (가)로 부모의 유전자형이 $I^A I^A$ 또는 $I^A i$, $I^B I^B$ 또는 $I^B i$일 경우 모두 $I^A I^B$의 대립유전자를 가지는 AB형의 자손이 태어날 수 있다. 그러므로 (가)의 자손은 3, (나)의 자손은 2, (다)의 자손은 1이다. 따라서 (나)의 부모는 모두 유전자형이 $I^A i$이고, 1의 유전자형은 $I^B i$이다. 1($I^B i$)과 2(ii) 사이에서 태어나는 아이의 유전자형에 따른 비율은 $I^B i : ii = 1 : 1$이다.

11 가족 구성원 4명은 모두 혈액형이 서로 다르고, 아버지와 어머니는 서로 공통된 대립유전자를 가지지 않으므로 유전자형이 어머니와 아버지는 각각 $I^A I^B$와 ii 중 하나이고, 누나와 철수는 각각 $I^A i$와 $I^B i$ 중 하나이다. 따라서 어머니와 아버지($I^A I^B \times ii$) 사이에서 태어나는 아이의 혈액형이 A형($I^A i$)일 확률과 B형($I^B i$)일 확률이 각각 $\frac{1}{2}$이므로 철수(A형 또는 B형)와 같을 확률도 $\frac{1}{2}$이다. 누나와 철수는 공통적으로 i를 가진다.

오답 피하기

ㄱ. 어머니와 아버지 중 O형인 사람의 유전자형은 동형접합성 (ii)이다.

12 [모범 답안] (1) (가) – 1란성 쌍둥이, (나) – 2란성 쌍둥이

(2) (가)에서의 형질의 차이는 환경의 영향이고, (나)에서의 형질의 차이는 유전자와 환경의 영향 때문이다.

서술형 Tip

1란성 쌍둥이는 유전자 구성이 같고, 2란성 쌍둥이는 유전자 구성이 달라 각각 형질의 차이가 나타나는 까닭이 다름을 중심으로 서술한다.

	채점 기준	배점
(1)	(가)와 (나)에 해당하는 쌍둥이를 옳게 쓴 경우	30 %
(2)	모범 답안과 같이 옳게 서술한 경우	70 %

13 [모범 답안] (1) 4

(2) $\frac{1}{2}$. 유전자형이 3은 $I^B i$, 6은 $I^A i$이므로 3과 6 사이에서 태어나는 아이가 부모와 달리 AB형이나 O형일 확률이 각각 $\frac{1}{4}$ 이므로 구하고자 하는 확률은 $\frac{1}{4}+\frac{1}{4}=\frac{1}{2}$이다.

해설 B형인 3의 유전자형은 $I^B i$, A형인 6의 유전자형은 $I^A i$ 이므로 3과 6의 자손은 AB형, A형, B형, O형이 태어날 수 있다.

	채점 기준	배점
(1)	4를 쓴 경우	20 %
(2)	$\frac{1}{2}$을 쓰고, 3과 6의 유전자형을 이용해 구하는 과정을 모범 답안과 같이 옳게 서술한 경우	80 %
	$\frac{1}{2}$만 쓴 경우	30 %

02 | 사람의 유전 (2)

탐구 대표 문제   p. 182

01 ③

01 아버지의 생식세포는 AdE, Ade가 생성될 수 있고, 어머니의 생식세포는 aDe, ade가 생성될 수 있다. 이 생식세포를 통해 나올 수 있는 자손의 유전자형은 AaDdEe, AaddEe, AaDdee, Aaddee이다. 눈꺼풀은 쌍꺼풀이 우성, 보조개는 있는 형질이 우성, 귓불 모양은 분리형이 우성이다.

오답 피하기

③ 보조개에 대한 부모의 생식세포는 dd, Dd이므로 자손은 Dd, dd인 경우만 나올 수 있다.

기초 탄탄 **문제**   p. 185

01 ③	02 ④	03 ⑤	04 ①	05 ④	06 ②

01 사람의 성염색체는 여자가 XX, 남자가 XY이므로 아버지 (XY)는 아들(XY)에게 Y 염색체를 물려주고, 딸(XX)은 아버지(XY)로부터 X 염색체를 물려받는다.

오답 피하기

③ 어머니(XX)는 딸(XX)과 아들(XY)에게 모두 X 염색체를 물려준다.

02 (가)에서 유전병 어머니에게서 유전병인 아들만 태어나므로 이 유전병은 X 염색체를 통한 반성유전을 한다. 유전병 여자(㉠)는 유전병 대립유전자를 2개 가진 동형접합성(X'X')이다. 딸 (㉡)은 아버지로부터 정상 대립유전자(X)를, 어머니 (㉢)로부터 유전병 대립유전자(X')를 물려받는데 표현형이 모두 정상 이므로 ㉡은 유전자형이 이형접합성(XX')이며 유전병은 정상에 대해 열성이다. (나)에서 철수와 영희 사이에서 정상 아들 (XY)과 유전병 딸(X'X')이 태어났으므로 철수는 유전자형이 X'Y, 영희는 XX'이다. 따라서 철수와 영희 사이에서 정상 딸(XX')이 태어날 수 있다.

오답 피하기

④ 정상 대립유전자(X)가 우성, 유전병 대립유전자(X')가 열성이므로 철수(X'Y)는 유전병, 영희(XX')는 정상으로 표현형이 서로 다르다.

03 적록 색맹 대립유전자(X^r)는 정상(X^R)에 대해 열성이다.

오답 피하기

⑤ 적록 색맹 어머니(X^r X^r)의 아들(X^r Y)은 어머니로부터 적록 색맹 대립유전자(X^r)를 물려받아 항상 적록 색맹을 나타낸다.

04 ㉠과 ㉡은 표현형이 다른데 같은 수의 a를 가지므로 이 유전병은 반성유전 형질이다. 만약 이 유전병이 상염색체 유전 형질이라면 ㉠과 ㉡은 같은 수의 a를 가지므로 유전자형이 같고, 따라서 표현형도 같다. 그런데 ㉠과 ㉡은 표현형이 다르므로 이 유전병은 대립유전자가 X 염색체에 있는 유전 형질이고, ㉠의 유전자형은 $X^A X^a$, ㉡의 유전자형은 $X^a Y$이다. $X^A X^a × X^a Y →$ $X^A X^a : X^a X^a : X^A Y : X^a Y = 1 : 1 : 1 : 1$이므로 ㉠과 ㉡ 사이에서 태어나는 딸($X^A X^a$ 또는 $X^a X^a$)이 정상($X^A X^a$)일 확률은 $\frac{1}{2}$이고, 이 경우 딸의 유전자형은 $X^A X^a$이다.

05 철수의 유전자형에서 A~C의 개수 합은 5이다. 철수와 피부색이 같은 사람의 유전자형은 AABBCc, AABbCC, AaBBCC 중 하나이고, 부모의 유전자형이 AaBbCc로 같으므로 각각의 확률은 $\frac{1}{32}$이다. 따라서 구하고자 하는 확률은 $\frac{1}{32}×3=\frac{3}{32}$ 이다.

06 다인자 유전 형질의 경우 표현형이 다양하게 나타나며, 각 표현형에 따른 개체 수를 그래프로 나타내면 중간값이 가장 큰 정상 분포 곡선을 이룬다. 다인자 유전 형질은 개체 내 우성 대립유전자와 열성 대립유전자의 비율에 따라 표현형이 결정된다.

[오답 피하기]
② 다인자 유전 형질은 표현형의 변이가 연속적으로 나타난다.

내신 만점 문제					pp. 186~189
01 ④	02 ⑤	03 ③	04 ⑤	05 ②	06 ②
07 ②	08 ①	09 ④	10 ④	11 ⑤	12 ②
13 ③	14 ③	15 ④	16~17 해설 참조		

01 여자의 성염색체는 XX이므로 ⓒ과 ⓔ에는 모두 X 염색체가 존재한다. ⓐ과 ⓔ이 같으므로 남자의 성염색체 중 하나인 ⓐ은 X 염색체, ⓒ은 Y 염색체이다. (가)는 성염색체가 XX인 여자이므로 아들에게 X 염색체를 물려준다.

[오답 피하기]
ㄷ. ⓒ에는 X 염색체, ⓒ에는 Y 염색체가 각각 존재하므로 ⓒ과 ⓒ이 수정하여 발생하면 아들(XY)이 태어난다.

02 유전병 A가 우성, 정상이 열성이다. 정상(열성) 딸은 유전자형이 열성 동형접합성이므로 아버지는 딸에게 열성 대립유전자를 물려주었다. 따라서 아버지는 정상이다.

[오답 피하기]
ㄱ. 유전병 A의 대립유전자가 X 염색체에 존재하지만 어머니와 아들의 표현형이 다르다. 반성유전 형질에서는 열성 형질의 어머니로부터 우성 형질의 아들이 태어나지 않으므로 어머니의 표현형(유전병 A)이 우성, 아들의 표현형(정상)이 열성이다.

03 $A(X^R X^r)$와 $B(X^r Y)$ 사이에서 $X^R X^r$, $X^R Y$, $X^r X^r$, $X^r Y$가 태어날 수 있으므로 아이가 정상 딸($X^R X^r$)일 확률은 $\frac{1}{4}$이다.

[오답 피하기]
ㄱ, ㄴ. X 염색체 유전 형질인 적록 색맹(X^r)은 정상(X^R)에 대해 열성이다. B는 아들이므로 아버지로부터 X 염색체를 물려받지 않았으며, 두 집안의 정상 여자는 모두 유전자형이 $X^R X^r$이다. 그러므로 가계도의 모든 사람의 유전자형을 정확히 알 수 있다.

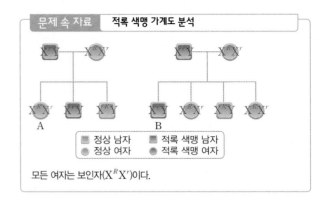

문제 속 자료 | **적록 색맹 가계도 분석**

■ 정상 남자	■ 적록 색맹 남자
● 정상 여자	● 적록 색맹 여자

모든 여자는 보인자($X^R X^r$)이다.

04 ㄱ. 여자의 경우 유전자형이 $X^D X^D$와 $X^D X^d$인 경우에는 정상이지만 $X^d X^d$인 경우에는 유전병이므로 D가 정상 대립유전자, d가 유전병 대립유전자이고, 유전병은 정상에 대해 열성이다.

ㄴ. 정상 아버지는 X^D를 딸에게 물려주므로 정상 아버지를 둔 딸은 항상 정상이다.

ㄷ. 적록 색맹 형질도 이 유전병과 마찬가지로 유전자가 X 염색체에 있으므로 적록 색맹 남자에서는 d와 적록 색맹 대립유전자가 같은 X 염색체에 존재한다.

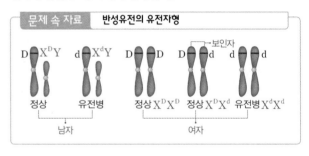

문제 속 자료 | **반성유전의 유전자형**

05 적록 색맹은 반성유전 형질이며, 정상에 대해 열성이다.

[오답 피하기]
ㄱ. 1의 유전자형이 $X^R Y$, 5의 유전자형은 $X^r Y$이다.
ㄷ. 적록 색맹 대립유전자는 열성이며, X 염색체로 유전되므로 적록 색맹인 2($X^r X^r$)는 적록 색맹 대립유전자(X^r)가 2개, 적록 색맹인 4($X^r Y$)는 적록 색맹 대립유전자를 1개 가진다.

06 유전병 ⓒ에 대해 아버지와 어머니는 모두 정상이고, 딸은 유전병 ⓒ을 나타내므로 대립유전자 b가 열성이고, 상염색체 유전 형질이다. 따라서 ⓐ이 적록 색맹이다.

ㄴ. ⓐ의 유전자형은 딸이 $X^a X^a$이므로 어머니는 $X^A X^a$이고, 아버지는 $X^a Y$이다. ⓒ의 유전자형은 어머니와 아버지 모두 Bb이다. X^A, X^a, B, b가 모두 존재하는 (나)는 어머니의 세포이고, (가)에는 b가 2개 존재하므로 (가)는 감수 분열을 마친 아버지의 세포이다. 따라서 ⓐ는 0, ⓑ는 1이다.

[오답 피하기]
ㄱ. ⓒ은 상염색체 유전 형질이고, ⓐ이 반성유전 형질인 적록 색맹이다.

ㄷ. 어머니와 아버지 사이에서 아이가 태어날 때, 두 형질에 대한 유전자형이 어머니는 X^AX^aBb, 아버지는 X^aYBb이므로 아이에게서 적록 색맹(㉠)과 ㉡이 모두 나타날 확률은 $\dfrac{1}{2} \times \dfrac{1}{4} = \dfrac{1}{8}$이다.

07 1(X^rY)과 2(X^RX^r) 사이에서 태어난 4의 유전자형은 X^rX^r, 5와 6의 유전자형은 X^RX^r이고, 정상 남자인 3의 유전자형은 X^RY이다.

08 3의 유전자형은 X^RY, 4의 유전자형은 X^rX^r이므로 3과 4 사이에서 태어나는 아이의 유전자형에 따른 비율은 $X^RX^r : X^rY$ $=1 : 1$이므로 아이가 정상 딸일 확률은 $\dfrac{1}{2}$이다.

09 유전병인 어머니는 열성 대립유전자를 가지고, 정상인 아버지는 열성 대립유전자를 가지고 있지 않으므로 유전병은 정상에 대해 열성 형질이며, 이 아버지에게서 유전병을 가진 아들이 태어났으므로 유전병은 X 염색체에 있는 유전자를 통해 반성유전된다. 정상 대립유전자를 X, 유전병 대립유전자를 X′이라고 하면 유전자형이 어머니는 X′X′, 아버지는 XY, 영희는 XX′, 남동생은 X′Y이다. 따라서 아버지의 정상 대립유전자(X)의 DNA 상대량은 0.5이다.

> **오답 피하기**

ㄷ. 정상 대립유전자를 X, 유전병 대립유전자를 X′라고 하면 유전자형이 어머니는 X′X′, 아버지는 XY, 영희는 XX′, 남동생은 X′Y이다. 따라서 영희(XX′)와 정상 남자(XY) 사이에서 25 %의 확률로 유전병을 가진 아들(X′Y)이 태어난다.

> **문제 속 자료** 가계도 분석
>
>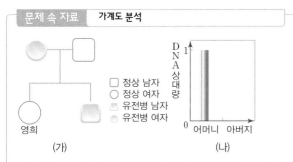
>
> - 유전병인 어머니는 열성 대립유전자를 가지고, 정상인 아버지는 열성 대립유전자(X′)를 가지지 않는다. → 정상이 우성이다.
> - 아버지는 우성 대립유전자(X)만 가지는데 아들이 유전병(열성)을 나타낸다. → 아들은 아버지에게 우성 대립유전자를 물려받지 않았다. → 아버지의 우성 대립유전자는 X 염색체에 존재한다.

10 정상 부모 사이에서 유전병을 나타내는 아들이 태어나므로 정상이 우성, 유전병이 열성이다. 그런데 어머니가 유전병을 나타내면 아들은 항상 유전병을 나타내므로 이 유전병의 유전자는 X 염색체에 있다.

ㄱ. 아버지가 정상이면 딸은 아버지로부터 정상 대립유전자를 물려받아 항상 정상이다.

ㄷ. 여자는 유전병(열성) 대립유전자를 2개 가져야만 유전병이 나타나지만, 남자는 유전병 대립유전자를 1개 가지면 유전병이 나타나므로 유전병이 나타날 확률은 여자보다 남자에서 높다.

> **오답 피하기**

ㄴ. 어머니가 정상이고, 보인자인 경우 어머니로부터 유전병 대립유전자를 물려받아 유전병을 나타내는 아들이 태어날 수 있다.

11 정상인 1과 2 사이에서 유전병인 5가 태어났으므로 유전병은 열성 형질이다. 또, 2와 3은 모두 정상인데 남자인 2의 T와 T*의 DNA 상대량을 합한 값이 여자인 3의 절반이므로 이 유전병은 반성유전을 한다는 것을 알 수 있다. 즉, 대립유전자 T와 T*는 X 염색체에 위치하므로, 3에서 T는 X 염색체에 있다. 5가 유전병을 나타내므로 1의 유전병 유전자형은 $X^TX^{T^*}$, 2의 유전병 유전자형은 X^TY이다. 1과 2 사이에서 태어난 자녀가 가질 수 있는 유전병 유전자형은 X^TX^T, X^TY, $X^TX^{T^*}$, $X^{T^*}Y$이다. 따라서 5의 동생이 태어났을 때, 동생이 유전병 남자($X^{T^*}Y$)일 확률은 $\dfrac{1}{4} \times 100 = 25$ %이다.

> **오답 피하기**

ㄱ. 2는 정상인데 대립유전자 T만 가지고 있으므로 T는 정상 대립유전자, T*는 유전병 대립유전자이다. 1은 정상이지만 5에게 유전병 대립유전자 T*를 물려주었으므로 1의 유전병 유전자형은 이형접합성($X^TX^{T^*}$)이다. 따라서 ㉠과 ㉡은 모두 50이다.

12 지문선의 수는 표현형이 다양하므로 여러 쌍의 대립유전자에 의해 결정되는 다인자 유전 형질이다.

> **오답 피하기**

ㄱ. 눈꺼풀 모양은 표현형이 2가지이므로 우열 관계가 분명한 2가지 대립유전자에 의해 결정되는 단일 인자 유전을 한다.

ㄴ. 혈액형은 표현형이 4가지이므로 대립유전자가 2가지 이상인 복대립 유전 형질이다.

> **문제 속 자료** 유전 형질과 표현형의 비
>
>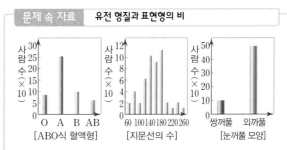
>
> - ABO식 혈액형은 4가지 표현형이 뚜렷하게 구분되어 나타난다.
> - 지문선의 수는 표현형에 따른 사람 수의 분포가 다양하게 나타나므로 다인자 유전 형질임을 알 수 있다. 다인자 유전의 경우 여러 쌍의 대립유전자가 관여하고 환경의 영향을 받기 때문에 표현형이 다양하게 나타난다.

13 (가)에서는 A와 B, (나)에서는 A와 D가 대립유전자이므로 ㉠은 A, B, D에 의해 결정되는 복대립 유전 형질이고, E와 F는 서로 다른 염색체에 있으므로 ㉡은 다인자 유전 형질이다. ㉠을 결정하는 A, B, D 사이의 우열이 모두 분명하므로 ㉠의 표현형은 3가지이다.

[오답 피하기]

ㄷ. (가)와 (나) 사이에서 태어나는 자손은 E와 F를 최대 4개(EEFF)에서 최소 0개(eeff) 가질 수 있으므로 ㉡의 표현형은 모두 5가지이다.

14 (가)를 결정하는 대립유전자는 3가지이므로 (가)는 복대립 유전 형질이고, X와 Y의 우열 관계가 없으므로 표현형은 모두 4가지(X_, Y_, XY, ZZ)이다. (나)의 유전자형이 AaBbDd인 개체와 AAbbDd인 개체는 각각 A, B, D의 개수 합이 3개이므로 표현형이 같다.

[오답 피하기]

ㄴ. (나)는 세 쌍의 대립유전자에 의해 결정되므로 다인자 유전 형질이고, A, B, D의 개수 합에 의해서만 표현형이 결정되므로 표현형은 최대 6개(AABBDD)에서 최소 0개(aabbdd) 가질 수 있으므로 (나)의 표현형은 모두 7가지이다.

15 갈색 피부인 ㉠의 피부색 유전자형은 AaBbCc이며, 3쌍의 대립유전자는 서로 다른 상염색체에 있으므로 ㉠에서 형성되는 난자의 유전자형은 8가지(ABC, ABc, AbC, Abc, aBC, aBc, abC, abc)이다. ㉠이 aaBbcc인 유전자형을 갖는 남자와 결혼하였을 때 태어난 자녀의 유전자형에서 피부색을 검게 하는 유전자의 수는 최대 4개(AaBBCc)에서 최소 0개(aabbcc)까지 나올 수 있으므로, 자손의 피부색은 최대 5가지 중 하나이다.

[오답 피하기]

ㄱ. 피부색의 결정에는 3쌍의 대립유전자가 관여하며 우열 관계가 명확하지 않으므로 피부색은 다인자 유전 형질이다.

16 [모범 답안] (1) 열성

(2) 이 유전병은 반성유전 형질인데 아버지는 유전병, 누나는 정상이므로 정상에 대해 열성이다.

[서술형 Tip]

반성유전 형질에서는 우성 형질의 아버지로부터 열성 형질의 딸이 태어나지 않는 것을 바탕으로 서술한다.

	채점 기준	배점
(1)	열성을 옳게 쓴 경우	50 %
(2)	아버지는 유전병, 누나는 정상임을 들어 유전병이 열성이라는 것을 모범 답안과 같이 옳게 서술한 경우	100 %

17 [모범 답안] (1) $\frac{1}{16}$

(2) 아버지(1)가 정상이므로 딸은 항상 아버지로부터 정상 대립유전자를 물려받아 1과 2 사이에서 적록 색맹인 딸은 태어나지 않는다.

[해설] ABO식 혈액형의 경우, 1은 아버지($I^B i$)로부터 i를 물려받아 유전자형이 $I^A i$이고, 2는 어머니($I^A i$)로부터 i를 물려받아 유전자형이 $I^B i$이다. 적록 색맹의 경우, 아버지($X^R Y$) 1로부터 X^R를 물려받아 $X^R X^r$ 또는 $X^R X^R$인 정상 딸이 태어난다.

	채점 기준	배점
(1)	$\frac{1}{16}$ 을 옳게 쓴 경우	20 %
(2)	딸이 아버지로부터 정상 대립유전자를 물려받는 것과 적록 색맹인 딸이 태어나지 않는다는 것을 모두 옳게 서술한 경우	80 %
	적록 색맹인 딸이 태어나지 않는다는 것만 서술한 경우	30 %

03 | 사람의 유전병

탐구 대표 문제   p. 194

01 ④   **02** ④

01 (가)는 정상인, (나)는 낫 모양 적혈구 빈혈증 환자이며, 낫 모양 적혈구 빈혈증은 유전자 돌연변이이다.

02 유전자 돌연변이는 핵형 분석으로 알 수 없다.

기초 탄탄 문제   p. 195

01 ③   **02** ②   **03** ⑤   **04** ④   **05** ①

01 생식세포에 생긴 돌연변이가 다음 세대에 유전된다.

02 염색체 돌연변이로는 결실, 역위, 전좌, 중복이 있다. (가)에서는 염색체 일부인 E가 사라지는 결실이 나타났다. (나)에서는 염색체 일부인 EFG → GFE로 거꾸로 붙은 역위가 나타났다. (다)에서는 상동이 아닌 염색체의 일부 VH와 G가 전좌되었다. (라)에서는 염색체 일부인 FG가 반복되는 중복이 일어났다.

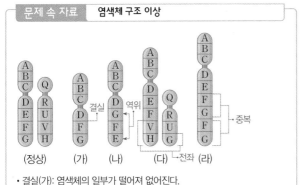

문제 속 자료 염색체 구조 이상

(정상) (가) (나) (다) (라)
결실 역위 중복 전좌

- 결실(가): 염색체의 일부가 떨어져 없어진다.
- 역위(나): 염색체의 일부가 떨어졌다가 거꾸로 붙는다.
- 전좌(다): 한 염색체의 일부가 상동 염색체가 아닌 다른 염색체에 붙는다.
- 중복(라): 염색체의 일부분과 같은 부분이 삽입되어 반복된다.

03 다운 증후군은 21번 염색체가 3개일 때, 터너 증후군은 성염색체가 X일 때, 클라인펠터 증후군은 성염색체가 XXY일 때, 고양이 울음 증후군은 5번 염색체의 일부가 결실되었을 때 각각 나타난다.

04 적록 색맹은 반성유전 형질이며, 정상에 대해 열성이므로 1의 유전자형은 $X^R X^r$, 2의 유전자형은 $X^R Y$이다. 아들인 3은 1의 적록 색맹 대립유전자를 물려받아 적록 색맹이 되어야 하지만 정상이다. 따라서 3은 유전자형이 $X^R X^r Y$이므로 클라인펠터 증후군($2n+1=44+XXY$)을 나타내고, 3은 2로부터 X와 Y 염색체를 모두 물려받았으므로 2의 감수 1분열 과정에서 성염색체의 비분리가 일어났다.

오답 피하기

④ 1의 유전자형은 $X^R X^r$, 2의 유전자형은 $X^R Y$이므로 3의 유전자형은 $X^R X^r Y$이고, 2의 감수 1분열 과정에서 성염색체의 비분리가 일어났다.

05 부모는 정상인데 딸이 적록 색맹을 나타내므로 유전자형이 어머니는 $X^R X^r$, 아버지는 $X^R Y$이며, 염색체 비분리가 1회 일어났으므로 딸은 X^r이다. 따라서 정자가 생성되는 과정에서 비분리가 일어나 아버지는 딸에게 X 염색체를 물려주지 않았다. 딸은 X 염색체가 없는 정자 ㉠($n-1=22$)과 정상 난자 ㉡($n=22+X$)의 수정으로 태어났다.

내신 만점 문제 pp. 196~198

01 ① **02** ③ **03** ① **04** ④ **05** ② **06** ④
07 ③ **08** ③ **09** ③ **10** ⑤ **11~13** 해설 참조

01 ㄱ. ㉡의 감수 2분열 결과 핵상이 각각 $n-1$과 $n+1$인 생식세포가 형성되었으므로 감수 2분열에서 염색 분체의 비분리가 일어났다. 따라서 핵상은 ㉠~㉣이 모두 n이다.

오답 피하기

ㄴ. ㉽에는 염색 분체 비분리로 대립유전자 구성이 동일한 두 염색체가 존재한다.

ㄷ. ㉺은 정상보다 염색체 수가 1개 적다. 다운 증후군은 21번 염색체가 3개일 때 나타나므로 21번 염색체가 정상보다 1개 많은 생식세포가 수정되는 경우 다운 증후군 아이가 태어날 수 있다.

02 (가)에서는 핵상이 n인 생식세포가 형성되었으므로 감수 2분열에서 염색 분체가 비분리되었고, (나)에서는 핵상이 n인 생식세포가 형성되지 않았으므로 감수 1분열에서 상동 염색체가 비분리되었다. 따라서 염색 분체가 비분리된 (가)에서 형성되어 핵상이 $n+1$인 생식세포에는 복제된 DNA로 구성되어 유전자 구성이 같은 2개의 염색체가 존재한다.

오답 피하기

ㄱ, ㄴ. (가)는 감수 2분열에서, (나)는 감수 1분열에서 비분리가 일어났다.

03 유전자형이 할아버지는 AA, 할머니는 A^*A^*, 어머니는 AA, 영희는 AA^*A^*이다. 염색체 수가 정상인 할아버지와 할머니에서 A와 A^*를 구성하는 DNA 상대량의 합이 같으므로 A와 A^*는 상염색체에 존재한다. 아버지는 할아버지로부터 A, 할머니로부터 A^*를 각각 물려받아 유전자형이 AA^*이다.

오답 피하기

ㄴ, ㄷ. 영희는 아버지로부터 A^*A^*, 어머니로부터 A를 각각 물려받았으므로 ㉠은 아버지에게서 감수 2분열에 비분리가 일어나 형성되었으며, ㉠($n+1=23+X$)에는 23개, ㉡($n=22+X$)에는 22개의 상염색체가 각각 존재한다.

04 정상의 부모로부터 적록 색맹을 가진 철수가 태어났으므로 적록 색맹은 정상에 대해 열성이다.

ㄱ. 철수는 클라인펠터 증후군을 나타내므로, 정상 대립유전자를 X, 적록 색맹 대립유전자를 X'이라고 하면 적록 색맹을 가진 철수의 유전자형은 X'X'Y이다. 적록 색맹에 대한 유전자형이 철수 아버지는 XY, 어머니는 XX'이며, 철수는 아버지로부터 Y를, 어머니로부터 X'X'을 각각 물려받았다. 따라서 철수가 가진 적록 색맹 대립유전자(X')는 외할머니(XX')로부터 유래된 것이다.

ㄷ. 적록 색맹에 대한 유전자형이 할아버지는 XY, 할머니는 XX 또는 XX', 외할아버지는 XY, 외할머니는 XX', 아버지는 XY, 어머니는 XX', 철수는 X'X'Y이므로 유전자형을 정확히 알 수 없는 사람은 1명(할머니)이다.

오답 피하기

ㄴ. 철수가 어머니로부터 받은 2개의 X'은 염색 분체에 존재했던 대립유전자이므로, 철수는 감수 2분열에서 비분리가 일어난 난자(X'X')와 정상 정자(Y)의 수정으로 태어났다.

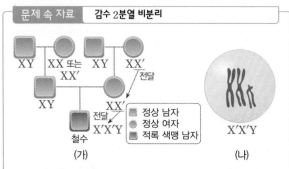

문제 속 자료 **감수 2분열 비분리**

XY XX 또는 XX′ XY XX′
→ 전달

XY

X′X′Y ← 전달

철수

■ 정상 남자
● 정상 여자
■ 적록 색맹 남자

X′X′Y

(가)　　　　　　　(나)

• 적록 색맹을 나타내는 철수의 부모는 모두 정상이다. → 정상이 우성, 적록 색맹이 열성이다.
• 철수는 적록 색맹과 클라인펠터 증후군(XXY)을 모두 나타내므로 어머니로부터 적록 색맹 대립유전자(X′)를 2개 물려받았다. → 어머니는 보인자(XX′)이므로 어머니의 감수 2분열 과정에서 염색 분체의 비분리가 일어났다.

05 ㄴ. (나)에서 X 염색체와 Y 염색체가 비분리되었으므로 감수 1분열에서 성염색체의 비분리가 일어났음을 알 수 있다. 그런데 B는 C보다 염색체 수가 적으므로 핵상과 염색체 수가 A는 $n-1=22$, B는 $n-1=22$, C는 $n+1=22+XY$이다. 따라서 B의 총 염색체 수는 22개, C의 상염색체 수는 22개이다.

오답 피하기

ㄱ. A는 $n-1=22$, C는 $n+1=22+XY$이므로 A는 C보다 염색체 수가 2개 적다.

ㄷ. C가 정상 난자($n=22+X$)와 수정하면 성염색체가 XXY인 클라인펠터 증후군 아이가 태어난다.

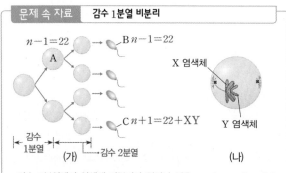

문제 속 자료 **감수 1분열 비분리**

$n-1=22$
A → B $n-1=22$

X 염색체

→ C $n+1=22+XY$

Y 염색체

감수 1분열 | (가) → 감수 2분열 | (나)

• 감수 1분열에서 염색체 비분리가 일어난 경우 $n-1$, $n-1$, $n+1$, $n+1$의 생식세포가 형성된다.
• 감수 1분열에서 염색체 비분리가 일어나면 상동 염색체가 비분리된다.

06 ㄱ. 이 개체는 대립유전자 A와 a를 모두 가지므로 유전자형이 Aa이다.

ㄴ. ⓒ은 A가 존재하지 않고 a가 2개 존재하므로 ⓒ이 형성될 때 감수 2분열에서 염색 분체의 비분리가 일어났다.

오답 피하기

ㄷ. 감수 1분열에서 염색체 비분리가 1회 일어나면 하나의 모세포로부터 핵상이 $n+1$, $n-1$인 생식세포만 형성되는데 ⓔ은 A가 존재하지 않고 a만 1개 존재하므로 핵상이 n이다.

07 ㄱ. ⊙에 존재하는 [AbCd] 염색체에서 d는 정상 체세포에 존재하지 않는 유전자이다. 따라서 ⊙이 형성될 때 유전자에 돌연변이가 일어나 D가 d로 바뀌었다.

ㄷ. ⊙과 ⓒ에는 각각 1번 염색체와 2번 염색체가 1개씩 존재하므로 두 생식세포는 정상 생식세포와 염색체 수가 같다.

오답 피하기

ㄴ. ⓒ은 정상적으로 생식세포 분열이 일어나 형성된 생식세포이다.

08 아래 염색체에는 C와 D 부위가 두 군데씩 존재하는 중복이 일어났으므로 아래 염색체가 돌연변이 염색체이다. 위의 정상 염색체는 A−B−C−D−E−F−G의 순서로 배열되어 있는데 돌연변이 염색체는 B−D−C의 순서로 배열되어 있으므로 C−D 부위가 거꾸로 배열된 역위가 일어났다. 그리고 돌연변이 염색체에는 G 부위가 존재하지 않으므로 이 부위가 결실되었다. 돌연변이 염색체는 C, D 부위가 중복되었으므로, 이 부위에 위치한 유전자는 2개 이상 중복되어 존재할 수 있다.

오답 피하기

ㄷ. 염색체는 DNA와 단백질로 이루어져 있는데 정상 염색체보다 돌연변이 염색체가 중복에 의해 길이가 더 길므로 돌연변이 염색체를 이루는 DNA 길이가 정상 염색체보다 길다.

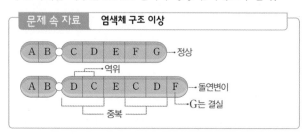

문제 속 자료 **염색체 구조 이상**

A B C D E F G → 정상
　　　← 역위
A B D C E C D F → 돌연변이
　　　　　　　　→ G는 결실
　　← 중복

09 (가)는 B와 C가 떨어졌다가 거꾸로 붙어 나타난 역위이고, (나)는 유전자의 염기 서열이 달라지는 돌연변이에 의해 단백질의 아미노산 서열이 바뀌는 현상을 나타낸 것이다.

오답 피하기

ㄷ. (가)는 염색체의 구조 이상, (나)는 유전자 이상에 따른 아미노산의 변화로 나타나는 돌연변이가 원인인 유전병으로 이러한 돌연변이를 나타내는 사람의 염색체 수는 정상인과 같다.

10 (가)는 낫 모양 적혈구, (나)는 정상 적혈구이다. 낫 모양 적혈구는 헤모글로빈 유전자의 이상으로 T(타이민)이 A(아데닌)으로 바뀌어 나타난다.

오답 피하기

ㄱ. (가)에서는 헤모글로빈이 길게 응집하므로 (가)는 헤모글로빈 유전자의 이상으로 염기 서열이 달라져 정상과 아미노산 서열이 다른 돌연변이 헤모글로빈에 의해 만들어지는 낫 모양 적혈구이다.

11 **[모범 답안]** (가)는 아버지의 감수 1분열에서 염색체 비분리가 일어나서 형성된 정자($n+1=22+X^R Y$)와 어머니의 정상 난자($n=22+X^r$)가 수정되어 유전자형이 $X^R X^r Y$로 적록 색맹이 나타나지 않는다.

[서술형 Tip] (가)가 어떤 정자와 난자의 수정으로 태어났는지 정자와 난자의 성염색체를 바탕으로 서술한다.

채점 기준	배점
모범 답안과 같이 옳게 서술한 경우	100 %
아버지의 감수 1분열에서의 비분리만 서술한 경우	60 %
아버지로부터 정상 대립유전자를 물려받았기 때문이라고만 서술한 경우	40 %

12 **[모범 답안]** (1) ㉠: 역위, ㉡: 결실
(2) 감수 2분열에서 Y 염색체의 비분리가 일어났기 때문이다.

	채점 기준	배점
(1)	역위, 결실을 모두 옳게 쓴 경우	20 %
(2)	모범 답안과 같이 옳게 서술한 경우	80 %
	Y 염색체의 비분리만 서술한 경우	50 %

13 **[모범 답안]** 특정 유전자의 돌연변이로 염기 서열이 달라져 아미노산 서열이 달라진 돌연변이 단백질이 만들어지기 때문이다.

[서술형 Tip] 유전자의 염기 서열 변화로 인한 단백질의 아미노산 변화를 바탕으로 서술한다.

채점 기준	배점
유전자의 염기 서열이 달라져 단백질의 아미노산 서열이 달라졌기 때문이라고 옳게 서술한 경우	100 %
단백질의 아미노산 서열이 달라졌기 때문이라고만 서술한 경우	50 %

단원 마무리하기 pp. 200~203

01 ① **02** 해설 참조 **03** ③ **04** 해설 참조
05 ③ **06** ④ **07** ④ **08** ② **09** 해설 참조
10 ④ **11** ② **12** ④ **13** ① **14** ④ **15** ②
16 ⑤

01 (다)에서 부착형 자손이 태어났으므로 분리형이 우성, 부착형이 열성이다. 따라서 부착형인 사람의 유전자형은 모두 열성 동형접합성이다.

[오답 피하기]
ㄴ, ㄷ. (나)에서 분리형 자녀만 태어나므로 (나)의 분리형 부모는 유전자형이 우성 동형접합성이고, (다)의 분리형 부모는 모두 유전자형이 이형접합성이다. 따라서 (다)에서 태어나는 자녀가 부착형일 확률은 $\frac{1}{4}$이다.

02 **[모범 답안]** (1) (가)
(2) (다) – 알코올 중독, 다른 형질에 비해 1란성 쌍둥이의 일치율이 가장 낮고, 1란성 쌍둥이와 2란성 쌍둥이의 일치율 차이가 가장 작기 때문이다.

[해설] 1란성 쌍둥이의 형질 차이는 환경의 영향에 의한 것으로 1란성 쌍둥이의 일치율이 높을수록 유전적 요인이 크게 작용하는 것이다.

[서술형 Tip] 1란성 쌍둥이는 유전적으로 동일한 반면, 2란성 쌍둥이는 유전적으로 다르다는 것을 바탕으로 서술한다.

	채점 기준	배점
(1)	(가)를 쓴 경우	20 %
(2)	1란성 쌍둥이의 가장 낮은 일치율, 1란성 쌍둥이와 2란성 쌍둥이의 가장 작은 일치율 차이를 모두 서술한 경우	80 %
	1란성 쌍둥이의 가장 낮은 일치율, 1란성 쌍둥이와 2란성 쌍둥이의 가장 작은 일치율 차이 중 하나만 서술한 경우	50 %

03 ㄱ. ㉠과 ㉡ 두 형질에 대해 부모는 모두 이형접합성이고, 아이의 가능한 표현형이 4가지이므로 ㉠과 ㉡의 유전은 독립 법칙에 따른다. 그런데 아이가 '㉠ 나타남, ㉡ 나타남'이 될 확률이 가장 높으므로 '㉠ 나타남'과 '㉡ 나타남'이 각각 우성 형질이다. 따라서 부모의 표현형은 모두 '㉠ 나타남, ㉡ 나타남'이다.
ㄴ. 독립 법칙에 의해 이형접합성의 부모 사이에서 태어나는 자손의 표현형 비는 9:3:3:1이므로 ⓐ:ⓑ=3:1이다.

[오답 피하기]
ㄷ. '㉠ 나타남, ㉡ 나타남' 아이의 가능한 유전자형은 AABB, AABb, AaBB, AaBb로 최대 4가지이다.

04 **[모범 답안]** 상염색체 유전 형질, 어머니가 일자형(열성)인데 아들이 V자형(우성)이므로 아들은 아버지로부터 V자형 대립유전자를 물려받았다. 따라서 이마선 모양을 결정하는 대립유전자는 상염색체에 있다.

[서술형 Tip] 열성 형질의 어머니로부터 우성 형질의 아들이 태어난 것을 중심으로 서술한다.

채점 기준	배점
상염색체 유전 형질을 쓰고, 일자형(열성) 어머니로부터 V자형(우성) 아들이 태어난 것을 모범 답안과 같이 옳게 서술한 경우	100 %
상염색체 유전 형질을 쓰고, 아들이 아버지로부터 V자형(우성) 대립유전자를 물려받았다고 서술한 경우	60 %
상염색체 유전 형질만 쓴 경우	30 %

05 체세포 1개당 A의 DNA 상대량은 ⓒ>ⓒ>⊙이므로 ⓒ은 A를 2개(AA), ⓒ은 A를 1개 가지며(AA*), ⊙은 A를 가지지 않는다(A*A*).

ㄱ. A*는 정상 대립 유전자이고, A는 유전병 대립 유전자이다. ⓒ은 유전자형이 A*A이면서 정상이므로 정상(A*)이 우성, 유전병(A)이 열성이다.

ㄴ. ⓒ은 A를 1개 가지는데, 어머니(⊙)의 유전자형은 A*A*이다. 따라서 ⓒ은 아버지로부터 A를 1개 물려받았으며, 이 유전병은 상염색체 유전 형질이다.

오답 피하기

ㄷ. ⓔ의 아버지인 ⓒ의 유전자형은 A*A, 어머니는 AA이므로, 정상인 ⓔ의 유전자형은 A*A이다. 따라서 ⓔ과 ⓜ 사이에서 A*A, AA인 자손이 태어날 수 있으므로, 정상의 딸이 태어날 확률은 $\frac{1}{2} \times \frac{1}{2} = \frac{1}{4}$이다.

06 ABO식 혈액형 유전자(I^A, I^B, i)는 상염색체에, 적록 색맹 유전자(X^R, X^r)는 X 염색체에 존재하므로 이 2가지 형질은 독립되어 있다. AB형, 적록 색맹인 여자는 유전자형이 $I^A I^B X^r X^r$이다. 그런데 아들은 혈액형 유전자형이 $I^A i$, 적록 색맹 유전자형은 $X^R Y$ 또는 $X^r Y$가 될 확률이 1 : 1이다.

자녀의 혈액형이 B형일 확률 : $I^A i$와 $I^A I^B$ 사이에서 $I^B i$가 될 확률=$\frac{1}{4}$이다.

자녀가 적록 색맹을 나타낼 확률 : [XY일 확률×XY와 $X^r X^r$ 사이에서 $X^r Y$가 될 확률=$\frac{1}{2} \times \frac{1}{2} = \frac{1}{4}$]+[$X^r Y$일 확률×$X^r Y$와 $X^r X^r$ 사이에서 $X^r X^r$ 또는 $X^r Y$가 될 확률=$\frac{1}{2} \times 1 = \frac{1}{2}$] =$\frac{3}{4}$이므로 전체 확률은 $\frac{1}{4} \times \frac{3}{4} = \frac{3}{16}$이다.

07 O형과 AB형 부모 사이에서 A형 아들 2명이 태어났는데, 만약 (가)(r)가 정상(R)에 대해 열성이라면 두 A형 아들은 어머니로부터 i와 r가 함께 존재하는 염색체를, 아버지로부터 I^A가 존재하는 동일한 염색체를 물려받으므로 표현형이 서로 같아야 한다. 그런데 이 둘은 (가)에 대한 표현형이 다르므로 (가)는 정상에 대해 우성이다. A형과 B형(1) 부모 사이에서 B형(2) 딸이 태어났으므로 1과 2는 ABO식 혈액형의 유전자형이 $I^B i$로 서로 같다.

ㄷ. 1은 정상($I^B r / ir$)이므로 2는 아버지로부터 물려받은 염색체(iR)에 (가) 대립유전자가 존재한다. 따라서 2($I^B r / iR$)와 3($I^A r / I^B r$) 사이에서 (가)를 가진 AB형 아이는 태어나지 않는다.

오답 피하기

ㄱ. (가)는 정상에 대해 우성이므로 R는 (가) 대립유전자이다.

08 단일 인자 유전은 한 쌍의 대립 유전자에 의해 형질이 결정되며, 대립 형질이 뚜렷하게 구분되어 우성과 열성에 따른 개체 수 분포가 뚜렷하게 구분된다. 다인자 유전은 여러 유전자의 관여와 환경의 영향으로 표현형이 매우 다양하다.

오답 피하기

ㄹ. 단일 인자 유전에 관한 사람들의 분포를 조사하면, 개체 수가 뚜렷하게 구분되어 나타난다. 유전 형질에 따른 사람 수를 그래프로 나타낼 때 정규 분포 곡선으로 나타나는 경우는 다인자 유전이다.

ㅁ. 다인자 유전의 예로는 피부색, 눈동자 색, 키, 몸무게 등이 있고, 이마선 모양과 적록 색맹은 단일 인자 유전의 예이다.

09 [모범 답안] 상염색체 유전 형질, 정상이 우성, 유전병이 열성 형질인데 정상(우성) 아버지로부터 유전병(열성) 딸이 태어났으므로 상염색체 유전 형질이다.

서술형 Tip

반성유전 형질에서는 우성 형질의 아버지로부터 열성 형질의 딸이 태어날 수 없다는 것을 이해한 후 서술한다.

채점 기준	배점
상염색체 유전을 쓰고, 정상이 우성이고, 정상 아버지와 유전병 딸을 들어 상염색체 유전 형질이라는 것을 모범 답안과 같이 옳게 서술한 경우	100 %
상염색체 유전이라고만 쓴 경우	30 %

10 ⓒ과 ⓒ에는 모두 A와 a가 있으며, A의 DNA 상대량이 ⓒ이 ⓒ의 절반이므로 ⓒ은 DNA가 복제되기 전인 Ⅰ, ⓒ은 DNA가 복제된 후인 Ⅱ이다.

ㄴ. ⊙과 ⓔ은 각각 Ⅲ과 Ⅳ 중 하나이며, ⊙에는 A가 2개, ⓔ에는 a가 2개 들어 있다. 따라서 비분리는 Ⅳ가 형성되는 감수 2분열에서 일어났으며, Ⅲ의 핵상은 n이고, Ⅳ의 핵상은 $n+1$이므로 염색체 수는 Ⅲ보다 Ⅳ가 1개 많다.

ㄷ. 감수 2분열에서 염색체 비분리가 일어났으므로 그림의 4개 정자 중 2개는 핵상이 n이다. 핵상이 n인 정상 정자에는 A와 a 중 한 종류만 1개 들어 있으므로 A와 a의 DNA 상대량의 합이 1이다.

오답 피하기

ㄱ. 모세포(Ⅰ)의 유전자형은 Aa이며, Ⅳ의 유전자형은 AA 또는 aa이다. 따라서 Ⅳ가 형성될 때 염색체가 비분리되었으므로 염색체 비분리는 감수 2분열에서 일어났다.

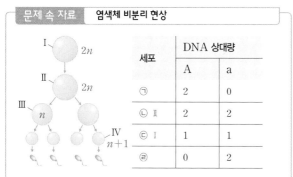

문제 속 자료 염색체 비분리 현상

세포	DNA 상대량	
	A	a
㉠	2	0
㉡ Ⅱ	2	2
㉢ Ⅰ	1	1
㉣	0	2

• ㉢(Ⅰ)이 복제되어 DNA 상대량이 2배인 ㉡(Ⅱ)이 된다.
• 감수 2분열에서 염색체 비분리가 일어나 핵형이 n인 생식세포 2개와 $n+1$인 생식세포 1개, $n-1$인 생식세포 1개가 형성된다.

11 키는 표현형이 다양하게 나타나므로 대립 형질이 뚜렷하게 구별되지 않는다.

오답 피하기

ㄱ. 보조개의 유무는 대립 형질이 뚜렷하게 구별되므로 한 쌍의 대립유전자에 의해 형질이 결정되는 단일 인자 유전이다. 단일 인자 유전은 환경의 영향을 받지 않는다.

ㄷ. ABO식 혈액형은 형질 결정에 3종류의 대립유전자가 관여하는 복대립 유전을 하므로, 표현형은 4가지이고, 유전자형은 6가지이다.

12 혈우병은 적록 색맹과 마찬가지로 X 염색체 유전 형질이고, 정상 부모 사이에서 혈우병을 나타내는 자녀가 태어나므로 정상에 대해 열성이다. 아버지는 정상, 영희는 혈우병을 나타내므로 영희는 아버지로부터 X 염색체를 물려받지 않았으며, 어머니로부터만 혈우병 대립유전자가 존재하는 X 염색체를 1개 물려받았으므로 터너 증후군을 나타낸다. 어머니와 영희는 각각 혈우병 대립유전자를 1개씩 가지므로 혈우병 대립유전자의 DNA 상대량이 서로 같다.

오답 피하기

ㄷ. 영희는 염색체 비분리가 일어나 X 염색체가 없는 정자와 정상 난자의 수정으로 태어났다.

13 1과 2는 정상, 5는 유전병을 나타내므로 정상이 우성, 유전병이 열성이다. 그런데 4와 5의 표현형이 서로 다르므로 1과 2 중 A만 가지는 사람은 2이고, 이 유전병은 반성유전을 한다. 2가 가지는 A가 정상 대립유전자이므로 유전자형이 4는 $X^A Y$, 5는 $X^{A^*} Y$이다. 따라서 1은 $X^A X^{A^*}$이고, 3은 $X^{A^*} X^{A^*}$이다. 7은 3으로부터 대립유전자 A^*를 물려받았으므로 1, 6, 7은 모두 대립유전자 A^*를 가진다.

오답 피하기

ㄴ, ㄷ. 3($X^{A^*} X^{A^*}$)이 유전병을 나타내는데 6은 정상이므로 6은 4($X^A Y$)로부터 X 염색체와 Y 염색체를 모두 물려받았다.

따라서 염색체 비분리는 4의 감수 1분열 과정에서 일어났으며, 6은 성염색체가 XXY인 클라인펠터 증후군을 나타낸다. 7은 3으로부터 A^*를, 4로부터 A를 물려받았으며, 성염색체가 $X^A X^{A^*}$로 정상이다.

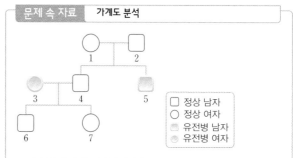

문제 속 자료 가계도 분석

정상 남자
정상 여자
유전병 남자
유전병 여자

• 1이 A(우성 대립유전자)만 가지면 → 1은 4와 5에게 A를 물려주므로 4와 5는 모두 우성 형질을 나타낸다. → 그러나 4와 5의 표현형이 서로 다르므로 1의 유전자형은 $X^A X^{A^*}$이다.
• 6은 정상이므로 A를 가진다. → 3은 A를 가지지 않으므로 6은 A를 4로부터 물려받았다. → 4는 6에게 X 염색체와 Y 염색체를 모두 물려주었으므로 감수 1분열에서 염색체 비분리가 일어났다.

14 성염색체가 비분리되어 나타나는 클라인펠터 증후군 환자의 핵형 분석 결과이다.

ㄴ. 클라인펠터 증후군은 성염색체 비분리로 성염색체 구성이 XXY로, 정상인보다 성염색체가 1개 더 많아서 나타나는 유전병이다.

ㄷ. 클라인펠터 증후군인 사람은 외관상 남자지만, 불임이며, 여자의 신체적 특징이 나타난다.

오답 피하기

ㄱ. 클라인펠터 증후군인 사람은 상염색체 수가 정상인과 같고, 성염색체 수가 정상인보다 1개 더 많다.($2n = 44 + XXY$)

15 **오답 피하기**

ㄱ, ㄴ. 이 사람의 간세포는 정상이므로 백혈병은 부모로부터 물려받은 것이 아니며, 백혈구의 9번 염색체와 22번 염색체 사이에서 전좌가 일어났으므로 염색체 수는 백혈구와 간세포가 같다.

16 적록 색맹은 반성유전되므로 성염색체의 비분리가 일어나지 않는다면 적록 색맹인 어머니로부터 태어난 아들은 항상 적록 색맹이다. 따라서 (가)는 염색체 돌연변이로, ㉠은 정상인 아버지로부터 X와 Y 염색체를 모두 물려받았다. (나)는 유전자 돌연변이로, 표에 제시된 현상은 낫 모양 적혈구 빈혈증에서 일어난다. 유전자 돌연변이는 유전자의 본체인 DNA의 염기 서열에 이상이 생겨 일어나며, 그 결과 정상 단백질과 아미노산 서열이 다른 돌연변이 단백질이 만들어져 형질에 변화가 생긴다. 따라서 ㉡은 정상 헤모글로빈 단백질과 아미노산 서열이 다르다.

V 생태계와 상호 작용

1. 생태계의 구성과 기능
01 | 생물과 환경의 상호 작용

기초 탄탄 문제   p. 209

01 ③   **02** ②   **03** ②   **04** ④   **05** ④

01 생태계를 구성하는 요소에는 생물적 요인과 비생물적 요인이 모두 포함된다. 생물적 요인에는 생산자, 소비자, 분해자가 있고, 비생물적 요인에는 빛, 온도, 태양, 공기, 토양 등이 있다. 조류는 생산자의 예, 곰팡이는 분해자의 예이다.

오답 피하기

③ 토양은 비생물적 요인이다.

02 비생물적 요인이 생물적 요인에 미치는 영향을 작용, 생물적 요인이 비생물적 요인에 미치는 영향을 반작용, 생물들끼리 서로 영향을 주고받는 것을 상호 작용이라 한다.

03 호랑나비의 계절형과 겨울에 개구리와 곰이 겨울잠을 자는 것은 온도에 대한 적응의 예이다.

오답 피하기

①, ③은 빛에 대한 적응, ④는 공기에 대한 적응, ⑤는 물에 대한 적응의 예이다.

04 ㉠은 작용, ㉡은 반작용이다. 식물은 생물적 요인이고, 대기 중의 O_2 농도는 비생물적 요인이므로 광합성량이 대기 중의 O_2 농도에 영향을 주는 것은 반작용(㉡)의 예이다.

오답 피하기

① ㉠은 비생물적 요인이 생물적 요인에 영향을 주는 것으로 작용을 나타낸 것이고, ㉡은 생물적 요인이 비생물적 요인에 영향을 주는 것으로 반작용을 나타낸 것이다.
② 상호 작용은 생물 사이에 서로 영향을 주고받는 것이다.
③ 생물적 요인은 생산자, 소비자, 분해자가 있다.
⑤ 뿌리혹박테리아의 질소 고정 작용은 상호 작용의 예이다.

05 (가)는 물에 대한 생물의 적응에 해당하고, (나)는 공기에 대한 생물의 적응, (다)는 빛의 파장에 대한 생물의 적응에 해당한다.

내신 만점 문제   pp. 210~211

01 ③   **02** ②   **03** ③   **04** ②   **05** ⑤   **06** ⑤

07~08 해설 참조

01 개체군 A는 스스로 양분을 합성할 수 있는 생산자이고, 개체군 B는 다른 생물을 먹이로 먹는 소비자, 개체군 C는 생물의 사체나 배설물을 분해하는 분해자이다. 곰팡이는 다른 생물의 사체나 배설물을 분해하므로 분해자인 C에 해당한다. ㉠은 소비자가 생산자에 영향을 미치는 것이다. 초식 동물이며 1차 소비자인 소가 생산자인 풀을 먹는 것은 ㉠의 예에 해당한다.

오답 피하기

ㄷ. A는 개체군으로, 개체군은 같은 종으로 이루어져 있다.

02 A는 녹조류, B는 갈조류, C는 홍조류이다. 수심 40 m에서 홍조류(C)의 수는 녹조류(A)의 수보다 많다.

오답 피하기

ㄱ. 수심에 따라 해조류의 분포가 다른 것은 빛의 파장이 조류의 서식에 영향을 미친 것으로 작용에 해당한다.
ㄴ. 갈조류(B)는 파장이 660 nm인 빛이 없는 수심 20~40 m에서 서식하므로 660 nm의 빛이 없어도 죽는 것은 아니다.

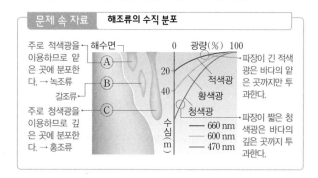

문제 속 자료   **해조류의 수직 분포**

03 ㉠은 작용, ㉡은 반작용, ㉢은 상호 작용이다. 대기 중 CO_2 농도가 식물의 광합성에 영향을 주는 것은 비생물적 요인이 생물적 요인에 영향을 주는 것으로 ㉠(작용)에 해당한다. 스라소니의 개체 수가 증가하자 토끼의 개체 수가 감소하는 것은 개체군 사이의 상호 작용으로 ㉢(상호 작용)에 해당한다.

오답 피하기

ㄷ. 세균과 곰팡이는 모두 생물적 요인인 분해자에 속한다.

04 (가)는 양엽, (나)는 음엽, ㉠은 표피 조직이다. (가)(양엽)와 (나)(음엽)의 잎의 두께 차이에 영향을 준 환경 요인은 빛의 세기이다.

오답 피하기

ㄱ. 울타리 조직은 표피 조직 아래 부분이며 광합성이 활발한 조직이다.
ㄴ. 울타리 조직이 발달한 (가)는 양엽, 덜 발달한 (나)는 음엽이다.

05 건조한 곳에서는 물을 흡수하기 위해 뿌리가 발달하므로 (가)는 건조한 곳, (나)는 습한 곳이다.

ㄱ. 식물 X는 스스로 양분을 합성할 수 있는 생산자이다.

ㄴ. (가)는 건조한 곳, (나)는 습한 곳이다.

ㄷ. X의 뿌리 발달 정도는 토양 속 수분의 영향을 받으므로 생태계 구성 요소 간의 관계 중 환경이 생물에 영향을 미치는 작용에 속한다.

06 추운 곳에 사는 곰일수록 귀 등의 말단부가 작고, 몸의 크기는 크다. (가)는 가장 추운 지역에 사는 곰이고, (나)는 그 다음 추운 곳, (다)는 가장 덜 추운 곳에 사는 곰이다. 추운 곳에 사는 곰일수록 몸의 부피에 대한 몸의 표면적이 작다.

$\dfrac{몸의\ 표면적}{몸의\ 부피}$ 의 값은 (가)<(나)<(다)이다. 곰의 형태가 지역에 따라 다른 것은 온도에 대한 생물의 적응 현상이다. 호랑나비의 계절형도 온도에 대한 생물의 적응 사례에 해당한다.

07 [모범 답안] (1) (다)

(2) 추운 지역에 사는 여우는 귀와 같은 말단부의 크기가 작고, 몸의 크기가 커 열의 발산을 최소화한 몸의 구조를 가지고 있다.

해설 추운 지역의 여우는 몸의 크기가 크고, 말단부가 작아 열의 방출을 막는다. 더운 지역의 여우는 몸의 크기가 작고, 몸의 말단부가 커서 열을 잘 방출한다.

서술형 Tip

포유류의 서식지 기온에 따른 몸 크기와 몸 말단부의 크기 차이가 온도에 적응한 예임을 생각하고 서술한다.

	채점 기준	배점
(1)	(다)를 옳게 쓴 경우	20 %
(2)	모범 답안과 같이 옳게 서술한 경우	80 %
	1가지만 옳게 서술한 경우	40 %

08 [모범 답안] 부레옥잠과 같이 물속이나 물에 떠서 사는 식물은 뿌리가 잘 발달해 있지 않고 뿌리 또는 잎에 통기 조직이 발달되어 있다. 반면, 선인장과 같이 물이 부족한 곳에서 생활하는 식물은 물을 흡수하는 뿌리와 물을 저장하는 저수 조직이 발달해 있다.

채점 기준	배점
제시된 단어를 모두 사용하여 모범 답안과 같이 옳게 서술한 경우	100 %
제시된 단어 중 2개만 사용하여 옳게 서술한 경우	30 %

02 I 개체군의 특성

탐구 대표 문제 p. 214

1 ①

01 구간 I 에서 A와 B의 차이는 환경 저항 때문이다. 구간 I 에서 B는 환경 저항을 받아 이론적 생장 곡선과 차이를 나타낸다.

오답 피하기

ㄱ. A는 J자형으로 나타나는 이론적 생장 곡선이고, B는 S자형으로 나타나는 실제 생장 곡선이다.

ㄷ. B에서 시간이 갈수록 개체 수 증가율이 감소하고, 나중에는 0이 된다.

기초 탄탄 문제 p. 216

01 ⑤ **02** ① **03** ② **04** ③ **05** ④ **06** ②

01 A. 개체군은 동일한 종의 개체들로 이루어진 집단이다. 군집은 서로 다른 종의 개체들로 이루어진 집단이다.

B. 개체군의 개체 수 증가 요인으로 출생과 이입이 있고, 개체 수 감소 요인으로 사망과 이출이 있다.

C. 개체군의 밀도는 일정 면적에 서식하는 개체군의 개체 수이다.

02 I 형은 적은 수의 자손을 낳지만 부모의 보호를 받아 초기 사망률이 낮고, 대부분 생리적 수명을 다한다. II 형은 연령대에 따른 생존 개체들의 사망률이 일정하다. III 형은 많은 수의 자손을 낳지만 초기 사망률이 매우 높다.

03 기생은 군집 내 개체군 사이의 상호 작용의 예이다. 밀도는 일정한 공간에 서식하는 개체군의 개체 수이다. 생장 곡선은 개체군 내의 개체 수가 시간에 따라 증가하는 것을 그래프로 나타낸 것이고, 생존 곡선은 동시에 출생한 일정 수의 개체군에 대해 상대 연령에 따른 생존 개체 수를 그래프로 나타낸 것이다. 주기적 변동은 계절과 먹이 관계 등에 따라 개체군의 크기가 주기적으로 변하는 것을 조사한 것이다.

04 개체군 내의 상호 작용에는 텃세, 순위제, 리더제, 사회생활, 가족생활이 있다.

오답 피하기

ㄷ. 상리 공생은 군집 내 개체군 사이의 상호 작용에 해당한다.

05 은어의 세력권 형성과 호랑이의 영역 표시는 텃세에 해당한다.

오답 피하기

①은 순위제, ②는 포식과 피식, ③은 사회생활, ⑤는 리더제의 예이다.

06 ㉠은 순위제, ㉡은 리더제, ㉢은 사회생활의 예이다.

내신 만점 문제   pp. 217~219

01 ④   **02** ③   **03** ①   **04** ①   **05** ④   **06** ②

07 ⑤   **08** ②   **09** ③   **10** ② **11~12** 해설 참조

01 A는 이론적 생장 곡선, B는 실제 생장 곡선이다. A는 J자형으로 나타나는 이론적 생장 곡선이고, B는 S자형으로 나타나는 실제 생장 곡선이다. B에서 개체 수 증가율은 곡선의 기울기이다. t_1에서의 기울기는 양(+)의 값을 갖고, t_2에서 기울기는 0이므로 개체 수 증가율은 t_1에서가 t_2에서보다 높다.

[오답 피하기]

A와 B의 차이가 환경 저항인데, A와 B의 차이는 t_1에서보다 t_2에서 더 크므로 B에서 환경 저항은 t_1에서가 t_2에서보다 적다.

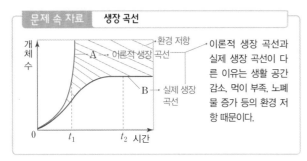

문제 속 자료   생장 곡선

이론적 생장 곡선과 실제 생장 곡선이 다른 이유는 생활 공간 감소, 먹이 부족, 노폐물 증가 등의 환경 저항 때문이다.

02 그래프에서 밀도가 높아질수록 개체의 크기는 작아지고, 밀도가 높아질수록 환경 저항이 증가하므로 개체의 크기는 환경 저항과 반비례 관계에 있다. 밀도가 증가할수록 개체의 크기가 작아지고, 같은 면적에 서식하는 개체 수가 증가한다.

[오답 피하기]

ㄴ. 밀도가 400(개체 수/m^2)에서 800(개체 수/m^2)으로 2배 증가하면 개체 크기는 약 65 mm에서 약 50 mm으로 줄어든다.

03 효모 개체군의 개체 수는 초기에는 급격히 증가하다가 후기(16시간 이후)에는 일정해지므로 생장 곡선이 S자형으로 나타난다.

[오답 피하기]

ㄴ. 환경 저항은 배양 시작 직후부터 나타나 시간이 흐를수록 점차 증가한다. 배양 후 10시간 이후에 환경 저항이 사라지는 것은 아니다.

ㄷ. 배양 후 16시간 이후에 개체 수의 증가가 없는 것은 출생한 효모의 수와 사망한 효모의 수가 같기 때문이다. 16시간 이후에 새로운 효모 개체의 출생이 없는 것은 아니다.

04 그래프의 t_2에서 기울기는 0이고, t_3에서 기울기는 양(+)의 기울기를 가지므로 $\dfrac{\text{출생한 개체 수}}{\text{사망한 개체 수}}$는 t_2에서가 t_3에서보다 낮다.

[오답 피하기]

ㄴ. 환경 저항은 배양 직후부터 나타나 시간이 지날수록 증가하므로 t_4에서의 환경 저항은 t_1에서의 환경 저항보다 크다.

ㄷ. 먹이와 공간을 더 제공하고 배양한다면 개체군 내의 경쟁이 감소하여 개체 수는 더 많이 증가하고, P의 값은 더 높아질 것이다.

05 A(굴)는 Ⅲ형 생존 곡선을 나타내고, B(히드라)는 Ⅱ형 생존 곡선을, C(사람)는 Ⅰ형 생존 곡선을 나타낸다. 한 부모에서 태어나는 자손 개체의 수는 Ⅲ형 생존 곡선을 나타내는 A(굴)에서가 Ⅰ형 생존 곡선을 나타내는 C(사람)에서보다 많다.

[오답 피하기]

ㄱ. A는 초기 사망률이 높은 굴이고, B는 사망률이 일정한 히드라, C는 초기 사망률이 낮은 사람이다.

06 생식 전 연령층의 개체 수 비율은 발전형 피라미드에서 가장 높으므로 (나)에서 가장 높다.

[오답 피하기]

ㄱ. (가)는 안정형, (나)는 발전형, (다)는 쇠퇴형 피라미드이다.

ㄷ. (다)는 쇠퇴형 피라미드로 시간에 따라 개체 수가 감소할 것이다. 시간에 따라 개체 수가 증가할 것으로 예상되는 것은 발전형 피라미드인 (나)이다.

07 돌말의 개체 수는 겨울에 증가하기 시작하고, 봄에 최대 개체 수를 기록한 후 감소하므로 밀도는 봄에 가장 높다. 겨울에는 영양염류의 양은 많지만 수온이 낮아 돌말의 개체 수가 증가하지 않는다. 여름에 수온과 빛의 세기가 충분하지만 돌말의 개체 수가 증가하지 못하는 원인은 영양염류가 부족하기 때문이다.

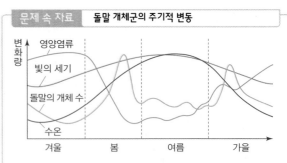

문제 속 자료   돌말 개체군의 주기적 변동

- 초봄: 영양염류가 많아지고, 빛의 세기가 강해지고, 수온이 높아짐 → 돌말의 개체 수 증가
- 늦봄: 돌말이 증가하여 영양염류 감소 → 돌말의 개체 수 감소
- 여름: 영양염류 감소로 돌말의 개체 수는 증가하지 않음
- 초가을: 돌말의 감소로 영양염류 약간 증가 → 돌말의 개체 수도 약간 증가
- 늦가을: 영양염류가 풍부해도 수온이 낮음 → 돌말의 개체 수 감소
- 겨울: 낮은 수온으로 돌말의 개체 수 감소

08 ㄴ. 그래프에서 B 개체군의 밀도 변화는 약 10년을 주기로 변하였음을 알 수 있다.

ㄱ. A가 증가하면 B가 증가하고, B가 증가하면 A가 감소하므로 A는 피식자, B는 포식자이다. 피식자인 A가 사라지면 포식자인 B는 감소한다.

ㄷ. A와 B의 주기적인 개체 수 변화의 원인은 포식과 피식 관계에 의한 것으로 계절에 따른 온도의 변화는 아니다.

09 A는 가족생활, B는 리더제, C는 순위제이다. 리더제(B)는 개체군 내의 상호 작용에 속한다.

ㄷ. C는 뿔의 크기에 따라 순위를 정함으로써 경쟁을 줄이기 위한 행동으로 순위제의 예이다.

10 (가)는 텃세, (나)는 사회생활, (다)는 리더제의 예이다.

ㄱ. 개체군 내의 상호 작용에는 텃세, 순위제, 리더제, 사회생활 등이 있고, 군집 내 개체군 사이의 상호 작용에는 경쟁, 분서, 공생, 기생, 피식과 포식 등이 있다.

ㄷ. 리더제의 경우 리더를 제외한 나머지는 순위가 없다.

11 **[모범 답안]** (1) | ㉠의 면적을 $2S$라 할 때, ㉡의 면적은 S이다. ㉠에서 t_1일 때 P의 밀도는 $\dfrac{200}{2S}$이고, ㉡에서 t_2일 때 P의 밀도는 $\dfrac{100}{S}$으로 서로 같다.

(2) 환경 저항은 시간에 따라 증가한다.

해설 밀도는 특정 지역의 면적에 대한 개체 수이다. ㉠의 면적을 $2S$라 하면, ㉡의 면적은 S이다. t_1일 때 개체 수는 200이고, t_2일 때 개체 수는 100이므로 t_1과 t_2에서 밀도는 서로 같다.

서술형 Tip

개체군의 밀도 $=\dfrac{\text{개체군을 구성하는 개체 수}(N)}{\text{생활 공간 면적}(S)}$ 임을 이해한 후 서술한다.

채점 기준		배점
(1)	정답과 풀이 과정을 모범 답안과 같이 옳게 서술한 경우	60 %
	밀도가 같다고만 쓴 경우	30 %
(2)	모범 답안과 같이 옳게 서술한 경우	40 %

12 **[모범 답안]** 증가하는 요인은 ㉠(출생)과 ㉢(이입), 감소하는 요인은 ㉡(사망)과 ㉣(이출)이다.

해설 개체군 밀도의 증가 요인으로 출생, 이입이 있고, 감소 요인으로 사망, 이출이 있다.

채점 기준	배점
모범 답안과 같이 옳게 서술한 경우	100 %
㉠~㉣ 중 2개만 옳게 서술한 경우	50 %

03 | 군집의 특성

탐구 대표 문제   p. 222

01 ③

01 A종이 B종보다 개체 수가 적고, B종은 A종보다 더 많은 지역에서 발견된다.

ㄷ. 우점종은 B종이다.

문제 속 자료   식물 군집의 조사

구분	밀도 (개체 수 /m²)	빈도 (출현 칸 /25)	피도 (m²/m²)	상대 밀도 (%)	상대 빈도 (%)	상대 피도 (%)
A 종	$\dfrac{2}{1}=2$	$\dfrac{2}{25}$ $=0.08$	0.04×2 $=0.08$	$\dfrac{2}{10}$ $\times100$ $=20$	$\dfrac{0.08}{0.4}$ $\times100$ $=20$	$\dfrac{0.08}{0.4}$ $\times100$ $=20$
B 종	$\dfrac{8}{1}=8$	$\dfrac{8}{25}$ $=0.32$	0.04×8 $=0.32$	$\dfrac{8}{10}$ $\times100$ $=80$	$\dfrac{0.32}{0.4}$ $\times100$ $=80$	$\dfrac{0.32}{0.4}$ $\times100$ $=80$

• 우점종은 중요치가 가장 높은 종이다.
• 중요치(%)=상대 밀도+상대 빈도+상대 피도이다.
• A종의 중요치는 60, B종의 중요치는 240로 B종이 우점종이다.

기초 탄탄 문제   p. 226

01 ①   **02** ④   **03** ②   **04** ③   **05** ②

01 두 종이 함께 서식할 때 경쟁에서 이긴 종이 살아남고, 진 종이 사라지는 것은 경쟁배타 원리가 적용되는 종간 경쟁이다.

②는 분서, ③은 상리 공생, ④는 편리 공생, ⑤는 포식과 피식을 나타낸 것이다.

02 (가)는 눈신토끼와 스라소니 사이에 일어나는 포식과 피식의 예이다. (나)는 은어와 피라미가 같은 하천에 살면서 서로 다른 먹이를 먹는 분서의 예이다. (다)는 아우렐리아와 카우다툼을 함께 배양하면 아우렐리아만 살아남는 종간 경쟁의 예이다.

03 군집을 구성하는 개체군이 먹이 사슬에서 차지하고 있는 위치를 먹이 지위라 하고, 개체군이 차지하는 서식 공간을 공간 지위라고 한다. 먹이 지위와 공간 지위를 합쳐서 생태적 지위라고 한다. 분서는 생태적 지위가 비슷한 두 개체군이 서식지나 먹이의 종류 등을 달리하여 경쟁을 피하는 현상이다.

04 군집에서 중요치는 상대 밀도와 상대 빈도, 상대 피도를 합한 것으로 중요치가 가장 큰 종이 우점종이다. 핵심종은 개체 수는 작지만 군집의 구조를 유지하는 데 중요한 역할을 한다.

[오답 피하기]

C. 상대 밀도(%)$=\dfrac{\text{특정 종의 밀도}}{\text{조사한 모든 종의 밀도의 합}}\times100$이므로 군집에서 밀도가 가장 높은 종은 상대 밀도도 가장 높다.

05 건성 천이 과정은 척박한 땅 → 지의류 → 초본류(㉠) → 관목림 → 양수림(㉡) → 혼합림 → 음수림(㉢) 으로 진행된다.

내신 만점 문제 pp. 227~229

01 ④	02 ⑤	03 ④	04 ⑤	05 ②	06 ③
07 ③	08 ③	09 ⑤	10 ②	11 ④	

12~13 해설 참조

01 ㄴ. 군집은 여러 종으로 구성되고, 종들 사이에 먹고 먹히는 관계가 형성되어 먹이 사슬 관계가 존재한다.

ㄷ. 먹이 그물에서 1차 소비자를 통해 에너지를 얻는 동물을 2차 소비자라 한다.

[오답 피하기]

ㄱ. 개체가 모여 개체군이, 여러 개체군이 모여 군집이 된다.

02 ㄱ. 유기물은 A → C → G와 B → E → G로 이동하므로 G는 A와 B로부터 에너지를 얻는다.

ㄴ. A가 사라지면 적어도 세 종인 C, F, D가 사라진다.

ㄷ. (가)는 2차 소비자, (나)는 1차 소비자, (다)는 생산자이다. (다)는 광합성을 할 수 있는 식물로 구성된 생산자로 스스로 유기물을 합성할 수 있다.

03 (가)는 먹이 그물, (나)는 먹이 사슬로, 먹이 관계가 복잡하고 다양한 생물이 존재하는 (가)의 생태계가 (나)보다 안정된 생태계이다. (나)에서 풀이 사라지면, 메뚜기가 사라지고, 메뚜기가 사라지면 뱀이 사라진다. 결국 풀이 사라지면 먹이 사슬 관계에 있는 뱀도 사라진다.

[오답 피하기]

ㄴ. (가)에는 생산자인 풀, 소비자인 메뚜기, 개구리 등이 있지만 분해자에 해당하는 버섯, 세균 등은 없다.

04 ㉠은 침엽수림, ㉡은 혼합림, ㉢은 낙엽 활엽수림이다. 침엽수는 양수이므로 ㉠~㉢ 중 양수가 우점종인 곳은 ㉠(침엽수림)이다. ㉡(혼합림)에서는 침엽수와 활엽수가 같이 존재한다. 자료는 군집의 수직 분포로 특정 지역에서 고도가 높아질 때 온도가 낮아지면서 나타나는 식물 군집의 분포이다.

05 광합성 과정에서는 O_2를 방출하고, CO_2를 흡수한다. 세포 호흡에서는 O_2를 흡수하고, CO_2를 방출한다. 10 m 아래로 내려갈수록 ㉠(CO_2) 농도가 증가하고, ㉡(O_2) 농도가 감소하므로 광합성보다 호흡과 분해 작용이 우세하게 일어남을 알 수 있다.

[오답 피하기]

ㄱ. 교목층에는 광합성이 활발하여 O_2가 발생하여 증가하고, CO_2가 흡수되어 감소한다. 지표층에서는 광합성보다 세포 호흡이 활발하여 CO_2가 증가하므로 ㉠은 CO_2이고, ㉡은 O_2이다.

ㄴ. 빛의 세기는 교목층에서가 아교목층에서보다 강하고, ㉠(CO_2) 농도가 감소하는 것으로 보아 광합성은 교목층에서가 아교목층에서보다 활발하다.

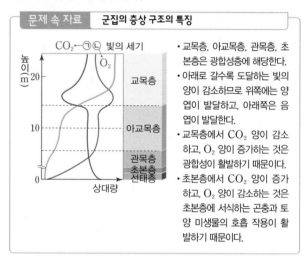

문제 속 자료	군집의 층상 구조의 특징

- 교목층, 아교목층, 관목층, 초본층은 광합성층에 해당한다.
- 아래로 갈수록 도달하는 빛의 양이 감소하므로 위쪽에는 양엽이 발달하고, 아래쪽은 음엽이 발달한다.
- 교목층에서 CO_2 양이 감소하고, O_2 양이 증가하는 것은 광합성이 활발하기 때문이다.
- 초본층에서 CO_2 양이 증가하고, O_2 양이 감소하는 것은 초본층에 서식하는 곤충과 토양 미생물의 호흡 작용이 활발하기 때문이다.

06 밀도는 서식 면적에 대한 개체 수이다. 방형구에서 A종의 개체 수는 3, B종의 개체 수는 7, C종의 개체 수는 8이다. 따라서 B종의 밀도는 $7/m^2$이다. A종의 빈도는 3, B종의 빈도는 3으로 A종과 B종의 빈도는 서로 같다.

[오답 피하기]

ㄴ. A~C종 1개가 차지하는 면적은 같으므로 피도가 가장 높은 종은 개체 수가 가장 많은 C이다.

07 ㄱ. 구간 Ⅰ에서 A종과 B종 모두 개체 수의 증가가 없으므로 환경 저항이 작용했음을 알 수 있다.

ㄷ. A종과 B종을 함께 배양했을 때 B종이 사라지는 경쟁배타가 일어났으므로 A종과 B종은 환경 조건 X에서 생태적 지위가 겹침을 알 수 있다.

[오답 피하기]

ㄴ. 구간 Ⅱ에서 B종의 개체 수는 감소하므로 출생률보다 사망률이 높고 $\dfrac{\text{출생률}}{\text{사망률}}$은 1보다 작다.

08 상리 공생에서 두 종은 모두 이익을 얻고, 기생에서 한 종은 이익, 한 종은 손해이다. 편리 공생에서 한 종은 이익이고, 다른 한 종은 아무런 영향이 없다. 따라서 A는 편리 공생, B는 기생, C는 상리 공생이고, ㉠은 '이익', ㉡은 '손해'이다.

오답 피하기

ㄷ. 콩과식물과 뿌리혹박테리아는 서로 이익을 얻으므로 상리 공생인 C의 관계이다.

09 한 종은 이익, 다른 한 종은 손해를 보는 ㉠은 기생이고, 두 종 모두 이익을 얻는 ㉡은 상리 공생이며, ㉢은 종간 경쟁이다. 기생이 아니며 한 종은 이익, 다른 한 종은 손해를 보는 ㉣은 포식과 피식이다. 눈신토끼와 스라소니의 관계는 ㉣(포식과 피식)에 해당한다. 생태적 지위가 일치하는 두 종을 함께 배양하면 종간 경쟁인 ㉢이 일어난다. 벌이 꽃의 꿀을 얻고 꽃의 수분을 도와주는 것은 두 종 모두 이익을 얻는 상리 공생(㉡)의 예이다.

10 ㄷ. 건성 천이 과정과 습성 천이 과정 모두 극상일 때 우점종은 음수이다.

오답 피하기

ㄱ. 극상은 천이의 후기에 나타나며 안정된 군집을 이룬 상태이다.

ㄴ. 식물 군집의 천이 과정에서 극상일 때 우점종은 음수림이다. 혼합림은 음수림 이전에 나타나므로 극상인 음수림 이후에 혼합림이 나타나는 것은 아니다.

11 과정 Ⅰ에서 지의류 → 초본류(초원) → 관목림 → 양수림 단계가 진행되므로 목본 식물이 등장한다. 과정 Ⅱ에서 양수림 → 음수림 단계가 진행되고, 이때 가장 큰 영향을 준 환경 요인은 빛의 세기이다. 숲이 형성될수록 지표면에 도달하는 빛의 세기는 약해지고, 빛이 약한 조건에서는 음수가 양수보다 더 잘 자란다.

오답 피하기

ㄱ. 자료는 화산 활동으로 생성된 대지에 지의류가 개척자로 들어온 1차 천이 과정이다. 2차 천이 과정의 개척자는 초본류이다.

12 [모범 답안] (1) 밀도는 서식 면적에 대한 특정 종의 개체 수이다. (가)에서 진달래의 밀도는 $5/m^2$, 민들레의 밀도는 $4/m^2$, 개망초의 밀도는 $11/m^2$이다.

(2) ⓐ: 5, ⓑ: 0.12, ⓒ: 20.0, ⓓ: 7, ⓔ: 36.4

서술형 Tip

군집의 조사 방법과 밀도, 빈도, 피도, 상대 밀도, 상대 빈도, 상대 피도에 대한 개념을 미리 정리해 두고 서술한다.

	채점 기준	배점
(1)	진달래, 민들레, 개망초의 밀도를 모두 옳게 쓴 경우	50 %
	진달래, 민들레, 개망초 중 2종의 밀도만 옳게 쓴 경우	25 %
(2)	ⓐ~ⓔ를 모두 옳게 쓴 경우	50 %
	ⓐ~ⓔ 중 3개만 옳게 쓴 경우	25 %

13 [모범 답안] (1) 습성 천이이다. A는 초본류, B는 관목림, C는 양수림, D는 음수림이다.

(2) 음수림인 D 단계에서 극상을 이룬다.

해설 습성 천이 과정은 호수 → 습지 → 초원 → 관목 → 양수림 → 혼합림 → 음수림 단계를 거친다.

채점 기준	배점
(1) 습성 천이와 A~D를 모두 옳게 쓴 경우	30 %
(2) 모범 답안과 같이 옳게 서술한 경우	70 %

문제 속 자료 군집의 천이

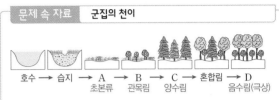

호수 → 습지 → A → B → C → 혼합림 → D
　　　　　　　초본류　관목림　양수림　　　　음수림(극상)

• 1차 천이: 토양이 없는 불모지에서 시작되며, 건성 천이와 습성 천이가 있다.

• 건성 천이: 지의류(개척자) → 이끼류 → 초본류 → 관목림 → 양수림 → 혼합림 → 음수림(극상)의 단계를 거친다.

• 습성 천이: 호수(빈영양호 → 부영양호) → 습지(습원) → 초본류 → 관목림 → 양수림 → 혼합림 → 음수림(극상)의 단계를 거친다.

04 | 에너지 흐름과 물질 순환

기초 탄탄 문제 p. 235

01 ⑤　02 ①　03 ⑤　04 ⑤　05 ③

01 **오답 피하기**

⑤ 태양의 빛에너지가 화학 에너지 형태로 전환되어 저장된 유기물의 총량이 총생산량이다. 총생산량에서 호흡량을 제외한 나머지 부분을 순생산량이라고 한다.

02 에너지 효율(%)은 $\dfrac{\text{현 영양 단계가 보유한 에너지 총량}}{\text{전 영양 단계가 보유한 에너지 총량}} \times 100$

이다. 2차 소비자의 에너지 효율은 $\dfrac{39}{441} \times 100 ≒ 8.84\,(\%)$이다.

오답 피하기

② 상위 영양 단계로 갈수록 에너지양은 감소하고 에너지 효율은 증가한다.

③, ⑤ 생태계 내로 유입된 에너지는 순환하지 않고 먹이 사슬을 따라 한 방향으로만 흐른다.

④ 각 영양 단계의 에너지양은 생태계의 종류에 따라 다르다.

03 **오답 피하기**

⑤ 피식량, 고사량, 낙엽량, 생장량을 합한 값이 순생산량이다.

04 오답 피하기

⑤ 대기 중의 탄소는 광합성을 통해 생산자에게로 들어가고, 유기물 형태로 먹이 사슬을 따라 소비자 쪽으로 이동한다. 소비자 쪽으로 이동한 탄소 중 일부는 호흡을 통해 대기로 방출되고, 나머지는 분해자에 의해 분해되거나 퇴적되어 화석 연료가 된다. 그러므로 생산자에서 소비자 쪽으로 이동하는 탄소의 양이 소비자에서 분해자 쪽으로 이동하는 탄소의 양보다 더 많다.

05 A는 3차 소비자, B는 2차 소비자, C는 1차 소비자, D는 생산자이다. 2차 소비자인 B의 개체 수가 일시적으로 증가하면 3차 소비자인 A의 개체 수도 증가하게 된다. 그러나 B에게 많이 잡아먹히는 C의 개체 수는 감소하게 되며, C의 개체 수가 감소하면 C의 피식자인 D는 개체 수가 증가하게 된다.

오답 피하기

③ 하위 영양 단계의 생물은 상위 영양 단계의 생물에게 잡아먹히므로 상위 영양 단계 생물의 개체 수가 증가하면 하위 영양 단계 생물의 개체 수는 감소하게 된다. 반면, 하위 영양 단계 생물의 개체 수가 증가하면 포식자인 상위 영양 단계 생물의 개체 수도 증가하게 된다.

내신 만점 문제 pp. 236~239

01 ①	02 ⑤	03 ⑤	04 ③	05 ③	06 ①
07 ①	08 ④	09 ④	10 ③	11 ①	12 ②
13 ③	14 ⑤	15 ⑤	16~18 해설 참조		

01 ㄱ. A는 태양으로부터 30만큼의 에너지를 받고, 이중 9는 열에너지로 소비하고, 9는 유기물(사체·배설물)로 소비한다. 따라서 A에서 B로 이동하는 에너지양은 30−9−9=12이다.

오답 피하기

ㄴ. A는 생산자, B는 1차 소비자, C는 2차 소비자이다. A가 가진 에너지양은 30, B가 가진 에너지양은 30−9−9=12이고, C가 가진 에너지양은 12−4−6=2이다. C의 에너지 효율은 $\frac{현 영양 단계의 에너지양}{전 영양 단계의 에너지양} \times 100$이므로 $\frac{2}{12} \times 100\% = \frac{1}{6}$이다.

ㄷ. 분해자로 이동한 에너지양은 16이고, 열에너지로 방출되는 에너지양은 16이다. 또한 안정된 생태계에서 생물 요인으로 투입된 에너지양이 30이고, 생물 요인에서 방출된 에너지양도 30이 되어야 하므로 30−9−4−1=16으로 이 16은 분해자에서 방출된 열에너지이다.

02 A는 분해자, B는 생산자, C는 소비자이다. A(분해자)는 동·식물의 사체나 배설물을 분해한다. C(소비자)는 스스로 양분을 합성할 수 없고 B(생산자)를 통해 에너지를 얻는다. 1차 소비자가 외부에서 유입되면 C의 개체 수가 증가하고, C의 먹이인 B의 개체 수가 감소하게 된다.

03 에너지 피라미드에서 가장 아래쪽에 위치한 생물 요인은 생산자이므로 (가)는 생산자이다. 에너지양은 상위 영양 단계로 갈수록 1000 → 100 → 20 → 4로 적어진다. 1차 소비자의 에너지 효율은 10 %이고, 2차 소비자의 에너지 효율은 20 %로, 1차 소비자의 에너지 효율이 2차 소비자의 에너지 효율보다 작다.

04 D는 생산자, C는 1차 소비자, B는 2차 소비자, A는 3차 소비자이며 최종 소비자이다. D는 생산자로 광합성을 통해 유기물을 합성한다.

오답 피하기

ㄷ. B의 개체 수가 일시적으로 증가하면 C의 개체 수는 일시적으로 감소한다.

05 안정된 생태계에서 영양 단계가 높아질수록 생물량은 감소하므로 영양 단계는 B(생산자) → D(1차 소비자) → C(2차 소비자) → A(3차 소비자) → E(4차 소비자)이다. A는 3차 소비자로 스스로 양분을 합성할 수 없고, 종속 영양을 한다.

오답 피하기

ㄷ. 이 생태계에서 먹이 사슬을 통한 유기물의 이동은 B → D → C → A → E를 거친다.

문제 속 자료 생태계 내의 에너지 흐름

영양 단계	생물량(상댓값)	에너지양(상댓값)	에너지 효율 (%)
B→생산자	800	2000	1
D→1차 소비자	50	200	㉠=10
C→2차 소비자	10	30	15
A→3차 소비자	2	5	16.7
E→4차 소비자	0.7	㉡=1	20

• ㉠+㉡=10+1=11이다.

06 ㄴ. ㉠(총생산량)은 광합성을 통해 생성된 유기물의 총량이다.

오답 피하기

ㄱ. ㉠은 총생산량, ㉡은 순생산량, ㉢은 생장량이다. 식물 군집의 호흡량은 총생산량에서 순생산량을 뺀 값이다.(㉠−㉡)

ㄷ. ㉢(생장량)은 순생산량에서 피식량, 고사량, 낙엽량을 모두 제외한 유기물의 양이다.

07 ㄱ. 식물 군집 Ⅰ에서 호흡량은 생산자인 식물의 호흡량이다.

오답 피하기

ㄴ. 식물 군집의 물질량에서 1차 소비자로 이동하는 물질량은 피식량이다. 총생산량은 Ⅱ에서가 Ⅰ과 Ⅲ의 2배이므로 비율이 10 %이더라도 피식량은 가장 많다. 따라서 1차 소비자로 이동하는 물질량은 피식량이 가장 큰 Ⅱ에서 가장 크다.

ㄷ. 순생산량은 총생산량에서 호흡량을 뺀 값이다. Ⅰ과 Ⅲ의 총생산량은 같고, 호흡량은 Ⅰ에서가 Ⅲ에서보다 작으므로 순생산량은 Ⅰ에서가 Ⅲ에서보다 크다.

08 ㄱ. 총생산량은 생산자에서 광합성을 통해 합성된 유기물의 총량이고, 표의 생산자에서 총생산량은 (가)+(나)이다. 1차 소비자의 동화량은 섭식량에서 배출량을 제외한 유기물의 양으로 호흡량+피식량+생장량인 (다)이다.

오답 피하기

ㄴ. (나)는 호흡량으로 생산자가 호흡에 의해 사용한 유기물의 양이다. 생산자에서 다음 영양 단계로 이동하는 유기물의 양은 표에서 '?'로 되어 있는 피식량이다.

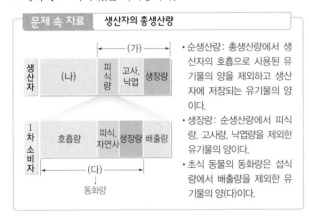

문제 속 자료 생산자의 총생산량

• 순생산량: 총생산량에서 생산자의 호흡으로 사용된 유기물의 양을 제외하고 생산자에 저장되는 유기물의 양이다.
• 생장량: 순생산량에서 피식량, 고사량, 낙엽량을 제외한 유기물의 양이다.
• 초식 동물의 동화량은 섭식량에서 배출량을 제외한 유기물의 양(다)이다.

09 A는 총생산량, B는 호흡량이다. 2차 소비자의 생장량은 총생산량인 A에 포함된다. 순생산량은 총생산량에서 호흡량을 제외한 값으로 그래프에서 A와 B의 차이에 해당한다. A와 B의 차이는 구간 Ⅰ에서가 구간 Ⅱ에서보다 크므로 순생산량도 구간 Ⅰ에서가 구간 Ⅱ에서보다 크다.

오답 피하기

ㄱ. 생산자의 에너지 효율은 1 %, 1차 소비자의 에너지 효율은 10 %, 2차 소비자의 에너지 효율은 20 %이다. 1차 소비자의 에너지 효율은 생산자의 에너지 효율의 10배이다.

10 A는 생산자, B는 소비자이다. A는 빛에너지를 이용하여 대기 중의 CO_2로부터 유기물을 합성하는 광합성과 유기물을 분해하여 에너지를 얻는 호흡이 모두 일어난다. A(생산자)에서 B(소비자)로 탄소는 유기물 형태로 이동한다.

오답 피하기

ㄴ. (가)는 화석 연료의 연소 과정이고, (나)는 호흡 과정이다.

11 ㄱ. ㉠은 질소 고정, ㉡은 질산화 작용, ㉢은 질소 유기물 이동 과정이다. 질소 고정 세균은 질소 고정 과정인 ㉠에 관여한다.

오답 피하기

ㄴ. ㉡은 질산화 작용이다. 탈질산화 작용은 $NO_3^- \rightarrow N_2$로 진행되는 과정이다.

ㄷ. ㉢에서 질소는 질소 동화 작용으로 형성된 유기물의 형태로 이동한다.

12 ⓐ는 N_2, ⓑ는 NH_4^+, ⓒ는 NO_3^-이다. (나)는 ⓑ(NH_4^+)가 ⓒ(NO_3^-)로 되는 질산화 작용으로 질산화 세균이 관여한다.

오답 피하기

ㄱ. 대기 중의 질소가 세균에 의해 전환된 후 생산자로 이동하는 과정은 (가)이고, (가)에서 ⓐ는 N_2, ⓑ는 NH_4^+임을 알 수 있다. 따라서 나머지 ⓒ는 NO_3^-이다. 식물은 ⓐ(N_2)를 흡수할 수 없고, ⓑ(NH_4^+)와 ⓒ(NO_3^-)를 흡수할 수 있다.

ㄷ. 공중 방전에 의해 ⓐ(N_2)가 ⓒ(NO_3^-)로 된다.

13 인간의 간섭은 생태계 파괴 원인 중 하나이다.

14 경로 A는 생태계의 구성 요소 사이를 순환하지 않고 일방적으로 흐르므로 에너지 이동 경로이고, 경로 B는 물질의 순환 경로이다. 에너지는 한 방향으로 흐르고 각 영양 단계에서 호흡이나 사체·배설물로 소비되고 남은 에너지가 다음 영양 단계로 이동하므로 (가)에서 이동하는 에너지양은 (나)에서 이동하는 에너지양보다 크다. 생태계에서 대기 중 이산화 탄소는 순환 경로인 경로 B를 따라 이동한다.

15 1910년대 후반 증가한 사슴이 초원의 풀을 먹어 치워 먹이 부족으로 1920년대 초반에 사슴 수가 급격히 감소한다.

16 **[모범 답안]** (1) (나)

(2) (가)는 10 %, (나)는 10 %, (다)는 20 %이다.

해설 사람의 에너지 효율은 (가)에서 $\frac{15}{150}$이고, (나)는 $\frac{100}{1000}$, (다)는 $\frac{4}{20}$이다.

채점 기준	배점
(1)	(나)를 옳게 쓴 경우	30 %
(2)	모범 답안과 같이 옳게 서술한 경우	70 %

17 **[모범 답안]** (1) ㉠은 생산자, ㉡은 소비자, ㉢은 분해자이다.

(2) (다), 질소 고정 과정은 대기 중 질소가 질소 고정 세균에 의해 암모늄 이온(NH_4^+)으로 고정되는 과정이다.

해설 ㉠은 암모늄 이온과 질산 이온을 흡수하는 생산자, ㉡은 생산자로부터 유기물 형태의 질소를 공급받는 소비자, ㉢은 분해자이다.

채점 기준	배점
(1)	㉠~㉢을 모두 옳게 서술한 경우	40 %
(2)	과정과 세균을 모두 옳게 서술한 경우	60 %

18 **[모범 답안]** 1차 소비자의 증가로 인해 2차 소비자의 개체 수가 증가한다.

채점 기준	배점
모범 답안과 같이 옳게 서술한 경우	100 %
2차 소비자의 개체 수가 증가한다고만 쓴 경우	30 %

01 위도에 따른 온도와 강수량 차이에 의해 군집의 분포가 달라지는 것은 환경이 생물에 영향을 미치는 ㉠(작용)에 해당한다. 서로 다른 종이 경쟁을 피하기 위해 일정 면적을 차지하고 생활하는 것은 군집 내 상호 작용 중 분서에 해당한다. 분서는 군집 내 개체군 사이의 상호 작용으로 ㉢에 해당한다.

[오답 피하기]

ㄴ. ㉠은 환경이 생물에 영향을 미치는 작용, ㉡은 생물이 환경에 영향을 미치는 반작용, ㉢은 생물끼리 서로 영향을 미치는 상호 작용이다.

> **문제 속 자료** 생태계 구성 요소 간의 관계

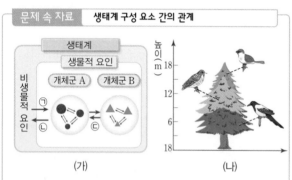

- 작용(㉠): 비생물적 요인이 생물에 영향을 미치는 것이다.
  예 비옥한 토양에서 식물이 잘 자란다.
- 반작용(㉡): 생물이 비생물적 요인에 영향을 주는 것이다.
  예 숲이 우거질수록 숲 속은 어둡고 습해진다.
- 상호 작용: 생물들끼리 서로 영향을 주고받는 것이다. ㉢은 군집 내 개체군 사이의 상호 작용이다.
  예 외래종인 배스의 개체 수 증가로 토종 어류의 개체 수가 감소한다.

02 A는 생산자, B와 D는 소비자, C는 분해자이다. 토끼풀은 생산자인 A에 해당한다. B는 1차 소비자, D는 2차 소비자이다. B에서 D로 물질의 이동은 유기물 형태로 일어난다. C는 생물의 사체나 배설물을 분해하여 에너지를 얻는 분해자이다.

03 ㄷ. 암기의 길이에 따른 A와 B의 개화 정도 차이는 생태계 구성 요소 관계 중 작용에 해당한다.

[오답 피하기]

ㄱ. A는 암기의 길이가 짧을수록 개화가 잘 되는 장일 식물이다.

ㄴ. B는 암기의 길이가 길수록 개화가 잘 되는 단일 식물이다.

04 ㄱ. 개체 수 증가율은 구간 I과 구간 II에서 기울기와 같다. A의 구간 I에서 기울기는 B의 구간 II에서 기울기보다 작으므로 A의 구간 I은 B의 구간 II보다 개체 수 증가율이 낮다.

ㄷ. B에서 개체 간의 경쟁은 개체 수가 많은 III에서 더 하다.

[오답 피하기]

ㄴ. A는 이론적 생장 곡선으로 환경 저항을 고려하지 않았을 때 이론적으로 증가하는 개체 수를 나타낸 것이다. A의 t_1과 t_2에서 환경 저항은 없다.

05 ㄱ. 자손의 수가 많고, 초기 사망률이 높은 굴은 III형 생존 곡선을 나타낸다.

[오답 피하기]

ㄴ. 생존 초기의 사망률은 생존 개체 수가 많은 II형에서가 III형에서보다 낮다.

ㄷ. I형 생존 곡선을 나타내는 생물은 출생 직후 부모의 도움을 받아 사망률이 낮고, 후기에 사망률이 높아진다.

06 A와 B는 생태적 지위가 일부 일치하므로 종간 경쟁이 일어나고, 혼합 배양했을 때 경쟁배타 원리에 의해 한 종이 없어질 수도 있다. 따라서 ㉠은 단독 배양했을 때이고, ㉡은 혼합 배양했을 때이다. ㉡의 A와 B 혼합 배양 조건에서 A와 B는 경쟁을 한다. 구간 I에서 개체 수 증가 기울기는 ㉠(A와 B 단독 배양)일 때가 ㉡(A와 B 혼합 배양)일 때보다 크므로 개체 수 증가율은 단독 배양할 때가 혼합 배양할 때보다 크다.

[오답 피하기]

ㄴ. 구간 II에서 개체 수의 증가가 없으므로 환경 저항은 존재한다.

07 [모범 답안] (1) 종간 경쟁 (2) 종 ⓐ와 ⓑ 모두 이익을 얻었으므로, 상리 공생인 ㉢이다.

[해설] 종간 경쟁에서는 두 종 모두 손해를 보고, 기생에서는 한 종은 이익, 다른 한 종은 손해를 보며, 상리 공생에서는 두 종 모두 이익을 본다. 따라서 ㉠은 기생이고, ㉡은 경쟁, ㉢은 상리 공생이다.

[서술형 Tip]

군집 내 개체군 사이의 상호 작용에는 경쟁, 분서, 기생, 포식과 피식, 공생이 있음을 이해하고 각 개념을 정확히 이해하고 서술한다.

	채점 기준	배점
(1)	종간 경쟁이라고 옳게 쓴 경우	30 %
(2)	모범 답안과 같이 옳게 서술한 경우	70 %

08 (가)는 교목층, (나)는 아교목층, (다)는 지표층이다. (다)는 선태식물이 존재한다. 식물 군집의 층상 구조는 동물 군집에 다양한 서식 환경을 제공하므로 동물 군집도 생활 조건에 따라 층을 형성하게 된다.

[오답 피하기]

ㄱ. (가)는 교목층, (나)는 아교목층이다.

ㄷ. (다)에는 빛이 적게 도달하며 생산자로 이끼류가 존재한다.

09 ㄱ. (가) 과정에서 양수림 → 혼합림 → 음수림이 나타나고 이때 영향을 미치는 환경 요인으로 빛이 있다.

ㄴ. (나)는 산불이 일어난 후 일어나는 2차 천이 과정이다.

[오답 피하기]

ㄷ. A 단계에서는 2차 천이 과정의 개척자 생물인 초본류가 우점종으로 나타난다. 지의류는 1차 천이 과정의 개척자이다.

10 안정된 생태계에서 생물 요소로 유입된 에너지의 크기는 생물 요소에서 방출된 에너지의 크기와 같다. 따라서 $E_1 = E_7 + E_8 + E_9 + E_{10}$이다. 생물 요소 사이에서 에너지는 유기물 형태로 이동한다. $E_2 \sim E_6$은 유기물 형태로 1차 소비자, 2차 소비자, 분해자에게 전달된다. 에너지 효율은 전 단계가 가진 에너지양에 대한 현 단계가 가진 에너지양의 비율이므로 1차 소비자의 에너지 효율은 $\dfrac{E_2}{E_1} \times 100\%$이다.

11 A는 생산자, B는 소비자, C는 분해자이다. ㉠은 연소 과정이고, ㉢은 호흡 과정이다. ㉠은 산화 작용이다. ㉡ 과정은 광합성 과정으로 광합성이 일어날 때 빛에너지가 필요하다.

[오답 피하기]

ㄷ. 곰팡이는 배설물이나 사체를 분해하므로 분해자(C)에 속한다.

문제 속 자료	탄소의 순환

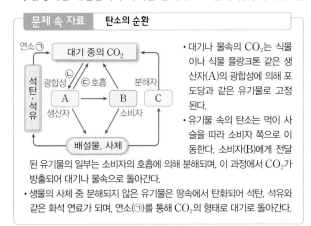

• 대기나 물속의 CO_2는 식물이나 식물 플랑크톤 같은 생산자(A)의 광합성에 의해 포도당과 같은 유기물로 고정된다.
• 유기물 속의 탄소는 먹이 사슬을 따라 소비자 쪽으로 이동한다. 소비자(B)에게 전달된 유기물의 일부는 소비자의 호흡에 의해 분해되며, 이 과정에서 CO_2가 방출되어 대기나 물속으로 돌아간다.
• 생물의 사체 중 분해되지 않은 유기물은 땅속에서 탄화되어 석탄, 석유와 같은 화석 연료가 되며, 연소(㉠)를 통해 CO_2의 형태로 대기로 돌아간다.

12 A는 2차 소비자, B는 생산자이다. (나)는 생산자의 물질 생산과 소비를 나타낸 것이며, ㉠은 총생산량, ㉡은 호흡량, ㉢은 피식량이다. 생산자의 피식량은 1차 소비자의 섭식량에 해당한다.

[오답 피하기]

ㄴ. 1차 소비자가 증가하면 생산자는 감소하므로 생산자의 총생산량과 호흡량은 감소하나 피식량은 증가한다.

ㄷ. ㉡은 호흡량이다.

2. 생물 다양성과 보전

01 | 생물 다양성의 중요성

탐구 **대표 문제**   p. 246

01 ③

01 (가)와 (나)에 서식하는 식물 종 수는 모두 4종이다. 종의 수가 많고, 각 종이 균등하게 분포한 지역일수록 종 다양성이 높다.

[오답 피하기]

ㄴ. (가) 지역에서 질경이는 5, 토끼풀은 5, 민들레는 6, 억새는 4개체이므로 각 종의 분포 비율은 모두 동일하지 않다.

문제 속 자료	종 다양성 비교

• (가): 질경이는 5개체, 토끼풀은 5개체, 민들레는 6개체, 억새는 4개체
• (나): 질경이는 13개체, 토끼풀은 3개체, 민들레는 3개체, 억새는 1개체
• (가) 지역이 (나) 지역보다 종 다양성이 높다.

기초 **탄탄 문제**   p. 247

01 ②   02 ②   03 ①   04 ③   05 ⑤

01 생물 다양성은 생태계의 기능과 평형 유지에 중요한 역할을 한다.

[오답 피하기]

① 돌연변이는 유전적 다양성을 높이는 요인 중 하나이다.

③ 종 다양성이 높을수록 먹이 그물이 복잡하게 형성되어 생태계 평형이 쉽게 깨지지 않는다.

④ 두 생태계가 인접한 지역은 두 생태계의 자원을 모두 이용하는 생물종들이 출현하기 때문에 종 다양성이 높다.

⑤ 종 다양성은 종의 수가 많고, 각 종의 분포가 균등할수록 높다.

02 A는 각 종의 유전적 다양성, B는 군집 내의 종 다양성, C는 생태계 다양성을 나타낸 것이다.

03 개체군 사이의 유전적 변이는 종 분화와 같은 진화의 원동력으로 작용하므로 종 다양성 증가의 요인이 된다.

[오답 피하기]

② 생물과 비생물의 다양성을 모두 포함하는 다양성은 생태계 다양성이다.

③ 유전적 다양성이 낮은 종은 멸종될 가능성이 높다.

④ 서식지 환경 특성과 같은 비생물적 요인과 관련이 깊은 다양성은 생태계 다양성이다.

⑤ 한 지역에 사는 생물종의 다양한 정도와 각 종의 개체 수가 균등한 정도는 종 다양성과 관련이 있다.

04 서식하는 종의 수와 종의 분포 비율을 고려하여 판단하는 것은 종 다양성, 생태계의 종류에 따라 서식지의 환경 특성과 생물의 종류, 생물의 상호 작용이 다양하게 나타나는 것은 생태계 다양성, 환경 변화에 대한 개체군의 적응과 생존에 영향을 미치는 것은 유전적 다양성이다.

05 오답 피하기

⑤ 포식자가 없는 최상위 단계의 외래종을 도입하면 하위 영양 단계의 자생 생물을 마구 잡아먹어 생태계 교란이 일어날 수 있다. 이로 인해 생물종 수가 감소하면 종 다양성은 낮아진다.

내신 만점 문제 pp. 248~249

01 ① **02** ③ **03** ② **04** ② **05** ① **06** ⑤
07~08 해설 참조

01 (가)는 생태계 다양성, (나)는 유전적 다양성, (다)는 종 다양성이다. 생태계 다양성은 생물적 요인과 비생물적 요인의 다양성을 포함한다.

오답 피하기

ㄴ. 유전적 다양성은 한 개체군에서 개체 사이의 유전적 변이와 같은 종의 여러 개체군 사이에서의 유전적 변이를 모두 포함한다.

ㄷ. 종 다양성이 높을수록 먹이 그물이 복잡하게 형성되어 생태계 평형이 쉽게 깨지지 않는다.

02 무당벌레 개체군의 개체들의 반점 무늬가 다양한 것은 유전적 다양성에 해당한다. 유전적 다양성이 높으면 환경 변화에 적응할 가능성이 높아진다.

오답 피하기

ㄴ. 유전적 다양성은 돌연변이 등에 의한 유전자 변이에 의해 나타나는 것이므로 모든 생물에게서 나타난다.

03 (가)는 종 다양성, (나)는 생태계 다양성이다. 인접 지역에 다양한 생태계가 존재할수록 각 생태계의 특성을 모두 나타내는 독특한 생태계가 형성되어 종 다양성이 높게 나타난다.

오답 피하기

ㄱ. 지구상의 생물종은 지역에 따라 다르게 분포하므로 종 다양성은 지역에 따라 높은 지역도 있고, 낮은 지역도 있다.

ㄴ. 단일 품종을 재배하면 종 다양성이 낮아진다.

04 (가)와 (나)는 모두 ㉠~㉣ 4종이 분포하여 종의 수가 같다. 종의 분포를 보면 (나)가 (가)보다 더 고르게 분포하고 있으므로 종 다양성은 (나)가 (가)보다 높다.

오답 피하기

ㄱ. 군집 (가)에 서식하는 종의 수와 (나)에 서식하는 종의 수는 모두 4종으로 동일하다.

ㄴ. 군집 (가)에 서식하는 총 개체 수는 14, (나)에서 서식하는 총 개체 수는 15이다. (가)에서의 ㉣종의 분포 비율은 $\frac{3}{14} \times 100$ ≒21.4 %이고, (나)에서의 ㉣종의 분포 비율은 $\frac{4}{15} \times 100 =$ 26.6 %이므로 ㉣종의 분포 비율은 (나)가 (가)보다 크다.

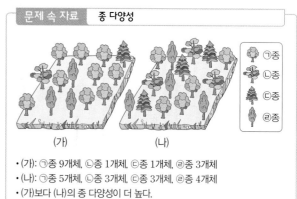

문제 속 자료 종 다양성

(가) (나)

㉠종 ㉡종 ㉢종 ㉣종

- (가): ㉠종 9개체, ㉡종 1개체, ㉢종 1개체, ㉣종 3개체
- (나): ㉠종 5개체, ㉡종 3개체, ㉢종 3개체, ㉣종 4개체
- (가)보다 (나)의 종 다양성이 더 높다.

05 먹이 사슬이 더 복잡한 (나) 생태계가 (가) 생태계보다 종 다양성이 높다.

오답 피하기

ㄴ. 복잡한 생태계(나)가 생태계 평형이 잘 유지된다.

ㄷ. 개구리가 멸종될 경우 (가)에서는 뱀이 사라질 수 있지만, (나)에서는 쥐로 개구리를 대체하여 뱀이 멸종되지 않는다.

06 종 풍부도가 높으면 피도가 높고, 질병 발병도와 외부에서의 종 유입이 줄어든다.

07 [모범 답안] (1) 경작지 (가)

(2) 유전적으로 다양한 품종의 감자가 있기 때문에 감자마름병이 유행해도 살아남는 품종이 많을 것이다.

서술형 Tip 유전적 다양성의 의미를 알고 서술하도록 한다.

채점 기준	배점
(1) (가)를 옳게 쓴 경우	30 %
(2) 모범 답안과 같이 옳게 서술한 경우	70 %

08 [모범 답안] (1) C (2) 종 다양성은 종의 수가 많고, 각 종의 분포 비율이 균등할수록 높다. 지역 (가)에 서식하는 식물 종은 6종, (나)에 서식하는 식물 종은 4종이므로 종 다양성은 (가)가 (나)보다 높다.

해설 밀도는 $\dfrac{\text{개체 수}}{\text{서식지 면적}}$ 로 구한다. (가)의 면적이 (나)의 2배이므로 밀도가 같은 종은 C이다.

	채점 기준	배점
(1)	C를 옳게 쓴 경우	30 %
(2)	모범 답안과 같이 이유에 대해서도 정확히 서술한 경우	70 %
	종 다양성이 높은 지역만 쓴 경우	30 %

02 | 생물 다양성의 보전

기초 탄탄 문제
p. 253

01 ④ **02** ② **03** ⑤ **04** ④ **05** ④

01 생물 다양성을 감소시키는 요인에는 환경 오염, 불법 포획과 남획, 지구 온난화, 서식지 파괴 등 인간의 개입으로 감소되는 경우가 많다.

오답 피하기
④ 보호 구역 지정은 생물 다양성을 보전하는 방법 중 하나이다.

02 대규모의 서식지가 소규모로 분할되어 서식지 면적이 줄어드는 것을 서식지 단편화라고 한다. 대기 중의 이산화 탄소와 같은 온실 기체의 증가는 지구 온난화의 원인이다. 개체군의 크기가 회복할 수 없을 정도로 과도하게 포획하는 것을 남획이라고 한다.

03 생물 다양성 감소의 가장 큰 원인은 서식지 파괴이므로 서식지를 보호하면 생물 다양성을 보전할 수 있다. 천적이 없는 외래종이 유입되면 생태계가 교란되어 생물 다양성이 감소될 수 있다. 멸종 위기종 등의 보호 대상 종을 보호하기 위한 보호 구역 설치나 종자 은행 건설은 생물 다양성 보전 방법이다.

오답 피하기
⑤ 단편화된 서식지를 생태 통로로 연결하면 생물들 사이에 유전적 교류가 일어나 생물 다양성이 보전될 수 있다.

04 멸종 위기종을 보호하기 위해 다른 지역의 개체들을 이동시키거나 인공적으로 사육하여 원래 서식지로 돌려보내기도 한다.

오답 피하기
④ 생물의 서식지 면적이 넓을수록 생물 다양성이 증가하므로 생물 서식지는 단편화되지 않도록 대규모로 보호해야 한다.

05 오답 피하기
A: 포식자(천적)가 없는 외래종이 유입되면 기존에 서식하던 고유종이 위협을 받고 생태계가 교란되어 생물 다양성이 감소될 수 있으므로 외래종을 유입하기에 앞서 외래종이 생태계에 미칠 영향을 철저히 검증해야 한다.

내신 만점 문제
p. 254~255

01 ③ **02** ⑤ **03** ② **04** ⑤ **05** ④ **06** ②
07~08 해설 참조

01 서식지 단편화는 생물의 이동을 제한하여 생물들 간의 유전자 교류가 차단되게 한다. 서식지 단편화는 개체군의 크기를 감소시키고 서식지에 서식하는 생물종의 수가 줄어들게 하여 생물 다양성을 감소시킨다.

오답 피하기
ㄷ. 대규모의 서식지가 소규모로 분할되어 서식지가 단편화되면 가장자리 면적은 증가하지만 내부 면적은 크게 감소한다.

02 (가)는 불법 포획, (나)는 서식지 단편화이다. 개체 수 보전을 위해 포획이 금지된 종을 포획하는 것은 불법 포획이다. 생물 다양성을 감소시키는 가장 큰 원인 중 하나는 서식지 파괴이다. 그러므로 개발을 제한하고 서식지를 보호하면 생물 다양성을 보전할 수 있다. 단편화된 서식지를 생태 통로와 같은 구조물로 이어 주면 생물들 사이에 유전적 교류가 일어나 생물 다양성을 보전할 수 있다.

03 오답 피하기
ㄴ. (가)의 서식지 면적은 64 ha, (나)의 서식지 면적은 34.8 ha이므로 (가)의 면적이 (나)의 두 배를 넘지는 않는다.
ㄷ. 서식지가 분할되면 서식지의 면적이 줄어들어 종 다양성이 감소하므로 (가)보다 (나)에서 종 다양성과 생물 다양성이 더 낮게 나타난다.

04 도로 건설 등으로 단편화된 서식지에 생태 통로를 설치하면 생물 다양성 보전에 도움이 된다. 또한 생태 통로는 야생 동물의 로드킬을 방지하는 데 도움이 된다.

05 천적이 없는 외래종이 유입되면 외래종이 새로운 환경에 적응하면서 기존에 서식하던 고유종이 위협을 받고 생태계가 교란되어 생물 다양성이 감소될 수 있다.

오답 피하기
ㄱ. 원래 북아메리카 일부 지역에만 서식하였던 황소개구리가 우리나라에 유입된 것이므로 황소개구리는 외래종이다.

06 멸종 위기종을 보호하기 위해 다른 지역의 개체들을 이동시키거나 인공적으로 사육하여 원래 서식지로 돌려보내기도 한다.

[오답 피하기]

ㄱ. 개체군의 크기가 회복할 수 없을 정도로 과도하게 포획하는 것을 남획이라고 하고, 개체 수 보전을 위해 포획이 금지된 종을 포획하는 것을 불법 포획이라고 한다.

ㄷ. 일부 외래종은 고유종과 조화를 이루어 생물 다양성을 높이기도 한다.

07 [모범 답안] (1) 서식지가 단편화되면 가장자리의 길이와 면적은 증가하지만 내부의 면적은 절반 가까이 감소한다.

(2) 생물종의 고립으로 유전적 다양성이 감소하고, 개체군의 크기가 감소한다.

채점 기준	배점
(1) 서식지 면적의 변화를 모범 답안과 같이 옳게 서술한 경우	50 %
(2) 모범 답안과 같이 생물 다양성의 변화에 대해서 옳게 서술한 경우	50 %

08 [모범 답안] (1) (나)

(2) 생태계 (나)는 (가)에 비해 생물적 요인을 구성하는 생물종이 많아져 생물 다양성이 높아짐으로써 복잡한 먹이 그물을 형성하고 있으므로 (가)보다 환경 변화에 적응하는 데 유리하다.

채점 기준	배점
(1) (나)를 쓴 경우	20 %
(2) 모범 답안과 같이 옳게 서술한 경우	80 %

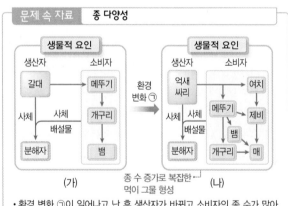

문제 속 자료 종 다양성

• 환경 변화 ㉠이 일어나고 난 후 생산자가 바뀌고 소비자의 종 수가 많아지고, 먹이 사슬이 복잡해졌다.

단원 마무리하기 pp. 257 ~ 259

01 ②	**02** ⑤	**03** ③	**04** ②	**05** ⑤	**06** ①
07 ④	**08** ①	**09** 해설 참조		**10** ⑤	**11** ③
12 ①	**13** ③				

01 (가)는 유전적 다양성, (나)는 종 다양성, (다)는 생태계 다양성이다. 종이 다양하면 먹이 그물이 복잡하게 얽혀 있어 생태계가 안정적으로 유지된다.

[오답 피하기]

ㄱ. 유전적 다양성(가)은 개체군을 이루는 한 종에서의 유전적으로 다양한 정도를 의미한다.

ㄷ. 급격한 환경 변화에 맞추어 개체군을 안정적으로 유지하기 위해서는 유전적 다양성이 필요하다.

02 원산지에서 섬까지의 거리가 멀수록 종의 수가 감소하고, 섬의 면적이 작을수록 종의 수가 적으므로 종 다양성이 낮다. 종 다양성이 높을수록 생태계가 안정하므로 원산지로부터의 거리가 같을 때 생태계의 안정성은 섬의 면적이 10000일 때가 1000일 때보다 높다.

03 (가)는 유전적 다양성, (나)는 종 다양성이다. 위도에 따라 각 지역에 서식하는 생물종의 수가 다른 것은 종 다양성에 해당한다. 극지방(남극과 북극)보다 적도에서의 생물종의 수가 많으므로 적도의 종 다양성이 더 높고, 종 다양성이 높을수록 먹이 그물이 복잡하게 형성되어 생태계 평형이 쉽게 깨지지 않으므로 생태계가 더 안정적으로 유지된다.

[오답 피하기]

ㄴ. 남극이나 북극과 같은 고위도로 갈수록 생물종의 수가 감소하므로 종 다양성은 감소한다.

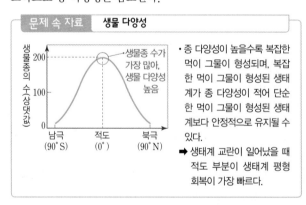

문제 속 자료 생물 다양성

• 종 다양성이 높을수록 복잡한 먹이 그물이 형성되며, 복잡한 먹이 그물이 형성된 생태계가 종 다양성이 적어 단순한 먹이 그물이 형성된 생태계보다 안정적으로 유지될 수 있다.

➡ 생태계 교란이 일어났을 때 적도 부분이 생태계 평형 회복이 가장 빠르다.

04 개구리가 멸종될 경우 생태계 (나)보다 (가)에 더 큰 영향을 준다.

[오답 피하기]

ㄱ. 그림은 생태계 (가)와 (나)의 종 다양성을 보여준다.

ㄴ. 개구리가 멸종되면 (가)의 경우는 개구리를 먹는 뱀이 멸종되면서 생태계가 위협받을 수 있다. 하지만 (나)의 경우는 개구리를 먹는 뱀과 매가 쥐나 메추라기도 먹으므로 생태계가 안정적으로 유지될 수 있다.

05 불가사리를 제거한 B에 서식하는 생물종의 수는 감소하였으므로 종 다양성은 감소한다. B보다 A의 종 다양성이 높으므로 A의 생태계가 더 안정적으로 유지된다.

ㄱ. 처음보다 8년 후 A에 서식하는 생물종의 수는 증가하였고, B에 서식하는 생물종의 수는 감소하였으므로 8년 후 종 다양성이 B보다 A에서 높다.

06 같은 종이라도 서로 다른 유전자를 가지고 다양한 형질을 나타내는 것은 생물 다양성 중 유전적 다양성에 해당한다.

오답 피하기

ㄴ. 개체군 크기가 10^2일 때보다 10^5일 때 유전자 변이의 수가 더 많으므로 환경 변화에 대한 생존률이 높아 적응력이 높다.

ㄷ. 유전자의 변이가 $10^3 \rightarrow 10^4$로 커지면 종 다양성이 높아지는 것이 아니라 동일한 종 내에서 유전적 다양성이 높아지는 것이다.

07 멸종 위기 식물의 종자를 보관하는 종자 은행은 생물 다양성을 보전하기 위한 방법 중 하나이다.

08 다양한 식물들이 고르게 분포할수록 더 많은 생물들의 서식지가 되므로 종 다양성이 증가한다.

오답 피하기

ㄴ. (나)보다 (가) 지역이 종 다양성이 높아 더 다양한 생물의 서식지가 될 수 있다.

ㄷ. 종 다양성은 종 풍부도와 종 균등도를 포함하고 있다. (가)가 (나)보다 종의 수가 많고, 여러 종의 식물이 균등하게 분포하고 있으므로 (나)보다 (가)의 종 다양성이 높다.

09 **[모범 답안]** 서식지 면적이 감소하면 그 서식지에서 살아가는 생물종 수가 감소하여 생물 다양성이 감소한다.

서술형 Tip

서식지 면적 감소가 생물 다양성에 미치는 영향은 어떤 것이 있는지 생각하면서 서술한다.

채점 기준	배점
모범 답안과 같이 옳게 서술한 경우	100 %
제시된 단어를 2개만 이용하여 서술한 경우	40 %

10 서식지 면적이 감소하면 그 서식지에서 살아가는 생물의 종 수가 감소하여 종 다양성이 감소한다. 산에 도로를 만들 때 서식지가 단편화되면 유전적 교류가 차단되어 생물 다양성이 감소한다. 그러므로 산에 도로를 만들 때 터널이나 고가도로를 만들거나 단편화된 서식지를 생태 통로로 연결하면 생물 다양성을 보전하는 데 도움이 된다.

11 (가)는 기후 변화, (나)는 외래종, (다)는 서식지 단편화이다. 인간의 산업 활동으로 인한 대기 중의 이산화 탄소 농도가 증가하는 것을 지구 온난화의 원인 중 하나이다. 큰입우럭(배스), 가시박, 뉴트리아 등은 외래종에 해당한다.

오답 피하기

ㄷ. 서식지 단편화는 생물의 이동을 제한하여 고립시키기 때문에 생물들 간의 유전자 교류가 차단되고, 그 지역에 서식하는 개체군의 크기를 감소시켜 멸종으로 이어질 수 있다.

12 서식지 분할 전에는 종 A~F가 서식하였지만 서식지 분할 후에는 종 E와 F가 멸종되었으므로 서식지 분할로 인해 생물 다양성이 감소되었다.

오답 피하기

ㄴ. 서식지가 분할되면 가장자리 면적은 증가하고 내부 면적은 감소한다. 그러므로 $\dfrac{\text{내부 면적}}{\text{가장자리 면적}}$의 값은 감소한다.

ㄷ. 서식지 분할 전 가장자리에는 종 A, B, C가, 내부에는 D, E, F가 서식하지만, 서식지 분할 후 분할된 서식지 각각의 가장자리에는 A와 B, A와 C가, 내부에는 모두 D만 서식한다. 그러므로 서식지가 분할되면 가장자리보다 내부에 서식하는 종이 더 많이 감소한다.

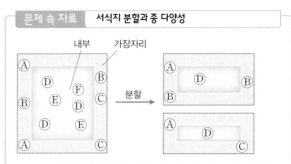

문제 속 자료 **서식지 분할과 종 다양성**

• 서식지 분할 전 가장자리에는 종 A, B, C가, 내부에는 D, E, F가 서식하지만, 서식지 분할 후 분할된 서식지 각각의 가장자리에는 A와 B, A와 C가, 내부에는 모두 D만 서식한다.
• 서식지가 분할되면 가장자리 면적은 증가하고 내부 면적은 감소한다.
➡ 서식지 분할 후 $\dfrac{\text{내부 면적}}{\text{가장자리 면적}}$의 값은 서식지 분할 전보다 감소한다.

13 (가)에서 서식지 면적이 증가할수록 새의 종 수가 증가하므로 새의 종 다양성이 증가한다. 보존되는 면적이 감소할수록 그 지역에서 살던 종의 비율이 감소하므로 새의 종 수도 감소하여 멸종 가능성이 높아진다.

오답 피하기

ㄴ. (나)에서 서식지 면적이 50 % 감소하면 그 지역에서 살던 종의 10 %가 감소한다.

Memo

Memo

Memo

Memo

STRUCTURE
S · H · E · R · P · A

고등 셀파 생명과학 I 문제 기본서의 52유형은 최근 10년간 기출 문제 중 다음과 같은 과정을 거쳐 선정하였습니다.
시험에 잘 나오는 유형을 학습하고 학교 시험에 대비하도록 하세요.

수능
기출문제

교육청
기출문제

6월
모의평가 문제

9월
모의평가 문제

15개정 교육과정의 내용에
따라 문제 분류

▼

고등 셀파 생명과학 I 의 목차에 따라
대단원별/중단원별/유형별로 문제 분류

▼

시험에 자주 출제되는 문제 유형을
52가지로 선정

매주 **1유형**+추가 **4문항**씩 학습

자세한 설명이 필요한 문제는 **고등 셀파 질문방(유튜브)**에 올리기

52 유형 | 한눈에 짚어보기

기출 분석

01 유형

? 출제 의도

사막여우와 북극여우의 차이를 보여주는 예에서 나타나는 생명 현상의 특성을 찾고 비슷한 예를 고를 수 있는지 묻는 유형이다.

이렇게 대비하자!

생명체에서 나타나는 물질대사, 자극과 반응, 항상성, 생장, 발생, 유전과 진화, 적응의 정의를 이해하여, 그 예를 찾을 수 있도록 한다.

■ 연관 기출 문제 키워드

\# 사막여우와 북극여우의 차이점

\# 생물의 특성

\# 적응과 진화

문제 분석

사막여우와 북극여우의 차이

사막여우는 북극여우보다 귀(말단)의 크기가 커서 열 발산량을 높여 체온을 낮추고 북극여우의 작은 귀는 열 발산량을 줄여 추운 환경에서 체온이 떨어지는 것을 막는다.

생물의 특성

물질대사	생명체 내에서 일어나는 모든 화학 반응으로 에너지 출입이 따르며 동화 작용과 이화 작용으로 구분된다.
자극에 대한 반응	생물은 주변 환경 변화를 자극으로 받아들이고 이에 적절히 반응한다.
항상성	외부 환경 변화와 관계없이 생물 체내 환경을 일정하게 유지하려고 한다.
발생	다세포 생물의 수정란이 세포 분열을 통해 완전한 개체로 되는 과정이다.
생장	어린 개체가 세포 분열을 통해 세포 수를 늘리면서 성체가 된다.
생식	생물이 종족을 유지하기 위해 자신과 닮은 자손을 만드는 현상이다.
유전	부모의 형질이 자손에게 전달된다.
적응	주변 환경에 따라 생물의 형태, 기능, 습성 등이 변한다.
진화	생물이 오랜 세월 동안 환경에 적응하는 과정에서 집단의 유전적 구성이 변하여 새로운 종이 나타난다.

다음은 사막여우와 북극여우에 대한 설명이다.

> 더운 지방에 사는 사막여우는 추운 지방에 사는 북극여우에 비해 귀가 크고 몸집이 작아 더운 지방에서 살기에 적합하다.
>
> 　
> 〈사막여우〉　　〈북극여우〉

이 자료에 나타난 생명 현상의 특성과 가장 관련이 깊은 것은?

① 짚신벌레는 이분법으로 증식한다.

② 미모사의 잎을 건드리면 잎이 접힌다.

③ 나비 애벌레는 번데기 시기를 거쳐 성충이 된다.

④ 식물은 빛에너지를 흡수하여 포도당을 합성한다.

⑤ 건조한 지역에 사는 선인장은 잎이 변한 가시를 갖는다.

■ 문항별 해설　　　　　　　　　　　　　　　　　　　답 ⑤

❶ (×) 짚신벌레의 이분법은 생물이 종족을 유지하기 위해 자신과 닮은 자손을 만드는 생식의 예이다.

❷ (×) 미모사의 잎을 건드리면 잎이 접히는 현상은 환경 변화를 자극으로 받아들이고 이에 반응하는 자극에 대한 반응의 예이다.

❸ (×) 나비 애벌레가 번데기를 거쳐 성충이 되는 것은 어린 개체가 세포 분열을 통해 세포 수를 늘리며 몸집이 커지면서 성체가 되어가는 생장의 예이다.

❹ (×) 식물이 빛에너지를 흡수하여 포도당을 합성하는 광합성은 물질대사의 예이다.

❺ (○) 건조한 지역에 사는 선인장의 잎은 건조한 지역에서 잎에서의 수분 손실을 막기 위해 가시로 변한 것이다. 이는 사막여우와 북극여우의 차이처럼 선인장이 환경에 적응하여 진화한 결과이다.

■ 오류 피하기

⋯▸ 자극에 대한 반응과 적응의 차이점: 자극에 대한 반응은 빛, 온도 등에 대해 생물이 적절히 대응하여 활동하는 현상으로, 짧은 시간에 이루어진다. 하지만, 적응은 생물이 환경 변화에 대응하여 형태나 습성 등을 변화시키는 현상으로, 비교적 오랜 시간이 걸린다.

기출 문제

정답과 해설 3쪽

001 다음은 세 가지 동물에 대한 설명이다.

바다표범, 펭귄, 다랑어는 전체적인 몸의 형태가 유선형이다. 이러한 몸의 형태는 물속에서 이동할 때 생기는 저항을 줄일 수 있어 빠르게 헤엄치는 데 유리하다.

〈바다표범〉　〈펭귄〉　〈다랑어〉

이 자료에 나타난 생물의 특성과 관련이 깊은 것은?

① 올챙이는 자라서 개구리가 된다.

② 짚신벌레는 분열법으로 증식한다.

③ 효모는 포도당을 분해하여 에너지를 얻는다.

④ 어머니가 적록 색맹이면 아들도 적록 색맹이다.

⑤ 선인장은 잎이 가시로 변해 건조한 환경에 살기에 적합하다.

002 다음은 먹이에 따른 새의 부리 형태와 발과 발톱 모양을 나타낸 것이다.

구분	열매를 먹는 새	다른 동물을 잡아먹는 새
부리 형태		
발과 발톱 모양		

이와 같은 생물의 특성과 가장 관련이 깊은 것은?

① 개구리의 수정란이 올챙이가 된다.

② 사막의 선인장은 잎이 가시로 변했다.

③ 땀을 많이 흘리면 오줌 양이 감소한다.

④ 녹색 식물은 빛에너지를 화학 에너지로 전환시킨다.

⑤ 빛을 비추었더니 짚신벌레가 빛이 있는 쪽으로 이동하였다.

003 다음은 가랑잎벌레에 대한 설명이다.

(가) 가랑잎벌레는 알과 애벌레 시기를 거쳐 성충이 된다.

(나) 가랑잎벌레는 모양과 색깔이 주변 식물의 잎과 비슷하여 천적으로부터 자신을 보호하기에 적합하다.

(가)와 (나)에 해당하는 생물의 특성과 가장 관련이 깊은 것은?

	(가)	(나)
①	발생과 생장	물질대사
②	발생과 생장	적응과 진화
③	항상성 유지	물질대사
④	항상성 유지	적응과 진화
⑤	자극에 대한 반응	발생과 생장

004 다음은 생물의 특성에 대한 예이다.

• 운동할 때 증가한 심장 박동 수는 휴식을 취하면 정상으로 되돌아온다.

• 겨울에 체온이 정상보다 낮아지면 근육을 떨어 열을 발생시킨다.

이 자료에 나타난 생물의 특성과 가장 관련이 깊은 것은?

① 올챙이는 자라서 개구리가 된다.

② 짚신벌레는 분열법으로 번식한다.

③ 어머니가 색맹이면 아들은 반드시 색맹이다.

④ 식물은 엽록체에서 빛에너지를 화학 에너지로 전환한다.

⑤ 식사 후 혈당량이 높아지면 간에서 글리코젠 합성이 증가한다.

005 다음은 기러기와 벌새에 대한 설명이다.

• 기러기는 폐와 연결된 공기주머니를 가지고 있어 산소가 희박한 수천 미터 상공에서도 활동할 수 있다.

• 벌새는 모든 방향으로 180° 회전할 수 있는 관절을 이용하여 날개를 앞뒤로 모두 저을 수 있어 공중에 떠 있는 채로 꽃의 꿀을 핥을 수 있다.

이 자료를 통해 알 수 있는 생물의 특성과 가장 관련이 깊은 것은?

① 효모는 세포 호흡을 통해 에너지를 얻는다.

② 나비 애벌레는 번데기를 거쳐 성충이 된다.

③ 개구리의 긴 혀는 곤충을 잡아먹기에 알맞다.

④ 색맹인 어머니로부터 색맹인 아들이 태어난다.

⑤ 플라나리아에게 빛을 비추면 빛을 피해 이동한다.

기출 분석

02 유형

? 출제 의도

제시된 여러 예시를 생물인지 비생물인지 기준에 따라 구분할 수 있는지 묻고 그 중 바이러스의 독특한 특징을 이해하고 있는지 확인하는 유형이다.

이렇게 대비하자!

생물만이 가지는 고유한 특징을 이해하고, 바이러스에서 생물적 특성과 비생물적 특성을 나눌 수 있도록 한다.

■ 연관 기출 문제 키워드

\# 생물의 특성

\# 바이러스의 생물적 특성

\# 바이러스의 비생물적 특성

문제 분석

바이러스의 생물적 특성

- 숙주 세포 내에서 물질대사를 하고, 증식한다.
- 유전 물질인 핵산(DNA 또는 RNA)이 있다.
- 증식 과정에서 유전 현상이 나타나며 돌연변이가 나타나 다양한 형태로 진화한다.

바이러스의 비생물적 특성

- 숙주 세포 밖에서는 단백질 결정체 형태로 존재한다.
- 독립적으로 물질대사를 하지 못한다.
- 세포의 구조를 갖추지 못하였다.

그림은 생명의 특성을 이용하여 고드름, 아메바, 바이러스를 구분하는 과정을 나타낸 것이다.

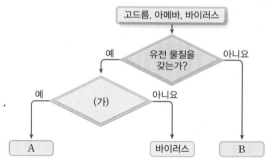

이에 대한 설명으로 옳은 것만을 〈보기〉에서 있는 대로 고른 것은?

┤ 보기 ├

ㄱ. '세포의 구조를 갖는가?'는 (가)에 적합하다.

ㄴ. A는 물질대사를 한다.

ㄷ. B는 고드름이다.

① ㄱ   ② ㄷ   ③ ㄱ, ㄴ   ④ ㄴ, ㄷ   ⑤ ㄱ, ㄴ, ㄷ

■ 문항별 해설

답 ⑤

ㄱ. (○) 단세포 생물인 아메바와 바이러스는 유전 물질을 가지고 있다. 하지만 바이러스는 세포 구조로 이루어져 있지 않다. 그러므로 아메바와 바이러스를 구분하는 기준으로 '세포의 구조를 갖는가?'라는 질문이 (가)에 적합하다.

ㄴ. (○) A는 아메바이다. 아메바는 단세포 생물로 물질대사를 한다.

ㄷ. (○) 고드름은 비생물로 유전 물질을 가지고 있지 않다.

배경 지식

바이러스는 단백질 껍질과 유전 물질인 핵산으로 구성되어 있으며 세균보다 크기가 훨씬 작고, 모양도 매우 다양하다.

■ 오류 피하기

⋯ 바이러스는 세포로 구성된 다른 생물과 달리 숙주 세포 밖에서는 단백질 결정체로 존재한다.

⋯ 아메바는 단세포로 이루어진 생물이지만 다세포 생물과 마찬가지로 세포 소기관에서 물질대사가 일어난다.

기출 문제

정답과 해설 **3**쪽

006 그림은 바이러스(A)와 대장균 (B)의 공통점과 차이점을 나타낸 것이다. 이에 대한 설명으로 옳은 것만을 〈보기〉에서 있는 대로 고른 것은?

보기

ㄱ. '세포 분열을 통해 증식한다.'는 ㉠에 해당한다.

ㄴ. '유전 물질을 가지고 있다.'는 ㉡에 해당한다.

ㄷ. '독립적으로 물질대사를 한다.'는 ㉢에 해당한다.

① ㄱ ② ㄴ ③ ㄷ ④ ㄱ, ㄴ ⑤ ㄴ, ㄷ

007 그림 (가)는 독감 바이러스를, (나)는 아메바를 나타낸 것이다. (가)와 (나)의 공통점으로 옳은 것만을 〈보기〉에서 있는 대로 고른 것은?

(가)   (나)

보기

ㄱ. 핵산을 가지고 있다.

ㄴ. 세포 분열을 통해 증식한다.

ㄷ. 독자적으로 물질대사를 할 수 있다.

① ㄱ ② ㄴ ③ ㄱ, ㄷ ④ ㄴ, ㄷ ⑤ ㄱ, ㄴ, ㄷ

008 그림 (가)와 (나)는 세균과 담배 모자이크 바이러스를 순서 없이 나타낸 것이다. 이에 대한 설명으로 옳은 것만을 〈보기〉에서 있는 대로 고른 것은?

(가)   (나)

보기

ㄱ. (가)는 핵산을 가지고 있다.

ㄴ. (나)는 세포 분열로 증식한다.

ㄷ. (가)와 (나)는 독자적으로 물질대사를 할 수 있다.

① ㄱ ② ㄴ ③ ㄷ ④ ㄱ, ㄴ ⑤ ㄴ, ㄷ

009 다음은 대장균과 바이러스의 모양 및 특성을 이용한 카드 게임이다.

(가) 영희와 철수는 각각 아래와 같이 그림 카드를 가지고 있다.

영희가 가진 그림 카드   철수가 가진 그림 카드

(나) 책상 위에 다음의 특성이 기록된 카드가 있다.

Ⅰ	Ⅱ	Ⅲ
핵산을 갖는다.	세포 구조로 되어 있다.	스스로 물질대사를 할 수 있다.

(다) 영희와 철수는 각각 카드 Ⅰ~Ⅲ을 하나씩 보고, 자신이 가진 그림 카드에 해당되는 내용이면 'O'로, 해당되는 내용이 아니면 '×'로 표시한다. 각 카드에 대해 옳게 표시할 때마다 1점씩 얻는다.

이에 대한 설명으로 옳은 것만을 〈보기〉에서 있는 대로 고른 것은?

보기

ㄱ. 영희는 바이러스 그림 카드를 가지고 있다.

ㄴ. 영희가 카드 Ⅱ를 보고 '×'로 표시한다면 1점을 얻는다.

ㄷ. 철수가 카드 Ⅰ, Ⅱ, Ⅲ을 보고 모두 'O'로 표시한다면 2점을 얻는다.

① ㄱ ② ㄷ ③ ㄱ, ㄴ ④ ㄴ, ㄷ ⑤ ㄱ, ㄴ, ㄷ

010 그림은 A가 B에서 증식하는 과정을 나타낸 것이다. A와 B는 각각 대장균과 박테리오파지 중 하나이다.

이에 대한 설명으로 옳은 것만을 〈보기〉에서 있는 대로 고른 것은?

보기

ㄱ. A는 세포 분열로 증식한다.

ㄴ. B는 대장균이다.

ㄷ. A와 B는 모두 유전 물질을 갖는다.

① ㄱ ② ㄴ ③ ㄷ ④ ㄴ, ㄷ ⑤ ㄱ, ㄴ, ㄷ

기출 분석

03 유형

? 출제 의도
생명 현상을 연구하는 데 이용되는 연역적 탐구 과정과 귀납적 탐구 과정을 비교하여 그 차이점을 정확하게 이해하고 있는지 묻는 유형이다.

ⁿ 이렇게 대비하자!
여러 가지 탐구에 관한 예시가 제시될 때 가설을 설정하는 경우는 연역적 탐구 방법임을 기억하여 귀납적 탐구 방법과 연역적 탐구 방법을 빠르게 구분할 수 있도록 한다.

■ 연관 기출 문제 키워드

생명 과학의 탐구 방법
연역적 탐구 방법
귀납적 탐구 방법
대조군

문제 분석

귀납적 탐구 방법(가): 구체적으로 관찰하여 자료를 수집하고, 수집한 자료를 종합하고 분석하는 과정에서 규칙성을 찾아 내어 결론을 일반화하는 탐구 방법이다.

연역적 탐구 방법(나): 어떤 현상을 관찰하여 생긴 의문을 해결하기 위해 가설을 세우고 그 가설이 옳은지 검증하는 탐구 방법이다.

파스퇴르가 수행한 탐구 과정

> 파스퇴르는 '생물이 없는 곳에서는 생물이 생겨나지 않을 것이다.'라고 생각하고 실험을 통해 이를 증명하였다. ← 가설 설정

가설을 설정하고 이를 증명한 연역적 탐구 방법(나)이다.

그림은 두 가지 탐구 방법 (가)와 (나)를 나타낸 것이고, 표는 파스퇴르가 수행한 탐구 과정을 정리한 것이다.

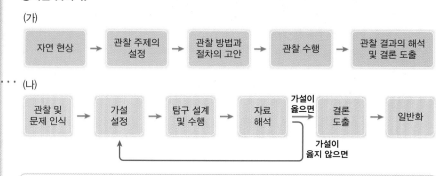

> 파스퇴르는 '생물이 없는 곳에서는 생물이 생겨나지 않을 것이다.'라고 생각하고 실험을 통해 이를 증명하였다.

이에 대한 설명으로 옳은 것만을 〈보기〉에서 있는 대로 고른 것은?

―| 보기 |―
ㄱ. (가)에서는 의문에 대해 잠정적인 해답을 먼저 찾는다.
ㄴ. 대조 실험이 수행되는 탐구 방법은 (나)이다.
ㄷ. 파스퇴르는 (나)를 이용하였다.

① ㄱ   ② ㄴ   ③ ㄱ, ㄷ   ④ ㄴ, ㄷ   ⑤ ㄱ, ㄴ, ㄷ

■ 문항별 해설   답 ④

ㄱ. (×) (가)는 귀납적 탐구 방법으로 귀납적 탐구 방법은 여러 자료를 수집하고 분석한 후 문제나 자연 현상의 답을 찾는다. 반면 의문에 대한 잠정적인 해답을 찾은 후 이를 증명하는 탐구 방법은 (나)의 연역적 탐구 방법이다.

ㄴ. (○) 대조 실험은 아무 조작도 하지 않은 집단과 조작한 변인의 결과를 비교하여 조작한 변인의 영향을 알아보는 실험으로 연역적 탐구 방법에서 가설을 증명하는 과정에 이용된다.

ㄷ. (○) 파스퇴르는 '생물이 없는 곳에서는 생물이 생겨나지 않을 것이다.'라는 가설을 실험을 통해 증명하였으므로 파스퇴르는 (나)의 연역적 탐구 방법을 이용하여 생명 현상의 답을 찾은 것이다.

⊡ 배경 지식

생명 과학의 탐구 방법에는 귀납적 탐구 방법과 연역적 탐구 방법이 있다.

■ 오류 피하기

⋯ 귀납적 탐구 방법은 관찰을 통해 문제의 결론을 먼저 얻고, 연역적 탐구 방법은 문제에 대한 잠정적인 가설을 먼저 세우고 이를 검증하는 점이 다르다.

기출 문제

정답과 해설 **4**쪽

011
그림은 연역적 탐구 방법의 일반적인 과정을 나타낸 것이다. (가)와 (나)는 각각 가설 설정과 탐구 설계 중 하나이다.

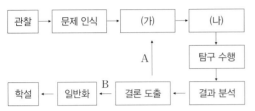

이에 대한 설명으로 옳은 것만을 〈보기〉에서 있는 대로 고른 것은?

┃ 보기 ┃

ㄱ. (가) 과정에서 의문에 대한 잠정적인 해답을 제시한다.

ㄴ. 대조군 설정은 (나) 과정에서 해야 한다.

ㄷ. 도출된 결론이 가설과 일치하지 않으면 B 경로를 따른다.

① ㄱ ② ㄴ ③ ㄷ ④ ㄱ, ㄴ ⑤ ㄱ, ㄷ

012
다음은 생명 과학의 연역적 탐구 방법을 나타낸 것이다.

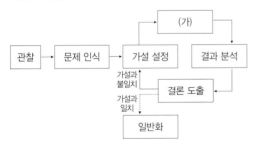

(가) 단계에 대한 설명으로 옳은 것만을 〈보기〉에서 있는 대로 고른 것은?

┃ 보기 ┃

ㄱ. 일반적인 원리나 법칙을 끌어낸다.

ㄴ. 문제에 대한 잠정적인 결론을 내린다.

ㄷ. 대조군과 실험군을 설정하여 실험을 실시한다.

① ㄱ ② ㄷ ③ ㄱ, ㄴ ④ ㄱ, ㄷ ⑤ ㄴ, ㄷ

013
(가)는 귀납적 탐구 사례이고, (나)는 연역적 탐구 사례이다.

> (가) 구달은 오랜 시간 동안 침팬지의 행동 특성을 관찰하였다. 관찰된 여러 특성을 종합한 결과 침팬지는 도구를 사용한다는 결론을 내렸다.
>
> (나) 레디는 2개의 병에 작은 고기 조각을 넣은 후 한 병은 입구를 막지 않고, 다른 한 병은 천으로 입구를 막았다. 며칠 후 입구를 막지 않은 병의 고기 조각에만 구더기가 발생하였다. 이를 통해 고기 조각에 생긴 구더기는 파리로부터 발생하였다는 결론을 내렸다.

이에 대한 설명으로 옳은 것만을 〈보기〉에서 있는 대로 고른 것은?

┃ 보기 ┃

ㄱ. (가)에서는 가설을 설정해야 한다.

ㄴ. (나)에는 대조군이 설정되어 있다.

ㄷ. (나)에서 입구를 막은 병은 입구를 막지 않은 병보다 더 따뜻한 곳에 보관해야 한다.

① ㄱ ② ㄴ ③ ㄷ ④ ㄱ, ㄴ ⑤ ㄴ, ㄷ

014
다음은 2가지 생명 과학 탐구 사례이다.

> (가) 파스퇴르는 탄저병 백신이 탄저병을 예방하는 효과가 있을 것이라고 생각하였다. 이를 검증하기 위해 ㉠탄저병 백신을 주사한 25마리의 양과 백신을 주사하지 않은 25마리의 양에게 동시에 탄저병균을 주사하고 탄저병의 발병 여부를 관찰하였다.
>
> (나) 에이크만은 '현미에는 닭의 각기병을 예방하는 물질이 들어 있을 것이다.'라는 가설을 설정하였다. 이를 검증하기 위해 닭을 두 집단으로 나누어 한 집단에는 백미를, 다른 집단에는 현미를 먹여 기르면서 각기병의 발병 여부를 관찰하였다.

이에 대한 설명으로 옳은 것만을 〈보기〉에서 있는 대로 고른 것은?

┃ 보기 ┃

ㄱ. (가)에서 ㉠은 대조군이다.

ㄴ. (나)에서 닭의 먹이 종류는 조작 변인에 해당한다.

ㄷ. (가)와 (나)는 모두 연역적 탐구 과정의 사례이다.

① ㄱ ② ㄷ ③ ㄱ, ㄴ ④ ㄴ, ㄷ ⑤ ㄱ, ㄴ, ㄷ

기출 분석

04 유형

■ 연관 기출 문제 키워드

\# 연역적 탐구 방법

\# 대조군

\# 실험군

\# 통제 변인

문제 분석

실험군과 대조군

실험	첨가한 물질
I → 대조군	증류수
II → 실험군	증류수 + 효소 X

연역적 탐구 과정

대조 실험: 탐구 수행 과정에서 실험의 타당성을 높이기 위해 대조군과 실험군을 설정하여 비교하는 실험 방법

• **실험군:** 실험 조건을 변화시켜 조작한 변인의 영향을 알아보는 실험 집단

• **대조군:** 실험군과 비교하기 위해 실험 조건을 변화시키지 않은 집단

연역적 탐구 방법에서 탐구 설계 및 수행 단계에서 대조 실험과 변인에 관하여 정확히 이해하고 있는지 묻는 유형이다.

이렇게 대비하자!

연역적 탐구 과정 중 가설에 제시된 조작 변인과 종속 변인을 구분하고, 탐구 수행 결과가 가설과 일치하는지 판단할 수 있도록 한다.

다음은 어떤 학생이 수행한 탐구 과정이다.

> **[가설]**
>
> 효소 X는 단백질을 분해할 것이다.
>
> **[탐구 설계 및 수행]**
>
> 동일한 양의 단백질 용액이 들어 있는 두 개의 시험관에 표와 같은 조건으로 물질을 첨가한 후 반응시킨다.
>
> | 실험 | 첨가한 물질 |
> |---|---|
> | I | 증류수 |
> | II | 증류수 + 효소 X |
>
> **[결과]**
>
> I 에서는 단백질이 분해되지 않았고, II 에서는 단백질이 분해되었다.

이에 대한 설명으로 옳은 것만을 〈보기〉에서 있는 대로 고른 것은? (단, 제시된 조건 이외의 다른 조건은 동일하다.)

| 보기 |
| ㄱ. I은 대조군이다. |
| ㄴ. 효소 X의 첨가 여부는 통제 변인이다. |
| ㄷ. 이 탐구 과정은 연역적 탐구이다. |

① ㄱ   ② ㄴ   ③ ㄱ, ㄴ   ④ ㄱ, ㄷ   ⑤ ㄴ, ㄷ

■ **문항별 해설**   답 ④

ㄱ. (○) I은 실험군과 비교하기 위해 실험에 영향을 주지 않는 증류수만 넣은 대조군이다.

ㄴ. (×) 실험군과 대조군에서 조작 변인 이외에 실험에 영향을 줄 수 있는 모든 변인을 동일하게 하는데 이를 변인 통제라고 한다.

ㄷ. (○) 이 탐구 과정은 가설을 설정하고 이를 증명하는 과정이므로 연역적 탐구이다.

배경 지식

탐구 설계 및 수행 과정에서 조작 변인은 가설 검증을 위해 실험에서 의도적으로 변화시키는 변인이다.

■ **오류 피하기**

⋯▸ 변인은 실험 조건이나 결과와 같이 실험에 관계된 모든 요인이다. 이 중 가설 검증에 필요한 변인은 조작 변인으로 결과를 확인하기 위해 변화를 주는 변인이다. 그렇기 때문에 조작 변인 이외에 모든 변인 즉, 실험 조건은 동일해야 한다. 이처럼 조작 변인 이외의 변인을 일정하게 유지하는 것을 변인 통제라고 한다.

기출 문제

정답과 해설 **4**쪽

---

015 다음은 어떤 아카시아 나무와 개미에 대한 탐구 과정의 일부이다.

> (가) 아카시아 나무에 개미가 서식하는 것을 보고, 개미를 제거한 아카시아 나무는 개미가 있는 아카시아 나무에 비해 잘 생장하지 못할 것이라고 생각하였다.
> (나) 같은 지역에 살고 있는 아카시아 나무들을 집단 A와 B로 나누었다.
> (다) 집단 A는 서식하고 있는 개미를 지속적으로 제거하고, 집단 B는 서식하고 있는 개미를 그대로 두었다.
> (라) 10개월 후에 집단 A와 B의 생장량을 조사하여 그래프로 나타내었다.
>
>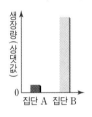

이에 대한 설명으로 옳은 것만을 〈보기〉에서 있는 대로 고른 것은? (단, 집단 A와 B에서 개미의 제거 여부를 제외한 다른 조건은 동일하다.)

> ── 보기 ──
> ㄱ. 이 탐구 과정은 귀납적 탐구이다.
> ㄴ. 아카시아 나무의 생장량은 종속 변인이다.
> ㄷ. 개미를 제거한 아카시아 나무는 개미가 있는 아카시아 나무보다 잘 생장한다.

① ㄱ   ② ㄴ   ③ ㄱ, ㄷ
④ ㄴ, ㄷ   ⑤ ㄱ, ㄴ, ㄷ

---

016 다음은 어떤 과학자의 담배식물에 대한 탐구 과정이다.

> (가) 담배식물의 잎에서는 니코틴이라는 물질이 발견된다. 과학자는 담배식물이 살아가는 데 니코틴이 어떤 역할을 하는지 궁금하였다.
> (나) 니코틴은 곤충으로부터 담배식물을 보호할 것이라고 생각하였다.
> (다) 유전자 조작을 통하여 정상 담배식물에 비해 니코틴 함량이 95 % 감소한 유전자 변형 담배식물을 만들었다.
> (라) 정상 담배식물을 심은 화분과 ㉠유전자 변형 담배식물을 심은 화분을 곤충의 접근이 쉬운 곳에 두었다.
> (마) 곤충에 의한 잎의 손상 정도를 2일 간격으로 조사하여 다음과 같은 결과를 얻었다.
>
>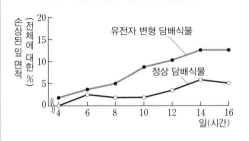

이에 대한 설명으로 옳은 것만을 〈보기〉에서 있는 대로 고른 것은? (단, 위 탐구 과정에서 담배식물의 니코틴 함량 이외의 모든 조건은 동일하다.)

> ── 보기 ──
> ㄱ. ㉠은 대조군이다.
> ㄴ. 종속변인은 손상된 잎 면적이다.
> ㄷ. 과학자는 귀납적 방법으로 탐구를 수행하였다.

① ㄴ   ② ㄷ   ③ ㄱ, ㄴ
④ ㄱ, ㄷ   ⑤ ㄴ, ㄷ

기출 분석

05 유형

? **출제 의도**
세포 호흡 결과 생성된 ATP에 저장된 에너지가 생명 활동에 쓰이는 과정을 이해하고 있는지 묻는 유형이다.

이렇게 대비하자!
세포 호흡 과정의 반응물과 생성물을 파악하고, ATP와 ADP의 전환 과정에 대해 정리하도록 한다.

■ **연관 기출 문제 키워드**

\# 세포 호흡

\# 포도당

\# ATP

\# ADP

문제 분석

세포 호흡: 세포 내에서 포도당이 산소와 반응하여 이산화 탄소와 물로 분해되는 과정이다. 세포 호흡 결과 발생한 에너지 중 일부는 열로 방출되어 체온 유지에 쓰이고, 나머지는 ATP에 저장되어 여러 생명 활동에 쓰인다.

그림은 세포에서 일어나는 물질대사 과정의 일부를 나타낸 것이다.

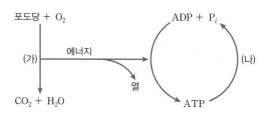

이에 대한 설명으로 옳은 것만을 〈보기〉에서 있는 대로 고른 것은?

보기

ㄱ. (가) 과정은 이화 작용이다.

ㄴ. ATP는 고에너지 인산 결합을 가지고 있다.

ㄷ. (나) 과정에서 에너지가 방출된다.

① ㄱ   ② ㄴ   ③ ㄱ, ㄷ   ④ ㄴ, ㄷ   ⑤ ㄱ, ㄴ, ㄷ

■ **문항별 해설**   **답 ⑤**

ㄱ. (○) (가)는 포도당이 산소와 반응하여 이산화 탄소와 물로 분해되는 세포 호흡 과정으로 대표적인 이화 작용이다. 이 과정에서 에너지가 발생하여 일부는 열에너지 형태로 방출되어 체온 유지에 쓰이고, 일부는 ATP에 저장되어 생명 활동에 이용된다.

ㄴ. (○) ATP는 아데노신(아데닌＋리보스) 한 분자에 세 개의 인산이 고에너지 결합으로 연결되어 있는 물질이다.

ㄷ. (○) (나) 과정은 ATP의 고에너지 인산 결합 중 하나가 끊어지면서 ADP와 P_i으로 분리되는 과정을 나타낸다. 이 과정에서 방출된 에너지가 여러 생명 활동에 이용된다.

배경 지식

생명체 내에서 일어나는 모든 화학 반응을 물질대사라고 한다. 물질대사는 크게 큰 분자가 작은 분자로 분해되면서 에너지가 방출되는 이화 작용과, 에너지가 투입되어 작은 분자들이 큰 분자로 결합하는 동화 작용으로 구분된다. 이화 작용의 예로 세포 호흡이 있으며, 세포 호흡 결과 발생한 에너지는 여러 생명 활동에 이용된다.

■ **오류 피하기**

⋯ 세포 호흡 결과 발생한 에너지가 ATP 합성에 쓰이고, 다시 ATP가 ADP와 P_i으로 분해되는 과정에서 에너지가 방출되어 생명 활동에 이용된다.

017 그림은 사람의 세포 호흡과 에너지 전환을 나타낸 것이다.

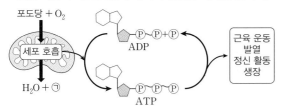

이에 대한 설명으로 옳은 것만을 〈보기〉에서 있는 대로 고른 것은? (단, ㉠은 기체이다.)

〈보기〉
ㄱ. ㉠은 폐를 통해 체외로 배출된다.
ㄴ. ATP에 저장된 화학 에너지는 생명 활동에 이용된다.
ㄷ. 포도당에 저장된 에너지는 모두 ATP 합성에 이용된다.

① ㄱ   ② ㄷ   ③ ㄱ, ㄴ
④ ㄱ, ㄷ   ⑤ ㄱ, ㄴ, ㄷ

018 그림은 미토콘드리아에서 에너지를 얻는 과정을 나타낸 것이다. ㉠과 ㉡은 각각 ATP와 O_2 중 하나이다.

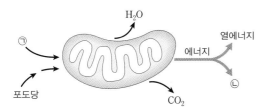

이에 대한 설명으로 옳은 것만을 〈보기〉에서 있는 대로 고른 것은?

〈보기〉
ㄱ. ㉠은 O_2이다.
ㄴ. 근육 운동에 ㉡의 에너지가 이용된다.
ㄷ. 미토콘드리아에서 물질대사가 일어나 에너지가 방출된다.

① ㄱ   ② ㄷ   ③ ㄱ, ㄴ
④ ㄴ, ㄷ   ⑤ ㄱ, ㄴ, ㄷ

019 그림 (가)는 포도당이 세포 호흡을 거쳐 최종 분해 산물로 되는 과정을, (나)는 ATP와 ADP 사이의 전환을 나타낸 것이다.

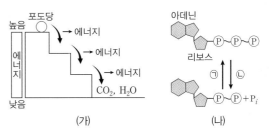

이에 대한 설명으로 옳은 것만을 〈보기〉에서 있는 대로 고른 것은?

〈보기〉
ㄱ. (가)에서 효소가 필요하다.
ㄴ. (가)에서 방출된 에너지는 모두 ㉠에 사용된다.
ㄷ. 근육 운동에는 ㉡에서 방출된 에너지가 사용된다.

① ㄱ   ② ㄴ   ③ ㄷ
④ ㄱ, ㄴ   ⑤ ㄱ, ㄷ

020 그림은 사람의 체내에서 일어나는 에너지 대사 과정을 나타낸 것이다. ㉠과 ㉡은 각각 CO_2와 O_2 중 하나이다.

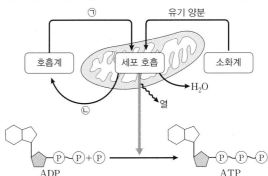

이에 대한 설명으로 옳은 것만을 〈보기〉에서 있는 대로 고른 것은?

〈보기〉
ㄱ. ㉠의 이동에는 적혈구가 관여한다.
ㄴ. ㉡은 CO_2이다.
ㄷ. 세포 호흡을 통해 유기 양분의 에너지 일부가 ATP에 저장된다.

① ㄱ   ② ㄴ   ③ ㄷ
④ ㄱ, ㄴ   ⑤ ㄱ, ㄴ, ㄷ

기출 분석

06 유형

■ **연관 기출 문제** 키워드

\# 광합성

\# 세포 호흡

\# ATP

문제 분석 · · · · · · · · · · · · · · · ·

광합성과 세포 호흡

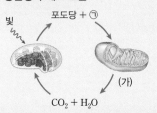

빛에너지가 이용되는 왼쪽 과정은 엽록체에서 일어나는 광합성을 나타낸다. 오른쪽의 (가)는 미토콘드리아로, 포도당과 산소(O_2)가 반응하여 이산화 탄소(CO_2)와 물(H_2O), 에너지가 발생하는 세포 호흡이 일어나는 세포 소기관이다.

? **출제 의도**

광합성과 세포 호흡의 전환 과정을 제시하고, 이를 통해 물질대사의 특징을 알고 있는지 묻는 유형이다.

이렇게 대비하자!

광합성 결과 생성된 포도당이 세포 호흡의 주원료로 사용되어 에너지 발생에 이용되는 사실을 정리하도록 한다.

그림은 광합성과 세포 호흡 과정을 나타낸 것이다. ㉠은 기체이다.

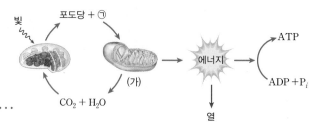

이에 대한 설명으로 옳은 것만을 〈보기〉에서 있는 대로 고른 것은?

┤ 보기 ├

ㄱ. ㉠은 O_2이다.

ㄴ. (가)에서 이화 작용이 일어난다.

ㄷ. (가)에서 발생한 에너지의 일부는 고에너지 인산 결합의 형태로 ATP에 저장된다.

① ㄴ   ② ㄷ   ③ ㄱ, ㄴ   ④ ㄱ, ㄷ   ⑤ ㄱ, ㄴ, ㄷ

■ **문항별 해설**   답 ⑤

ㄱ. (○) ㉠은 세포 호흡에 이용되는 물질로 포도당과 반응하는 산소(O_2)를 나타낸다.

ㄴ. (○) (가)는 미토콘드리아로 이화 작용인 세포 호흡이 일어나는 세포 소기관이다.

ㄷ. (○) 세포 호흡 결과 발생한 에너지의 일부는 열에너지의 형태로 방출되어 체온 유지에 쓰이고, 나머지는 ATP의 고에너지 인산 결합의 형태로 저장된다. ATP에 저장된 에너지는 다시 ADP와 P_i으로 분해되는 과정에서 방출되어 여러 생명 활동에 쓰인다.

배경 지식

물질대사의 두 과정인 동화 작용과 이화 작용은 에너지의 흡수와 방출로 연결되어 있다. 빛에너지는 광합성에 이용되어 포도당의 형태로 저장되고, 포도당은 다시 세포 호흡의 원료로 이용되어 일부는 열에너지로 방출되고, 나머지는 ATP의 형태로 저장된다.

■ **오류** 피하기

⋯ 미토콘드리아에서 일어나는 세포 호흡은 대표적인 이화 작용이고, 엽록체에서 일어나는 광합성은 대표적인 동화 작용이다.

⋯ 세포 호흡 결과 발생한 에너지는 ATP의 고에너지 인산 결합의 형태로 생명체가 이용할 수 있는 화학 에너지로 저장된다.

기출 문제

021 그림은 어떤 식물 세포에서 일어나는 물질과 에너지 전환 과정을 나타낸 것이다.

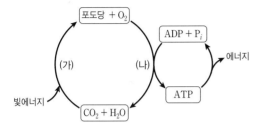

이에 대한 설명으로 옳은 것만을 〈보기〉에서 있는 대로 고른 것은?

┃ 보기 ┃
ㄱ. (가) 과정은 엽록체에서 일어난다.
ㄴ. (나) 과정은 세포 호흡이다.
ㄷ. ATP는 ADP보다 많은 에너지를 가지고 있다.

① ㄱ   ② ㄴ   ③ ㄱ, ㄷ
④ ㄴ, ㄷ   ⑤ ㄱ, ㄴ, ㄷ

022 그림은 식물 세포에서 일어나는 물질대사 과정을 나타낸 것이다. (가)와 (나)는 각각 세포 호흡과 광합성 중 하나이다.

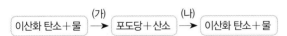

이에 대한 설명으로 옳은 것만을 〈보기〉에서 있는 대로 고른 것은?

┃ 보기 ┃
ㄱ. (가)에서 빛에너지가 화학 에너지로 전환된다.
ㄴ. (나)에서 ATP가 생성된다.
ㄷ. (가)와 (나)에는 모두 효소가 필요하다.

① ㄱ   ② ㄷ   ③ ㄱ, ㄴ
④ ㄴ, ㄷ   ⑤ ㄱ, ㄴ, ㄷ

023 그림은 광합성과 세포 호흡에서 에너지와 물질의 이동을 나타낸 것이다. ⊙과 ⓒ은 각각 CO_2와 O_2 중 하나이다.

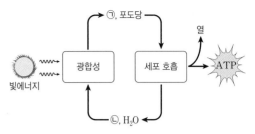

이에 대한 설명으로 옳은 것만을 〈보기〉에서 있는 대로 고른 것은?

┃ 보기 ┃
ㄱ. ⊙은 O_2이다.
ㄴ. 식물에서 광합성과 세포 호흡이 모두 일어난다.
ㄷ. 세포 호흡 결과 포도당에서 방출된 에너지는 모두 ATP에 저장된다.

① ㄱ   ② ㄴ   ③ ㄷ
④ ㄱ, ㄴ   ⑤ ㄱ, ㄷ

024 그림은 광합성과 세포 호흡에서의 에너지와 물질의 이동을 나타낸 것이다. (가)와 (나)는 각각 광합성과 세포 호흡 중 하나이다.

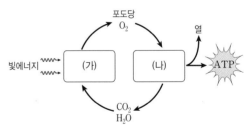

이에 대한 설명으로 옳은 것만을 〈보기〉에서 있는 대로 고른 것은?   수능 출제

┃ 보기 ┃
ㄱ. 포도당의 에너지는 모두 ATP에 저장된다.
ㄴ. 엽록체에서 (가)가 일어난다.
ㄷ. 식물에서 (나)가 일어난다.

① ㄱ   ② ㄴ   ③ ㄷ
④ ㄱ, ㄴ   ⑤ ㄴ, ㄷ

기출 유형 모음집 **015**

기출 분석

07 유형

❓ 출제 의도

소화, 순환, 호흡, 배설의 각 과정을 담당하는 기관과 기관계의 기능을 알고 있는지 묻는 유형이다.

🐛 이렇게 대비하자 !

소화계, 순환계, 호흡계, 배설계의 기능을 그림 자료와 함께 정리하도록 한다.

■ **연관 기출 문제 키워드**

\# 소화계

\# 순환계

\# 호흡계

\# 배설계

표 (가)는 기관계 A~C에서 특징 ㉠~㉢의 유무를, (나)는 ㉠~㉢을 순서 없이 나타낸 것이다. A~C는 각각 호흡계, 배설계, 소화계 중 하나이다.

특징 \ 기관계	A	B	C
㉠	○	×	×
㉡	○	×	○
㉢	○	○	○

(○: 있음, ×: 없음)

(가)

특징 ㉠~㉢

• 물질대사가 일어난다.

• 소화되지 않은 찌꺼기가 체외로 배출된다.

• 체외로부터 세포 호흡에 필요한 물질이 들어온다.

(나)

문제 분석

각 기관계의 특징: 기관계 A는 세 가지 특징을 모두 가지고 있는데, 이는 소화계에 해당한다. 나머지 두 기관계 중 배설계는 물질대사가 일어난다는 특징만 해당하므로 B가 된다. 따라서 C가 호흡계가 된다. 소화계에만 해당하는 특징 ㉠은 '소화되지 않은 찌꺼기가 체외로 배출된다.'가 되고, 소화계와 호흡계에 해당하는 특징 ㉡은 '체외로부터 세포 호흡에 필요한 물질이 들어온다.'가 된다. 모든 기관계에 해당하는 특징 ㉢은 '물질대사가 일어난다.'가 된다.

이에 대한 설명으로 옳은 것만을 〈보기〉에서 있는 대로 고른 것은?

---- 보기 ----

ㄱ. A에서 흡수된 물질은 순환계를 통해 B와 C로 운반된다.

ㄴ. B는 영양소의 소화와 흡수를 담당하는 기관으로 구성된다.

ㄷ. 콩팥은 C에 속하는 기관이다.

① ㄱ   ② ㄴ   ③ ㄷ   ④ ㄱ, ㄴ   ⑤ ㄴ, ㄷ

■ **문항별 해설**   답 ①

ㄱ. (○) 소화계에서 흡수된 영양소는 순환계에 의해 각 기관과 조직 세포로 운반된다.

ㄴ. (×) B는 배설계로 노폐물을 체외로 내보내는 기능을 담당한다.

ㄷ. (×) 콩팥은 배설계를 구성하는 기관으로 B에 해당한다.

🐛 배경 지식

소화계: 영양소를 분해하고 흡수한다.

순환계: 혈액을 통해 영양소와 산소를 온몸에 공급하고, 노폐물과 이산화 탄소를 운반한다.

호흡계: 세포 호흡에 필요한 산소를 흡수하고, 이산화 탄소를 내보낸다.

배설계: 세포 호흡 과정에서 발생한 체내 노폐물을 몸 밖으로 내보낸다.

■ **오류 피하기**

⋯ 주어진 특징에 해당하는 개수를 통해 A~C가 각각 어떤 기관계인지 파악하도록 한다.

기출 문제

정답과 해설 **6**쪽

025

그림은 콩팥에서 오줌이 생성되는 과정을, 표는 콩팥에서 세 가지 물질의 여과량과 배설량을 나타낸 것이다.

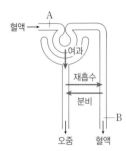

구분	여과량	배설량
물(L/일)	180.0	1.8
포도당(g/일)	180.0	0.0
요소(g/일)	52.2	26.1

이에 대한 설명으로 옳은 것만을 〈보기〉에서 있는 대로 고른 것은?

〖 보기 〗
ㄱ. 물은 재흡수량보다 분비량이 많다.
ㄴ. 여과된 포도당은 모두 재흡수된다.
ㄷ. 요소의 농도는 A에서보다 B에서 높다.

① ㄱ   ② ㄴ   ③ ㄷ
④ ㄱ, ㄴ   ⑤ ㄴ, ㄷ

026

그림은 사람의 소화계 일부를 나타낸 것이다. 이에 대한 설명으로 옳은 것만을 〈보기〉에서 있는 대로 고른 것은?

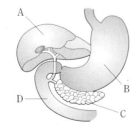

〖 보기 〗
ㄱ. A에서 소화 효소가 생성된다.
ㄴ. 소화되는 영양소의 종류는 B보다 D에서 더 많다.
ㄷ. 탄수화물은 C에서 생성된 효소에 의해 단당류로 최종 분해된다.

① ㄱ   ② ㄴ   ③ ㄱ, ㄷ
④ ㄴ, ㄷ   ⑤ ㄱ, ㄴ, ㄷ

027

표는 정상인의 혈장, 원뇨, 오줌에서 세 가지 물질의 유무를, 그림은 물질 A가 콩팥에서 이동하는 방식을 나타낸 것이다. A는 단백질, 포도당, 요소 중 하나이다.

구분	혈장	원뇨	오줌
단백질	○	×	×
포도당	○	○	×
요소	○	○	○

(○: 있음, ×: 없음)

이에 대한 설명으로 옳은 것만을 〈보기〉에서 있는 대로 고른 것은?

〖 보기 〗
ㄱ. A는 포도당이다.
ㄴ. 단백질은 사구체에서 보먼주머니로 여과된다.
ㄷ. 배설계를 통해 요소가 몸 밖으로 배설된다.

① ㄱ   ② ㄴ   ③ ㄱ, ㄷ
④ ㄴ, ㄷ   ⑤ ㄱ, ㄴ, ㄷ

028

그림은 사람의 순환계 일부를 나타낸 것이다. 이에 대한 설명으로 옳은 것만을 〈보기〉에서 있는 대로 고른 것은?

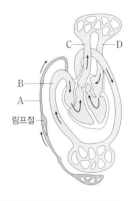

〖 보기 〗
ㄱ. A에서 적혈구를 관찰할 수 없다.
ㄴ. B는 혈압이 낮고 판막이 있다.
ㄷ. C에는 D보다 산소가 적은 혈액이 흐른다.

① ㄱ   ② ㄴ   ③ ㄱ, ㄷ
④ ㄴ, ㄷ   ⑤ ㄱ, ㄴ, ㄷ

기출 분석

08 유형

? 출제 의도
혈액 순환의 모식도를 제시하고, 이와 연결된 인체 내의 소화, 순환, 호흡, 배설의 작용을 알고 있는지 묻는 유형이다.

이렇게 대비하자!
소화, 순환, 호흡, 배설의 각 과정에서 투입되는 물질과 산출되는 물질을 파악하여 정리하도록 한다.

■ 연관 기출 문제 키워드

혈액 순환
콩팥
소장
폐

문제 분석

소화·순환·호흡·배설: 인체 내의 전체 혈액 순환 과정을 나타내고 있다. 폐로 이루어진 부분은 호흡계를 나타낸다. 심장과 온몸에 퍼진 혈관은 순환계를 나타낸다. 간과 소장으로 구성된 부분은 소화계를 나타낸다. 콩팥으로 구성된 부분은 배설계를 나타낸다.

그림은 사람의 혈액 순환 경로를 나타낸 것이다. A와 B는 각각 소장과 심장 중 하나이다.

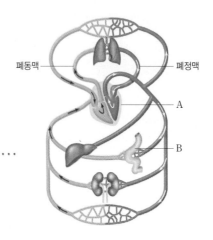

폐동맥   폐정맥   A   B

이에 대한 설명으로 옳은 것만을 〈보기〉에서 있는 대로 고른 것은?

┃ 보기 ┃

ㄱ. 단위 부피당 산소량은 폐동맥의 혈액보다 폐정맥의 혈액이 적다.

ㄴ. A는 순환계에 속한다.

ㄷ. B에서 영양소의 소화와 흡수가 일어난다.

① ㄱ   ② ㄴ   ③ ㄱ, ㄷ   ④ ㄴ, ㄷ   ⑤ ㄱ, ㄴ, ㄷ

■ 문항별 해설   답 ④

ㄱ. (✕) 폐동맥에는 온몸을 돌고 온 이산화 탄소가 많이 포함된 정맥혈이 흐른다. 이 혈액이 폐를 통과하면서 이산화 탄소를 방출하고 산소를 얻어 동맥혈이 되어 폐정맥을 통해 나오게 된다. 따라서 단위 부피당 산소량은 폐정맥의 혈액이 더 많다.

ㄴ. (○) A는 심장으로 순환계를 이루는 기관이다.

ㄷ. (○) B는 소장을 나타낸다. 소화계를 이루는 소장에서는 영양소가 최종적으로 분해되어 흡수된다.

배경 지식

순환계는 혈액을 펌프질하는 심장과 혈액이 지나는 통로인 혈관, 그리고 혈액으로 구성된다. 온몸을 순환하는 혈액은 각 기관과 조직에 영양소를 공급하고 발생한 노폐물을 받아 배설계에 전달한다. 순환계를 통해 우리 몸의 각 기관계는 서로 유기적으로 연결된다.

■ 오류 피하기

⋯⋯ 폐동맥에는 정맥혈이 흐르고, 폐정맥에는 동맥혈이 흐른다.

기출 문제

정답과 해설 **8**쪽

[029~030] 그림은 건강한 사람의 각 기관과 혈액 순환 과정을 나타낸 것이다. (가)는 콩팥의 일부 구조를, (나)는 소장의 융털 구조이다.

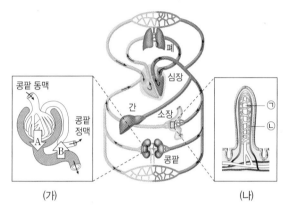

(가)   (나)

029 (가)에 대한 설명으로 옳은 것만을 〈보기〉에서 있는 대로 고른 것은?

┤ 보기 ├

ㄱ. 간에서 생성된 요소는 A 과정을 통해 이동한다.

ㄴ. 요소의 농도는 콩팥 동맥보다 콩팥 정맥이 높다.

ㄷ. A 과정을 통해 이동한 포도당은 B 과정을 통해 모두 흡수된다.

① ㄱ   ② ㄴ   ③ ㄱ, ㄷ
④ ㄴ, ㄷ   ⑤ ㄱ, ㄴ, ㄷ

030 (나)에 대한 설명으로 옳은 것만을 〈보기〉에서 있는 대로 고른 것은?

┤ 보기 ├

ㄱ. ㉠은 모세 혈관이다.

ㄴ. 단백질의 최종 소화 산물은 ㉡으로 흡수되어 간으로 이동한다.

ㄷ. 소장에서 흡수된 영양소는 심장을 거쳐 온몸으로 이동한다.

① ㄱ   ② ㄷ   ③ ㄱ, ㄴ
④ ㄴ, ㄷ   ⑤ ㄱ, ㄴ, ㄷ

031 그림은 사람의 혈액 순환 경로의 일부를 나타낸 것이다.

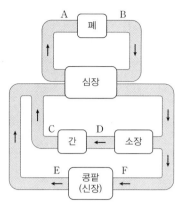

이에 대한 설명으로 옳은 것만을 〈보기〉에서 있는 대로 고른 것은? (단, A~F는 혈관을 나타낸 것이다.)

┤ 보기 ├

ㄱ. A에서의 산소헤모글로빈 농도는 B에서보다 낮다.

ㄴ. 식사 전후 혈당량의 변화는 D에서보다 C에서 크다.

ㄷ. E에서의 요소 농도는 F에서보다 높다.

① ㄱ   ② ㄴ   ③ ㄷ
④ ㄱ, ㄷ   ⑤ ㄱ, ㄴ, ㄷ

032 그림은 사람의 혈액 순환 경로를 나타낸 것이다.

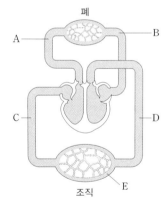

이에 대한 설명으로 옳은 것만을 〈보기〉에서 있는 대로 고른 것은?

┤ 보기 ├

ㄱ. A의 혈중 산소 농도는 B보다 낮다.

ㄴ. C의 혈압이 D보다 높다.

ㄷ. C → E → D 순으로 혈액이 흐른다.

① ㄱ   ② ㄴ   ③ ㄱ, ㄷ
④ ㄴ, ㄷ   ⑤ ㄱ, ㄴ, ㄷ

기출 분석

? 출제 의도

체내의 각 기관계가 에너지의 생성 및 노폐물의 배출 과정에서 긴밀하게 연결되어 있음을 이해하고 있는지 묻는 유형이다.

이렇게 대비하자!

세포 호흡의 원료인 영양소와 산소가 들어오고, 노폐물이 배설되는 과정을 정리하도록 한다.

■ **연관 기출 문제 키워드**

\# 기관계

\# 통합적

\# 순환계

문제 분석

기관계의 통합적 작용: 영양소가 들어오고 흡수되지 않은 물질이 배출되는 (가)는 소화계이다. 오줌이 배설되는 (다)는 배설계임을 알 수 있으며, 각 기관계 사이에서 물질을 운반하는 (나)는 순환계를 나타낸다. 소화계, 순환계, 호흡계, 배설계는 에너지의 생성 및 노폐물의 배출 과정에서 긴밀히 연결되어 통합적으로 작용한다.

그림은 사람 몸에 있는 각 기관계의 통합적 작용을 나타낸 것이다. (가)~(다)는 각각 배설계, 소화계, 순환계 중 하나이다.

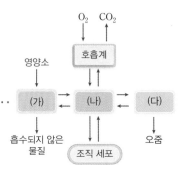

이에 대한 설명으로 옳은 것만을 〈보기〉에서 있는 대로 고른 것은?

┤ 보기 ├

ㄱ. (가)에서 이화 작용이 일어난다.

ㄴ. (나)는 순환계이다.

ㄷ. 대장은 (다)에 속한다.

① ㄱ   ② ㄷ   ③ ㄱ, ㄴ   ④ ㄴ, ㄷ   ⑤ ㄱ, ㄴ, ㄷ

■ **문항별 해설**   답 ③

ㄱ. (○) (가)는 소화계이다. 소화계에서는 크기가 큰 영양소가 크기가 작은 영양소로 분해되는 이화 작용이 일어난다.

ㄴ. (○) (나)는 호흡계, 소화계, 배설계 사이에서 혈액을 통해 물질을 전달하는 역할을 하는 순환계이다.

ㄷ. (×) 대장은 소화계에 포함되는 기관이므로 (가)에 속한다. (다)는 배설계이다.

배경 지식

소화계를 통해 흡수된 영양소와 호흡계를 통해 흡수된 산소는 순환계에 의해 각 조직 세포로 전달되어 세포 호흡에 이용된다. 이 과정에서 에너지가 생성되고 노폐물이 발생한다. 노폐물은 순환계에 의해 배설계, 호흡계로 운반되어 몸 밖으로 나가게 된다.

■ **오류 피하기**

⋯➤ 대장을 통해 대변이 나오므로 대장을 배설계라고 오해할 수 있다. 하지만 대변은 섭취한 음식물 중 소화·흡수되지 못한 찌꺼기가 몸 밖으로 배출되는 것으로, 체내에서 발생한 노폐물이 나가는 배설과는 관련이 없다.

기출 문제

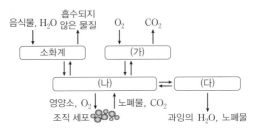

정답과 해설 **9**쪽

033 그림은 체내에서 일어나는 물질의 이동 과정을 나타낸 것이다. (가)~(다)는 각각 배설계, 소화계, 순환계 중 하나이다.

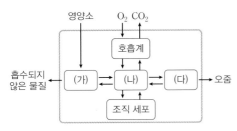

이에 대한 설명으로 옳은 것만을 〈보기〉에서 있는 대로 고른 것은?

‖ 보기 ‖
ㄱ. (가)에서 영양소의 소화와 흡수가 일어난다.
ㄴ. (나)는 조직 세포로 O_2를 운반한다.
ㄷ. (다)는 배설계이다.

① ㄱ   ② ㄷ   ③ ㄱ, ㄴ
④ ㄴ, ㄷ   ⑤ ㄱ, ㄴ, ㄷ

034 그림은 정상인이 단백질을 섭취하였을 때 일어나는 체내 기관계의 통합적 작용을 나타낸 것이다. (가)~(다)는 각각 호흡계, 배설계, 소화계 중 하나이다.

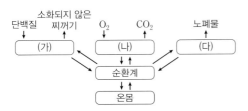

이에 대한 설명으로 옳은 것만을 〈보기〉에서 있는 대로 고른 것은?

‖ 보기 ‖
ㄱ. (가)에서 아미노산이 흡수된다.
ㄴ. (나)는 영양소와 산소를 조직 세포로 운반한다.
ㄷ. (다)에서 배설되는 노폐물에는 요소가 포함되어 있다.

① ㄱ   ② ㄴ   ③ ㄷ
④ ㄱ, ㄷ   ⑤ ㄴ, ㄷ

035 그림은 동물의 여러 기관계에서 일어나는 물질의 이동 과정을 나타낸 것이다. (가)~(다)는 순환계, 호흡계, 배설계를 순서 없이 나타낸 것이다.

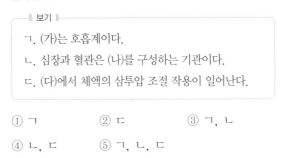

이에 대한 설명으로 옳은 것만을 〈보기〉에서 있는 대로 고른 것은?

‖ 보기 ‖
ㄱ. (가)는 호흡계이다.
ㄴ. 심장과 혈관은 (나)를 구성하는 기관이다.
ㄷ. (다)에서 체액의 삼투압 조절 작용이 일어난다.

① ㄱ   ② ㄷ   ③ ㄱ, ㄴ
④ ㄴ, ㄷ   ⑤ ㄱ, ㄴ, ㄷ

036 그림은 조직 세포에서 에너지를 얻는 데 관여하는 기관계의 통합적 작용을 나타낸 것이다. (가)~(다)는 각각 배설계, 소화계, 호흡계 중 하나이다.

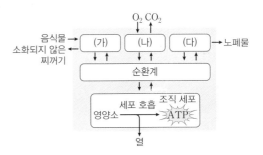

이에 대한 설명으로 옳은 것만을 〈보기〉에서 있는 대로 고른 것은?

‖ 보기 ‖
ㄱ. (가)에서 흡수되지 않은 물질은 (다)를 통해 배출된다.
ㄴ. (나)에서 흡수된 O_2는 순환계를 통해 운반되어 조직 세포로 확산된다.
ㄷ. 세포 호흡 시 영양소에서 방출된 에너지는 모두 ATP에 저장된다.

① ㄱ   ② ㄴ   ③ ㄷ
④ ㄱ, ㄷ   ⑤ ㄴ, ㄷ

기출 분석

10 유형

활동 전위

분극

탈분극

Na^+

K^+

문제 분석

활동 전위의 발생: 그래프는 활동 전위가 한 번 발생할 때 뉴런의 한 지점에서의 막전위 변화를 나타낸다. t_1 시기는 분극 상태를 나타내며, t_2 시기는 역치 이상의 자극이 주어져 막전위가 상승하는 탈분극 상태를 나타낸다.

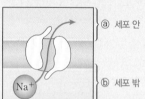

ⓐ 세포 안

ⓑ 세포 밖

탈분극 시기에는 Na^+의 막 투과도가 상승하여 세포 밖에서 안으로 Na^+이 이동한다. t_3 시기는 재분극이 일어나는 시기로, Na^+ 통로는 닫히고 K^+ 통로가 열려 세포 내부에서 외부로 K^+이 이동해 다시 막전위가 하강한다.

배경 지식

뉴런의 세포막에 있는 $Na^+ - K^+$ 펌프는 ATP를 소비하여 Na^+은 세포 밖으로, K^+은 세포 안으로 이동시켜 뉴런의 내부는 외부보다 K^+ 농도가 높고, Na^+ 농도는 낮다.

자극을 받은 뉴런의 세포막에서 일어나는 막전위의 변화를 흥분이라고 하는데, 이 과정에서 K^+과 Na^+의 막 투과도가 변하게 된다.

뉴런에서 활동 전위가 발생하는 과정에서 이온의 이동을 정확히 알고 있는지 묻는 유형이다.

활동 전위 과정을 분극, 탈분극, 재분극으로 나누어서 이해하고, 각 과정에서 이온 이동을 정리하도록 한다.

그림 (가)는 어떤 신경 세포에 역치 이상의 자극을 1회 주었을 때 이 신경 세포 한 지점 P에서의 막전위 변화를, (나)는 P에서 Na^+ 통로를 통한 Na^+의 이동을 나타낸 것이다.

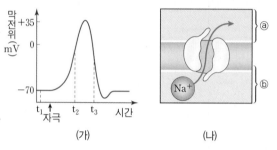

(가)   (나)

이에 대한 설명으로 옳은 것만을 〈보기〉에서 있는 대로 고른 것은?

┃ 보기 ┃

ㄱ. t_1일 때 분극 상태이다.

ㄴ. t_2일 때 (나)가 일어난다.

ㄷ. t_3일 때 K^+의 농도는 ⓐ에서보다 ⓑ에서가 높다.

① ㄱ   ② ㄷ   ③ ㄱ, ㄴ   ④ ㄴ, ㄷ   ⑤ ㄱ, ㄴ, ㄷ

■ **문항별 해설**   답 ③

ㄱ. (○) t_1 시기는 휴지 전위가 유지되는 분극 상태이다.

ㄴ. (○) t_2 시기는 탈분극이 일어나 막전위가 상승하는 시기로, Na^+ 통로를 통해 Na^+이 세포 밖에서 안으로 이동한다. 따라서 ⓐ는 세포 안, ⓑ는 세포 밖임을 알 수 있다.

ㄷ. (×) K^+ 농도는 항상 세포 내부가 세포 외부보다 높다.

■ **오류 피하기**

⋯ t_3 시기에 K^+이 세포 안에서 세포 밖으로 이동하지만, 전체 K^+의 양에 비해 매우 적은 양만이 이동하므로 세포 안팎의 K^+의 농도는 거의 변하지 않는다.

기출 문제

정답과 해설 **9**쪽

037 그림은 신경 세포의 한 지점 X에서 측정한 막전위 변화와, 두 시점 t_1과 t_2일 때 X에서 A와 B를 통한 이온의 이동을 나타낸 것이다. A와 B는 각각 Na^+ 통로와 K^+ 통로 중 하나이다.

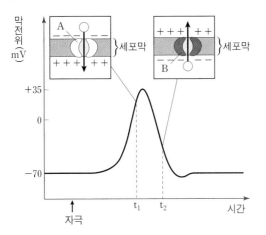

이에 대한 설명으로 옳은 것만을 〈보기〉에서 있는 대로 고른 것은?

| 보기 |
ㄱ. A는 Na^+ 통로이다.
ㄴ. B를 통한 이온의 이동에는 ATP가 이용된다.
ㄷ. t_1과 t_2일 때 모두 K^+의 농도는 막 안쪽이 바깥쪽보다 높다.

① ㄱ   ② ㄴ   ③ ㄱ, ㄷ
④ ㄴ, ㄷ   ⑤ ㄱ, ㄴ, ㄷ

038 그림 (가)는 말이집 신경의 어떤 부위에 역치 이상의 자극을 1회 준 후 이 신경의 세 지점 A~C 중 한 곳에서의 막전위 변화를, (나)는 (가)의 t_1일 때 A~C에서 막의 통로를 통한 이온의 이동 상태를 나타낸 것이다.

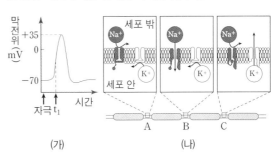

이에 대한 설명으로 옳은 것만을 〈보기〉에서 있는 대로 고른 것은? (단, 자극을 준 지점에서 활동 전위는 1회만 발생하였다.)

| 보기 |
ㄱ. (가)는 B에서의 막전위 변화이다.
ㄴ. 흥분의 전도는 A에서 C 방향으로 진행된다.
ㄷ. (나)의 C에서 Na^+의 농도는 세포막 바깥쪽보다 안쪽이 높다.

① ㄱ   ② ㄷ   ③ ㄱ, ㄴ
④ ㄴ, ㄷ   ⑤ ㄱ, ㄴ, ㄷ

039 그림 (가)는 어떤 뉴런에 역치 이상의 자극을 주었을 때 이 뉴런의 축삭 돌기 한 지점에서 측정한 막전위 변화를, (나)는 t_1일 때 이 지점에서 Na^+ 통로를 통한 Na^+의 확산을 나타낸 것이다. ㉠과 ㉡은 각각 세포 안과 세포 밖 중 하나이다.

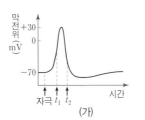 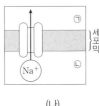

이에 대한 설명으로 옳은 것만을 〈보기〉에서 있는 대로 고른 것은?

| 보기 |
ㄱ. Na^+의 막 투과도는 t_1일 때가 t_2일 때보다 크다.
ㄴ. t_2일 때 K^+은 K^+ 통로를 통해 ㉠에서 ㉡으로 확산된다.
ㄷ. t_2일 때 이온의 $\dfrac{㉡에서의 농도}{㉠에서의 농도}$ 는 K^+이 Na^+보다 크다.

① ㄱ   ② ㄷ   ③ ㄱ, ㄴ
④ ㄴ, ㄷ   ⑤ ㄱ, ㄴ, ㄷ

? **출제 의도**

흥분의 전도 과정과 아울러 시냅스에서의 흥분의 전달 방향을 알고 있는지 묻는 유형이다.

∞ 이렇게 대비하자!

뉴런 사이에서의 흥분의 전달은 축삭 돌기에서 가지 돌기 방향으로만 가능하다는 사실을 정리하도록 한다.

■ **연관 기출 문제   키워드**

흥분의 전달
시냅스
축삭 돌기

문제 분석

흥분의 전달과 활동 전위의 발생: 뉴런 사이에서의 흥분의 전달은 축삭 돌기 말단에서 가지 돌기 방향으로만 일어난다.

가장 빨리 활동 전위를 보이는 Ⅰ이 자극을 받은 B 뉴런의 막전위 변화이고, 흥분의 전달 과정을 거쳐 늦게 활동 전위가 나타나는 Ⅱ가 C 뉴런의 막전위 변화를 나타낸다. A는 흥분을 전달받지 못하므로 활동 전위가 일어나지 않는 Ⅲ에 해당된다.

그림 (가)는 3개의 뉴런이 연결된 모습을, (나)의 Ⅰ~Ⅲ은 (가)의 지점 ㉠에 역치 이상의 자극을 1회 준 후 지점 A, B, C에서 일어나는 막전위의 변화를 순서 없이 나타낸 것이다.

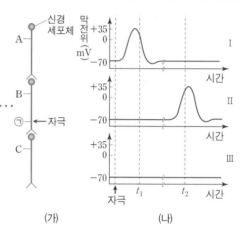

(가)   (나)

이에 대한 설명으로 옳은 것만을 〈보기〉에서 있는 대로 고른 것은? (단, ㉠으로부터 B와 C까지의 거리는 서로 동일하다.)

┃ 보기 ┃

ㄱ. A에서의 막전위 변화는 Ⅲ이다.
ㄴ. t_1 시점에 B에서 K^+이 세포 안에서 밖으로 확산된다.
ㄷ. t_2 시점에 C는 분극 상태이다.

① ㄱ   ② ㄴ   ③ ㄷ   ④ ㄱ, ㄴ   ⑤ ㄱ, ㄷ

■ **문항별 해설**   답 ④

ㄱ. (◯) A는 흥분을 전달받지 못한다. 따라서 활동 전위가 발생하지 않는 Ⅲ의 그래프가 해당한다.

ㄴ. (◯) B의 그래프는 Ⅰ이고, t_1 시기는 재분극 상태라는 것을 알 수 있다. 재분극 시기에는 K^+ 통로를 통해 세포 안에서 밖으로 K^+이 이동한다.

ㄷ. (✕) 늦게 활동 전위가 발생하는 Ⅱ 그래프가 흥분을 전달받아 활동 전위가 발생하는 C의 막전위 변화에 해당한다. 따라서 t_2 시기는 탈분극 상태임을 알 수 있다.

🖥 배경 지식

축삭 돌기 말단으로 흥분이 전도되면 신경 전달 물질을 담고 있는 시냅스 소포가 세포막과 융합하여 시냅스 소포에 들어 있는 아세틸콜린과 같은 신경 전달 물질이 시냅스 틈으로 분비된다. 이 신경 전달 물질이 확산되어 다음 뉴런의 세포막을 자극하면 다음 뉴런에서 활동 전위가 발생한다.

■ **오류 피하기**

⋯▸ 막전위 변화 그래프에서 막전위가 상승하는 구간은 탈분극 상태이고, 다시 떨어지는 구간은 재분극 상태를 나타낸다. 탈분극 시에는 Na^+이 세포 밖에서 안으로, 재분극 시에는 K^+이 세포 안에서 밖으로 이동한다.

기출 문제

정답과 해설 **10**쪽

---

040 그림 (가)는 두 개의 뉴런이 연결되어 있는 구조를, (나)는 (가)의 B 지점에 자극 ㉠을 준 후 C 지점에서의 막전위 변화를 나타낸 것이다.

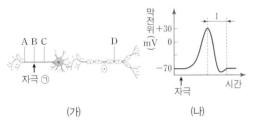

(가)　　　　　　(나)

이에 대한 설명으로 옳은 것만을 〈보기〉에서 있는 대로 고른 것은?

보기
ㄱ. B에 준 자극 ㉠에 의한 흥분은 A로 전도된다.
ㄴ. B에 자극 ㉠을 준 후 D에서 활동 전위가 나타난다.
ㄷ. 구간 I에서 K^+의 유출에 ATP가 사용된다.

① ㄱ　　② ㄴ　　③ ㄱ, ㄴ ④ ㄱ, ㄷ ⑤ ㄴ, ㄷ

---

041 그림은 시냅스로 연결된 두 뉴런을, 표는 이 뉴런의 지점 P와 Q에 역치 이상의 자극을 각각 1회씩 준 후 지점 ㉠~㉢에서 활동 전위 발생 여부를 나타낸 것이다. ㉠~㉢은 지점 A~C를 순서 없이 나타낸 것이다.

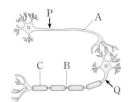

자극 위치	활동 전위 발생 여부		
	㉠	㉡	㉢
P	○	○	×
Q	○	×	×

(○: 발생함, ×: 발생 안 함)

이에 대한 설명으로 옳은 것만을 〈보기〉에서 있는 대로 고른 것은?

보기
ㄱ. 시냅스 전 뉴런은 말이집 신경이다.
ㄴ. ㉠은 A이다.
ㄷ. 분극 상태인 B에서 Na^+의 농도는 세포 안보다 세포 밖이 높다.

① ㄱ　　② ㄴ　　③ ㄷ　　④ ㄱ, ㄴ ⑤ ㄴ, ㄷ

---

042 그림 (가)는 신경 A와 B를, (나)는 (가)의 P 지점에 역치 이상의 자극을 동시에 1회씩 준 후, Q 지점에서의 막전위 변화를 나타낸 것이다. (나)의 ㉠과 ㉡은 각각 A와 B의 막전위 변화 중 하나이다.

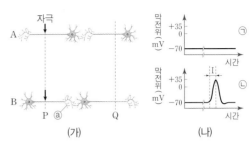

(가)　　　　　　(나)

이에 대한 설명으로 옳은 것만을 〈보기〉에서 있는 대로 고른 것은?

보기
ㄱ. A의 막전위 변화는 ㉡이다.
ㄴ. P 지점에 역치 이상의 자극을 주면 ⓐ에서 신경 전달 물질이 분비된다.
ㄷ. 구간 I에서 Na^+이 세포 밖에서 안으로 이동한다.

① ㄱ　　　② ㄴ　　　③ ㄷ
④ ㄱ, ㄴ　　⑤ ㄴ, ㄷ

---

043 그림은 인접한 두 뉴런을, 그래프는 뉴런의 B 지점에 세기가 다른 자극 I~III을 동일한 시간 동안 각 1회씩 주었을 때 C 지점에서의 막전위 변화를 나타낸 것이다.

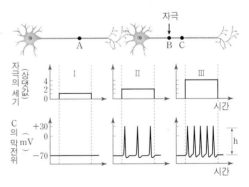

이에 대한 설명으로 옳은 것만을 〈보기〉에서 있는 대로 고른 것은?

보기
ㄱ. 자극 I의 세기는 역치보다 작다.
ㄴ. 자극 II를 주었을 때 A 지점에서 활동 전위가 발생한다.
ㄷ. 자극 III보다 세기가 큰 자극을 주면 h값이 커진다.

① ㄱ　　　② ㄴ　　　③ ㄱ, ㄷ
④ ㄴ, ㄷ　　⑤ ㄱ, ㄴ, ㄷ

기출 분석

12 유형

■ 연관 기출 문제   키워드

근육 원섬유

A대

H대

액틴 필라멘트

문제 분석

근육 원섬유의 구조: 골격근을 이루는 근육 원섬유는 굵은 마이오신 필라멘트와 가는 액틴 필라멘트로 구성된다. 마이오신 필라멘트가 있는 부분은 어두운 색을 나타내 암대(A대), 액틴 필라멘트로만 있는 부분은 상대적으로 밝은 색을 나타내 명대(I대)라고 한다.

❓ 출제 의도

골격근의 기본 단위가 되는 근육 원섬유 마디의 구조와 수축할 때의 변화를 알고 있는지 묻는 유형이다.

🐛 이렇게 대비하자 !

근육 원섬유 마디를 이루는 액틴 필라멘트, 마이오신 필라멘트 구조와 A대, I대, H대의 위치를 정리하도록 한다.

그림은 골격근의 근육 섬유와 근육 원섬유의 구조를 나타낸 것이다.

근육 섬유   근육 원섬유

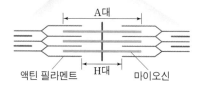

A대

액틴 필라멘트   H대   마이오신

이에 대한 설명으로 옳은 것만을 〈보기〉에서 있는 대로 고른 것은?

┤ 보기 ┠

ㄱ. 하나의 근육 섬유는 여러 개의 근육 원섬유로 이루어져 있다.

ㄴ. A대는 명대이다.

ㄷ. 골격근이 수축하면 H대의 길이는 늘어난다.

① ㄱ   ② ㄴ   ③ ㄱ, ㄷ   ④ ㄴ, ㄷ   ⑤ ㄱ, ㄴ, ㄷ

■ **문항별 해설**   답 ①

ㄱ. (○) 골격근(근육)은 여러 개의 근육 섬유 다발로 이루어지고, 하나의 근육 섬유 다발은 여러 근육 섬유로, 하나의 근육 섬유는 여러 근육 원섬유로 이루어진다.

ㄴ. (✕) A대는 마이오신 필라멘트로 이루어진 부분으로 암대이다.

ㄷ. (✕) 골격근이 수축할 때에는 액틴 필라멘트가 마이오신 필라멘트 사이로 미끄러져 들어가면서 두 필라멘트가 겹치는 부분이 늘어난다. 그 결과 H대의 길이는 감소한다.

🖥️ 배경 지식

- Z선: '사이'를 뜻하는 독일어 Zwishen에서 유래
- I대: 빛이 골고루 반사된다는 뜻의 영어 Isotropic에서 유래
- A대: 빛이 불규칙하게 반사된다는 뜻의 영어 Anisotropic에서 유래
- H대: '맑은'을 뜻하는 독일어 Helles에서 유래

■ **오류 피하기**

⋯ 골격근이 수축할 때에는 ATP가 소비되면서 액틴 필라멘트가 마이오신 필라멘트 사이로 미끄러져 들어가게 된다. 그 과정에서 마이오신 필라멘트와 액틴 필라멘트가 겹치는 부분은 늘어나게 되고, 마이오신 필라멘트로만 이루어진 부분(H대)의 길이는 감소하게 된다.

기출 문제

정답과 해설 **11**쪽

044 그림은 근육 원섬유의 구조를 나타낸 것이다.

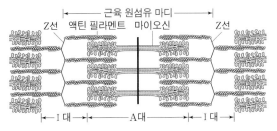

이에 대한 설명으로 옳은 것만을 〈보기〉에서 있는 대로 고른 것은?

| 보기 |

ㄱ. 근육이 이완하면 A대의 길이가 길어진다.

ㄴ. 근육이 수축하면 액틴 필라멘트의 길이가 짧아진다.

ㄷ. 근육이 수축하면 근육 원섬유 마디의 길이가 짧아진다.

① ㄱ   ② ㄴ   ③ ㄷ

④ ㄱ, ㄴ   ⑤ ㄴ, ㄷ

045 그림은 수축 상태인 골격근의 구조를 나타낸 것이다. ㉠과 ㉡은 각각 I대와 A대 중 하나이다.

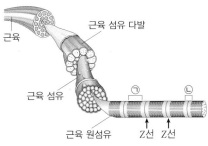

이에 대한 설명으로 옳은 것만을 〈보기〉에서 있는 대로 고른 것은?

| 보기 |

ㄱ. 골격근이 이완하면 ㉠의 길이는 길어진다.

ㄴ. ㉡에는 액틴 필라멘트가 있다.

ㄷ. 골격근의 근육 섬유는 다핵 세포이다.

① ㄱ   ② ㄴ   ③ ㄷ

④ ㄱ, ㄷ   ⑤ ㄴ, ㄷ

046 그림은 근육이 수축할 때와 이완할 때 근육 원섬유 마디의 변화를 나타낸 것이다.

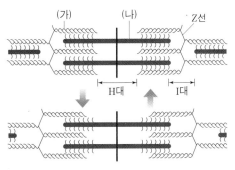

이에 대한 설명으로 옳은 것만을 〈보기〉에서 있는 대로 고른 것은?

| 보기 |

ㄱ. (가)는 마이오신이다.

ㄴ. 근육이 수축할 때 (가)와 (나)가 겹치는 부분이 증가한다.

ㄷ. 근육이 이완할 때 I대의 길이가 길어진다.

① ㄱ   ② ㄷ   ③ ㄱ, ㄴ

④ ㄴ, ㄷ   ⑤ ㄱ, ㄴ, ㄷ

047 그림 (가)는 팔을 구부렸을 때와 폈을 때를, (나)는 근육 ㉠의 근육 원섬유를 나타낸 것이다.

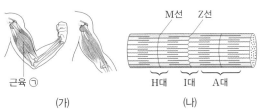

이에 대한 설명으로 옳은 것만을 〈보기〉에서 있는 대로 고른 것은?

| 보기 |

ㄱ. 근육 ㉠의 길이는 팔을 구부렸을 때가 폈을 때보다 짧다.

ㄴ. 팔을 구부리는 동안 (나)의 액틴 필라멘트 길이는 짧아진다.

ㄷ. (나)의 H대 길이는 팔을 구부렸을 때와 폈을 때가 동일하다.

① ㄱ   ② ㄴ   ③ ㄱ, ㄴ

④ ㄱ, ㄷ   ⑤ ㄴ, ㄷ

기출 분석

13 유형

■ 연관 기출 문제 키워드

\# 근육 원섬유

\# A대

\# H대

\# 액틴 필라멘트

문제 분석

활주가 일어날 때 근육 원섬유의 길이 변화: 활주가 일어날 때 액틴 필라멘트가 마이오신 필라멘트 사이로 들어가면서 H대의 길이는 짧아지고, 마이오신 필라멘트와 액틴 필라멘트가 겹치는 부분은 늘어난다.

출제 의도

근육이 수축할 때 액틴 필라멘트가 마이오신 필라멘트 사이로 들어가는 구조 변화를 알고 있는지 묻는 유형이다.

이렇게 대비하자!

근육이 수축할 때는 I대와 H대의 길이는 줄어들고, 두 필라멘트가 겹치는 부분은 늘어난다는 것을 정리하도록 한다.

그림은 근육 원섬유 마디 X의 구조를, 표는 근육 수축 시와 이완 시 X의 길이, H대의 길이, A대의 길이를 나타낸 것이다. X는 좌우 대칭이고, ㉠은 X에서 액틴 필라멘트와 마이오신 필라멘트가 겹치는 두 구간 중 한 구간이다.

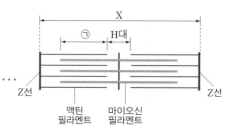

구분	길이(μm)		
	X	H대	A대
수축 시	ⓐ	0.2	1.6
이완 시	2.4	0.4	ⓑ

이에 대한 설명으로 옳은 것만을 〈보기〉에서 있는 대로 고른 것은?

┤ 보기 ├

ㄱ. ⓐ - ⓑ = 0.6 μm이다.

ㄴ. ㉠의 길이는 수축 시보다 이완 시에 짧다.

ㄷ. 액틴 필라멘트의 길이는 수축 시보다 이완 시에 길다.

① ㄱ   ② ㄴ   ③ ㄱ, ㄴ   ④ ㄱ, ㄷ   ⑤ ㄴ, ㄷ

■ 문항별 해설   답 ③

ㄱ. (○) ⓑ는 마이오신 필라멘트 부분으로, 수축 시와 이완 시에 길이가 변하지 않으므로 1.6 μm이다. 수축 시에는 이완 시보다 H대의 길이가 0.2 μm 줄어들었으므로, ⓐ의 길이는 2.4 - 0.2 = 2.2(μm)이다. 따라서 ⓐ - ⓑ = 2.2 - 1.6 = 0.6(μm)이다.

ㄴ. (○) ㉠은 마이오신 필라멘트와 액틴 필라멘트가 겹치는 부분으로, 수축 시에 늘어나고 이완 시에 줄어든다.

ㄷ. (×) 액틴 필라멘트와 마이오신 필라멘트의 자체 길이는 이완 시나 수축 시에 변하지 않는다.

배경 지식

근육 수축 과정에서 액틴 필라멘트가 마이오신 필라멘트 사이로 미끄러져 들어가는 현상을 활주라고 한다. 활주가 일어나면 H대의 길이는 짧아지지만, 마이오신 필라멘트(A대)와 액틴 필라멘트 자체의 길이는 변하지 않는다.

■ 오류 피하기

⋯▸ 액틴 필라멘트와 마이오신 필라멘트는 수축과 이완 시에 길이가 변하지 않는다.

048 그림은 골격근을 구성하는 근육 원섬유 마디 X의 구조를, 표는 골격근이 수축하는 과정에서 두 시점 (가)와 (나)일 때 X의 H대와 A대의 길이를 나타낸 것이다. @는 ⊙만 있는 부분이다.

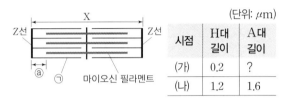

(단위: μm)

시점	H대 길이	A대 길이
(가)	0.2	?
(나)	1.2	1.6

이에 대한 설명으로 옳은 것만을 〈보기〉에서 있는 대로 고른 것은?

┤ 보기 ├

ㄱ. ⊙은 액틴 필라멘트이다.

ㄴ. (가)일 때 A대의 길이는 1.6 μm이다.

ㄷ. @의 길이는 (가)일 때보다 (나)일 때가 길다.

① ㄱ   ② ㄷ   ③ ㄱ, ㄴ

④ ㄴ, ㄷ   ⑤ ㄱ, ㄴ, ㄷ

049 그림은 골격근을 구성하는 근육 원섬유 마디 X의 구조를, 표는 X가 이완했을 때와 수축했을 때 ⊙과 ⓒ의 길이를 나타낸 것이다. ⊙과 ⓒ은 각각 A대와 H대 중 하나이다.

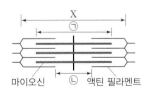

구분	길이(μm)	
	⊙	ⓒ
이완	1.6	0.8
수축	?	0.4

이에 대한 설명으로 옳은 것만을 〈보기〉에서 있는 대로 고른 것은?

┤ 보기 ├

ㄱ. ⓒ은 A대이다.

ㄴ. X가 수축했을 때 ⊙의 길이는 1.6 μm이다.

ㄷ. X가 수축할 때 ATP가 소모된다.

① ㄱ   ② ㄷ   ③ ㄱ, ㄴ

④ ㄴ, ㄷ   ⑤ ㄱ, ㄴ, ㄷ

050 그림은 근육 원섬유 마디 X의 구조를, 표는 두 시점 t_1과 t_2일 때 X와 ⊙의 길이를 나타낸 것이다. X는 좌우 대칭이며, ⊙은 액틴 필라멘트와 마이오신 필라멘트가 겹치는 부분이고, ⓒ은 액틴 필라멘트만 있는 부분이다.

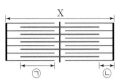

시점	X	⊙
t_1	2.2 μm	0.7 μm
t_2	?	0.4 μm

이에 대한 설명으로 옳은 것만을 〈보기〉에서 있는 대로 고른 것은?

┤ 보기 ├

ㄱ. t_2일 때 X의 길이는 2.8 μm이다.

ㄴ. H대의 길이는 t_2일 때가 t_1일 때보다 0.3 μm 더 길다.

ㄷ. 전자 현미경으로 관찰하면 ⊙이 ⓒ보다 밝게 보인다.

① ㄱ   ② ㄴ   ③ ㄷ

④ ㄱ, ㄴ   ⑤ ㄴ, ㄷ

051 다음은 골격근의 근육 원섬유 마디 X에 대한 자료이다.

- 그림은 X의 구조를 나타낸 것이다. X는 좌우 대칭이고, ⊙은 X에서 액틴 필라멘트와 마이오신 필라멘트가 겹치는 두 구간 중 한 구간이다.

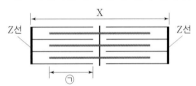

- t_1일 때 X의 길이는 3.2 μm이고, ⊙의 길이는 0.2 μm이다.

- t_2일 때 X에서 H대의 길이는 0.2 μm이고, ⊙의 길이는 0.7 μm이다.

이에 대한 설명으로 옳은 것만을 〈보기〉에서 있는 대로 고른 것은?

┤ 보기 ├

ㄱ. X가 수축할 때 ATP가 소모된다.

ㄴ. t_1일 때 X에서 마이오신 필라멘트의 길이는 1.6 μm이다.

ㄷ. t_2일 때 X의 길이는 2.2 μm이다.

① ㄱ   ② ㄷ   ③ ㄱ, ㄴ

④ ㄴ, ㄷ   ⑤ ㄱ, ㄴ, ㄷ

기출 분석

14 유형

■ 연관 기출 문제　키워드

\# 근육 원섬유

\# 마이오신 필라멘트

\# 액틴 필라멘트

출제 의도

활주가 일어날 때 액틴 필라멘트가 마이오신 필라멘트 사이로 들어가는 구조 변화를 알고 있는지 묻는 유형이다.

이렇게 대비하자!

근육 원섬유 마디의 단면 모식도에 굵은 부분은 마이오신 필라멘트, 가는 부분은 액틴 필라멘트를 나타냄을 정리하도록 한다.

문제 분석

근육 섬유 마디 단면: (가)에서 X는 근육 섬유 마디의 전체 길이를 나타내며, 근육이 수축하면 줄어들고 이완하면 늘어난다.

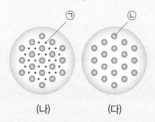

(나)에서 ㉠은 상대적으로 가느다란 액틴 필라멘트, (다)에서 ㉡은 굵은 마이오신 필라멘트를 나타낸다.

그림 (가)는 골격근을 구성하는 근육 원섬유 마디 X가 수축된 상태를, (나)와 (다)는 X의 서로 다른 두 지점에서 관찰되는 단면을 각각 나타낸 것이다. ㉠과 ㉡은 각각 마이오신 필라멘트와 액틴 필라멘트 중 하나이다.

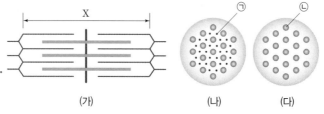

이에 대한 설명으로 옳은 것만을 〈보기〉에서 있는 대로 고른 것은?

┤ 보기 ├

ㄱ. ㉡은 마이오신 필라멘트이다.

ㄴ. (나)는 (가)의 H대에서 관찰되는 단면이다.

ㄷ. X가 이완되면 A대의 길이는 짧아진다.

① ㄱ　　② ㄴ　　③ ㄷ　　④ ㄱ, ㄴ　　⑤ ㄱ, ㄴ, ㄷ

■ 문항별 해설　　　　답 ①

ㄱ. (○) 근육 원섬유 마디의 단면에서 상대적으로 굵게 표현되는 부분은 마이오신 필라멘트, 가늘게 표현되는 부분은 액틴 필라멘트를 나타낸다.

ㄴ. (×) (나)는 액틴 필라멘트와 마이오신 필라멘트가 모두 보이므로, (가)에서 A대 중 H대를 제외한 나머지 부분의 단면이다.

ㄷ. (×) 마이오신 필라멘트 부분인 A대는 수축과 이완 시 길이가 변하지 않는다.

배경 지식

골격근은 여러 근육 원섬유 다발로 이루어지고, 하나의 근육 원섬유 다발은 여러 근육 원섬유로 이루어진다. 근육 원섬유에는 굵은 마이오신 필라멘트와 가느다란 액틴 필라멘트가 있다. 마이오신 필라멘트 일부와 액틴 필라멘트 일부는 서로 겹쳐 있어 근육 원섬유를 전자 현미경으로 관찰하면 밝고 어두운 띠가 연속적으로 나타난다.

■ 오류 피하기

⋯ H대의 단면은 마이오신 필라멘트만 있는 모습으로 표현되고, I대의 단면은 액틴 필라멘트만 있는 모습으로 표현된다. A대 중 H대를 제외한 부분의 단면은 마이오신 필라멘트와 액틴 필라멘트가 모두 있는 모습으로 표현된다.

기출 문제

정답과 해설 13쪽

---

052 그림 (가)는 근육 원섬유 마디 X가 이완된 상태를, (나)의 A∼C는 X의 서로 다른 세 지점에서 ⓐ 방향으로 자른 단면을 나타낸 것이다. ㉠과 ㉡은 각각 액틴 필라멘트와 마이오신 필라멘트 중 하나이다.

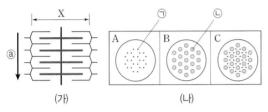

이에 대한 설명으로 옳은 것만을 〈보기〉에서 있는 대로 고른 것은?

> **보기**
> ㄱ. ㉠은 액틴 필라멘트이다.
> ㄴ. C는 I대의 단면에 해당한다.
> ㄷ. X의 $\dfrac{\text{H대 길이}}{\text{A대 길이}}$는 (가)에서보다 X가 수축된 상태에서 작다.

① ㄱ ② ㄷ ③ ㄱ, ㄴ ④ ㄱ, ㄷ ⑤ ㄴ, ㄷ

---

053 그림 (가)는 골격근의 구조를, (나)는 이 근육에 포함된 근육 원섬유의 서로 다른 세 지점의 단면 A∼C를 나타낸 것이다. ㉠과 ㉡은 각각 액틴 필라멘트와 마이오신 중 하나이다.

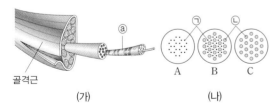

이에 대한 설명으로 옳은 것만을 〈보기〉에서 있는 대로 고른 것은?

> **보기**
> ㄱ. ⓐ는 근육 섬유이다.
> ㄴ. ㉠은 마이오신이다.
> ㄷ. I대의 단면은 C에 해당한다.

① ㄱ ② ㄴ ③ ㄷ ④ ㄱ, ㄴ ⑤ ㄴ, ㄷ

---

054 표 (가)는 근육 원섬유 마디 X의 서로 다른 세 지점의 단면 ㉠∼㉢에서 관찰되는 마이오신 필라멘트와 액틴 필라멘트의 분포를, (나)는 근육 이완 시와 수축 시 X의 길이, H대의 길이, A대의 길이를 나타낸 것이다. X는 좌우 대칭이다.

	㉠	㉡	㉢
(가)			

	구분	X의 길이	H대의 길이	A대의 길이
(나)	이완 시	2.2 μm	0.2 μm	ⓐ
	수축 시	2.0 μm	ⓑ	1.6 μm

이에 대한 설명으로 옳은 것만을 〈보기〉에서 있는 대로 고른 것은?

> **보기**
> ㄱ. ㉠에서 관찰되는 필라멘트는 액틴 필라멘트이다.
> ㄴ. ㉡과 ㉢은 모두 A대에서 관찰되는 단면이다.
> ㄷ. ⓐ + ⓑ = 1.8 μm이다.

① ㄱ ② ㄴ ③ ㄷ
④ ㄱ, ㄴ ⑤ ㄱ, ㄷ

---

055 그림은 어떤 골격근을 구성하는 근육 원섬유 X의 한 지점의 단면에서 관찰되는 액틴 필라멘트와 마이오신 필라멘트의 분포를, 표는 X의 부위 ㉠∼㉢에 대한 설명을 나타낸 것이다.

- ㉠∼㉢은 각각 A대, H대, I대 중 하나이다.
- ㉠에는 마이오신 필라멘트가 없다.
- ㉢에는 그림과 같은 단면을 갖는 부분이 있다.

이에 대한 옳은 설명만을 〈보기〉에서 있는 대로 고른 것은?

> **보기**
> ㄱ. ㉠은 I대이다.
> ㄴ. 이완 상태의 X가 수축되면 ㉡의 길이는 짧아진다.
> ㄷ. 수축 상태의 X가 이완되면 ㉢에서 그림과 같은 단면을 갖는 부분의 길이는 길어진다.

① ㄴ ② ㄷ ③ ㄱ, ㄴ
④ ㄱ, ㄷ ⑤ ㄱ, ㄴ, ㄷ

기출 분석

15 유형

■ 연관 기출 문제 키워드

\# 척수

\# 감각 신경

\# 운동 신경

\# 전근

\# 후근

문제 분석 ·············

척수와 무조건 반사: 뇌와 함께 중추 신경계를 구성하는 척수는 온몸의 각 부분에서 나오는 신호를 뇌로 전달하고 뇌의 명령을 몸의 각 부위로 전달한다. 척추 마디마다 신경 다발이 좌우로 1쌍씩 분포하는데, 배 쪽으로는 운동 신경 다발(전근), 등 쪽으로는 감각 신경 다발(후근)이 분포한다.

? 출제 의도

척수 및 척수와 연결되어 있는 감각 신경과 운동 신경의 작용을 알고 있는지 묻는 유형이다.

이렇게 대비하자!

감각 신경과 운동 신경의 위치, 무조건 반사가 일어나는 경로 등을 정리하도록 한다.

그림은 무릎 반사가 일어나는 과정에서 흥분 전달 경로를 나타낸 것이다.

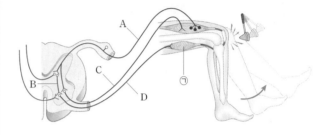

이에 대한 설명으로 옳은 것은?

① A는 후근을 구성한다.

② B는 운동 뉴런이다.

③ C는 자율 신경계에 속한다.

④ 무릎 반사 경로는 D → B → A이다.

⑤ 근육 ㉠이 수축하면 다리가 올라간다.

■ 문항별 해설   답 ①

❶ (○) A는 감각 뉴런으로 후근을 구성한다.

❷ (×) B는 척수를 구성하는 연합 뉴런이다.

❸ (×) C는 운동 신경으로 대뇌의 지배를 받는 체성 신경계에 속한다.

❹ (×) 무릎 반사 경로는 A → B → D 또는 A → C이다.

❺ (×) 근육 ㉠이 수축하면 다리는 내려간다.

 배경 지식

척수는 뇌와 일부 말초 신경을 연결해 주는 통로로 회피 반사, 무릎 반사, 배변, 배뇨 등의 반사를 담당한다. 척수 반사는 자극이 대뇌에 이르기 전에 무의식적으로 일어나는데, 이렇게 대뇌를 거치지 않고 무의식적으로 일어나는 반응을 무조건 반사라고 한다. 자극에 가장 빨리 반응하는 무조건 반사는 위험으로부터 몸을 보호하므로 생존과 밀접한 관련이 있다.

■ 오류 피하기

┈ 무조건 반사의 하나인 무릎 반사는 감각 신경에서 받은 정보가 대뇌를 거치지 않고 척수를 거쳐 바로 운동 신경으로 명령이 전달되는 것을 말한다. 따라서 무릎 반사의 경로는 그림 상에서 A → B → D 또는 A → C이다.

기출 문제

정답과 해설 **14**쪽

056 그림은 자극에 의한 반사가 일어나 근육 ⓐ가 수축할 때 흥분 전달 경로를 나타낸 것이다.

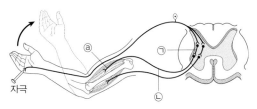

이에 대한 설명으로 옳은 것만을 〈보기〉에서 있는 대로 고른 것은?

〈보기〉

ㄱ. ㉠은 연합 뉴런이다.

ㄴ. ㉡의 신경 세포체는 척수의 회색질(회백질)에 존재한다.

ㄷ. ⓐ의 근육 원섬유 마디에서
$$\frac{A대의 \; 길이}{I대의 \; 길이 + H대의 \; 길이}$$ 가 작아진다.

① ㄱ   ② ㄷ   ③ ㄱ, ㄴ

④ ㄴ, ㄷ   ⑤ ㄱ, ㄴ, ㄷ

057 그림은 무릎 반사가 일어나는 과정에서 흥분 전달 경로를 나타낸 것이다.
이에 대한 설명으로 옳은 것만을 〈보기〉에서 있는 대로 고른 것은?

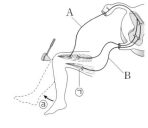

〈보기〉

ㄱ. A는 자율 신경계에 속한다.

ㄴ. B의 신경 세포체는 척수의 회색질(회백질)에 존재한다.

ㄷ. ⓐ가 일어나는 동안 ㉠의 근육 원섬유 마디에서 액틴 필라멘트의 길이는 길어진다.

① ㄱ   ② ㄴ   ③ ㄷ

④ ㄱ, ㄴ   ⑤ ㄴ, ㄷ

058 그림은 무릎 반사가 일어나는 과정에서 흥분 전달 경로를 나타낸 것이다.

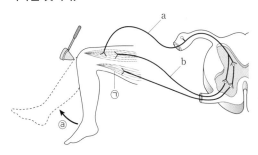

이에 대한 설명으로 옳은 것만을 〈보기〉에서 있는 대로 고른 것은?

〈보기〉

ㄱ. 신경 a의 축삭 돌기에서 $Na^+ - K^+$ 펌프를 통해 K^+이 세포 안으로 유입된다.

ㄴ. 신경 b에서 흥분의 이동은 도약 전도를 통해 일어난다.

ㄷ. ⓐ가 일어나는 동안 ㉠의 근육 원섬유 마디에서
$$\frac{A대의 \; 길이}{I대의 \; 길이}$$ 가 커진다.

① ㄱ   ② ㄷ   ③ ㄱ, ㄴ

④ ㄴ, ㄷ   ⑤ ㄱ, ㄴ, ㄷ

059 그림은 무릎 반사의 경로와 이에 관여하는 근육 원섬유의 구조를 나타낸 것이다.

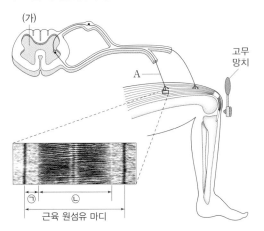

이에 대한 설명으로 옳은 것만을 〈보기〉에서 있는 대로 고른 것은?

〈보기〉

ㄱ. (가)는 척수이다.

ㄴ. 신경 A가 흥분하면 ㉠의 길이가 짧아진다.

ㄷ. ㉡에는 액틴 필라멘트만 존재한다.

① ㄱ   ② ㄷ   ③ ㄱ, ㄴ

④ ㄴ, ㄷ   ⑤ ㄱ, ㄴ, ㄷ

기출 분석

16 유형

❓ 출제 의도

자율 신경계를 구성하는 교감 신경과 부교감 신경의 작용을 이해하고 있는지 묻는 유형이다.

⚠️ 이렇게 대비하자!

신경절 이전 뉴런과 신경절 이후 뉴런의 길이를 보고 교감 신경과 부교감 신경을 구분하도록 한다.

■ 연관 기출 문제　키워드

\# 자율 신경계

\# 교감 신경

\# 부교감 신경

\# 신경절

\# 아세틸콜린

\# 노르에피네프린

문제 분석

체성 신경계와 자율 신경계: 신경 (가)는 신경절 이전 뉴런이 짧고 신경절 이후 뉴런이 길므로 교감 신경이다. 신경 (나)는 하나의 뉴런이며, 중간에 신경 세포체가 있으므로 구심성 신경인 감각 뉴런임을 알 수 있다. 신경 (다)는 신경절 이전 뉴런이 신경절 이후 뉴런보다 길므로 부교감 신경이다.

그림은 척수에 연결된 신경 (가)~(다)를 나타낸 것이다.

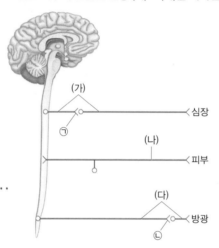

이에 대한 설명으로 옳은 것만을 〈보기〉에서 있는 대로 고른 것은? (단, (가)와 (다)는 자율 신경이다.)

┤ 보기 ├

ㄱ. (나)는 체성 신경이다.

ㄴ. ㉠과 ㉡에서 분비되는 신경 전달 물질은 서로 같다.

ㄷ. (다)가 흥분하면 방광이 이완된다.

① ㄱ　　　　② ㄴ　　　　③ ㄱ, ㄴ　　　　④ ㄱ, ㄷ　　　　⑤ ㄴ, ㄷ

🖥️ 배경 지식

자율 신경계는 대뇌의 직접적인 영향을 받지 않으며 뇌줄기와 척수에 연결되어 있다. 자율 신경계는 각종 내장 기관에 분포하여 주로 소화, 순환, 호흡, 호르몬 분비 등 생명 유지에 필수적인 기능을 조절하며, 원심성 신경만으로 구성되어 있다. 중추 신경계와 몸의 각 기관이 하나의 뉴런으로 연결된 체성 신경계와 달리 자율 신경계는 두 개의 뉴런으로 연결된다. 따라서 두 개의 뉴런은 내장 기관에 이르기 전에 신경절에서 시냅스를 형성한다.

■ 문항별 해설

답 ③

ㄱ. (○) (나) 신경은 신경절 없이 하나의 뉴런이 연결되어 있고, 신경 세포체가 축삭 돌기 중앙에 연결되어 있으므로 구심성 신경인 감각 뉴런이다. 감각 뉴런은 대뇌의 통제를 받는 체성 신경이다.

ㄴ. (○) 교감 신경과 부교감 신경 모두 신경절 이전 뉴런의 축삭 돌기 말단에서는 신경 전달 물질로 아세틸콜린이 분비된다.

ㄷ. (×) (다)는 신경절 이전 뉴런이 길고 신경절 이후 뉴런이 짧으므로 부교감 신경이다. 부교감 신경이 흥분하면 방광을 수축시키는 작용을 한다.

■ 오류 피하기

→ 각 장기에 길항적으로 작용하는 교감 신경과 부교감 신경의 기능을 구분하여 암기해야 한다. 부교감 신경은 방광 수축, 교감 신경은 방광 이완의 기능을 한다.

기출 문제

정답과 해설 **15쪽**

060 그림은 심장과 위에 연결된 자율 신경 (가)와 (나)를 나타낸 것이다.

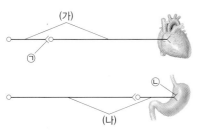

이에 대한 설명으로 옳은 것만을 〈보기〉에서 있는 대로 고른 것은?

┤ 보기 ├
ㄱ. (가)가 흥분하면 심장 박동이 빨라진다.
ㄴ. (나)는 말초 신경계에 속한다.
ㄷ. ㉠과 ㉡에서 분비되는 신경 전달 물질은 서로 같다.

① ㄱ   ② ㄴ   ③ ㄷ
④ ㄱ, ㄴ   ⑤ ㄱ, ㄴ, ㄷ

061 그림은 위에 연결된 자율 신경 (가)와 (나)를 나타낸 것이다.

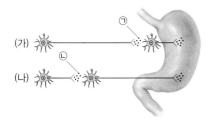

이에 대한 설명으로 옳은 것만을 〈보기〉에서 있는 대로 고른 것은?

┤ 보기 ├
ㄱ. (가)와 (나)는 말초 신경계에 포함된다.
ㄴ. (나)가 흥분하면 위액 분비가 억제된다.
ㄷ. ㉠과 ㉡은 아드레날린이다.

① ㄱ   ② ㄴ   ③ ㄷ
④ ㄱ, ㄴ   ⑤ ㄱ, ㄴ, ㄷ

062 그림은 신경계에 의한 심장 박동 조절 경로를 나타낸 것이다.

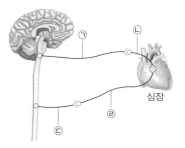

뉴런 ㉠~㉢에 대한 설명으로 옳은 것만을 〈보기〉에서 있는 대로 고른 것은?

┤ 보기 ├
ㄱ. ㉠의 신경 세포체는 척수에 있다.
ㄴ. ㉡이 흥분했을 때보다 ㉣이 흥분했을 때 심장 박동이 빠르다.
ㄷ. ㉢의 말단에서 분비되는 신경 전달 물질은 아드레날린(노르에피네프린)이다.

① ㄱ   ② ㄴ   ③ ㄷ
④ ㄱ, ㄴ   ⑤ ㄴ, ㄷ

063 그림은 사람에서 심장에 연결된 자율 신경 X와 Y를, 표는 X와 Y의 신경절 이전 뉴런의 신경 세포체 위치를 나타낸 것이다. X와 Y는 각각 교감 신경과 부교감 신경 중 하나이며, ㉠은 X의 신경절 이후 뉴런의 축삭 돌기 말단에서 분비되는 신경 전달 물질이다.

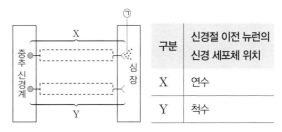

구분	신경절 이전 뉴런의 신경 세포체 위치
X	연수
Y	척수

이에 대한 설명으로 옳은 것만을 〈보기〉에서 있는 대로 고른 것은?

┤ 보기 ├
ㄱ. ㉠은 아세틸콜린이다.
ㄴ. X는 신경절 이후 뉴런보다 신경절 이전 뉴런이 짧다.
ㄷ. Y가 흥분하면 심장 박동이 느려진다.

① ㄱ   ② ㄴ   ③ ㄱ, ㄷ
④ ㄴ, ㄷ   ⑤ ㄱ, ㄴ, ㄷ

기출 분석

17 유형

? 출제 의도

음성 피드백에 의해 티록신 분비량이 조절되는 원리를 이해하고 있는지 묻는 유형이다.

이렇게 대비하자!

시상 하부, 뇌하수체 전엽, 갑상샘에 이르는 각 내분비 기관에서 분비되는 호르몬을 정리하도록 한다.

■ 연관 기출 문제 키워드

시상 하부

뇌하수체

티록신

문제 분석

티록신의 분비 조절: 우리 몸에 티록신의 양이 부족하면 시상 하부에서 TRH가 분비되어 뇌하수체 전엽을 자극하고, 이에 따라 뇌하수체 전엽에서 TSH가 분비되어 갑상샘에서 티록신이 분비된다. 반대로 티록신의 양이 많으면 티록신이 시상 하부와 뇌하수체 전엽의 활동을 억제하여 TRH와 TSH의 분비가 억제된다.

그림은 티록신의 분비 조절 과정을 나타낸 것이다.

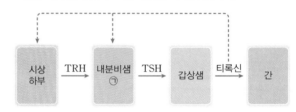

이에 대한 설명으로 옳은 것만을 〈보기〉에서 있는 대로 고른 것은?

┃ 보기 ┃
ㄱ. 내분비샘 ㉠은 뇌하수체 전엽이다.
ㄴ. 티록신은 간에서 물질대사를 촉진한다.
ㄷ. 티록신이 과다 분비되면 TSH의 분비가 촉진된다.

① ㄱ   ② ㄴ   ③ ㄷ   ④ ㄱ, ㄴ   ⑤ ㄱ, ㄴ, ㄷ

■ 문항별 해설   답 ④

ㄱ. (○) 시상 하부에서 분비되는 TRH(갑상샘 자극 호르몬 방출 호르몬)에 의해 자극되는 내분비샘 ㉠은 뇌하수체 전엽으로, TSH(갑상샘 자극 호르몬)을 분비한다.

ㄴ. (○) 갑상샘에서 분비되는 호르몬인 티록신은 간에 작용하여 물질대사를 촉진한다.

ㄷ. (✕) 호르몬의 분비는 대부분 음성 피드백 작용에 의해 조절된다. 즉, 반응의 결과가 지나치면 결과가 신호로 작용하여 그 원인을 억제하게 된다. 티록신이 과다 분비되면 티록신의 분비를 촉진하는 TRH, TSH의 분비가 억제된다.

배경 지식

티록신은 간을 비롯한 온몸의 세포에 전반적으로 작용하여 세포 호흡과 같은 물질대사를 촉진하는 작용을 한다. 티록신을 비롯한 대부분의 호르몬은 음성 피드백으로 조절되는데, 음성 피드백은 반응의 결과가 원인을 억제하는 현상으로 신체의 갑작스러운 변화를 막고 생리 작용이나 체액의 성분이 일정 범위에서 유지되도록 한다.

■ 오류 피하기

⋯ 음성 피드백의 원리를 잘 이해해야 한다. 피드백이란 어떤 반응의 결과가 처음의 원인에 영향을 미치는 것을 뜻한다. 그중 음성 피드백은 결과가 처음의 원인을 억제하여 일정한 수준이 유지되도록 하는 과정이다. 따라서 티록신이 과다 분비되면 TRH, TSH의 분비는 억제된다.

064 그림은 기관 (가)~(라)에 대한 호르몬 A~C의 분비 조절 과정을 나타낸 것이다.

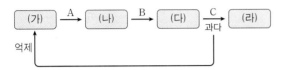

이에 대한 설명으로 옳은 것은?

① (가)가 제거되면 (나)에서 A가 분비된다.

② (다)는 C의 표적 기관이다.

③ (라)는 내분비샘이다.

④ B의 분비가 감소하면 C의 분비는 증가한다.

⑤ C가 과다하게 분비되면 A의 분비는 감소한다.

065 그림은 호르몬 A와 B의 분비 경로를 나타낸 것이다. A와 B는 각각 티록신, 에피네프린(아드레날린) 중 하나이다.

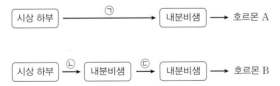

이에 대한 설명으로 옳은 것만을 〈보기〉에서 있는 대로 고른 것은?

┤ 보기 ├

ㄱ. A는 부신 겉질에서 분비된다.

ㄴ. ㉠ 과정은 신경, ㉡ 과정은 호르몬에 의해 일어난다.

ㄷ. B가 과다 분비되면 ㉢ 과정이 촉진된다.

① ㄱ   ② ㄴ   ③ ㄷ

④ ㄱ, ㄴ   ⑤ ㄴ, ㄷ

066 그림은 갑상샘에서 분비되는 호르몬의 조절 과정을, 그래프는 어떤 사람의 호르몬 A와 B의 혈중 농도 변화를 시간에 따라 나타낸 것이다. 이 사람은 t_1일 때 갑상샘 기능이 저하되어 t_2일 때 호르몬 A 주사를 맞았다.

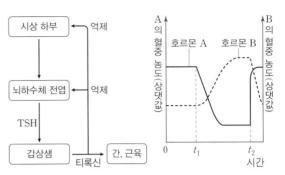

이에 대한 설명으로 옳은 것만을 〈보기〉에서 있는 대로 고른 것은? (단, 호르몬 A와 B는 각각 티록신과 TSH 중 하나이다.)

┤ 보기 ├

ㄱ. A는 TSH이다.

ㄴ. B의 표적기관은 갑상샘이다.

ㄷ. 티록신이 과다 분비되면 TSH의 분비가 촉진된다.

① ㄱ   ② ㄴ   ③ ㄱ, ㄴ

④ ㄱ, ㄷ   ⑤ ㄴ, ㄷ

067 그림 (가)는 티록신의 분비 조절 과정을, (나)는 아이오딘(요오드)의 섭취 부족으로 인한 질병을 앓고 있는 환자를 나타낸 것이다.

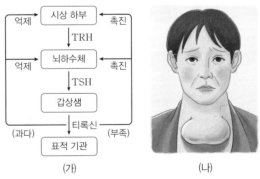

(가)   (나)

이에 대한 설명으로 옳은 것만을 〈보기〉에서 있는 대로 고른 것은?

┤ 보기 ├

ㄱ. 티록신은 혈액을 통해 표적 기관으로 운반된다.

ㄴ. 티록신의 분비는 음성 피드백 과정을 통해 조절된다.

ㄷ. (나)는 티록신 부족으로 TSH가 과다 분비된다.

① ㄱ   ② ㄴ   ③ ㄷ

④ ㄴ, ㄷ   ⑤ ㄱ, ㄴ, ㄷ

기출 분석

18 유형

■ 연관 기출 문제 키워드

\# 항이뇨 호르몬

\# 혈압

\# 혈장 삼투압

문제 분석

체내의 혈압과 혈장 삼투압에 따른 항이뇨 호르몬 분비 조절: 왼쪽 그래프에서는 혈압이 정상보다 낮을수록 항이뇨 호르몬의 분비가 급격히 상승함을 알 수 있다.

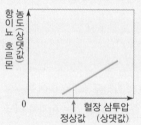

오른쪽 그래프에서는 혈장 삼투압이 높을수록 항이뇨 호르몬이 많이 분비되고 있음을 알 수 있다.

배경 지식

염분을 많이 섭취하거나 땀을 흘려 체액의 삼투압이 높아지면 시상 하부가 자극을 받아 뇌하수체 후엽에서 항이뇨 호르몬(ADH)의 분비가 증가한다. 그 결과 콩팥에서 물의 재흡수량이 증가하므로, 오줌양이 감소하고 체액의 삼투압은 낮아져 정상으로 회복된다.

반대로 체내 수분량이 많아져 체액의 삼투압이 낮아지면 뇌하수체 후엽에서 항이뇨 호르몬의 분비가 감소한다. 그 결과 콩팥에서 물의 재흡수량이 감소하고 오줌양이 증가하며 체액의 삼투압은 높아져 정상으로 회복된다.

❓ 출제 의도

삼투압 변화, 또는 혈압 변화에 따라 이를 조절하기 위해 분비되는 항이뇨 호르몬의 작용을 알고 있는지 묻는 유형이다.

🔵 이렇게 대비하자!

항이뇨 호르몬은 체내 수분량이 부족하여 삼투압이 높아질 때 분비되는 호르몬임을 정리하도록 한다.

그림은 혈압과 혈장 삼투압에 따른 혈장 항이뇨 호르몬의 농도를 각각 나타낸 것이다.

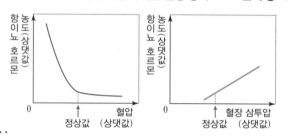

이에 대한 설명으로 옳은 것만을 〈보기〉에서 있는 대로 고른 것은?

┃ 보기 ┃

ㄱ. 혈압이 정상값보다 낮아지면 콩팥에서 수분 재흡수가 억제된다.

ㄴ. 혈장 삼투압이 정상값보다 높아지면 오줌 생성량이 감소한다.

ㄷ. 땀을 많이 흘리면 항이뇨 호르몬의 분비가 억제된다.

① ㄱ   ② ㄴ   ③ ㄱ, ㄴ   ④ ㄱ, ㄷ   ⑤ ㄴ, ㄷ

■ 문항별 해설

답 ②

ㄱ. (✕) 혈압이 정상값보다 낮을수록 항이뇨 호르몬의 농도가 높아짐을 알 수 있다. 이는 콩팥에서 수분 재흡수량이 많아진다는 뜻이다.

ㄴ. (〇) 혈장 삼투압이 정상값보다 높을수록 항이뇨 호르몬의 농도가 높아짐을 알 수 있다. 이는 수분 재흡수량이 많아져 오줌 생성량은 감소한다는 뜻이다.

ㄷ. (✕) 땀을 많이 흘리면 체내 수분량이 감소하므로 체내 수분량을 늘리기 위해 항이뇨 호르몬의 분비가 촉진된다.

■ 오류 피하기

⋯➔ 일반적으로 혈압이 낮아지면 우리 몸은 혈압을 높이기 위해 수분의 재흡수량을 늘린다. 이때 분비되는 호르몬이 항이뇨 호르몬으로, 수분 재흡수량이 많아져 혈액량이 늘어나고 이에 따라 혈압이 상승하게 된다.

기출 문제

정답과 해설 **17**쪽

068 그림 (가)는 뇌하수체에서 분비되는 호르몬 ㉠, ㉡과 각각의 표적 기관을, (나)는 혈장 삼투압에 따른 ㉠의 혈중 농도를 나타낸 것이다. ㉠과 ㉡은 각각 항이뇨 호르몬과 갑상샘 자극 호르몬 중 하나이다.

 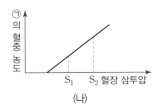

이에 대한 설명으로 옳은 것만을 〈보기〉에서 있는 대로 고른 것은?

┤ 보기 ├
ㄱ. ㉠은 뇌하수체 후엽에서 분비된다.
ㄴ. 콩팥에서 재흡수되는 물의 양은 S_1보다 S_2에서 많다.
ㄷ. 갑상샘을 제거하면 ㉡의 분비량은 제거 전보다 감소한다.

① ㄴ   ② ㄷ   ③ ㄱ, ㄴ
④ ㄱ, ㄷ   ⑤ ㄱ, ㄴ, ㄷ

069 그림은 물 1 L를 섭취하기 전과 후에 혈장과 오줌의 삼투압 변화를 나타낸 것이다.

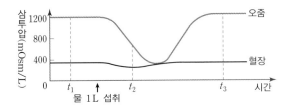

이에 대한 옳은 설명만을 〈보기〉에서 있는 대로 고른 것은? (단, 배설되는 오줌 속 용질의 양은 일정하다.)

┤ 보기 ├
ㄱ. t_1보다 t_2에서 혈중 항이뇨 호르몬의 농도가 더 높다.
ㄴ. t_2보다 t_3에서 생성되는 오줌의 양이 더 많다.
ㄷ. 물 섭취 후 오줌보다 혈장의 농도 변화가 적게 일어난다.

① ㄱ   ② ㄷ   ③ ㄱ, ㄴ
④ ㄴ, ㄷ   ⑤ ㄱ, ㄴ, ㄷ

070 표는 사람의 세 가지 호르몬 ㉠~㉢이 분비되는 내분비샘을, 그림은 정상인의 혈장 삼투압에 따른 혈중 ㉢의 농도를 나타낸 것이다. ㉠~㉢은 에피네프린(아드레날린), 인슐린, 항이뇨 호르몬을 순서 없이 나타낸 것이다.

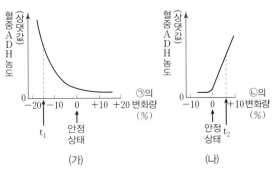

구분	내분비샘
㉠	?
㉡	부신 속질
㉢	뇌하수체 후엽

이에 대한 설명으로 옳은 것만을 〈보기〉에서 있는 대로 고른 것은?

┤ 보기 ├
ㄱ. ㉠은 이자의 α세포에서 분비된다.
ㄴ. ㉡은 혈당량 조절에 관여한다.
ㄷ. 콩팥에서 단위 시간당 수분 재흡수량은 p_1일 때보다 p_2일 때가 많다.

① ㄱ   ② ㄴ   ③ ㄱ, ㄷ
④ ㄴ, ㄷ   ⑤ ㄱ, ㄴ, ㄷ

071 그림 (가)와 (나)는 건강한 사람에서 각각 ㉠과 ㉡이 변할 때 혈중 ADH의 농도 변화를 나타낸 것이다. ㉠과 ㉡은 각각 혈장 삼투압과 전체 혈액량 중 하나이다.

이에 대한 설명으로 옳은 것만을 〈보기〉에서 있는 대로 고른 것은? (단, 오줌양 외에 체내 수분량에 영향을 미치는 요인은 없다.)   수능 출제

┤ 보기 ├
ㄱ. ㉠은 전체 혈액량이다.
ㄴ. (가)에서 오줌의 삼투압은 t_1일 때가 안정 상태일 때보다 낮다.
ㄷ. (나)에서 콩팥의 단위 시간당 수분 재흡수량은 t_2일 때가 안정 상태일 때보다 적다.

① ㄱ   ② ㄷ   ③ ㄱ, ㄴ
④ ㄱ, ㄷ   ⑤ ㄴ, ㄷ

기출 분석

19 유형

■ **연관 기출 문제　키워드**

혈당량
이자
인슐린
글루카곤

? **출제 의도**

이자에서 분비되는 인슐린과 글루카곤에 의해 혈당량이 조절되는 과정을 알고 있는지 묻는 유형이다.

이렇게 대비하자!

인슐린이 혈당량을 낮추고 글루카곤이 혈당량을 높이는 작용을 통해 혈당량이 조절되는 원리를 정리하도록 한다.

그림 (가)와 (나)는 정상인과 당뇨병 환자 A의 식사 후 혈당량과 혈중 인슐린 농도의 변화를 나타낸 것이다. A는 이자의 α세포와 β세포 중 하나에만 이상이 있는 환자이다.

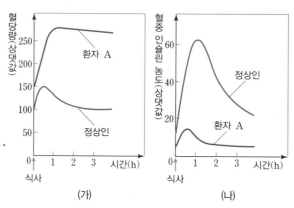

(가)　　　　　　　　(나)

이에 대한 설명으로 옳은 것만을 〈보기〉에서 있는 대로 고른 것은?

┤ 보기 ├

ㄱ. 인슐린은 혈당량을 증가시킨다.

ㄴ. A는 이자의 α세포에 이상이 있다.

ㄷ. 식사 직후 1시간 동안 혈당량의 변화량은 A보다 정상인이 작다.

① ㄱ　　　② ㄷ　　　③ ㄱ, ㄴ　　　④ ㄱ, ㄷ　　　⑤ ㄴ, ㄷ

문제 분석 ·············

인슐린에 의한 혈당량 조절: (가) 그래프는 환자 A가 정상인보다 혈당량이 매우 높게 상승했음을 나타낸다. (나) 그래프는 식후 정상인보다 환자 A가 인슐린 수치가 매우 낮음을 보여 주므로, 환자 A는 이자의 β세포에 이상이 있어 인슐린 분비가 제대로 되지 않음을 알 수 있다.

■ **문항별 해설**　　　　　　　　　　　답 ②

ㄱ. (×) 인슐린은 이자의 β세포에서 분비되는 호르몬으로, 간에서 포도당이 글리코젠으로 합성되는 과정을 촉진해 혈당량을 낮추는 기능을 한다.

ㄴ. (×) 환자 A는 인슐린의 분비가 정상인보다 매우 낮으므로 이자의 β세포에 이상이 있음을 알 수 있다.

ㄷ. (○) 식후 1시간 동안 정상인은 혈당량 상댓값이 100에서 약 150까지 상승하는 것에 비해 환자 A는 150에서 250 이상 높아지므로 혈당량 변화량은 A보다 정상인이 작다.

■ **배경 지식**

이자섬 β세포에서 분비되는 인슐린은 간에 작용하여 포도당을 글리코젠으로 합성하여 저장하는 작용을 촉진하고, 세포의 포도당 흡수를 촉진하여 혈당량을 감소시킨다. 반대로 이자섬 α세포에서 분비되는 글루카곤은 간에 작용하여 글리코젠을 포도당으로 분해하여 혈액으로 방출하는 작용을 촉진함으로써 혈당량을 증가시키는 작용을 한다.

■ **오류 피하기**

⋯ 인슐린은 혈당량을 낮추고 글루카곤은 혈당량을 높인다. 또한, 인슐린은 이자의 β세포에서 분비되고 글루카곤은 이자의 α세포에서 분비된다.

072 그림 (가)는 정상인의 식사 후 혈당량 변화를, (나)와 (다)는 이 사람의 식사 후 호르몬 X와 Y의 혈중 농도 변화를 각각 나타낸 것이다. X와 Y는 각각 인슐린과 글루카곤 중 하나이다.

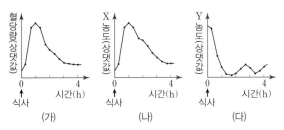

이에 대한 설명으로 옳은 것만을 〈보기〉에서 있는 대로 고른 것은?

┤ 보기 ├
ㄱ. X는 이자의 α세포에서 분비된다.
ㄴ. Y는 간에서 글리코젠의 합성을 촉진한다.
ㄷ. X와 Y는 길항 작용을 한다.

① ㄱ ② ㄷ ③ ㄱ, ㄴ ④ ㄴ, ㄷ ⑤ ㄱ, ㄴ, ㄷ

073 그림은 정상인과 어떤 환자에게 공복 시 포도당을 각각 100 g씩 섭취하게 한 후 정상인과 이 환자의 혈당량 변화를 나타낸 것이다. 이 환자는 정상인보다 인슐린이 과다 분비된다.

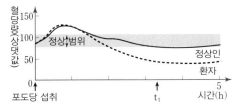

이에 대한 설명으로 옳은 것만을 〈보기〉에서 있는 대로 고른 것은?

┤ 보기 ├
ㄱ. 인슐린은 혈당량을 감소시킨다.
ㄴ. t_1일 때 환자의 혈당량은 정상인의 혈당량보다 낮다.
ㄷ. 포도당 섭취 후 5시간 동안 혈당량의 변화량은 환자보다 정상인이 작다.

① ㄱ ② ㄷ ③ ㄱ, ㄴ ④ ㄴ, ㄷ ⑤ ㄱ, ㄴ, ㄷ

074 그림 (가)는 혈당량에 따른 혈액 내 호르몬 A와 B의 농도를, (나)는 간에서 포도당과 글리코젠의 전환 과정을 나타낸 것이다. A와 B는 각각 인슐린과 글루카곤 중 하나이다.

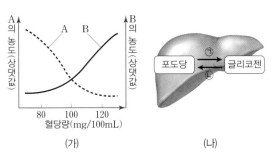

이에 대한 설명으로 옳은 것만을 〈보기〉에서 있는 대로 고른 것은?

┤ 보기 ├
ㄱ. A는 이자의 β세포에서 분비된다.
ㄴ. B는 ⓒ 과정을 촉진한다.
ㄷ. A와 B는 간에서 길항 작용을 한다.

① ㄱ ② ㄷ ③ ㄱ, ㄴ

④ ㄴ, ㄷ ⑤ ㄱ, ㄴ, ㄷ

075 그림 (가)는 혈당량 조절에 관련된 자율 신경 X와 Y를, (나)는 정상인이 운동을 할 때 호르몬 A와 B의 혈중 농도 변화를 나타낸 것이다. A와 B는 인슐린과 글루카곤 중 하나이다.

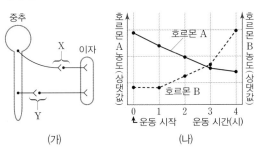

이에 대한 설명으로 옳은 것만을 〈보기〉에서 있는 대로 고른 것은?

┤ 보기 ├
ㄱ. 혈당량 조절 중추는 연수이다.
ㄴ. A는 간에서 글리코젠 합성을 촉진한다.
ㄷ. B의 분비량은 X의 흥분에 의해 증가한다.

① ㄱ ② ㄴ ③ ㄱ, ㄷ

④ ㄴ, ㄷ ⑤ ㄱ, ㄴ, ㄷ

기출 분석

20 유형

■ 연관 기출 문제 키워드

\# 시상 하부

\# 갑상샘

\# 부신

\# 교감 신경

문제 분석

시상 하부의 온도 감지와 체온 조절: 피부의 감각 신경으로부터 감지된 저온 자극이 체온 조절 중추인 간뇌의 시상 하부에 전달되면, 여러 경로로 물질대사가 촉진되고 열 발생량이 감소하는 과정이 진행되어 체온이 상승한다. 갑상샘에서 분비되는 티록신과 부신 속질에서 분비되는 에피네프린은 모두 물질대사율을 높여 열 발생량을 높이고, 교감 신경에 의해 피부 털세움근(입모근)이 수축되어 피부 표면에서의 열 발산량이 감소한다.

? 출제 의도

저온 자극 또는 고온 자극이 감지되었을 때 여러 경로로 체온이 조절되는 과정을 이해하고 있는지 묻는 유형이다.

이렇게 대비하자 !

체온 조절 과정을 크게 열 발생량과 열 발산량 두 범주로 구분하여 정리하도록 한다.

그림은 사람의 피부에 저온 자극이 주어질 때 일어나는 체온 조절 과정의 일부를 나타낸 것이다.

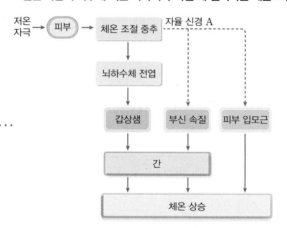

이에 대한 설명으로 옳은 것만을 〈보기〉에서 있는 대로 고른 것은?

┤ 보기 ├

ㄱ. 체온 조절 중추는 연수이다.

ㄴ. A는 부교감 신경이다.

ㄷ. 저온 자극이 주어지면 간에서 물질대사가 촉진된다.

① ㄱ   ② ㄷ   ③ ㄱ, ㄴ   ④ ㄴ, ㄷ   ⑤ ㄱ, ㄴ, ㄷ

■ 문항별 해설   답 ②

ㄱ. (×) 체온 조절의 중추는 간뇌의 시상 하부이다.

ㄴ. (×) 저온 자극이 시상 하부에 의해 감지되면 교감 신경이 작용하여 피부의 털세움근(입모근)이 수축하여 피부에서의 열 발산량이 감소한다.

ㄷ. (○) 저온 자극이 주어지면 갑상샘에서 분비되는 티록신, 부신 속질에서 분비되는 에피네프린 등에 의해서 간에서 물질대사가 촉진되고, 그 결과 열 발생량이 증가한다.

 배경 지식

체온은 체내에서의 열 발생량과 몸 표면에서의 열 발산량을 조절하여 일정하게 유지되는데, 이러한 열의 발생과 발산은 간뇌의 시상 하부에서 조절한다.

■ 오류 피하기

⋯▶ 저온 자극이 감지되었을 때는 교감 신경이 작용하여 부신 속질을 자극하고 피부의 털세움근(입모근)을 수축시킨다. 더울 때는 교감 신경의 작용이 완화되어 피부 표면으로 가는 혈류량이 증가하고 털세움근(입모근)이 이완된다.

기출 문제

정답과 해설 **19**쪽

076 그림은 저온 자극이 주어졌을 때 일어나는 체온 조절 과정의 일부를 나타낸 것이다.

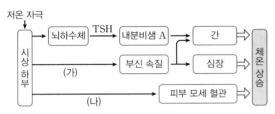

이에 대한 설명으로 옳은 것만을 〈보기〉에서 있는 대로 고른 것은? (단, (가)와 (나)는 자극 전달 경로이다.)

┤ 보기 ┣
ㄱ. (가)와 (나)는 교감 신경에 의한 자극 전달 경로이다.
ㄴ. 내분비샘 A는 갑상샘이다.
ㄷ. 저온 자극이 주어졌을 때 피부 모세 혈관이 확장하여 열 발산량이 증가한다.

① ㄱ   ② ㄴ   ③ ㄷ   ④ ㄱ, ㄴ ⑤ ㄴ, ㄷ

077 그림은 저온 자극이 주어졌을 때 신경과 호르몬에 의해 일어나는 체온 조절 과정의 일부를 나타낸 것이다.

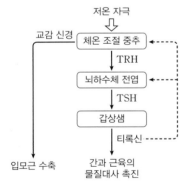

이에 대한 설명으로 옳은 것만을 〈보기〉에서 있는 대로 고른 것은?

┤ 보기 ┣
ㄱ. 체온 조절 중추는 간뇌의 시상 하부이다.
ㄴ. 입모근이 수축하면 열 발산량이 증가한다.
ㄷ. 혈중 티록신의 농도는 음성 피드백에 의해 조절된다.

① ㄱ   ② ㄴ   ③ ㄱ, ㄷ
④ ㄴ, ㄷ   ⑤ ㄱ, ㄴ, ㄷ

078 다음은 땅다람쥐의 체온 조절에 대한 실험이다.

[실험 과정]
(가) 체온이 38 ℃인 땅다람쥐의 시상 하부에 온도를 변화시킬 수 있는 장치를 삽입한다.
(나) (가)의 장치를 조작하여 시상 하부의 온도를 변화시킨다.
(다) 시상 하부의 온도 변화와 체온 변화를 측정한다.

[실험 결과]
이 동물의 시간에 따른 시상 하부 온도와 체온은 그림과 같다.

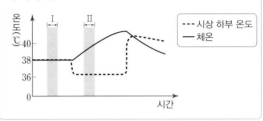

이에 대한 설명으로 옳은 것만을 〈보기〉에서 있는 대로 고른 것은?

┤ 보기 ┣
ㄱ. 시상 하부는 중추 신경계에 속한다.
ㄴ. 이 실험에서 시상 하부의 온도가 38 ℃보다 낮아지면 체온이 낮아진다.
ㄷ. 단위 시간당 $\dfrac{\text{열 발생량}}{\text{열 발산량}}$ 은 구간 Ⅱ에서보다 구간 Ⅰ에서가 크다.

① ㄱ   ② ㄴ   ③ ㄱ, ㄴ
④ ㄱ, ㄷ   ⑤ ㄴ, ㄷ

079 그림은 사람의 체온 조절 과정의 일부를 나타낸 것이다.

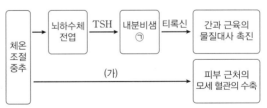

이에 대한 설명으로 옳은 것만을 〈보기〉에서 있는 대로 고른 것은?

┤ 보기 ┣
ㄱ. 내분비샘 ㉠은 갑상샘이다.
ㄴ. (가)는 부교감 신경에 의한 조절 경로이다.
ㄷ. 추울 때 일어나는 조절 과정이다.

① ㄱ   ② ㄴ   ③ ㄷ
④ ㄱ, ㄷ   ⑤ ㄱ, ㄴ, ㄷ

기출 분석

21 유형

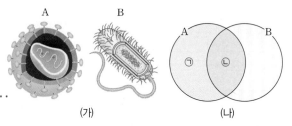

? 출제 의도

감염성 질병을 일으키는 병원체인 세균과 바이러스의 특징을 구분해서 알고 있는지 묻는 유형이다.

이렇게 대비하자!

세포 구조를 갖는 세균과 숙주에 기생해야만 증식할 수 있는 바이러스의 특징을 구분해 정리하도록 한다.

■ **연관 기출 문제 키워드**

\# 바이러스

\# 세균

\# 원핵생물

\# 세포

문제 분석

바이러스와 세균의 비교: A는 단백질 껍질과 내부의 핵산으로 이루어진 바이러스이고 B는 대장균과 비슷한 세포의 형태를 보이는 세균이다. 즉, A는 후천성 면역 결핍 증후군을 일으키는 바이러스, B는 콜레라균이다.

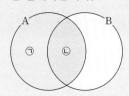

따라서 (나)의 ㉠은 세포와 구분되는 바이러스의 특징, ㉡은 바이러스와 세균이 공통으로 가지는 특징을 나타낸다.

그림 (가)는 병원체 A와 B를, (나)는 A와 B의 공통점과 차이점을 나타낸 것이다. A와 B는 각각 콜레라와 후천성 면역 결핍 증후군(AIDS)을 일으키는 병원체 중 하나이다.

이에 대한 설명으로 옳은 것만을 〈보기〉에서 있는 대로 고른 것은?

보기

ㄱ. A는 바이러스, B는 세균이다.

ㄴ. '세포 구조이다.'는 ㉠에 해당한다.

ㄷ. '감염성 질병을 일으킨다.'는 ㉡에 해당한다.

① ㄱ   ② ㄷ   ③ ㄱ, ㄴ   ④ ㄱ, ㄷ   ⑤ ㄴ, ㄷ

■ **문항별 해설**   **답 ④**

ㄱ. (○) 세포 구조가 아닌 단백질 껍질과 핵산으로 구성되는 A는 바이러스이다. 세포 구조를 가지고 유전 물질을 지니는 B는 세균이다.

ㄴ. (×) 세포 구조를 띠는 것은 B만 가지는 특징이므로, '세포 구조이다.'는 ㉠, ㉡을 제외한 나머지 부분에 해당한다.

ㄷ. (○) 후천성 면역 결핍 증후군을 일으키는 바이러스(HIV)와 콜레라균은 모두 감염성 질병을 일으키므로 두 병원체의 공통점인 ㉡에 해당한다.

배경 지식

바이러스는 보통의 광학 현미경으로는 볼 수 없을 만큼 세균보다 크기가 훨씬 작다. 세포의 구조를 갖추지 않고, 핵산과 그것을 둘러싼 단백질 껍질의 형태로 존재하며, 스스로 물질대사를 할 수 없어 반드시 숙주 세포 안으로 침입하여 기생해야 한다. 이 과정에서 바이러스는 세포에 손상을 입히거나 세포를 파괴한다.

■ **오류 피하기**

⋯ 병원체 중 하나인 바이러스는 세포 구조가 아니며, 생명체 외부에서는 단백질 결정으로 존재하지만 생명체 내에서는 숙주의 물질대사 체계를 이용하여 증식하는 특징을 보인다. 대표적인 바이러스의 형태와 특징을 정리하는 것이 필요하다.

기출 문제

정답과 해설 **20**쪽

080 그림은 독감을 일으키는 병원체를 나타낸 것이다. 이 병원체에 대한 옳은 설명만을 〈보기〉에서 있는 대로 고른 것은?

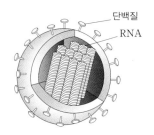

단백질
RNA

┤ 보기 ├
ㄱ. 핵산을 가지고 있다.
ㄴ. 세포벽으로 둘러싸여 있다.
ㄷ. 숙주 세포 밖에서 물질대사를 할 수 없다.

① ㄱ   ② ㄴ   ③ ㄱ, ㄷ
④ ㄴ, ㄷ   ⑤ ㄱ, ㄴ, ㄷ

081 표는 병원체 A와 B의 구조와 이 병원체로 인한 질병의 예를 나타낸 것이다. A와 B는 각각 대장균과 HIV 중 하나이다.

병원체	A	B
구조		
질병의 예	에이즈	식중독

이에 대한 옳은 설명만을 〈보기〉에서 있는 대로 고른 것은?

┤ 보기 ├
ㄱ. A는 세균이다.
ㄴ. B는 유전 물질이 핵막으로 둘러싸여 있다.
ㄷ. A와 B는 모두 감염성 질병을 일으킨다.

① ㄴ   ② ㄷ   ③ ㄱ, ㄴ
④ ㄱ, ㄷ   ⑤ ㄴ, ㄷ

082 그림은 두 병원체의 증식 과정 중 일부를 나타낸 것이다. ㉠과 ㉡은 각각 세균과 바이러스 중 하나이다.

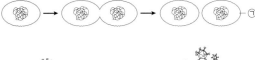

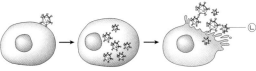

이에 대한 옳은 설명만을 〈보기〉에서 있는 대로 고른 것은?

┤ 보기 ├
ㄱ. ㉠에 의한 질병의 예로 AIDS가 있다.
ㄴ. ㉡은 스스로 물질대사를 한다.
ㄷ. ㉠과 ㉡은 유전 물질을 가지고 있다.

① ㄱ   ② ㄷ   ③ ㄱ, ㄴ
④ ㄴ, ㄷ   ⑤ ㄱ, ㄴ, ㄷ

083 다음은 감염성 질병을 일으키는 두 종류의 병원체를 나타낸 것이다.

병원체	(가)	(나)
모양		
질병	콜레라	AIDS

이에 대한 설명으로 옳은 것만을 〈보기〉에서 있는 대로 고른 것은?

┤ 보기 ├
ㄱ. (가)는 세균, (나)는 바이러스이다.
ㄴ. (가)는 스스로 물질대사를 할 수 없다.
ㄷ. (나)는 유전 물질과 세포의 구조를 가지고 있다.

① ㄱ   ② ㄴ   ③ ㄱ, ㄴ
④ ㄱ, ㄷ   ⑤ ㄴ, ㄷ

기출 분석

22 유형

? 출제 의도
면역 기능을 담당하는 B림프구와 T림프구와 같은 세포가 병원체를 제거하는 작용을 이해하고 있는지 묻는 유형이다.

이렇게 대비하자!
림프구가 병원체를 인식하는 과정과 형질 세포, 기억 세포로 분화하는 과정을 정리하도록 한다.

■ 연관 기출 문제 키워드

\# B림프구

\# T림프구

\# 형질 세포

\# 기억 세포

문제 분석 ·······

염증 반응과 특이적 방어 작용: (가)는 염증 반응을 나타낸다.

(나)는 특이적 방어 작용의 하나인 체액성 면역을 나타낸다. 병원체의 종류를 인식한 보조 T림프구의 도움으로 B림프구가 일부는 기억 세포로, 일부는 형질 세포로 분화하여 항체를 생성하고, 항체가 병원체와 결합하여 병원체를 제거한다.

그림 (가)는 염증 반응을, (나)는 체액성 면역 반응의 일부를 나타낸 것이다. ㉠은 B림프구와 T림프구 중 하나이다.

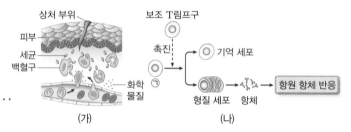

이에 대한 설명으로 옳은 것만을 〈보기〉에서 있는 대로 고른 것은?

---- 보기 ----

ㄱ. (가)에서 백혈구의 식균 작용이 일어난다.

ㄴ. ㉠은 B림프구이다.

ㄷ. (가)와 (나)는 모두 특이적 면역이다.

① ㄱ   ② ㄷ   ③ ㄱ, ㄴ   ④ ㄴ, ㄷ   ⑤ ㄱ, ㄴ, ㄷ

■ 문항별 해설   답 ③

ㄱ. (○) (가)는 비특이적 방어 작용의 하나인 염증 반응을 나타낸 것이다. 상처 부위를 통해 외부 세균이 침입하면 상처 부위로 백혈구가 몰려들어 식균 작용으로 세균을 제거한다.

ㄴ. (○) ㉠ 세포는 보조 T림프구의 작용으로 형질 세포와 기억 세포로 분화하므로 B림프구임을 알 수 있다.

ㄷ. (×) (가)는 비특이적 방어 작용, (나)는 특이적 방어 작용이다.

🖥 배경 지식

우리 몸에서 조직이 손상되거나 감염이 일어나면 염증 반응이 시작된다. 감염 부위에서는 병원체를 감지하고 여러 가지 화학 물질을 분비하는데, 이 화학 물질이 작용하면 모세 혈관이 확장되어 혈류량과 혈관 투과성이 증가한다. 이처럼 혈류량과 혈관 투과성이 증가하면 주변의 백혈구가 감염 부위로 이동하는 데 도움이 되고, 감염 부위에 모인 백혈구 일부는 활발하게 식균 작용을 하여 병원체와 손상된 세포를 제거한다.

■ 오류 피하기

⋯▶ 방어 작용은 크게 비특이적 방어 작용(선천적 방어 작용)과 특이적 방어 작용(후천적 방어 작용)으로 구분된다. 비특이적 방어 작용은 병원체의 종류와 상관없이 일어나는 작용으로 피부와 점막과 같은 물리·화학적 방어막, 식균 작용, 염증 반응 등과 같은 내부 방어가 있다. 특이적 방어 작용은 특정 병원체의 종류를 인식하여 일어나는 반응으로 T림프구에 의한 세포성 면역과 B림프구에 의한 체액성 면역이 있다.

기출 문제

정답과 해설 **20**쪽

084 그림은 어떤 질병을 일으키는 병원체 X가 체내에 침입했을 때 일어나는 방어 작용의 일부를 나타낸 것이다.

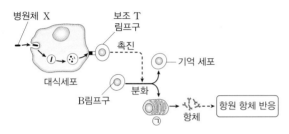

이에 대한 설명으로 옳은 것만을 〈보기〉에서 있는 대로 고른 것은?

‖ 보기 ‖
ㄱ. 이 질병은 비감염성 질병이다.
ㄴ. ⊙은 형질 세포이다.
ㄷ. 이 방어 작용에서 체액성 면역 반응이 일어난다.

① ㄱ   ② ㄴ   ③ ㄱ, ㄷ
④ ㄴ, ㄷ   ⑤ ㄱ, ㄴ, ㄷ

085 그림은 어떤 사람이 세균 X에 처음 감염되었을 때 일어나는 방어 작용의 일부를 나타낸 것이다. ⊙과 ⓛ은 각각 기억 세포와 항체 분비 세포 중 하나이다.

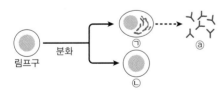

이에 대한 설명으로 옳은 것만을 〈보기〉에서 있는 대로 고른 것은?

‖ 보기 ‖
ㄱ. ⓛ은 X에 대한 2차 면역 반응에 관여한다.
ㄴ. X에 2차 감염되면 처음 감염되었을 때보다 ⓐ가 더 빠르게 생성된다.
ㄷ. ⓐ는 X에 대한 백신의 주성분이다.

① ㄱ   ② ㄷ   ③ ㄱ, ㄴ
④ ㄴ, ㄷ   ⑤ ㄱ, ㄴ, ㄷ

086 그림 (가)와 (나)는 어떤 사람이 세균 X에 처음 감염되었을 때 일어나는 1차 방어 작용과 2차 방어 작용의 일부를 각각 나타낸 것이다.

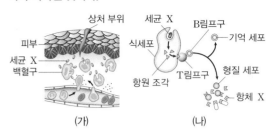

이에 대한 설명으로 옳은 것만을 〈보기〉에서 있는 대로 고른 것은?

‖ 보기 ‖
ㄱ. (가)의 식균 작용은 특이적 면역에 포함된다.
ㄴ. (나)에서 항원—항체 반응이 일어난다.
ㄷ. 이 사람이 세균 X에 다시 감염되면 처음 감염되었을 때보다 항체 X가 빨리 생성된다.

① ㄱ   ② ㄴ   ③ ㄷ
④ ㄱ, ㄴ   ⑤ ㄴ, ㄷ

087 그림은 체내에서 일어나는 방어 작용의 일부를 나타낸 것이다.

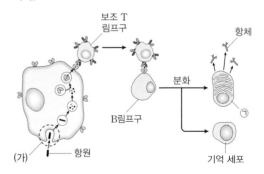

이에 대한 설명으로 옳은 것만을 〈보기〉에서 있는 대로 고른 것은?

‖ 보기 ‖
ㄱ. ⊙은 형질 세포이다.
ㄴ. (가)는 비특이적으로 일어나는 반응이다.
ㄷ. 대식세포는 항원의 정보를 보조 T림프구로 전달한다.

① ㄱ   ② ㄷ   ③ ㄱ, ㄴ
④ ㄴ, ㄷ   ⑤ ㄱ, ㄴ, ㄷ

기출 분석

23 유형

❓ **출제 의도**

기억 세포의 형성으로 일어나는 2차 면역 반응의 과정을 알고 있는지 묻는 유형이다.

🐛 **이렇게 대비하자!**

B림프구의 기억 세포와 형질 세포의 분화 과정을 이해하고, 기억 세포의 작용을 정리하도록 한다.

■ **연관 기출 문제 키워드**

B림프구
T림프구
형질 세포
기억 세포

문제 분석 ·············

1차 면역 반응과 2차 면역 반응: 항원을 처음 주사했을 때는 항체가 생성되기까지 시간이 걸리고 생성되는 양도 그리 많지 않은데, 이러한 반응을 1차 면역 반응이라고 한다. 1차 면역 반응이 일어날 때는 형질 세포와 기억 세포가 동시에 생성되는데, 같은 항원이 재침입하게 되면 기억 세포가 빠르고 대량으로 형질 세포로 분화해 다량의 항체를 생성한다. 이러한 반응이 2차 면역 반응이다.

그림은 항원 A에 노출된 적이 없는 어떤 동물에 같은 양의 A를 2회 주사했을 때 A에 대한 혈중 항체 농도 변화를 나타낸 것이다.

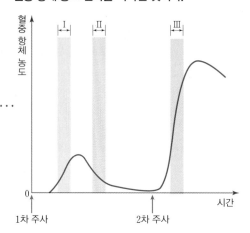

이에 대한 설명으로 옳은 것만을 〈보기〉에서 있는 대로 고른 것은?

┤ 보기 ├

ㄱ. 구간 Ⅰ에서 A에 대한 특이적 면역 작용이 일어난다.

ㄴ. 구간 Ⅱ에서 A에 대한 형질 세포가 기억 세포로 분화된다.

ㄷ. 구간 Ⅲ에서 A에 대한 2차 면역 반응이 일어난다.

① ㄱ　　　② ㄴ　　　③ ㄱ, ㄷ　　　④ ㄴ, ㄷ　　　⑤ ㄱ, ㄴ, ㄷ

■ **문항별 해설**　　　　　　　　　　　　　　　　　　　　　　답 ③

ㄱ. (○) 특이적 방어 작용에는 B림프구가 분화한 형질 세포가 항체를 생성해 병원체를 제거하는 것과 T림프구가 분화한 세포독성 T림프구가 감염된 세포를 직접 제거하는 것이 있다. 구간 Ⅰ에서는 항체가 생성되므로 특이적 방어 작용이 일어난다.

ㄴ. (✕) B림프구는 항원을 인지하면 일부는 기억 세포로, 일부는 형질 세포로 분화한다. 형질 세포가 기억 세포로 분화하는 것이 아니다.

ㄷ. (○) 구간 Ⅲ에서는 A를 1차 주사했을 때보다 빠른 시간 안에 다량의 항체가 생성되는데, 이는 2차 면역 반응이 일어난 것이다.

🖥 **배경 지식**

체액성 면역은 B림프구가 항체를 생성하여 일어나는 방어 작용이다. 백혈구의 도움으로 항원을 인식하는 보조 T림프구가 활성화되고, 활성화된 보조 T림프구가 항원과 결합한 B림프구와 결합하면 B림프구가 활발히 증식하면서 형질 세포와 기억 세포로 분화한다. 형질 세포는 항체를 생성하고, 기억 세포는 항원의 특성을 기억한다.

■ **오류 피하기**

⋯▶ 보조 T림프구의 도움으로 항원을 인지한 B림프구는 일부는 기억 세포가 되고 일부는 형질 세포로 분화하여 항원에 맞는 항체를 분비한다. 즉, B림프구가 두 종류의 세포로 분화하는 것이고 형질 세포에서 기억 세포로 변하는 것이 아님을 주의한다.

기출 문제

정답과 해설 **22**쪽

088 그림은 항원 A가 인체에 침입했을 때, A에 대한 항체의 혈중 농도를 시간에 따라 나타낸 것이다.

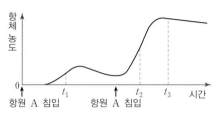

이에 대한 옳은 설명만을 〈보기〉에서 있는 대로 고른 것은?

― 보기 ―

ㄱ. t_1일 때 A에 대한 1차 면역 반응이 일어나고 있다.

ㄴ. 항체 생성 속도는 t_2일 때가 t_1일 때보다 빠르다.

ㄷ. t_3일 때 체내에 A에 대한 기억 세포가 없다.

① ㄱ   ② ㄴ   ③ ㄷ   ④ ㄱ, ㄴ ⑤ ㄴ, ㄷ

089 그림은 쥐에게 항원 A, B를 주입했을 때 생성되는 항체의 농도를 나타낸 것이다.

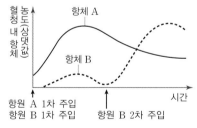

이 자료에 대한 설명으로 옳은 것만을 〈보기〉에서 있는 대로 고른 것은?

― 보기 ―

ㄱ. 실험 전에 이 쥐는 항원 A, B에 노출된 적이 없다.

ㄴ. 같은 항원이 다시 주입되면 항체 생성 속도가 빨라진다.

ㄷ. 항원 B의 1차 주입으로 항원 B에 대한 기억 세포가 생성되었다.

① ㄱ   ② ㄴ   ③ ㄱ, ㄴ

④ ㄱ, ㄷ   ⑤ ㄴ, ㄷ

090 그림은 어떤 사람에게 백신 X를 주사하고 4주 후 백신 Y를 주사하였을 때 체내 항체 농도의 변화를 나타낸 것이다. 항원 A와 B는 병원체이며, 항원 A에 감염되면 항체 a가, 항원 B에 감염되면 항체 b가 생성된다.

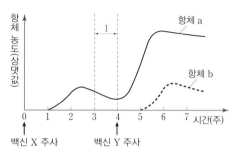

이에 대한 옳은 설명만을 〈보기〉에서 있는 대로 고른 것은?

― 보기 ―

ㄱ. X를 주사하면 B에 의한 질병이 예방된다.

ㄴ. Y에는 독성이 약화된 B가 포함되어 있다.

ㄷ. 구간 Ⅰ에는 이 사람의 체내에 A에 대한 기억 세포가 존재한다.

① ㄱ   ② ㄴ   ③ ㄱ, ㄷ

④ ㄴ, ㄷ   ⑤ ㄱ, ㄴ, ㄷ

091 그림 (가)는 항원 X가 인체에 침입했을 때 일어나는 방어 작용 중 일부를, (나)는 X의 침입에 의해 생성되는 혈중 항체의 농도 변화를 나타낸 것이다.

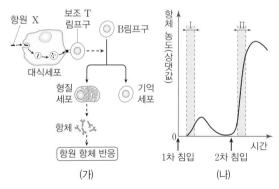

이에 대한 설명으로 옳은 것만을 〈보기〉에서 있는 대로 고른 것은?

― 보기 ―

ㄱ. (가)에서 체액성 면역 반응이 일어난다.

ㄴ. X에 대한 형질 세포 수는 구간 Ⅰ에서보다 구간 Ⅱ에서가 많다.

ㄷ. 구간 Ⅱ에서 형질 세포가 기억 세포로 분화된다.

① ㄱ   ② ㄷ   ③ ㄱ, ㄴ

④ ㄴ, ㄷ   ⑤ ㄱ, ㄴ, ㄷ

기출 분석

24 유형

■ **연관 기출 문제 키워드**

\# 기억 세포

\# 혈청

\# 항체

\# 형질 세포

문제 분석

기억 세포와 항체의 생성: 생쥐 A는 항원 X가 주입되었으므로 이에 대한 면역 반응이 일어나 기억 세포와 형질 세포가 형성되었을 것이다. A에서 만들어진 기억 세포를 B에 주입하였으므로, B에서 항원 X에 대한 2차 면역 반응이 일어난다.

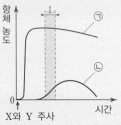

그래프는 생쥐 B에 항원 X와 Y를 동시에 주입했을 때 X에 대해서는 2차 면역 반응이, Y에 대해서는 1차 면역 반응이 일어났음을 보여 준다.

🥸 배경 지식

백신에는 약화하거나 죽인 병원체 또는 병원체의 일부분이 포함되어 있다. 백신을 투여하면 우리 몸의 면역 체계는 백신에 포함된 항원을 공격하고, 항원의 특성을 기억하는 기억 세포를 형성한다. 이후 백신으로 예방한 병원체에 감염되면 기억 세포가 빠르게 형질 세포로 분화하여 다량의 항체를 생성하고, 생성된 항체가 항원 항체 반응을 하여 병원체를 효과적으로 제거할 수 있다.

다음은 항원 X와 Y에 대한 생쥐의 방어 작용 실험이다.

[실험 과정]

(가) 유전적으로 동일하고 X와 Y에 노출된 적이 없는 생쥐 A와 B를 준비한다.

(나) A에 X를 주사하고, 일정 시간이 지난 후 A에서 기억 세포를 분리하여 B에 주사한다.

(다) 일정 시간이 지난 후 B에 X와 Y를 동시에 주사한다.

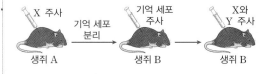

[실험 결과]

그림은 (다)의 B에서 생성된 항체 ㉠과 ㉡의 농도 변화이다. ㉠과 ㉡은 각각 X와 Y에 대한 항체 중 하나이다.

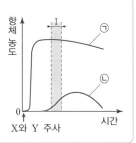

이에 대한 옳은 설명만을 〈보기〉에서 있는 대로 고른 것은?

⎯‖ 보기 ‖⎯

ㄱ. 기억 세포는 백신의 주성분이다.

ㄴ. ㉠은 X에 대한 항체이다.

ㄷ. 구간 Ⅰ에서 Y에 대한 2차 면역 반응이 일어난다.

① ㄱ   ② ㄴ   ③ ㄷ   ④ ㄱ, ㄴ   ⑤ ㄴ, ㄷ

■ **문항별 해설**   **답 ②**

ㄱ. (✕) 백신의 주성분은 독성을 약화시킨 항원이다.

ㄴ. (○) ㉠은 빠른 시간 내에 다량으로 생성되는 항체를 나타내므로 2차 면역 반응이 일어났음을 보여 준다. 따라서 기억 세포에 의한 작용이므로 ㉠은 X에 대한 항체이다.

ㄷ. (✕) 구간 Ⅰ에서는 항원 Y에 대한 1차 면역 반응이 일어나고 있다.

■ **오류 피하기**

⋯▶ ㉠이 X에 대한 항체, ㉡은 Y에 대한 항체이다. ㉡은 주사한 이후 바로 생성되지 않고 얼마간의 기간이 지난 후에 생성되며, 양도 ㉠에 비해 많지 않으므로 1차 면역 반응이다.

기출 문제

정답과 해설 **22**쪽

092 다음은 면역 반응의 원리를 알아보기 위한 실험이다.

[실험 과정]

< 실험 I > 생쥐 A에게 항원 X를 1차 주사하고, 4개월 후 항원 X를 2차 주사하였을 때 생쥐 A의 혈중 항체 농도를 측정한다.

< 실험 II > 생쥐 A의 항체 농도가 높을 때 혈청을 분리하여 생쥐 B에게 주사하고, 4개월 후 항원 X를 주사하였을 때 생쥐 B의 혈중 항체 농도를 측정한다.

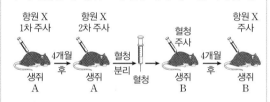

[실험 결과]

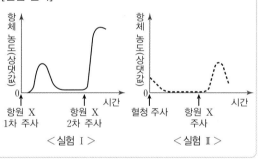

이에 대한 설명으로 옳은 것만을 〈보기〉에서 있는 대로 고른 것은? (단, 생쥐 A와 B는 유전적으로 동일하며, 생쥐 B는 실험 전에 항원 X에 노출된 적이 없다.)

┤ 보기 ├

ㄱ. 혈청 주사는 항원 X에 대한 기억 세포의 생성을 촉진한다.

ㄴ. 항원 X에 대한 항체의 수명은 기억 세포의 수명보다 길다.

ㄷ. 항원의 1차 침입보다 2차 침입 시에 생성되는 형질 세포 수가 많다.

① ㄱ   ② ㄴ   ③ ㄷ
④ ㄱ, ㄴ   ⑤ ㄴ, ㄷ

093 다음은 세균 X에 대한 생쥐의 방어 작용 실험이다.

[실험 과정]

(가) 유전적으로 동일하고 X에 노출된 적이 없는 생쥐 I, II, III을 준비한다.

(나) I과 III에 생리 식염수를, II에 죽은 X를 주사한다.

(다) 1주 후, (나)의 I과 II에서 혈액을 채취하여 혈청을 분리한 뒤 X에 대한 항체 생성 여부를 조사한다.

(라) ⊙(다)의 II에서 얻은 혈청을 III에 주사한다.

(마) 1일 후 I~III을 살아 있는 X로 감염시킨 뒤, 생존 여부를 확인한다.

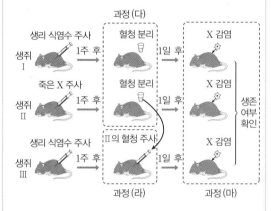

[실험 결과]

생쥐	(다)에서 항체 생성 여부	생쥐	(마)에서 생존 여부
I	생성 안 됨	I	죽는다.
II	생성됨	II	산다.
		III	산다.

이에 대한 설명으로 옳은 것만을 〈보기〉에서 있는 대로 고른 것은?

수능 출제

┤ 보기 ├

ㄱ. ⊙에는 X에 대한 항체를 생산하는 형질 세포가 들어 있다.

ㄴ. (마)의 II에서 X에 대한 특이적 면역 작용이 일어났다.

ㄷ. (마)의 III에서 X에 대한 항원 항체 반응이 일어났다.

① ㄱ   ② ㄷ   ③ ㄱ, ㄴ
④ ㄴ, ㄷ   ⑤ ㄱ, ㄴ, ㄷ

기출 분석

25 유형

\# 응집원 A

\# 응집원 B

\# 응집소 α

\# 응집소 β

문제 분석

혈액의 응집 반응: 우선 영희는 항 A 혈청에만 응집 반응이 일어났으므로 A형임을 알 수 있다. 표에서 아버지가 응집원 ㉠과 응집소 ㉡을 동시에 가지므로, 가능한 경우를 하나하나 따지면서 맞춰 보도록 한다.

? 출제 의도

항원 항체 반응의 일종인 혈액의 응집 반응 결과를 보고 혈액형을 판단할 수 있는지 묻는 유형이다.

이렇게 대비하자!

각 혈액형별로 응집원과 응집소의 종류를 파악하고, 어떠한 경우에 응집 반응이 일어나는지 정리하도록 한다.

표는 영희네 가족 구성원의 ABO식 혈액형에 대한 응집원 ㉠과 응집소 ㉡의 유무를, 그림은 영희의 혈액 응집 반응 결과를 나타낸 것이다.

구분	아버지	어머니	오빠
응집원 ㉠	○	×	×
응집소 ㉡	○	○	?

(○: 있음, ×: 없음)

항 A 혈청 : 응집됨 / 항 B 혈청 : 응집 안 됨

이에 대한 설명으로 옳은 것만을 〈보기〉에서 있는 대로 고른 것은? (단, ABO식 혈액형만 고려하며, 돌연변이는 고려하지 않는다.)

보기
ㄱ. 어머니는 B형이다.
ㄴ. 영희의 혈액에는 응집소 ㉡이 있다.
ㄷ. 아버지의 적혈구와 오빠의 혈장을 섞으면 응집 반응이 일어난다.

① ㄱ   ② ㄴ   ③ ㄷ   ④ ㄱ, ㄴ   ⑤ ㄴ, ㄷ

■ 문항별 해설

답 ⑤

ㄱ. (×) 첫 번째로 아버지의 응집원 ㉠을 응집원 A, 응집소 ㉡을 응집소 β라고 가정해 보자. 어머니는 응집원 A가 없고 응집소 β를 가지므로, 가능한 경우는 응집원 B가 없으면서 응집소 α, β를 모두 갖는 O형인 경우이다. 이때 A형인 아버지와 O형인 어머니 사이에서는 A형 또는 O형인 자손만 가능하므로, 응집원 A를 가지지 않는 오빠는 O형이 된다.

두 번째로 응집원 ㉠을 응집원 B, 응집소 ㉡을 응집소 α로 가정해 보자. 마찬가지로 이 경우에는 어머니와 오빠가 모두 O형이 되는데, 이때는 A형인 영희가 나올 수 없다. 따라서 아버지는 A형, 어머니와 오빠는 O형, 영희는 A형이다.

ㄴ. (○) 영희는 아버지와 같은 혈액형인 A형이므로 응집소 ㉡인 응집소 β를 가진다.

ㄷ. (○) A형 혈액의 적혈구에는 응집원 A가 있고, O형 혈액의 혈장에는 응집소 α, β가 있으므로 이 둘을 섞으면 응집원 A와 응집소 α가 응집 반응을 일으킨다.

배경 지식

혈액형이 서로 다른 두 혈액이 섞이면 적혈구가 서로 엉겨 덩어리가 형성되는 응집 반응이 일어난다. 이는 사람의 적혈구 막에 항원으로 작용하는 응집원이 있고, 혈장에는 항체인 응집소가 있어 항원 항체 반응이 일어나기 때문이다.

■ 오류 피하기

···› 제시된 자료처럼 ㉠과 ㉡이 어떠한 응집원과 응집소인지 특정되지 않을 때는 가능한 경우를 가정해서 맞춰 보면 실마리가 풀린다. 아버지가 갖는 응집원 ㉠이 응집원 A라면 응집소 ㉡은 A와 응집되지 않는 응집소 β여야 하고, ㉠이 응집원 B라면 ㉡은 응집소 α여야 한다. 이 두 가지 경우가 가능하므로 각각의 경우를 따지면, 어머니와 오빠는 모두 O형만 가능하게 된다.

기출 문제

094 표는 혈액형이 서로 다른 영희네 가족의 ABO식 혈액형의 응집소를 조사한 것이다.

구분	아버지	어머니	영희
응집소 α	있음	?	있음
응집소 β	없음	?	있음

이에 대한 설명으로 옳은 것만을 〈보기〉에서 있는 대로 고른 것은? (단, 돌연변이는 일어나지 않고, ABO식 혈액형만 고려한다.)

┤ 보기 ├
ㄱ. 영희의 아버지는 A형이다.
ㄴ. 영희의 어머니는 응집소 α를 갖는다.
ㄷ. 영희의 동생이 태어날 때 동생이 B형일 확률은 25 %이다.

① ㄱ   ② ㄷ   ③ ㄱ, ㄴ
④ ㄴ, ㄷ   ⑤ ㄱ, ㄴ, ㄷ

095 표는 철수의 혈액과 철수 부모의 혈액 성분을 서로 혼합했을 때의 응집 반응 결과를 나타낸 것이다. 철수의 혈액형은 O형이다.

구분	아버지		어머니	
	혈장	혈구	혈장	혈구
철수 혈액	−	+	㉠	−

(+: 응집됨, −: 응집 안 됨)

이에 대한 설명으로 옳은 것만을 〈보기〉에서 있는 대로 고른 것은? (단, ABO식 혈액형만 고려한다.)

┤ 보기 ├
ㄱ. ㉠은 −이다.
ㄴ. 철수의 아버지는 응집소 α와 β를 모두 가지고 있다.
ㄷ. 철수의 동생이 태어날 때 이 아이의 혈액형이 AB형일 확률은 25 %이다.

① ㄱ   ② ㄴ   ③ ㄱ, ㄴ
④ ㄴ, ㄷ   ⑤ ㄱ, ㄴ, ㄷ

096 그림은 철수의 ABO식 혈액형 판정 결과를, 표는 철수와 영희의 혈액을 각각 혈구와 혈장으로 분리한 후 이들을 서로 혼합하였을 때의 응집 반응 결과를 나타낸 것이다.

항 A 혈청   항 B 혈청
응집 안 됨   응집됨

영희 \ 철수	혈구	혈장
혈구		−
혈장	+	

(+: 응집됨, −: 응집 안 됨)

이에 대한 설명으로 옳은 것만을 〈보기〉에서 있는 대로 고른 것은? (단, ABO식 혈액형만 고려한다.)

┤ 보기 ├
ㄱ. 철수의 혈액형은 A형이다.
ㄴ. 철수와 영희는 모두 응집소 α를 가지고 있다.
ㄷ. 영희는 B형인 사람으로부터 수혈 받을 수 있다.

① ㄱ   ② ㄴ   ③ ㄱ, ㄴ
④ ㄱ, ㄷ   ⑤ ㄴ, ㄷ

097 그림은 철수의 혈액 응집 반응 결과를 나타낸 것이고, 표는 200명의 학생으로 구성된 집단을 대상으로 ABO식 혈액형에 대한 응집원 ㉠과 응집소 ㉡의 유무를 조사한 것이다. 이 집단에는 철수가 포함되지 않으며, A형, B형, AB형, O형이 모두 있다.

항 A 혈청   항 B 혈청
응집됨   응집됨

구분	사람 수(명)
응집원 ㉠이 있는 사람	79
응집소 ㉡이 있는 사람	111
응집원 ㉠과 응집소 ㉡이 모두 있는 사람	57

이 집단에서 ABO식 혈액형이 철수와 같은 사람의 수는?

① 12   ② 22   ③ 54
④ 57   ⑤ 67

기출 유형 모음집   053

기출 분석

26 유형

❓ 출제 의도

응집원과 응집소를 나타낸 모식도를 보고 혈액형을 파악할 수 있는지 묻는 유형이다.

🐛 이렇게 대비하자!

응집원 A는 응집소 α와, 응집원 B는 응집소 β와 응집된다는 사실을 알고 이를 통해 혈액형을 유추하도록 한다.

■ **연관 기출 문제　키워드**

\# 응집원 A

\# 응집원 B

\# 응집소 α

\# 응집소 β

문제 분석 ·········

혈액의 응집 반응: A형인 철수는 응집원 A를 가지므로 철수의 적혈구와 응집 반응을 일으키는 ㉠은 응집소 α임을 알 수 있다. ㉡은 철수의 혈액에 포함되어 있는 응집소로 응집소 β이다.

그림은 A형인 철수의 혈액을 항 A 혈청에 섞었을 때 응집원과 응집소의 반응을 나타낸 것이고, 표는 철수네 가족의 ABO식 혈액형에 대한 ㉠과 ㉡의 유무를 조사한 자료이다. ㉠과 ㉡은 각각 응집소 α와 β 중 하나이다.

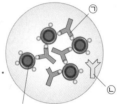

철수의 적혈구

구분	아버지	어머니	누나
㉠	없음	있음	있음
㉡	?	있음	없음

이에 대한 설명으로 옳은 것만을 〈보기〉에서 있는 대로 고른 것은? (단, 돌연변이는 고려하지 않는다.)

┃ 보기 ┃

ㄱ. ㉠은 응집소 α이다.

ㄴ. 아버지의 혈액에는 ㉡이 있다.

ㄷ. 누나는 어머니에게 수혈할 수 있다.

① ㄱ　　　② ㄴ　　　③ ㄷ　　　④ ㄱ, ㄴ　　　⑤ ㄴ, ㄷ

■ **문항별 해설**　　　　　　　　　　　　　　　　　　　　　　　　답 ①

ㄱ. (〇) ㉠은 철수 혈액의 적혈구 표면과 응집 반응을 하는 응집소이다. 철수는 A형이므로 응집원 A를 가지고, 따라서 ㉠은 응집소 α이다.

ㄴ. (×) ㉠은 응집소 α, ㉡은 응집소 β이다. 응집소 α, β를 모두 갖는 어머니는 O형, 응집소 α는 있지만 β는 없는 누나는 B형임을 알 수 있다. 철수는 A형이므로, O형인 어머니 사이에서 A형, B형 자녀를 두려면 아버지는 AB형이어야 한다. 따라서 아버지는 ㉡(응집소 β)이 없다.

ㄷ. (×) B형인 누나는 응집원 B를 가지므로 응집소 β를 지니는 어머니에게 수혈할 수 없다.

🖥 배경 지식

혈액형이 서로 다른 두 혈액이 섞이면 적혈구가 서로 엉겨 덩어리가 형성되는 응집 반응이 일어난다. 이는 사람의 적혈구 막에 항원으로 작용하는 응집원이 있고, 혈장에는 항체인 응집소가 있어 항원 항체 반응이 일어나기 때문이다.

■ **오류 피하기**

⋯ A형은 응집원 A와 응집소 β를, B형은 응집원 B와 응집소 α를 갖는다. AB형은 응집원 A, B를 모두 가지고 응집소는 없으며, O형은 응집원은 없고 응집소 α, β를 모두 갖는다. 이러한 특성을 알면 응집소 α, β에 대한 자료만 가지고도 혈액형을 파악할 수 있다.

기출 문제

정답과 해설 24쪽

098 그림 (가)는 철수의 혈구와 영희의 혈장을 섞었을 때, (나)는 철수의 혈장과 영희의 혈구를 섞었을 때 ABO식 혈액형의 응집 반응 결과를 나타낸 것이다.

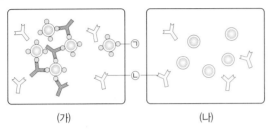

이에 대한 설명으로 옳은 것만을 〈보기〉에서 있는 대로 고른 것은?

─┤ 보기 ├─
ㄱ. ㉠은 응집소이다.
ㄴ. 영희의 혈액형은 O형이다.
ㄷ. ㉡이 없는 사람은 철수에게 수혈할 수 있다.

① ㄱ   ② ㄴ   ③ ㄷ
④ ㄱ, ㄴ   ⑤ ㄴ, ㄷ

099 그림은 철수의 혈액을 항 A 혈청과 항 B 혈청에 각각 섞었을 때 일어나는 응집원과 응집소의 반응을 나타낸 것이다.

구분	항 A 혈청	항 B 혈청
응집원과 응집소의 반응		

이에 대한 설명으로 옳은 것만을 〈보기〉에서 있는 대로 고른 것은? (단, ABO식 혈액형만 고려한다.)

─┤ 보기 ├─
ㄱ. ㉠은 응집소 β이다.
ㄴ. 철수의 혈액형은 B형이다.
ㄷ. 철수의 혈액을 O형인 사람에게 수혈할 수 있다.

① ㄱ   ② ㄴ   ③ ㄷ
④ ㄱ, ㄴ   ⑤ ㄴ, ㄷ

100 그림 (가)는 철수와 영희의 적혈구 표면에 있는 ABO식 혈액형의 응집원을, (나)는 영희의 혈액형 판정 결과를 나타낸 것이다.

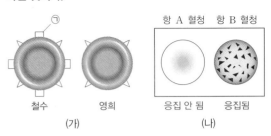

이에 대한 설명으로 옳은 것만을 〈보기〉에서 있는 대로 고른 것은?

─┤ 보기 ├─
ㄱ. ㉠은 응집원 A이다.
ㄴ. 철수의 혈장과 영희의 혈구를 섞으면 응집 반응이 일어난다.
ㄷ. 영희가 가진 ABO식 혈액형의 응집소를 철수도 가지고 있다.

① ㄱ   ② ㄴ   ③ ㄷ
④ ㄱ, ㄴ   ⑤ ㄴ, ㄷ

101 그림은 ABO식 혈액형이 A형인 영희의 혈액을 철수의 혈액과 섞었을 때 응집 반응 결과를, 표는 영희의 혈액을 혈구와 혈장으로 분리하여 학생 30명의 혈액과 반응시킨 결과를 나타낸 것이다.

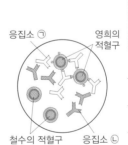

ABO식 혈액형	영희의 혈액		인원 (명)
	혈구	혈장	
(가)	+	+	9
(나)	+	−	7
(다)	−	+	3
(라)	−	−	11

(+: 응집함, −: 응집 안 함)

이에 대한 설명으로 옳은 것만을 〈보기〉에서 있는 대로 고른 것은? (단, ABO식 혈액형에 대한 응집 반응만을 고려한다.)

─┤ 보기 ├─
ㄱ. 철수의 혈액형은 (가)이다.
ㄴ. 30명의 학생 중 ㉡을 가진 학생은 18명이다.
ㄷ. 영희의 응집원과 ㉠의 반응은 항원 항체 반응이다.

① ㄱ   ② ㄷ   ③ ㄱ, ㄴ
④ ㄴ, ㄷ   ⑤ ㄱ, ㄴ, ㄷ

기출 분석

27 유형

❓ 출제 의도

유전 정보를 담고 있는 DNA와 염색체의 기본적인 구조와 특징을 알고 있는지 묻는 유형이다.

〰️ 이렇게 대비하자!

DNA, 히스톤 단백질과 같은 염색체의 구성 성분과 아울러 염색 분체와 상동 염색체의 관계를 정리하도록 한다.

■ 연관 기출 문제   키워드

\# 염색체

\# 염색사

\# DNA

\# 히스톤 단백질

문제 분석

염색체의 구조: 염색체는 DNA 가닥과 단백질로 이루어진 복합체이다. (가)는 그 기본적인 구조를 나타내는데, ㉠은 히스톤 단백질에 DNA 가닥이 실처럼 감겨 있는 '뉴클레오솜' 구조를 나타낸다.

이러한 구조가 규칙적으로 꼬이고 응축하여 (나)의 염색체 형태가 된다.

그림 (가)와 (나)는 세포 주기 중 서로 다른 시기에 관찰되는 염색체의 응축 정도를 나타낸 것이다.

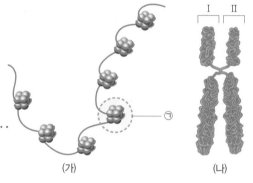

(가)   (나)

이에 대한 설명으로 옳은 것만을 〈보기〉에서 있는 대로 고른 것은?

┌─ 보기 ────────────────────────────┐

ㄱ. ㉠은 DNA와 단백질로 구성된다.

ㄴ. Ⅰ은 Ⅱ의 상동 염색체이다.

ㄷ. (가)가 (나)로 응축되는 시기는 세포 주기 중 간기이다.

└──────────────────────────────────┘

① ㄱ   ② ㄴ   ③ ㄱ, ㄴ   ④ ㄱ, ㄷ   ⑤ ㄴ, ㄷ

■ 문항별 해설   답 ①

ㄱ. (○) ㉠은 뉴클레오솜으로 DNA 가닥이 히스톤 단백질에 감겨 있는 구조이다. 이러한 뉴클레오솜이 규칙적으로 꼬여 굵은 구조를 이룬 것이 염색사이며, 세포 분열 시 염색사가 응축한 구조가 염색체이다.

ㄴ. (×) Ⅰ과 Ⅱ는 상동 염색체가 아닌 하나의 염색체를 구성하는 염색 분체이다.

ㄷ. (×) 염색사가 염색체로 응축하는 시기는 분열기 중 전기이다.

🖥️ 배경 지식

각각의 염색체는 하나의 긴 이중 나선 DNA로 구성되어 있고, 이 DNA 가닥의 여러 부분에 생명체의 특정 형질을 결정하는 유전 정보가 저장되어 있다. 이렇게 생명체의 형질을 결정하는 유전 정보의 단위를 유전자라고 한다. 각각의 유전자에는 특정한 단백질의 아미노산 서열 정보가 저장되어 있다. 한 생명체에 있는 모든 유전 정보를 유전체라고 한다.

■ 오류 피하기

⋯ 상동 염색체는 크기와 모양이 같고, 각각 모계와 부계에서 하나씩 물려받은 두 염색체를 뜻한다. Ⅰ과 Ⅱ는 DNA가 복제되어 두 염색 분체를 이룬 구조이다.

⋯ 염색사가 염색체로 응축하는 시기는 분열기의 시작인 전기 시점이다.

기출 문제

정답과 해설 26쪽

102 그림은 염색체의 구조를 나타낸 것이다.

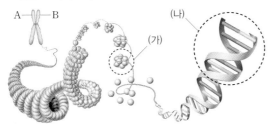

이에 대한 설명으로 옳은 것만을 〈보기〉에서 있는 대로 고른 것은? (단, 돌연변이는 일어나지 않는다.)

┤ 보기 ├
ㄱ. A와 B에 존재하는 유전 정보는 같다.
ㄴ. (가)는 DNA와 단백질로 구성되어 있다.
ㄷ. (나)의 기본 단위는 뉴클레오타이드이다.

① ㄱ   ② ㄷ   ③ ㄱ, ㄴ
④ ㄴ, ㄷ   ⑤ ㄱ, ㄴ, ㄷ

103 그림은 염색체의 구조를 나타낸 것이다. ㉠과 ㉡에는 특정 형질에 대한 유전 정보가 있다.

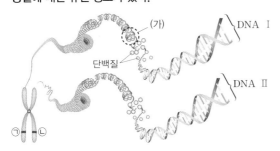

이에 대한 설명으로 옳은 것만을 〈보기〉에서 있는 대로 고른 것은? (단, 교차와 돌연변이는 고려하지 않는다.)

┤ 보기 ├
ㄱ. (가)는 뉴클레오솜이다.
ㄴ. ㉠은 ㉡의 대립유전자이다.
ㄷ. DNA Ⅰ과 DNA Ⅱ의 유전자 구성은 서로 같다.

① ㄱ   ② ㄴ   ③ ㄱ, ㄷ
④ ㄴ, ㄷ   ⑤ ㄱ, ㄴ, ㄷ

104 그림은 염색체의 구조를, 표는 어떤 사람의 세포 A와 B에서 염색체의 응축 정도를 비교한 것이다. A와 B는 각각 G₁기와 체세포 분열 중기에 해당하는 세포 중 하나이다.

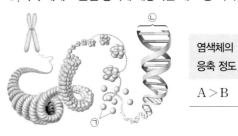

염색체의 응축 정도
A > B

이에 대한 설명으로 옳은 것만을 〈보기〉에서 있는 대로 고른 것은?

┤ 보기 ├
ㄱ. 뉴클레오솜은 ㉠과 ㉡으로 구성된다.
ㄴ. 세포 1개가 가지는 ㉡의 양은 B > A이다.
ㄷ. A보다 B가 핵형 분석에 적합하다.

① ㄱ   ② ㄴ   ③ ㄷ
④ ㄱ, ㄴ   ⑤ ㄱ, ㄷ

105 그림은 염색체의 구조를 나타낸 것이다.

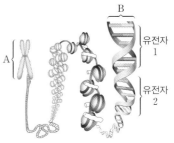

이에 대한 설명으로 옳은 것만을 〈보기〉에서 있는 대로 고른 것은? (단, 돌연변이는 없다.)

┤ 보기 ├
ㄱ. A는 DNA와 단백질로 구성된다.
ㄴ. B를 구성하는 당은 디옥시리보스이다.
ㄷ. 유전자 1과 2는 동일한 형질을 결정하는 한 쌍의 대립유전자이다.

① ㄱ   ② ㄷ   ③ ㄱ, ㄴ
④ ㄴ, ㄷ   ⑤ ㄱ, ㄴ, ㄷ

기출 분석

28 유형

? 출제 의도

한 세포의 유전 정보를 담고 있는 상동 염색체, 상염색체, 성염색체의 기본 특징을 묻는 유형이다.

이렇게 대비하자!

상동 염색체의 뜻과 대립유전자의 위치 등을 염색 분체와 혼동하지 않고 정리하도록 한다.

■ 연관 기출 문제 키워드

\# 상동 염색체

\# 상염색체

\# 성염색체

문제 분석 ······················

상동 염색체: 한 세포가 갖는 전체 염색체 중에서 크기, 모양, 동원체의 위치가 같은 두 염색체를 상동 염색체라고 한다. 이 중 하나는 부계로부터, 하나는 모계로부터 받은 것이다. 그림에서 (가)와 (나)는 상동 염색체이며, ㉠과 ㉡은 DNA의 복제 결과 생긴 염색 분체이다. A와 a, b와 b는 상동 염색체의 같은 위치에 존재하는 대립유전자이다.

그림은 어떤 정상 남자의 체세포에 들어 있는 상동 염색체 중 한 쌍을 나타낸 것이다.

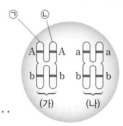

이에 대한 설명으로 옳은 것만을 〈보기〉에서 있는 대로 고른 것은? (단, A, a, b는 유전자이다.)

┃ 보기 ┃

ㄱ. (가)와 (나)는 상염색체이다.

ㄴ. ㉠과 ㉡은 각각 부모로부터 하나씩 물려받은 것이다.

ㄷ. A는 b의 대립유전자이다.

① ㄱ   ② ㄴ   ③ ㄷ   ④ ㄱ, ㄴ   ⑤ ㄴ, ㄷ

■ 문항별 해설   **답 ①**

ㄱ. (○) 남자의 성염색체는 X 염색체와 Y 염색체로 크기와 모양이 다르다. 제시된 그림에서 상동 염색체의 크기와 모양이 같으므로, 이는 상염색체임을 알 수 있다.

ㄴ. (✕) ㉠과 ㉡은 DNA 복제 결과 생성된 염색 분체이다. (가)와 (나)가 각각 부모로부터 하나씩 물려받은 상동 염색체이다.

ㄷ. (✕) 대립유전자는 상동 염색체 쌍의 같은 위치에 존재하는 두 유전자를 말한다. 따라서 A의 대립유전자는 a이다.

배경 지식

한 염색체의 두 염색 분체는 DNA가 복제되어 만들어지므로 유전 정보가 같지만, 상동 염색체를 이루는 각 염색체는 부모로부터 각각 물려받으므로 유전 정보가 다를 수 있다. 한 쌍의 상동 염색체에서 같은 위치에 존재하는 대립유전자는 같은 경우도 있지만 다른 경우도 있다. 대립유전자 쌍이 같은 경우를 동형 접합성, 서로 다른 경우를 이형 접합성이라고 한다.

■ 오류 피하기

┈▸ DNA가 복제되어 생긴 하나의 염색체를 이루는 두 가닥을 염색 분체라고 한다. 상동 염색체는 부모로부터 각각 하나씩 받은 두 염색체를 의미하므로, 염색 분체와 혼동하지 않도록 주의한다.

기출 문제

정답과 해설 26쪽

106 그림은 어떤 동물이 가진 한 쌍의 염색체를 나타낸 것이다. ㉠과 ㉡은 상동 염색체의 동일한 위치에 존재하는 유전자이고, ㉠은 털색 결정에 관여한다. 이에 대한 옳은 설명만을 〈보기〉에서 있는 대로 고른 것은? (단, 돌연변이는 고려하지 않는다.)

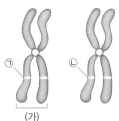

┃ 보기 ┃
ㄱ. ㉡은 털색의 결정에 관여한다.
ㄴ. (가)는 DNA와 단백질로 구성된다.
ㄷ. (가)는 세포가 분열할 때 나타난다.

① ㄱ   ② ㄴ   ③ ㄱ, ㄷ
④ ㄴ, ㄷ   ⑤ ㄱ, ㄴ, ㄷ

107 그림은 어떤 생물의 염색체 (2n = 4)를 나타낸 것이다. 이에 대한 설명으로 옳은 것만을 〈보기〉에서 있는 대로 고른 것은? (단, 돌연변이는 일어나지 않는다.)

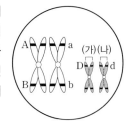

┃ 보기 ┃
ㄱ. A와 B는 대립유전자이다.
ㄴ. (가)와 (나)는 상동 염색체이다.
ㄷ. 이 생물은 6종류의 생식세포를 만들 수 있다.

① ㄱ   ② ㄴ   ③ ㄱ, ㄷ
④ ㄴ, ㄷ   ⑤ ㄱ, ㄴ, ㄷ

108 그림은 어떤 동물(2n = 6)에서 특정 형질에 대한 유전자형이 Aa인 개체 I 의 세포 (가)와 (나) 각각에 들어 있는 모든 염색체를 나타낸 것이다. 이 동물의 성염색체는 수컷이 XY, 암컷이 XX이다.

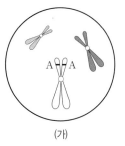
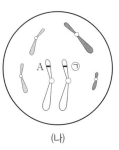

(가)   (나)

이에 대한 설명으로 옳은 것만을 〈보기〉에서 있는 대로 고른 것은? (단, 돌연변이는 고려하지 않는다.)

┃ 보기 ┃
ㄱ. (가)의 핵상은 n이다.
ㄴ. 개체 I 은 수컷이다.
ㄷ. ㉠은 대립유전자 A이다.

① ㄱ   ② ㄷ   ③ ㄱ, ㄴ
④ ㄴ, ㄷ   ⑤ ㄱ, ㄴ, ㄷ

109 그림은 어떤 동물의 세포 (가)와 (나)에 들어 있는 모든 염색체를 나타낸 것이다. 이 동물의 성염색체는 XY이다.

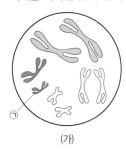
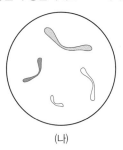

(가)   (나)

이에 대한 설명으로 옳은 것만을 〈보기〉에서 있는 대로 고른 것은? (단, 돌연변이는 고려하지 않는다.)

┃ 보기 ┃
ㄱ. ㉠은 성염색체이다.
ㄴ. (나)는 체세포이다.
ㄷ. (가)의 염색체 수는 (나)의 염색체 수의 4배이다.

① ㄱ   ② ㄴ   ③ ㄷ
④ ㄱ, ㄷ   ⑤ ㄱ, ㄴ, ㄷ

기출 분석

유형

■ **연관 기출 문제 키워드**

\# 세포 주기

\# M기

\# G₁기

\# S기

\# G₂기

? 출제 의도

분열기와 간기로 구분되는 세포 주기를 알고 각 시기의 특징을 파악하고 있는지 묻는 유형이다.

〰 이렇게 대비하자 !

간기를 G_1기, S기, G_2기의 세 시기로 구분하여 각 특징을 정리하도록 한다.

문제 **분석** ····················

세포 주기: 세포 주기는 크게 분열기와 간기로 구분할 수 있으며, 다시 분열기는 전기, 중기, 후기, 말기로, 간기는 차례로 G_1기, S기, G_2기로 나뉜다. 따라서 ㉠은 G_1기, ㉡은 S기이다.

그림은 어떤 동물 체세포의 세포 주기를 나타낸 것이다. ㉠과 ㉡은 각각 S기와 G_1기 중 하나이다.

이에 대한 설명으로 옳은 것만을 〈보기〉에서 있는 대로 고른 것은?

┤ 보기 ├

ㄱ. ㉠은 G_1기이다.

ㄴ. ㉡ 시기에 DNA 복제가 일어난다.

ㄷ. G_2기에 핵막이 관찰된다.

① ㄱ   ② ㄷ   ③ ㄱ, ㄴ   ④ ㄴ, ㄷ   ⑤ ㄱ, ㄴ, ㄷ

■ **문항별 해설**   **답** ⑤

ㄱ. (○) 분열기를 제외한 간기는 차례로 G_1기, S기, G_2기로 구분된다. 따라서 ㉠은 G_1기, ㉡은 S기이다.

ㄴ. (○) G_1기와 G_2기 사이에 있는 S기는 DNA 복제가 일어나는 시기이다.

ㄷ. (○) 핵막과 인은 간기 내내 관찰되다가 분열기의 전기에 이르면 소실되기 시작한다. 따라서 G_2기에는 핵막이 관찰된다.

 배경 지식

간기는 염색체를 구성하는 DNA가 복제되는 S기와 그 전후의 G_1기, G_2기로 구분된다. DNA 복제는 S기에만 일어나지만 세포의 생장은 G_1기, S기, G_2기 내내 일어난다. 분열기에는 핵분열이 먼저 일어나 유전 물질이 나누어진 후 세포질 분열이 일어나 두 개의 딸세포가 만들어진다.

■ **오류 피하기**

⋯ 간기는 분열기가 끝난 이후 차례로, G_1기, S기, G_2기 순서로 진행된다. 따라서 세포 주기 모식도 상에서 어느 한 시기가 주어지면 나머지 시기를 구분할 수 있다. G_1기에는 세포 생장, S기에는 DNA 복제, G_2기에는 세포 분열 준비가 주로 일어남을 정리한다.

110 그림은 어떤 동물 체세포의 세포 주기를 나타낸 것이다. (가)~(다)는 각각 G_1기, M기(분열기), S기 중 하나이다. 이에 대한 설명으로 옳은 것만을 〈보기〉에서 있는 대로 고른 것은? (단, 돌연변이는 고려하지 않는다.)

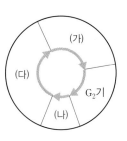

┤ 보기 ├
ㄱ. (가)에서 방추사가 관찰된다.
ㄴ. (나)에서 DNA 복제가 일어난다.
ㄷ. (다)에서 세포가 가장 많이 생장한다.

① ㄱ　　　② ㄴ　　　③ ㄷ
④ ㄱ, ㄴ　　　⑤ ㄱ, ㄴ, ㄷ

112 그림 (가)는 어떤 동물 체세포의 세포 주기를, (나)는 이 세포를 배양한 후 세포당 DNA양에 따른 세포 수를 나타낸 것이다. ㉠과 ㉡은 각각 G_1기와 G_2기 중 하나이다.

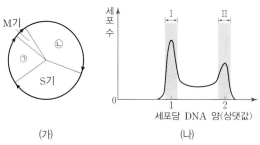

(가)　　　(나)

이에 대한 설명으로 옳은 것만을 〈보기〉에서 있는 대로 고른 것은? (단, 돌연변이는 고려하지 않는다.)

┤ 보기 ├
ㄱ. ㉠ 시기에 2가 염색체가 관찰된다.
ㄴ. 구간 Ⅰ에는 ㉡ 시기의 세포가 있다.
ㄷ. 구간 Ⅱ에는 방추사가 나타난 세포가 있다.

① ㄱ　　　② ㄴ　　　③ ㄷ
④ ㄱ, ㄴ　　　⑤ ㄴ, ㄷ

111 그림 (가)와 (나)는 어떤 사람의 체세포 분열과 감수 분열의 세포 주기를 각각 나타낸 것이다. ㉠~㉢은 각각 G_1기, G_2기, S기 중 하나이다.

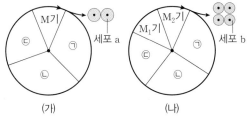

(가)　　　(나)

이에 대한 설명으로 옳은 것만을 〈보기〉에서 있는 대로 고른 것은? (단, 돌연변이는 고려하지 않는다.)

┤ 보기 ├
ㄱ. ㉡ 시기에 DNA 복제가 일어난다.
ㄴ. (가)의 세포 a와 (나)의 세포 b의 핵상은 서로 같다.
ㄷ. (나)에서 세포 b의 DNA양은 ㉠ 시기 세포의 DNA양과 같다.

① ㄱ　　　② ㄴ　　　③ ㄷ
④ ㄱ, ㄴ　　　⑤ ㄱ, ㄷ

113 그림 (가)는 어떤 조직을 구성하는 체세포의 세포 주기를, (나)는 이 조직에서 관찰된 세포 A와 B를 나타낸 것이다. A와 B의 세포 1개당 DNA 상대량은 같다.

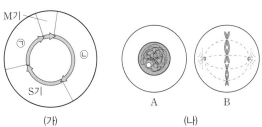

(가)　　　(나)

이에 대한 설명으로 옳은 것만을 〈보기〉에서 있는 대로 고른 것은?

┤ 보기 ├
ㄱ. A는 ㉠ 시기에 해당하는 세포이다.
ㄴ. ㉡은 G_2기이다.
ㄷ. 이 조직에서 A보다 B와 같은 세포가 더 많이 관찰된다.

① ㄱ　　　② ㄴ　　　③ ㄷ
④ ㄱ, ㄷ　　　⑤ ㄴ, ㄷ

기출 분석

30유형

■ **연관 기출 문제 키워드**

\# 간기

\# 전기

\# 중기

\# 후기

\# 말기

문제 분석

세포 분열의 단계: (가)는 핵막과 인이 모두 존재하는 시기로 분열기가 아닌 세포가 생장하고 DNA가 복제되어 세포 분열을 준비하는 간기임을 알 수 있다. (나)는 DNA가 복제된 염색체가 세포의 적도면에 배열된 시기로 분열기 중 중기에 해당한다. (다)는 염색 분체가 완전히 분리되어 세포의 양 끝으로 이동하고, 세포판이 형성되어 세포질이 나누어지는 말기에 해당한다.

배경 지식

분열하기 이전의 간기에는 핵막과 인이 뚜렷하고, 핵 속의 염색체가 실 모양으로 풀어져 존재한다. 분열기가 시작되면, 전기에 핵막과 인이 사라지고 염색사가 응축한 염색체가 나타난다. 중심체에서는 염색체의 이동에 필요한 방추사가 형성된다. 중기에는 응축된 염색체가 이동하여 세포 중앙의 적도판에 배열된다. 후기에 각각의 염색 분체가 분리되어 방추사에 의해 양극 방향으로 이동한다. 말기에는 염색체가 염색사의 형태로 풀어지고, 핵막과 인이 다시 나타나며, 세포질 분열이 일어난다.

? **출제 의도**

세포 분열 과정의 각 단계의 특징을 알고 이를 구분할 수 있는지 묻는 유형이다.

이렇게 대비하자!

세포 분열 과정인 전기, 중기, 후기, 말기의 각 특징을 그림과 함께 정리하도록 한다.

그림 (가)~(다)는 어떤 식물의 생장점에서 관찰되는 세포를 나타낸 것이다. ㉠과 ㉡은 모두 핵이다.

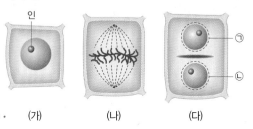

(가)　　　　　(나)　　　　　(다)

이에 대한 설명으로 옳은 것만을 〈보기〉에서 있는 대로 고른 것은? (단, 돌연변이는 고려하지 않는다.)

┤ 보기 ├

ㄱ. (가)는 중기의 세포이다.

ㄴ. (다)의 DNA 양은 (나)의 2배이다.

ㄷ. ㉠과 ㉡의 유전 정보는 동일하다.

① ㄴ　　　　② ㄷ　　　　③ ㄱ, ㄴ　　　　④ ㄱ, ㄷ　　　　⑤ ㄴ, ㄷ

■ **문항별 해설**　　　　　　　　　　　　　　　　　　　　　　　　　　답 ②

ㄱ. (✕) (가)는 핵막과 인이 나타나므로 세포가 분열되기 전인 간기의 세포임을 알 수 있다.

ㄴ. (✕) (나)와 (다) 모두 간기에 복제된 DNA가 완전히 나누어지기 전 시기로, DNA양은 서로 같다.

ㄷ. (○) ㉠과 ㉡은 간기에 복제된 DNA가 나누어진 것이므로 유전 정보가 같다.

■ **오류 피하기**

⋯ (다)는 분열기 중 말기로, 세포질이 나누어지기 시작하는 시기이지만 아직 두 개의 세포로 완전히 나누어지기 전이다. 따라서 DNA양은 간기에 복제되어 2배로 된 상태와 같으므로 (나) 시기와 같다.

기출 문제

정답과 해설 28쪽

114 그림 (가)는 어떤 사람의 생식세포 형성 과정을, (나)는 세포 ㉣에 있는 염색체와 유전자를 나타낸 것이다. 이 사람의 특정 유전 형질에 대한 유전자형은 Dd이며, D와 d는 서로 대립유전자이다.

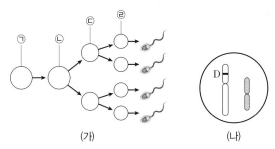

(가)   (나)

세포 ㉠~㉢에 대한 설명으로 옳은 것만을 〈보기〉에서 있는 대로 고른 것은? (단, 돌연변이는 고려하지 않으며, (나)는 2개의 상염색체만을 나타내었다.)

> **보기**
>
> ㄱ. ㉠의 핵상은 $2n$이다.
> ㄴ. ㉡이 ㉢으로 되는 과정에서 염색 분체가 분리된다.
> ㄷ. ㉢에 있는 D의 수는 2개이다.

① ㄱ   ② ㄴ   ③ ㄱ, ㄷ
④ ㄴ, ㄷ   ⑤ ㄱ, ㄴ, ㄷ

115 그림은 어떤 동물($2n = 4$)에서 생식세포가 형성되는 과정의 일부를 나타낸 것이다.

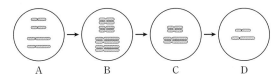

A   B   C   D

이에 대한 옳은 설명만을 〈보기〉에서 있는 대로 고른 것은?

> **보기**
>
> ㄱ. A에는 2가 염색체가 들어 있다.
> ㄴ. B의 염색체 수는 C의 2배이다.
> ㄷ. C가 D로 되는 과정에서 염색 분체가 분리된다.

① ㄱ   ② ㄴ   ③ ㄷ
④ ㄱ, ㄴ   ⑤ ㄴ, ㄷ

116 그림은 체세포 분열 시 일어나는 세포질 분열을 나타낸 것이다. (가)와 (나)는 각각 식물 세포와 동물 세포의 세포질 분열 중 하나이다.

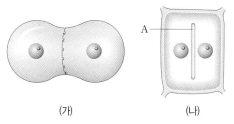

(가)   (나)

이에 대한 옳은 설명만을 〈보기〉에서 있는 대로 고른 것은? (단, 돌연변이는 고려하지 않는다.)

> **보기**
>
> ㄱ. (가)는 동물 세포의 세포질 분열이다.
> ㄴ. (가)에서 생성되는 두 딸세포의 유전자 구성은 서로 같다.
> ㄷ. (나)의 A로부터 새로운 세포벽이 형성된다.

① ㄴ   ② ㄷ   ③ ㄱ, ㄴ
④ ㄱ, ㄷ   ⑤ ㄱ, ㄴ, ㄷ

117 그림 (가)~(다)는 어떤 동물($2n = 6$)의 생식세포 형성 과정에서 관찰되는 세포를 순서 없이 나타낸 것이다.

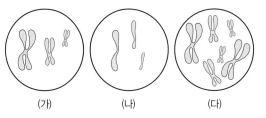

(가)   (나)   (다)

이에 대한 설명으로 옳은 것만을 〈보기〉에서 있는 대로 고른 것은? (단, 돌연변이는 고려하지 않는다.)

> **보기**
>
> ㄱ. (가)의 핵상은 $2n$이다.
> ㄴ. (가)의 염색 분체 수와 (다)의 염색체 수는 같다.
> ㄷ. 생식세포가 형성되는 순서는 (가) → (다) → (나)이다.

① ㄱ   ② ㄴ   ③ ㄷ
④ ㄱ, ㄴ   ⑤ ㄱ, ㄴ, ㄷ

기출 분석

31유형

❓ **출제 의도**

체세포 분열과 생식세포 분열 과정의 차이점을 알고 있는지 묻는 유형이다.

〰 **이렇게 대비하자!**

2가 염색체의 형성, 염색 분체의 분리와 상동 염색체 분리와 같은 두 분열 과정의 차이점을 정리하도록 한다.

■ **연관 기출 문제　키워드**

\# 생식세포 분열

\# 체세포 분열

\# 2가 염색체

문제 분석 ·············

체세포 분열과 생식세포 분열의 비교: 왼쪽은 염색 분체가 나뉘는 체세포 분열을, 오른쪽은 상동 염색체가 나뉘는 생식세포 분열을 나타낸다. A는 DNA가 복제되어 염색 분체로 이루어진 염색체가 보이며, C는 상동 염색체가 결합한 2가 염색체가 관찰된다. B는 염색 분체가 분리되어 염색체 수가 모세포와 같은 딸세포이고, D는 상동 염색체가 분리되어 염색체 수가 반으로 감소한 딸세포를 나타낸다.

그림은 어떤 동물($2n = 4$)에서 일어나는 2가지 세포 분열 과정의 일부를 나타낸 것이다.

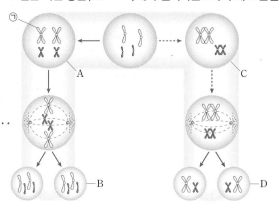

이에 대한 설명으로 옳은 것만을 〈보기〉에서 있는 대로 고른 것은? (단, 돌연변이는 고려하지 않는다.)

┤ 보기 ├

ㄱ. ⊙은 상동 염색체가 접합된 것이다.

ㄴ. $\dfrac{\text{염색 분체 수}}{\text{염색체 수}}$ 는 세포 C가 A의 2배이다.

ㄷ. 세포 B와 D의 DNA양은 같다.

① ㄱ　　② ㄷ　　③ ㄱ, ㄴ　　④ ㄴ, ㄷ　　⑤ ㄱ, ㄴ, ㄷ

🐛 **배경 지식**

생식세포 분열은 감수 1분열과 감수 2분열의 두 단계에 걸쳐 일어난다. 감수 1분열에서는 상동 염색체가 접합한 2가 염색체가 세포의 적도면에 배열한 후, 상동 염색체가 분리되어 두 딸세포로 나뉘어 들어간다. 그 결과 염색체 수가 반으로 줄은 두 딸세포가 만들어진다. 감수 2분열에서는 각 염색체를 이루는 두 염색 분체가 분리되어 딸세포로 들어간다. 생식세포 분열 결과 최종적으로 염색체 수가 체세포의 절반인 4개의 딸세포가 만들어진다.

■ **문항별 해설**　　　　　　　　　　　　　　답 ②

ㄱ. (×) ⊙은 두 염색 분체로 이루어진 하나의 염색체를 나타낸다.

ㄴ. (×) A와 C는 염색체의 수와 염색 분체의 수 같으므로 $\dfrac{\text{염색 분체 수}}{\text{염색체 수}}$ 의 값이 서로 같다. 다만, 상동 염색체가 접합한 2가 염색체가 형성되었는지의 여부만 다르다.

ㄷ. (○) 세포 B는 염색 분체가 분리된 것이고, 세포 D는 상동 염색체가 분리된 것으로 염색체 수에는 차이가 있다. 하지만, DNA가 복제되어 2배가 된 상태에서 한 번 분열을 거쳐 반으로 줄어든 것이므로 DNA양은 같다.

■ **오류** 피하기

⋯ 하나의 염색체를 이루는 두 염색 분체와 상동 염색체를 구분할 수 있어야 한다. 하나의 염색체는 동원체가 한 개이고, 두 염색체가 결합한 2가 염색체는 동원체가 2개임을 참고한다.

기출 문제

정답과 해설 29쪽

118 그림 (가)와 (나)는 어떤 식물($2n = 4$)에서 일어나는 체세포 분열과 감수 분열 과정의 일부를 순서 없이 나타낸 것이다.

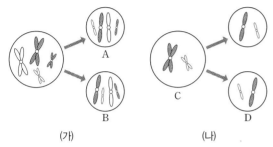

(가)　　　　　　　(나)

이에 대한 설명으로 옳은 것만을 〈보기〉에서 있는 대로 고른 것은? (단, 돌연변이는 없다.)

보기

ㄱ. (가)는 이 식물의 생장점에서 관찰된다.
ㄴ. A와 B의 유전 정보는 동일하다.
ㄷ. C와 D의 핵상은 모두 n이다.

① ㄱ　② ㄷ　③ ㄱ, ㄴ　④ ㄴ, ㄷ　⑤ ㄱ, ㄴ, ㄷ

119 그림 (가)는 체세포 분열 과정을, (나)는 감수 분열 과정을 나타낸 것이다.

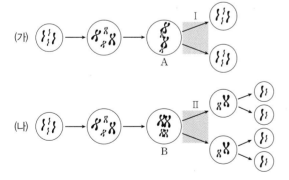

이에 대한 옳은 설명만을 〈보기〉에서 있는 대로 고른 것은?

보기

ㄱ. 세포 A와 B의 핵상은 같다.
ㄴ. Ⅰ과 Ⅱ의 단계에서 모두 상동 염색체가 분리된다.
ㄷ. (나)에서 S기가 2번 나타난다.

① ㄱ　② ㄴ　③ ㄷ　④ ㄱ, ㄴ　⑤ ㄴ, ㄷ

120 그림 (가)와 (나)는 어떤 동물 세포($2n = 4$)에서 일어나는 2종류의 세포 분열 과정 중 일부를 나타낸 것이다.

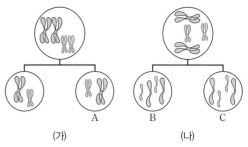

(가)　　　　　　　(나)

이에 대한 설명으로 옳은 것만을 〈보기〉에서 있는 대로 고른 것은? (단, 돌연변이는 고려하지 않는다.)

보기

ㄱ. A와 C의 핵상은 같다.
ㄴ. B와 C의 유전 정보는 동일하다.
ㄷ. (가)는 체세포 분열 과정의 일부이다.

① ㄴ　　② ㄷ　　③ ㄱ, ㄴ
④ ㄴ, ㄷ　　⑤ ㄱ, ㄴ, ㄷ

121 그림은 어떤 동물에서 일어나는 세포 분열 과정의 일부를 나타낸 것이다. (가)와 (나)는 각각 감수 분열과 체세포 분열 중 하나이다.

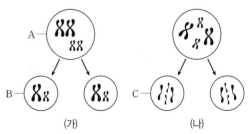

(가)　　　　　　　(나)

이에 대한 옳은 설명만을 〈보기〉에서 있는 대로 고른 것은?

보기

ㄱ. A와 C의 핵상은 모두 $2n$이다.
ㄴ. $\dfrac{\text{염색체 수}}{\text{DNA 양}}$ 는 C가 B의 2배이다.
ㄷ. (가)에서 상동 염색체가 분리된다.

① ㄴ　　② ㄷ　　③ ㄱ, ㄴ
④ ㄱ, ㄷ　　⑤ ㄱ, ㄴ, ㄷ

기출 분석

32 유형

■ 연관 기출 문제   키워드

\# 세포 주기

\# DNA양

\# 염색체 수

문제 분석

세포 분열 시기에 따른 DNA양의 변화: 제시된 자료에서 간기에 DNA가 복제되어 DNA양이 2배로 늘어난 이후 두 번에 걸쳐 DNA양이 감소하므로 생식세포 분열(감수 분열)임을 알 수 있다. ㉠은 간기 중 DNA가 복제되기 전인 G_1기이다. ㉡은 감수 1분열을 나타내며, 이 시기에 상동 염색체가 분리되어 염색체 수가 반으로 줄어든다. ㉢ 시기는 감수 2분열이 완료된 후로 총 4개의 딸세포가 생기며, 세포 하나의 염색체 수는 모세포의 절반이다.

? 출제 의도

세포 분열이 진행되는 동안 DNA양의 변화에 대해 이해하고 있는지 묻는 유형이다.

☾ 이렇게 대비하자!

간기에서 DNA양이 두 배가 되고, 분열기를 거치면서 다시 DNA양이 감소하는 과정을 정리하도록 한다.

그림은 어떤 동물의 세포 분열 과정에서 시기에 따른 핵 1개당 DNA양을 나타낸 것이다.

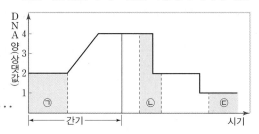

이에 대한 설명으로 옳은 것만을 〈보기〉에서 있는 대로 고른 것은? (단, 돌연변이는 고려하지 않으며, ㉢은 세포 분열이 완료된 시기이다.)

─ 보기 ─

ㄱ. ㉠ 시기에 핵막과 인이 사라진다.

ㄴ. ㉡ 시기에 상동 염색체가 분리된다.

ㄷ. ㉠과 ㉢ 시기에 세포 1개의 핵상은 모두 $2n$이다.

① ㄱ   ② ㄴ   ③ ㄷ   ④ ㄴ, ㄷ   ⑤ ㄱ, ㄴ, ㄷ

■ 문항별 해설   답 ②

ㄱ. (×) ㉠ 시기는 세포 분열을 준비하는 시기인 간기이다. 간기에는 핵막과 인이 사라지지 않는다. 핵막과 인은 분열기의 전기에 소실된다.

ㄴ. (○) 생식세포 분열의 감수 1분열 시기에는 상동 염색체가 분리되어 염색체 수가 반으로 줄어든다.

ㄷ. (×) ㉠ 시기에는 염색체 수가 줄어들기 전이므로 핵상이 $2n$이지만, ㉢ 시기는 생식세포 분열이 완료된 시기로 염색체 수가 반으로 줄어들어 핵상이 n이다.

🖥 배경 지식

감수 1분열에서는 2가 염색체가 각각의 상동 염색체로 분리되어 두 개의 딸세포로 나누어 들어간다. 따라서 감수 1분열 결과 만들어진 딸세포는 상동 염색체 중 하나만을 가지게 되며($2n \rightarrow n$), 각 염색체는 분열 이전과 마찬가지로 여전히 2개의 염색 분체로 구성되어 있다. 감수 2분열에서는 염색 분체가 분리되어 두 개의 딸세포로 나누어지므로, 염색체 수는 그대로 유지되지만($n \rightarrow n$), DNA양은 반으로 감소한다.

■ 오류 피하기

⋯ 생식세포 분열에서는 감수 1분열 때 상동 염색체가 분리되어 세포 1개당 염색체 수와 DNA양이 반으로 감소한다. 감수 2분열에서는 염색 분체가 분리되므로 염색체 수는 변화가 없고 DNA양이 반으로 줄어든다.

122 그림은 사람의 체세포 분열 과정에서 핵 1개당 DNA 상대량 변화를 나타낸 것이다.

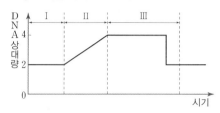

이에 대한 설명으로 옳은 것만을 〈보기〉에서 있는 대로 고른 것은? (단, 돌연변이는 고려하지 않는다.)

> **보기**
> ㄱ. 구간 Ⅰ에서 염색사가 염색체로 응축된다.
> ㄴ. 구간 Ⅱ에서 염색체 수가 2배로 증가한다.
> ㄷ. 구간 Ⅲ에서 염색 분체가 분리된다.

① ㄱ ② ㄴ ③ ㄷ ④ ㄱ, ㄷ ⑤ ㄴ, ㄷ

123 그림 (가)는 어떤 동물($2n = 4$)의 세포가 세포 분열할 때 핵 1개당 DNA 상대량 변화를, (나)는 (가)의 어느 한 시기에서 관찰되는 세포 1개의 염색 분체 수와 DNA 상대량을 나타낸 것이다.

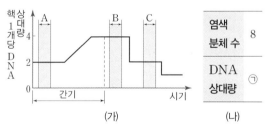

염색 분체 수	8
DNA 상대량	㉠

이에 대한 설명으로 옳은 것만을 〈보기〉에서 있는 대로 고른 것은? (단, 돌연변이는 고려하지 않는다.)

> **보기**
> ㄱ. ㉠은 4이다.
> ㄴ. 세포 1개의 염색체 수는 B 시기가 A 시기의 2배이다.
> ㄷ. B 시기에서 C 시기로 될 때 염색 분체가 분리된다.

① ㄱ ② ㄷ ③ ㄱ, ㄴ
④ ㄴ, ㄷ ⑤ ㄱ, ㄴ, ㄷ

124 그림 (가)는 어떤 동물 세포가 분열하는 과정에서 핵 1개당 DNA 상대량을, (나)는 (가)의 어느 한 시기에서 관찰되는 세포의 모든 염색체를 나타낸 것이다.

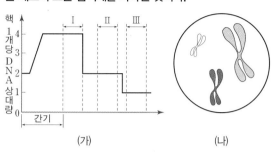

이에 대한 설명으로 옳은 것만을 〈보기〉에서 있는 대로 고른 것은? (단, 돌연변이는 고려하지 않는다.)

> **보기**
> ㄱ. 이 동물의 체세포 염색체 수는 6개이다.
> ㄴ. 상동 염색체 분리는 구간 Ⅱ에서 관찰된다.
> ㄷ. (나)는 구간 Ⅲ에서 관찰된다.

① ㄱ ② ㄴ ③ ㄱ, ㄷ
④ ㄴ, ㄷ ⑤ ㄱ, ㄴ, ㄷ

125 그림 (가)는 어떤 동물의 세포 분열 과정에서 핵 1개당 DNA 상대량의 변화를, (나)는 이 과정 중에서 관찰되는 염색체의 모양을 나타낸 것이다.

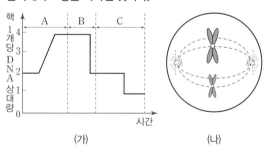

이에 대한 설명으로 옳은 것만을 〈보기〉에서 있는 대로 고른 것은? (단, 돌연변이는 일어나지 않는다.)

> **보기**
> ㄱ. A 단계에서 (나)를 관찰할 수 있다.
> ㄴ. B 단계에서 염색체 수가 반감된다.
> ㄷ. A, B, C 단계에서 모두 DNA양의 변화가 일어난다.

① ㄱ ② ㄴ ③ ㄱ, ㄷ
④ ㄴ, ㄷ ⑤ ㄱ, ㄴ, ㄷ

기출 분석

33 유형

■ 연관 기출 문제 키워드

\# DNA 상대량

\# 대립유전자

\# 염색체 수

\# 생식세포

문제 분석 ·············

세포 1개당 DNA 상대량: P는 G_1기의 세포이므로 A, a, B, b의 상대량이 모두 1이다. S기를 지나면 DNA가 복제되어 A, a, B, b의 상대량이 모두 2가 된다. ⓐ는 유전자 B의 상대량은 2이지만 유전자 A가 없으므로, 유전자 a와 유전자 B를 갖는 감수 1분열이 지난 후의 상태이다. ⓑ와 ⓒ는 감수 2분열까지 모두 지난 상태이다.

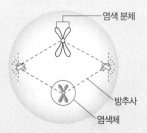
- 염색 분체
- 방추사
- 염색체

그림은 상동 염색체가 분리되어 염색체 수가 반으로 줄어들고, 이후 염색 분체가 분리되는 단계로 감수 2분열 중기를 나타낸다. 즉, 아직 감수 2분열이 완료되지 않았으므로 표에서 ⓐ에 해당한다.

? 출제 의도

세포의 DNA 상대량 값을 통해 DNA의 복제 여부, 염색체의 분리 여부 등을 알 수 있는지 묻는 유형이다.

이렇게 대비하자!

DNA 상대량 값이 0인 경우는 염색체가 분리되어 다른 세포로 들어간 것임을 알고 문제에 접근하도록 한다.

표는 유전자형이 AaBb인 어떤 생물($2n = 4$)에서 G_1기의 세포 P로부터 생식세포가 형성되는 과정에서 관찰되는 세포 ⓐ~ⓒ의 세포 1개당 대립유전자 A와 B의 DNA 상대량을, 그림은 ⓐ~ⓒ 중 어떤 세포에 들어 있는 모든 염색체를 나타낸 것이다.

세포	DNA 상대량	
	A	B
P	1	1
ⓐ	0	2
ⓑ	1	0
ⓒ	0	1

이에 대한 설명으로 옳은 것만을 〈보기〉에서 있는 대로 고른 것은? (단, 교차와 돌연변이는 고려하지 않는다.)

┤ 보기 ├

ㄱ. ⓐ와 ⓑ의 핵상은 서로 같다.

ㄴ. ⓒ는 ⓐ가 분열하여 형성된 세포이다.

ㄷ. 그림은 ⓒ의 염색체를 나타낸 것이다.

① ㄱ　　② ㄴ　　③ ㄷ　　④ ㄱ, ㄴ　　⑤ ㄱ, ㄴ, ㄷ

■ 문항별 해설　　　　　　　　　　　　　　　　　**답 ④**

ㄱ. (○) ⓐ는 유전자 B의 상대량이 2이고 A의 상대량이 0이므로, DNA가 복제된 이후 상동 염색체가 분리되어 유전자 a와 유전자 B를 갖는 경우임을 알 수 있다. 즉, 감수 1분열이 진행된 상태이므로 핵상은 $n = 2$이다. ⓑ는 유전자 A의 상대량이 1, B의 상대량이 0인데, 이는 감수 1분열 이후에 유전자 A와 유전자 b를 갖는 상태에서 다시 한 번 분열이 일어나 A의 상대량이 2 → 1이 된 경우이므로 감수 2분열까지 진행된 상태이다. 이때는 염색체 수는 변함 없고 DNA양만 줄어들므로 핵상은 $n = 2$이다.

ㄴ. (○) ⓒ도 ⓑ와 마찬가지로 감수 2분열까지 진행된 상태임을 알 수 있는데, B의 상대량이 1이므로 ⓐ에서 분열이 한 번 더 진행되어 B의 상대량이 2 → 1이 된 것이다.

ㄷ. (✕) 그림은 상동 염색체가 분리되고 염색 분체가 분리되기 전이므로, 감수 2분열 중기 상태이다. 이에 해당하는 것은 아직 감수 2분열이 끝나기 전인 ⓐ이다.

■ 오류 피하기

···➤ 그림에서 염색체 수는 2개이고, 하나의 염색체는 두 염색 분체로 이루어짐을 알 수 있다. 두 염색체가 모양과 크기가 다르므로 상동 염색체가 아니며, 이는 상동 염색체가 분리되고 염색 분체가 분리되기 전을 나타낸다.

기출 문제

정답과 해설 **30**쪽

126 그림은 어떤 동물($2n = 4$)의 모세포 1개로부터 생식세포가 형성될 때 서로 다른 시기의 세포 (가)와 (나)를, 표는 (가)와 (나) 중 어느 한 세포의 염색체 수와 DNA 상대량을 나타낸 것이다.

염색체 수	4
DNA 상대량	4

(가)   (나)

이에 대한 설명으로 옳은 것만을 〈보기〉에서 있는 대로 고른 것은? (단, 돌연변이는 고려하지 않는다.)

> **보기**
> ㄱ. 생식세포 형성 과정에서 (나)보다 (가)가 먼저 나타난다.
> ㄴ. 표는 (나)의 염색체 수와 DNA 상대량을 나타낸 것이다.
> ㄷ. 이 동물의 생식세포 한 개당 DNA 상대량은 2이다.

① ㄱ　　② ㄴ　　③ ㄷ　　④ ㄱ, ㄴ　⑤ ㄴ, ㄷ

127 표는 어떤 동물의 생식세포 형성 중 서로 다른 시기의 세포 A ~ C의 핵상과 DNA 상대량을, 그림 (가)는 A ~ C 중 한 세포의 염색체 모습을 나타낸 것이다.

세포	핵상	DNA 상대량
A	$2n$	2
B	$2n$	1
C	n	1

(가)

이에 대한 설명으로 옳은 것만을 〈보기〉에서 있는 대로 고른 것은?

> **보기**
> ㄱ. (가)는 A의 염색체 모습이다.
> ㄴ. A의 염색체 수는 B의 2배이다.
> ㄷ. C는 감수 2분열이 완료된 세포이다.

① ㄱ　　② ㄴ　　③ ㄷ　　④ ㄱ, ㄷ　⑤ ㄴ, ㄷ

128 표는 어떤 동물($2n = 4$)에서 생식세포가 형성되는 동안 서로 다른 세 시기 A, B, C에서 관찰된 세포 1개당 염색체 수와 핵 1개당 DNA 상대량을, 그림 (가)는 A, B, C 중 한 시기에서 관찰된 세포의 염색체를 나타낸 것이다.

시기	세포 1개당 염색체 수	핵 1개당 DNA 상대량
A	2	1
B	2	2
C	4	4

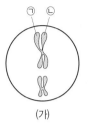

(가)

이에 대한 설명으로 옳은 것만을 〈보기〉에서 있는 대로 고른 것은? (단, A, B, C는 세 시기를 순서 없이 나타낸 것이고, B와 C는 중기이다.)

> **보기**
> ㄱ. (가)는 A 시기를 나타낸 것이다.
> ㄴ. 정상 생식세포 1개에는 ⊙과 ⓒ이 함께 존재한다.
> ㄷ. 세포 1개당 $\dfrac{염색체\ 수}{염색\ 분체\ 수}$의 값은 B 시기와 C 시기가 같다.

① ㄱ　　② ㄴ　　③ ㄷ　　④ ㄱ, ㄷ　⑤ ㄴ, ㄷ

129 표는 어떤 동물($2n = 4$)의 모세포 1개로부터 생식세포가 형성될 때 서로 다른 세 시기 A, B, C에서 관찰된 세포 1개당 염색체 수와 핵 1개당 DNA 상대량을 나타낸 것이다. 그림은 A, B, C 중 한 시기에서 관찰된 세포의 염색체를 나타낸 것이다.

시기	세포 1개당 염색체 수	핵 1개당 DNA 상대량
A	2	1
B	4	4
C	2	2

이에 대한 설명으로 옳은 것만을 〈보기〉에서 있는 대로 고른 것은? (단, A, B, C는 세 시기를 순서 없이 나타낸 것이고, B와 C는 중기이다.)

> **보기**
> ㄱ. 세포 1개당 $\dfrac{염색\ 분체\ 수}{염색체\ 수}$는 B에서가 C에서의 2배이다.
> ㄴ. 그림은 C의 염색체이다.
> ㄷ. A의 세포는 간기의 S기를 거쳐 C의 세포가 된다.

① ㄱ　　② ㄴ　　③ ㄱ, ㄴ　④ ㄱ, ㄷ　⑤ ㄴ, ㄷ

기출 분석

34 유형

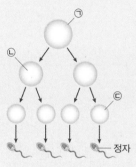

■ **연관 기출 문제 키워드**

\# 정자 형성

\# DNA 상대량

문제 분석 ·············

세포 1개당 DNA 상대량과 세포 분열 전체 과정: 우선 표를 보면 H와 h를 지닌 세포가 모두 존재하므로 모세포인 ㉠은 유전자형이 Hh이다.

생식세포 분열이 모두 완료된 ㉢이 ⓐ가 되는 경우만이 가능하다. 또한, ㉢이 h를 가지므로 ㉡은 H만 가질 수 있다. 따라서 ㉡은 ⓑ가 되고 ㉠은 ⓒ가 된다.

배경 지식

감수 1분열에서는 2가 염색체가 각각의 상동 염색체로 분리되어 두 개의 딸세포로 나누어진다. 따라서 감수 1분열 결과 만들어진 딸세포는 두 세트의 염색체 중 한 세트만을 가지게 되며($2n \rightarrow n$), 각 염색체는 분열 이전과 마찬가지로 여전히 2개의 염색 분체로 구성되어 있다. 감수 2분열에서는 염색 분체가 분리되어 두 개의 딸세포로 나누어지므로, 염색체 세트는 그대로 유지되지만($n \rightarrow n$), DNA양은 반으로 감소한다.

출제 의도
생식세포 분열 과정에서 DNA양의 변화를 알고, 이를 DNA 상대량 값과 연결시킬 수 있는지 묻는 유형이다.

이렇게 대비하자!
DNA 상대량 값이 2인 경우는 DNA가 복제되어 나타나는 값임을 이해하고 문제에 접근하도록 한다.

그림 (가)는 어떤 동물($2n$ = ?)의 정자 형성 과정 일부를, (나)는 ㉠~㉢ 중 한 세포에서 관찰되는 모든 염색체의 모습을 나타낸 것이다. 표는 세포 ⓐ~ⓒ가 갖는 대립유전자 H와 h의 DNA 상대량을 나타낸 것이다. ⓐ~ⓒ는 각각 ㉠~㉢ 중 하나이다. H 1개와 h 1개의 DNA 상대량은 같다.

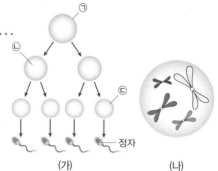

세포	DNA 상대량	
	H	h
ⓐ	?	1
ⓑ	2	?
ⓒ	?	2

(가)   (나)

이에 대한 설명으로 옳은 것만을 〈보기〉에서 있는 대로 고른 것은? (단, 돌연변이는 고려하지 않는다.)

보기

ㄱ. ㉠의 염색체 수는 4개이다.

ㄴ. 세포 1개당 H의 DNA 상대량은 ㉡과 ㉢이 같다.

ㄷ. ㉢가 ⓑ로 되는 과정에서 상동 염색체가 분리된다.

① ㄱ   ② ㄴ   ③ ㄷ   ④ ㄱ, ㄷ   ⑤ ㄴ, ㄷ

■ **문항별 해설**   답 ⑤

ㄱ. (✕) ㉠은 아직 생식세포 분열이 시작되기 전이므로 $2n$의 핵상을 가진다. (나)는 상동 염색체가 아닌 4개의 염색체로 구성되므로, 이는 감수 1분열이 진행된 상태이고 따라서 ㉡에 해당한다. 따라서 핵상은 n = 4가 되는데, 이로부터 ㉠의 핵상은 $2n$ = 8임을 알 수 있다.

ㄴ. (○) 우선 ⓐ는 h의 상대량이 1이므로, 이는 염색 분체가 나뉘어진 것이므로 ㉢을 나타낸다. ㉢이 유전자 h를 가지므로, 이와 다른 대립유전자를 갖는 ㉡은 H만 갖는다. 따라서 ㉡은 ⓒ가 될 수 없으므로 ⓑ가 되고, ㉠은 ⓒ가 된다. ㉠과 ㉡에서 H의 상대량은 모두 2로 같다.

ㄷ. (○) ㉢가 ⓑ로 되는 과정은 감수 1분열이 진행되는 것이므로 상동 염색체가 분리된다.

■ **오류 피하기**

⋯ 상동 염색체가 아닌 각각의 염색체로 구성된 (나)에서 염색체 수가 4개이므로, 모세포인 ㉠의 염색체 수는 $2n$ = 8임을 알 수 있다.

기출 문제

정답과 해설 **31**쪽

130 그림 (가)는 어떤 동물(2n = 10)의 G₁기 세포 ㉠으로부터 생식세포가 형성되는 과정을, (나)는 세포 ㉠~㉣ 중 하나를 나타낸 것이다. ㉡은 중기의 세포이다.

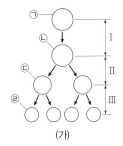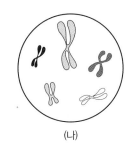

(가)   (나)

이에 대한 설명으로 옳은 것만을 〈보기〉에서 있는 대로 고른 것은? (단, 돌연변이는 고려하지 않는다.)

> **보기**
> ㄱ. 과정 Ⅰ에서 상동 염색체가 분리된다.
> ㄴ. (나)는 ㉢이다.
> ㄷ. 세포 1개당 염색체 수는 ㉡이 ㉣의 2배이다.

① ㄴ   ② ㄷ   ③ ㄱ, ㄴ ④ ㄱ, ㄷ ⑤ ㄴ, ㄷ

131 그림은 어떤 동물(2n)의 G₁기 세포 ㉠으로부터 정자가 형성되는 과정을, 표는 세포 ⓐ~ⓓ가 갖는 대립유전자 H와 h의 DNA 상대량을 나타낸 것이다. ⓐ~ⓓ는 각각 세포 ㉠~㉣ 중 하나이다. 이 동물의 유전자형은 Hh이며, H와 h는 서로 대립유전자이다.

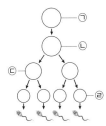

세포	DNA 상대량	
	H	h
ⓐ	2	2
ⓑ	2	0
ⓒ	1	1
ⓓ	0	?

이에 대한 설명으로 옳은 것만을 〈보기〉에서 있는 대로 고른 것은? (단, ㉡과 ㉢은 중기의 세포이며, 돌연변이는 고려하지 않는다.)

> **보기**
> ㄱ. ⓐ는 ㉡이다.
> ㄴ. ⓑ의 핵상은 2n이다.
> ㄷ. ⓓ가 갖는 h의 DNA 상대량은 2이다.

① ㄱ   ② ㄴ   ③ ㄷ   ④ ㄱ, ㄴ ⑤ ㄱ, ㄷ

132 어떤 동물의 털색은 대립유전자 A와 a에 의해서만 결정된다. 그림은 이 동물의 G₁기 세포 ㉠으로부터 감수 분열을 통해 난자가 형성되는 과정을, 표는 세포 (가)~(라)가 갖는 대립유전자 A와 a의 세포당 DNA 상대량을 나타낸 것이다. 세포 (가)~(라)는 각각 ㉠~㉣ 중 하나이며, A 1개와 a 1개의 DNA 상대량은 같다.

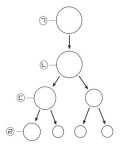

세포	DNA 상대량	
	A	a
(가)	2	0
(나)	ⓐ	0
(다)	?	1
(라)	2	ⓑ

이에 대한 설명으로 옳은 것만을 〈보기〉에서 있는 대로 고른 것은? (단, 돌연변이는 고려하지 않는다.)

> **보기**
> ㄱ. 이 동물의 털색 유전자형은 AA이다.
> ㄴ. (가)와 (라)의 핵상은 같다.
> ㄷ. ⓐ + ⓑ = 3이다.

① ㄱ   ② ㄴ   ③ ㄷ   ④ ㄱ, ㄴ ⑤ ㄴ, ㄷ

133 그림은 유전자형이 AABbDd인 어떤 동물의 G₁기 세포 Ⅰ로부터 생식세포가 형성되는 과정을, 표는 세포 (가)~(다)의 세포 1개당 대립유전자 A, b, d의 DNA 상대량을 나타낸 것이다. (가)~(다)는 각각 Ⅰ~Ⅲ 중 하나이며, Ⅱ는 중기의 세포이다.

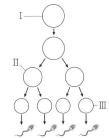

세포	DNA 상대량		
	A	b	d
(가)	2	0	0
(나)	㉠	1	㉡
(다)	2	1	1

이에 대한 옳은 설명만을 〈보기〉에서 있는 대로 고른 것은? (단, 돌연변이는 고려하지 않으며, A, b, d 각각의 1개당 DNA 상대량은 같다.)

> **보기**
> ㄱ. (다)는 Ⅱ이다.
> ㄴ. ㉠ + ㉡ = 2이다.
> ㄷ. (가)에 2가 염색체가 있다.

① ㄱ   ② ㄴ   ③ ㄷ   ④ ㄱ, ㄷ ⑤ ㄴ, ㄷ

기출 분석

35 유형

■ 연관 기출 문제 키워드

\# 생식세포
\# 무작위
\# 유전자 조합

문제 분석

유전적 다양성의 획득: 생식세포 형성 과정에서 상동 염색체가 무작위적으로 분리되어 각 생식세포로 들어가므로 생식세포마다 염색체 조합이 달라진다. 각 상자에서 구슬을 무작위적으로 하나씩 꺼내는 것은 상동 염색체 쌍에서 하나의 염색체만 고르는 것으로, 생식세포의 형성을 나타낸다. 두 상자에서 하나씩 나온 구슬을 합치는 것은 두 생식세포가 수정되어 하나의 수정란(개체)이 되는 것을 의미한다.

다음은 유전에 관한 모의실험이다.

[실험 과정]

(가) 검은색 구슬 1개와 흰색 구슬 1개를 함께 넣은 두 개의 상자를 준비한다. 검은색 구슬과 흰색 구슬은 각각 대립유전자 A와 a를 의미한다.

(나) ㉠각 상자에서 구슬을 무작위로 하나씩 꺼내어 ㉡각 구슬을 합친 후 구슬이 나타내는 대립유전자 조합을 기록한다.

(다) 꺼낸 구슬을 원래의 상자에 다시 넣어 흔들어 섞는다.

(라) (나)와 (다) 과정을 100회 반복한다.

[실험 결과]

대립유전자 조합	AA	Aa	aa	합계
나온 횟수(회)	25	50	25	100

이에 대한 설명으로 옳은 것만을 〈보기〉에서 있는 대로 고른 것은? (단, 대립유전자 A는 a에 대해 완전 우성이다.)

┤ 보기 ├

ㄱ. ㉠은 체세포 분열 과정에 해당한다.

ㄴ. ㉡은 수정 과정에 해당한다.

ㄷ. 이 실험 결과 나오는 표현형은 3종류이다.

① ㄱ   ② ㄴ   ③ ㄷ   ④ ㄱ, ㄴ   ⑤ ㄴ, ㄷ

배경 지식

상동 염색체의 대립유전자 구성은 서로 다르고, 생식세포 분열 과정에서 2가 염색체가 적도판에 배열되는 방향은 독립적이고 무작위이다. 따라서, n쌍의 상동 염색체로 이루어진 생물에서 생식세포 분열을 거치면서 염색체가 분리되어 형성되는 생식세포의 유전적 다양성은 2^n가지이다. 예를 들어, 23쌍의 염색체를 지니고 있는 사람은 한 사람으로부터 2^{23}가지의 유전적으로 다양한 생식세포가 만들어질 수 있다.

■ 문항별 해설

답 ②

ㄱ. (×) ㉠은 생식세포 분열 과정을 나타낸다.

ㄴ. (○) 두 상자에서 나온 두 구슬이 합쳐지는 것은 두 생식세포가 수정되어 하나의 수정란이 되는 과정을 나타낸다.

ㄷ. (×) 대립유전자 A가 a에 대해 완전 우성이므로, AA와 Aa는 같은 표현형을 나타낸다. 따라서 표현형의 종류는 A_, aa 두 종류이다.

■ 오류 피하기

→ 검은색 구슬과 흰색 구슬이 하나씩 있는 한 상자는 두 대립유전자로 이루어진 하나의 세포를 뜻한다. 이 중에서 하나의 구슬만 선택하는 것은 대립유전자가 분리되어 하나의 생식세포로 들어가는 생식세포의 형성을 나타낸다.

→ 두 대립유전자가 완전 우성 관계이므로, 이형 접합(Aa)일 경우 우성인 형질이 표현형이 된다.

기출 문제

정답과 해설 32쪽

134 다음은 유전 원리를 알아보기 위한 실험이다.

[실험 과정]

(가) 두 개의 상자에 흰색 카드와 검은색 카드를 각각 한 장씩 넣고 흔들어 섞는다. 흰색 카드는 대립유전자 A, 검은색 카드는 대립유전자 a이고, A는 a에 대해 완전 우성이다.

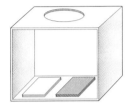 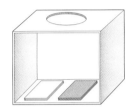

(나) ㉠각각의 상자에서 카드를 한 장씩 꺼내어 카드의 조합을 기록한다.

(다) 꺼낸 카드를 원래의 상자에 넣고 흔들어 섞는다.

(라) (나)~(다)의 과정을 100회 반복한다.

[실험 결과]

카드의 조합	□□	㉡□■	■■	합계
나온 횟수	24	50	26	100

이에 대한 설명으로 옳은 것만을 〈보기〉에서 있는 대로 고른 것은?

┤ 보기 ├

ㄱ. ㉠은 생식세포 형성을 의미한다.

ㄴ. ㉡은 대립유전자 A의 형질이 표현된다.

ㄷ. 이 실험으로 분리 법칙을 설명할 수 있다.

① ㄱ   ② ㄴ   ③ ㄷ

④ ㄱ, ㄴ   ⑤ ㄱ, ㄴ, ㄷ

135 다음은 어떤 식물의 꽃 색과 종자 모양에 대한 유전 현상을 알아보기 위한 모의실험이다.

• 꽃 색은 붉은색 유전자 A와 흰색 유전자 a에 의해, 종자 모양은 둥근 모양 유전자 B와 주름진 모양 유전자 b에 의해 결정되고, A와 B는 a와 b에 대해 각각 완전 우성이다.

[실험 과정]

(가) 크기와 모양이 같은 염색체 모형에 유전자를 표시하여 난세포 상자와 꽃가루 상자에 각각 1쌍씩 넣는다.

 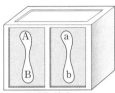

난세포 상자   꽃가루 상자

(나) 눈을 감고 각 상자에서 염색체 모형을 하나씩 꺼낸다.

(다) 꺼낸 염색체 모형을 ㉠짝을 지어 유전자형에 따른 표현형을 기록한다.

(라) 꺼낸 염색체 모형을 원래의 상자에 다시 넣는다.

(마) (나)~(라)의 과정을 100회 반복한다.

[실험 결과]

표현형	㉡붉은색 꽃, 둥근 모양	붉은색 꽃, 주름진 모양	흰색 꽃, 둥근 모양	흰색 꽃, 주름진 모양
㉢표현형 비	?	?	?	?

이에 대한 설명으로 옳은 것만을 〈보기〉에서 있는 대로 고른 것은?

┤ 보기 ├

ㄱ. ㉠은 수정을 의미한다.

ㄴ. ㉡의 유전자형은 모두 동형 접합성이다.

ㄷ. ㉢은 9 : 3 : 3 : 1이다.

① ㄱ   ② ㄴ   ③ ㄷ

④ ㄱ, ㄴ   ⑤ ㄱ, ㄴ, ㄷ

기출 분석

36 유형

■ **연관 기출 문제 키워드**

\# 대립유전자

\# 완전 우성

\# DNA 상대량

문제 분석

가계도와 체세포 1개당 DNA 상대량

DNA 상대량 값이 1인 것은 유전자 1개와 같은 의미이다. 따라서 (나)에서 어머니(2)가 A*의 값이 2인 것은 유전자형이 A*A*인 것을 나타내며, 누나(3)는 유전자형이 AA*임을 알 수 있다. 여기서 아버지는 대립유전자 A 한 개만을 가진다는 것을 알 수 있는데, 이것이 가능하려면 대립유전자 A와 A*는 성염색체인 X 염색체에 존재해야 한다. 또한, 유전자형이 $X^{A*}X^{A*}$일 때는 정상이고 유전자형이 $X^A X^{A*}$일 때는 형질 ㉠이 발현되므로, 완전 우성인 유전자 A가 형질 ㉠을 발현시키는 것을 알 수 있다.

다음은 철수네 가족의 형질 ㉠에 대한 자료이다.

- 형질 ㉠은 대립유전자 A와 A*에 의해 결정되며, A는 A*에 대해 완전 우성이다.
- 정상 난자와 염색체 비분리가 1회 일어난 정자 ⓐ가 수정되어 철수가 태어났다.
- 그림 (가)는 철수네 가족의 형질 ㉠에 대한 가계도를, (나)는 철수네 가족 중 1~3의 체세포 1개당 A와 A*의 DNA 상대량을 나타낸 것이다.

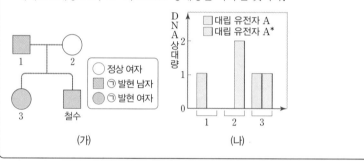

(가)　　　　　(나)

○ 정상 여자
■ ㉠ 발현 남자
● ㉠ 발현 여자

이에 대한 설명으로 옳은 것만을 〈보기〉에서 있는 대로 고른 것은? (단, 제시된 염색체 비분리 이외의 다른 돌연변이는 고려하지 않는다.)

┤ 보기 ├

ㄱ. 철수는 A*를 가지고 있다.

ㄴ. 철수는 클라인펠터 증후군의 염색체 이상을 보인다.

ㄷ. ⓐ가 형성될 때 염색체 비분리는 감수 2분열에서 일어났다.

① ㄱ　　　② ㄷ　　　③ ㄱ, ㄴ　　　④ ㄴ, ㄷ　　　⑤ ㄱ, ㄴ, ㄷ

■ **문항별 해설**　　　　　　　　　　　　　　　　　　　　　　답 ③

ㄱ. (○) 남자인 철수는 아버지로부터 Y 염색체를, 어머니로부터 X 염색체를 물려받으므로 어머니로부터 A* 한 개를 받아 ㉠이 발현되지 않아야 하지만, ㉠이 발현되었으므로 가능한 경우는 염색체 비분리가 일어난 정자에서 Y 염색체와 유전자 A를 갖는 X 염색체를 모두 받는 경우이다. 이때 철수는 A와 A*를 모두 갖는다.

ㄴ. (○) 철수의 성염색체 유전자형은 XXY가 되므로 클라인펠터 증후군을 나타낸다.

ㄷ. (×) 아버지로부터 XY 염색체를 모두 받으려면 정자의 염색체 비분리는 감수 1분열에서 일어나야 한다.

■ **오류 피하기**

⋯➤ X 염색체와 Y 염색체는 상동 염색체처럼 움직이므로, XY 염색체를 모두 갖는 정자가 형성되려면 상동 염색체 비분리가 일어나야 한다. 따라서 염색체 비분리는 감수 1분열에서 일어났다.

136 그림 (가)는 대립유전자 T와 T*에 의해 결정되는 어떤 유전병 X에 관한 가계도를, (나)는 (가)의 구성원 ㉠과 ㉡의 체세포 1개당 대립유전자 T의 DNA 상대량을 나타낸 것이다.

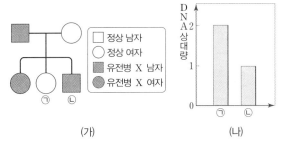

(가) (나)

이에 대한 설명으로 옳은 것만을 〈보기〉에서 있는 대로 고른 것은? (단, 돌연변이는 고려하지 않는다.)

┤ 보기 ├
ㄱ. 유전병 X는 열성 형질이다.
ㄴ. 이 가계도의 모든 구성원은 대립유전자 T를 갖는다.
ㄷ. ㉡의 동생이 1명 태어날 때 정상 남자일 확률은 50 %이다.

① ㄱ   ② ㄴ   ③ ㄷ
④ ㄱ, ㄷ   ⑤ ㄴ, ㄷ

137 그림 (가)는 대립유전자 A와 A*에 의해 결정되는 어떤 유전병에 대한 가계도를, (나)는 ㉠과 ㉡의 체세포 1개당 유전자 A의 DNA 상대량을 나타낸 것이다.

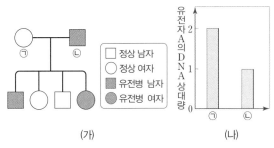

(가) (나)

이에 대한 설명으로 옳은 것만을 〈보기〉에서 있는 대로 고른 것은? (단, 돌연변이는 없다.)

┤ 보기 ├
ㄱ. A*는 A에 대해 열성이다.
ㄴ. ㉡의 X 염색체에 A*가 있다.
ㄷ. (가)에서 유전병인 사람의 유전자형은 모두 이형접합성이다.

① ㄱ   ② ㄷ   ③ ㄱ, ㄴ
④ ㄴ, ㄷ   ⑤ ㄱ, ㄴ, ㄷ

138 그림은 어떤 집안의 유전병에 대한 가계도를, 표는 (가)~(다)가 가지고 있는 대립유전자 T와 T*의 세포 1개당 DNA 상대량을 나타낸 것이다. 이 유전병은 대립유전자 T와 T*에 의해 결정된다.

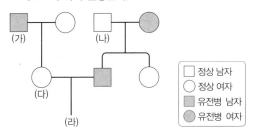

구분	(가)	(나)	(다)
T	0	1	1
T*	1	0	1

이에 대한 설명으로 옳은 것만을 〈보기〉에서 있는 대로 고른 것은? (단, 돌연변이는 고려하지 않는다.)

┤ 보기 ├
ㄱ. T는 T*에 대해 우성이다.
ㄴ. T와 T*는 상염색체에 있다.
ㄷ. (라)가 이 유전병일 확률은 50 %이다.

① ㄱ   ② ㄴ   ③ ㄷ
④ ㄱ, ㄷ   ⑤ ㄴ, ㄷ

기출 분석

37 유형

■ 연관 기출 문제　키워드

\# 대립유전자

\# 상염색체

\# 우열 관계

\# 완전 우성

문제 분석

상염색체 유전: 상염색체에 있는 두 대립유전자에 의한 유전은 멘델의 유전 법칙을 따른다. 부모의 표현형이 같지만 부모와 표현형이 다른 자손이 나타나는 경우, 자손에게서 나온 형질이 열성이며 부모는 모두 이형접합성이다.

? 출제 의도

상염색체 상에 있는 한 쌍의 대립유전자에 의해 형질이 나타나는 유전의 특징을 알고 있는지 묻는 유형이다.

～ 이렇게 대비하자!

상염색체에 있는 두 대립유전자에 의한 유전은 멘델의 유전 법칙에 따라 유전됨을 알고 문제에 접근하도록 한다.

표는 세 가족 A~C의 미맹 유전에 대한 조사 결과이다. 미맹 유전은 한 쌍의 대립유전자에 의해 결정되며, 정상 유전자와 미맹 유전자 사이의 우열 관계는 뚜렷하다.

가족	부모의 표현형		표현형에 따른 자녀의 수	
	아버지	어머니	정상	미맹
A	㉠정상	정상	3	1
B	㉡정상	미맹	1	1
C	미맹	미맹	0	2

이에 대한 설명으로 옳은 것만을 〈보기〉에서 있는 대로 고른 것은? (단, 돌연변이는 고려하지 않는다.)

┤ 보기 ├

ㄱ. 미맹은 정상에 대해 열성 형질이다.

ㄴ. 미맹 유전은 멘델의 분리의 법칙을 따른다.

ㄷ. ㉠과 ㉡의 미맹 유전에 대한 유전자형은 서로 다르다.

① ㄱ　　　② ㄴ　　　③ ㄱ, ㄴ　　　④ ㄱ, ㄷ　　　⑤ ㄴ, ㄷ

■ 문항별 해설

답 ③

ㄱ. (○) 가족 A를 보면 모두 정상인 부모 사이에서 미맹인 자손이 태어났음을 알 수 있다. 이는 부모 모두 이형 접합이고, 자손 중에서 미맹 유전자 2개를 받은 자손이 미맹을 나타내는 것으로 미맹이 열성 형질임을 알 수 있다.

ㄴ. (○) 미맹 유전자는 각 생식세포로 분리되어 들어가므로 멘델의 분리 법칙을 따른다.

ㄷ. (×) 정상 유전자가 미맹 유전자에 대해 완전 우성이므로, 미맹 형질을 띤 자손이 나오려면 정상 부모의 유전자형은 이형접합성이어야 한다. 따라서 ㉠과 ㉡의 유전자형은 같다.

🖥 배경 지식

한 대립유전자 쌍에서 두 대립유전자가 서로 다를 때 표현형으로 나타나는 것이 우성, 나타나지 않는 것이 열성이다. 대립유전자 쌍은 생식세포 분열 과정에서 분리되어 각각의 생식세포로 나뉘어 들어가는데, 이것을 분리 법칙이라고 한다. 또한, 다른 염색체 상에 있는 대립유전자 쌍과는 서로 영향을 주지 않고 독립적으로 유전되는 현상을 독립 법칙이라고 한다.

■ 오류 피하기

⋯⋙ 정상 유전자를 T, 미맹 유전자를 t라고 할 때, TT, Tt는 정상 형질, tt는 미맹 형질을 나타낸다. 자손 중 유전자형이 tt인 개체가 나오려면, ㉠과 ㉡ 모두 유전자형이 Tt인 이형접합성이어야 한다.

기출 문제

정답과 해설 **34**쪽

139 표는 철수네 가족의 보조개 유무를 나타낸 것이다.

구분	아버지	어머니	누나	철수
보조개	있음	있음	없음	있음

이에 대한 설명으로 옳은 것만을 〈보기〉에서 있는 대로 고른 것은? (단, 돌연변이는 일어나지 않는다.)

┤ 보기 ├
ㄱ. 보조개 유전자는 상염색체에 존재한다.
ㄴ. 철수 어머니의 보조개 유전자형은 동형접합성이다.
ㄷ. 철수의 동생이 태어날 때 보조개가 없는 남자 아이일 확률은 25 %이다.

① ㄱ　　　　② ㄴ　　　　③ ㄱ, ㄷ
④ ㄴ, ㄷ　　　⑤ ㄱ, ㄴ, ㄷ

140 다음은 철수 가족의 ABO식 혈액형에 관련된 자료이다.

· 철수 가족의 구성원: 아버지, 어머니, 철수, 여동생
· 철수의 혈액형: AB형
· 특징: 철수 가족의 혈액형은 모두 다르다.

이에 대한 옳은 설명만을 〈보기〉에서 있는 대로 고른 것은?

┤ 보기 ├
ㄱ. 여동생의 혈액형은 A형이다.
ㄴ. 철수 가족은 모두 유전자 O를 갖고 있다.
ㄷ. 아버지의 혈액형을 결정하는 두 개의 유전자는 서로 다르다.

① ㄱ　　　　② ㄷ　　　　③ ㄱ, ㄴ
④ ㄱ, ㄷ　　　⑤ ㄴ, ㄷ

141 다음은 유전 형질 (가)에 대한 자료이다.

· (가)는 한 쌍의 대립유전자에 의해 결정된다.
· (가)를 결정하는 대립유전자는 A, B, C이고, 이들 사이의 우열 관계는 뚜렷하다.
· 유전자형이 AB인 개체와 AC인 개체의 표현형은 서로 같다.
· 유전자형이 AB인 개체와 BC인 개체를 교배하였을 때 자손의 표현형의 분리비는 1 : 1이다.

이에 대한 설명으로 옳은 것만을 〈보기〉에서 있는 대로 고른 것은? (단, 돌연변이는 없다.)

┤ 보기 ├
ㄱ. B는 C에 대해 우성이다.
ㄴ. (가)는 복대립 유전이다.
ㄷ. (가)의 유전자형 종류는 8가지이다.

① ㄱ　　　　② ㄷ　　　　③ ㄱ, ㄴ
④ ㄴ, ㄷ　　　⑤ ㄱ, ㄴ, ㄷ

142 다음은 영희네 집안의 단풍나무시럽병 유전에 대한 자료이다.

· 단풍나무시럽병은 선천성 아미노산 대사 이상으로 인해 소변과 땀에서 단풍나무 시럽과 비슷한 냄새를 풍기는 질병으로, 신경계에 장애가 발생하기도 한다.
· 정상인 부모 사이에서 태어난 영희는 단풍나무시럽병을 앓고 있지만 오빠는 정상이다.

이에 대한 설명으로 옳은 것만을 〈보기〉에서 있는 대로 고른 것은? (단, 단풍나무시럽병 유전은 멘델 법칙을 따른다.)

┤ 보기 ├
ㄱ. 단풍나무시럽병 유전자는 상염색체에 존재한다.
ㄴ. 영희의 부모는 모두 단풍나무시럽병 유전자를 가진다.
ㄷ. 영희가 정상 남자와 결혼하여 태어날 아들은 모두 단풍나무시럽병을 갖는다.

① ㄱ　　　　② ㄴ　　　　③ ㄷ
④ ㄱ, ㄴ　　　⑤ ㄴ, ㄷ

기출 분석

38유형

■ **연관 기출 문제 키워드**

\# 대립유전자

\# 상염색체

\# 우열 관계

문제 분석 ·

상염색체 유전의 가계도

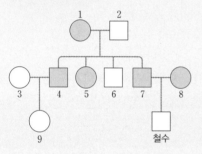

모두 유전병이 있는 철수 부모(7, 8) 사이에서 유전병이 없는 철수가 나왔으므로 유전병 형질이 우성임을 알 수 있다.

? 출제 의도
유전자가 상염색체에 있을 때, 가계도를 보고 각 개체의 유전자형을 파악할 수 있는지 묻는 유형이다.

이렇게 대비하자!
부모의 표현형이 같으면서 부모와 표현형이 다른 자손이 태어난다면 자손의 형질이 열성임을 알고 문제에 접근하도록 한다.

그림은 철수 집안의 어떤 유전병에 대한 가계도이다. 이 유전병은 한 쌍의 대립유전자에 의해 결정되며, 정상 유전자와 유전병 유전자 사이의 우열 관계는 뚜렷하다.

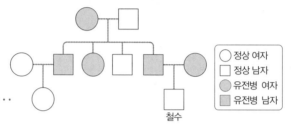

○ 정상 여자
□ 정상 남자
● 유전병 여자
■ 유전병 남자

이에 대한 설명으로 옳은 것만을 〈보기〉에서 있는 대로 고른 것은? (단, 돌연변이는 고려하지 않는다.)

┤ 보기 ├

ㄱ. 유전병 유전자는 성염색체에 있다.

ㄴ. 이 가계도에서 유전병에 대한 유전자형이 이형접합성인 사람은 모두 5명이다.

ㄷ. 철수 동생이 태어날 때, 이 아이가 남자이고 유전병을 가질 확률은 $\frac{3}{8}$이다.

① ㄱ   ② ㄴ   ③ ㄷ   ④ ㄱ, ㄴ   ⑤ ㄴ, ㄷ

■ **문항별 해설**   답 ⑤

ㄱ. (×) 만약 우성인 유전병 유전자가 X 염색체에 있다면 3과 4 사이에서 유전병이 없는 9가 나올 수 없다(아버지로부터 유전병 유전자가 있는 X 염색체를 물려받기 때문에). 따라서 유전병 유전자는 상염색체에 있다.

ㄴ. (○) 정상 유전자가 열성이므로 정상인 사람들은 모두 동형접합성이다. 유전병이 있는 사람 중 4, 5, 7은 아버지(2)로부터 정상 유전자를 1개 물려받았기 때문에 이형접합성이다. 1과 8은 정상 자손이 있는 것으로 정상 유전자를 갖고 있음을 알 수 있다. 따라서 1, 4, 5, 7, 8은 모두 이형접합성이다.

ㄷ. (○) 우선 철수 동생이 남자일 확률은 $\frac{1}{2}$이다. 7, 8의 유전자형이 모두 이형접합성이므로, 유전병을 보이는 자손이 나올 확률은 $\frac{3}{4}$이다. 따라서 남자이면서 유전병을 가질 확률은 $\frac{1}{2} \times \frac{3}{4} = \frac{3}{8}$이다.

배경 지식
형질이 같은 부모로부터 부모에게 없는 형질을 지닌 자손이 나오는 경우는 부모가 모두 이형접합성인 상태에서 열성 유전자끼리 수정된 것이다. 따라서 이러한 경우는 자손에서 나타난 형질이 열성임을 알 수 있다.

■ **오류 피하기**

⋯➔ 우선 유전병 형질이 우성인지 열성인지 파악한 후, 성염색체에 있을 때와 상염색체에 있을 경우 각각에 대해 따져보며 성립이 안 되는 경우를 살펴보도록 한다.

기출 문제

정답과 해설 34쪽

143 그림은 어떤 집안의 유전병 X와 ABO식 혈액형을 나타낸 가계도이다.

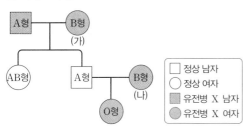

이에 대한 설명으로 옳은 것만을 〈보기〉에서 있는 대로 고른 것은?

┤ 보기 ├

ㄱ. 유전병 X는 남자보다 여자에서 나타날 확률이 높다.

ㄴ. (가)의 ABO식 혈액형은 한 쌍의 대립유전자에 의해 결정된다.

ㄷ. (가)와 (나)의 ABO식 혈액형 유전자형은 같다.

① ㄱ　　② ㄴ　　③ ㄷ　　④ ㄱ, ㄴ　⑤ ㄴ, ㄷ

144 그림은 어떤 집안의 유전병 A에 대한 가계도이다.

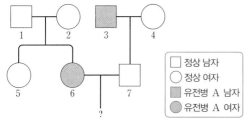

이에 대한 설명으로 옳은 것만을 〈보기〉에서 있는 대로 고른 것은? (단, 돌연변이는 고려하지 않는다.)

┤ 보기 ├

ㄱ. 유전병 A 유전자는 상염색체에 있다.

ㄴ. 2의 유전병 A 유전자형은 이형접합성이다.

ㄷ. 6과 7 사이에서 아이가 태어날 때 이 아이가 유전병 A일 확률은 25 %이다.

① ㄱ　　　　② ㄷ　　　　③ ㄱ, ㄴ

④ ㄴ, ㄷ　　　⑤ ㄱ, ㄴ, ㄷ

145 그림은 어떤 집안의 유전병에 대한 가계도이다.

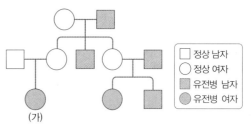

이에 대한 설명으로 옳은 것만을 〈보기〉에서 있는 대로 고른 것은? (단, 돌연변이는 고려하지 않는다.)

┤ 보기 ├

ㄱ. 이 유전병 유전자는 X 염색체 상에 존재한다.

ㄴ. (가)의 동생이 태어날 때, 이 유전병이 나타날 확률은 $\frac{1}{4}$이다.

ㄷ. 이 가계도에서 유전병 유전자를 가지고 있지 않은 구성원은 모두 4명이다.

① ㄱ　　　　② ㄴ　　　　③ ㄷ

④ ㄱ, ㄴ　　　⑤ ㄴ, ㄷ

146 그림은 어느 집안의 귓불 유전을 나타낸 것이다.

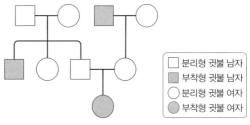

이에 대한 옳은 설명만을 〈보기〉에서 있는 대로 고른 것은?

┤ 보기 ├

ㄱ. 분리형이 우성 형질이다.

ㄴ. 귓불 모양을 결정하는 유전자는 X 염색체에 있다.

ㄷ. 이 가계도에서 유전자형이 잡종인 사람은 3명이다.

① ㄱ　　　　② ㄷ　　　　③ ㄱ, ㄴ

④ ㄴ, ㄷ　　　⑤ ㄱ, ㄴ, ㄷ

기출 분석

39 유형

❓ 출제 의도

반성 유전되는 형질의 가계도를 보고, 각 개체의 유전자형과 형질이 나타날 확률을 구할 수 있는지 묻는 유형이다.

🐛 이렇게 대비하자!

형질의 우열 여부를 먼저 파악한 후, 남자의 유전자형을 먼저 파악해 하나씩 유전자형을 밝혀 나가도록 한다.

■ 연관 기출 문제 키워드

반성 유전
성염색체
우성
열성

문제 분석

성염색체 유전과 가계도

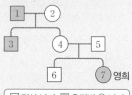

□정상 남자 ■유전병 ⓛ 남자
○정상 여자 ●유전병 ⓛ 여자

(나)

우선 (나)에서 정상인 4, 5 사이에서 유전병인 영희가 나왔으므로 유전병 유전자(B*)는 열성임을 알 수 있다. 유전병 ⓛ이 반성 유전된다고 가정하면 정상인 아버지(5)에서 정상 유전자 하나를 받는 영희는 유전병을 나타낼 수 없다. 따라서 유전병 ⓛ은 상염색체 유전이고, 유전병 ㉠이 성염색체 유전이다.

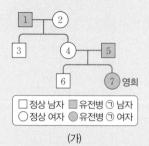

□정상 남자 ■유전병 ㉠ 남자
○정상 여자 ●유전병 ㉠ 여자

(가)

만약 유전병 유전자 A*가 우성이라면, 아버지(1)로부터 유전병 유전자가 있는 X 염색체를 받는 4는 유전병을 나타내야 한다. 4가 정상이므로, 유전병 ㉠ 또한 열성 형질임을 알 수 있다. 이러한 사실을 알면 대부분의 유전자형을 파악할 수 있다.

그림 (가)와 (나)는 영희 집안의 유전병 ㉠과 ⓛ에 대한 가계도를 각각 나타낸 것이다. ㉠은 정상 대립유전자 A와 유전병 대립유전자 A*에 의해, ⓛ은 정상 대립유전자 B와 유전병 대립유전자 B*에 의해 결정된다. ㉠과 ⓛ 중 하나는 반성유전된다.

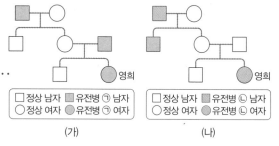

□정상 남자 ■유전병 ㉠ 남자   □정상 남자 ■유전병 ⓛ 남자
○정상 여자 ●유전병 ㉠ 여자   ○정상 여자 ●유전병 ⓛ 여자

(가)   (나)

이에 대한 설명으로 옳은 것만을 〈보기〉에서 있는 대로 고른 것은? (단, 돌연변이는 고려하지 않는다.)

> **보기**
>
> ㄱ. A는 X 염색체에 있다.
> ㄴ. B는 우성 대립유전자이다.
> ㄷ. 영희의 동생이 한 명 태어날 때, 이 아이가 유전병 ㉠과 ⓛ을 모두 가지고 있을 확률은 $\frac{1}{8}$이다.

① ㄱ   ② ㄷ   ③ ㄱ, ㄴ   ④ ㄴ, ㄷ   ⑤ ㄱ, ㄴ, ㄷ

■ 문항별 해설   답 ⑤

ㄱ. (○) (나)에서 유전병 형질이 열성임을 알 수 있다. 만약 B 유전자가 X 염색체에 있다면 정상 어머니 밑에서 유전병이 있는 영희가 나올 수 없다. 따라서 B 유전자는 상염색체에 있고, 유전병 ㉠이 반성유전된다.

ㄴ. (○) 유전병 형질이 열성이므로, 정상 유전자인 B는 우성이다.

ㄷ. (○) 유전자 A와 B는 다른 염색체에 있으므로, 유전병 ㉠과 유전병 ⓛ을 나타낼 확률을 각각 구한 뒤 곱하면 된다. (가)에서 영희 어머니와 아버지의 두 형질에 대한 유전자형은 각각 $X^AX^{A*}BB^*$, $X^{A*}YBB^*$이므로, 유전병 ㉠을 가진 자손이 나올 확률은 $\frac{1}{2}$, 유전병 ⓛ을 가진 자손이 나올 확률은 $\frac{1}{4}$이다. 따라서 ㉠과 ⓛ을 모두 가질 확률은 $\frac{1}{2} \times \frac{1}{4} = \frac{1}{8}$이다.

■ 오류 피하기

→ 유전병 ⓛ은 열성 형질이므로, 유전병을 나타내는 B* 유전자가 B 유전자에 대해 열성이다. 정상 형질을 나타내는 B 유전자가 열성이 아님을 주의한다.

기출 문제

정답과 해설 35쪽

147 다음은 어떤 유전병 (가)와 (나)에 대한 자료이다.

- 그림은 어떤 집안의 유전병 (가)와 (나)에 대한 가계도이다.

  범례:
  ○ 정상 여자
  □ 정상 남자
  ⬤ 유전병 (가) 여자
  ⬛ 유전병 (가) 남자
  ⬛ 유전병 (가), (나) 남자

- 유전병 (가)는 대립유전자 A와 a에 의해, (나)는 B와 b에 의해 결정되고, A는 a에 대해, B는 b에 대해 각각 완전 우성이다.
- 유전병 (가)와 (나)를 결정하는 유전자는 X 염색체에 있다.

이에 대한 설명으로 옳은 것만을 〈보기〉에서 있는 대로 고른 것은? (단, 생식세포 형성 시 돌연변이는 고려하지 않는다.)

┤ 보기 ├
ㄱ. 유전병 (가) 유전자는 정상 유전자에 대해 열성이다.
ㄴ. 3은 유전자 b를 갖고 있다.
ㄷ. 1과 2 사이에서 셋째가 태어날 때, 이 아이가 유전병 (가)와 (나)를 모두 가질 확률은 25 %이다.

① ㄱ   ② ㄷ   ③ ㄱ, ㄴ
④ ㄴ, ㄷ   ⑤ ㄱ, ㄴ, ㄷ

148 그림 (가)와 (나)는 각각 어떤 유전병 A와 B에 대한 가계도이다. 유전병 A와 B를 나타내는 유전자는 서로 다른 종류의 성염색체에 존재한다.

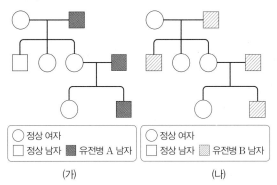

○ 정상 여자
□ 정상 남자
⬛ 유전병 A 남자
    (가)

○ 정상 여자
□ 정상 남자
▨ 유전병 B 남자
    (나)

이에 대한 설명으로 옳은 것만을 〈보기〉에서 있는 대로 고른 것은? (단, 유전병 A와 B는 각각 한 쌍의 대립유전자에 의해 결정되며, 돌연변이는 없다.)

┤ 보기 ├
ㄱ. 유전병 A가 나타날 확률은 남자가 여자보다 더 높다.
ㄴ. 유전병 B 유전자는 Y 염색체에 존재한다.
ㄷ. (가)에서 유전병 A 유전자를 가지고 있는 여자는 2명이다.

① ㄱ   ② ㄷ   ③ ㄱ, ㄴ
④ ㄴ, ㄷ   ⑤ ㄱ, ㄴ, ㄷ

149 그림은 어떤 집안의 적록 색맹에 대한 가계도이다. 적록 색맹을 결정하는 유전자는 성염색체에 있다.

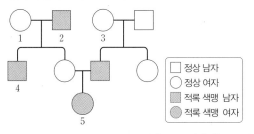

□ 정상 남자
○ 정상 여자
⬛ 적록 색맹 남자
⬤ 적록 색맹 여자

이에 대한 설명으로 옳은 것은? (단, 돌연변이는 고려하지 않는다.)

① 적록 색맹은 정상에 대해 우성 형질이다.
② 적록 색맹을 결정하는 유전자는 Y 염색체에 있다.
③ 1과 3의 적록 색맹에 대한 유전자형은 서로 같다.
④ 4의 적록 색맹 대립유전자는 2로부터 물려받았다.
⑤ 5의 동생이 한 명 태어날 때, 이 아이가 적록 색맹일 확률은 25 %이다.

기출 분석

40 유형

■ **연관 기출 문제 키워드**

\# 다인자 유전

\# 대립유전자

\# 대문자로 표시되는 유전자 수

문제 분석

다인자 유전: 상동 염색체 상의 동일한 위치에 존재하는 한 쌍의 대립유전자에 의해 형질이 결정되는 경우를 단일 인자 유전이라고 한다.

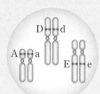

반면, 여러 상동 염색체에 있는 대립유전자 쌍에 의해 하나의 형질이 결정되는 경우를 다인자 유전이라고 한다. 제시된 자료에서 Y종의 털색 형질은 세 상동 염색체에 존재하는 세 쌍의 유전자에 의해 형질이 결정되므로 다인자 유전이다.

🖥 **배경 지식**

사람의 피부색과 같은 다인자 유전 형질은 여러 쌍의 대립유전자가 작용하므로 표현형이 다양하게 나타난다. 사람의 다양한 형질은 근본적으로 유전자에 의해 결정되지만, 어떤 유전자의 영향으로 결정되는지 불분명한 것도 많으며, 환경 요인의 영향을 받는 것도 있다.

표는 서로 다른 종인 동물 X종과 Y종의 털색 유전에 대한 자료이다.

구분	특징
X종	• 털색의 표현형은 3가지이며, 상염색체에 있는 한 쌍의 대립유전자에 의해 결정된다. • 털색 대립유전자는 B, G, W이며, 각 대립유전자 사이의 우열 관계는 분명하다.
Y종	• 털색은 3쌍의 대립유전자 A와 a, D와 d, E와 e에 의해 결정되고, 유전자형이 AaDdEe인 개체 ㉠에서 각 대립유전자의 위치는 그림과 같다. • 털색의 표현형은 유전자형에서 대문자로 표시되는 대립유전자의 수에 의해서만 결정되며, 이 대립유전자의 수가 다르면 털색의 표현형이 다르다.

이에 대한 설명으로 옳은 것만을 〈보기〉에서 있는 대로 고른 것은? (단, 돌연변이는 고려하지 않는다.)

┃ 보기 ┃

ㄱ. X종의 털색 유전은 다인자 유전에 해당한다.

ㄴ. Y종에서 가능한 털색 표현형은 최대 7가지이다.

ㄷ. 개체 ㉠이 생성할 수 있는 생식세포의 유전자형 종류는 최대 8가지이다.

① ㄱ   ② ㄴ   ③ ㄷ   ④ ㄱ, ㄴ   ⑤ ㄴ, ㄷ

■ **문항별 해설**   답 ⑤

ㄱ. (✕) X종의 털색 형질은 상염색체 상의 한 쌍의 대립유전자에 의해 결정되므로 단일 인자 유전이며, 대립유전자의 종류가 3가지인 복대립 유전이다.

ㄴ. (○) Y종의 털색 형질은 유전자형에서 대문자로 표시되는 대립유전자의 수로 결정되는데, 가능한 경우는 대문자 유전자의 수가 0개~6개, 모두 7가지 경우이다. 즉, 7가지 형질이 가능하다.

ㄷ. (○) A, a 유전자, D, d 유전자, E, e 유전자가 모두 다른 염색체에 있으므로 가능한 생식세포의 경우는 $2 \times 2 \times 2 = 8$(가지)이다.

■ **오류 피하기**

⋯ 단일 인자 유전 중 복대립 유전과 다인자 유전에 대해 혼동하지 않도록 한다. 복대립 유전은 한 쌍의 대립유전자에 의해 형질이 결정되지만, 유전자의 종류가 3개 이상인 경우이고, 다인자 유전은 여러 염색체에 있는 대립유전자 쌍이 하나의 형질을 결정하는 경우이다.

기출 문제

정답과 해설 **36**쪽

150 그림 (가)는 어떤 동물의 피부색 표현형에 따른 개체 수를, (나)는 개체 P의 피부색을 결정하는 세 쌍의 대립유전자를 나타낸 것이다. 피부색의 표현형은 유전자형에서 대문자로 표시되는 대립유전자의 수에 의해서만 결정되며, 이 대립유전자의 수가 다르면 피부색의 표현형이 다르다.

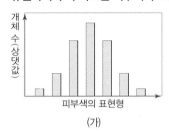

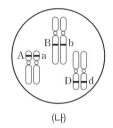

(가) (나)

이에 대한 설명으로 옳은 것만을 〈보기〉에서 있는 대로 고른 것은? (단, 돌연변이와 환경의 영향은 고려하지 않는다.)

┤ 보기 ├
ㄱ. 피부색 유전은 다인자 유전이다.
ㄴ. P에서 생성될 수 있는 생식세포의 피부색 유전자형은 최대 6가지이다.
ㄷ. P를 유전자형이 aabbdd인 개체와 교배하였을 때 태어날 수 있는 자손의 피부색 표현형은 최대 4가지이다.

① ㄱ ② ㄴ ③ ㄱ, ㄷ
④ ㄴ, ㄷ ⑤ ㄱ, ㄴ, ㄷ

151 다음은 사람의 피부색 유전을 설명하기 위한 자료이다.

• 피부색은 서로 다른 염색체에 존재하는 3쌍의 대립유전자 A와 a, B와 b, D와 d에 의해 결정된다.
• 유전자 A, B, D는 피부색을 어둡게 하며, 종류에 상관없이 개수가 같으면 피부색은 동일하다.
• 유전자 a, b, d는 피부색을 밝게 하며, 종류에 상관없이 개수가 같으면 피부색은 동일하다.
• ㉠유전자형이 AaBbDd인 두 사람이 결혼하여 자손을 낳을 경우 자손에서 다양한 피부색이 나타날 수 있다.

이 자료에 대한 설명으로 옳은 것만을 〈보기〉에서 있는 대로 고른 것은? (단, 환경의 영향은 고려하지 않는다.)

┤ 보기 ├
ㄱ. 피부색 유전은 다인자 유전이다.
ㄴ. 유전자형이 AaBbDd인 사람이 생성할 수 있는 생식세포의 유전자형은 6가지이다.
ㄷ. ㉠에서 Aabbdd의 피부색과 동일한 피부색을 가진 자손이 태어날 확률은 $\frac{1}{32}$이다.

① ㄱ ② ㄴ ③ ㄷ ④ ㄱ, ㄴ ⑤ ㄱ, ㄷ

152 표는 유전 형질 (가)와 (나)의 특징을 나타낸 것이다.

유전 형질	특징
(가)	• 한 쌍의 대립유전자에 의해 결정된다. • 대립유전자는 X, Y, Z이며, 우열 관계는 X ＝Y＞Z이다.
(나)	• 세 쌍의 대립유전자에 의해 결정된다. • 유전자 A, B, C는 대립유전자 a, b, c에 대해 각각 불완전 우성이다. • 표현형은 유전자 A, B, C의 개수에 따라 결정된다.

이에 대한 설명으로 옳은 것만을 〈보기〉에서 있는 대로 고른 것은? (단, 돌연변이와 환경의 영향은 고려하지 않는다.)

┤ 보기 ├
ㄱ. (가)의 유전 방식은 다인자 유전이다.
ㄴ. (가)의 유전자형 종류는 6가지이다.
ㄷ. (나)의 유전자형이 AaBbCc인 개체와 AaBbcc인 개체의 표현형은 같다.

① ㄱ ② ㄴ ③ ㄷ ④ ㄱ, ㄴ ⑤ ㄴ, ㄷ

기출 분석

41 유형

■ 연관 기출 문제 키워드

\# 염색체 비분리

\# 생식세포

문제 분석

염색체 비분리: 염색체 비분리가 1회만 일어났다는 전제 하에 가능한 경우를 따져 보자.

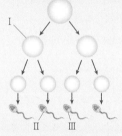

우선 감수 1분열에 염색체 비분리가 발생했다면, X 염색체와 Y 염색체가 붙어서 하나의 딸세포에 들어가고, 다른 딸세포는 성염색체가 아예 없게 된다. 이 경우, 감수 2분열을 거치면 두 딸세포는 X, Y 염색체를 모두 갖고(22＋XY), 나머지 두 딸세포는 성염색체가 없다. 주어진 표에서 ㉠이 X 염색체가 2개인데 가정한 경우에 해당하지 않으므로, 염색체 비분리는 감수 1분열이 아닌 감수 2분열에서 일어난 것이다.

🖥 배경 지식

염색체 비분리에 따른 염색체 수 이상은 상염색체에서뿐만 아니라 성염색체에서도 나타난다. 터너 증후군은 성염색체를 X 염색체 하나만 가지고 있어 성별은 여자이지만 2차 성징이 나타나지 않고 불임이다. 클라인펠터 증후군은 X 염색체 2개와 Y 염색체 1개를 가지고 있어 성별은 남자이지만 대부분 2차 성징이 잘 나타나지 않으며 생식 능력이 없다. 또한, 여자의 신체적 특징이 일부 나타나기도 한다.

🔖 출제 의도

생식세포 분열 과정에서 염색체 비분리가 일어났을 때의 유전 현상의 특징을 알고 있는지 묻는 유형이다.

🐛 이렇게 대비하자!

감수 1분열에서 비분리가 일어난 경우와 감수 2분열에서 비분리가 일어난 경우를 각각 조사하여 맞는 경우를 살피도록 한다.

그림은 어떤 남자의 생식세포 형성 과정을, 표는 세포 ㉠~㉢의 총 염색체 수와 X 염색체 수를 나타낸 것이다. 이 남자의 생식세포 형성 과정에서 염색체 비분리는 1회 일어났으며, ㉠~㉢은 Ⅰ~Ⅲ을 순서 없이 나타낸 것이다.

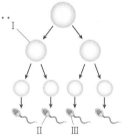

세포	총 염색체 수	X 염색체 수
㉠	24	2
㉡	23	0
㉢	ⓐ	1

이에 대한 설명으로 옳은 것만을 〈보기〉에서 있는 대로 고른 것은? (단, 제시된 염색체 비분리 이외의 돌연변이는 고려하지 않으며, Ⅰ은 중기의 세포이다.)

> **보기**
>
> ㄱ. ㉡은 Ⅰ이다.
> ㄴ. ⓐ는 23이다.
> ㄷ. Ⅲ의 총 염색체 수와 ㉠의 상염색체 수는 서로 같다.

① ㄱ   ② ㄴ   ③ ㄱ, ㄷ   ④ ㄴ, ㄷ   ⑤ ㄱ, ㄴ, ㄷ

■ 문항별 해설   답 ②

ㄱ. (✕) Ⅰ은 정상적으로 감수 1분열을 마친 세포이므로, 22개의 상염색체와 하나의 성염색체를 갖는다. 만약 Ⅰ이 Y 염색체를 지녔다면, 염색체 비분리는 X 염색체에서 일어났으므로 (㉠) Ⅰ과 Ⅱ는 정상 세포로 모두 총 23개의 염색체 수와 0개의 X 염색체를 지녀야 한다. 이는 표의 자료와 맞지 않으므로, Ⅰ은 X 염색체를 지닌 것이고 ㉢이 되어야 한다.

ㄴ. (○) ㉢이 Ⅰ에 해당하므로 ⓐ의 값은 23이 된다.

ㄷ. (✕) Ⅱ는 총 염색체 수가 24개이면서 X 염색체가 2개인 경우, 총 염색체 수가 22개이면서 성염색체가 없는 경우가 될 수 있는데 표의 자료와 맞으려면 ㉠이 되어야 한다. ㉠의 상염색체 수는 22개이다. Ⅲ은 정상 생식세포로 총 23개의 염색체를 갖는다.

■ 오류 피하기

⋯ 이러한 문제에 접근하기 위해서는 가능한 경우를 하나씩 가정하고 전개해 보면서 주어진 자료와 모순되지 않는지를 살펴야 한다. 감수 1분열에서 염색체 비분리가 일어나면 2개의 X 염색체를 갖는 세포는 생성되지 않으므로, 감수 2분열에서 비분리가 일어난 것임을 파악하면 문제를 풀 수 있다.

기출 문제

정답과 해설 **37**쪽

153 그림은 어떤 남자의 생식세포 형성 과정에서 성염색체의 비분리 현상이 일어난 것을 나타낸 것이다. 이에 대한 설명으로 옳은 것만을 〈보기〉에서 있는 대로 고른 것은? (단, 성염색체만을 나타내었고, 성염색체 비분리 현상 이외의 다른 돌연변이는 일어나지 않는다.)

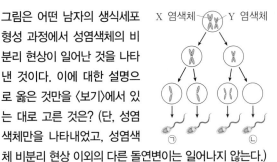

┌─ 보기 ┐
ㄱ. 정자 ㉠의 핵상은 n이다.
ㄴ. 정자 ㉡과 정상 난자가 수정되어 태어난 아이는 클라인펠터 증후군을 나타낸다.
ㄷ. 감수 1분열 과정에서 염색체 비분리 현상이 일어났다.
└─────┘

① ㄱ   ② ㄴ   ③ ㄱ, ㄴ ④ ㄱ, ㄷ ⑤ ㄴ, ㄷ

154 그림은 어떤 남자의 세포 ㉠으로부터 정자가 형성되는 과정을, 표는 세포 ㉡～㉤의 X 염색체 수를 나타낸 것이다. 정자 형성 과정 중 염색체 비분리는 성염색체에서만 1회 일어났다.

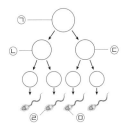

세포	X 염색체 수
㉡	1
㉢	0
㉣	0
㉤	?

이에 대한 설명으로 옳은 것만을 〈보기〉에서 있는 대로 고른 것은? (단, 제시된 염색체 비분리 이외의 다른 돌연변이는 고려하지 않는다.)

┌─ 보기 ┐
ㄱ. ㉠으로부터 정자가 형성되는 과정 중 감수 1분열에서 염색체 비분리가 일어났다.
ㄴ. 세포당 $\dfrac{\text{상염색체 수}}{\text{총 염색체 수}}$ 는 ㉣이 ㉢보다 크다.
ㄷ. ㉤이 정상 난자와 수정되어 태어난 아이는 터너 증후군을 나타낸다.
└─────┘

① ㄱ ② ㄴ ③ ㄱ, ㄷ ④ ㄴ, ㄷ ⑤ ㄱ, ㄴ, ㄷ

155 그림은 사람의 정자 형성 과정에서 일어날 수 있는 성염색체의 비분리 현상을 나타낸 것이다.

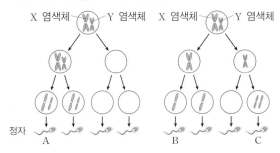

이에 대한 설명으로 옳은 것만을 〈보기〉에서 있는 대로 고른 것은? (단, 상염색체는 정상적으로 분리되었고, 다른 돌연변이는 없다.)

┌─ 보기 ┐
ㄱ. A와 정상 난자가 수정되어 태어난 아이는 클라인펠터 증후군이다.
ㄴ. B와 정상 난자가 수정되어 태어난 아이의 핵형은 정상이다.
ㄷ. C가 형성될 때 감수 2분열에서 염색체 비분리 현상이 일어났다.
└─────┘

① ㄱ   ② ㄷ   ③ ㄱ, ㄴ
④ ㄴ, ㄷ   ⑤ ㄱ, ㄴ, ㄷ

156 그림 (가)와 (나)는 각각 핵형이 정상인 여성과 남성의 생식세포 형성 과정을 나타낸 것이다. (가)와 (나)에서 21번 염색체의 비분리가 각각 1회씩만 일어났고, ㉢은 난자, ㉣은 정자이다.

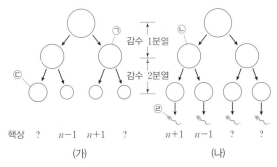

이에 대한 설명으로 옳은 것만을 〈보기〉에서 있는 대로 고른 것은? (단, 제시된 염색체 비분리 이외의 돌연변이는 고려하지 않는다.)

┌─ 보기 ┐
ㄱ. ㉠과 ㉡의 염색체 수는 같다.
ㄴ. (가)에서 염색체 비분리는 감수 1분열에서 일어났다.
ㄷ. ㉢과 ㉣이 수정되어 태어난 아이는 다운 증후군이다.
└─────┘

① ㄱ   ② ㄴ   ③ ㄷ   ④ ㄱ, ㄴ ⑤ ㄴ, ㄷ

기출 분석

42 유형

❓ 출제 의도
염색체 모양이 나타난 핵형 자료를 보고 염색체 비분리 현상이 나타났음을 알 수 있는지 묻는 유형이다.

🪱 이렇게 대비하자!
각 상동 염색체 쌍에서 1개 또는 3개인 쌍이 있는지 살피고, 어떤 염색체 수 이상인지 파악하도록 한다.

■ 연관 기출 문제 키워드
\# 핵형
\# 염색체
\# 상염색체
\# 성염색체

문제 분석

염색체의 구조: 염색체는 기본적으로 핵 안에 존재하므로 핵이 없는 세포(적혈구 등)로는 핵형 분석을 할 수 없다. 염색 분체로 이루어진 응축된 염색체를 볼 수 있는 시기는 세포 분열기이다.

다음은 어떤 사람의 혈액을 이용하여 핵형 분석을 하는 과정과 그 결과를 나타낸 것이다.

[실험 과정]

(가) 혈액에서 ㉠세포를 분리한 후, 체세포 분열을 유도하는 약품을 처리하고 배양액에서 생장시킨다.

(나) 세포 분열을 멈추게 하는 물질을 처리한 후 염색을 한다.

(다) 현미경으로 관찰한 후 ㉡세포의 염색체 사진을 찍어 핵형 분석을 한다.

[실험 결과]

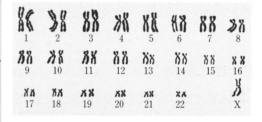

이에 대한 옳은 설명만을 〈보기〉에서 있는 대로 고른 것은?

〈 보기 〉

ㄱ. ㉠에는 핵이 있다.

ㄴ. ㉡은 간기 상태이다.

ㄷ. 이 사람의 염색체 수는 45개이다.

① ㄱ   ② ㄴ   ③ ㄷ   ④ ㄱ, ㄷ   ⑤ ㄴ, ㄷ

🧒 배경 지식
세포 분열 중에는 염색체가 많이 응축되어 있어 광학 현미경으로 관찰하면 염색체의 수, 크기, 형태적 특징 등을 확인할 수 있다. 이와 같은 염색체의 특징을 핵형이라고 하는데, 같은 종의 생물에서는 정상적인 경우 성이 같으면 핵형이 같다. 세포의 핵형을 조사하는 것을 핵형 분석이라고 하며, 분열기 중기에 염색체가 가장 뚜렷하게 관찰되므로 주로 이 시기의 염색체를 이용하여 핵형을 분석한다.

■ 문항별 해설
답 ④

ㄱ. (○) ㉠은 핵형 분석이 가능한 세포이므로 핵이 존재한다.

ㄴ. (×) ㉡은 응축된 형태의 염색체가 존재하는 세포이므로 분열기 상태이다.

ㄷ. (○) 핵형 그림에서 성염색체가 X 염색체 하나만 존재하므로 전체 염색체 수는 45개임을 알 수 있다.

■ 오류 피하기
⋯ 간기는 세포가 생장하고 다음 세포 분열을 준비하는 시기이다. 이 시기에 유전 물질은 염색사의 형태로 실처럼 풀어져 있으며 DNA 복제가 일어난다. 핵형 분석이 가능한 세포는 염색체가 막대 모양으로 응축된 분열기의 세포이다.

157 그림은 어떤 태아의 핵형 분석 결과를 나타낸 것이다.

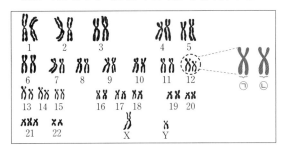

이에 대한 설명으로 옳은 것만을 〈보기〉에서 있는 대로 고른 것은?

─┤ 보기 ├─

ㄱ. ㉠과 ㉡은 상동 염색체이다.

ㄴ. 이 태아는 다운 증후군이다.

ㄷ. 핵형 분석은 세포 주기 중 간기의 세포를 이용한다.

① ㄱ   ② ㄴ   ③ ㄷ   ④ ㄱ, ㄴ ⑤ ㄴ, ㄷ

158 다음은 어떤 사람의 핵형 분석 결과를 나타낸 것이다.

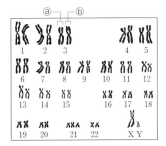

이에 대한 설명으로 옳은 것만을 〈보기〉에서 있는 대로 고른 것은?

─┤ 보기 ├─

ㄱ. ⓐ는 ⓑ의 상동 염색체이다.

ㄴ. 이 핵형 분석 결과에서 ABO식 혈액형을 알 수 있다.

ㄷ. 이 핵형 분석 결과에서 관찰되는 상염색체의 염색 분체 수는 45개이다.

① ㄱ   ② ㄷ   ③ ㄱ, ㄴ ④ ㄱ, ㄷ ⑤ ㄴ, ㄷ

159 그림은 색맹인 어머니와 색맹이 아닌 아버지 사이에서 태어난 자녀 (가)의 핵형 분석 결과를 나타낸 것이다. 자녀 (가)는 색맹이 아니고, 부모의 생식세포 형성 시 염색체 비분리는 한 사람에게서만 1회 일어났다.

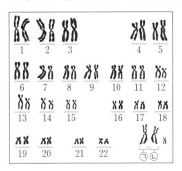

이에 대한 설명으로 옳은 것은? (단, 염색체 비분리 외에 다른 돌연변이는 없다.)

① (가)는 여자이다.

② (가)는 터너 증후군이다.

③ ㉠과 ㉡에는 모두 색맹 유전자가 존재하지 않는다.

④ 염색체 비분리가 일어난 시기는 감수 2분열이다.

⑤ 아버지의 정자 형성 과정에서 염색체 비분리가 일어났다.

160 그림은 어떤 사람의 백혈구 ㉠의 핵형 분석 결과를 나타낸 것이다.

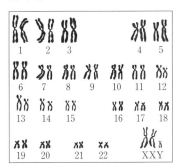

이에 대한 설명으로 옳은 것만을 〈보기〉에서 있는 대로 고른 것은?

─┤ 보기 ├─

ㄱ. ㉠은 감수 1 분열 중기의 세포이다.

ㄴ. 이 사람은 클라인펠터 증후군의 염색체 이상을 보인다.

ㄷ. 이 핵형 분석 결과에서 페닐케톤뇨증 여부를 알 수 있다.

① ㄱ   ② ㄴ   ③ ㄱ, ㄴ

④ ㄱ, ㄷ   ⑤ ㄴ, ㄷ

기출 분석

43 유형

? 출제 의도
염색체의 구조적 이상인 결실, 역위, 중복, 전좌 등의 개념을 알고 있는지 묻는 유형이다.

👀 이렇게 대비하자!
제시된 그림에서 순서가 바뀐 부분, 위치가 바뀐 부분 등을 찾아 어떤 구조 이상인지 파악하도록 한다.

■ 연관 기출 문제 키워드

염색체
구조 이상
결실
중복
역위
전좌

문제 분석

염색체의 구조 이상: 정상 세포인 (가)와 비교해서 (나)의 이상을 찾도록 한다.

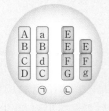

㉠은 C와 d의 위치가 거꾸로 되었고(역위), ㉡은 E 유전자가 중복되었다(중복).

그림 (가)는 어떤 생물의 정상 체세포를, (나)는 이 생물에서 염색체 구조 이상이 일어난 체세포를 나타낸 것이다.

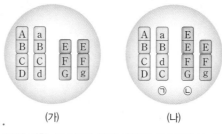

(가)   (나)

이에 대한 설명으로 옳은 것만을 〈보기〉에서 있는 대로 고른 것은? (단, A~G, a, d, g는 유전자이다.)

보기
ㄱ. A와 a는 대립유전자이다.
ㄴ. ㉠은 역위가 일어난 염색체이다.
ㄷ. ㉡은 결실이 일어난 염색체이다.

① ㄱ   ② ㄴ   ③ ㄱ, ㄴ   ④ ㄱ, ㄷ   ⑤ ㄴ, ㄷ

■ 문항별 해설   답 ③

ㄱ. (○) 정상 세포에서 A와 a가 같은 상동 염색체의 마주보는 같은 위치에 있으므로 이 둘은 대립유전자이다.
ㄴ. (○) ㉠은 염색체 일부분이 뒤집어지는 역위가 일어났다.
ㄷ. (×) ㉡은 염색체의 일부분이 반복되는 중복이 일어났다.

🌳 배경 지식

결실은 염색체 일부가 소실되는 것으로 결실이 일어나면 소실된 부분에 있는 유전자가 없어진다. 중복은 염색체에 같은 부위가 반복되어 나타나는 것이며, 역위는 한 염색체에서 일부분이 반대 방향으로 뒤집히는 경우이다. 전좌는 염색체 일부가 떨어져 나가 다른 염색체로 이동하여 연결되는 것이다.

■ 오류 피하기

⋯➡ 결실은 염색체의 일부분이 소실되는 것이다. ㉡은 일부분이 사라진 것이 아니라 E 유전자가 중복되었다.

정답과 해설 **39**쪽

161 그림 (가)는 어떤 동물(2*n* = 4)의 정상 정자를, (나)와 (다)는 이 동물에서 염색체 이상이 일어난 정자를 나타낸 것이다. A~E, K~M은 유전자이다.

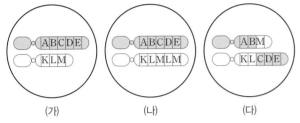

이에 대한 설명으로 옳은 것만을 〈보기〉에서 있는 대로 고른 것은?

보기
ㄱ. (가)~(다)에서 유전자 B의 대립유전자는 유전자 L이다.
ㄴ. (나)에는 중복이 일어난 염색체가 있다.
ㄷ. (다)는 전좌가 일어난 정자이다.

① ㄱ ② ㄴ ③ ㄱ, ㄷ ④ ㄴ, ㄷ ⑤ ㄱ, ㄴ, ㄷ

162 그림 (가)는 어떤 생물(2*n* = 4)의 정상 체세포를, (나)와 (다)는 이 생물에서 염색체 이상이 일어난 체세포를 나타낸 것이다.

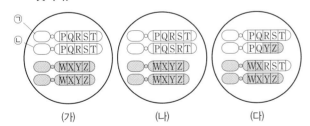

이에 대한 설명으로 옳은 것만을 〈보기〉에서 있는 대로 고른 것은?

보기
ㄱ. ㉠은 ㉡의 염색 분체이다.
ㄴ. (나)에는 역위가 일어난 염색체가 있다.
ㄷ. (다)는 상동 염색체 사이에 전좌가 일어난 세포이다.

① ㄱ ② ㄴ ③ ㄱ, ㄷ ④ ㄴ, ㄷ ⑤ ㄱ, ㄴ, ㄷ

163 그림은 어떤 동물에서 정상 핵형을 가진 수컷의 세포 (가)와 염색체 구조 이상이 일어난 암컷의 세포 (나) 각각에 들어 있는 상염색체와 성염색체를 한 쌍씩 나타낸 것이다. A와 a는 서로 대립유전자이다.

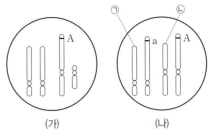

이 자료에 대한 설명으로 옳은 것만을 〈보기〉에서 있는 대로 고른 것은? (단, 염색체 구조 이상은 1회만 일어났으며, 제시된 자료 이외의 염색체와 돌연변이는 고려하지 않는다.)

보기
ㄱ. ㉠과 ㉡은 상동 염색체이다.
ㄴ. (나)에는 중복이 일어난 염색체가 존재한다.
ㄷ. (나)에는 성염색체에 있는 대립유전자 a가 상염색체로 전좌된 염색체가 있다.

① ㄱ ② ㄷ ③ ㄱ, ㄴ
④ ㄱ, ㄷ ⑤ ㄴ, ㄷ

164 그림은 어떤 동물(2*n* = 4)에 있는 세포들의 염색체를 나타낸 것이다. (가)는 정상 체세포, (나)와 (다)는 감수 2분열이 완료된 직후의 생식세포이다. A~G, a, g는 유전자이다.

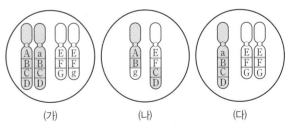

이에 대한 옳은 설명만을 〈보기〉에서 있는 대로 고른 것은? (단, (다)가 형성되는 과정에서 염색체 비분리는 1회만 일어났다.)

보기
ㄱ. (가)에서 a와 E는 서로 대립유전자이다.
ㄴ. (나)에는 전좌가 일어난 염색체가 있다.
ㄷ. (다)는 감수 2분열 과정에서 염색체 비분리가 일어나 형성되었다.

① ㄱ ② ㄴ ③ ㄱ, ㄷ
④ ㄴ, ㄷ ⑤ ㄱ, ㄴ, ㄷ

기출 분석

44 유형

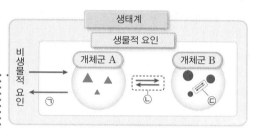

❓ 출제 의도

생태계 구성 요소 사이의 관계를 이해하고, 그에 해당하는 구체적인 예를 알고 있는지 묻는 유형이다.

🐛 이렇게 대비하자!

생태계를 이루는 구성 요소 사이의 작용, 반작용, 상호 작용의 관계를 이해하고, 각 관계의 특징을 이해할 수 있도록 한다.

■ 연관 기출 문제 키워드

\# 생태계

\# 생물적 요인

\# 비생물적 요인

\# 작용

\# 반작용

\# 상호 작용

문제 분석

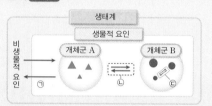

생태계: 생물적 요인과 비생물적 요인으로 구성된 하나의 계를 뜻한다.

군집: 여러 종의 개체군이 서로 상호 작용하며 집단을 이루어 살아가는 것이다.

개체군: 같은 종의 개체가 일정한 지역에 모여 살아가는 것이다.

반작용(㉠): 생물적 요인이 비생물적 요인에 영향을 주는 것이다.

상호 작용: 생태계 내 생물적 요인이 서로 영향을 주고받으며 살아가는 것을 뜻한다. 군집 내 개체군 사이의 상호 작용(㉡)이 일어날 수도 있고, 개체군을 이루는 개체 사이에서도 상호 작용(㉢)이 일어날 수 있다.

🖥️ 배경 지식

군집을 이루고 있는 개체군과 다른 개체군 사이의 상호 작용의 예로는 종간 경쟁, 분서, 공생, 기생, 포식과 피식 등이 있다.

그림은 생태계를 구성하는 요소 사이의 관계를 나타낸 것이다.

이에 대한 설명으로 옳지 않은 것은?

① 비생물적 요인은 생태계 구성 요소에 포함된다.

② 개체군 A는 동일한 종으로 구성된다.

③ 지렁이에 의해 토양의 통기성이 높아지는 것은 ㉠에 해당한다.

④ ㉡의 예로 상리 공생이 있다.

⑤ 스라소니가 눈신토끼를 잡아먹는 것은 ㉢에 해당한다.

■ 문항별 해설
답 ⑤

❶ (○) 생태계는 빛, 온도, 물, 공기, 토양 등과 같은 환경을 이루는 비생물적 요인과 생산자, 소비자, 분해자로 이루어진 생물적 요인을 모두 포함한다.

❷ (○) 개체군은 같은 종의 개체가 일정한 지역에 함께 살아가는 것을 뜻하므로, 개체군 A를 구성하는 종은 동일하다.

❸ (○) ㉠은 반작용에 해당한다. 지렁이는 생물적 요인, 토양은 비생물적 요인으로 지렁이가 토양에 영향을 주는 것이므로 이는 반작용, 즉 ㉡의 예에 해당한다.

❹ (○) ㉡은 개체군 A와 개체군 B 사이의 상호 작용을 나타낸 것이다. 상리 공생은 군집 내 개체군 사이의 상호 작용 중 공생의 한 예로 두 종의 생물이 서로 이득을 얻는 관계이다.

❺ (×) 스라소니와 눈신토끼는 포식과 피식의 관계로 군집을 이루는 서로 다른 개체군 사이의 상호 작용인 ㉡의 예이다. ㉢은 한 개체군을 이루는 종 사이의 상호 작용을 나타낸 것이다.

■ 오류 피하기

⋯▶ 개체군 내의 상호 작용(㉢)의 예

• 순위제: 닭은 개체군 내의 서열에 따라 먹이를 먹는 순서가 다르다.

• 텃세: 수컷 버들붕어는 자신의 세력권에 접근한 수컷을 공격하여 암컷을 차지하고 새끼를 지킨다.

• 리더제: 기러기는 다른 지역으로 이동할 때 리더를 따라 이동한다.

• 사회생활: 개미는 일개미, 여왕개미 등으로 구성원의 역할이 분담되어 있다.

• 가족생활: 사자는 가까운 혈연관계의 개체끼리 모여 살면서 함께 새끼를 돌보고 사냥을 한다.

정답과 해설 **40**쪽

165 그림은 생태계를 구성하는 요소 사이의 상호 관계를 나타낸 것이다.

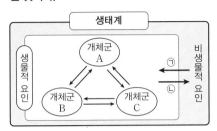

이에 대한 설명으로 옳은 것만을 〈보기〉에서 있는 대로 고른 것은? 수능 출제

╎ 보기 ╎

ㄱ. 일조 시간이 식물의 개화에 영향을 주는 것은 ㉠에 해당한다.

ㄴ. 분해자는 비생물적 요인에 해당한다.

ㄷ. 개체군 A는 여러 종으로 구성되어 있다.

① ㄱ   ② ㄴ   ③ ㄷ   ④ ㄱ, ㄴ ⑤ ㄱ, ㄷ

166 그림은 생태계를 구성하는 요소 사이의 상호 관계를 나타낸 것이다.

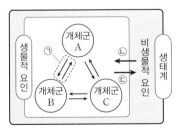

이에 대한 설명으로 옳은 것만을 〈보기〉에서 있는 대로 고른 것은? 수능 출제

╎ 보기 ╎

ㄱ. ㉠의 예로는 공생이 있다.

ㄴ. 수온이 돌말 개체군의 크기에 영향을 미치는 것은 ㉡에 해당한다.

ㄷ. 강수량 감소에 의해 옥수수 생장이 저해되는 것은 ㉢에 해당한다.

① ㄱ ② ㄷ ③ ㄱ, ㄴ ④ ㄴ, ㄷ ⑤ ㄱ, ㄴ, ㄷ

167 그림은 생태계를 구성하는 요소 사이의 상호 관계를 나타낸 것이다.

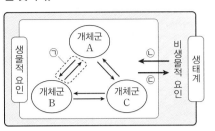

이에 대한 설명으로 옳은 것만을 〈보기〉에서 있는 대로 고른 것은? 수능 출제

╎ 보기 ╎

ㄱ. ㉠의 예로는 경쟁이 있다.

ㄴ. 분해자는 비생물적 요인에 해당한다.

ㄷ. 탈질산화 세균(질산 분해 세균)에 의해 질산 이온이 질소 기체로 되는 것은 ㉡에 해당한다.

① ㄱ   ② ㄴ   ③ ㄱ, ㄷ
④ ㄴ, ㄷ   ⑤ ㄱ, ㄴ, ㄷ

168 그림은 생태계를 구성하는 요소 사이의 상호 관계를 나타낸 것이다.

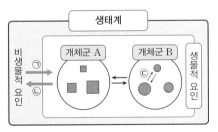

이에 대한 설명으로 옳은 것만을 〈보기〉에서 있는 대로 고른 것은? 수능 출제

╎ 보기 ╎

ㄱ. 개체군 A는 동일한 종으로 구성되어 있다.

ㄴ. 지의류에 의해 바위의 토양화가 촉진되는 것은 ㉡에 해당한다.

ㄷ. 분서는 ㉢에 해당한다.

① ㄱ   ② ㄷ   ③ ㄱ, ㄴ
④ ㄴ, ㄷ   ⑤ ㄱ, ㄴ, ㄷ

169 그림은 생태계를 구성하는 요소 간의 관계를 나타낸 것이다. ㉠과 ㉡은 생물적 요인과 비생물적 요인 간의 영향을 나타낸다.

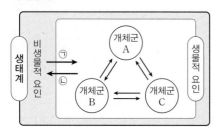

이에 대한 설명으로 옳은 것만을 〈보기〉에서 있는 대로 고른 것은? 수능 출제

╶╢ 보기 ╟╴

ㄱ. 빛의 파장이 해조류의 분포에 영향을 주는 것은 ㉠에 해당한다.

ㄴ. 지렁이에 의해 토양의 통기성이 높아지는 것은 ㉡에 해당한다.

ㄷ. 개체군 사이의 상호 작용의 예로는 경쟁이 있다.

① ㄱ ② ㄷ ③ ㄱ, ㄴ ④ ㄴ, ㄷ ⑤ ㄱ, ㄴ, ㄷ

171 그림은 생태계를 구성하는 요소 사이의 상호 관계를 나타낸 것이다.

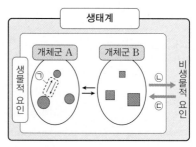

이에 대한 설명으로 옳은 것만을 〈보기〉에서 있는 대로 고른 것은?

╶╢ 보기 ╟╴

ㄱ. 분해자는 비생물적 요인에 해당한다.

ㄴ. 스라소니가 눈신토끼를 잡아먹는 것은 ㉠에 해당한다.

ㄷ. 빛의 파장에 따라 해조류의 분포가 달라지는 것은 ㉢에 해당한다.

① ㄱ ② ㄴ ③ ㄷ ④ ㄱ, ㄴ ⑤ ㄴ, ㄷ

170 그림은 생태계를 구성하는 요소 사이의 상호 관계를 나타낸 것이다.

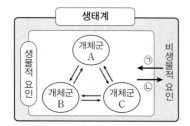

이에 대한 설명으로 옳은 것만을 〈보기〉에서 있는 대로 고른 것은?

╶╢ 보기 ╟╴

ㄱ. 토양 속 질소 고정 세균은 생물적 요인에 속한다.

ㄴ. 위도에 따라 식물 군집의 분포가 달라지는 현상은 ㉠에 해당한다.

ㄷ. 지의류에 의해 암석의 풍화가 촉진되어 토양이 형성되는 것은 ㉡에 해당한다.

① ㄱ ② ㄴ ③ ㄱ, ㄷ ④ ㄴ, ㄷ ⑤ ㄱ, ㄴ, ㄷ

172 그림은 생태계를 구성하는 요소들 간의 관계를 나타낸 것이다.

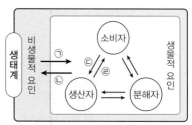

이에 대한 설명으로 옳은 것만을 〈보기〉에서 있는 대로 고른 것은?

╶╢ 보기 ╟╴

ㄱ. 곰팡이는 분해자이다.

ㄴ. 숲의 나무가 하천의 수량에 영향을 주는 것은 ㉠에 해당한다.

ㄷ. 일조량이 식물의 광합성량에 영향을 주는 것은 ㉢에 해당한다.

① ㄱ ② ㄴ ③ ㄷ ④ ㄱ, ㄴ ⑤ ㄴ, ㄷ

173 표는 생태계를 구성하는 요소 간의 관계와 그 예를 나타낸 것이다. (가)와 (나)는 각각 작용과 반작용 중 하나이다.

관계	예
(가)	숲에 나무가 우거지면 숲의 습도는 높아진다.
(나)	가을에 낮의 길이가 짧아지면 국화꽃이 개화한다.
상호 작용	⊙토끼풀의 수가 증가하면 ⓒ토끼의 수가 증가한다.

이에 대한 설명으로 옳은 것만을 〈보기〉에서 있는 대로 고른 것은?

보기
ㄱ. 비생물적 요인은 생태계의 구성 요소에 포함된다.
ㄴ. 반작용은 (나)이다.
ㄷ. ⊙과 ⓒ은 생태적 지위가 동일하다.

① ㄱ ② ㄴ ③ ㄱ, ㄴ ④ ㄱ, ㄷ ⑤ ㄴ, ㄷ

174 그림은 생태계 구성 요소 간의 관계를 나타낸 것이고, 자료는 강의 녹조 현상에 대해 조사하여 요약한 내용이다. (가)와 (나)는 각각 생산자와 분해자 중 하나이다.

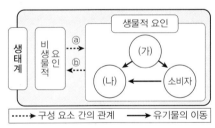

----▶ 구성 요소 간의 관계 ───▶ 유기물의 이동

• 원인: 영양 염류 증가, 수온 상승, 강수량 감소
• 영향: 남세균 과다 증식, 물이 녹색으로 변함, 물고기 떼죽음, ⊙강의 종 다양성 감소
• 특징: ⓒ유속이 빨라지면 남세균의 증식이 억제되어 녹조 현상이 완화됨
　　　　＊남세균(남조류): 빛을 흡수하여 광합성을 함

이에 대한 옳은 설명만을 〈보기〉에서 있는 대로 고른 것은?

보기
ㄱ. 남세균은 (가)에 해당한다.
ㄴ. ⊙에 의해 강의 생태계가 안정적으로 유지된다.
ㄷ. ⓒ은 ⓐ에 해당한다.

① ㄴ ② ㄷ ③ ㄱ, ㄴ ④ ㄱ, ㄷ ⑤ ㄱ, ㄴ, ㄷ

175 그림 (가)는 생태계 구성 요소 간의 관계 중 일부를, (나)는 빛의 파장에 따른 해조류의 분포를 나타낸 것이다.

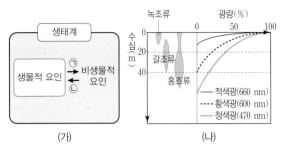

(가)　　　　　　　　　(나)

이에 대한 설명으로 옳은 것만을 〈보기〉에서 있는 대로 고른 것은?

보기
ㄱ. (가)에서 분해자는 생물적 요인을 구성하는 요소이다.
ㄴ. (나)는 ⓒ의 예에 해당한다.
ㄷ. ⊙은 반작용이다.

① ㄱ ② ㄴ ③ ㄱ, ㄷ ④ ㄴ, ㄷ ⑤ ㄱ, ㄴ, ㄷ

176 그림 (가)는 생태계를 구성하는 요소들 사이의 관계를, (나)는 같은 종의 은어가 하천에서 텃세권을 형성한 모습을 나타낸 것이다.

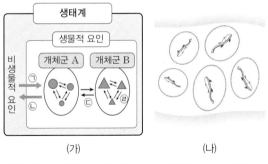

(가)　　　　　　　　　(나)

이에 대한 설명으로 옳은 것만을 〈보기〉에서 있는 대로 고른 것은?

보기
ㄱ. ⊙은 반작용이다.
ㄴ. 지렁이에 의해 토양의 통기성이 증가하는 것은 ⓒ에 해당한다.
ㄷ. (나)는 ⓔ에 해당한다.

① ㄱ ② ㄴ ③ ㄱ, ㄴ ④ ㄱ, ㄷ ⑤ ㄴ, ㄷ

기출 분석

45 유형

▪ 연관 기출 문제 키워드

\# 생장 곡선

\# 경쟁

\# 공생

\# 기생

문제 분석 ·········

개체군의 생장 곡선: 시간에 따른 개체군의 개체 수 변화를 그래프로 나타낸 것이다.

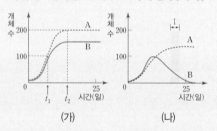

(가)   (나)

(가): 종 A와 B를 단독 배양하면 두 종 모두 개체 수가 증가하다가 일정한 수준을 유지한다.

(나): 종 A와 B를 혼합 배양하면 증식 속도가 느리며, 종 B는 일정한 시간이 지난 후부터 개체 수가 0에 가깝게 줄어든다. 이를 통해 종 A와 B 사이에 종간 경쟁이 일어남을 알 수 있다.

배경 지식

먹이와 서식지처럼 생존에 필요한 자원이 비슷한 두 개체군이 함께 있을 때 그들은 자원을 두고 종간 경쟁(경쟁)하며, 선호하는 먹이의 종류가 같거나 서식지가 겹치는 경우처럼 두 개체군의 생태적 지위가 유사할 때 경쟁의 정도가 커진다. 생태적 지위가 같은 두 종이 함께 서식할 때 경쟁에서 이긴 종이 살아남고, 경쟁에서 진 종이 사라지는 것을 경쟁배타 원리라고 한다.

? 출제 의도

생물적 요인의 생장 곡선을 보고 두 개체군 사이의 상호 작용의 유형과 특징을 알아 낼 수 있는지 확인하는 유형이다.

🐛 이렇게 대비하자!

종간 경쟁뿐만 아니라 편리 공생, 상리 공생, 기생 관계의 두 종을 혼합 배양할 경우 나타날 수 있는 개체 수 변화 그래프도 이해할 수 있도록 한다.

그림 (가)는 종 A와 종 B를 각각 단독 배양했을 때, (나)는 A와 B를 혼합 배양했을 때 시간에 따른 개체 수를 나타낸 것이다.

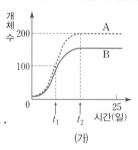
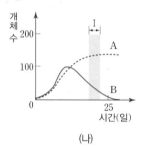

(가)   (나)

이에 대한 설명으로 옳은 것만을 〈보기〉에서 있는 대로 고른 것은? (단, (가)와 (나)에서 초기 개체 수와 배양 조건은 동일하다.)

┤ 보기 ┠

ㄱ. A의 개체 수는 t_2일 때가 t_1일 때보다 많다.

ㄴ. (나)에서 A와 B 사이에 편리 공생이 일어났다.

ㄷ. 구간 I에서 A와 B 모두에 환경 저항이 작용한다.

① ㄱ   ② ㄴ   ③ ㄱ, ㄷ   ④ ㄴ, ㄷ   ⑤ ㄱ, ㄴ, ㄷ

▪ 문항별 해설   답 ③

ㄱ. (○) t_2일 때 A의 개체 수는 200이고, t_1일 때 A의 개체 수는 100이다.

ㄴ. (×) (나)에서 A와 B 사이에 나타난 상호 작용은 편리 공생이 아닌 종간 경쟁이다. 편리 공생은 한쪽 개체군은 이익을 얻지만 다른 쪽의 개체군은 이익도 손해도 없는 관계이다. 편리 공생의 예로는 따개비와 혹등고래 등이 있다.

ㄷ. (○) 모든 생물의 생장에는 항상 환경 저항이 작용한다. 그러므로 구간 I에서는 종 A와 B에 모두 환경 저항이 작용한다.

▪ 오류 피하기

···▶ 이론적 생장 곡선은 환경 저항이 없어 시간이 지날수록 개체 수가 늘어나지만, 이론적 생장 곡선을 제외한 실제 조건에서 개체군의 생장에는 항상 환경 저항이 작용한다. 그래서 실제 생물의 생장 곡선은 환경 저항으로 인해 S자 모양을 나타낸다.

기출 문제

정답과 해설 41쪽

177 그림 (가)는 종 A를 단독 배양했을 때, (나)는 종 A와 B를 혼합 배양했을 때 시간에 따른 개체 수를 나타낸 것이다.

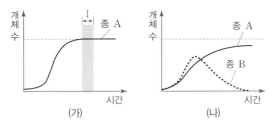

이에 대한 옳은 설명만을 〈보기〉에서 있는 대로 고른 것은? (단, (가)와 (나)에서 초기 개체 수와 배양 조건은 동일하다.)

──┤ 보기 ├──
ㄱ. (가)에서 A의 개체 수 변화는 이론적 생장 곡선을 따른다.
ㄴ. 구간 I 에서 A는 환경 저항을 받았다.
ㄷ. (나)에서 A와 B 사이에 경쟁이 일어났다.

① ㄱ ② ㄷ ③ ㄱ, ㄴ ④ ㄴ, ㄷ ⑤ ㄱ, ㄴ, ㄷ

178 그림은 실험 (가)~(다)에서 종 A와 B의 시간에 따른 개체 수를 나타낸 것이다. (가)는 혼합 배양, (나)와 (다)는 단독 배양한 실험이며, (다)에서 제공된 양분의 양은 (가)와 (나)에서 제공된 양의 2배이다.

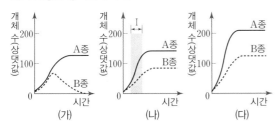

이에 대한 옳은 설명만을 〈보기〉에서 있는 대로 고른 것은? (단, 양분의 양을 제외한 나머지 조건은 동일하다.)

──┤ 보기 ├──
ㄱ. (가)에서 A와 B 사이의 상호 작용은 경쟁이다.
ㄴ. 개체 수가 100일 때, A에 작용하는 환경 저항은 (다)에서가 (나)에서보다 크다.
ㄷ. 구간 I 에서 B의 $\dfrac{출생률}{사망률}$ 은 1보다 크다.

① ㄱ ② ㄴ ③ ㄱ, ㄷ ④ ㄴ, ㄷ ⑤ ㄱ, ㄴ, ㄷ

179 그림 (가)는 짚신벌레 A종을 단독으로 배양했을 때, (나)는 짚신벌레 A종과 B종을 혼합 배양했을 때 시간에 따른 개체 수를 나타낸 것이다.

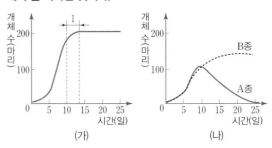

이에 대한 설명으로 옳은 것만을 〈보기〉에서 있는 대로 고른 것은?

──┤ 보기 ├──
ㄱ. (가)에서 A종의 생장 곡선은 이론적 생장 곡선이다.
ㄴ. (가)의 구간 I 에서 환경 저항이 A종의 개체 수 증가에 영향을 미친다.
ㄷ. (나)에서 A종과 B종은 상리 공생 관계이다.

① ㄱ ② ㄴ ③ ㄱ, ㄴ ④ ㄱ, ㄷ ⑤ ㄴ, ㄷ

180 그림 (가)는 종 A~C를 각각 단독 배양하였을 때, (나)와 (다)는 A와 B, A와 C를 각각 혼합 배양하였을 때 시간에 따른 개체 수를 나타낸 것이다.

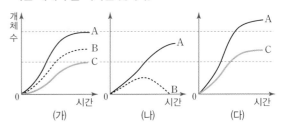

이에 대한 설명으로 옳은 것만을 〈보기〉에서 있는 대로 고른 것은? (단, (가)~(다)에서 초기 개체 수와 배양 조건은 동일하다.)

──┤ 보기 ├──
ㄱ. (나)는 A와 B가 분서를 한 결과이다.
ㄴ. (나)에서 경쟁배타가 일어났다.
ㄷ. (다)에서 A와 C는 편리 공생의 관계이다.

① ㄱ ② ㄴ ③ ㄷ ④ ㄱ, ㄴ ⑤ ㄴ, ㄷ

기출 분석

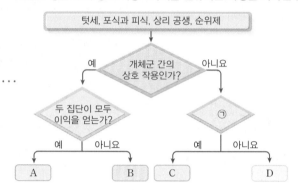

? 출제 의도
생물적 요인 간의 상호 작용 중 군집 내 상호 작용과 개체군 내의 상호 작용의 차이를 알고 있는지 묻는 유형이다.

⋒ 이렇게 대비하자!
개체군 내의 상호 작용과 군집 내 상호 작용의 특징과 관련 동물의 예를 각각 나누어 기억해 두도록 한다.

■ 연관 기출 문제 키워드

\# 개체군 내의 상호 작용

\# 군집 내 상호 작용

\# 경쟁 배타

문제 분석 · · · · · · · · · · · · · · · · ·

생물적 요인 사이의 상호 작용: 개체군 내의 상호 작용, 군집 내 상호 작용으로 나눌 수 있다.

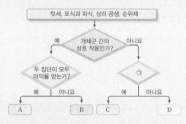

군집 내 상호 작용: 군집을 구성하는 개체군 내의 상호 작용으로 종간 경쟁, 분서(생태적 지위 분화), 공생과 기생, 포식과 피식 등이 있다.

개체군 내의 상호 작용: 한 개체군을 이루는 개체 사이의 상호 작용으로 텃세, 순위제, 리더제, 사회생활, 가족생활 등이 있다. A와 B는 군집 내 상호 작용, C와 D는 개체군 내의 상호 작용에 해당한다.

🎬 배경 지식

군집 내 상호 작용은 종간 경쟁, 분서, 공생, 기생, 포식과 피식 등이 있다. 종간 경쟁은 먹이와 서식지가 비슷한 두 개체군 사이에 자원을 두고 나타나는 경쟁이다. 분서는 필요한 자원이 비슷한 개체군 사이에 먹이 종류나 활동 시간 등을 달리하여 경쟁을 피하는 것이다. 공생은 두 종이 서로 이득을 주고받는 것으로 상리 공생, 편리 공생 등이 있다. 기생은 한 종이 다른 종에게 피해를 주면서 먹이와 서식지를 공급받는 것이다. 포식과 피식은 개체군 사이에서 먹고 먹히는 관계이다.

그림은 생물 간의 상호 작용 4가지를 분류하는 과정을 나타낸 것이다.

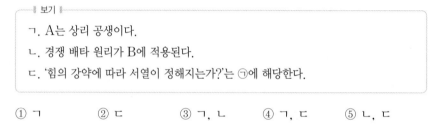

이에 대한 옳은 설명만을 〈보기〉에서 있는 대로 고른 것은?

┃ 보기 ┃

ㄱ. A는 상리 공생이다.

ㄴ. 경쟁 배타 원리가 B에 적용된다.

ㄷ. '힘의 강약에 따라 서열이 정해지는가?'는 ㉠에 해당한다.

① ㄱ   ② ㄷ   ③ ㄱ, ㄴ   ④ ㄱ, ㄷ   ⑤ ㄴ, ㄷ

■ 문항별 해설   **답 ④**

ㄱ. (○) A는 군집 내 상호 작용 중 두 집단이 모두 이익을 얻는 상리 공생이다.

ㄴ. (✕) B는 군집 내 상호 작용으로 두 집단이 모두 이익을 얻지는 못하는 관계로 포식과 피식을 나타낸다. 포식과 피식은 경쟁 관계가 아니고 먹고 먹히는 관계이므로 경쟁배타 원리가 적용되지 않는다.

ㄷ. (○) ㉠은 텃세와 순위제의 차이에 해당하는 질문이어야 한다. '힘의 강약에 따라 서열이 정해지는가?'에 '예'라고 대답하는 경우는 순위제, '아니요'라고 대답하는 경우는 텃세이다.

■ 오류 피하기

┈⟩ 경쟁배타 원리는 군집 내 상호 작용 중 종간 경쟁에서 이긴 개체군은 번성하고 경쟁에서 진 개체군은 도태되는 것을 의미한다. 즉, 생태적 지위가 비슷한 두 종 이상의 개체군이 함께 살면서 경쟁하는 것이다. 반면 포식과 피식은 두 개체군 사이의 생태적 지위가 다르다.

기출 문제

정답과 해설 42쪽

181 그림은 생물 사이의 3가지 상호 작용을 구분하는 과정을 나타낸 것이다.

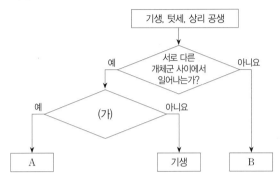

이에 대한 설명으로 옳은 것만을 〈보기〉에서 있는 대로 고른 것은?

〈보기〉
ㄱ. '두 개체군이 모두 이익을 보는가?'는 (가)에 해당한다.
ㄴ. 흰동가리와 말미잘의 상호 작용은 A에 해당한다.
ㄷ. B는 텃세이다.

① ㄱ   ② ㄴ   ③ ㄷ   ④ ㄱ, ㄷ   ⑤ ㄱ, ㄴ, ㄷ

182 표는 종 사이의 상호 작용을 나타낸 것이며, A~C는 각각 기생, 상리 공생, 편리 공생 중 하나이다. 이에 대한 설명으로 옳은 것만을 〈보기〉에서 있는 대로 고른 것은?

상호 작용	종 1	종 2
A	손해	이익
B	이익	㉠
C	이익	이익

〈보기〉
ㄱ. ㉠은 '손해'이다.
ㄴ. A는 편리 공생이다.
ㄷ. 콩과식물과 뿌리혹박테리아 사이의 상호 작용은 C에 해당한다.

① ㄱ   ② ㄴ   ③ ㄷ   ④ ㄱ, ㄴ   ⑤ ㄴ, ㄷ

183 그림은 생물 사이의 상호 작용 A와 B의 공통점과 차이점을 나타낸 것이다. A와 B는 각각 기생과 상리 공생 중 하나이며, ㉡은 '상호 작용하는 두 생물 종이 모두 이익을 얻는다.'이다.

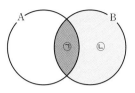

이에 대한 설명으로 옳은 것만을 〈보기〉에서 있는 대로 고른 것은?

〈보기〉
ㄱ. A는 기생이다.
ㄴ. '개체군 내의 상호 작용이다.'는 ㉠에 해당한다.
ㄷ. 콩과식물과 뿌리혹박테리아 사이의 상호 작용은 B에 해당한다.

① ㄱ   ② ㄴ   ③ ㄷ   ④ ㄱ, ㄷ   ⑤ ㄱ, ㄴ, ㄷ

184 다음은 생물 사이의 상호 작용에 대한 자료이다.

(가) 콩과식물의 뿌리에 사는 뿌리혹박테리아는 콩과식물에게 질소 화합물을 공급하고, 콩과식물은 뿌리혹박테리아에게 영양분을 공급한다.
(나) 먹이와 서식지에 대한 요구 조건이 비슷한 짚신벌레 A종과 B종을 각각 단독 배양하면 두 종 모두 잘 살지만, 두 종을 혼합 배양하면 A종만 살아남고 B종은 살아남지 못한다.

이에 대한 설명으로 옳은 것만을 〈보기〉에서 있는 대로 고른 것은?

〈보기〉
ㄱ. (가)는 서로 다른 개체군 사이의 상호 작용이다.
ㄴ. (가)에서 콩과식물과 뿌리혹박테리아는 상리 공생 관계이다.
ㄷ. (나)에서 두 종의 짚신벌레를 혼합 배양한 경우 경쟁배타 원리가 적용된다.

① ㄱ   ② ㄴ   ③ ㄱ, ㄷ   ④ ㄴ, ㄷ   ⑤ ㄱ, ㄴ, ㄷ

기출 분석

47 유형

❓ 출제 의도

2차 천이 과정과 식물 군집 내의 총생산량 그래프를 정확히 이해하고 있는지 묻는 유형이다.

⚙️ 이렇게 대비하자!

1차 천이와 2차 천이는 시작되는 토양의 상태가 다름을 이해하고, 우점종의 정의를 이해하여 천이 과정 중 각 단계의 우점종이 다른 이유를 알아 두도록 한다.

■ **연관 기출 문제 키워드**

천이
총생산량
1차 천이
2차 천이

문제 분석

천이: 천이 초기에는 지표면에 도달하는 빛의 세기가 상대적으로 강해 양수가 우점하고, 천이 후기에는 표면에 도달하는 빛의 세기가 상대적으로 약해 음수가 우점한다.

산불이 난 후의 천이: 기존의 식물 군집이 산불로 불모지가 된 후 토양이 남아 있는 곳에서 다시 시작되는 2차 천이이다. 산불로 피해를 입지 않고 토양에 남아 있는 기존 식물의 뿌리나 종자 등에 의해 시작되며, 초원부터 시작된다.

(가)

식물 군집의 총생산량

＝호흡량＋고사량, 피식량＋생장량＋낙엽량

식물 군집의 순생산량＝총생산량－호흡량

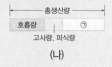

(나)

🖥️ 배경 지식

식물 군집의 총생산량은 생산자가 광합성으로 생산한 유기물의 총합이고, 이중 호흡량을 제외한 경우가 순생산량이다.

그림 (가)는 어떤 지역의 식물 군집에서 산불이 난 후의 천이 과정을, (나)는 이 과정 중 일정 기간 조사한 어떤 식물 군집의 총생산량을 나타낸 것이다. A와 B는 각각 양수림과 음수림 중 하나이다.

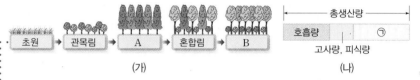

(가)   (나)

이에 대한 설명으로 옳은 것만을 〈보기〉에서 있는 대로 고른 것은?

┌─ 보기 ─────────────────────────┐
ㄱ. A는 음수림이다.
ㄴ. ㉠은 순생산량이다.
ㄷ. (가)는 2차 천이를 나타낸 것이다.
└──────────────────────────────┘

① ㄱ　　　② ㄴ　　　③ ㄷ　　　④ ㄱ, ㄷ　　　⑤ ㄴ, ㄷ

■ **문항별 해설**　　　　　　　　　　　　　　　　　　　답 ③

ㄱ. (×) 2차 천이는 초원 → 관목림 → 양수림(A) → 혼합림 → 음수림(B)으로 진행된다. A는 양수림이다.

ㄴ. (×) 식물 군집의 순생산량은 총생산량에서 호흡량을 뺀 나머지이다. ㉠은 생장량이다.

ㄷ. (○) 2차 천이는 기존의 식물 군집이 산불이나 산사태 등으로 불모지가 된 후 토양이 남아 있는 곳에서 시작되는 천이로, 초원에서부터 시작된다. 산불이 난 후의 천이 과정은 초원 → 관목림 → 양수림(A) → 혼합림 → 음수림(B) 순서로 진행된다.

■ **오류 피하기**

⋯⋯ 1차 천이는 토양이 없는 불모지에서 시작되는 천이이고, 2차 천이는 화산이나 산불 등으로 불모지가 된 후 토양이 남아 있는 곳에서 초원부터 시작되는 천이이다.

기출 문제

정답과 해설 **42**쪽

185 그림은 어떤 지역에서의 식물 군집의 천이 과정을 나타낸 것이다. A∼C는 양수림, 음수림, 관목림을 순서 없이 나타낸 것이다.

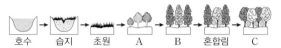

이에 대한 설명으로 옳은 것만을 〈보기〉에서 있는 대로 고른 것은?

| 보기 |
ㄱ. 습성 천이를 나타낸 것이다.
ㄴ. A의 우점종은 지의류이다.
ㄷ. B는 음수림이다.

① ㄱ　　② ㄴ　　③ ㄱ, ㄴ ④ ㄱ, ㄷ ⑤ ㄴ, ㄷ

186 그림은 어떤 지역의 식물 군집에서 산불이 일어나기 전과 후의 천이 과정 일부를 나타낸 것이다. A∼C는 각각 초원, 양수림, 음수림 중 하나이다.

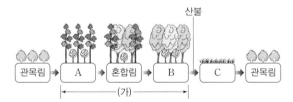

이에 대한 설명으로 옳은 것만을 〈보기〉에서 있는 대로 고른 것은?

| 보기 |
ㄱ. A는 음수림이다.
ㄴ. (가) 과정에서 지표면에 도달하는 빛의 양은 감소한다.
ㄷ. 산불이 일어난 후 개척자는 지의류이다.

① ㄱ　　② ㄴ　　③ ㄷ　　④ ㄱ, ㄷ ⑤ ㄴ, ㄷ

187 그림은 어떤 지역의 식물 군집에서 산불이 난 후의 천이 과정을 나타낸 것이다. A∼C는 각각 양수림, 음수림, 초원 중 하나이다.

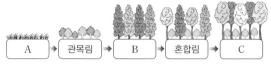

이에 대한 설명으로 옳은 것만을 〈보기〉에서 있는 대로 고른 것은?

| 보기 |
ㄱ. 1차 천이를 나타낸 것이다.
ㄴ. A의 우점종은 지의류이다.
ㄷ. C는 음수림이다.

① ㄱ　② ㄷ　③ ㄱ, ㄴ　④ ㄴ, ㄷ　⑤ ㄱ, ㄴ, ㄷ

188 그림 (가)는 어떤 군집의 천이 과정을, (나)는 이 군집에서 시간에 따른 종 ㉠과 ㉡의 어린 나무의 밀도를 나타낸 것이다. 종 ㉠과 ㉡은 각각 A에서의 우점종과 B에서의 우점종 중 하나이다.

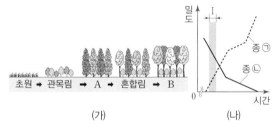

이에 대한 옳은 설명만을 〈보기〉에서 있는 대로 고른 것은?

| 보기 |
ㄱ. 구간 Ⅰ의 밀도 변화는 B에서 나타난다.
ㄴ. 종 ㉠은 B에서의 우점종이다.
ㄷ. 잎의 평균 두께는 종 ㉠보다 종 ㉡이 두껍다.

① ㄱ　② ㄷ　③ ㄱ, ㄴ ④ ㄱ, ㄷ ⑤ ㄴ, ㄷ

기출 분석

48 유형

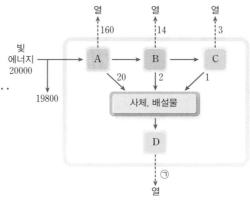

? 출제 의도

생태계에서의 에너지 흐름을 이해하고, 각 영양 단계별 에너지 총량을 구할 수 있는지 묻는 유형이다.

이렇게 대비하자!

에너지 흐름에서 상위 영양 단계로 이동하는 에너지의 이동량을 파악하고, 각 영양 단계의 에너지 효율을 구할 수 있도록 한다.

■ 연관 기출 문제 키워드

\# 에너지 흐름

\# 생산자

\# 소비자

\# 분해자

문제 분석

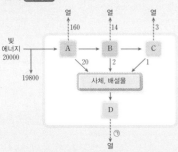

A는 태양의 빛에너지를 그대로 이용하는 생산자, B는 1차 소비자, C는 2차 소비자, D는 사체나 배설물로부터 에너지를 얻는 분해자이다.

각 영양 단계의 에너지 총량

· A(생산자): $20000 - 19800 = 200$

· B(1차 소비자): $200 - 160 - 20 = 20$

· C(2차 소비자): $20 - 14 - 2 = 4$

· D(분해자): $20 + 2 + 1 = 23$

에너지 효율(%)

$$= \frac{\text{현 영양 단계가 보유한 에너지 총량}}{\text{전 영양 단계가 보유한 에너지 총량}} \times 100$$

이다.

· B의 에너지 효율(1차 소비자)

$$= \frac{20}{200} \times 100 = 10\%$$

· C의 에너지 효율(2차 소비자)

$$= \frac{4}{20} \times 100 = 20\%$$

배경 지식

생태계를 유지하는 에너지의 근원은 빛에너지이고, 빛에너지 → 화학 에너지 → 열에너지로 전환되어 이용된 후 모두 방출된다.

그림은 어떤 안정된 생태계의 에너지 흐름을 나타낸 것이다. A~D는 생물적 요인이고, ㉠은 에너지양이다.

이에 대한 설명으로 옳은 것만을 〈보기〉에서 있는 대로 고른 것은? (단, 에너지양은 상댓값으로 나타낸 것이다.)

보기

ㄱ. A는 생산자이다.

ㄴ. 에너지 효율은 B보다 C가 높다.

ㄷ. ㉠은 23이다.

① ㄱ   ② ㄴ   ③ ㄱ, ㄷ   ④ ㄴ, ㄷ   ⑤ ㄱ, ㄴ, ㄷ

■ 문항별 해설

답 ⑤

ㄱ. (○) A는 빛에너지를 그대로 이용하는 생산자이다.

ㄴ. (○) B의 에너지 효율은 10 %, C의 에너지 효율은 20 %이므로 B보다 C가 높다.

ㄷ. (○) ㉠은 D에서 사체와 배설물에 포함된 에너지로 분해자의 호흡에 이용되어 나머지는 열에너지 형태로 방출되며 방출되는 열은 $20 + 2 + 1 = 23$이다.

■ 오류 피하기

···› 생태계에서 에너지는 순환하지 않고 흐른다. 태양에서 온 빛에너지는 열에너지 형태로 생태계 밖으로 빠져 나간다. 따라서 생태계로 들어온 빛에너지와 열로 방출되는 값의 합이 동일하다.

189 그림 (가)는 어떤 생태계에서 일어나는 에너지 흐름의 일부를, (나)는 이 생태계의 식물 군집에서 시간에 따른 유기물량을 나타낸 것이다. ㉠과 ㉡은 각각 호흡량과 총생산량 중 하나이다.

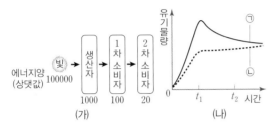

이에 대한 옳은 설명만을 〈보기〉에서 있는 대로 고른 것은?

> **보기**
> ㄱ. 1차 소비자의 생장량은 ㉡에 포함된다.
> ㄴ. 에너지 효율은 2차 소비자가 1차 소비자의 2배이다.
> ㄷ. 이 식물 군집에서 $\dfrac{순생산량}{호흡량}$ 은 t_1일 때가 t_2일 때보다 크다.

① ㄴ   ② ㄷ   ③ ㄱ, ㄴ ④ ㄱ, ㄷ ⑤ ㄴ, ㄷ

190 그림은 어떤 생태계의 에너지 흐름을 나타낸 것이다. A ∼ D는 생물적 요인이다.

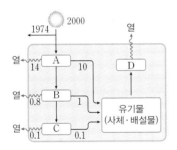

이에 대한 옳은 설명만을 〈보기〉에서 있는 대로 고른 것은? (단, 에너지양은 상댓값으로 나타낸 것이다.)

> **보기**
> ㄱ. 각 영양 단계의 에너지양은 A>B>C이다.
> ㄴ. 에너지 효율은 1차 소비자보다 2차 소비자가 높다.
> ㄷ. D에서 방출되는 열의 양은 11.1이다.

① ㄱ   ② ㄷ   ③ ㄱ, ㄴ ④ ㄴ, ㄷ ⑤ ㄱ, ㄴ, ㄷ

191 그림은 어떤 안정된 생태계에서의 에너지 흐름을 나타낸 것이다. A와 B는 각각 1차 소비자와 생산자 중 하나이고, B의 에너지 효율은 10 %이다.

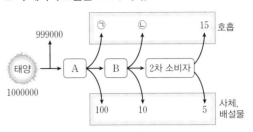

이 자료에 대한 옳은 설명만을 〈보기〉에서 있는 대로 고른 것은? (단, 에너지양은 상댓값이고, 에너지 효율은 전 영양 단계의 에너지양에 대한 현 영양 단계의 에너지양을 백분율로 나타낸 것이다.)

> **보기**
> ㄱ. A는 생산자이다.
> ㄴ. ㉠+㉡=870이다.
> ㄷ. 2차 소비자의 에너지 효율은 20 %이다.

① ㄱ   ② ㄷ   ③ ㄱ, ㄴ ④ ㄴ, ㄷ ⑤ ㄱ, ㄴ, ㄷ

192 그림은 어떤 안정된 생태계에서 일어나는 에너지의 흐름을 나타낸 것이다. (가)~(다)는 이 생태계의 생물 요소이며, 에너지양은 상댓값으로 나타낸 것이다.

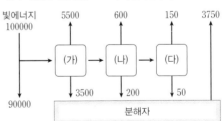

이 생태계에 대한 옳은 설명만을 〈보기〉에서 있는 대로 고른 것은?

> **보기**
> ㄱ. 생산자의 $\dfrac{순생산량}{총생산량}$ 은 $\dfrac{1}{2}$보다 작다.
> ㄴ. 에너지 효율은 2차 소비자가 1차 소비자의 2배이다.
> ㄷ. (나)에서 (다)로 유기물에 저장된 에너지가 이동한다.

① ㄱ   ② ㄴ   ③ ㄱ, ㄷ ④ ㄴ, ㄷ ⑤ ㄱ, ㄴ, ㄷ

기출 분석

49 유형

■ 연관 기출 문제 키워드

생태 피라미드

총생산량

순생산량

호흡량

? 출제 의도

생태계의 에너지 피라미드를 이해하고, 식물 군집에의 총생산량, 순생산량, 호흡량, 생장량, 생체량의 의미를 정확히 알고 있는지 묻는 유형이다.

😊 이렇게 대비하자!

식물 군집의 물질 생산과 소비를 표나 그래프로 변형하여 나타낸 경우가 있다. 이러한 경우에 대비하여 식물 군집의 총생산량, 순생산량의 정확한 의미를 알아 두도록 한다.

그림 (가)는 어떤 생태계에서 각 영양 단계의 에너지양을 상댓값으로 나타낸 생태 피라미드이고, (나)는 어떤 식물 군집에서 총생산량, 순생산량, 호흡량의 관계를 나타낸 것이다. ㉠과 ㉡은 각각 순생산량과 총생산량 중 하나이다.

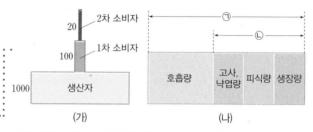

(가)   (나)

이에 대한 설명으로 옳은 것만을 〈보기〉에서 있는 대로 고른 것은?

┤ 보기 ├

ㄱ. (가)에서 에너지 효율은 1차 소비자보다 2차 소비자가 높다.

ㄴ. ㉠은 순생산량이다.

ㄷ. ㉡은 식물 군집이 광합성을 통해 생산한 유기물의 총량이다.

① ㄱ   ② ㄴ   ③ ㄷ   ④ ㄱ, ㄷ   ⑤ ㄴ, ㄷ

문제 분석

에너지양 피라미드: 먹이 사슬에서 각 영양 단계에 속하는 생물의 에너지양을 하위 영양 단계부터 상위 영양 단계 순서로 차례로 쌓아 올린 것으로, 상위 영양 단계로 갈수록 에너지양이 줄어든다.

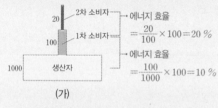

(가)

• 식물 군집의 총생산량(㉠)＝호흡량＋순생산량

• 순생산량(㉡)＝총생산량－호흡량

• 생장량＝순생산량－(피식량＋고사, 낙엽량)

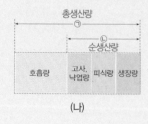

(나)

■ 문항별 해설   답 ①

ㄱ. (○) 에너지 피라미드에서 에너지 효율(%)＝$\dfrac{\text{현 영양 단계가 보유한 에너지 총량}}{\text{전 영양 단계가 보유한 에너지 총량}} \times 100$이다.

1차 소비자의 에너지 효율은 10 %, 2차 소비자의 에너지 효율은 20 %로 2차 소비자의 에너지 효율이 1차 소비자보다 높다.

ㄴ. (×) ㉠은 식물 군집의 총생산량이다. 총생산량은 식물 군집이 광합성을 통해 생산한 유기물의 총량이다.

ㄷ. (×) ㉡은 총생산량에서 호흡량을 뺀 유기물의 양으로 순생산량이다.

🖥 배경 지식

생태 피라미드는 먹이 사슬에서 각 영양 단계에 속하는 생물의 생체량, 개체 수, 에너지양을 하위 영양 단계에서 부터 상위 영양 단계로 차례로 쌓아올린 것이다.

■ 오류 피하기

··· 순생산량(㉡)은 식물체가 저장하는 유기물의 양으로 생산자가 광합성을 통해 생산한 유기물의 총량인 총생산량(㉠)에서 생활에 필요한 에너지를 얻기 위한 재료로 소비되는 호흡량을 제외한 값이다.

기출 문제

정답과 해설 **44**쪽

193 그림은 어떤 생태계를 구성하는 생산자의 1년간 총생산량 중 각 과정으로 소비된 비율을 나타낸 것이다.
이에 대한 설명으로 옳은 것만을 〈보기〉에서 있는 대로 고른 것은?

┤ 보기 ├
ㄱ. 생산자의 순생산량은 총생산량의 60 %이다.
ㄴ. 생산자의 총생산량 중 25 %가 소비자에게 전달된다.
ㄷ. 생산자의 총생산량은 광합성을 통해 생산한 유기물의 총량이다.

① ㄱ ② ㄴ ③ ㄷ ④ ㄱ, ㄴ ⑤ ㄱ, ㄷ

194 그림은 식물 군집에서 에너지양 ㉠~㉢ 사이의 관계를, 표는 어떤 안정된 생태계의 에너지양에 대한 설명을 나타낸 것이다. ㉠~㉢은 각각 생장량, 순생산량, 총생산량 중 하나이고, 표에서 에너지양은 모두 상댓값이다.

- 생산자의 ㉠은 1000, ㉡은 400, ㉢은 0이다.
- 생산자의 고사, 낙엽량은 250이다.
- 1차 소비자에서 2차 소비자로 이동하는 에너지양은 30이다.

이 생태계에 대한 옳은 설명만을 〈보기〉에서 있는 대로 고른 것은?

┤ 보기 ├
ㄱ. ㉡은 순생산량이다.
ㄴ. $\dfrac{생산자에서 1차 소비자로 이동하는 에너지양}{생산자의 호흡량} < \dfrac{1}{2}$ 이다.
ㄷ. 에너지 효율은 2차 소비자가 1차 소비자의 2배이다.

① ㄱ ② ㄴ ③ ㄱ, ㄴ ④ ㄱ, ㄷ ⑤ ㄴ, ㄷ

195 그림 (가)는 어떤 식물 군집에서 총생산량, 순생산량, 생장량의 관계를, (나)는 이 식물 군집에서 시간에 따른 총생산량과 순생산량을 나타낸 것이다.

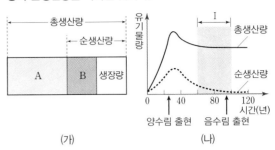

(가)　　　　　　　(나)

이 자료에 대한 설명으로 옳은 것만을 〈보기〉에서 있는 대로 고른 것은?　　　수능 출제

┤ 보기 ├
ㄱ. 초식 동물의 호흡량은 A에 포함된다.
ㄴ. 낙엽의 유기물량은 B에 포함된다.
ㄷ. 천이가 진행됨에 따라 구간 Ⅰ에서 $\dfrac{A}{순생산량}$ 는 증가한다.

① ㄱ ② ㄴ ③ ㄱ, ㄷ ④ ㄴ, ㄷ ⑤ ㄱ, ㄴ, ㄷ

196 표는 동일한 면적을 차지하고 있는 식물 군집 Ⅰ과 Ⅱ에서 1년 동안 조사한 총생산량에 대한 호흡량, 고사량, 낙엽량, 생장량, 피식량의 백분율을 나타낸 것이다. Ⅰ의 총생산량은 Ⅱ의 총생산량의 2배이다.

(단위: %)

구분	식물 군집	
	Ⅰ	Ⅱ
호흡량	74.0	67.1
고사량, 낙엽량	19.7	24.7
생장량	6.0	8.0
피식량	0.3	0.2
합계	100.0	100.0

이 자료에 대한 설명으로 옳은 것만을 〈보기〉에서 있는 대로 고른 것은?

┤ 보기 ├
ㄱ. Ⅰ과 Ⅱ의 호흡량에는 초식 동물의 호흡량이 포함된다.
ㄴ. Ⅱ에서 총생산량에 대한 순생산량의 백분율은 32.9 %이다.
ㄷ. 생장량은 Ⅰ에서가 Ⅱ에서보다 크다.

① ㄱ ② ㄴ ③ ㄷ ④ ㄱ, ㄴ ⑤ ㄴ, ㄷ

기출 분석

50 유형

❓ 출제 의도
생태계에서 일어나는 탄소 순환 과정과 관련된 호흡, 연소, 광합성을 이해하고 탄소 순환에 관련된 생물의 특징을 이해하고 있는지 묻는 유형이다.

〽️ 이렇게 대비하자 !
탄소 순환의 각 과정에 관련된 생물과 탄소의 이동 방향을 정확히 알아 두도록 한다.

■ 연관 기출 문제 키워드

\# 탄소 순환

\# 광합성

\# 생산자

\# 소비자

\# 분해자

그림 (가)는 생태계에서 일어나는 탄소 순환 과정을, (나)는 생명체 내에서 일어나는 어떤 화학 반응을 나타낸 것이다.

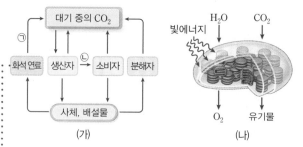

(가)   (나)

이에 대한 설명으로 옳은 것만을 〈보기〉에서 있는 대로 고른 것은?

┤ 보기 ├

ㄱ. ㉠ 과정에서 화석 연료가 환원된다.

ㄴ. ㉡ 과정에서 탄소는 유기물의 형태로 이동한다.

ㄷ. (나)는 (가)의 소비자에서 일어난다.

① ㄱ   ② ㄴ   ③ ㄷ   ④ ㄱ, ㄴ   ⑤ ㄱ, ㄴ, ㄷ

문제 분석

탄소 순환: 탄소는 광합성과 호흡 작용을 통해 생물과 대기 사이를 순환한다. 대기 중의 이산화 탄소(CO_2)는 생산자에 흡수되어 광합성을 통해 유기물로 합성되고, 유기물은 생물의 호흡에 사용된 후 이산화 탄소의 형태로 다시 대기나 물속으로 돌아가는 순환을 한다.

(가)

㉠: 화석 연료가 연소되면서 탄소는 이산화 탄소(CO_2) 형태로 대기 중으로 돌아간다.

㉡: 생산자의 광합성으로 생성된 유기물은 먹이 사슬을 따라 생산자에서 소비자로 이동하여 생물을 구성하거나 호흡에 사용된다.

■ 문항별 해설   답 ②

ㄱ. (✕) ㉠은 화석 연료가 연소되는 과정으로, 화석 연료 속의 탄소가 산소와 결합하여 화석 연료가 산화된다.

ㄴ. (◯) ㉡은 생산자에서 1차 소비자로 탄소의 이동을 나타내는데, 탄소는 유기물의 형태로 이동한다.

ㄷ. (✕) (나)는 (가)의 생산자인 식물의 엽록체에 일어나는 광합성이다.

광합성 과정은 $H_2O + CO_2 \xrightarrow{\text{빛에너지}} O_2 + $ 유기물(포도당)이다.

💻 배경 지식

광합성은 식물 세포의 엽록체에서 일어나며 빛에너지를 이용하여 유기물을 합성한다.

■ 오류 피하기

⋯▶ 광합성은 식물(생산자)의 엽록체에서만 일어나고, 호흡은 모든 생명체의 미토콘드리아에서 일어난다.

197 그림은 탄소가 순환되는 과정의 일부를 나타낸 것이다.

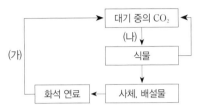

이에 대한 설명으로 옳은 것만을 〈보기〉에서 있는 대로 고른 것은?

┤ 보기 ├

ㄱ. 석유의 연소는 (가)에 해당한다.

ㄴ. (나)는 녹색광보다 청색광에서 활발히 일어난다.

ㄷ. 대규모의 벌목은 (나)를 통해 이동하는 CO_2의 양을 감소시켜 지구 온난화를 심화시킬 수 있다.

① ㄱ ② ㄴ ③ ㄱ, ㄷ ④ ㄴ, ㄷ ⑤ ㄱ, ㄴ, ㄷ

198 그림은 생태계의 탄소 순환 과정 일부를 나타낸 것이다. (가)~(다) 과정은 각각 연소, 호흡, 광합성 중 하나이다.

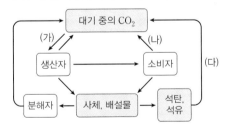

이에 대한 설명으로 옳은 것만을 〈보기〉에서 있는 대로 고른 것은?

┤ 보기 ├

ㄱ. (가) 과정에서 CO_2가 환원된다.

ㄴ. (나) 과정은 호흡이다.

ㄷ. (다) 과정이 증가하면 온실 효과가 감소한다.

① ㄱ ② ㄴ ③ ㄱ, ㄴ ④ ㄱ, ㄷ ⑤ ㄴ, ㄷ

199 그림은 생태계에서 일어나는 탄소 순환 과정을 나타낸 것이다. A와 B는 각각 분해자와 생산자 중 하나이다.

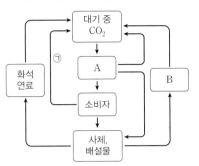

이에 대한 설명으로 옳은 것만을 〈보기〉에서 있는 대로 고른 것은?

┤ 보기 ├

ㄱ. A는 대기 중 CO_2를 이용하여 광합성을 한다.

ㄴ. B는 분해자이다.

ㄷ. 과정 ㉠은 호흡을 통해 일어난다.

① ㄱ ② ㄷ ③ ㄱ, ㄴ ④ ㄴ, ㄷ ⑤ ㄱ, ㄴ, ㄷ

200 그림은 탄소 순환 과정을 나타낸 것이다.

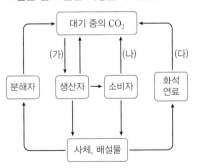

이에 대한 설명으로 옳은 것만을 〈보기〉에서 있는 대로 고른 것은?

┤ 보기 ├

ㄱ. 대기 중의 탄소는 (가)를 통해 생물계로 유입된다.

ㄴ. (나)는 호흡을 통해 일어난다.

ㄷ. (다)에서 화석 연료가 환원된다.

① ㄱ ② ㄷ ③ ㄱ, ㄴ ④ ㄴ, ㄷ ⑤ ㄱ, ㄴ, ㄷ

기출 분석

51 유형

? 출제 의도

생태계의 질소 순환 과정을 이해하고, 각 과정의 이름과 관련된 생물의 기능을 알고 있는지 묻는 유형이다.

이렇게 대비하자!

질소 순환에서 각 과정의 이름과 기능, 관련된 생물의 작용을 바꾸어 제시하는 경우에 이를 혼동하지 않도록 각 과정의 특징과 관련된 생물을 정확히 알아 두도록 한다.

■ **연관 기출 문제 키워드**

질소 순환

뿌리혹박테리아

탈질산화 세균

문제 분석

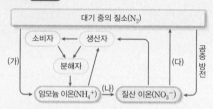

(가) 질소 고정 작용: 대기 중의 질소(N_2)는 뿌리혹박테리아나 아조토박터와 같은 질소 고정 세균의 작용으로 암모늄 이온으로 전환된다.($N_2 \rightarrow NH_4^+$)

(나) 질산화 작용: 암모늄 이온은 질산화 세균에 의해 질산 이온 또는 아질산 이온으로 전환된다.($NH_4^+ \rightarrow NO_3^-$ 또는 NO_2^-)

(다) 탈질산화 작용: 토양 속의 질산 이온이 탈질산화 세균의 작용으로 질소 기체가 되어 대기 중으로 돌아간다.(NO_3^- 또는 $NO_2^- \rightarrow N_2$)

그림은 생태계에서 일어나는 질소 순환 과정의 일부를 나타낸 것이다.

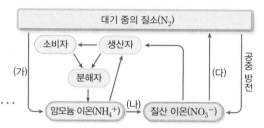

이에 대한 설명으로 옳은 것만을 〈보기〉에서 있는 대로 고른 것은?

┤ 보기 ├

ㄱ. 뿌리혹박테리아는 과정 (가)에 작용한다.

ㄴ. 과정 (나)는 질소 동화 작용을 나타낸다.

ㄷ. 과정 (다)에서 탈질산화 세균(질산 분해 세균)이 작용한다.

① ㄱ   ② ㄴ   ③ ㄱ, ㄴ   ④ ㄱ, ㄷ   ⑤ ㄴ, ㄷ

■ **문항별 해설**   답 ④

ㄱ. (○) (가)는 질소 고정 작용으로, 뿌리혹박테리아나 아조토박터와 같은 질소 고정 세균이 대기 중의 질소를 식물이 이용할 수 있는 암모늄 이온으로 바꾸는 작용이다.

ㄴ. (×) (나)는 질산화 작용으로, 암모늄 이온이 질산화 세균에 의해 질산 이온이나 아질산 이온으로 전환된다.

ㄷ. (○) (다)는 탈질산화 작용으로, 토양 속의 질산 이온이 질소 기체가 되어 대기 중으로 돌아가는 현상으로 탈질산화 세균에 의해 일어난다.

배경 지식

대기 중의 질소(N_2)는 식물이 기공을 통해 흡수하여도 직접 사용하지 못한다. 그래서 질소 고정 세균에 의해 암모늄 이온(NH_4^+)으로 전환된 후 식물에 흡수되어 단백질, 핵산과 같은 식물체의 구성 성분을 합성하는 데 쓰인다. 식물이 흡수한 질소는 먹이 사슬을 따라 이동하고, 분해자에 의해 암모늄 이온으로 분해되어 식물로 흡수되거나 질소 기체가 되어 대기 중으로 돌아간다.

■ **오류 피하기**

… 질소 동화 작용은 식물에 흡수된 암모늄 이온이나 질산 이온이 식물체를 구성하는 핵산, 단백질 등과 같은 질소 화합물에 이용되는 작용이다.

201 그림은 질소 순환의 일부를 나타낸 것이다. 생물 ⓐ~ⓒ는 각각 버섯, 뿌리혹박테리아, 완두 중 하나이며, 물질 ㉠과 ㉡은 각각 단백질과 NH_4^+ 중 하나이다.

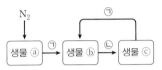

이에 대한 옳은 설명만을 〈보기〉에서 있는 대로 고른 것은?

ㅤ보기ㅤ
ㄱ. ⓐ는 뿌리혹박테리아이다.
ㄴ. ⓑ에서 질산화 작용을 통해 ㉠이 ㉡으로 전환된다.
ㄷ. ⓑ와 ⓒ는 모두 유기물을 무기물로 분해한다.

① ㄱ　② ㄴ　③ ㄱ, ㄴ　④ ㄱ, ㄷ　⑤ ㄴ, ㄷ

202 그림은 생태계에서 일어나는 질소 순환 과정의 일부를 나타낸 것이다. A와 B는 분해자와 생산자를 순서 없이 나타낸 것이다.

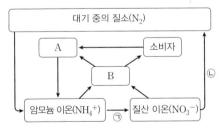

이에 대한 설명으로 옳은 것만을 〈보기〉에서 있는 대로 고른 것은?

ㅤ보기ㅤ
ㄱ. A는 생산자이다.
ㄴ. 질산화 세균(질화 세균)은 과정 ㉠에 관여한다.
ㄷ. 탈질산화 세균(질산 분해 세균)은 과정 ㉡에 관여한다.

① ㄱ　② ㄴ　③ ㄱ, ㄷ　④ ㄴ, ㄷ　⑤ ㄱ, ㄴ, ㄷ

203 그림은 생태계에서 일어나는 질소 순환 과정의 일부를 나타낸 것이다.

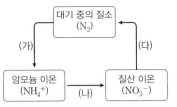

이에 대한 설명으로 옳은 것만을 〈보기〉에서 있는 대로 고른 것은?

ㅤ보기ㅤ
ㄱ. (가)는 식물이 대기 중의 질소를 흡수하여 직접 이용하는 과정이다.
ㄴ. 질산화 세균(질화 세균)은 (나)에 관여한다.
ㄷ. (다)는 질소 고정 과정이다.

① ㄱ　② ㄴ　③ ㄷ　④ ㄱ, ㄴ　⑤ ㄴ, ㄷ

204 표는 생태계에서 일어나는 질소 순환 과정의 일부를 나타낸 것이다.

과정	물질 전환
(가)	대기 중 질소(N_2) ⟶ 암모늄 이온(NH_4^+)
(나)	암모늄 이온(NH_4^+) ⟶ 질산 이온(NO_3^-)
(다)	질산 이온(NO_3^-) ⟶ 아미노산

이에 대한 설명으로 옳은 것만을 〈보기〉에서 있는 대로 고른 것은?

ㅤ보기ㅤ
ㄱ. 식물은 (가)를 통해 대기 중 질소(N_2)를 직접 이용한다.
ㄴ. 질산화 세균은 (나)에 관여한다.
ㄷ. (다)는 탈질산화 과정이다.

① ㄱ　② ㄴ　③ ㄷ　④ ㄱ, ㄴ　⑤ ㄴ, ㄷ

기출 분석

52 유형

■ 연관 기출 문제 키워드

\# 생물 다양성

\# 유전적 다양성

\# 종 다양성

\# 생태계 다양성

문제 분석

생물 다양성: 일정한 지역에 존재하는 생물의 다양한 정도를 의미한다. 생물 다양성에는 유전적 다양성, 종 다양성, 생태계 다양성이 있다.

종 다양성(가): 한 생태계에 존재하는 생물종의 다양한 정도를 의미한다.

유전적 다양성(나): 동일한 생물종이라도 각 개체 간에 형질이 다르게 나타나는 것을 의미한다.

생태계 다양성: 생물 서식지인 생태계의 다양한 정도를 뜻한다.(㉠)

쥐 집단의 유전적 다양성: 같은 종의 집단에서 서로 다른 얼룩무늬의 개체가 나타나는 이유는 쥐의 얼룩무늬를 나타내는 유전자의 종류가 다양하기 때문이다.

🖥 배경 지식

같은 생물종이라도 하나의 형질을 결정하는 대립유전자가 다양하여 같은 종 내에서도 개체별로 무늬, 색 등의 형질이 다양하게 나타날 수 있다.

? 출제 의도

생물 다양성을 이루는 유전적 다양성, 종 다양성, 생태계 다양성의 차이를 이해하는지 묻는 유형이다.

〰 이렇게 대비하자!

유전적 다양성, 종 다양성, 생태계 다양성의 의미 차이를 알고, 각 다양성의 특징을 나타내는 그림에서 그 차이점을 찾을 수 있도록 한다.

표는 생물 다양성의 세 가지 의미를, 그림은 같은 종의 쥐 집단에서 서로 다른 얼룩무늬를 나타낸 것이다. (가)와 (나)는 각각 종 다양성과 유전적 다양성 중 하나이다.

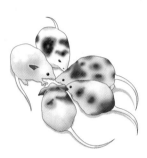

구분	의미
(가)	한 생태계에 존재하는 생물종의 다양한 정도를 의미한다.
(나)	동일한 생물종이라도 각 개체 간에 형질이 다르게 나타나는 것을 의미한다.
생태계 다양성	㉠

이에 대한 설명으로 옳은 것만을 〈보기〉에서 있는 대로 고른 것은?

보기

ㄱ. 그림은 (가)에 해당한다.

ㄴ. (나)는 유전적 다양성이다.

ㄷ. '강, 삼림, 습지, 초원 등 생태계가 다양하게 형성되는 것을 의미한다.'는 ㉠에 해당한다.

① ㄱ　　　② ㄷ　　　③ ㄱ, ㄴ　　　④ ㄴ, ㄷ　　　⑤ ㄱ, ㄴ, ㄷ

■ 문항별 해설　　　　　　　　　　　　　　　　　　　　　　　　　답 ④

ㄱ. (×) 종 다양성(가)은 한 생태계에 존재하는 종의 다양성을 뜻하고, 그림은 한 종의 쥐 집단의 유전적 다양성을 나타낸 것이다.

ㄴ. (○) 하나의 형질을 나타내는 데 관련된 유전자가 다양하기 때문에 동일한 생물종에서 개체별로 형질이 다르게 나타나게 된다. 즉 동일한 생물종이라도 각 개체 간의 형질이 다르게 나타나는 것은 유전적 다양성을 위미한다.

ㄷ. (○) 강, 삼림, 습지, 초원 등 생태계가 다양하게 형성되는 것은 생물이 살아가는 생태계가 다양해짐을 나타낸 것으로 생태계 다양성에 대한 설명이다.

■ 오류 피하기

···▶ 종 다양성은 한 생태계 내의 생물종의 다양성 정도를 뜻하고 유전적 다양성은 한 종 내에서 다양한 대립유전자로 인해 여러 가지 다른 형질의 동일한 종이 나타날 수 있음을 뜻한다.

　　⑩ 같은 종의 쥐 집단에서 서로 다른 얼룩무늬를 나타내는 것, 같은 종의 달팽이에서 껍데기의 무늬와 색깔이 다르게 나타나는 것 등

기출 문제

정답과 해설 **45**쪽

205 그림은 생물 다양성의 3가지 유형을 나타낸 것이다.

(가) 생태계 다양성   (나) 종 다양성   (다) 유전적 다양성

이에 대한 설명으로 옳은 것만을 〈보기〉에서 있는 대로 고른 것은?

┤ 보기 ├
ㄱ. (가)를 높이기 위해 습지를 농지로 개척하기도 한다.
ㄴ. (나)가 높을수록 생태계가 안정적으로 유지된다.
ㄷ. (다)가 높은 생물종일수록 급격한 환경 변화에 적응을 잘 한다.

① ㄱ   ② ㄴ   ③ ㄱ, ㄷ   ④ ㄴ, ㄷ   ⑤ ㄱ, ㄴ, ㄷ

206 그림은 생물 다양성의 3가지 의미 중 유전적 다양성과 종 다양성을 나타낸 것이다.

유전적 다양성   종 다양성

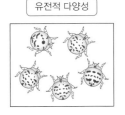

이에 대한 설명으로 옳은 것만을 〈보기〉에서 있는 대로 고른 것은?   수능 출제

┤ 보기 ├
ㄱ. 유전적 다양성은 동물 종에서만 나타난다.
ㄴ. 한 생태계 내에 존재하는 생물종의 다양한 정도를 종 다양성이라고 한다.
ㄷ. 같은 종의 달팽이에서 껍데기의 무늬와 색깔이 다양하게 나타나는 것은 종 다양성에 해당한다.

① ㄱ   ② ㄴ   ③ ㄷ   ④ ㄱ, ㄴ   ⑤ ㄴ, ㄷ

207 그림은 생물 다양성의 3가지 의미를 나타낸 것이다.

유전적 다양성   종 다양성   생태계 다양성

이에 대한 설명으로 옳은 것만을 〈보기〉에서 있는 대로 고른 것은?

┤ 보기 ├
ㄱ. 사람마다 눈동자 색이 다른 것은 유전적 다양성에 해당한다.
ㄴ. 종 다양성에는 동물 종과 식물 종만 포함된다.
ㄷ. 한 생태계 내에 존재하는 생물의 다양한 정도를 생태계 다양성이라고 한다.

① ㄱ   ② ㄴ   ③ ㄱ, ㄴ   ④ ㄱ, ㄷ   ⑤ ㄴ, ㄷ

208 그림 (가)는 생물 다양성의 세 가지 의미를, (나)는 같은 종의 종자가 모양과 색깔이 다른 것을 나타낸 것이다.

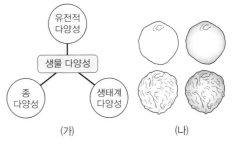

(가)   (나)

이에 대한 설명으로 옳은 것만을 〈보기〉에서 있는 대로 고른 것은?

┤ 보기 ├
ㄱ. (나)는 유전적 다양성에 해당한다.
ㄴ. 한 생태계 내에서 생물종의 다양한 정도는 생태계 다양성이다.
ㄷ. 종자 은행은 생물 다양성을 보존하는 역할을 한다.

① ㄱ   ② ㄴ   ③ ㄱ, ㄷ   ④ ㄴ, ㄷ   ⑤ ㄱ, ㄴ, ㄷ

209 다음은 생물 다양성에 대한 자료이다.

> (가) 해저의 진흙에는 기존에 알려진 것보다 더 다양한 미생물이 살고 있는 것으로 확인되었다.
> (나) 같은 부모에게서 태어난 자녀의 얼굴 모습이 서로 다르다.

(가)와 (나)에 해당하는 생물 다양성으로 옳은 것은?

	(가)	(나)
①	종 다양성	생태계 다양성
②	종 다양성	유전적 다양성
③	생태계 다양성	종 다양성
④	유전적 다양성	종 다양성
⑤	유전적 다양성	생태계 다양성

210 다음은 생물 다양성에 대한 신문 기사이다.

> ○○신문   ○○○○년 ○월 ○일
>
> **'생물 다양성의 날 기념식' 개최**
>
> 환경부는 '생물 다양성의 날'을 맞아 기념식을 개최하였다.
>
> '생물 다양성의 날'은 환경 오염으로부터 생물의 다양성을 보존하고 생물 자원에 대한 인식을 높이기 위해 제정된 날이다. 생물 다양성은 유전적 다양성, 종 다양성, 생태계 다양성을 의미한다.
>
> 이 기념식에서 강원도 영월군의 '한반도습지'가 생태적 가치를 인정받아 람사르습지*로 등록된 인증서를 환경부로부터 전달 받았다.
>
> *람사르습지: 습지로서의 중요성을 인정받아 등록하여 보호하는 습지

이에 대한 설명으로 옳은 것만을 〈보기〉에서 있는 대로 고른 것은?

> ┤ 보기 ├
> ㄱ. 어떤 생태계 내에 존재하는 생물종의 다양한 정도를 종 다양성이라고 한다.
> ㄴ. 사람마다 눈 색이 다른 것은 유전적 다양성에 해당한다.
> ㄷ. 습지를 보호하는 활동을 통해 생물 다양성을 보존할 수 있다.

① ㄱ ② ㄷ ③ ㄱ, ㄴ ④ ㄴ, ㄷ ⑤ ㄱ, ㄴ, ㄷ

211 다음은 생물 다양성의 의미를 설명한 자료이다.

> (가) 어떤 생태계 내에 존재하는 생물종의 다양한 정도를 의미한다.
> (나) 생태계는 강수량, 기온, 토양 등과 같은 요인에 의해 달라져서 사막, 초원, 삼림, 강, 습지 등으로 다양하게 형성된다.
> (다) 동일한 생물종이라도 색, 크기, 모양 등의 형질이 각 개체 간에 다르게 나타난다.

다음 중 (가)~(다)에 해당하는 생물 다양성의 의미로 가장 적절한 것은?

	(가)	(나)	(다)
①	유전적 다양성	생태계 다양성	종 다양성
②	유전적 다양성	종 다양성	생태계 다양성
③	종 다양성	생태계 다양성	유전적 다양성
④	종 다양성	유전적 다양성	생태계 다양성
⑤	생태계 다양성	종 다양성	유전적 다양성

212 다음은 생물 다양성의 3가지 의미 중 종 다양성에 대한 자료이다.

> • 어떤 지역의 종 다양성은 종의 수가 많을수록, 전체 개체 수에서 각 종이 차지하는 비율이 균등할수록 높아진다.
> • 그림은 면적이 같은 서로 다른 지역 (가)와 (나)에 서식하는 식물 종 A~D를 나타낸 것이다.

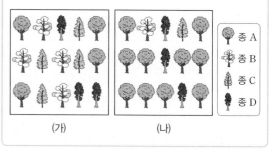

(가)   (나)

이에 대한 설명으로 옳은 것만을 〈보기〉에서 있는 대로 고른 것은? (단, A~D 이외의 종은 고려하지 않는다.)

> ┤ 보기 ├
> ㄱ. 식물의 종 다양성은 (나)보다 (가)에서 높다.
> ㄴ. D의 개체군 밀도는 (가)와 (나)에서 같다.
> ㄷ. 같은 종의 달팽이에서 껍데기의 무늬와 색깔이 다양하게 나타나는 것은 종 다양성에 해당한다.

① ㄱ ② ㄴ ③ ㄷ ④ ㄱ, ㄴ ⑤ ㄴ, ㄷ

213 그림은 서로 다른 생태계 (가)와 (나)에서 식물 군집을 조사한 결과를 나타낸 것이다.

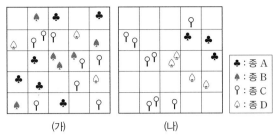

(가)   (나)

♣ : 종 A
♠ : 종 B
♀ : 종 C
♤ : 종 D

이에 대한 설명으로 옳은 것만을 〈보기〉에서 있는 대로 고른 것은? (단, (가)와 (나)의 면적은 동일하며, 종 A～D 이외의 다른 종은 고려하지 않는다.)

┌─ 보기 ─
ㄱ. (가)에서 종 A는 B와 같은 개체군을 구성한다.
ㄴ. 종 C의 밀도는 (가)와 (나)에서 같다.
ㄷ. 종 다양성은 (가)보다 (나)가 크다.
└─

① ㄱ   ② ㄴ   ③ ㄷ   ④ ㄱ, ㄴ ⑤ ㄱ, ㄷ

214 표는 면적이 같은 서로 다른 지역 ㉠과 ㉡에 서식하고 있는 모든 식물 종 A～F의 개체 수를 나타낸 것이다. 그림은 어떤 지역에 살고 있는 뒤쥐의 대립유전자 Q와 q, R와 r의 구성을 나타낸 것이다.

지역＼식물 종	A	B	C	D	E	F
㉠	50	30	28	33	51	60
㉡	110	29	7	0	30	0

(단위: 개)

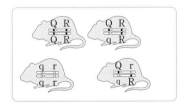

이에 대한 설명으로 옳은 것만을 〈보기〉에서 있는 대로 고른 것은?   수능 출제

┌─ 보기 ─
ㄱ. 식물의 종 다양성은 ㉠에서가 ㉡에서보다 높다.
ㄴ. ㉠에서 B의 개체군 밀도는 ㉡에서 E의 개체군 밀도와 같다.
ㄷ. 뒤쥐의 대립유전자 구성이 다른 것은 생물 다양성 중 생태계 다양성에 해당한다.
└─

① ㄱ   ② ㄴ   ③ ㄷ   ④ ㄱ, ㄴ ⑤ ㄴ, ㄷ

215 그림은 식물 군집 (가)와 (나)를 나타낸 것이다.

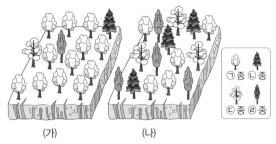

(가)   (나)

㉠종 ㉡종
㉢종 ㉣종

이 자료에 대한 설명으로 옳은 것만을 〈보기〉에서 있는 대로 고른 것은?

┌─ 보기 ─
ㄱ. (가)의 우점종은 ㉠이다.
ㄴ. 식물 종의 수는 (가)와 (나)가 같다.
ㄷ. 종 다양성은 (나)보다 (가)가 높다.
└─

① ㄱ ② ㄷ ③ ㄱ, ㄴ ④ ㄴ, ㄷ ⑤ ㄱ, ㄴ, ㄷ

216 그림 (가)는 생물 다양성의 세 가지 의미를, (나)는 반점 무늬를 갖는 무당벌레 집단 A와 B를 나타낸 것이다.

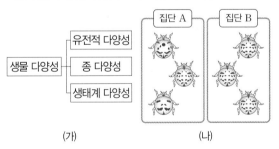

(가)   (나)

이에 대한 설명으로 옳은 것만을 〈보기〉에서 있는 대로 고른 것은? (단, 집단 A와 B의 무당벌레는 모두 같은 종이다.)

┌─ 보기 ─
ㄱ. 유전적 다양성은 집단 A에서보다 집단 B에서가 크다.
ㄴ. 종 다양성이 증가하면 생태계의 안정성은 증가한다.
ㄷ. 생물 다양성을 유지하기 위해 자연 환경을 보존해야 한다.
└─

① ㄱ ② ㄷ ③ ㄱ, ㄴ ④ ㄴ, ㄷ ⑤ ㄱ, ㄴ, ㄷ

Memo

Memo

Memo

Memo

피곤한 눈을 맑고 개운하게!
눈 스트레칭

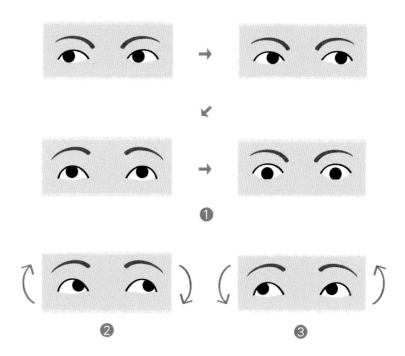

눈이 피곤하면 집중력도 떨어지고, 심한 경우 두통이 생기기도 합니다.
꾸준한 눈 스트레칭으로 눈의 피로를 꼭 풀어 주세요. 눈 스트레칭을 할 때 목은
고정하고 눈동자만 움직여야 효과가 좋아진다는 것! 잊지 마세요.

❶ 눈동자를 다음과 같은 순서로 움직여 보세요. 한 방향당 10초간 머물러야 합니다.

   왼쪽 ➡ 오른쪽 ➡ 위쪽 ➡ 아래쪽

❷ 눈동자를 시계 방향으로 한 바퀴 돌려 주세요.

❸ 눈동자를 시계 반대 방향으로 한 바퀴 돌려 주세요.

   ※ 스트레칭 후에도 눈에 피곤함이 남아 있다면, 2~3회 반복해 주세요.

Sherpa

개념을 쌓아가는 기본서

고등 **셀파**

Sherpa

생명과학 I

강희정·권태현·김대준·문태주·이재경·현원석

BOOK 2

문제 기본서 | **정답과 해설**

천재교육

Sherpa

개념을 쌓아가는 **기본서**

고등 **셀파**

정답과 해설

Sherpa

빠른 기출 문제 정답

기출 1~50

001 ⑤	002 ②	003 ②	004 ⑤	005 ③	006 ⑤	007 ①	008 ④
009 ③	010 ④	011 ④	012 ②	013 ②	014 ④	015 ②	016 ①	017 ③
018 ⑤	019 ⑤	020 ⑤	021 ⑤	022 ⑤	023 ④	024 ⑤	025 ②	026 ②
027 ③	028 ⑤	029 ③	030 ④	031 ①	032 ①	033 ⑤	034 ④	035 ⑤
036 ②	037 ③	038 ①	039 ③	040 ①	041 ③	042 ⑤	043 ①	044 ③
045 ⑤	046 ④	047 ①	048 ⑤	049 ④	050 ①		

기출 51~100

051 ⑤	052 ④	053 ①	054 ④	055 ③	056 ③	057 ②	058 ③
059 ③	060 ⑤	061 ④	062 ②	063 ①	064 ⑤	065 ②	066 ②	067 ③
068 ③	069 ②	070 ④	071 ①	072 ②	073 ⑤	074 ③	075 ⑤	076 ④
077 ③	078 ①	079 ④	080 ⑤	081 ③	082 ②	083 ①	084 ④	085 ③
086 ⑤	087 ⑤	088 ④	089 ⑤	090 ④	091 ③	092 ⑤	093 ④	094 ②
095 ①	096 ②	097 ②	098 ②	099 ②	100 ①		

기출 101~150

101 ④	102 ⑤	103 ③	104 ①	105 ③	106 ⑤	107 ②	108 ③
109 ①	110 ③	111 ①	112 ⑤	113 ①	114 ③	115 ⑤	116 ⑤	117 ②
118 ⑤	119 ①	120 ①	121 ⑤	122 ③	123 ①	124 ①	125 ④	126 ①
127 ①	128 ③	129 ②	130 ⑤	131 ①	132 ③	133 ②	134 ⑤	135 ①
136 ②	137 ②	138 ④	139 ①	140 ②	141 ③	142 ④	143 ⑤	144 ③
145 ②	146 ①	147 ⑤	148 ③	149 ③	150 ③		

기출 151~200

151 ①	152 ②	153 ①	154 ②	155 ⑤	156 ②	157 ④	158 ①
159 ⑤	160 ②	161 ④	162 ②	163 ②	164 ④	165 ①	166 ③	167 ①
168 ③	169 ⑤	170 ⑤	171 ③	172 ①	173 ①	174 ④	175 ⑤	176 ②
177 ④	178 ③	179 ②	180 ②	181 ⑤	182 ⑤	183 ④	184 ⑤	185 ①
186 ②	187 ②	188 ⑤	189 ⑤	190 ⑤	191 ⑤	192 ⑤	193 ⑤	194 ③
195 ④	196 ⑤	197 ⑤	198 ③	199 ⑤	200 ③		

기출 201~216

201 ④	202 ④	203 ②	204 ②	205 ④	206 ②	207 ①	208 ③
209 ②	210 ⑤	211 ③	212 ④	213 ②	214 ④	215 ③	216 ④	

001 답 ⑤ I 바다표범, 펭귄, 다랑어의 몸은 물속에서 움직일 때 저항을 줄일 수 있도록 적응하여 진화한 결과이다.

오답 피하기

① 올챙이가 자라서 개구리가 되는 과정은 생명체가 성장해 가는 생장에 해당한다.

② 짚신벌레가 분열법으로 증식하는 것은 분열 결과 개체 수가 증가하므로 생식에 해당한다.

③ 효모가 포도당을 분해하여 에너지를 얻는 것은 물질대사에 해당한다.

④ 적록 색맹인 어머니의 형질을 이어받아 아들이 적록 색맹으로 태어나는 것은 유전에 해당한다.

002 답 ② I 열매를 먹는 새와 동물을 잡아먹는 새의 부리, 발과 발톱 모양은 먹이를 구하기에 알맞게 적응하여 진화하였다.

오답 피하기

① 개구리의 수정란이 올챙이가 되는 것은 생명체가 자라는 생장에 해당한다.

③ 땀을 많이 흘리면 오줌 양이 감소하는 것은 몸속 수분량을 일정하게 유지하려는 항상성 유지의 예이다.

④ 녹색 식물이 빛에너지를 화학 에너지로 전환하는 것은 광합성으로 물질대사에 해당한다.

⑤ 짚신벌레가 빛이 있는 쪽으로 이동하는 것은 빛이라는 자극에 대한 짚신벌레의 반응에 해당한다.

문제 속 자료 적응과 진화의 예

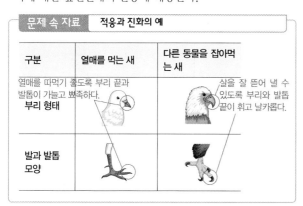

구분	열매를 먹는 새	다른 동물을 잡아먹는 새
부리 형태	열매를 따먹기 좋도록 부리 끝과 발톱이 가늘고 뾰족하다.	살을 잘 뜯어 낼 수 있도록 부리와 발톱 끝이 휘고 날카롭다.
발과 발톱 모양		

003 답 ② I (가)는 발생과 생장의 예, (나)는 적응과 진화의 예이다.

004 답 ⑤ I 운동이 끝나고 나서 심장 박동 수가 정상으로 돌아오고, 겨울에 체온이 낮아지면 근육을 떨어 열을 발생시키는 것은 몸속의 항상성 유지를 위한 작용이다. 글리코젠 합성으로 혈당량이 낮아지는 것도 항상성 유지의 예이다.

오답 피하기

①은 발생과 생장의 예, ②는 생식의 예, ③은 유전의 예, ④는 물질대사의 예이다.

005 답 ③ I 기러기와 벌새의 예시는 환경에 맞추어 적응하고 진화한 생물의 예이다. 개구리의 긴 혀는 먹이(곤충)를 잘 잡기 위해 적응하여 진화한 예에 해당한다.

오답 피하기

①은 물질대사의 예, ②는 생장의 예, ④는 유전의 예, ⑤는 자극에 대한 반응의 예이다.

006 답 ⑤ I 바이러스와 대장균 모두 유전 물질인 핵산을 가지고 있으므로 '유전 물질을 가지고 있다.'는 ⓒ에 해당한다. '독립적으로 물질대사를 한다.'는 대장균만의 특징이다.

오답 피하기

ㄱ. 세포 분열을 통해 증식하는 것은 단세포 생물의 생식의 예에 해당하며 생명체의 특성 중 하나로 대장균도 세포 분열을 통해 증식한다. 하지만 바이러스는 숙주 세포 내에서 숙주 세포의 유전 물질을 이용하여 증식한다.

007 답 ① I 독감 바이러스와 아메바 모두 핵산을 가지고 있다.

오답 피하기

ㄴ, ㄷ. 바이러스는 숙주 세포 내에서만 증식하고 물질대사를 한다.

008 답 ④ I (가)는 담배 모자이크 바이러스, (나)는 세균이다. (가)와 (나) 모두 핵산을 가지고 있다. 세균은 분열법으로 생식하는 생물로 세포 분열로 증식한다.

오답 피하기

ㄷ. 담배 모자이크 바이러스(가)는 숙주 세포가 없으면 독자적으로 물질대사를 할 수 없다.

009 답 ③ I 영희가 가진 그림 카드는 바이러스, 철수가 가진 그림 카드는 대장균이다. 바이러스는 숙주 세포 밖에서는 단백질 결정체 형태로 존재한다. 그러므로 '세포 구조로 되어 있다.'에 '×'를 표시하면 맞는 설명이므로 1점을 얻게 된다.

오답 피하기

ㄷ. 철수가 가진 그림 카드는 대장균으로 카드 Ⅰ, Ⅱ, Ⅲ에 모두 'O' 표시를 하면 3점을 얻는다.

010 답 ④ I A는 박테리오파지, B는 대장균이다. 박테리오파지는 숙주 세포 내에서 물질대사와 증식을 한다.

문제 속 자료 바이러스의 증식 과정

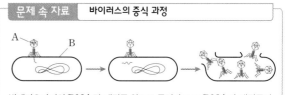

박테리오파지의 DNA만 대장균 안으로 들어가고 그 DNA가 대장균이 가지고 있는 각종 효소 등을 이용하여 다음 세대의 파지를 만든다.

011 답 ④ | (가)는 의문에 대한 잠정적인 해답을 제시하는 가설 설정의 단계이다. 대조군은 실험군과 비교하기 위해 실험 조건을 변화시키지 않은 집단이다.

오답 피하기

ㄷ. 도출된 결론이 가설과 일치하지 않으면 다시 가설 설정을 하는 과정으로 돌아가는 A 경로를 따른다.

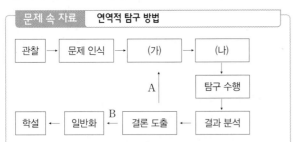

> **문제 속 자료** 연역적 탐구 방법
>
> 관찰 → 문제 인식 → (가) → (나)
> A ↑   탐구 수행
> 학설 ← 일반화 ← 결론 도출 ← 결과 분석   B
>
> • 연역적 탐구 방법: 자연 현상을 관찰하면서 생긴 의문을 해결하기 위해 가설을 설정하고 이를 실험을 통해 검증하는 탐구 방법
> • 연역적 탐구 결과 도달한 결론이 가설과 일치하면 일반화, 가설과 일치하지 않으면 다시 가설 설정으로 돌아가서 새로운 가설을 세운다.

012 답 ② | (가) 단계는 가설을 증명하기 위한 탐구를 설계하고 수행하는 단계이다.

오답 피하기

ㄱ, ㄴ. 연역적 탐구 방법에서 문제에 대한 잠정적인 결론을 내리는 것은 가설 설정 단계이고 가설이 실험으로 증명되면 일반적인 원리나 법칙으로 인정된다.

013 답 ② | (나)에서 대조군은 입구를 막은 병이다.

오답 피하기

ㄱ. (가)는 귀납적 탐구 방법을 이용한 예로 귀납적 탐구 방법은 관찰이나 실험의 결과를 바탕으로 결론을 도출한다.

ㄷ. (나)에서 입구를 막는 것과 막지 않는 조작 변인 이외에는 모든 조건을 동일하게 한 상태에서 두 병을 보관해야 한다. 이와 같이 조작 변인 이외의 실험 조건을 일정하게 유지시키는 변인을 통제 변인이라고 한다.

014 답 ④ | (나)에서 가설이 '현미에는 닭의 각기병을 예방하는 물질이 들어 있을 것이다.'이므로 현미와 백미로 나누어 닭의 먹이를 다르게 한 것이 의도적으로 변화시키는 변인인 조작 변인이다. (가)는 '탄저병 백신이 탄저병을 예방하는 효과가 있을 것이다.'라는 가설을 증명하는 탐구이고, (나)는 '현미에는 닭의 각기병을 예방하는 물질이 들어 있을 것이다.'라는 가설을 증명하는 탐구이므로 모두 연역적 탐구 방법이다.

오답 피하기

ㄱ. ㉠은 실험 조건을 인위적으로 변화시켜 가설의 결과를 확인하고자 하는 집단인 실험군이다.

015 답 ② | 아카시아 나무의 생장은 조작 변인인 개미 제거 유무에 영향을 받으므로 종속 변인이다.

오답 피하기

ㄱ. 이 탐구는 가설을 설정한 후 이를 실험을 통해 증명하는 과정으로 이루어지므로 연역적 탐구 방법이다.

ㄷ. 개미를 제거한 집단 A의 생장량이 집단 B보다 적은 것을 생장량 그래프로 확인할 수 있다.

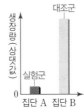

> **문제 속 자료** 대조군과 실험군을 통한 결과 확인
>
> • 대조 실험: 실험 결과의 타당성을 높이기 위해 대조군을 설정하여 실험군과 비교하여 결론을 도출한다.
>
> | 대조군 | 실험군과 비교하기 위해 실험의 조건을 변화시키지 않은 집단 B ➡ 서식하고 있는 개미를 그대로 둔 아카시아 나무 |
> | --- | --- |
> | 실험군 | 실험 조건을 변화시켜 조작한 변인의 영향을 알아보는 실험 집단 A ➡ 서식하고 있는 개미를 지속적으로 제거한 아카시아 나무 |
>
> • 대조군과 비교한 결과 개미를 제거한 집단 A는 생장량이 많이 줄어들었음을 알 수 있다. ➡ '개미를 제거한 아카시아 나무는 개미가 있는 아카시아 나무에 비해 잘 생장하지 못할 것이다.'라는 생각이 옳았음을 알 수 있다.

016 답 ① | 종속 변인은 조작 변인인 니코틴 함량에 따라 변화되는 요인으로, 손상된 잎의 면적이다.

오답 피하기

ㄱ. ㉠은 가설을 검증하기 위해 실험에서 의도적으로 변화시킨 담배식물을 심은 화분으로 실험군에 해당한다.

ㄷ. 과학자는 '니코틴은 곤충으로부터 담배식물을 보호할 것이다.'라는 가설을 증명하는 탐구를 수행하였으므로 연역적 탐구를 수행한 것이다.

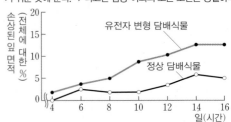

> **문제 속 자료** 연역적 탐구 방법
>
> • 대조 실험: 니코틴의 함유 정도에 따른 담배식물 잎의 손상 정도 비교 실험
> – 실험군: 유전자 조작을 통해 니코틴 함량을 95 % 감소시킨 유전자 변형 담배식물
> – 대조군: 정상 담배식물
> • 변인 통제: 정상 담배식물과 유전자 변형 담배식물을 모두 곤충이 접근하기 쉬운 곳에 둔다. ➡ 니코틴 함량 이외의 모든 조건은 동일하다.
> • 결과: 유전자 변형 담배식물의 손상된 잎 면적이 정상 담배식물보다 2배 이상 넓다 ➡ 니코틴은 곤충으로부터 담배식물을 보호한다.

017 답 ③ | 소화계를 통해 흡수되어 혈액을 통해 운반되는 포도당과, 호흡계를 통해 흡수되어 혈액을 통해 운반되는 산소가 세포 호흡의 원료로 사용된다. 세포 내의 미토콘드리아에서 포도당과 산소가 반응하여 최종적으로 물과 이산화 탄소가 발생하고, 그 과정에서 단계적으로 에너지가 발생한다. 세포 호흡 결과 발생하는 물질 중 물을 제외한 ㉠은 이산화 탄소가 된다. 세포 호흡 결과 발생한 이산화 탄소는 혈액을 통해 폐까지 운반되어 폐를 통해 외부로 배출된다.

세포 호흡 과정에서 발생한 에너지 중 일부는 열에너지 형태로 방출되어 체온 유지에 쓰이고, 나머지는 ADP와 무기 인산이 결합하여 ATP가 합성되는 과정에 이용된다. 이렇게 화학 에너지의 형태로 저장된 에너지는 다시 ATP가 ADP와 무기 인산으로 분해되는 과정에서 방출되어 근육 운동, 발열, 정신 활동, 생장 등 여러 생명 활동에 이용된다.

오답 피하기

ㄷ. 포도당에 저장된 에너지 중 일부는 열에너지 형태로 방출되어 체온 유지에 쓰이고, 나머지 양이 ATP 합성에 이용된다.

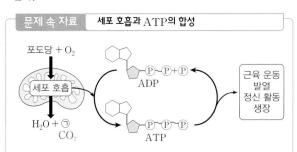

문제 속 자료 **세포 호흡과 ATP의 합성**

- 세포 호흡 과정에 포도당과 산소(O_2)가 원료로 쓰인다.
- 포도당은 소화계에서 흡수되어 혈액을 통해 세포로 운반되고, 산소는 호흡계로부터 흡수되어 혈액을 통해 세포로 운반된다.
- 세포 호흡 결과 물과 이산화 탄소가 발생한다.
- 세포 호흡 결과 발생한 에너지 중 일부는 ADP와 무기 인산(P_i)이 결합하여 ATP로 합성되는 데 이용된다.
- ATP에 저장된 에너지는 ADP와 무기 인산으로 분해되는 과정에서 방출되어 근육 운동, 정신 활동과 같은 여러 생명 활동에 쓰인다.

018 답 ⑤ | 미토콘드리아에서 세포 호흡의 원료로 쓰이는 물질은 포도당과 산소이다. 포도당은 소화계를 통해 흡수되어 순환계인 혈액을 통해 세포 속 미토콘드리아로 공급되며, 산소는 호흡계를 통해 흡수되어 혈액을 통해 조직 세포까지 운반된다. 여기서 ㉠은 산소(O_2)가 된다.

세포 호흡 결과 에너지가 방출되는데, 이 중 일부는 열에너지 형태로 방출되어 체온 유지에 이용된다. 열에너지로 방출되고 남은 양(㉡)이 ATP의 합성에 쓰인다. ATP의 형태로 저장된 화학 에너지는 근육 운동과 같은 여러 생명 활동에 이용된다.

019 답 ⑤ | (가) 과정은 세포 호흡으로 포도당이 단계적으로 분해되면서 에너지가 발생하는 것을 나타낸다. 고에너지 물질인 포도당이 저에너지 물질인 이산화 탄소와 물로 최종 분해되면서 단계적으로 에너지가 발생한다. 이때 각 단계마다 효소가 작용하여 분해 반응이 체온 범위의 낮은 온도에서도 잘 일어나게 한다.

(나) 과정은 ATP와 ADP 사이의 전환을 나타낸다. ㉠은 ADP와 무기 인산이 결합하여 ATP가 되는 과정으로, 이때 세포 호흡 과정에서 발생한 에너지가 쓰인다. 즉, 포도당이 분해되어 발생한 에너지가 ATP의 형태로 저장되는 것이라고 할 수 있다. 이렇게 저장된 에너지는 ㉡ 과정, 즉 ATP가 분해되는 과정을 통해 방출되어 두뇌 활동, 근육 운동, 생장, 발성 등 여러 생명 활동에 쓰이게 된다.

오답 피하기

ㄴ. 세포 호흡 과정에서 방출된 에너지 중 많은 양이 열에너지 형태로 방출된다. 이 열에너지는 체온 유지에 쓰인다. 열에너지로 방출되지 않은 나머지 에너지가 ATP 형태로 저장된다.

020 답 ⑤ | ㉠은 호흡계를 통해 흡수되어 조직 세포까지 운반되어 세포 호흡에 쓰이는 산소(O_2)를 나타낸다. 이때 산소는 혈액 속에 있는 적혈구에 결합되어 세포까지 운반된다. ㉡은 세포 호흡 결과 발생한 이산화 탄소(CO_2)이다. 세포에 산소를 운반한 혈액은 산소를 내어 주고 이산화 탄소를 받아 다시 폐로 가서 날숨의 형태로 이산화 탄소를 내보낸다. 소화계를 통해 흡수된 유기 양분은 마찬가지로 혈액을 통해 세포까지 운반되어 미토콘드리아에서 세포 호흡에 이용된다.

세포 호흡 결과 발생한 에너지 중 많은 양이 열에너지의 형태로 방출되어 체온 유지에 이용된다. 열에너지로 방출된 에너지를 제외한 나머지 양이 ADP와 무기 인산이 결합하여 ATP가 합성되는 과정에 쓰인다. 이렇게 ATP의 형태로 저장된 에너지는 다양한 생명 활동에 이용된다.

021 답 ⑤ | (가) 과정은 빛에너지가 투입되어 이산화 탄소와 물이 포도당으로 합성되는 광합성 작용을 나타낸다. 이는 식물 세포의 엽록체에서 일어나며, 이 과정에서 산소가 발생한다. (나)는 광합성 결과 만들어진 포도당과 산소가 반응하여 이산화 탄소와 물이 만들어지는 과정으로, 세포 호흡 작용을 나타낸다. 세포 호흡 결과 에너지가 방출되고, 방출된 에너지의 일부는 ATP가 합성되는 데 이용되어 생명체가 이용할 수 있는 화학 에너지의 형태로 저장된다. 이 ATP에 저장된 에너지는 다시 ADP와 무기 인산으로 분해되는 과정에서 방출되어 여러 생명 활동에 이용된다.

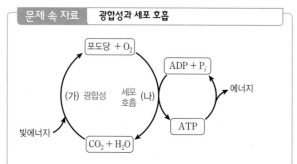

문제 속 자료 **광합성과 세포 호흡**

• (가) 과정은 빛에너지가 이용되어 이산화 탄소(CO_2)와 물(H_2O)이 포도 당으로 합성되는 광합성 작용을 나타낸다.
• 광합성 결과 만들어진 포도당과 산소는 세포 호흡의 원료로 이용된다.
• 세포 호흡 과정에서 포도당과 산소(O_2)가 반응하여 물과 이산화 탄소가 발생하고, 이 과정에서 에너지가 생성된다.
• 세포 호흡 결과 발생한 에너지 중 일부는 ADP와 무기 인산(P_i)이 결합 하여 ATP로 합성되는 데 이용된다.
• ATP에 저장된 에너지는 ADP와 인산으로 분해되는 과정에서 방출되 어 근육 운동, 정신 활동과 같은 여러 생명 활동에 쓰인다.

022 답 ⑤ | 이산화 탄소와 물이 반응하여 포도당과 산소가 만들 어지는 (가)는 광합성, 포도당과 산소가 반응하여 다시 이산 화 탄소와 물이 만들어지는 (나)는 세포 호흡이다.

광합성에서는 빛에너지가 흡수되어 포도당이 만들어지는데, 이는 빛에너지가 포도당 속 화학 에너지의 형태로 전환되는 것이다.

세포 호흡에서는 포도당이 분해되면서 에너지가 발생하는 데, 이 과정에서 일부는 열에너지의 형태로 방출되어 체온 유지에 쓰이고, 나머지는 ATP의 합성에 이용된다. ATP 의 형태로 저장된 에너지는 다시 ADP와 인산으로 분해되 는 과정에서 방출되어 여러 생명 활동에 쓰인다.

광합성과 세포 호흡 모두 물질대사의 대표적인 예로써, 각 반응이 진행되는 과정에서 효소가 작용한다.

023 답 ④ | 광합성에는 물과 이산화 탄소가 원료로 쓰이고, 빛에 너지를 흡수하여 포도당과 산소가 만들어진다. 또한, 세포 호흡에서는 포도당이 산소와 반응하여 물과 이산화 탄소로 분해되면서 에너지가 발생한다. 따라서 광합성의 산물이자 세포 호흡의 원료인 ㉠은 산소(O_2)이고, 세포 호흡 결과 발 생하고 광합성의 원료로 쓰이는 ㉡은 이산화탄소(CO_2)이다. 광합성은 식물 세포에 있는 엽록체에서 일어나고, 세포 호흡 은 모든 생물에서 일어나므로 식물에서는 광합성과 세포 호 흡이 모두 일어난다.

[오답 피하기]

ㄷ. 세포 호흡 결과 발생한 에너지 중 많은 양이 열에너지로 방출되어 체온 유지에 이용된다. 열에너지로 방출되고 남은 양이 ATP의 합성에 이용된다.

024 답 ⑤ | 이산화 탄소와 물이 원료로 쓰이고 빛에너지가 흡수 되어 포도당과 산소가 발생하는 (가)는 광합성을 나타낸다. 또한, 포도당과 산소가 반응하여 물과 이산화 탄소가 발생하 고 열과 ATP가 만들어지는 (나)는 세포 호흡을 나타낸다. 광합성은 식물 세포 내에 있는 엽록체에서 일어나고, 세포 호흡은 거의 모든 생명체에 있는 미토콘드리아에서 일어난 다. 따라서 식물 세포에서는 광합성과 세포 호흡이 동시에 일어난다.

[오답 피하기]

ㄱ. 세포 호흡 결과 발생한 에너지 중 많은 양이 열에너지로 방출되어 체온 유지에 이용된다. 열에너지로 방출되고 남은 양이 ATP의 합성에 이용된다. ATP에 화학 에너지 형태 로 저장된 에너지는 여러 생명 활동에 이용된다.

025 답 ② | 콩팥 동맥을 통해 사구체로 들어온 혈액은 사구체의 높은 압력으로 인해 혈액 속 성분의 일부가 보먼주머니로 이 동하는 여과 과정을 거친다. 여과 과정에서는 입자가 큰 단 백질이나 혈구는 걸러져 보먼주머니로 이동하지 못하고 혈 장 성분과 포도당, 요소, 무기질처럼 입자의 크기가 비교적 작은 물질이 보먼주머니 내로 이동하는데, 이러한 과정으로 보먼주머니에 모인 물질을 원뇨라고 한다. 원뇨는 세뇨관을 따라 이동하면서 세뇨관을 둘러싸고 있는 모세 혈관 사이에 서 물질을 주고받는다. 원뇨 성분에서 체내에 필요한 성분인 포도당, 아미노산 등은 100 % 모세 혈관으로 재흡수되며, 물은 약 99 % 재흡수되고, 무기 염류와 비타민 등은 체내에 필요한 양만큼 재흡수된다. 또한, 모세 혈관 속 혈액 성분에 서 미처 여과되지 못한 요소, 크레아틴 등의 성분은 다시 세 뇨관 속 성분으로 분비된다. 이러한 과정을 통해 오줌이 만 들어진다.

표에서, 물은 하루에 180 L가 여과되는데 그중 1.8 L만 배 설되므로 99 %가 재흡수됨을 알 수 있다. 포도당은 180 g 이 여과되는데 배설되는 양은 없으므로 100 % 재흡수됨을 알 수 있다. 마찬가지로 요소는 52.2 g이 여과되는데 26.1 g 이 배설되므로 약 50 %가 재흡수됨을 알 수 있다.

[오답 피하기]

ㄱ. 만약 재흡수되는 양보다 분비량이 많다면 배설되는 물의 양은 180 L보다 많아야 한다. 하지만 배설되는 양이 여과되 는 양보다 적으므로, 재흡수되는 양이 더 많다.

ㄷ. 요소는 여과된 양의 절반 정도는 재흡수되고 나머지 절 반은 배설된다. 따라서 콩팥을 거치고 나온 혈액인 B에서는 요소가 걸러지기 때문에 콩팥을 거치기 전의 혈액인 A보다 요소의 농도가 낮다.

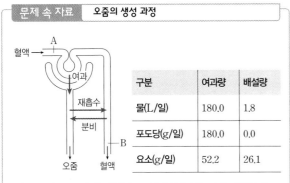

구분	여과량	배설량
물(L/일)	180.0	1.8
포도당(g/일)	180.0	0.0
요소(g/일)	52.2	26.1

- A는 콩팥으로 들어가는 혈액이므로 콩팥 동맥 속을 지나는 혈액이다.
- B는 콩팥을 거치고 나오는 혈액으로, 오줌의 성분이 걸러진 혈액이다.
- 사구체에서 보먼주머니로 여과되어 만들어진 최초의 성분을 원뇨라고 하며, 이후 원뇨가 세뇨관을 따라 이동하면서 모세 혈관 속 혈액과 재흡수, 분비 과정을 거쳐 오줌이 만들어진다.
- 표에서 여과량과 배설량을 비교하면 대략적인 재흡수량을 알 수 있는데, 물은 약 99 %가 재흡수되고 포도당은 100 % 재흡수된다.

026 답 ② I A는 간, B는 위, C는 이자, D는 소장(십이지장)을 나타낸다. 간은 인체 내의 화학 공장으로 불리는 기관으로, 암모니아를 요소로 전환하는 것처럼 체내의 독성 물질을 중화하는 작용을 한다. 이외에도 간은 지방의 소화를 돕는 쓸개즙을 생성하는데, 간에서 생성된 쓸개즙은 쓸개에 보관되었다가 소장의 일부인 십이지장으로 분비된다. 위는 대표적인 소화 기관으로 식도를 타고 내려온 음식물을 꿈틀 운동을 통해 물리적으로 소화하는 한편, 위액을 분비하여 화학적 소화가 일어나게 한다. 위액에는 염산과 펩신이 들어 있어 음식물을 살균하는 동시에 단백질을 분해한다. 이자는 이자액이라는 소화액을 십이지장으로 분비하는데, 이자액에는 탄수화물을 분해하는 아밀레이스, 단백질을 분해하는 트립신, 지방을 분해하는 라이페이스가 들어 있어 3대 영양소의 소화 효소를 모두 포함한다. 소장은 3대 영양소가 최종적으로 소화되고 흡수되는 곳이다. 소장 내벽에는 단백질을 아미노산 단위로 분해하는 단백질 분해 효소, 탄수화물을 포도당 단위로 최종 분해하는 탄수화물 분해 효소 등이 있어 영양소가 최종 단계까지 분해되며, 이렇게 분해된 영양소는 소장 내부의 모세 혈관과 암죽관을 통해 흡수된다.

오답 피하기

ㄱ. 간에서 생성되는 쓸개즙은 지방이 잘 소화될 수 있도록 보조해 주는 물질이다. 영양소를 직접 분해하는 소화 효소는 아니다.

ㄷ. 이자액에 포함되는 아밀레이스는 탄수화물을 분해하긴 하지만 최종 단계까지 분해하는 것은 아니다. 탄수화물은 소장(D) 내벽에서 생성된 소화 효소에 의해 단당류인 포도당으로 최종 분해된다.

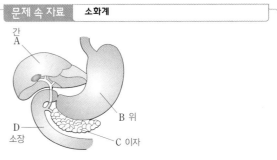

- A는 간으로 지방의 소화를 돕는 쓸개즙을 생성한다. 쓸개즙은 쓸개에 보관되었다가 십이지장으로 분비된다.
- B는 위로 염산과 펩신이 포함된 위액을 분비하여 음식물을 살균하고 단백질을 분해한다.
- C는 이자로 이자액을 분비한다. 이자액에는 3대 영양소의 소화 효소가 모두 들어 있다.
- D는 소장으로 음식물이 최종 단계까지 분해되고 흡수된다. 소장 내벽에서 단백질과 탄수화물을 최종 단계까지 분해하는 소화 효소가 분비된다.

027 답 ③ I 표를 보면 단백질은 혈장에는 존재하지만 원뇨와 오줌에는 없는데, 이는 사구체에서 여과되지 않았기 때문이다. 단백질과 혈구처럼 크기가 큰 물질은 사구체에서 보먼주머니로 여과되지 않는다. 포도당의 경우 혈장과 원뇨에는 있지만 오줌에는 없는데, 이는 사구체에서 여과된 후 100 % 재흡수되었음을 나타낸다. 요소는 혈장과 원뇨, 오줌에 모두 존재하는데, 이는 여과된 후 재흡수와 분비의 과정을 거쳐 오줌을 통해 몸 밖으로 배설되는 성분임을 나타낸다.

제시된 그림을 보면 물질 A는 사구체에서 보먼주머니로 이동하기도 하고, 그대로 모세 혈관으로 이동하는 양도 있다. 또한, 보먼주머니를 지난 모든 양이 모세 혈관으로 이동하여 결국 배설되는 양은 없는데, 이는 여과된 후 100 % 재흡수되는 포도당의 이동 경로이다.

오답 피하기

ㄴ. 단백질은 입자의 크기가 커서 사구체에서 보먼주머니로 여과되지 않는다. 이는 표에서 혈장에서는 성분이 있으나 원뇨와 오줌에서는 성분이 없는 것을 통해 확인할 수 있다.

028 답 ⑤ I A는 림프절이 있는 것으로 보아 림프관임을 알 수 있다. 림프관에서는 림프액이 흐른다. 혈액의 일부 성분은 모세 혈관 벽을 통과해 세포 사이를 흐르며 물질 수송을 원활하게 하는데, 이러한 액체를 조직액이라고 한다. 조직액의 일부는 다시 혈액으로 돌아가고, 일부는 림프관으로 들어가는데, 림프관을 따라 흐르는 액체 성분을 림프액이라고 한다. 림프액에는 림프구와 같은 면역 세포는 있지만 적혈구는 존재하지 않는다.

B는 온몸을 순환한 뒤 다시 심장으로 들어가는 대정맥이고, C는 심장의 혈액이 폐로 들어가는 폐동맥, D는 폐에서 기체 교환을 하고 심장으로 들어가는 폐정맥이다.

정맥의 혈압은 동맥보다 많이 낮기 때문에 혈액의 역류를 방지하기 위한 판막이 존재한다. 온몸을 돌고 와 이산화 탄소와 같은 노폐물을 많이 함유한 혈액은 대정맥을 따라 심장으로 들어간 후, 폐동맥을 따라 폐에서 이산화 탄소를 내보내고 산소와 결합하게 된다. 이러한 혈액은 폐정맥을 거쳐 심장으로 들어가고, 심장의 펌프 작용으로 다시 온몸을 돌며 산소를 공급하게 된다. 따라서 폐동맥인 C보다 폐정맥인 D에서 산소가 더 풍부한 혈액이 흐른다.

문제 속 자료 **순환계**

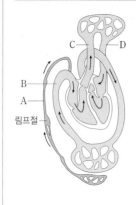

림프절

- A는 림프관으로 림프액이 흐른다. 림프액에는 적혈구가 없다.
- B는 대정맥으로 온몸을 돌고 온 혈액이 다시 심장으로 들어간다. 정맥에는 혈액의 역류를 방지하기 위한 판막이 존재한다.
- C는 폐동맥으로, 온몸을 돌고 와 산소가 부족하고 이산화 탄소가 많은 혈액이 폐로 들어간다. 폐에서는 기체 교환이 일어난다.
- D는 폐정맥으로, 폐에서 기체 교환을 마쳐 산소가 풍부한 혈액이 다시 심장으로 들어간다.

---

029 답 ③ | (가)는 콩팥 내부에 존재하는 네프론(신단위)을 나타낸 것이다. 콩팥 동맥을 통해 들어간 혈액은 여과와 재흡수, 분비의 과정을 거치고, 그 결과 오줌이 생성되어 몸 밖으로 배설된다.

A 과정은 여과로, 사구체의 높은 압력으로 혈액의 일부 성분이 보먼주머니로 뿜어져 나간다. 이때 크기가 큰 단백질, 혈구같은 성분은 여과되지 않고, 물, 포도당, 요소와 같은 성분이 보먼주머니로 이동한다. B는 재흡수로, 여과 과정으로 생성된 원뇨의 성분 중 체내에 필요한 성분이 다시 모세 혈관 속 혈액으로 흡수되는 과정이다. 포도당은 100 % 재흡수된다.

오답 피하기

ㄴ. 요소와 같은 노폐물이 오줌의 성분이 되므로, 콩팥에서 나온 콩팥 정맥의 혈액의 요소 농도가 콩팥 동맥의 혈액보다 더 낮다.

030 답 ④ | (나)는 소장 내부의 모세 혈관과 암죽관을 나타낸다. ㉠은 암죽관, ㉡은 모세 혈관이다. 소장에서 최종 단계까지 분해된 영양소들은 소장 내부의 모세 혈관과 암죽관으로 흡수된다. 이때 포도당, 아미노산, 수용성 바이타민과 같은 성분은 모세 혈관으로, 지방산과 모노글리세리드, 지용성 바이타민과 같은 성분은 암죽관으로 흡수된다. 이렇게 흡수된 영양소들은 서로 다른 경로를 통해 최종적으로 정맥을 통해 심

장으로 들어가고, 혈액을 통해 온몸의 세포에 공급된다.

오답 피하기

ㄱ. ㉠은 암죽관, ㉡은 모세 혈관이다.

031 답 ① | A는 심장에서 폐로 들어가는 폐동맥, B는 폐를 거쳐 다시 심장으로 들어가는 폐정맥이다. C는 간을 거쳐 심장으로 들어가는 간정맥, D는 소장에서 흡수된 영양소를 포함한 혈액이 간으로 들어가는 간문맥이다. E는 콩팥을 거쳐 다시 심장으로 들어가는 콩팥 정맥, F는 콩팥으로 혈액이 들어가는 콩팥 동맥이다.

폐동맥에는 온몸을 돌면서 산소를 공급하고 이산화 탄소를 받은 정맥혈이 흐르고, 이 혈액은 폐에서 이산화 탄소를 내보내고 산소와 결합한다. 이 혈액은 폐정맥을 통해 심장으로 들어간다. 따라서 산소와 헤모글로빈이 결합한 산소헤모글로빈의 농도는 A보다 B에서 더 높다.

소장에서 포도당과 같은 영양소가 흡수된 후, 이러한 성분을 포함한 혈액은 간문맥을 거쳐 간으로 들어간다. 간에서는 인슐린과 같은 호르몬의 작용으로 혈당량이 조절되고, 이러한 혈액이 간정맥을 거쳐 심장으로 들어간다. 따라서 혈당량의 변화는 간을 거치지 않은 D가 C보다 더 크다.

콩팥 동맥에는 요소와 같은 노폐물이 포함된 혈액이 흐르는데, 이 혈액이 콩팥을 거치고 나오면서 노폐물이 오줌으로 걸러진다. 따라서 콩팥을 거치고 나온 E에서의 요소 농도가 콩팥을 거치기 전인 F보다 더 낮다.

오답 피하기

ㄴ. 혈당량의 변화는 C보다 D에서 더 크다.

ㄷ. 요소의 농도는 E보다 F에서 더 높다.

032 답 ① | A는 심장에서 폐로 들어가는 폐동맥, B는 폐에서 기체 교환을 마치고 다시 심장으로 들어가는 폐정맥, C는 온몸을 돌고 심장으로 들어가는 대정맥, D는 심장에서 나와 온몸으로 이동하는 대동맥을 나타낸다.

폐동맥에서는 온몸의 조직 세포에 산소를 공급하고 이산화 탄소를 받아 산소가 부족한 정맥혈이 흐르고, 폐정맥에서는 폐에서 이산화 탄소를 내보내고 산소를 받아 산소가 풍부한 동맥혈이 흐른다. 따라서 혈중 산소 농도는 B가 A보다 더 높다.

오답 피하기

ㄴ. 혈압은 심장에서 나가는 혈관인 동맥에서가 정맥보다 더 높다.

ㄷ. 혈액은 동맥 → 모세 혈관 → 정맥 순으로 흐르므로 D → E → C 방향으로 흐른다.

033 답 ⑤ I 우리 몸을 이루면서 에너지의 생성과 그 과정에서 발생하는 노폐물의 배설 과정에 연관되어 있는 기관계의 통합적 작용을 나타내는 모식도이다.

영양소가 흡수되는 (가)는 소화계를 나타낸다. 소화 과정에서 영양소로 흡수되지 않은 찌꺼기는 그대로 몸 밖으로 배출되는데, 이 또한 소화계의 작용이다. 세포 호흡 과정에서 발생한 노폐물인 요소와 여분의 물 등을 오줌의 형태로 배설하는 (다)는 배설계를 나타낸다. 그리고 소화계, 호흡계, 배설계를 혈관으로 연결하고 이들 사이에서 물질의 운반을 담당하는 (나)는 순환계를 나타낸다. 순환계는 심장과 동맥, 정맥, 모세 혈관, 혈액으로 구성된다.

소화계인 (가)에서는 영양소가 최종적으로 소화되고, 최종 분해 산물이 흡수된다. 순환계는 혈액을 통해 온몸의 조직 세포에 산소(O_2)를 공급하고, 이산화 탄소(CO_2)와 같은 노폐물을 받아 호흡계와 배설계로 운반한다.

문제 속 자료　기관계의 통합적 작용

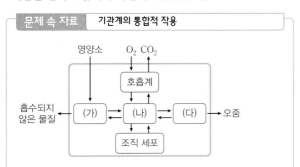

- (가)는 영양소가 최종적으로 소화되고 흡수되는 소화계이다.
- (나)는 소화계, 호흡계, 배설계 각 기관계를 돌며 물질을 공급하고 운반하는 순환계이다. 혈액은 산소를 온몸의 조직 세포에 공급한다.
- (다)는 에너지 생성 과정에서 생성된 요소와 여분의 물 등을 오줌의 형태로 모아 몸 밖으로 배설하는 배설계이다.
- 소화계, 순환계, 호흡계, 배설계는 우리 몸에서 에너지를 생성하고 노폐물을 배설하는 과정에서 긴밀히 연결되어 통합적으로 작용한다.

---

034 답 ④ I 단백질이 소화되고 흡수되는 (가)는 소화계를 나타낸다. 소화 과정에서 체내로 흡수되지 못한 여분의 찌꺼기는 대변의 형태로 대장을 거쳐 몸 밖으로 배출된다. 소화계에서는 단백질이 최종 단계인 아미노산으로 분해되어 흡수된다. 산소와 이산화 탄소의 교환이 일어나는 (나)는 호흡계이다. 순환계는 우리 몸의 각 기관계를 연결하여 물질을 운반하며, 단백질의 소화 결과 발생한 요소와 같은 노폐물은 배설계인 (다)를 통해 몸 밖으로 배설된다.

오답 피하기

ㄴ. 영양소와 산소를 조직 세포까지 운반하는 기관계는 순환계이다. (나)는 호흡계로, 온몸을 돌아 산소를 공급하고 이산화 탄소를 받은 혈액이 다시 산소를 얻고 이산화 탄소를 몸 밖으로 내보내는 기체 교환이 일어난다.

035 답 ⑤ I (가)는 산소와 이산화 탄소의 기체 교환이 일어나는 호흡계, (나)는 각 기관계와 조직 세포를 돌며 영양소를 공급하고 노폐물을 운반하는 순환계, (다)는 에너지 생성 과정에서 생긴 노폐물과 여분의 물 등을 배설하고 체내 수분량을 조절하는 배설계이다.

순환계는 혈액을 펌프질하는 심장과, 온몸에 퍼져 있는 혈관, 혈액으로 구성된다. 배설계는 노폐물을 몸 밖으로 내보내는 기능 외에도 물의 재흡수량을 조절하여 체액의 삼투압을 조절하는 기능도 수행한다.

036 답 ② I 음식물이 흡수되고 소화되지 않은 찌꺼기가 배출되는 (가)는 소화계를 나타낸다. 산소와 이산화 탄소가 교환되는 (나)는 호흡계를 나타내며, 노폐물이 몸 밖으로 배설되는 (다)는 배설계를 나타낸다.

호흡계에서 흡수된 산소(O_2)는 혈액 속 헤모글로빈에 결합하여 운반되고, 순환계의 작용을 통해 온몸의 조직 세포에 공급된다.

오답 피하기

ㄱ. 소화계에서 흡수되지 않은 물질은 대장에서 대변의 형태로 만들어지고, 항문을 통해 몸 밖으로 배출된다. 이는 소화의 과정으로, 체내에서 생성된 노폐물을 몸 밖으로 내보내는 배설과는 다른 과정이다.

ㄷ. 세포 호흡 과정에서 발생하는 에너지 중 많은 양이 열에너지의 형태로 방출되어 체온 유지에 쓰인다. 열에너지로 방출되고 남은 에너지가 ATP의 합성에 쓰여 생명 활동에 이용할 수 있는 화학 에너지의 형태로 저장된다.

037 답 ③ I 막전위가 상승하는 탈분극 시기에 열리는 통로인 A는 Na^+ 통로이고, 다시 막전위가 하강하는 재분극 시기에 열리는 통로인 B는 K^+ 통로이다. 탈분극 시기(t_1)에는 세포막 바깥의 Na^+이 안으로 들어오면서 막전위가 상승하고, 재분극 시기(t_2)에는 세포막 내부의 K^+이 세포막 바깥으로 이동하면서 막전위가 다시 하강한다.

Na^+, K^+의 농도는 활동 전위의 진행과 큰 상관없이 거의 일정하게 유지된다. 이에 따라 K^+의 농도는 막 안쪽에서 항상 높다.

오답 피하기

ㄴ. Na^+ 통로, K^+ 통로 같은 이온 통로를 통한 이온의 이동은 농도 기울기에 따른 확산 현상으로 일어나 ATP에 저장된 에너지가 쓰이지 않는다. 참고로, 농도 기울기에 역행하여 세 개의 Na^+을 세포막 바깥으로 내보내고 두 개의 K^+을 세포 내부로 운반하는 Na^+-K^+ 펌프의 작용에는 ATP가 사용된다.

문제 속 자료 **활동 전위의 발생**

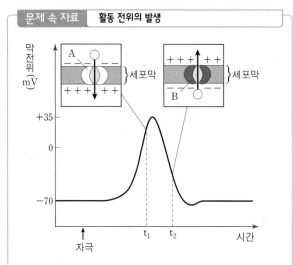

- 막전위가 분극 상태에서 급격히 상승하는 탈분극 시기에 열리는 A는 Na$^+$ 통로이다. 탈분극 시기에 Na$^+$ 통로를 통해 Na$^+$이 세포막 바깥에서 세포 내부로 들어오면서 막전위가 상승한다.
- 상승했던 막전위가 다시 하강하는 재분극 시기에 열리는 B는 K$^+$ 통로이다. 재분극 시기에는 세포 내부에 있던 K$^+$이 세포 외부로 빠져나가면서 다시 막전위가 하강한다.
- 탈분극과 재분극 시기가 모두 끝나면 Na$^+$-K$^+$ 펌프의 작용 등으로 다시 원래의 분극 상태로 되돌아간다.
- 활동 전위의 진행과 상관없이 Na$^+$의 농도와 K$^+$의 농도는 거의 동일하게 유지된다.

038 답 ① | (가)는 활동 전위의 발생을 나타내는 그래프이다. 그래프에서 표시된 t_1 시기는 분극 상태에서 막전위가 상승하는 탈분극 시기이며, 이때는 Na$^+$ 통로가 열려 Na$^+$이 축삭 돌기의 세포막 바깥에서 안으로 들어오게 된다.

(나)에서 A는 Na$^+$ 통로와 K$^+$ 통로가 모두 닫혀 있는 상태로 분극 상태를 나타낸다. B는 K$^+$ 통로는 닫혀 있고 Na$^+$ 통로는 열려 있으므로, Na$^+$이 들어오는 탈분극 상태임을 알 수 있다. C는 Na$^+$ 통로는 닫혀 있고 K$^+$ 통로는 열려 있으므로, K$^+$이 세포막 바깥으로 이동하는 재분극 상태임을 알 수 있다. 따라서 (가)의 t_1 시기는 (나)의 B에 해당한다.

오답 피하기

ㄴ. 활동 전위는 분극 → 탈분극 → 재분극 순서로 진행되므로, C가 가장 많이 진행된 상태이고, 상대적으로 B는 덜 진행된 것이므로 C가 B보다 먼저 활동 전위가 발생한 것이다. 따라서 흥분의 전도는 C에서 A 방향으로 진행된 것이다.

ㄷ. Na$^+$의 농도는 활동 전위의 발생과 상관없이 항상 세포막 바깥에서가 높다.

039 답 ③ | 그래프는 활동 전위의 발생을 나타내며, t_1 시기는 탈분극 시기, t_2 시기는 재분극 시기를 나타낸다. 탈분극 시기에는 Na$^+$ 통로가 열려 Na$^+$이 세포막 바깥에서 세포 안으로 들어오면서 막전위가 상승한다. 이때 Na$^+$이 세포막 안

으로 들어오는 것을 Na$^+$의 막 투과도가 상승한다고 표현한다. 따라서 Na$^+$의 막 투과도는 t_1에서가 t_2 보다 더 높다.

Na$^+$은 탈분극 시기에 세포막 바깥에서 세포막 안으로 이동하므로, ㉠은 세포 내부, ㉡은 세포 외부가 된다. 재분극 시기(t_2)에는 K$^+$의 막 투과도가 상승하여 ㉠에서 ㉡ 방향으로 K$^+$ 통로를 통해 이동한다.

오답 피하기

ㄷ. 활동 전위의 발생 시 이온이 이동하는 양은 전체 이온의 양에 비해 미량으로, 세포 내부와 외부의 이온 농도에 거의 영향을 주지 않는다. 따라서 t_2 시기에도 Na$^+$의 농도는 세포 밖에서가 세포 안보다 높고, K$^+$의 농도는 세포 안에서가 세포 밖보다 높다.

040 답 ① | 뉴런이 연결되어 있는 상태에서 축삭 돌기의 한 지점에 자극을 주면 흥분은 양 방향으로 전도된다. 뉴런과 뉴런 사이에서는 축삭 돌기 말단에서 다음 뉴런의 신경 세포체 방향으로만 흥분이 전달되고, 신경 세포체에서 축삭 돌기 말단 방향으로는 흥분이 전달되지 않는다.

C 지점에서의 활동 전위를 나타내는 그래프에서, 구간 Ⅰ은 재분극 시기를 나타내며 이 시기에는 K$^+$의 막 투과도가 증가해 K$^+$ 통로를 통해 K$^+$이 이동한다. 이때 이온의 이동은 농도 차에 따른 확산 현상으로 일어나며 ATP는 사용되지 않는다.

오답 피하기

ㄴ. B에 자극을 주면 흥분은 A와 C로는 전도되지만, 신경 세포체에서 축삭 돌기의 방향인 D로는 전달되지 않는다. 따라서 D에는 활동 전위가 나타나지 않는다.

ㄷ. K$^+$ 통로를 통한 K$^+$의 이동은 확산에 따라 일어나므로 ATP가 사용되지 않는다.

041 답 ③ | 시냅스로 연결된 두 뉴런에서 축삭 돌기 말단에서 다음 신경 세포체 방향으로는 자극이 전달되지만 반대 방향으로는 자극이 전달되지 않는다. 따라서 P 지점에 자극을 주면 흥분은 축삭 돌기를 따라 전도되고 시냅스를 거쳐 전달되므로 A, B 모두 활동 전위가 발생하게 된다. 반면, Q 지점에 자극을 주면 흥분은 B에는 전도되지만 신경 세포체에서 축삭 돌기 말단 방향으로는 전달되지 않으므로 A에는 나타나지 않는다. 그리고 C의 경우, 말이집을 나타내며 말이집은 절연체 역할을 하여 활동 전위가 발생하지 않는다.

종합하면, 오른쪽 표에서 P와 Q를 자극할 때 어디에도 활동 전위가 발생하지 않는 ㉢은 C가 된다. 그리고 P와 Q를 자극할 때 모두 활동 전위가 발생하는 ㉠은 B, Q를 자극할 때는 발생하지 않고 P를 자극할 때만 활동 전위가 발생하는 ㉡은 A가 된다.

Na^+의 농도는 활동 전위의 진행에 큰 영향을 받지 않으므로 항상 세포 안보다 세포 밖에서 더 높다.

오답 피하기

ㄱ. 시냅스 전 뉴런은 말이집이 없으므로 민말이집 신경이고, 시냅스 후 뉴런은 말이집이 있으므로 말이집 신경이다.

ㄴ. ⊙은 B이다.

042 답 ⑤ | 신경 세포체에서 축삭 돌기 말단 방향으로는 자극이 전달되지 않으므로 A의 경우 P 지점에 자극을 주더라도 Q에는 활동 전위가 발생하지 않는다. 반면 B에서는 P 지점에 자극을 주면 축삭 돌기 말단에서 다음 신경 세포체로 신경 전달 물질이 분비되어 자극이 전달되고, 따라서 Q에서도 활동 전위가 발생하게 된다. 따라서 활동 전위가 나타나지 않는 ⊙은 A, 활동 전위가 발생하는 ⓛ은 B의 경우이다.

(나)에서 구간 Ⅰ은 탈분극 시기로, Na^+의 막 투과도가 높아져 세포막에 있는 Na^+ 통로를 통해 Na^+이 세포 밖에서 안으로 이동한다.

오답 피하기

ㄱ. A에서는 Q 지점에 활동 전위가 발생하지 않으므로, A의 막전위 변화를 나타내는 것은 ⊙이다.

문제 속 자료 흥분의 전달

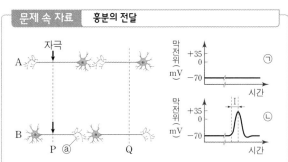

- 흥분의 전달은 시냅스 소포가 있는 축삭 돌기 말단에서 수용체가 있는 신경 세포체의 가지 돌기 방향으로만 일어난다.
- A는 시냅스 이후 뉴런에 자극이 왔으므로, 시냅스 이전 뉴런으로는 흥분 전달이 안 된다. ➡ ⊙
- B는 시냅스 이전 뉴런에 자극이 왔으므로, 시냅스 이후 뉴런인 Q 지점에 활동 전위가 나타난다. ➡ ⓛ

043 답 ① | 자극 Ⅰ의 경우 C에서 활동 전위가 발생하지 않으므로, 역치 이하의 자극 세기임을 알 수 있다. 자극 Ⅱ와 자극 Ⅲ은 모두 활동 전위가 발생하므로 역치 이상의 자극임을 알 수 있다. 자극 Ⅱ와 자극 Ⅲ을 비교했을 때 세기가 더 큰 자극 Ⅲ을 주었을 때 활동 전위의 막전위 값은 같지만 더 많은 빈도로 발생했다. 이를 통해 센 자극이 주어질수록 활동 전위의 막전위 값이 변하는 것이 아닌 발생 빈도가 늘어나는 것임을 알 수 있다.

A 지점은 시냅스 이전 뉴런으로, 신경 세포체에서 축삭 돌기 말단 방향으로 자극이 전달되지 않으므로 활동 전위가 발

생하지 않는다.

오답 피하기

ㄴ. 역치 이상인 자극 Ⅱ를 주더라도 A에서는 자극이 시냅스를 통과해 전달되지 않으므로 활동 전위가 발생하지 않는다.

ㄷ. 자극의 세기가 커지면 h값이 변하는 것이 아닌 활동 전위의 발생 빈도가 증가한다.

문제 속 자료 자극의 세기와 활동 전위

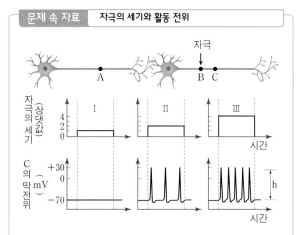

- B에 자극을 주는 경우, A는 시냅스 이전 뉴런으로 자극이 전달되지 않는다. 시냅스를 사이에 두고 신경 세포체에서 축삭 돌기 말단 방향으로는 자극이 전달되지 않기 때문이다.
- 자극 Ⅰ을 주었을 때 C에서 활동 전위가 발생하지 않은 것은 역치 이하의 자극 세기이기 때문이다.
- 자극 Ⅱ와 자극 Ⅲ을 비교했을 때 자극의 세기가 커지면 h값이 변하는 것이 아니라 활동 전위의 발생 빈도가 변하는 것임을 알 수 있다. 자극의 세기가 클수록 활동 전위가 더 자주 발생한다.

044 답 ③ | 근육 원섬유 마디는 마이오신 필라멘트와 액틴 필라멘트가 겹쳐진 구조가 반복되어 나타난다. 근육 원섬유 마디에서 A대는 마이오신 필라멘트로 이루어진 부분이다. 이 부분은 상대적으로 어두워 보이므로 암대라고 한다.

반면, I대는 액틴 필라멘트로만 이루어진 부분으로, A대에 비해 상대적으로 밝게 보이므로 명대라고 한다. A대의 경우 내부에 액틴 필라멘트와 마이오신 필라멘트가 겹치는 부분이 있고, 마이오신 필라멘트로만 이루어진 부분이 있는데, 마이오신 필라멘트로만 이루어진 부분을 H대라고 한다.

근육이 수축하는 경우 액틴 필라멘트가 마이오신 필라멘트 사이로 미끄러져 들어가면서 근육 원섬유 마디가 짧아지게 되는데, 이 과정을 활주라고 한다. 활주가 일어날 때는 마이오신 필라멘트나 액틴 필라멘트의 자체 길이가 변하는 것이 아닌 겹치는 부분이 늘어나게 된다.

오답 피하기

ㄱ. 근육의 이완과 수축에 상관없이 마이오신 필라멘트의 길이가 달라지지 않으므로, A대의 길이도 달라지지 않는다.

ㄴ. 근육의 수축과 이완에 상관없이 액틴 필라멘트의 길이

자체는 변하지 않는다.

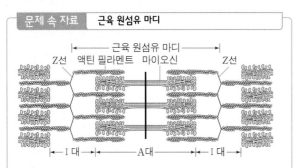

문제 속 자료 근육 원섬유 마디

- 근육 원섬유 마디는 액틴 필라멘트와 마이오신 필라멘트 두 종류의 단백 질로 이루어지며, 이 둘의 분포에 따라 여러 부분으로 구분한다.
- 마이오신 필라멘트로 이루어진 부분을 A대라고 한다.
- A대에서 마이오신 필라멘트와 액틴 필라멘트가 겹치는 부분이 아닌 마 이오신 필라멘트로만 이루어진 부분을 H대라고 한다.
- 액틴 필라멘트로만 이루어진 부분을 I대라고 한다.

045 답 ⑤ | 그림에서 제시된 근육 원섬유 마디에서 밝게 보이며 가운데에 Z선이 보이는 ⓒ은 I대, 상대적으로 진하게 보이는 ⓒ은 A대이다. 골격근이 이완할 때는 마이오신 필라멘트와 액틴 필라멘트가 겹치는 부분이 줄어들면서 I대의 길이가 늘어나게 된다.

골격근을 이루는 근육 섬유는 발생 과정에서 여러 개의 세포 가 융합되어 만들어지므로 여러 개의 핵을 갖는 다핵 세포이 다.

오답 피하기

ㄱ. ⓒ은 마이오신 필라멘트가 있는 부분으로 골격근의 수축 과 이완에 상관없이 마이오신 필라멘트와 액틴 필라멘트의 길이 자체는 변하지 않으므로 ⓒ의 길이는 달라지지 않는다.

046 답 ④ | 제시된 자료에서 (가)는 액틴 필라멘트, (나)는 마이 오신 필라멘트를 나타낸다. 윗부분은 액틴 필라멘트가 마이 오신 필라멘트 사이로 미끄러져 들어가 겹치는 부분이 많아 지는 수축 시기, 아랫부분은 액틴 필라멘트가 마이오신 필라 멘트로부터 나와 겹치는 부분이 줄어드는 이완 시기를 나타 낸다. 즉, 근육이 수축할 때는 (가)와 (나)가 겹치는 부분이 늘어나면서 근육 원섬유 마디가 짧아지고, 반대로 이완할 때 는 겹치는 부분이 줄어들어 근육 원섬유 마디가 늘어난다. 따라서 이완할 때는 액틴 필라멘트로만 이루어진 I대의 길이 가 늘어나게 된다.

오답 피하기

ㄱ. 근육의 수축과 이완 시에 미끄러져 들어가거나 나오는 (가)는 액틴 필라멘트, 위치가 고정되어 있는 (나)는 마이오 신 필라멘트이다.

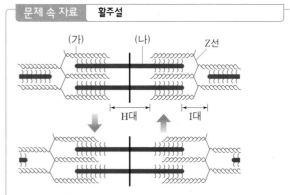

문제 속 자료 활주설

- 액틴 필라멘트가 마이오신 필라멘트 사이로 미끄러져 들어가는 과정을 활주라고 한다.
- 그림의 윗부분처럼 근육이 수축할 때는 액틴 필라멘트가 마이오신 필라 멘트 사이로 미끄러져 들어가면서 겹치는 부분이 많아지고, 이로 인해 I 대와 H대의 길이가 짧아지면서 근육 원섬유 마디의 길이가 짧아진다.
- 반대로 근육이 이완할 때는 액틴 필라멘트가 빠져 나가면서 I대와 H대 의 길이가 늘어나고 근육 원섬유 마디의 길이도 늘어난다.
- 활주가 일어나는 과정에서 액틴 필라멘트와 마이오신 필라멘트의 길이 자체가 변하는 것이 아니라는 것에 주의한다.

047 답 ① | 팔을 구부리면 팔 안쪽 근육인 ⓒ의 길이는 수축하게 된다. 팔을 구부려서 근육이 수축할 때 근육 원섬유 마디를 이루는 액틴 필라멘트나 마이오신 필라멘트의 길이 자체가 변하지는 않으며, 활주가 일어나 두 필라멘트가 겹치는 길이 가 늘어나게 된다. 이때는 액틴 필라멘트로만 이루어진 I대 와 마이오신 필라멘트로만 이루어진 H대의 길이는 짧아지게 된다.

오답 피하기

ㄴ. 근육의 수축과 이완에 상관없이 액틴 필라멘트, 마이오 신 필라멘트 자체의 길이는 변하지 않는다.

ㄷ. H대의 길이는 근육이 수축할 때는 짧아지고, 근육이 이 완할 때는 늘어난다.

048 답 ⑤ | X는 근육 원섬유 마디를 나타낸다. ⓐ는 I대의 절반 을, ⓒ은 액틴 필라멘트를 나타낸다. 표를 보면 (나)에서 A 대의 길이가 1.6 μm인데, A대의 길이는 변하지 않으므로 (가)에서도 1.6 μm이다. 또한, (나)에서 H대의 길이가 1.2 μm로, (가)에서보다 1.0 μm가 늘어났으므로, (가)가 수축 한 시기, (나)가 이완한 시기이다. ⓐ의 길이는 이완한 시기 인 (나)에서가 수축한 시기인 (가)보다 더 길다.

049 답 ④ | 그림에서 ⓒ은 마이오신 필라멘트로 이루어진 A대 를, ⓒ은 액틴 필라멘트와 겹치는 부분을 제외한 마이오신 필라멘트로만 이루어진 H대를 나타낸다. A대의 길이는 근 육의 수축과 이완에 상관없이 동일하므로 수축 시에도 이완 시와 같은 1.6 μm이다. 근육 원섬유 마디가 수축할 때는 액

틴 필라멘트가 마이오신 필라멘트 사이로 활주하는데, 이 과정에서 ATP가 사용된다.

오답 피하기

ㄱ. ㉠은 A대, ㉡은 H대를 나타낸다.

050 답 ① | 그림에서 ㉠은 A대 중에서 마이오신 필라멘트와 액틴 필라멘트가 겹치는 부분이고, ㉡은 액틴 필라멘트로만 이루어진 I대 중 절반을 나타낸다.

표에서 t_2와 t_1 시기를 비교하면, 두 필라멘트가 겹치는 부분인 ㉠의 길이가 t_2 시기에서 0.3 μm만큼 줄어들었는데, 이는 그만큼 겹치는 부분이 줄어들면서 근육 원섬유 마디가 늘어났음을 의미한다. ㉠과 똑같은 구조가 반대편에 대칭으로 있으므로, 전체 근육 원섬유 마디는 0.3 μm의 두 배인 0.6 μm가 늘어난다. 따라서 t_2 시기에서 X의 길이는 2.8 μm가 된다.

오답 피하기

ㄴ. ㉠에서 줄어든 길이만큼 H대의 길이는 늘어나므로, t_2 시기에서 H대의 길이는 총 0.6 μm가 늘어난다.

ㄷ. 전자 현미경으로 관찰하면 마이오신 필라멘트와 액틴 필라멘트가 겹치는 ㉠ 부분이 액틴 필라멘트만 있는 ㉡ 부분보다 어둡게 보인다.

문제 속 자료 활주설

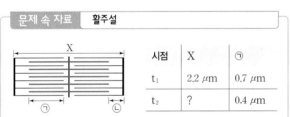

시점	X	㉠
t_1	2.2 μm	0.7 μm
t_2	?	0.4 μm

- 그림에서 근육 원섬유 마디 X는 가운데 선을 기준으로 양쪽이 대칭인 구조이다.
- 표에서 t_2 시기에 ㉠의 길이가 0.3 μm만큼 줄어들었으므로 반대편도 똑같이 줄어들고, 이는 X의 길이가 총 0.6 μm만큼 늘어났음을 의미한다. 따라서 t_2 시기의 X의 길이는 2.2 μm에서 0.6 μm만큼 늘어난 2.8 μm가 된다.
- ㉠이 줄어든 만큼 가운데의 H대의 길이는 늘어나므로, t_2에서가 t_1보다 H대의 길이가 0.6 μm만큼 더 길다.

051 답 ⑤ | t_1 시기에 마이오신 필라멘트와 액틴 필라멘트가 겹치는 부분의 길이가 0.2 μm이고, t_2 시기에서는 0.7 μm이다. 이는 겹치는 부분이 0.5 μm만큼 늘어난 것으로, 근육 원섬유 마디가 수축했음을 나타낸다. 근육 원섬유 마디 X는 좌우 대칭인 구조이므로, 수축 시에는 0.5 μm의 두 배인 1.0 μm가 줄어들게 된다. 따라서 t_2 시기의 X의 길이는 3.2 μm에서 1.0 μm가 줄어든 2.2 μm가 된다. 이 과정에는 ATP가 소모된다.

t_2 시기의 설명을 보면, H대의 길이는 0.2 μm이고, ㉠의 길이는 0.7 μm이다. 마이오신 필라멘트의 길이는 H대와 두 개의 ㉠ 길이를 합친 것과 같으므로, 0.2 + 0.7 + 0.7 = 1.6(μm)가 된다.

052 답 ④ | A는 상대적으로 가는 필라멘트로만 이루어진 모습이므로 액틴 필라멘트로만 이루어진 I대를 나타낸다. 즉, ㉠은 액틴 필라멘트이다. B는 굵은 필라멘트로만 이루어진 부분으로 마이오신 필라멘트로만 이루어진 H대를 나타낸다. 즉, ㉡은 마이오신 필라멘트이다. C는 두 필라멘트가 동시에 있으므로, 액틴 필라멘트와 마이오신 필라멘트가 겹치는 부분이다.

근육 원섬유 마디 X에서, A대의 길이는 변하지 않는다. 따라서 $\dfrac{\text{H대의 길이}}{\text{A대의 길이}}$ 의 값은 H대의 길이에 따라 결정되며, X가 수축하여 H대의 길이가 짧아지면 그 값도 작아진다. 따라서 ㄷ은 맞는 설명이다.

오답 피하기

ㄴ. C는 마이오신 필라멘트와 액틴 필라멘트가 겹치는 부분이다. I대의 단면에 해당하는 것은 액틴 필라멘트로만 이루어진 A이다.

문제 속 자료 근육 원섬유 마디의 단면

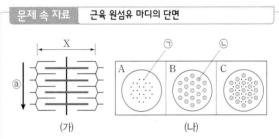

- (가)에서 ⓐ 방향으로 자르게 되면 근육 원섬유 마디의 세로 단면을 보게 된다.
- A는 가는 필라멘트로만 이루어졌으므로 액틴 필라멘트로만 이루어진 I대를 나타낸다.
- B는 굵은 필라멘트로만 이루어졌으므로 마이오신 필라멘트로만 이루어진 H대를 나타낸다.
- C는 두 종류의 필라멘트가 모두 있으므로, 액틴 필라멘트와 마이오신 필라멘트가 겹치는 부분을 나타낸다.

053 답 ① | (가)에서 ⓐ는 근육 섬유를 나타낸다. (나)에서 A는 액틴 필라멘트로만 이루어진 I대, B는 액틴 필라멘트와 마이오신 필라멘트로 이루어진 모습으로 두 필라멘트가 겹친 부분을, C는 마이오신 필라멘트로만 이루어진 H대를 나타낸다. 여기서 ㉠은 액틴 필라멘트, ㉡은 마이오신 필라멘트이다.

오답 피하기

ㄴ. ㉠은 액틴 필라멘트이다.

ㄷ. I대의 단면은 A에 해당한다.

054 답 ④ | ㉠은 액틴 필라멘트로만 이루어진 I대, ㉡은 액틴 필라멘트와 마이오신 필라멘트가 겹치는 부분, ㉢은 마이오신 필라멘트로만 이루어진 H대를 나타낸다. 여기서 ㉡과 ㉢은 모두 A대에서 관찰되는 부분이다.

오답 피하기

ㄷ. 수축 시에는 액틴 필라멘트와 마이오신 필라멘트가 겹치는 부분이 늘어나면서 줄어든 H대의 길이만큼 근육 원섬유 마디의 길이가 감소한다. 따라서 ⓑ의 값은 0.2 μm가 줄어들어야 하므로 0.0 μm가 된다. 근육의 수축과 이완 시에 A대의 길이는 변하지 않으므로, ⓐ의 값은 1.6 μm이다. 따라서 ⓐ + ⓑ = 1.6 + 0.0 = 1.6(μm)가 된다.

055 답 ③ | 제시된 그림은 가는 액틴 필라멘트와 굵은 마이오신 필라멘트가 동시에 있으므로, 두 필라멘트가 겹치는 부분을 나타낸다.

A대, H대, I대 중 마이오신 필라멘트가 없는 부분은 액틴 필라멘트로만 이루어진 I대이다. 따라서 ㉠은 I대를 나타낸다. 액틴 필라멘트와 마이오신 필라멘트가 겹치는 부분이 존재하는 부분은 A대이므로, ㉢은 A대이고, ㉡은 나머지인 H대가 된다.

근육 원섬유 마디가 수축하면 마이오신 필라멘트와 액틴 필라멘트가 겹치는 부분이 늘어나므로 H대인 ㉡의 길이는 짧아진다.

오답 피하기

ㄷ. 근육 원섬유 마디가 이완하면 두 필라멘트가 겹치는 부분이 줄어들므로, 그림과 같은 단면을 갖는 부분의 길이는 짧아진다.

056 답 ③ | ㉠은 중추 신경계인 척수를 이루는 연합 뉴런이고, ㉡은 배쪽의 전근으로 운동 뉴런을 나타낸다. 손끝에서 자극이 들어오면 ㉠과 ㉡을 거쳐 근육인 ⓐ로 자극이 전달되어 ⓐ가 수축하게 된다.

척수는 속 부분은 회색질로, 겉 부분은 백색질로 되어 있는데, 회색질 부분에 연합 뉴런과 운동 뉴런의 신경 세포체가 분포한다. 따라서 운동 뉴런인 ㉡의 신경 세포체는 척수의 회색질에 분포한다.

오답 피하기

ㄷ. 근육 수축 시에도 A대의 길이는 변하지 않는다. ⓐ가 수축할 때 근육 원섬유 마디의 I대와 H대의 길이는 줄어들므로,

$$\frac{\text{A대의 길이}}{\text{I대의 길이} + \text{H대의 길이}}$$의 값은 커지게 된다.

057 답 ② | 후근인 A는 감각 뉴런, 전근인 B는 운동 뉴런이다.

무릎 반사인 발끝이 올라가는 작용 ⓐ가 일어나면, 근육 ㉠은 이완한다.

A는 감각 뉴런으로 말초 신경계 중 중추 신경계로 흥분을 전달하는 구심성 신경에 속한다. 운동 뉴런인 B의 신경 세포체는 척수의 속 부분인 회색질에 분포한다.

오답 피하기

ㄱ. 감각 뉴런은 구심성 신경으로, 자율 신경계가 아니다. 중추 신경계의 명령을 반응 기관으로 전달하는 원심성 신경 중 대뇌의 지배를 받아 골격근을 움직이는 신경을 체성 신경계, 대뇌의 지배를 받지 않고 각종 내장에 분포하는 신경계를 자율 신경계라고 한다.

ㄷ. ⓐ가 일어나는 동안 허벅지 뒷 근육인 ㉠은 이완하게 된다. 이때 근육의 수축과 이완 여부와 관계없이 액틴 필라멘트나 마이오신 필라멘트 자체의 길이는 변하지 않는다.

058 답 ③ | 등 쪽의 후근으로 들어가는 a는 감각 뉴런, 배 쪽의 전근으로 나가는 b는 운동 뉴런이다.

감각 뉴런의 축삭 돌기의 세포막에서는 $Na^+ - K^+$ 펌프가 작동하므로, K^+이 세포 안으로 유입된다. 또한, 운동 뉴런의 축삭 돌기는 말이집 신경이므로 흥분이 전달될 때 도약 전도를 통해 일어난다. 무릎에 자극을 주어 발이 올라가는 ⓐ가 일어날 때, 근육 ㉠은 이완하게 된다. 이 때 근육 ㉠을 이루는 근육 원섬유 마디에서 A대의 길이는 변하지 않고, I대의 길이는 늘어난다.

오답 피하기

ㄷ. ⓐ가 일어나는 동안 ㉠은 이완한다. 이때 근육 원섬유 마디의 액틴 필라멘트가 마이오신 필라멘트를 빠져 나오므로 A대의 길이는 변함 없고 I대와 H대의 길이는 늘어난다. 따라서 $\frac{\text{A대의 길이}}{\text{I대의 길이}}$의 값은 작아진다.

문제 속 자료	척수 반사

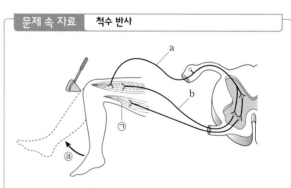

- 척수의 등 쪽으로 들어가는 후근인 a는 감각 뉴런이고, 척수의 배 쪽으로 나가는 전근인 b는 운동 뉴런이다.
- 중추 신경계인 척수는 내부가 회색질로, 외부가 백색질로 되어 있으며, 회색질에 연합 뉴런과 운동 뉴런의 신경 세포체가 모여 있다.
- 무릎 반사가 일어나 발이 올라가는 ⓐ가 일어나면 허벅지 앞쪽 근육은 수축하고, 허벅지 뒷 근육인 ㉠은 이완한다.

059 답 ③ | (가)는 중추 신경계인 척수를, A는 척수의 배 쪽으로 나가는 전근을 이루는 운동 뉴런을 나타낸다. 근육 원섬유 마디에서 ㉠은 액틴 필라멘트로만 이루어진 I대, ㉡은 마이오신 필라멘트가 있어 상대적으로 어두워 보이는 A대를 나타낸다.

무릎 반사가 일어나 A가 흥분하게 되면 근육이 수축하게 되므로, 근육 원섬유 마디의 수축이 일어나 액틴 필라멘트가 마이오신 필라멘트 사이로 들어가게 된다. 그 결과 I대인 ㉠의 길이는 짧아진다.

오답 피하기

ㄷ. ㉡은 마이오신 필라멘트가 있는 부분인 A대이다. A대에는 마이오신 필라멘트와 액틴 필라멘트가 겹치는 부분도 있고, 마이오신 필라멘트만 존재하는 H대도 존재한다.

060 답 ⑤ | 우리 몸의 내장 기관에 연결되어 있는 신경 (가)와 (나)는 자율 신경계를 나타낸다. 자율 신경계는 교감 신경과 부교감 신경으로 구분되는데, 신경절 이전 뉴런이 짧은 신경이 교감 신경, 신경절 이전 뉴런이 긴 뉴런이 부교감 신경이다. 따라서 (가)는 교감 신경, (나)는 부교감 신경이다. 교감 신경은 주로 우리 몸을 위급한 상황에 대비하게 하는 기능을 하는데, 심장 박동을 빠르게 하고 동공을 확장시키는 등의 기능을 한다. 따라서 (가)가 흥분하면 심장 박동이 빨라진다. 자율 신경계는 중추 신경계의 명령을 각 기관에 전달하는 말초 신경계에 속한다.

교감 신경과 부교감 신경의 신경절에서 분비되는 신경 전달 물질은 아세틸콜린으로 같지만, 신경절 이후 뉴런의 말단에서 분비되는 신경 전달 물질은 서로 다르다. 이는 같은 기관에 분포하는 교감 신경과 부교감 신경이 서로 반대되는 작용을 해야 하기 때문이다. 부교감 신경의 축삭 돌기 말단에서는 아세틸콜린이, 교감 신경의 축삭 돌기 말단에서는 노르에피네프린이 분비된다.

061 답 ④ | 신경절 이전 뉴런이 길고 신경절 이후 뉴런이 짧은 (가)는 부교감 신경, 반대로 신경절 이전 뉴런이 짧고 신경절 이후 뉴런이 긴 (나)는 교감 신경이다. 신경절인 ㉠과 ㉡에는 신경절 이전 뉴런의 말단에서 신경 전달 물질이 분비되는데, 교감 신경과 부교감 신경 모두 아세틸콜린이 분비된다. (가)와 (나)는 모두 중추 신경계의 명령을 몸의 말단까지 전달하는 말초 신경계에 해당한다. 교감 신경인 (나)가 흥분하면 소화액의 분비가 억제된다.

오답 피하기

ㄷ. ㉠과 ㉡은 모두 아세틸콜린이다.

062 답 ② | 신경절 이전 뉴런이 긴 ㉠과 ㉡은 부교감 신경을 이루는 신경이며, 신경절 이전 뉴런이 짧은 ㉢과 ㉣은 교감 신경을 이루는 신경이다. 교감 신경의 신경절 이전 뉴런의 신경 세포체는 모두 척수에 분포하는 반면, 부교감 신경의 신경절 이전 뉴런의 신경 세포체는 대부분 연수와 중간뇌, 간뇌에 분포하고 방광 수축에 관여하는 신경만이 척수에 분포한다. 교감 신경은 우리 몸을 긴장 상태로 만들어 흥분하면 심장 박동이 빨라지게 하고, 반대로 부교감 신경은 우리 몸을 이완하게 해 심장 박동이 느려지게 한다. 따라서 교감 신경인 ㉣이 흥분하면 심장 박동이 빨라지고, 부교감 신경인 ㉡이 흥분하면 심장 박동이 느려진다. 교감 신경과 부교감 신경에서 신경절 이전 뉴런의 말단에서 분비되는 신경 전달 물질은 아세틸콜린으로 같지만, 신경절 이후 뉴런에서 분비되는 신경 전달 물질은 서로 다르다. 부교감 신경은 아세틸콜린, 교감 신경은 노르에피네프린이 분비된다.

오답 피하기

ㄱ. ㉠은 심장에 분포하는 부교감 신경으로 신경 세포체는 연수에 있다.

ㄷ. ㉢은 신경절 이전 뉴런이며, 교감 신경과 부교감 신경 모두 신경절 이전 뉴런에서는 신경 전달 물질로 아세틸콜린이 분비된다.

문제 속 자료 **교감 신경과 부교감 신경**

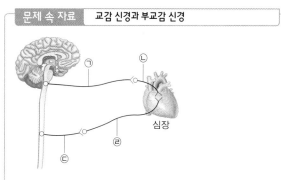

심장

- 신경절 이전 뉴런이 긴 ㉠과 ㉡은 부교감 신경을 이루고, 신경절 이전 뉴런이 짧은 ㉢과 ㉣은 교감 신경을 이룬다.
- 부교감 신경인 ㉠의 말단에서는 아세틸콜린이 분비되고, ㉡의 말단에서도 아세틸콜린이 분비된다.
- 교감 신경인 ㉢의 말단에서는 아세틸콜린이, ㉣의 말단에서는 노르에피네프린이 분비된다.
- 교감 신경은 우리 몸을 위급한 상황에 대비하여 긴장 상태로 만드는 작용을 하고, 부교감 신경은 긴장 상태에서 이완되는 작용을 한다.

063 답 ① | 신경절 이전 뉴런의 신경 세포체 위치를 통해 교감 신경과 부교감 신경을 구분할 수 있다. 교감 신경은 신경절 이전 뉴런의 신경 세포체가 모두 척수에 분포하는 반면, 부교감 신경은 대부분 연수, 중간뇌와 같은 뇌줄기에 분포하고 방광의 수축에 관여하는 신경만 척수에 분포한다. 따라서 오른쪽 표에서 신경 세포체가 연수에 분포한 신경 X는 부교감

신경이고, 신경 세포체가 척수에 분포한 신경 Y는 교감 신경이다.

교감 신경의 경우 신경절 이전 뉴런의 말단에서는 신경 전달 물질로 아세틸콜린이 분비되고, 신경절 이후 뉴런의 말단에서는 노르에피네프린이 분비된다. 부교감 신경은 신경절 이전 뉴런과 신경절 이후 뉴런의 말단에서 모두 신경 전달 물질로 아세틸콜린이 분비된다. ㉠은 부교감 신경의 신경절 이후 뉴런이 기관에 분비하는 신경 전달 물질이므로, 아세틸콜린이다.

오답 피하기

ㄴ. X는 신경절 이전 뉴런의 신경 세포체가 연수에 위치하는 부교감 신경이다. 부교감 신경은 신경절 이전 뉴런이 길고 신경절 이후 뉴런이 짧다.

ㄷ. 교감 신경은 우리 몸을 위기 상황에 대처하도록 긴장시키는 작용을, 부교감 신경은 긴장 상태에서 이완하는 작용을 주로 한다. 심장에 연결된 교감 신경이 흥분하면 심장 박동이 빨라진다.

064 답 ⑤ | 그림은 음성 피드백에 의한 호르몬의 분비 조절을 나타낸 것으로, 갑상샘에서 분비하는 티록신의 분비 조절 과정이다. (가)에서 A를 분비하면 (나)에서 B의 분비가 촉진되고, B는 다시 (다)에서 C의 분비를 촉진하여 최종 표적 기관인 (라)에 작용하게 된다. 표적 기관에 작용하는 C가 과다하게 분비되면, 이것이 신호가 되어 최초로 분비를 지시하는 A의 분비가 억제된다.

오답 피하기

① (가)가 제거된다고 해서 (나)에서 A가 생성되지는 않는다. (나)는 A의 표적 기관이다.

② (다)는 C를 분비하는 기관이고, (다)에서 분비된 C의 표적 기관은 (라)이다.

③ (라)는 호르몬을 분비하지는 않으므로 내분비샘이 아니며, 최종 표적 기관이다.

④ B는 (다)에서 C의 분비를 촉진하므로, B의 분비가 감소하면 C의 분비도 감소한다.

065 답 ② | 시상 하부에서 내분비샘을 자극하여 분비되는 호르몬 A는 부신 속질에서 분비되는 아드레날린이다. 아드레날린은 교감 신경에 의해 분비가 촉진된다. 반면, 시상 하부를 비롯하여 여러 내분비샘을 거쳐 분비가 촉진되는 호르몬 B는 갑상샘에서 분비되는 티록신이다.

아드레날린의 분비를 촉진하는 신호인 ㉠은 신경계에 의한 신호이고, 티록신의 분비를 촉진하는 신호 ㉡, ㉢은 호르몬에 의한 신호이다.

오답 피하기

ㄱ. 호르몬 A는 아드레날린으로, 부신 겉질이 아닌 부신 속질에서 분비된다.

ㄷ. 호르몬 B가 과다하게 분비되면 음성 피드백 작용으로 인해 ㉡과 ㉢의 분비는 억제된다.

066 답 ② | 왼쪽의 그림은 갑상샘에서 분비되는 티록신의 분비가 조절되는 과정을 나타낸 것이다. 시상 하부에서 뇌하수체 전엽을 자극하면 뇌하수체 전엽에서 갑상샘 자극 호르몬(TSH)이 분비되고, TSH가 분비되어 갑상샘을 자극하면 티록신이 분비된다.

티록신은 간, 근육과 같은 표적 기관에 작용하여 물질대사를 촉진하는 기능을 한다. 티록신이 필요한 양 이상으로 과다하게 분비되면, 이것이 신호가 되어 시상 하부와 뇌하수체 전엽의 작용을 억제하여 최종적으로 갑상샘에서의 티록신 분비가 억제된다.

오른쪽 그래프를 보면, 갑상샘의 기능이 저하되자 분비량이 감소하는 호르몬 A는 티록신, 호르몬 A의 분비가 저하되자 분비가 증가하는 호르몬 B는 갑상샘을 자극하여 티록신의 분비를 촉진하는 TSH이다. t_2일 때 호르몬을 투여하자 티록신의 양이 늘었으므로 TSH의 분비량은 감소하게 된다.

오답 피하기

ㄱ. 호르몬 A는 갑상샘의 기능이 저하된 시점부터 분비량이 급격히 감소하므로 티록신임을 알 수 있다. 호르몬 B는 티록신의 분비를 촉진하는 TSH이다.

ㄷ. 티록신의 분비는 음성 피드백 작용으로 조절된다. 따라서 티록신이 과다하게 분비되면 TSH의 분비는 감소한다.

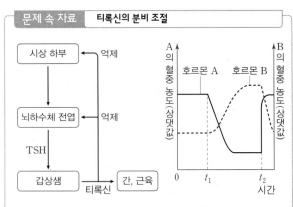

문제 속 자료　**티록신의 분비 조절**

- 시상 하부에서 TRH(갑상샘 자극 호르몬 방출 호르몬)가 분비되어 뇌하수체 전엽을 자극하면, 뇌하수체 전엽에서 TSH(갑상샘 자극 호르몬)가 분비되고, 이는 갑상샘을 자극하여 티록신이 분비되게 한다.
- 티록신은 간, 근육 등에 작용하여 물질대사가 활발히 일어나게 한다.
- 티록신이 과다하게 분비되면 음성 피드백 작용으로, TRH와 TSH의 분비가 감소하여 티록신의 분비가 억제된다.
- 오른쪽 그래프에서 갑상샘의 기능이 저하되자 분비량이 감소하는 호르몬 A는 티록신, 티록신의 분비가 저하되자 분비량이 증가하는 호르몬 B는 TSH이다.

067 답 ⑤ | (가)는 시상 하부, 뇌하수체 전엽, 갑상샘으로 이어지는 티록신의 분비 조절 과정을 나타낸다. TRH와 TSH는 최종적으로 갑상샘에서의 티록신 분비를 촉진한다. 티록신의 분비는 음성 피드백에 의해 조절되는데, 분비량이 과다하면 이것이 신호가 되어 원인 물질인 TRH와 TSH의 분비가 억제된다. 티록신은 호르몬으로, 혈액으로 분비되어 표적 기관인 간, 근육 등으로 운반된다. (나)는 티록신의 원료인 아이오딘(요오드)이 부족하여 티록신의 합성이 안 되어 나타나는 증상을 나타낸다. 티록신의 양이 항상 부족하므로 TRH와 TSH가 과다 분비되고, 이에 따라 갑상샘이 과도하게 자극받아 부은 모습을 나타낸다.

068 답 ③ | 콩팥에 작용하는 호르몬 ㉠은 뇌하수체 후엽에서 분비되는 항이뇨 호르몬이고, 갑상샘에 작용하는 호르몬 ㉡은 갑상샘 자극 호르몬이다. 항이뇨 호르몬은 콩팥에서 수분의 재흡수량을 늘려 오줌으로 배설되는 물의 양을 줄이는 기능을 한다.

(나)의 그래프에서, 혈장 삼투압이 높을수록 항이뇨 호르몬의 분비량이 증가함을 알 수 있다. 혈장 삼투압이 높다는 것은 혈액의 농도가 진하다는 뜻으로, 이때 콩팥에서 재흡수되는 수분의 양을 늘리면 혈액의 농도가 낮아져 혈액의 삼투압을 낮추게 된다.

항이뇨 호르몬의 분비량이 많을수록 콩팥에서 재흡수되는 수분의 양이 증가하므로, S_1보다 S_2에서 재흡수되는 물의 양이 많다.

오답 피하기

ㄷ. 갑상샘을 제거하면 티록신이 분비되지 않으므로 간뇌의 시상 하부는 체내에 티록신이 부족하다는 신호를 계속해서 감지하게 된다. 그 결과 뇌하수체 전엽에서 갑상샘 자극 호르몬의 분비량은 매우 증가할 것이다.

069 답 ② | 제시된 그래프에서 물 1 L를 섭취한 후부터 오줌과 혈장의 삼투압이 낮아짐을 볼 수 있다. 그래프에서 혈장 삼투압은 크게 변하지 않는 반면 오줌의 삼투압은 상대적으로 큰 폭으로 변화함을 알 수 있다.

오답 피하기

ㄱ. 혈중 항이뇨 호르몬은 혈장의 삼투압이 높을 때 분비가 촉진되는데, t_2 시기에는 혈장 삼투압이 t_1보다 낮은 시기이므로 항이뇨 호르몬의 분비는 감소한다.

ㄴ. 항이뇨 호르몬의 분비량과 오줌의 생성량은 반비례 관계이다. 항이뇨 호르몬 분비량이 낮은 t_2 시기에 오줌의 생성량이 많고, 그 결과 오줌에서 수분의 양이 많으므로 오줌의 삼투압이 급격히 낮아진다.

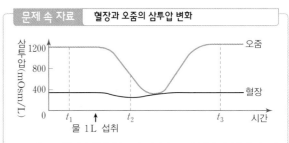

문제 속 자료 혈장과 오줌의 삼투압 변화

- 물 1 L를 섭취하면 혈액의 농도가 낮아지므로, 혈장의 삼투압이 감소하게 된다.
- 혈장의 삼투압이 감소하면 뇌하수체 후엽에서 항이뇨 호르몬의 분비가 감소하게 되고, 그 결과 오줌의 생성량이 늘어난다. ➡ 다량의 묽은 오줌이 만들어진다.
- 혈장의 삼투압이 정상 범위로 회복되면 항이뇨 호르몬의 분비도 늘어나고, 오줌의 삼투압도 높아진다.

070 답 ④ | 호르몬이 분비되는 내분비샘을 통해 어떤 호르몬인지 알 수 있다. 부신 속질에서 분비되는 ㉡은 에피네프린, 뇌하수체 후엽에서 분비되는 ㉢은 항이뇨 호르몬이다. 따라서 ㉠은 나머지 하나인 이자의 β세포에서 분비되는 인슐린이다.

오른쪽 그래프에서는 혈장 삼투압이 높아질수록 호르몬 ㉡인 항이뇨 호르몬의 분비가 높아지는 것을 보여 준다. 혈장 삼투압이 높다는 것은 혈액의 농도가 높아진 것으로, 이때는 항이뇨 호르몬이 작용하여 콩팥에서 수분 재흡수량을 늘려 혈장 삼투압이 내려가도록 한다. 그래프에서 혈장 삼투압이 높은 p_2에서가 p_1보다 항이뇨 호르몬의 분비량이 많고, 따라서 단위 시간당 수분 재흡수량도 더 많을 것이라고 예상할 수 있다.

부신 속질에서 분비되는 에피네프린은 우리 몸에서 여러 기능을 하는데, 혈당량을 높이는 기능을 포함한다.

오답 피하기

ㄱ. ㉠은 인슐린으로 이자의 β세포에서 분비된다.

071 답 ① | 항이뇨 호르몬의 기능을 확실히 이해하고 있어야 한다. 항이뇨 호르몬의 표적 기관은 콩팥으로, 콩팥에서 수분의 재흡수량을 늘린다. 콩팥에서 혈액으로 수분이 재흡수되면, 혈액의 농도가 내려가 혈장 삼투압이 내려가고 혈액의 양은 증가하게 된다.

그래프 (가)에서, 안정 상태보다 양이 줄어들 때 항이뇨 호르몬의 분비가 급격히 증가함을 볼 수 있다. 따라서 ㉠은 전체 혈액량임을 유추할 수 있다. 전체 혈액량이 감소할 때 혈액의 양을 증가시키는 방향으로 호르몬이 작용하기 때문이다. 그래프 (나)에서는 안정 상태보다 양이 증가할 때 항이뇨 호르몬 분비량이 급격히 증가하는데, 마찬가지 원리로 ㉡은 혈장 삼투압임을 알 수 있다. 혈장 삼투압이 증가할 때 삼투압을 낮추는 방향으로 호르몬이 작용하기 때문이다.

ㄴ. (가)에서 t_1 시기에는 안정 상태보다 항이뇨 호르몬 분비가 많으므로 오줌의 수분량은 감소하여 오줌의 삼투압은 높아질 것임을 예상할 수 있다.

ㄷ. (나)에서 t_2일 때 항이뇨 호르몬의 분비가 안정 상태보다 많으므로, 수분의 재흡수량이 안정 상태일 때보다 많을 것임을 알 수 있다.

문제 속 자료 항이뇨 호르몬의 작용

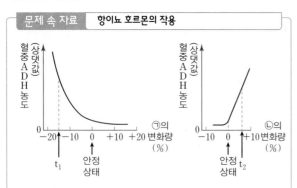

- 항이뇨 호르몬은 콩팥에서 혈액으로의 수분의 재흡수량을 늘린다. 수분의 재흡수량이 늘어나면 혈액의 양은 늘어나고 혈장 삼투압은 낮아진다.
- (가)에서 안정 상태보다 ㉠의 양이 적을 때 항이뇨 호르몬 분비가 늘어나므로 ㉠은 전체 혈액량이다.
- (나)에서 안정 상태보다 ㉡의 값이 높을 때 항이뇨 호르몬 분비가 많아지므로 ㉡은 혈장 삼투압이다.
- t_1 시기와 t_2 시기에 각각 항이뇨 호르몬 농도가 높으므로, 이때는 오줌의 삼투압은 높아지고 단위 시간당 수분 재흡수량은 많아진다.

072 답 ② | (가) 그래프를 보면 식사 후에 혈당량이 급격히 높아졌다가 이후 서서히 혈당량 수치가 감소하는 것을 알 수 있다. 그래프 (나)에서는 식사 후에 혈당량이 높을 때 호르몬 X의 분비량이 많아지고 혈당량이 감소할 때 분비량이 감소하고 있으므로, 이는 혈당량을 감소시키는 호르몬인 인슐린임을 알 수 있다. 반대로 (다)에서는 혈당량이 낮을 때 분비량이 많고 혈당량이 높을 때는 분비량이 적어지므로 혈당량을 높이는 호르몬인 글루카곤이다.

인슐린은 이자의 β세포에서 합성되며, 간에서 포도당이 글리코젠으로 합성되는 작용을 촉진해 혈당량을 낮춘다. 반대로 글루카곤은 이자의 α세포에서 합성되며, 간에서 글리코젠이 포도당으로 분해되는 반응을 촉진해 혈당량을 높인다. 인슐린과 글루카곤은 같은 기관에 서로 상반되는 기능을 하여 항상성을 조절하는데, 이러한 작용을 길항 작용이라고 한다.

ㄱ. X는 인슐린으로 이자의 β세포에서 분비된다.

ㄴ. Y는 글루카곤으로 간에서 글리코젠이 포도당으로 분해되는 반응을 촉진한다.

073 답 ⑤ | 그래프를 보면 정상인의 경우 포도당 섭취 후에 혈당량이 상승한 이후 혈당량이 정상 범위 내로 감소하는 반면, 인슐린이 과다 분비되는 환자는 혈당량이 정상 범위보다 더 낮은 수치까지 감소하는 것을 볼 수 있다. 이를 통해 인슐린은 혈당량을 낮추는 기능을 수행함을 확인할 수 있다.

t_1 시기에는 정상인보다 환자가 혈당량이 더 낮음을 확인할 수 있다. 환자가 정상인보다 혈당량의 변화량이 더 크다.

074 답 ② | 호르몬 A는 혈당량이 낮을 때 농도가 높고 혈당량이 높을수록 농도가 낮으므로 혈당량을 높이는 글루카곤임을 알 수 있다. 호르몬 B는 혈당량이 낮을 때 농도가 낮고 혈당량이 높을 때 많이 분비되므로, 혈당량을 낮추는 호르몬인 인슐린이다.

글루카곤과 인슐린은 간에 작용하여 서로 반대되는 기능을 한다. 글루카곤은 글리코젠이 포도당으로 분해되는 ㉡ 작용을 촉진해 포도당의 양을 늘리고, 인슐린은 포도당이 글리코젠으로 합성되는 ㉠ 작용을 촉진해 포도당의 양을 낮춘다. 이처럼 같은 기관에 반대되는 작용을 통해 항상성을 조절하는 작용을 길항 작용이라고 한다.

ㄱ. A는 혈당량이 낮을 때 분비되는 글루카곤으로 이자의 α세포에서 분비된다.

ㄴ. B는 인슐린으로, 포도당이 글리코젠으로 합성되는 ㉠ 과정을 촉진한다.

075 답 ② | 신경절 이전 뉴런의 길이, 신경절 이전 뉴런의 신경 세포의 위치 등을 통해 교감 신경과 부교감 신경을 구분할 수 있다. 신경절 이전 뉴런이 길고, 신경절 이전 뉴런의 신경 세포체가 척수보다 위에 있는 X는 부교감 신경, 신경절 이전 뉴런이 짧고 신경절 이전 뉴런의 신경 세포체가 척수에 있는 Y는 교감 신경이다.

(나)에서 운동을 시작하면 점점 더 많은 에너지가 필요하고 이에 따라 혈당량이 높아져야 한다. 따라서 운동 시간이 지속될 때 농도가 증가하는 호르몬 B는 혈당량을 높이는 글루카곤이다. 반대로 운동 시간이 많을수록 분비가 감소하는 호르몬 A는 혈당량을 낮추는 기능을 하는 인슐린임을 알 수 있다.

교감 신경이 흥분할 때 혈당량이 증가하고 부교감 신경이 흥분할 때 혈당량이 감소하므로, 교감 신경인 Y가 흥분하면 호르몬 B의 분비가 촉진되고 부교감 신경인 X가 흥분하면 호르몬 A의 분비가 촉진된다.

ㄱ. 혈당량 조절의 중추는 체내 항상성 조절의 중추인 간뇌

이다.

ㄷ. 호르몬 B는 글루카곤으로, 교감 신경인 Y가 흥분할 때 분비가 촉진된다.

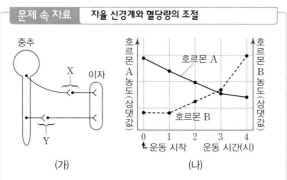

문제 속 자료 자율 신경계와 혈당량의 조절

- 신경절 이전 뉴런의 신경 세포체가 척수 위에 있고, 신경절 이전 뉴런의 길이가 긴 X는 부교감 신경, 신경절 이전 뉴런의 신경 세포체가 척수에 있고 신경절 이전 뉴런의 길이가 짧은 Y는 교감 신경이다.
- 운동 시간이 많을 때 분비량이 증가하는 호르몬 B는 혈당량을 높이는 글루카곤, 운동 시간이 많을 때 분비량이 감소하는 호르몬 A는 혈당량을 낮추는 인슐린이다.
- 교감 신경인 Y가 흥분할 때 글루카곤(B)의 분비가 촉진되어 혈당량이 증가하고, 부교감 신경이 X가 흥분할 때 인슐린(A)의 분비가 촉진되어 혈당량이 감소한다.

076 답 ④ | 시상 하부에 저온 자극이 주어지면 체온을 높이기 위해 열 발생량은 높이고, 피부 표면을 통한 열 발산량을 줄이는 여러 작용이 일어나게 된다. 우선 내분비계를 통해서는 뇌하수체와 갑상샘을 자극하여 티록신 분비량을 늘려 물질대사량을 높이고, 신경계를 통해서는 교감 신경이 작용하여 부신 속질의 에피네프린(아드레날린)의 분비량을 높여 혈당량을 높인다. 또한, 피부 표면의 모세 혈관을 수축시켜 표면으로 발산하는 열을 줄이게 된다.

제시된 그림에서 뇌하수체에서 분비되는 TSH에 의해 자극되는 내분비샘 A는 갑상샘이고, 갑상샘에서는 티록신이 분비되어 간에서 물질대사를 촉진한다. 부신 속질과 피부 모세 혈관에 작용하는 (가)와 (나)는 모두 교감 신경이다.

오답 피하기

ㄷ. 저온 자극이 주어지면 피부 모세 혈관이 수축하여 열 발산량이 감소한다.

077 답 ③ | 체온 조절의 중추는 간뇌의 시상 하부로, 저온 자극이 주어지면 여러 경로를 통해 열 발생량을 늘리고 피부를 통한 열 발산량을 줄여 체온을 높이게 된다.

우선 시상 하부는 TRH를 분비하여 뇌하수체 전엽을 자극하여 TSH의 분비를 촉진하고, 이는 갑상샘에서의 티록신 분비를 촉진해 물질대사를 촉진하여 에너지 생성량을 늘린다. 혈중 티록신의 농도는 음성 피드백 작용으로 조절되어,

티록신의 분비가 과다하면 이것이 신호가 되어 TRH와 TSH의 분비를 억제한다. 또한, 교감 신경이 작용하여 피부의 털세움근(입모근)을 수축시켜 피부로부터의 열 발산량을 줄이게 된다.

오답 피하기

ㄴ. 털세움근(입모근)이 수축하면 피부 표면으로 흐르는 혈류량이 감소하여 열 발산량이 감소하게 된다.

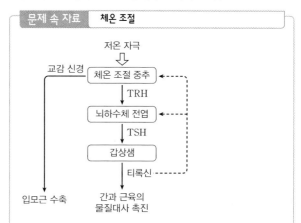

문제 속 자료 체온 조절

- 체온 조절의 중추는 간뇌의 시상 하부로, 저온 자극을 받으면 여러 경로를 통해 체온을 높인다.
- 시상 하부는 뇌하수체를 자극해 TSH의 분비를 촉진하고, 이는 티록신의 분비를 늘려 간과 근육에서의 물질대사를 촉진시킨다(열 발생량 늘림).
- 시상 하부는 교감 신경을 흥분시켜 피부의 털세움근(입모근)을 수축시켜 피부로 흐르는 혈류량을 줄인다(열 발산량 줄임).

078 답 ① | 실험 결과 그래프에서 시상 하부의 온도가 낮아지면 체온이 상승하고, 반대로 시상 하부의 온도가 상승하면 체온이 낮아짐을 확인할 수 있다. 이는 시상 하부가 온도 조절의 중추로 작용하여 저온 자극이 오면 체온을 높이고, 고온 자극이 오면 체온을 낮춘다는 것을 보여 준다. 즉, 정상 체온인 38 ℃일 때는 체온이 변하지 않고, 시상 하부의 온도가 이보다 낮으면 체온을 높이는 작용을 하고, 이보다 높으면 체온을 낮추는 작용을 한다.

시상 하부는 간뇌의 일부로, 중추 신경계에 해당한다.

오답 피하기

ㄴ. 시상 하부의 온도가 38 ℃보다 낮으면 체온이 상승하는 것을 확인할 수 있다.

ㄷ. 구간 Ⅰ에서는 열 발산량과 열 발생량이 같으므로, 체온이 일정하게 유지된다. 반면 구간 Ⅱ에서는 체온이 상승하고 있으므로, 열 발산량은 적고 열 발생량이 많은 시기이다. 따라서 $\dfrac{\text{열 발생량}}{\text{열 발산량}}$의 값은 구간 Ⅱ에서가 구간 Ⅰ보다 더 높다.

079 답 ④ | 체온 조절의 중추는 간뇌의 시상 하부이다. 제시된 자료에서 체온 조절 중추의 작용으로 뇌하수체 전엽과 내분

비샘이 차례로 반응해 티록신이 분비되어 물질대사가 촉진되고, 피부 모세 혈관이 수축하여 열 발산량이 줄었으므로 이는 체온을 높이는 과정이다. 즉, 저온 자극에 대해 시상 하부가 체온을 높이는 과정이고, 내분비샘 ㉠은 티록신을 분비하는 갑상샘이다. 피부 모세 혈관을 수축시키는 (가)는 교감 신경이다.

오답 피하기

ㄴ. (가)는 교감 신경으로, 시상 하부의 명령으로 교감 신경이 흥분하면 피부 모세 혈관이 수축해 피부로 가는 혈류량이 줄어 열 발산량이 감소한다.

080 답 ③ | 제시된 그림에서 병원체가 단백질 껍질에 둘러싸여 있고, 내부에 유전 물질로 RNA만을 지니므로 이는 바이러스임을 알 수 있다. 바이러스는 유전 물질로 핵산을 가지며, 숙주 세포 밖에서는 단백질 결정 상태로만 존재하고 오직 숙주 세포 안으로 들어갔을 때에만 숙주 세포의 물질대사 체계를 이용해 증식할 수 있다.

오답 피하기

ㄴ. 바이러스는 생물과 무생물의 중간 단계라고 불려지는 병원체로, 세포 구조가 아니다. 숙주 세포 밖에서는 증식할 수 없으며, 오직 숙주 세포 내로 침입했을 때에만 증식할 수 있는 특징을 보인다.

081 답 ② | 에이즈(AIDS)를 유발하는 병원체 A는 바이러스의 일종인 HIV이고, 식중독을 유발하는 병원체 B는 세균의 일종인 대장균이다. 바이러스는 세포 구조를 하고 있지 않다. 대장균은 원핵생물계의 생물로 유전 물질이 핵막에 싸여 있지 않고 세포 내부에 퍼져 존재한다. HIV와 대장균 모두 감염성 질병을 일으키는 병원체이다.

오답 피하기

ㄱ. A는 바이러스의 일종이다.

ㄴ. 대장균은 원핵세포로 유전 물질이 세포질에 존재한다.

문제 속 자료	바이러스와 세균의 비교	
병원체	A	B
구조		
질병의 예	에이즈	식중독

• 바이러스는 세포 구조가 아니며, 숙주 세포 내에서만 물질대사가 가능하다.
• 세균은 핵이 없는 단세포 생물로, 스스로 물질대사와 증식이 가능하다.

082 답 ② | 그림에서 ㉠은 스스로 개체가 분열하면서 두 개의 개체로 나누어지고 있는데, 이는 세균(박테리아)의 분열법을 나타낸다. 따라서 ㉠은 병원체 중 세균을 나타낸다. ㉡은 숙주 세포 내로 침입한 개체가 여러 개로 증식하고 숙주 세포를 파괴하면서 나오는 모습으로, 이는 숙주 세포 내에서만 증식이 가능한 바이러스의 증식 모습이다. 따라서 ㉡은 바이러스를 나타낸다.

세균과 바이러스 모두 자신의 유전 물질을 가지고 있다.

오답 피하기

ㄱ. AIDS는 대표적인 바이러스에 의한 질병이다. ㉠은 세균을 나타낸다.

ㄴ. ㉡은 바이러스로, 스스로 물질대사를 할 수 없고 오직 숙주 세포로 들어갔을 때에만 숙주 세포의 물질대사 체계를 이용해 물질대사와 증식을 할 수 있다.

문제 속 자료	세균과 바이러스의 증식 방법

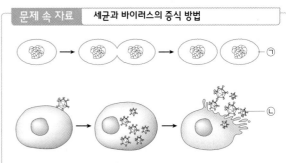

• ㉠은 세포 구조를 한 개체가 두 개의 세포로 분열되어 증식하는 것으로, 세균의 분열법을 나타낸다. 따라서 ㉠은 병원체 중 세균이다.
• ㉡은 다른 세포로 침입한 후, 숙주 세포의 물질대사 체계를 이용해 개체를 늘린 후 숙주 세포를 파괴하고 나오는 모습으로, 바이러스의 증식법을 나타낸다. 따라서 ㉡은 바이러스이다.

083 답 ① | 콜레라를 유발하는 병원체 (가)는 세균의 일종인 콜레라균이고, AIDS(에이즈)를 유발하는 병원체 (나)는 바이러스의 일종인 HIV이다. 바이러스는 유전 물질을 가지고 있지만 세포 구조를 하고 있지 않으며, 스스로 물질대사를 할 수 없고 오직 다른 숙주 세포 내로 침입하여 숙주 세포 내의 물질대사 시스템을 이용해 증식할 수 있다.

오답 피하기

ㄴ. (가)는 세균으로 단세포 원핵 생물이며 스스로 물질대사를 하여 증식한다.

ㄷ. (나)는 바이러스로 유전 물질은 가지지만 세포 구조가 아니다.

084 답 ④ | 대식세포는 식균 작용을 통해 침입한 병원체를 제거하는데, 이 과정에서 항원의 정보를 보조 T림프구에 제공한다. 이러한 과정을 통해 비특이적 방어 작용과 특이적 방어 작용이 연계된다. 대식세포와 같은 항원 제시 세포로부터 항

원의 정보를 얻은 보조 T림프구는 B림프구가 기억 세포와
형질 세포로 분화하게 한다. 형질 세포는 제공받은 항원의
정보에 맞는 항체를 분비하여 병원체를 제거한다. 여기까지
가 1차 면역 반응이다. 1차 면역 반응에서 형성된 기억 세포
는 항원의 정보를 가지고 있으며, 같은 병원체가 재침입하면
빠르게 대량으로 형질 세포로 분화하여 대량의 항체를 생성
하여 병원체를 제거한다. 이러한 반응이 2차 면역 반응이다.
이처럼 형질 세포를 형성해 항체를 분비함으로써 병원체를
제거하는 면역 과정을 체액성 면역이라고 한다.

제시된 그림에서 B림프구가 분화한 세포인 ㉠은 형질 세포
이다.

오답 피하기

ㄱ. 병원체가 침입하여 발생하는 질병을 감염성 질병이라고
하고, 병원체의 침입 없이 나타나는 질병을 비감염성 질병이
라고 한다. 문제의 사례는 병원체 X가 침입한 것이므로 감
염성 질병을 나타낸다.

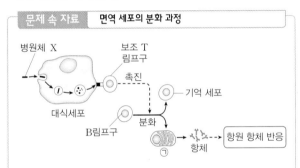

문제 속 자료 면역 세포의 분화 과정

- 병원체 X를 세포 내의 식균 작용으로 제거하는 대식세포의 면역 반응은
  1차 방어 작용에 해당한다. 이때 대식세포는 병원체(항원)의 정보를 보조
  T림프구에 제공한다.
- 항원의 정보를 제공받은 보조 T림프구는 B림프구를 형질 세포와 기억
  세포로 분화시킨다.
- 형질 세포는 항원에 맞는 항체를 생성해 병원체를 제거한다. → 1차 면역
  반응
- 기억 세포는 같은 항원이 재침입하면 빠르게 형질 세포로 분화해 대량의
  항체를 생성하여 병원체를 제거한다. → 2차 면역 반응

085 답 ③ | 그림에서 ⓐ는 항체를 나타낸다. 항체를 생성하는 ㉠
은 항체 분비 세포(형질 세포)이고, ㉡은 기억 세포이다. 병
원체의 최초 침입 시에 형질 세포가 생성되어 항체를 분비하
는 것은 1차 면역 반응에 해당한다. 같이 생성된 기억 세포
가 같은 병원체의 재침입 시 빠르게 형질 세포로 분화하여
항체를 대량으로 분비해 병원체를 빠르게 제거하는 것은 2차
면역 반응이다. 백신의 목적은 체내의 기억 세포를 미리 생
성시키는 것으로, 이에 따라 백신의 주성분은 기억 세포를
형성할 수 있는 약화된 항원이다.

오답 피하기

ㄷ. ⓐ는 항체로, 백신의 주성분이 아니다. 백신의 주성분은

기억 세포를 형성시킬 수 있는 약화된 항원 조각이다.

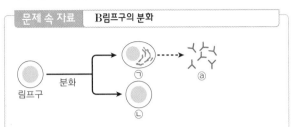

문제 속 자료 B림프구의 분화

- B림프구는 항원을 인지한 보조 T림프구의 작용으로 형질 세포와 기억
  세포로 분화한다.
- 형질 세포는 전달받은 항원 정보에 따라 특정 항원에 결합하여 무력화시
  키는 항체를 분비한다.
- 기억 세포는 항원에 대한 정보를 가지며, 같은 항원의 재침입 시 빠르게
  형질 세포로 분화한다.

086 답 ⑤ | (가)는 비특이적 방어 작용(1차 방어 작용)의 하나인
염증 반응을 나타낸다. 상처 부위로부터 세균이 침입하면,
상처 부위의 혈류량이 늘어나 백혈구와 같은 면역 세포가 몰
려들고, 이들의 식균 작용으로 병원체가 제거된다. 이때 면
역 세포들은 항원의 정보를 보조 T림프구에 제공하는데, 이
로부터 특이적 방어 작용(2차 방어 작용)이 시작된다.

(나)는 대식세포(식세포)로부터 항원 정보를 받아 시작되는
특이적 면역 반응으로, 보조 T림프구에 의해 B림프구가 형
질 세포와 기억 세포로 분화하여 항체를 생성해 병원체를 제
거한다. 형질 세포에서 생성된 항체는 제공받은 항원 정보에
맞게 특정 항원에 결합할 수 있는 구조를 하고 있으며, 이에
따라 특정 항원에 결합해 항원을 무력화한다. 이처럼 항체가
특정 항원과 결합하는 것을 항원 항체 반응이라고 한다. 형
질 세포와 함께 분화한 기억 세포는 같은 항원이 또 다시 침
입하면 빠르게 형질 세포로 분화해 대량의 항체를 생성한다.
이 과정이 2차 면역 반응이다.

오답 피하기

ㄱ. (가)의 식균 작용은 항원의 종류에 상관없이 일어나는 방
어 작용으로 비특이적 방어 작용에 해당한다. 제공받은 항원
의 정보에 따라 특정 항원만 제거하는 (나)의 과정이 특이적
방어 작용이다.

087 답 ⑤ | (가)는 대식세포가 항원을 세포 내부로 포식하여 제
거하는 식균 작용을 나타낸다. 대식세포의 식균 작용은 병원
체의 종류에 상관없이 일어나는 비특이적 방어 작용(1차 방
어 작용)이다. 이때 항원의 정보가 보조 T림프구로 전달되
고, 이에 따라 B림프구가 형질 세포와 기억 세포로 분화한
다. 형질 세포는 제공받은 항원의 정보에 따라 특정 항원과
결합하는 항체를 생성해 병원체를 제거한다. 따라서 세포 ㉠
은 형질 세포이다. 형질 세포와 같이 분화한 기억 세포는 항

원의 정보를 지니고 있다가, 같은 항원이 다시 침입하면 빠르게 형질 세포로 분화한다. 이때 형질 세포는 대량으로 항체를 생성해 병원체를 제거하는데, 이 과정이 2차 면역 반응이다.

088 답 ④ | t_1 시기는 항원 A가 처음 침입한 이후 항체가 처음 생성되는 과정이다. 이때는 항체가 생성되기까지 시간이 오래 걸리며, 생성되는 항체의 양도 상대적으로 많지 않다. 이러한 과정을 1차 면역 반응이라고 한다. 이때 항체를 생성하는 형질 세포와 2차 면역 반응을 대비하는 기억 세포가 생성된다.

t_2와 t_3는 항원 A가 재침입한 이후, 항체가 빠르고 대량으로 생성되는 것을 나타낸다. 이는 1차 면역 반응 때 생성되었던 기억 세포가 빠르게 형질 세포로 분화하여 다량의 항체를 생성하여 나타난다.

오답 피하기

ㄷ. t_3일 때도 형질 세포와 기억 세포가 같이 존재한다.

089 답 ⑤ | 항원 A와 항원 B를 동시에 주입했을 때 항체 A는 빠르게 대량으로 생성되는 것을 볼 수 있는데, 이는 2차 면역 반응의 그래프이다. 따라서 이 쥐는 항원 A에 대한 기억 세포가 미리 생성되어 있음을 알 수 있다. 반면 항체 B는 시간이 걸린 후에 상대적으로 적은 양이 생성되는데, 이는 항원 B에 대한 1차 면역 반응이 나타난 것이다. 이후 항원 B를 2차 주입했을 때는 항체가 빠르게 대량으로 생성되는데, 이는 1차 면역 반응 때 기억 세포가 생성되어 2차 면역 반응이 나타났음을 보여 준다.

오답 피하기

ㄱ. 실험 전에 이 쥐는 항체 A에 대한 기억 세포가 형성되었으므로, 이 쥐는 항원 A에 노출된 적이 있다.

090 답 ④ | 백신 X를 주사한 이후 일주일 후에 항체 a가 형성되는 것으로 보아 백신 X는 항원 a를 포함하고 있음을 알 수 있다. 이 때 항원 A에 대한 형질 세포와 기억 세포가 만들어진다. 따라서 구간 Ⅰ에는 항원 A에 대한 기억 세포가 형성되어 있다. 백신 X를 주사하고 4주 후에 백신 Y를 주사했을 때 항체 a가 매우 빠르게 생성되고, 항체 b가 천천히 생성되는 것을 볼 수 있는데, 이는 항원 A에 대한 2차 면역 반응과 항원 B에 대한 1차 면역 반응이 일어난 것이다. 따라서 백신 Y에는 항원 A와 항원 B가 동시에 들어 있음을 알 수 있다. 백신에는 약화된 항원이 들어 있어 질병을 일으키지는 않으면서 면역 세포의 형성을 유도한다.

오답 피하기

ㄱ. X를 주사하면 항체 a만 형성되므로, 항원 B에 대한 질병은 예방되지 않는다.

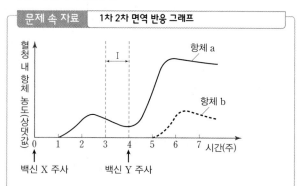

| 문제 속 자료 | 1차 2차 면역 반응 그래프 |

- 백신 X를 주사한 이후에는 항체 a가 생성되므로, 백신 X에는 약화된 항원 A가 들어 있음을 알 수 있다. 즉, 백신 X는 항원 A를 예방할 수 있다.
- 백신 Y를 주사한 이후에는 항원 A에 대한 2차 면역 반응이 일어나고, 항원 B에 대한 1차 면역 반응이 일어난다. 이는 백신 Y에는 약화된 항원 A와 약화된 항원 B가 들어 있음을 알 수 있다.
- 형질 세포와 기억 세포는 동시에 분화되므로, 항체가 생성되었다는 것은 형질 세포와 기억 세포가 모두 존재하는 것이다. 따라서 구간 Ⅰ에는 항원 A에 대한 기억 세포가 형성되어 있다.

091 답 ③ | (가)는 항원 X가 대식세포의 식균 작용에 의해 제거되는 비특이적 방어 작용이 일어나고 이후 형질 세포와 기억 세포가 형성되는 특이적 방어 작용이 일어나는 과정까지를 나타낸다. 이처럼 형질 세포가 분화되고 항체가 생성되어 병원체가 제거되는 과정을 체액성 면역이라고 한다.

(나)는 1차 면역 반응이 일어난 이후 기억 세포에 의해 항체가 대량 생성되는 2차 면역 반응이 일어나는 과정까지를 나타내는 그래프이다. 구간 Ⅰ은 1차 면역 반응으로, 항체가 생성되기까지 시간이 걸리고 항체 생성량도 상대적으로 많지 않다. 구간 Ⅱ는 2차 면역 반응으로, 1차 면역 반응 과정에서 생성된 기억 세포가 빠르게 형질 세포로 분화하여 항체를 다량으로 생성한다.

오답 피하기

ㄷ. 형질 세포는 다른 세포로 분화하지 않는다. 1차 면역 반응 때 생성되었던 기억 세포가 빠르게 형질 세포로 분화하고, 일부는 기억 세포로 남는다.

092 답 ③ | 실험 Ⅰ에서는 생쥐 A에서 1차 면역 반응과 2차 면역 반응이 일어났음을 알 수 있다. 이때 생쥐 A의 혈청에는 항원 X에 대한 항체가 생성되어 있다. 실험 Ⅱ에서는 생쥐 A의 혈청을 생쥐 B에 주사했으므로, 생쥐 B에 X에 대한 항체가 존재하지만 시간이 지나면서 양이 감소하다가 완전히 사라진다. 이후 항원 X를 주사한 이후 1차 면역 반응이 일어나 항체의 농도가 다시 높아진다. 이때는 형질 세포와 기억 세포가 동시에 형성된다. 이를 통해 항체의 수명은 짧

은 반면, 기억 세포는 오랜 시간 동안 계속해서 존재하여 2차 면역 반응을 나타냄을 알 수 있다.

오답 피하기

ㄱ. 혈청 주사에는 항체가 존재하고, 항원이나 면역 세포가 존재하지는 않는다. 따라서 기억 세포의 형성을 유도하지 않는다. 기억 세포는 항원이 들어왔을 때만 형성된다.

ㄴ. 실험 Ⅱ의 그래프를 보면 항체는 빠른 속도로 사라지는 것을 볼 수 있는 반면, 실험 Ⅰ의 그래프에서는 1차 면역 반응 이후 2차 면역 반응이 나타나기까지 기억 세포가 존재하므로 기억 세포의 수명이 훨씬 길다는 것을 알 수 있다.

문제 속 자료 | 면역 반응 관련 실험

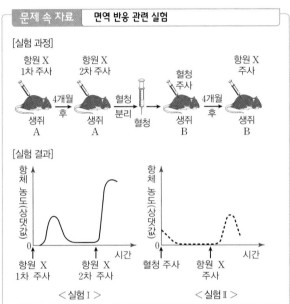

[실험 과정]

[실험 결과]

<실험 Ⅰ>　　　<실험 Ⅱ>

- 생쥐 A에게 항원 X를 1차, 2차 주사하였으므로 1차 면역 반응과 2차 면역 반응이 일어난다. 이는 실험 Ⅰ의 그래프로 나타난다.
- 이후 실험 Ⅱ에서는 생쥐 A로부터 혈청을 분리하여 생쥐 B에게 주사하였으므로, 생쥐 A로부터 유래한 항체가 들어 있다.
- 혈청은 혈액의 액체 성분으로, 형질 세포가 분비한 항체는 들어 있지만 면역 세포나 항원은 들어 있지 않다. 따라서 혈청 주사는 기억 세포의 형성을 유도하지 않는다.
- 실험 Ⅱ의 그래프를 보면 주입받은 항체의 농도는 주입 이후부터 감소하다가 사라지는데, 이는 항체의 수명이 길지 않다는 것을 보여 준다.

093 답 ④ | 생쥐 Ⅱ에는 죽은 X를 주입하였으므로, 1차 면역 반응이 일어나 X에 대한 형질 세포와 기억 세포가 형성된다. 이는 첫 번째 실험 결과 표에서 생쥐 Ⅱ에서 항체가 생성되었다는 것에서 확인할 수 있다. 생쥐 Ⅰ과 Ⅲ에 생리식염수를 주입한 것은 대조군이다. 이후 생쥐 Ⅱ의 혈청을 생쥐 Ⅲ에 주입했으므로, 생쥐 Ⅲ에는 생쥐 Ⅱ에서 유래한 항체가 들어 있다. 이후 생쥐 Ⅰ~Ⅲ에 살아 있는 X를 주입하면, 생쥐 Ⅰ은 병원체 X에 감염되어 죽고, 생쥐 Ⅱ는 기억 세포가 형성되었으므로 2차 면역 반응이 일어나서 감염되지 않는다. 생쥐 Ⅲ은 항체를 가지고 있으므로 역시 감염되지 않는다. 이는 실험 결과에서 두 번째 표에서 생쥐 Ⅰ만 죽은 것에

서 확인할 수 있다.

과정 (마)에서 생쥐 Ⅱ는 이미 기억 세포가 형성되어 있으므로 X에 대한 2차 면역 반응이 일어난다. 이는 특이적 면역 반응이다. 또한 생쥐 Ⅲ도 생쥐 Ⅱ로부터 유래한 항체가 있기 때문에 항원 항체 반응이 일어난다.

오답 피하기

ㄱ. ⊙은 생쥐 Ⅱ에서 얻은 혈청으로 여기에는 항원 X에 대한 항체는 있지만, 형질 세포는 들어 있지 않다. 혈청은 혈액의 액체 성분으로 크기가 큰 형질 세포 등은 존재하지 않는다.

문제 속 자료 | 면역 반응 관련 실험

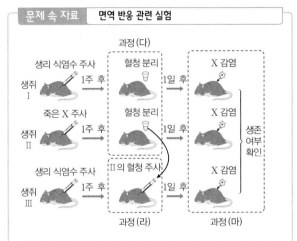

- 생쥐 Ⅱ에 죽은 X를 주사하면 1차 면역 반응이 일어나 형질 세포와 기억 세포가 형성된다. 생리 식염수는 대조군으로 넣은 것이다.
- 생쥐 Ⅰ의 혈청에는 면역 관련 물질이 없고, 생쥐 Ⅱ의 혈청에는 X에 대한 항체가 존재한다.
- 생쥐 Ⅱ는 기억 세포가 있고, 생쥐 Ⅱ의 혈청을 받은 생쥐 Ⅲ는 항체가 존재하므로 면역 반응이 일어난다.

094 답 ② | 아버지는 응집소 α는 있지만 응집소 β가 없다. 이는 응집원 B가 존재하고 응집원 A는 존재하지 않는 것이므로, B형임을 알 수 있다. 영희는 응집소 α, β가 모두 존재하므로, 응집원 A, B가 없는 O형임을 알 수 있다. 영희가 O형이므로, 아버지와 어머니는 모두 O 유전자를 가지고 있으며, 어머니는 혈액형이 B형과 O형이 아니므로 가능한 경우는 유전자형이 AO인 A형임을 알 수 있다. 어머니가 A형이므로 응집원 A가 있고 응집소 β가 존재한다. 아버지와 어머니의 유전자형이 각각 BO와 AO이므로, 영희의 동생은 A형, B형, AB형, O형이 모두 같은 확률로 나올 수 있다. 따라서 동생이 B형일 확률은 25 %이다.

오답 피하기

ㄱ. 영희의 아버지는 B형이다.

ㄴ. 영희의 어머니는 A형이므로 응집소 β를 갖고 응집소 α는 가지지 않는다.

095 답 ① | 철수의 혈액형이 O형이므로, 철수의 혈액에는 응집원 A, B는 존재하지 않고, 응집소 α, β가 존재한다.

아버지의 혈장에는 응집소만 존재하므로, 철수의 혈액과 반응이 일어나지 않는다. 그리고 아버지 혈액의 혈구와 철수의 혈액이 응집되므로, 아버지는 응집원 A 또는 B가 존재한다. 어머니 혈액의 혈장에도 응집소만 있어 철수 혈액과는 응집 반응이 일어나지 않으므로, ㉠은 '−'이다. 그리고 어머니의 혈구는 철수의 혈액과 반응이 일어나지 않는데, 이는 응집원 A, B가 없다는 뜻이므로 어머니의 혈액형은 O형이다. 또한, 아버지와 O형인 어머니 사이에서 O형인 철수가 나왔으므로, 아버지는 유전자형이 AO인 A형 또는 BO인 B형 중 하나이다.

오답 피하기

ㄴ. 철수의 아버지는 A형 또는 B형 중 하나이므로 응집소 α와 β 모두를 가지지는 않는다.

ㄷ. 어머니의 혈액형이 O형이므로, 철수의 동생은 AB형이 될 수 없다.

096 답 ② | 항 A 혈청에는 응집소 α가 들어 있고, 항 B 혈청에는 응집소 β가 들어 있다. 철수의 혈액이 항 B 혈청에만 응집 반응이 일어나므로 철수의 혈액형은 B형이다. 따라서 철수 혈액의 혈구에는 응집원 B가 있고, 혈장에는 응집소 α가 들어 있다.

영희 혈액의 혈구가 철수 혈액의 혈장과 반응하지 않았으므로, 영희는 응집원 A가 없다. 응집원 A가 없으므로, 응집소 α가 존재한다. 그리고 영희 혈장과 철수 혈구에서 응집 반응이 일어나므로, 영희는 응집소 β가 들어 있다. 이를 통해 영희는 응집소 α와 응집소 β가 모두 있는 O형임을 알 수 있다. 따라서 철수와 영희의 혈액에는 공통적으로 응집소 α가 들어 있다.

오답 피하기

ㄱ. 철수의 혈액형은 B형이다.

ㄷ. 영희는 응집소 α, β가 모두 있으므로, A형, B형 모두로부터 수혈받을 수 없다.

문제 속 자료	혈액형의 판정

항 A 혈청	항 B 혈청			
○	●		철수 혈구	철수 혈장
		영희 혈구		−
		영희 혈장	+	
응집 안 됨	응집됨		(+: 응집됨, −: 응집 안 됨)	

- 항 A 혈청에는 응집소 α가, 항 B 혈청에는 응집소 β가 들어 있다. 철수의 혈액은 항 B 혈청에만 응집되므로, 혈액형은 B형임을 알 수 있다.
- 철수의 혈액형이 B형이므로 혈구에는 응집원 B가, 혈장에는 응집소 α가 들어 있다. 따라서 철수의 혈장과 반응하지 않으면 응집원 A가 없는 것이고, 철수의 혈구와 반응하면 응집소 β가 있는 것이다. 이를 통해 영희의 혈액형이 O형임을 알 수 있다.

097 답 ② | 철수의 혈액은 항 A 혈청과 항 B 혈청에 모두 응집이 일어나므로 AB형임을 알 수 있다. 표에서 응집원 ㉠과 응집원 ㉡을 모두 가지고 있는 사람이 있으므로 (응집원 ㉠: 응집원 A, 응집소 ㉡: 응집소 β) 또는 (응집원 ㉠: 응집원 B, 응집소 ㉡: 응집소 α) 중 하나이다.

우선 첫 번째 경우로 가정해 보면, 응집원 ㉠이 있는 사람은 응집원 A가 있는 사람이므로 A형 또는 AB형이다. 다음으로 응집소 ㉡이 있는 사람은 응집소 β가 있는 사람이므로 A형 또는 O형이다. 다음으로 응집원 ㉠과 응집소 ㉡이 있는 사람은 A형인 사람이다. 따라서 AB형인 사람의 수는 A형과 AB형인 사람의 무리에서 A형인 사람 수를 빼면 되므로, 79명에서 A형인 사람의 수인 57명을 뺀 22명이다. 이는 두 번째 경우로 셈을 해 봐도 같은 값이 나온다. 따라서 철수와 같은 혈액형인 사람의 수는 22명이다.

문제 속 자료	혈액형의 판정

항 A 혈청	항 B 혈청
▲	▲
응집됨	응집됨

구분	사람 수(명)
응집원 ㉠이 있는 사람	79
응집소 ㉡이 있는 사람	111
응집원 ㉠과 응집소 ㉡이 모두 있는 사람	57

- 두 혈청에 모두 응집하는 철수의 혈액형에는 응집원 A와 응집원 B가 모두 들어 있으므로, 철수의 혈액은 AB형이다.
- 응집원 ㉠과 응집소 ㉡은 한 사람에게 동시에 존재하는 것이 가능하므로, (응집원 A, 응집소 β) 또는 (응집원 B, 응집소 α) 두 경우 중 하나임을 알 수 있다.
- ㉠을 응집원 A라고 한다면, 응집원 A가 있는 사람은 A형과 AB형을 모두 포함한다. 응집원 A와 응집소 β가 동시에 있는 사람은 A형이다. 따라서 A형과 AB형을 모두 포함한 수에서 A형인 사람의 수를 빼면 AB형인 사람의 수가 나온다.
- 마찬가지로 응집소 ㉡이 있는 사람은 A형과 O형을 모두 포함한다. 여기에서 A형인 사람의 수를 빼면 O형인 사람 수를 구할 수 있다. O형인 사람의 수는 $111 - 57 = 54$(명)이다.

098 답 ② | 혈액의 혈장에는 응집소가, 혈구에는 응집원이 존재한다. (가)에서 철수의 혈구와 영희의 혈장을 섞었으므로, 철수의 응집원과 영희의 응집소가 존재한다. 적혈구의 표면에 붙어 있는 ㉠은 응집원이고, ㉡은 응집소이다. 이때 두 종류의 응집소가 존재하므로, 영희는 두 종류의 응집소를 모두 가지고 있는 O형이다. (나)에서는 철수의 응집소와 영희의 응집원이 존재하는데, 영희의 혈구에는 응집원이 없음을 확인할 수 있다.

응집소인 ⓒ은 (가)와 (나)에 모두 있으므로 철수와 영희가 공통적으로 갖고 있는 응집소이다.

오답 피하기

ㄱ. ㉠은 응집원이다.

ㄷ. ⓒ은 철수도 가지고 있는 응집소이므로, ⓒ이 없는 사람은 철수와 혈액형이 다른 사람이다. 혈액형이 다른 사람끼리는 원칙적으로 수혈이 불가능하다.

문제 속 자료 응집원과 응집소

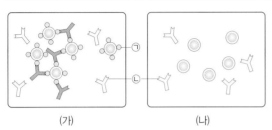

(가)   (나)

• ㉠은 철수 혈액의 적혈구 표면에 있는 응집원이고, ⓒ은 철수 혈구와 응집이 안 되는 응집소이다. 영희의 혈장에는 두 종류의 응집소가 존재하므로, 영희의 혈액형은 O형임을 알 수 있다.

• (나)에서 영희 적혈구 표면에는 응집원이 존재하지 않으므로, 영희는 O형이다. 또한, ⓒ은 철수의 혈장에 있는 응집소로 이는 영희와 철수의 혈액에 동시에 들어 있음을 알 수 있다.

• 철수에게 수혈할 수 있는 사람은 철수와 혈액형이 같거나 응집원이 없는 O형이다. 철수와 혈액형이 같은 사람은 ⓒ이 존재한다.

099 답 ② Ⅰ 그림을 보면 철수의 혈액형은 항 A 혈청과는 응집 반응이 일어나지 않고, 항 B 혈청에만 응집 반응이 일어나므로 B형임을 알 수 있다. 여기서 항 A 혈청에 존재하는 응집소인 ㉠은 응집소 α이다.

오답 피하기

ㄱ. ㉠은 항 A 혈청과 철수의 혈액에 동시에 존재하는 응집소로 응집소 α이다.

ㄷ. 철수의 혈액형은 B형이므로, 응집소 β가 존재하는 O형인 사람에게 수혈할 수 없다. 수혈은 원칙적으로는 같은 혈액형끼리 해야 하며, 수혈해 주는 혈액의 응집원과 수혈받는 혈액의 응집소가 응집하지 않는 경우에 다른 혈액형끼리 소량 수혈이 가능하다.

100 답 ① Ⅰ (가)에서 철수는 적혈구의 표면에 두 종류의 응집원이 모두 있으므로 혈액형이 AB형이다. 영희는 한 종류의 응집원이 있으므로 혈액형이 A형 또는 B형이다. (나)에서 영희는 항 B 혈청에만 응집되므로 혈액형이 B형이다.

따라서 영희는 응집원 B를 가지고 있고, 응집원 B가 아닌 ㉠은 응집원 A이다.

오답 피하기

ㄴ. 철수의 혈액형이 AB형이므로, 철수의 혈장에는 응집소

가 없다. 따라서 철수의 혈장과 영희의 혈구를 섞어도 응집 반응이 일어나지 않는다.

ㄷ. 마찬가지로, 철수의 혈액형이 AB형이므로 응집소를 가지지 않는다.

문제 속 자료 응집원과 응집소

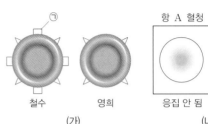

철수   영희   응집 안 됨   응집됨

(가)   (나)

• 철수의 적혈구 표면에는 두 종류의 응집원이 모두 존재하므로 철수의 혈액형은 응집원 A와 B가 모두 있는 AB형이다.

• 영희는 한 종류의 응집원만 갖는데, (나)에서 항 B 혈청에만 응집하므로 혈액형이 B형이다. 따라서 응집원 B를 갖고, 영희 적혈구 표면에 있는 삼각형 모양의 응집원은 응집원 B임을 알 수 있다.

• 철수가 갖는 응집원 중 영희가 갖는 응집원과 다른 ㉠은 응집원 A임을 알 수 있다.

101 답 ④ Ⅰ 영희는 혈액형이 A형이므로 응집원 A와 응집소 β가 존재한다. 왼쪽 그림에서 철수의 적혈구 표면에는 응집원이 없으므로 O형임을 알 수 있다. 영희의 적혈구 표면에 있는 응집원은 응집원 A이므로, 응집원 A와 응집하는 응집소 ㉠은 응집소 α이다. 응집소 ⓒ은 응집소 β이다.

영희의 혈구에는 응집원 A가 있고, 영희의 혈장에는 응집소 β가 있다. (가)는 응집원 A와 응집하고 응집소 β와 응집하므로 B형이다. (나)는 응집원 A와 응집하고 응집소 β와 응집하지 않으므로 O형이다. (다)는 응집원 A와 응집하지 않고 응집소 β에 응집하므로 AB형이다. (라)는 응집원 A에 응집하지 않고 응집소 β에도 응집하지 않으므로 A형이다. ⓒ인 응집소 β를 가지는 사람은 A형과 O형이므로, 7 + 11 = 18(명)이다. 영희의 응집원과 ㉠이 결합하는 응집 반응은 항원 항체 반응이다.

오답 피하기

ㄱ. 철수의 혈액형은 응집원이 존재하지 않는 O형이다. 따라서 (나)이다.

문제 속 자료 응집원과 응집소의 응집

응집소 ㉠   영희의 적혈구

철수의 적혈구   응집소 ⓒ

• 영희의 혈액형이 A형이므로 영희의 적혈구 표면에는 응집원 A가 존재한다.

• 영희의 적혈구와 응집 반응하는 응집소 ⓒ은 응집원 A와 응집하는 응집소 α이고, 이는 철수의 혈액에서 유래한 것이다.

• 철수의 적혈구에는 응집원이 없으므로 철수는 O형임을 알 수 있고, 응집소 ⓒ은 응집소 β로 영희와 철수의 혈액에 모두 들어 있는 응집소이다.

102 답 ⑤ | A와 B는 염색 분체를 나타낸다. 세포 분열을 준비하는 간기 중 S기에 DNA의 복제가 일어나고, 세포 분열 전기에 복제된 DNA가 응축하여 두 가닥으로 이루어진 염색체가 된다. A와 B는 복제되어 생긴 구조이므로, 서로 같은 유전 정보를 가진다.

(가)는 길다란 DNA 사슬이 히스톤 단백질에 감긴 구조를 나타낸다. 마치 실패에 실이 감긴 것과 같은 구조를 하고 있는데, 이러한 구조를 '뉴클레오솜'이라고 한다. (나)는 DNA를 나타낸다. DNA는 4종류의 뉴클레오타이드가 기본 구성 단위로, 뉴클레오타이드가 어떤 순서로 배열하는지에 따라 다른 정보를 지니게 된다.

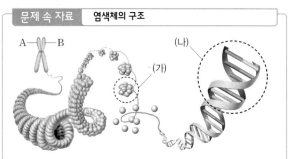

문제 속 자료 **염색체의 구조**

- A와 B는 간기에 DNA가 복제되어 만들어진 것으로 유전 정보가 서로 같다.
- (가)는 히스톤 단백질에 DNA가 감겨 있는 뉴클레오솜 구조이다.
- (나)는 DNA의 이중 나선 구조로 단위체인 뉴클레오타이드는 인산, 당, 염기로 구성되어 있다.

103 답 ③ | ㉠과 ㉡은 염색 분체의 같은 위치에 있는 유전자이며, 복제되어 나타난 구조로 유전 정보가 같다. 마찬가지로 DNA Ⅰ과 DNA Ⅱ는 복제되어 생긴 것으로 유전자 구성이 같다. (가)는 히스톤 단백질에 DNA가 실처럼 감긴 구조인 뉴클레오솜을 나타낸다.

오답 피하기

ㄴ. 대립유전자란 상동 염색체의 같은 위치에 존재하는 유전자 쌍을 의미한다. ㉠과 ㉡은 상동 염색체의 같은 위치에 존재하는 것이 아닌 염색 분체에 존재하는 두 유전자이므로 대립유전자가 아니다.

104 답 ① | ㉠은 히스톤 단백질, ㉡은 DNA를 나타낸다. 뉴클레오솜은 히스톤 단백질에 DNA가 감기면서 형성된 구조이다. 염색체의 응축 정도를 비교하면, G_1기에는 염색체가 아닌 염색사의 형태로 풀어져 있는 상태인 반면 세포 분열의 중기에는 염색사가 응축하여 형성된 염색체의 상태이다. 따라서 응축 정도가 큰 A는 세포 분열 중기의 세포, 응축 정도가 작은 B는 G_1기의 세포이다.

오답 피하기

ㄴ. 세포 분열 중기의 세포는 S기에 DNA 복제가 일어난 상태이므로 G_1기의 세포보다 DNA의 양이 2배이다.

ㄷ. 핵형 분석이란 현미경으로 염색체의 수, 크기 등을 직접 관찰하는 것을 의미하는데, 염색체가 응축되어 있는 세포 분열기의 세포를 관찰한다. 간기의 세포는 염색체가 나타나지 않으므로 핵형 분석을 할 수 없다.

105 답 ③ | A는 응축된 염색체를 나타내며, 두 개의 염색 분체로 이루어짐을 확인할 수 있다. 염색체는 DNA가 단백질에 감겨 응축되어 형성된다. B는 염색체를 이루는 DNA를 나타낸다. DNA는 기본 단위체인 4종류의 뉴클레오타이드가 길게 결합해 형성되는데, 뉴클레오타이드는 디옥시리보스에 하나의 인산과 4 종류의 염기 중 하나가 결합한 구조이다.

유전자 1과 유전자 2는 DNA의 다른 위치에 있는 서로 다른 유전자이다.

오답 피하기

ㄷ. 대립유전자는 상동 염색체의 같은 위치에 있는 유전자를 말한다. 유전자 1과 유전자 2는 한 염색체의 다른 위치에 있는 다른 종류의 유전자이다.

106 답 ⑤ | 상동 염색체는 각각 부모로부터 하나씩 물려받으며, 모양과 크기가 같아 쌍을 이루는 두 염색체이다. 상동 염색체의 같은 위치에 대립유전자가 존재한다.

ㄱ. 그림은 한 쌍의 상동 염색체를 나타내므로, 같은 위치에 있는 ㉠과 ㉡은 대립유전자이다. 대립유전자는 한 가지 형질의 결정에 관여하는 유전자이므로, ㉠과 ㉡은 모두 털색을 결정하는 대립유전자이다.

ㄴ. (가)는 염색체로, DNA와 (히스톤)단백질로 구성된다. DNA는 히스톤 단백질에 감겨 있다.

ㄷ. 염색체(가)는 세포가 분열할 때 DNA를 효율적으로 두 딸세포로 나누어 이동시키기 위해 응축된다. 따라서 세포 분열 중인 세포에서는 그림과 같이 막대 모양의 염색체가 관찰된다.

107 답 ② | 이 생물의 핵상이 $2n = 4$이므로, 이 생물은 두 쌍의 상동 염색체로 이루어진 4개의 염색체를 갖는다. 따라서 크기와 모양이 같은 (가)와 (나)는 상동 염색체이다.

상동 염색체의 같은 위치에 있는 두 유전자는 같은 형질을 결정하는 대립유전자이므로, A와 a, B와 b, D와 d는 대립유전자 관계에 있다.

오답 피하기

ㄱ. A와 a가 대립유전자 관계이고, A와 B는 하나의 염색체의 다른 위치에 있는 서로 다른 유전자이다.

ㄷ. 생식세포($n=2$) 형성 과정에서 2쌍의 상동 염색체가 서로 분리되므로 이 생물의 가능한 생식세포는 $2^2 = 4$(종류)이다. 즉, ABD, ABd, abD, abd의 생식세포가 형성된다.

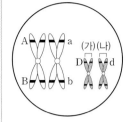

- 염색 분체는 DNA 복제 결과 만들어진다. ➡ 유전자 구성이 동일하다.
- 상동 염색체는 부모에게서 하나씩 물려받는다. ➡ 대립유전자 구성이 다를 수 있다.
- 생식세포 형성 과정에서 상동 염색체가 분리되어 각 생식세포로 들어간다. ➡ n쌍의 상동 염색체로 이루어진 세포가 만들 수 있는 생식세포의 수는 2^n개이다.

108 답 ③ | (가) 세포는 상동 염색체 쌍으로 구성된 것이 아닌 다른 종류의 세 가지 염색체로 이루어졌으므로, 상동 염색체가 분리되어 들어가 형성되어 핵상이 n인 생식세포임을 알 수 있다. (나) 세포는 크기와 모양이 같은 염색체가 쌍으로 있으므로 체세포인데, 염색 분체가 있는 형태가 아니므로 아직 DNA 복제가 일어나지 않은 시기를 모식적으로 나타낸 것이다. 또한, 크기가 다른 두 염색체가 쌍으로 있으므로 성염색체가 XY인 수컷의 세포이다.

오답 피하기

ㄷ. A와 ㉠은 상동 염색체의 같은 위치에 있는 대립유전자 관계이다. 이 생물의 특정 형질에 대한 유전자형이 Aa이므로, ㉠은 A의 대립유전자인 a가 된다.

109 답 ① | (가)는 염색체의 구성이 상동 염색체로 이루어진 체세포를 나타내고, (나)는 상동 염색체가 분리되어 핵상이 n인 생식세포를 나타낸다.

㉠은 쌍을 이루는 염색체와 크기가 다른데, 이 생물의 성염색체가 XY라고 했으므로 성염색체임을 알 수 있다.

오답 피하기

ㄴ. (나)는 핵상이 n인 생식세포이다.

ㄷ. (가)의 염색체 수는 $2n = 8$(개)이고, (나)의 염색체 수는 $n = 4$(개)이다. 따라서 (가)의 염색체 수는 (나)의 염색체 수의 2배임을 알 수 있다. 체세포의 염색체 수는 생식세포의 2배이다.

110 답 ③ | 세포의 주기는 크게 세포가 생장하고 다음 세포 분열을 준비하는 간기와 세포 분열이 일어나는 분열기(M기)로 구분되며, 간기는 다시 세분하여 세포가 생장하는 G_1기, DNA가 복제되는 S기, 세포가 생장하고 세포 분열을 준비하는 G_2기로 구분된다. 제시된 자료에서 (나)는 G_2기 다음이

므로 분열기(M기), (다)는 G_1기, (가)는 S기이다. 세포가 가장 많이 생장하는 시기는 G_1기인 (다)이다.

오답 피하기

ㄱ. 방추사는 세포가 분열될 때 생성되어 염색체의 동원체에 결합하여 염색체의 위치를 조정하는 구조물로, 분열기인 (나)에서 관찰된다.

ㄴ. DNA가 복제되는 시기는 간기 중 S기이다. 제시된 그림에서는 (가)이다.

111 답 ① | (가)는 체세포 분열의 세포 주기이고, M기 이후에 두 딸세포가 생긴 것을 알 수 있다. (나)는 생식세포 분열(감수 분열)의 세포 주기로 분열기가 M_1기와 M_2기 두 시기로 되어 있으며 세포 분열 결과 4개의 딸세포가 형성된 것을 알 수 있다. (가), (나) 모두 ㉠은 간기의 첫 번째이며 세포가 생장하는 G_1기, ㉡은 DNA 복제가 일어나는 S기, ㉢은 세포가 생장하면서 다음 세포 분열을 준비하는 G_2기이다.

오답 피하기

ㄴ. (가)의 세포 a는 체세포 분열 결과 생긴 딸세포로, 복제되어 생긴 염색 분체가 분리되므로 모세포와 핵상이 같은 $2n$이다. 반면 (나)의 세포 b는 생식세포 분열 결과 염색체 수가 반으로 감소하므로 핵상이 n이다.

ㄷ. 생식세포 분열에서는 분열이 2회에 걸쳐 일어난다. ㉡ 시기에 DNA가 복제되어 ㉠ 시기보다 DNA양이 두 배가 되고, M_1기와 M_2기에서 각각 DNA양이 반으로 감소하여 최종적으로 세포 b는 ㉠ 시기의 세포보다 DNA양이 반으로 감소한다.

- (가)는 세포 분열이 한 번 일어나고 두 개의 딸세포가 형성된 것으로 체세포 분열의 세포 주기이다.
- (나)는 세포 분열이 M_1기, M_2기 두 단계에 걸쳐 일어나고, 세포 분열 결과 4개의 딸세포가 형성되는 생식세포 분열의 세포 주기이다.
- ㉠은 간기의 첫 번째이므로 G_1기이다. 이 시기에서는 세포가 생장한다. ㉡은 간기의 두 번째인 DNA가 복제되는 S기이다. ㉢은 다음 세포 분열을 준비하는 G_2기이다.

112 답 ⑤ | (가)에서 ㉠은 S기 다음 주기인 G_2기, ㉡은 분열기 다음 시기인 G_1기이다. G_1기는 세포 분열 이후 형성된 딸세포가 생장하는 시기이고, S기는 DNA 복제가 일어나는 시기, G_2기는 다음 세포 분열을 준비하는 시기이다.

(나)에서 Ⅰ은 DNA 상대량이 1인 세포의 수, Ⅱ는 DNA 복제가 일어나 DNA 상대량이 두 배가 된 세포의 수이다. 따라서 Ⅰ은 DNA 복제가 일어나기 전인 ⓒ 시기(G_1기)의 세포들이고, Ⅱ는 주로 DNA 복제가 완료된 이후인 ⓐ 시기(G_2기)와 M기 세포들이다. 따라서 Ⅱ의 세포들 중에는 세포 분열 중인 세포들도 있으므로 방추사가 형성된 세포도 있다.

오답 피하기

ㄱ. 2가 염색체는 생식세포 분열 과정에서 감수 1분열 시기에 상동 염색체가 결합하여 나타나는 구조로, 체세포 분열 과정에서는 나타나지 않는다.

113 답 ① | (가)는 세포 주기를 나타내는 모식도로, ⓐ은 S기 다음 단계인 G_2기, ⓒ은 S기 이전 단계인 G_1기이다. (나)에서 A는 핵막이 있고 유전 물질이 염색체가 아닌 염색사의 형태이므로 간기에 있는 세포이다. B는 염색체가 나타나고 세포 중앙에 배열하는 체세포 분열 중기의 세포로, M기에 해당한다. 문제의 조건에서 A와 B의 DNA 상대량이 같으므로, A는 DNA 복제가 일어난 상태이므로 간기 중 G_2기(ⓐ)의 세포임을 알 수 있다.

오답 피하기

ㄴ. ⓒ은 G_1기이다.

ㄷ. 조직에 있는 세포의 수는 세포 주기의 시간에 비례한다. 즉, 더 오래 걸리는 세포 주기에 해당하는 세포의 수가 많고, 짧게 걸리는 세포 주기에 해당하는 세포의 수가 적다. (가)의 그래프에서 G_2기에 해당하는 ⓐ의 시간이 M기보다 더 긴 것을 알 수 있다. 따라서 세포의 수는 A가 B보다 더 많음을 예상할 수 있다.

114 답 ③ | ⓐ과 ⓒ은 아직 생식세포 분열(감수 분열)이 일어나기 전이므로 핵상이 $2n$이며, ⓐ에서 ⓒ이 될 때 DNA양이 두 배가 된다. ⓒ에서 ⓓ으로 되는 과정은 감수 1분열로, 이때는 상동 염색체가 분리되어 각 딸세포로 들어가므로 딸세포의 염색체 수가 절반으로 줄어들고 DNA양도 절반으로 줄어든다. ⓓ에서 ⓔ로 되는 과정은 감수 2분열로, 이때는 체세포 분열과 마찬가지로 염색 분체가 분리되어 각각의 딸세포로 들어간다. 따라서 딸세포에서 염색체 수는 변하지 않으며, DNA양만 절반으로 줄어들게 된다.

세포 ⓔ은 생식세포 분열이 모두 완료된 생식세포인데 유전자 D를 가지고 있으므로, ⓔ의 모세포인 세포 ⓓ도 유전자 D를 가지고 있다. ⓓ에 있는 두 염색 분체가 분리되어 각각의 딸세포로 들어가므로, ⓓ은 유전자 D를 두 개 가지고 있음을 알 수 있다.

오답 피하기

ㄴ. ⓒ이 ⓓ으로 되는 과정에서 상동 염색체가 분리된다.

115 답 ⑤ | A는 염색 분체가 형성되지 않은 두 쌍의 상동 염색체로 이루어져 있으므로 아직 DNA 복제가 일어나지 않은 세포이다. B는 염색체가 두 염색 분체로 이루어지고, 두 쌍의 상동 염색체로 이루어져 있으므로 DNA 복제가 일어난 후의 세포이다. 이때는 상동 염색체끼리 결합한 2가 염색체가 형성된다. C는 상동 염색체 쌍이 아닌 2개의 염색체로 이루어지므로 이는 감수 1분열이 일어나 상동 염색체가 분리된 세포이다. 감수 1분열이 일어나면서 염색체 수가 반으로 줄어들게 된다. D는 감수 2분열이 일어나 염색 분체가 분리되어 각각의 딸세포로 들어간 모습이다.

B에서 C로 되는 과정에서 염색체 수가 반으로 감소하므로 B의 염색체 수는 C의 두 배가 된다.

오답 피하기

ㄱ. 2가 염색체는 염색 분체가 형성된 후인 세포 B 상태에서 형성된다.

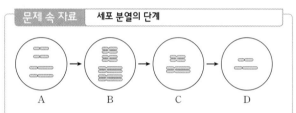

문제 속 자료   **세포 분열의 단계**

A   B   C   D

· A는 두 쌍의 상동 염색체가 있는 총 4개의 염색체를 나타낸다. 하나의 염색체가 두 염색 분체로 이루어지지 않으므로, 아직 DNA 복제가 일어나지 않은 시기이다.

· B는 두 염색 분체로 이루어진 염색체가 모두 4개가 있는 상태로, DNA 복제가 일어나 세포 분열 준비를 마친 상태이다. 생식세포 분열에서는 상동 염색체끼리 결합한 2가 염색체가 형성된다.

· C는 상동 염색체가 분리되어 딸세포로 들어간 모습으로 감수 1분열이 완료된 모습이다. 이는 2가 염색체가 분리되면서 일어나며, 이때 염색체 수가 반으로 줄어든다.

· D는 다시 염색 분체가 분리되어 각각의 딸세포로 들어간 모습으로 최종적인 생식세포의 염색체 구성을 나타낸다.

116 답 ⑤ | (가)는 세포질이 함입되어 세포질이 나누어지는 동물 세포의 세포질 분열을, (나)는 세포질 가운데에 세포판이 형성되어 세포질이 나누어지는 식물 세포의 세포질 분열을 나타낸다. 새롭게 형성된 세포판은 새로운 세포벽이 된다.

체세포 분열로 형성된 두 딸세포는 복제된 DNA가 분리되어 들어가므로, 유전자 구성이 모두 같다.

117 답 ② | (가)는 상동 염색체 쌍이 아닌 세 개의 다른 염색체로 이루어졌으므로 감수 1분열이 완료되어 염색체 수가 반으로 감소한 상태의 세포이다. (나)는 최종적으로 염색 분체가 분리되어 각각의 딸세포로 들어간 상태로, 감수 2분열까지 모두 완료된 상태의 세포이다. (다)는 두 염색 분체로 이루어진 염색체가 상동 염색체로 존재하는 상태로, 아직 세포 분열이 일어나기 전의 상태이다.

(가)는 두 염색 분체로 이루어진 3개의 염색체이므로, 염색 분체의 수는 모두 6개이다. (다)는 세 쌍의 상동 염색체로 이루어지므로 염색체의 수는 모두 6개이다. 따라서 (가)의 염색 분체 수와 (다)의 염색체의 수는 같다.

오답 피하기

ㄱ. (가)는 염색체 수가 반으로 감소한 상태이므로 핵상이 n 이다.

ㄷ. 생식세포가 형성되는 순서는 (다) → (가) → (나)이다.

118 답 ⑤ | (가)는 하나의 염색체를 이루는 두 염색 분체가 분리되어 각 딸세포로 들어간 것을 알 수 있다. 따라서 (가)는 체세포 분열을 나타낸다. (나)는 상동 염색체가 아닌 다른 종류의 두 염색체가 있는 모세포에서 염색 분체가 분리되어 두 딸세포로 들어간 모습으로, 이는 감수 2분열 과정을 나타낸다. 식물에서 체세포 분열은 생장점과 형성층에서 일어난다. (가)에서 A와 B는 DNA가 복제되어 생긴 두 염색 분체가 분리된 것으로, 유전 정보가 서로 같다. (나)에서 C와 D는 상동 염색체가 분리된 이후의 세포이므로 핵상은 n으로 서로 같다.

문제 속 자료 | **체세포 분열과 생식세포 분열**

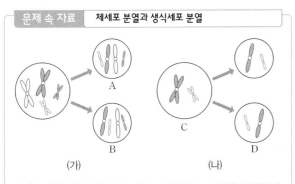

(가)   (나)

- (가)는 염색 분체가 분리되어 딸세포로 들어갔으므로 체세포 분열이다.
➡ 체세포 분열 과정은 복제되어 생긴 염색 분체가 분리되어 일어나므로 두 딸세포는 유전 정보가 서로 같다.
- (나)는 상동 염색체가 분리된 이후 핵상이 n인 상태의 세포에서 염색 분체가 분리되어 딸세포로 만들어진 것으로 감수 2분열을 나타낸다.

119 답 ① | (가)는 DNA가 복제되어 생긴 염색 분체가 분리되어 두 딸세포로 들어가는 체세포 분열을, (나)는 첫 번째 분열에서는 상동 염색체가 분리되고 두 번째 분열에서는 염색 분체가 분리되는 생식세포 분열을 나타낸다. A와 B는 아직 세포 분열이 일어나기 전 상태로, 둘 다 핵상이 $2n$이다.

오답 피하기

ㄴ. 체세포 분열 과정인 Ⅰ에서는 염색 분체가 분리되고, 감수 1분열 과정인 Ⅱ에서는 상동 염색체가 분리된다.

ㄷ. 생식세포 분열인 (나)에서 DNA 복제 과정(S기)은 한 번만 나타난다. 감수 1분열과 감수 2분열 과정에서 간기는 거의 없고 DNA 복제 과정 없이 바로 일어난다.

120 답 ① | (가)는 상동 염색체가 분리되어 두 딸세포로 들어갔으므로 생식세포 분열 중 감수 1분열을 나타낸다. (나)는 하나의 염색체를 이루는 두 염색 분체가 분리되어 각각의 딸세포로 들어간 것으로 체세포 분열을 나타낸다. 따라서 B와 C는 유전 정보가 서로 같다.

오답 피하기

ㄱ. A는 감수 1분열 결과 상동 염색체가 분리되어 염색체 수가 반으로 줄어들어 핵상이 n이 된다. 반면 B와 C는 염색 분체가 분리된 것으로 염색체 수는 변하지 않아 핵상이 $2n$ 이 된다.

ㄷ. (가)는 생식세포 분열 과정인 감수 1분열을 나타낸다.

121 답 ⑤ | (가)는 상동 염색체가 분리되어 딸세포로 들어가는 감수 1분열 과정을, (나)는 DNA가 복제되어 생긴 염색 분체가 딸세포 들어가는 체세포 분열을 나타낸다. A는 세포 분열이 일어나기 전으로 핵상이 $2n$이고, B는 상동 염색체가 분리되어 들어가 염색체 수가 반으로 줄어들어 핵상이 n이 된다. C는 체세포 분열이므로 염색체 수는 변함 없이 $2n$이다. 염색 분체 1개의 DNA양을 1이라고 한다면, B의 경우 염색체 수는 2개, 염색 분체는 총 4개이므로 $\dfrac{\text{염색체 수}}{\text{DNA양}}$의 값은 $\dfrac{2}{4} = \dfrac{1}{2}$이 된다. C에서는 염색 분체가 4개, 염색체 수도 4개이므로 $\dfrac{\text{염색체 수}}{\text{DNA양}}$의 값은 $\dfrac{4}{4} = 1$이 된다.

122 답 ③ | 그래프에서 구간 Ⅰ은 아직 DNA가 복제되기 전으로 DNA 상대량이 2이다. 구간 Ⅱ는 DNA의 복제가 일어나 DNA 상대량이 증가하고 최종적으로 2배가 된다. 구간 Ⅲ은 DNA 복제가 일어난 세포가 세포 분열이 일어나는 시기로, 후반부에 세포질이 나누어지면서 세포 1개당 DNA 상대량이 다시 2가 된다. 이 시기에는 염색 분체가 분리된다.

오답 피하기

ㄱ. 염색사가 염색체로 응축되는 시기는 분열기 중 전기이다. 따라서 구간 Ⅲ에 해당한다.

ㄴ. 구간 Ⅱ에서 DNA가 복제되어 DNA양이 2배가 되지만, 이는 염색 분체가 형성되는 것으로 염색체의 수가 늘어나는 것은 아니다.

123 답 ① | (가)의 그래프를 보면, DNA양이 두 배로 증가한 이후 두 번에 걸쳐 DNA양이 감소하는 것을 알 수 있다. 이로부터 두 번의 분열 단계를 거치는 생식세포 분열을 나타냄을 알 수 있다.

구간 A는 아직 DNA 복제가 일어나기 전이며, 구간 B는 DNA 복제가 완료되어 DNA 상대량이 처음 상태에서 2배가 된 이후이다. C는 감수 1분열이 끝난 시기로 염색체 수가 반으로 줄어든 상태이다.

(나)에서 이 세포는 염색 분체의 수가 8인데, 이 세포의 염색체 수가 4개이므로 염색 분체가 8개가 되려면 DNA 복제가 완료되고 아직 분열을 거치지 않는 세포여야 하고, 이때 DNA 상대량은 4가 된다. 따라서 ㉠의 값은 4이다.

B에서 C로 되는 과정에서 염색체 수가 반으로 감소하므로, B의 염색체 수는 C의 두 배이다.

오답 피하기

ㄴ. A와 B 시기의 염색체 수는 서로 같다.

ㄷ. B 시기에서 C 시기로 가는 과정은 감수 1분열 과정으로, 상동 염색체가 분리된다.

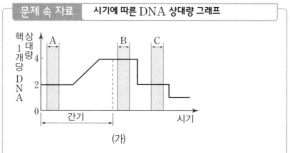

문제 속 자료 **시기에 따른 DNA 상대량 그래프**

(가)

- 그래프 (가)는 DNA 복제가 일어나 DNA 상대량이 2배가 된 이후 분열이 두 번 일어나므로, 생식세포 분열 과정에서의 DNA 변화를 나타낸다.
- A는 DNA 복제가 일어나기 이전 단계, B는 DNA 복제가 완료된 이후, C는 첫 번째 분열인 감수 1분열이 완료된 이후이다.
- B에서 C로 되는 과정에서 상동 염색체가 분리되고 염색체 수가 절반으로 감소한다.
- 이 세포의 염색체 수가 4개이므로, 염색 분체 수가 8개가 되려면 DNA 복제가 일어나야 한다. 이때의 DNA 상대량은 최초 값인 2에서 두 배가 된 4가 된다.

124 답 ① | 그래프 (가)는 분열이 2회에 걸쳐 일어나므로 생식세포 분열 과정에서의 DNA 변화를 나타내는 것이다. 구간 Ⅰ은 DNA 복제가 완료된 이후, 구간 Ⅱ는 감수 1분열이 일어나 상동 염색체가 분리되어 염색체 수가 반으로 감소한 이후, 구간 Ⅲ은 감수 2분열이 완료되어 4개의 딸세포가 형성된 시기이다. (나)는 상동 염색체가 분리되고 염색 분체가 분리되기 전의 세포이므로 감수 1분열이 완료된 시기의 세포를 나타낸다. 이때의 핵상은 $n = 3$이므로, 이 세포의 체세포 염색체 수는 $2n = 6$이 된다.

오답 피하기

ㄴ. 구간 Ⅱ는 이미 상동 염색체의 분리가 완료된 이후이다.

ㄷ. 구간 Ⅲ는 염색 분체까지 분리된 상태를 나타낸다. (나)는 상동 염색체가 분리된 상태이므로, 구간 Ⅱ에 해당한다.

125 답 ④ | 그래프 (가)는 두 번의 분열을 거치는 생식세포 분열 과정에서의 DNA 변화를 나타낸다. 구간 A는 DNA 복제가 일어나기 전부터 복제가 완료된 이후까지의 시기이고, 구간 B는 DNA 복제 이후 감수 1분열이 완료된 이후까지의 시기이며, 구간 C는 감수 1분열이 완료된 이후 감수 2분열이 완료된 시기까지를 나타낸다. 따라서 A, B, C 시기에서 모두 DNA양의 변화가 나타난다.

(나)는 상동 염색체가 분리된 이후 염색 분체가 분리되는 과정에서 염색체가 세포 중앙에 배열된 모습을 나타내므로, 감수 2분열 시기의 세포이다. 따라서 그래프 (가)에서 (나)를 관찰할 수 있는 시기는 구간 C이다.

오답 피하기

ㄱ. (나)는 감수 1분열이 끝나고 감수 2분열이 진행되는 모습으로, C 시기에서 관찰된다.

126 답 ① | (가)는 상동 염색체가 결합한 2가 염색체가 세포 중앙에 배열한 모습으로 감수 1분열 중기를 나타내고, (나)는 상동 염색체가 분리된 이후 염색체가 세포 중앙에 배열한 감수 2분열 중기를 나타낸다. 표는 염색체 수가 4개이고 DNA 상대량이 4이므로, DNA가 복제되고 염색체 수가 감소하기 전 상태로 (가)에 해당한다.

감수 1분열이 일어난 이후 감수 2분열이 일어나므로, (가)가 (나)보다 먼저 일어난다.

오답 피하기

ㄴ. (나)는 염색체 수가 2이고, DNA 상대량은 (가)의 절반이다. 따라서 표는 (가)의 염색체 수와 DNA 상대량을 나타낸다.

ㄷ. 생식세포 한 개는 (가) 상태의 세포가 두 번 분열이 일어나 생성된다. 따라서 생식세포 한 개당 DNA 상대량은 (가)의 $\frac{1}{4}$인 1이 된다.

127 답 ① | 생식세포 형성 과정에서는 핵상이 $2n$인 세포가 DNA 상대량이 2배가 된 이후 감수 1분열 과정을 거치면서 염색체 수가 반으로 감소해 핵상이 n이 되고 DNA 상대량이 처음과 같아진다. 이후 감수 2분열이 일어나면서 핵상은 n, DNA 상대량은 최초 상태의 절반이 된 4개의 딸세포가 만들어진다. 표에서, 핵상이 $2n$이고 DNA 상대량이 1인 B는 아직 DNA 복제가 일어나기 전 세포이고, A는 DNA 복제가 일어난 이후, C는 생식세포 분열이 일어난 이후를 나타낸다. (가)는 DNA 복제가 일어난 상동 염색체가 결합한 2가 염색체가 있으므로 표에서 A에 해당한다.

오답 피하기

ㄴ. A와 B는 모두 핵상이 $2n$이므로 염색체 수가 같다.

ㄷ. C는 감수 1분열이 완료된 후의 세포를 나타낸다.

128 답 ③ | 생식세포 분열 과정에서 감수 1분열이 지나면 염색체 수와 DNA 상대량이 모두 절반으로 감소하고, 감수 2분열이 완료되면 염색체 수는 같고 DNA 상대량은 다시 절반으로 감소한다. 따라서 표에서 C는 염색체 수가 체세포와 같은 4개이고, DNA 상대량이 4이므로 감수 1분열이 일어나기 전이고, B는 감수 1분열이 일어나 염색체 수와 DNA 상대량이 모두 절반으로 감소된 시기, A는 감수 2분열이 모두 완료된 시기이다.

(가)는 상동 염색체가 분리되고 염색 분체는 분리되기 전이므로, 감수 1분열이 완료된 B 시기의 모습을 나타낸다.

이 세포의 염색체 수는 4개이므로, C의 염색 분체 수는 8개, B의 염색 분체 수는 4개, A의 염색 분체 수는 2개가 된다.

따라서 B의 $\dfrac{\text{염색체 수}}{\text{염색 분체 수}}$의 값은 $\dfrac{2}{4} = \dfrac{1}{2}$이고, C의

$\dfrac{\text{염색체 수}}{\text{염색 분체 수}}$의 값은 $\dfrac{4}{8} = \dfrac{1}{2}$이므로 서로 같다.

오답 피하기

ㄱ. (가)는 B 시기를 나타낸다.

ㄴ. 정상 생식세포는 (가) 상태에서 염색 분체가 분리되어 각각의 딸세포로 들어가 형성되므로, ㉠과 ㉡ 중 하나만 가지고 있다.

문제 속 자료 DNA 상대량과 세포 분열 특정 단계

시기	세포 1개당 염색체 수	핵 1개당 DNA 상대량	
A	2	1	
B	2	2	
C	4	4	(가)

- 문제 조건에서 이 동물의 염색체 수는 4개이다. ($2n = 4$)
- C는 세포 1개의 염색체 수가 4개이고, 세포 1개당 DNA 상대량이 4이므로, 아직 세포 분열이 일어나기 전이고 DNA의 복제가 일어난 상태임을 알 수 있다.
- B는 세포 1개당 염색체 수가 2개이므로 생식세포 분열이 진행된 상태이다. 그리고 DNA 상대량이 C의 절반인 2이므로 감수 1분열이 끝난 상태임을 알 수 있다.
- A는 세포 1개당 염색체 수가 C의 절반이고, DNA 상대량이 B의 절반이므로, 감수 2분열까지 진행되어 염색 분체가 각 딸세포로 들어간 상태를 나타낸다.
- (가)는 상동 염색체가 분리되어 딸세포로 들어간 모습이고, 아직 염색 분체는 분리되기 전으로, 표에서 B에 해당한다.

129 답 ② | 염색체 수가 체세포와 같은 4개이고 DNA 상대량이 4인 B는 DNA가 복제되고 아직 분열이 일어나기 전 시기의 세포이다. 염색체 수와 DNA 상대량이 모두 B의 절반으로 감소한 C는 감수 1분열이 완료된 시기의 세포이다. DNA 상대량이 1인 A는 감수 2분열까지 완료된 세포이다. 그림의

세포는 상동 염색체는 분리되었지만 염색 분체는 분리되기 전 상태로 C 시기를 나타낸다.

B 시기는 DNA 복제가 완료된 상태이므로 염색 분체 수는 염색체 수의 2배인 8개가 된다. 따라서 $\dfrac{\text{염색 분체 수}}{\text{염색체 수}}$의 값은 $\dfrac{8}{4} = 2$가 된다. C는 염색체 수가 2이고 염색 분체 수는 B의 절반인 4이므로 $\dfrac{\text{염색 분체 수}}{\text{염색체 수}}$의 값은 $\dfrac{4}{2} = 2$이다.

오답 피하기

ㄱ. B와 C의 $\dfrac{\text{염색 분체 수}}{\text{염색체 수}}$ 값은 2로 같다.

ㄷ. B 시기의 세포가 간기를 거치지 않고 바로 분열하여 C 시기의 세포가 된다.

130 답 ⑤ | (가)에서는 ㉠에서 ㉡으로 되면서 DNA 복제가 일어난다. ㉢ 세포는 감수 1분열이 일어나 염색체 수가 반으로 감소한 상태의 세포이고, ㉣은 감수 2분열까지 완료되어 염색 분체까지 분리된 상태의 세포이다. 따라서 과정 Ⅰ은 DNA 복제, 과정 Ⅱ는 상동 염색체 분리, 과정 Ⅲ은 염색 분체 분리가 일어난다.

(나)는 상동 염색체가 분리되고 염색 분체는 분리되기 전이므로, 감수 1분열이 완료된 ㉢ 세포를 나타낸다.

㉡에서 ㉢으로 갈 때 염색체 수가 감소하므로, ㉡의 염색체 수는 ㉣의 2배이다.

오답 피하기

ㄱ. 과정 Ⅰ에서는 DNA가 복제된다. 상동 염색체가 분리되는 것은 과정 Ⅱ이다.

131 답 ① | ㉠은 G_1기의 세포이므로 아직 DNA 복제가 일어나기 전 상태이고, ㉡은 DNA 복제가 일어나 각 유전자의 DNA 상대량이 2가 된 상태이다. 이 동물의 유전자형이 Hh이므로, ㉠ 세포는 H 1, h 1의 양을 가지고, DNA가 복제되면서 ㉡ 세포는 H 2, h 2의 양을 갖게 된다. 따라서 ⓒ는 ㉠에 해당하고, ⓐ는 ㉡에 해당한다.

㉡에서 ㉢으로 분열하면서 상동 염색체가 분리되므로, ㉢ 세포는 H와 h 중 하나만 가지게 된다. 따라서 H의 양이 2이고 h의 양은 0인 ⓑ가 ㉢에 해당한다.

㉣ 세포는 ㉢ 세포가 아닌 세포에서 분열된 것으로, h의 양이 2인 세포에서 감수 2분열이 진행되어 하나의 염색 분체만 들어가 h의 양이 1이고 H의 양은 0을 갖게 된다. 따라서 ⓓ가 ㉣에 해당하고, ?의 값은 1이 된다.

오답 피하기

ㄴ. ⓑ는 감수 1분열이 진행된 ㉢ 세포에 해당하므로 핵상이 n이다.

ㄷ. ⓓ는 감수 2분열까지 완료된 세포로, h의 DNA 상대량은 1이다.

문제 속 자료 생식세포 분열 모식도와 DNA 상대량

세포	DNA 상대량	
	H	h
ⓐ	2	2
ⓑ	2	0
ⓒ	1	1
ⓓ	0	?

• ㉠은 G_1기 세포이므로 DNA 복제가 일어나지 않았으므로 H와 h의 DNA 상대량 값은 각각 1이다.
• ㉡은 DNA 복제가 일어나 세포 분열 준비가 완료된 세포이므로, H와 h의 DNA 상대량 값은 각각 2이다.
• ㉢은 감수 1분열이 일어나 상동 염색체 중 하나만 가지므로, DNA 상대량 값이 2인 H와 h 중 하나만 가지게 된다. 표에서 이에 해당하는 것은 ⓑ이므로, H를 가졌음을 알 수 있다.
• ㉣은 ㉢과는 다른 상동 염색체를 물려받은 세포에서 분열했으므로 H를 가지지 않고 h만 가지게 된다. 즉, DNA 상대량 값이 2인 h에서 분열하여 h의 상대량 값이 1이 된다.

---

132 답 ③ | 오른쪽의 표를 보면 DNA 상대량 값이 A도 나타나고, a도 나타난다. 만약 이 세포의 유전자형이 AA 또는 aa였다면, A와 a 중 하나의 값이 모두 0이어야 한다. 따라서 이 세포의 유전자형은 Aa임을 알 수 있다.

㉠은 G_1기의 세포로 아직 DNA 복제가 일어나기 전이므로 A와 a의 DNA 상대량 값이 각각 1이다. 표에서 이것이 가능한 경우는 (다)이고, 따라서 (다)의 A값은 1이 된다.

㉡은 DNA 복제가 일어나 세포 분열 준비가 된 상태이므로 A와 a의 값이 모두 2가 된다. 표에서 이것이 가능한 경우는 (라)이고, 따라서 ⓑ의 값은 2가 된다.

㉢은 감수 1분열이 일어나 상동 염색체가 분리되어 각 딸세포로 들어오므로, 하나의 딸세포는 DNA 상대량이 2인 A와 DNA 상대량이 2인 a 중 하나만 갖게 된다. 표에서 이 경우는 (가)에 해당하므로, ㉢ 세포는 A를 물려받았음을 알 수 있다.

㉣은 ㉢에서 감수 2분열이 진행된 세포이므로 A를 갖는 두 염색 분체가 분리되어 각 딸세포로 들어가고, A의 값이 1이 된다. 표에서 가능한 경우는 (나)이고, 따라서 ⓐ의 값은 1이 된다.

ⓐ의 값이 1이고 ⓑ의 값이 2이므로 ⓐ + ⓑ = 3이 된다.

오답 피하기

ㄱ. 이 동물의 털색 유전자형은 Aa이다.
ㄴ. (가)는 감수 1분열이 완료되어 염색체 수가 반으로 줄어 핵상이 n이고, (라)는 아직 분열이 시작되기 전으로 핵상이 $2n$이다.

---

133 답 ② | 세포 Ⅰ은 G_1기 세포이므로 아직 DNA 복제가 일어나기 전이다. 이 세포의 유전자형이 AABbDd이므로, Ⅰ의 A, b, d의 DNA 상대량은 각각 2, 1, 1이 된다. 이는 표에서 (다)에 해당한다. 이후 DNA 복제가 일어나면서 A, b, d의 DNA 상대량은 각각 4, 2, 2가 되고, 감수 1분열이 일어난다.

세포 Ⅱ는 감수 1분열이 일어나 상동 염색체 중 하나만 가지게 된다. 따라서 A의 값은 2가 된다. 또한 b, d 유전자를 갖는 염색체를 받을 수도, 안 받을 수도 있으므로 DNA 상대량 값은 2이거나 0이 되어야 하는데, 표에서 이 경우에 해당하는 것은 (가)이다. 따라서 Ⅱ는 B, D 유전자를 갖는 염색체를 물려받고, b, d 유전자를 갖는 염색체는 물려받지 않았음을 알 수 있다.

세포 Ⅲ은 Ⅱ와 다른 세포, 즉 b, d 유전자가 있는 염색체를 물려받은 세포에서 감수 2분열이 일어난 세포이므로, A, b, d의 값이 모두 1이 된다. 표에서 가능한 경우는 (나)이고, 따라서 ㉠의 값은 1, ㉡의 값도 1이 된다. 이때 ㉠ + ㉡ = 2이다.

오답 피하기

ㄱ. (다)는 DNA 복제가 일어나기 전인 Ⅰ이다.
ㄷ. (가)는 감수 1분열이 완료된 세포로 2가 염색체가 분리되어 들어가므로 2가 염색체를 관찰할 수 없다. 2가 염색체는 Ⅰ과 Ⅱ 사이 단계 세포에서 관찰할 수 있다.

---

134 답 ⑤ | 상자에서 흰색 카드는 대립유전자 A를, 검은색 카드는 대립유전자 a를 나타내므로, 각 상자에서 하나의 카드를 뽑는 것은 대립유전자가 분리되는 것을 의미한다. 즉, 생식세포의 형성을 나타낸다. 그리고 각 상자에서 나온 두 카드의 조합은 두 생식세포가 만나는 수정을 나타내고, 카드의 조합은 유전자형이 된다.

문제에서 대립유전자 A가 a에 대해 완전 우성이라고 했으므로 유전자형이 Aa인 경우는 대립유전자 A의 형질이 표현된다. ㉡의 유전자형은 □■, 즉, Aa이므로 A의 형질이 표현된다.

이 실험은 하나의 세포에서 대립유전자가 분리되어 각각의 딸세포로 들어가는 분리 법칙에 따라 생식세포가 형성되고, 두 생식세포가 만나 수정이 이루어지면서 유전자가 자손으로 전달되는 과정을 나타낸다. 즉, 분리 법칙을 설명할 수 있다.

---

135 답 ① | 각 상자에서 염색체 모형을 하나씩 꺼내는 것은 생식세포의 형성을, 두 염색체 모형을 짝짓는 것은 수정을 나타낸다.

오답 피하기

ㄴ. 꽃 색은 붉은색 유전자 A와 흰색 유전자 a에 의해 나타나는데 A가 a에 대해 완전 우성이므로, 붉은색 꽃 형질의 유전자형은 AA와 Aa가 가능하다. 따라서 이형접합성인 Aa도 붉은색 꽃 형질을 나타낸다.

ㄷ. 염색체 모형에서, A와 B 유전자가 한 염색체에 있고, a와 b 유전자가 한 염색체에 있다. 따라서 가능한 생식세포의 종류는 AB, ab 두 종류이고, 자손의 가능한 유전자형은 AABB, AaBb, aabb 세 종류이다. 따라서 자손의 표현형은 붉은색 꽃 둥근 모양 : 흰색 꽃 주름진 모양 = 3 : 1의 비로 나타난다.

136 답 ② | 우선 유전병 X가 어떤 형태의 유전인지 파악해야 한다. 유전병 X의 유전자가 X 염색체에 있는 경우를 가정해 보자. (나)의 그래프에서 ㉠의 유전자형은 $X^T X^T$이고, ㉡의 유전자형은 $X^T Y$가 되어야 한다. 이 경우 T 유전자가 남자에게서는 유전병 유전자로 작용하고 여성에게는 정상 유전자로 작용하므로 모순이다. 따라서 이 유전은 상염색체 유전임을 알 수 있다. 이때는 T와 T^*의 DNA 상대량의 합이 2가 되어야 하므로, ㉠의 유전자형은 TT, ㉡의 유전자형은 TT^*가 된다. 이때 동형접합성인 ㉠은 정상이고, 이형접합성인 ㉡이 유전병이 있으므로 T^* 유전자가 유전병을 나타내고 우성임을 알 수 있다. 따라서 가계도 상의 정상인 사람은 모두 유전자형이 TT가 되므로 어머니의 유전자형은 TT, 아버지의 유전자형은 이형접합성인 TT^*가 된다. 첫째 딸은 유전병이 있고 어머니로부터 T 유전자를 물려받았으므로 유전자형은 TT^*가 된다.

오답 피하기

ㄱ. 이형접합성이어서 T^* 유전자를 갖는 ㉡이 유전병을 나타내므로, 유전병 X는 우성 형질임을 알 수 있다.

ㄷ. 아버지의 유전자형이 TT^*, 어머니의 유전자형이 TT이므로, 자손의 비율은 $TT : TT^* = 1 : 1$이다. 따라서 정상 자손이 태어날 확률은 $\frac{1}{2}$인데, 남자일 확률은 여기서 또 $\frac{1}{2}$을 곱해야 하므로 $\frac{1}{4}$이 된다.

137 답 ② | 우선 유전병 유전자가 상염색체에 있는지 성염색체에 있는지 살펴 보자. 만약 유전자가 성염색체인 X 염색체에 있다면, 그래프 (나)에 따라 ㉠의 유전자형은 $X^A X^A$, ㉡의 유전자형은 $X^A Y$가 된다. 이 경우 A 유전자가 ㉠에서는 정상 유전자로 작용하고 ㉡에는 유전병 유전자로 작용하므로 모순이다. 따라서 유전병 유전자는 상염색체에 있으며, 대립유전자 쌍의 DNA 상대량 합은 2가 되어야 한다. 따라서 ㉠

의 유전자형은 AA, ㉡의 유전자형은 AA^*가 된다. 이때 AA는 정상 형질이고 AA^*가 유전병을 나타내므로, A는 정상 유전자이고 A^*는 유전병 유전자이면서 우성임을 알 수 있다.

자손 중에서 정상인 경우는 유전자형이 모두 AA가 되고, 유전병인 경우는 어머니인 ㉠으로부터 A 유전자를 물려받아 유전자형이 모두 AA^*가 된다.

오답 피하기

ㄱ. 유전자형이 AA인 ㉠이 정상 형질이고, 유전자형이 AA^*인 ㉡이 유전병을 나타내므로 A^* 유전자는 유전병을 나타내며 A 유전자에 대해 우성이다.

ㄴ. 유전병 유전자는 성염색체인 X 염색체에 없으며 상염색체에 있다.

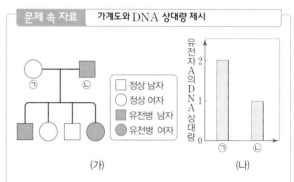

| 문제 속 자료 | 가계도와 DNA 상대량 제시 |

- 유전병 형질을 나타내는 남성과 여성이 모두 있으므로 유전병 유전자는 Y 염색체에 있지 않다.
- 유전병 유전자가 X 염색체에 있다면 그래프 (나)에 따라 A 유전자가 2개 있는 ㉠의 유전자형은 $X^A X^A$, A 유전자가 1개 있는 ㉡의 유전자형은 $X^A Y$가 된다. 이때는 A 유전자가 ㉠에게는 정상 유전자가 되고 ㉡에게는 유전병 유전자가 되므로 모순이다.
- 따라서 유전병 유전자는 상염색체에 있고, ㉠의 유전자형은 AA, ㉡의 유전자형은 AA^*가 된다.
- ㉠은 정상, ㉡은 유전병 형질을 나타내므로 A 유전자는 정상이면서 열성, A^* 유전자는 유전병을 나타내면서 우성임을 알 수 있다.

138 답 ④ | 표에서 (가)~(다)의 유전자 T와 T^*의 상대량이 모두 제시되었는데, (가)와 (다)의 경우 상대량이 0인 유전자가 있으므로 두 유전자 중 하나만 가지고 있는 경우도 있다는 것을 알 수 있다. 이를 통해 유전병에 대한 유전자가 X 염색체에 있음을 알 수 있다. 유전자 T^*를 가지고 있는 (가)가 유전병을 보이므로 유전병에 대한 유전자는 T^*이며, 유전자형이 $X^T X^{T^*}$인 (다)가 정상이므로 유전병은 열성 유전임을 알 수 있다. 즉 T가 T^*에 대해 우성이다. (다)의 유전자형은 $X^T X^{T^*}$이고, (라)의 아버지는 유전병이 있으므로 유전자형이 $X^{T^*} Y$가 된다. 이때 자손은 $X^T X^{T^*}$, $X^T Y$, $X^{T^*} X^{T^*}$, $X^{T^*} Y$가 같은 비율로 나오므로, 자손이 유전병일 확률은 50 %이다.

오답 피하기

ㄴ. T와 T^* 유전자는 성염색체인 X 염색체 위에 있다.

139 답 ① | 보조개 유전은 상염색체 상의 한 쌍의 대립유전자에 의해 형질이 결정된다. 아버지와 어머니 모두 보조개가 있는데 보조개가 없는 누나가 나왔으므로, 보조개 유전자가 우성이고 보조개가 없는 유전자가 열성이며, 아버지와 어머니 모두 이형접합성임을 알 수 있다.

오답 피하기

ㄴ. 철수 아버지와 어머니 모두 보조개 유전자형은 이형접합성이다.

ㄷ. 보조개 유전자를 A, 보조개가 없는 유전자를 a라고 한다면 아버지와 어머니의 유전자형은 모두 Aa이고, 이때 자손의 유전자형 비율은 AA : Aa : aa = 1 : 2 : 1이 된다.

따라서 보조개가 없는 표현형인 aa가 태어날 확률은 $\frac{1}{4}$이다.

따라서 철수의 동생이 보조개가 없는 남자일 확률은

$\frac{1}{4} \times \frac{1}{2} = \frac{1}{8}$이 된다.

문제 속 자료 **상염색체 유전**

구분	아버지	어머니	누나	철수
보조개	있음	있음	없음	있음

- 모두 보조개가 있는 아버지와 어머니 사이에서 보조개가 없는 딸(누나)이 나왔으므로, 보조개가 있는 형질이 우성, 보조개가 없는 형질이 열성이다.
- 만약 보조개 유전자가 X 염색체에 있다면, 보조개 유전자를 갖고 있는 아버지 밑에서 보조개가 없는 딸이 나올 수 없으므로 보조개 형질은 상염색체 유전임을 알 수 있다.
- 아버지와 어머니는 표현형은 우성이지만 유전자형은 모두 열성 유전자를 한 개씩 가지고 있는 이형접합성이다.
- 보조개 유전자를 A, 보조개 없는 유전자를 a라고 한다면 아버지와 어머니의 유전자형은 모두 Aa이다. 이때 자손의 가능한 비율은 AA : Aa : aa = 1 : 2 : 1이고, 따라서 보조개가 없는 aa 자손이 나올 확률은 $\frac{1}{4}$인 25 %이다.

140 답 ② | 아버지, 어머니, 철수, 여동생으로 이루어진 가족에서 철수가 AB형이면서 모두 혈액형이 다른 경우는 부모님의 유전자형이 $I^A i$, $I^B i$이고, 여동생은 각각 i 유전자를 받아 O형인 경우이다. 따라서 아버지와 어머니의 혈액형은 각각 A형과 B형 중 하나이고, 모두 이형접합성이다.

오답 피하기

ㄱ. 여동생의 혈액형은 O형이다.

ㄴ. 철수 가족 중 철수는 AB형이므로 유전자 i를 갖지 않는다.

141 답 ③ | 유전 형질 (가)는 한 쌍의 대립유전자로 결정되지만 대립유전자의 종류가 A, B, C 세 가지이다. 이처럼 한 쌍의 대립유전자에 의해 결정되지만 대립유전자 위치에 올 수 있

는 유전자의 종류가 3가지 이상인 형태의 유전을 복대립 유전이라고 한다. 대표적인 예로는 대립유전자의 종류가 I^A, I^B, i의 세 가지인 ABO식 혈액형의 유전이 있다. 복대립 유전도 단일 인자 유전에 해당한다.

문제의 조건에서 A, B, C 세 유전자 사이의 우열 관계가 뚜렷한데, AB와 AC의 표현형이 같다. 이때 가능한 경우는 A가 B와 C에 각각 우성이어서 모두 A의 형질이 표현되는 경우이다.

유전자형이 AB인 개체와 BC인 개체를 교배하였을 때, 가능한 생식세포의 유전자형은 각각 (A, B)와 (B, C)이고 자손의 가능한 유전자형은 AB, AC, BB, BC의 네 경우이다. 이때 AB와 AC는 A가 표현되므로, 표현형의 분리비가 1 : 1이 되려면 BB와 BC가 모두 B가 표현되어야 한다. 따라서 B가 C에 대해 우성이어야 하고, 이때 유전자형의 우열 관계는 A>B>C가 된다.

오답 피하기

ㄷ. (가)의 가능한 유전자형은 AA, BB, CC, AB, AC, BC의 6가지이다.

142 답 ④ | 정상 부모 밑에서 영희가 나왔으므로 단풍나무시럽병은 열성 유전이다. 만약 유전병 유전자가 X 염색체에 있다면 표현형이 정상이므로 정상 유전자만 지니는 아버지에서 유전병이 있는 영희가 나올 수 없다. 영희는 아버지로부터 X 염색체를 물려받기 때문이다. 따라서 유전병 유전자는 상염색체에 있음을 알 수 있다.

정상인 아버지와 어머니 사이에서 유전병이 있는 영희가 나왔으므로, 영희는 유전병 유전자만 갖는 동형접합성이고, 아버지와 어머니의 유전자형은 모두 이형접합성이다. 즉, 유전병 유전자 1개씩을 가지고 있다.

오답 피하기

ㄷ. 정상 유전자를 A, 유전병 유전자를 a라고 한다면 영희의 유전자형은 aa가 된다. 정상 남자의 유전자형은 AA 또는 Aa이다. 만약 영희가 유전자형이 AA인 남자와 결혼한다면 자손의 유전자형은 Aa만 가능하므로 모두 정상이다. 영희가 유전자형이 Aa인 남성과 결혼한다면 자손의 유전자형은 Aa, aa이고 이 경우는 단풍나무시럽병을 갖는 아들과 정상 아들이 같은 비율로 태어날 수 있다.

143 답 ⑤ | 우선 유전병 X에 대해서만 살펴보면, 모두 유전병이 있는 부모에게서 정상인 자손이 나왔으므로 정상 형질이 열성, 유전병 형질이 우성이다. 만약 유전병 X에 대한 유전자가 성염색체인 X 염색체에 있다면, 유전병이 있는 아버지에

게서 정상인 딸은 나올 수 없다. 딸은 아버지로부터 유전병 유전자가 있는 X 염색체를 물려받기 때문이다. 따라서 유전병 유전자는 상염색체에 있음을 알 수 있고, 남자와 여자에게서 나타날 확률이 같다.

ABO식 혈액형 유전은 상염색체에 있는 한 쌍의 대립유전자에 의해 결정된다. A형인 아버지와 B형인 (가) 사이에서 A형 자손이 나왔으므로, B형인 (가)는 i 유전자를 한 개 가져야 한다. 따라서 (가)의 유전자형은 $I^B i$이다. 또한, A형인 아버지와 B형인 (나) 사이에서 O형인 자손이 나왔으므로 부모는 모두 i 유전자를 가지고 있어야 한다. 따라서 (나)의 유전자형은 $I^B i$가 된다. 즉, (가)와 (나)의 유전자형은 같다.

오답 피하기

ㄱ. 유전병 X의 유전자는 상염색체에 있으므로, 남자와 여자에게서 나타날 확률은 같다.

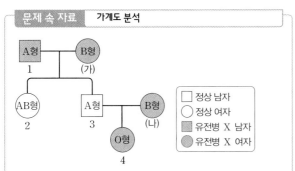

문제 속 자료 **가계도 분석**

- 모두 유전병이 있는 1과 (가) 사이에서 정상인 자손이 나왔으므로, 유전병 형질이 우성, 정상 형질이 열성이다.
- 만약 유전병 X의 유전자가 X 염색체에 있다면, 유전병 유전자가 있는 1의 X 염색체가 2에게 전해지므로 유전병이 나타나야 한다. 하지만 2가 정상이므로, 유전병 X의 유전자는 상염색체에 있음을 알 수 있다.
- A형인 3의 A 유전자는 1로부터 받은 것이므로, (가)에서는 i 유전자를 받아야 한다. 따라서 (가)의 유전자형은 $I^B i$이다.
- 4의 유전자형이 ii이므로, 이는 3과 (나)가 모두 i 유전자를 가지고 있다는 뜻이다. 따라서 (나)의 유전자형은 $I^B i$이다.

144 답 ③ | 정상인 1, 2 사이에서 유전병 A가 있는 6이 나왔으므로, 유전병 형질은 열성 유전된다. 만약 유전병 유전자가 X 염색체에 있다면, 6은 1로부터 정상 유전자가 있는 X 염색체를 받으므로 유전병이 나타날 수 없다. 따라서 유전병 X는 상염색체 유전임을 알 수 있다. 정상 유전자를 A, 유전병 유전자를 a라고 할 때, 1과 2는 모두 유전병 유전자를 하나씩 가지고 있으므로 유전자형이 Aa가 되어 이형접합성이다.

오답 피하기

ㄷ. 6의 유전자형은 aa이고, 정상인 7은 3으로부터 a 유전자를 물려받으므로 유전자형이 Aa가 된다. 따라서 6과 7 사이의 자손은 Aa : aa = 1 : 1의 비로 나오게 되므로, 자손이 유전병일 확률은 50 %이다.

145 답 ② | 모두 정상 형질인 부모에게서 유전병이 있는 (가)가 나왔으므로 유전병 형질은 열성임을 알 수 있다. 만약 유전병 유전자가 X 염색체에 있다면, (가)는 아버지로부터 정상 유전자가 있는 X 염색체를 받으므로 유전병이 나타날 수 없다. 따라서 유전병 유전자는 상염색체에 있음을 알 수 있다.

유전병 X의 유전에서, 정상 유전자를 A, 유전병 유전자를 a라고 한다면 (가)의 어머니와 아버지의 유전자형은 모두 Aa가 된다. 이때 자손은 AA : Aa : aa = 1 : 2 : 1의 비로 나오므로, 유전병 자손이 나올 확률은 $\frac{1}{4}$이다.

오답 피하기

ㄱ. 유전병 유전자는 상염색체 상에 존재한다.

ㄷ. 유전병 형질을 나타내는 사람은 모두 동형접합성으로 유전병 유전자를 가지고 있다. 정상 형질을 나타내는 구성원의 경우, 모두 유전병 자손이 있으므로 이형접합성으로 유전병 유전자를 가지고 있다.

146 답 ① | 가계도 상에서 모두 분리형 형질을 나타내는 부모 사이에서 부착형 귓불 자손이 나왔으므로 분리형이 우성, 부착형이 열성임을 알 수 있다. 만약 귓불 유전자가 성염색체인 X 염색체에 있다면, 분리형 귓불인 아버지로부터 부착형 귓불인 딸은 나올 수 없다. 딸은 아버지로부터 분리형 유전자를 갖는 X 염색체를 받기 때문이다. 따라서 귓불 형질 유전자는 상염색체에 존재함을 알 수 있다.

오답 피하기

ㄴ. 귓불 모양을 결정하는 유전자는 상염색체 상에 존재한다.

ㄷ. 부착형 귓불인 자손을 둔 분리형 귓불 부모의 경우는 모두 유전자형이 이형접합성이어야 한다. 따라서 유전자형이 잡종(이형접합성)인 사람은 최소 4명이며, 유전자형이 잡종인지 순종(동형접합성)인지 확정하지 못하는 경우도 있다.

147 답 ⑤ | 가계도에서 유전병 (가)가 있는 1을 보면, 유전병 (가)의 유전자는 어머니로부터 받은 것이다. 그런데 어머니는 정상이므로, 어머니는 이형접합성이고 유전병 형질의 유전자는 열성임을 알 수 있다. 따라서 A는 정상 형질을 나타내는 우성 유전자이고, a는 유전병 형질을 나타내는 열성 유전자이다.

3의 경우 아버지와 어머니로부터 모두 a 유전자를 하나씩 받은 것이므로 어머니인 2는 a 유전자를 하나 가지고 있는 보인자이다.

3의 남동생은 유전병 (가)와 (나)를 모두 가지고 있는데, 이는 모두 어머니인 2로부터 받은 것이다. 2는 유전병 (나)를 나타내는 유전자를 가지고 있으면서 정상 형질이므로, 이형접합성이고 유전병을 나타내는 유전자는 열성임을 알 수 있다. 따라서 B는 정상 형질을 나타내는 우성 유전자이고, b는 유전병 형질을 나타내는 열성 유전자이다. 또한, 2에게서 a 유전자와 b 유전자는 같은 X 염색체에 있어야만 아들에게 동시에 전달될 수 있다. 따라서 2의 유전자형은 $X^{AB}X^{ab}$로 표현할 수 있다. 1의 유전자형은 $X^{aB}Y$이므로, 이 둘 사이에서는 $X^{AB}X^{aB}$, $X^{AB}Y$, $X^{ab}X^{aB}$, $X^{ab}Y$인 자손이 같은 비율로 나오게 된다. 따라서 유전병 (가)와 (나)를 모두 갖는 경우는 $X^{ab}Y$인 자손이 나올 때이므로, 확률은 $\frac{1}{4}$(25 %)가 된다. 3의 경우, 2로부터 a, b 두 유전자를 동시에 받게 된다.

문제 속 자료 성염색체 유전의 가계도

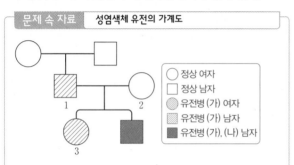

○ 정상 여자
□ 정상 남자
◐ 유전병 (가) 여자
▨ 유전병 (가) 남자
■ 유전병 (가), (나) 남자

- 우선 유전병 (가)를 보면, 유전병 (가)가 없는 부모 밑에서 유전병 (가)가 있는 1이 나왔으므로 열성 형질임을 알 수 있다. 따라서 정상 유전자가 A, 유전병 (가) 유전자가 a이다.
- 유전병 (나)를 보면, 유전병 (나)가 없는 1, 2 사이에서 유전병 (나)가 있는 아들이 나왔으므로 이 역시 열성 형질이다. 따라서 정상 유전자가 B, 유전병 (나) 유전자는 b이다.
- 3은 아버지와 어머니로부터 각각 X 염색체를 하나씩 받으므로 a 유전자를 갖는 X 염색체를 하나씩 받았다.
- 유전병 (가)와 (나)를 모두 갖는 아들의 경우, 아버지로부터는 Y 염색체를, 어머니로부터는 X 염색체를 받는다. a 유전자와 b 유전자는 모두 X 염색체에 있으므로, 이 아들이 어머니로부터 받은 X 염색체에는 a 유전자와 b 유전자가 모두 들어 있음을 알 수 있다.

---

148 답 ③ | (가)를 보면 아버지가 유전병인데 아들이 유전병이 아닌 경우가 존재한다. 만약 유전자가 Y 염색체에 있다면, Y 염색체는 아버지에서 아들로 전달되므로 아들에게서 반드시 유전병이 나타나야 한다. 따라서 유전병 A의 유전자는 Y 염색체가 아닌 X 염색체에 있음을 알 수 있다. A와 B를 나타내는 유전자는 서로 다른 종류의 성염색체에 있으므로, 유전병 B 유전자는 Y 염색체에 있다.

형질을 결정하는 유전자가 X 염색체에 있는 경우를 반성유전이라고 하는데, 반성유전의 형질이 나타날 확률은 남자가 여자보다 더 높다.

오답 피하기

ㄷ. (가)에서, 아버지의 X 염색체는 반드시 딸에게 전달되므로 유전병 아버지에게서 나온 딸은 반드시 유전병 유전자를 갖게 된다. 따라서 유전병 A 유전자를 가지고 있는 여자는 3명 이상이다.

---

149 답 ③ | 모두 정상인 부모 밑에서 적록 색맹 자손이 나왔으므로, 정상 형질이 우성, 적록 색맹 형질이 열성이다. 색맹을 나타내는 여자(5)가 있으므로 색맹 유전자는 Y 염색체가 아닌 X 염색체에 있음을 알 수 있다. 1과 3의 경우 정상인 여성이고 모두 색맹인 아들을 두고 있다. 아들의 색맹 유전자는 어머니의 X 염색체를 받은 것이므로, 1과 3은 유전자형이 X^RX^r이 된다. 따라서 유전자형이 서로 같다. 4의 적록 색맹 유전자는 X 염색체를 물려준 어머니로부터 받은 것이다. 5의 어머니의 유전자형은 X^RX^r, 아버지의 유전자형은 X^rY이다. 이때 자손은 X^RX^r, X^RY, X^rX^r, X^rY가 같은 비율로 태어난다. 따라서 5의 동생이 적록 색맹일 확률은 50 %이다.

문제 속 자료 성염색체 유전의 가계도

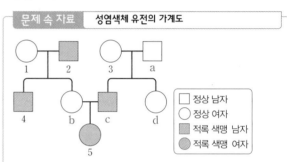

□ 정상 남자
○ 정상 여자
▦ 적록 색맹 남자
● 적록 색맹 여자

- 3과 a 사이에서 적록 색맹인 c가 나왔으므로 적록 색맹은 열성이다.
- 적록 색맹인 여성 5가 있으므로, 색맹 유전자는 Y 염색체가 아닌 X 염색체에 존재한다.
- 아들의 X 염색체는 어머니로부터 받은 것이므로, 색맹인 4와 c의 적록 색맹 유전자는 모두 어머니로부터 받은 것이다. 따라서 정상 형질인 1과 3의 유전자형은 정상 유전자를 갖는 X^R 염색체와 색맹 유전자를 갖는 X^r 염색체로 구성되어 모두 이형접합성이다.
- 정상 유전자를 갖는 유전자를 X^R, 적록 색맹 유전자를 X^r이라고 표시할 때 b의 유전자형은 X^RX^r, c의 유전자형은 X^rY가 된다.

---

150 답 ③ | 제시된 자료처럼 하나의 형질을 결정하는 데 여러 상동 염색체 쌍에 있는 대립유전자가 관여하는 경우를 다인자 유전이라고 한다.

유전자형이 aabbdd인 개체가 만들 수 있는 생식세포는 abd 한 가지이다. 즉, 유전자형에서 대문자로 표현되는 유전자의 수가 0인 생식세포만 만들어진다. 개체 P가 만들 수 있는 생식세포에서, 대문자로 표현되는 유전자는 A, B, D 세 개가 다 들어올 수도 있고, 2개, 1개, 0개가 모두 가능하다. 따라서 P와 유전자형이 aabbdd인 개체를 교배했을 때 자손이 가질 수 있는 대문자로 표현되는 유전자의 수는 0개, 1개, 2개, 3개이므로, 가능한 피부색의 표현형은 4종류이다.

오답 피하기

ㄴ. (나)에서 세 쌍의 상동 염색체에 모두 이형접합성으로 대립유전자가 존재하므로, 생식세포에는 A와 a, B와 b, D와 d가 각각 분리되어 들어간다. 따라서 가능한 생식세포의 수는 $2 \times 2 \times 2 = 8$(가지)이다.

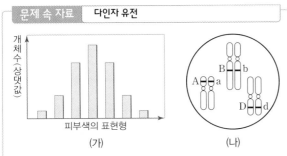

문제 속 자료 다인자 유전

개체수(상댓값)

피부색의 표현형
(가)

B b
A a
D d
(나)

- 피부색 형질을 결정하는 대립유전자는 세 상동 염색체 쌍에 존재하므로, 다인자 유전이다.
- 피부색 형질은 대문자로 표현되는 유전자의 수로 결정되므로, 자손에게서 가능한 대문자 유전자의 수를 파악하면 표현형과 가능한 경우의 수를 알 수 있다.
- 유전자형이 aabbdd인 개체는 오직 abd인 생식세포만 만드는데, 대문자 유전자가 없다. 즉, P가 만드는 생식세포의 대문자 수에 따라 자손의 피부색 형질이 결정된다.
- P는 abd부터 ABD까지 모든 종류의 생식세포를 만들 수 있으므로 가능한 대문자 유전자의 수는 0개, 1개, 2개, 3개이다. 따라서 자손의 피부색 표현형은 총 4가지 경우가 가능하다.

151 답 ① | 피부색 유전처럼 하나의 형질을 결정하는 유전자가 여러 상동 염색체 쌍에 존재하는 대립유전자에 의해 결정되는 경우를 다인자 유전이라고 한다.

유전자형이 AaBbDd인 개체에서는, A와 a, B와 b, D와 d가 각각 분리되어 생식세포로 들어가므로 $2 \times 2 \times 2 = 8$ (가지)의 생식세포가 만들어질 수 있다.

오답 피하기

ㄴ. 유전자형이 AaBbDd인 사람은 (ABD), (ABd), (AbD), (Abd), (aBD), (aBd), (abD), (abd)의 8종류의 생식세포를 만들 수 있다.

ㄷ. 유전자형이 AaBbDd인 사람끼리 결혼하여 자손을 낳을 경우, 아버지와 어머니 모두 8종류의 생식세포가 만들어지므로 $8 \times 8 = 64$(가지)의 경우가 가능하다. 유전자형이 Aabbdd인 사람은 대문자로 표현되는 유전자의 수가 1개이므로, 이 사람과 피부색이 동일한 자손이 태어나려면 대문자로 표현되는 유전자의 수가 1개여야 한다. 따라서 가능한 경우는 Aabbdd, aAbbdd, aaBbdd, aabBdd, aabbDd, aabbdD의 총 6가지 경우이므로, 확률은 $\frac{6}{64} = \frac{3}{32}$이 된다.

152 답 ② | (가)의 유전 방식은 복대립 유전, (나)의 유전 방식은 다인자 유전이다. (가)의 가능한 유전자형은 XX, YY, ZZ, XY, XZ, YZ의 6가지이다. (나)에서 유전자형이 AaBbCc인 개체는 대문자로 표현되는 유전자의 수가 3개이고, 유전자형이 AaBbcc인 개체는 대문자로 표현되는 유전자의 수가 2개이다. 따라서 이 둘은 대문자로 표시되는 유전자의 개수가 다르므로, 표현형이 서로 다르다.

ㄱ. (가)의 유전 방식은 복대립 유전, (나)의 유전 방식은 다인자 유전이다.

ㄷ. (나)에서 유전자형이 AaBbCc인 개체는 대문자로 표현되는 유전자의 수가 3개이고, 유전자형이 AaBbcc인 개체는 대문자로 표현되는 유전자의 수가 2개이다. 따라서 이 둘은 대문자로 표시되는 유전자의 개수가 다르므로 표현형이 다르다.

153 답 ① | 제시된 그림에서 감수 1분열 과정에서는 정상적으로 상동 염색체가 분리되었고, 감수 2분열 과정에서 염색 분체가 비분리되었음을 알 수 있다. ㉠은 정상적으로 염색체 분리가 된 경우이므로 핵상은 n이고, ㉡은 염색체 비분리가 일어나 성염색체가 없는 경우이므로 염색체 하나가 부족해 핵상은 $n-1$이 된다.

오답 피하기

ㄴ. 정자 ㉡은 성염색체가 없으므로, 이 정자와 정상 난자가 수정하면 염색체 구성이 44+X가 된다. 이러한 염색체 이상을 터너 증후군이라고 한다.

ㄷ. 감수 2분열 과정에서 염색체 비분리가 일어났다.

문제 속 자료 염색체 비분리

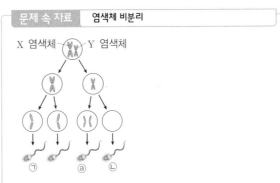

X 염색체　Y 염색체

㉠　ⓐ　㉡

- 감수 1분열에서는 정상적으로 염색체가 분리되었고, 감수 2분열 시기에 염색 분체의 비분리가 일어났다.
- ㉠의 핵상은 정상적으로 n이고, ㉡은 염색체가 하나 부족하므로 $n-1$, ⓐ는 염색체가 하나 더 있으므로 $n+1$이 된다.
- ㉠과 정상 난자가 수정하면 정상적인 44+XX인 개체가 된다. ㉡과 정상 난자가 수정하면 44+X, ⓐ와 정상 난자가 수정하면 44+XYY가 된다.

154 답 ② | 세포 ㉠이 감수 1분열을 거쳐 ㉡과 ㉢이 생성될 때 상동 염색체의 분리가 일어난다. 표에서 ㉡에 X 염색체가 있으므로, ㉢으로는 Y 염색체가 분리되어 들어갔음을 알 수 있다. 이후 감수 2분열이 일어날 때는 염색 분체가 분리되므로 염색체의 변화가 없어야 하는데, ㉡에서 분열된 ㉣에는 X 염색체가 없음을 알 수 있다. 이로부터 ㉡에서 감수 2분열이 일어날 때 염색체의 비분리가 일어났음을 알 수 있다.

㉣은 성염색체가 없으므로 염색체 수는 $n-1$인 22개가 된다.

이때 $\dfrac{\text{상염색체 수}}{\text{총 염색체 수}}$의 값은 $\dfrac{22}{22} = 1$이 된다. ⓒ은 정상적으로 감수 1분열이 일어난 세포이므로, 염색체 수는 22+Y가 되어 23개이고 상염색체 수는 22개이다. 따라서 $\dfrac{\text{상염색체 수}}{\text{총 염색체 수}}$의 값은 $\dfrac{22}{23}$이다. $\dfrac{\text{상염색체 수}}{\text{총 염색체 수}}$의 값은 ⓔ이 ⓒ보다 크다는 것을 알 수 있다.

오답 피하기

ㄱ. ⓒ이 ⓔ로 되는 과정인 감수 2분열에서 염색체 비분리가 일어났다.

ㄷ. ⓑ은 염색체 분리가 정상적으로 일어난 세포이므로, ⓑ과 정상 난자가 수정되면 정상인 자손이 태어난다.

155 답 ⑤ | 왼쪽의 그림은 감수 1분열 과정에서 염색체 비분리가 일어난 모습을 나타내고, 오른쪽 그림은 감수 2분열 과정에서 염색 분체의 비분리가 일어난 모습을 나타낸다.

정자 A는 X 염색체와 Y 염색체를 모두 가지므로, A와 정상 난자가 수정되면 유전자형이 XXY인 클라인펠터 증후군인 자손이 태어난다. 정자 B는 염색 분체가 정상적으로 분리된 정자이므로, 정상 난자와 수정되면 정상 핵형인 자손이 태어난다. 정자 C는 감수 2분열에서 염색체 비분리가 일어난 경우이다.

문제 속 자료 | 염색체 비분리

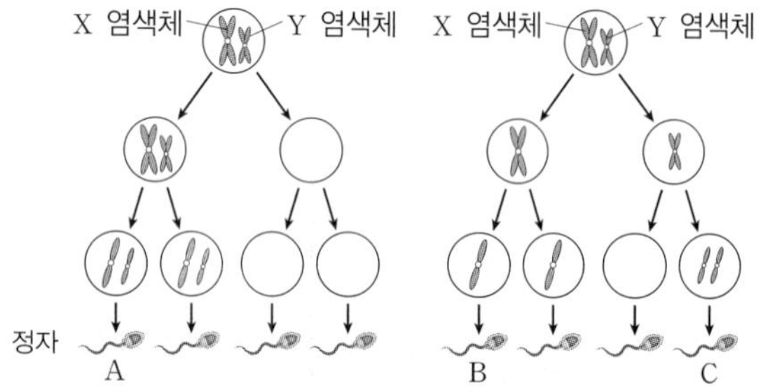

- 왼쪽의 생식세포 분열 과정에서는 감수 1분열 시기에 염색체 비분리가 발생했고, 오른쪽의 생식세포 분열 과정에서는 감수 2분열에서 염색체 비분리가 발생한 것이다.
- A의 경우, 감수 1분열 때 상동 염색체가 분리되지 않고 한 세포에 모두 들어오고, 이후 염색 분체가 분리되므로 X 염색체와 Y 염색체를 모두 갖는다.
- B는 정상적으로 염색체가 분리된 경우이다.
- C는 감수 2분열 시기에 염색 분체가 분리되지 않고 한 세포에 모두 들어온 경우로 Y 염색체를 2개 갖게 된다.

156 답 ② | (가)는 감수 1분열 과정에서 염색체 비분리가 일어난 것이고, (나)는 감수 2분열 과정에서 염색체 비분리가 일어난 것이다. ⊙의 경우, ⊙의 딸세포의 염색체 수가 $n+1$개이므로 ⊙해 염색체 수도 $n+1$인 24개가 된다. ⓒ의 경우는 정상적으로 염색체 분리가 일어난 세포이고, ⓒ에서 ⓔ로 분

열하는 과정에서 염색체 비분리가 일어난다. 따라서 ⓒ의 염색체 수는 n개인 23개이다.

오답 피하기

ㄱ. ⊙의 염색체 수는 24개, ⓒ의 염색체 수는 23개로 서로 다르다.

ㄷ. 우선 문제 조건에서 (가)와 (나) 모두 21번 염색체에서만 비분리가 일어났다. ⓒ은 염색체 수가 $n-1$이므로 21번 염색체가 없는 난자이고, ⓔ은 염색체 수가 $n+1$로 21번 염색체가 하나 더 많은 2개인 정자이다. 따라서 ⓒ과 ⓔ이 수정되면 21번 염색체가 2개가 되어 정상인 자손이 태어난다.

157 답 ④ | 핵형 분석 그림에서 ⊙과 ⓒ은 크기와 모양이 같은 두 염색체가 쌍을 이루는 상동 염색체이다. 또한, 21번 염색체를 보면 세 염색체가 상동 염색체를 이루고 있는데, 이는 21번 염색체가 3개인 다운 증후군임을 나타낸다.

오답 피하기

ㄷ. 핵형 분석은 염색체가 뚜렷이 나타난 세포를 이용해야 한다. 간기의 세포는 유전 물질이 염색체가 아닌 염색사로 풀린 상태로 존재하므로 핵형 분석에 이용할 수 없다. 핵형 분석은 염색체가 나타나는 분열기의 세포를 이용한다.

158 답 ① | 핵형 분석 그림에서 ⓐ와 ⓑ는 크기와 모양이 같은 염색체가 쌍을 이루는 상동 염색체이다. 또한, 21번 염색체를 보면 3개임을 알 수 있는데, 이는 21번 염색체가 하나 더 많은 다운 증후군을 나타낸다. 따라서 이 사람의 상염색체 수는 $44+1=45$(개)이다.

오답 피하기

ㄴ. 핵형 분석으로는 염색체의 수 이상을 알 수 있으나, 특정 유전자형을 알 수는 없다.

ㄷ. 상염색체 수는 $44 + 1 = 45$(개)이고, 염색 분체 수는 이의 두 배인 90개이다.

문제 속 자료 | 핵형 분석과 염색체 수 이상

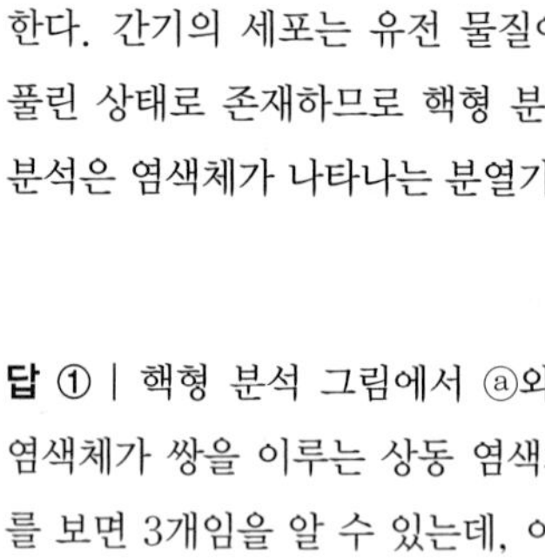

- ⓐ와 ⓑ는 크기와 모양이 같은 상동 염색체이다.
- 21번 염색체가 3개이므로, 이 사람은 다운 증후군임을 알 수 있다.

159 답 ⑤ | 핵형 분석 그림을 보면, 상염색체 수는 모두 정상이지만 성염색체의 구성이 XXY인 클라인펠터 증후군임을 알 수 있다. 클라인펠터 증후군은 Y 염색체가 있으므로 남자이며, 발달 장애, 불임 등이 나타날 수 있다.

문제에서 색맹인 어머니 밑에서 태어난 자손이므로 어머니로부터 색맹 유전자가 있는 X 염색체를 받게 되는데, 이 사람은 색맹이 아니므로 아버지로부터 비분리된 XY 염색체를 받았음을 알 수 있다. 따라서 ㉠과 ㉡ 중 하나는 어머니로부터 받은 것이므로 색맹 유전자가 있다.

아버지로부터 성염색체가 XY인 정자가 만들어진 것이므로, 이는 감수 1분열 과정에서 상동 염색체가 비분리된 것이다. 감수 2분열에서 염색체 비분리가 일어나면 X 염색체가 두 개인 정자 또는 Y 염색체가 두 개인 정자가 만들어진다.

160 답 ② | 핵형 분석 그림을 보면 상염색체는 정상이고, 성염색체 구성이 XXY인 클라인펠터 증후군임을 알 수 있다.

오답 피하기

ㄱ. 백혈구 세포는 체세포로 생식세포 분열을 하지 않는다. 생식세포 분열은 생식세포인 정자, 난자가 만들어질 때 일어난다.

ㄷ. 페닐케톤뇨증은 유전자 이상인 질병으로, 핵형 분석을 통해서는 유전자 이상을 알 수 없다.

161 답 ④ | 그림은 생식세포인 정자의 염색체 모습이므로, 두 염색체는 상동 염색체 관계가 아닌 다른 종류의 염색체이다. 따라서 A~E, K~M은 대립유전자 관계가 아니다. (나)는 정상인 유전자 구성인 KLM에서 LM 유전자가 중복된 경우이고, (다)는 두 염색체에서 CDE 부분과 M 부분의 위치가 바뀐 전좌가 일어난 경우이다.

오답 피하기

ㄱ. 제시된 두 염색체는 상동 염색체가 아니므로, A~E, K~M은 대립유전자 관계가 아니다.

문제 속 자료 **염색체 구조 이상**

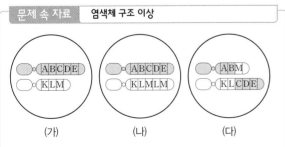

(가)　　　　(나)　　　　(다)

- 제시된 두 염색체는 생식세포인 정자의 염색체이므로, 상동 염색체가 아니고 따라서 대립유전자 관계도 아니다.
- (나)는 정상 염색체인 (가)와 비교했을 때 LM 유전자가 반복되는 중복이 일어난 경우이다.
- (다)는 두 염색체에서 염색체 일부분이 서로 바뀌어 들어간 전좌가 일어난 경우이다.

162 답 ② | (나)는 (가)와 비교했을 때 R, S 유전자가 순서가 반대로 들어간 역위가 일어난 경우이다. (다)는 다른 종류의 염색체에서 RST 부분과 YZ 부분의 위치가 뒤바뀐 전좌가 일어난 경우이다.

오답 피하기

ㄱ. ㉠과 ㉡은 상동 염색체 관계이다. 일반적으로 염색 분체는 하나의 동원체에 연결된다. 그림에서는 동원체가 2개이다.

ㄷ. (다)에서 전좌가 일어난 것은 맞지만, 상동 염색체가 아닌 다른 종류의 염색체 사이에서 일어났다.

163 답 ② | A와 a는 대립유전자이므로, 원래는 상동 염색체의 같은 위치에 있어야 한다. (나)에서는 a 유전자가 있는 부분이 떨어져 다른 염색체의 윗부분으로 붙은 것으로 전좌가 일어난 염색체 구조 이상이다.

(가)에서 A 유전자가 있는 염색체는 상동 염색체를 이루는 염색체와 크기와 모양이 다르므로 상염색체가 아닌 성염색체임을 알 수 있다. 즉, (나)에서는 성염색체와 상염색체 사이에 전좌가 일어났다.

오답 피하기

ㄱ. ㉠과 ㉡은 각각 상염색체와 성염색체로, 상동 염색체가 아니다.

ㄴ. (나)에서는 중복이 아닌 전좌가 일어났다.

164 답 ④ | (나)의 경우 염색체 분리는 정상적으로 일어났지만 CD 유전자와 g 유전자가 서로 다른 종류의 염색체로 들어간 전좌가 일어난 모습이다. (다)의 경우 염색체의 구조 이상은 없지만, 염색체 비분리가 일어나 정상 생식세포보다 염색체가 하나 더 많은 모습이다.

(다)에서 비분리가 일어난 두 염색체를 살펴보면 유전자 구성이 정확히 같은 것을 알 수 있다. 정상 체세포인 (가)를 봤을 때 상동 염색체에서 유전자 구성이 G와 g로 다르다. 만약 감수 1분열에서 염색체 비분리가 일어났다면 상동 염색체가 하나의 세포로 들어가고, 이 상태에서 감수 2분열이 일어나면 상동 염색체에서 유래한 유전자 구성이 다른 두 염색체가 있게 된다. 따라서 (다)의 두 염색체는 감수 2분열에서 DNA의 복제에 의해 생성된 두 염색 분체의 비분리가 일어나 한 생식세포에 들어온 것이며, 그 결과 유전자의 구성이 같다.

오답 피하기

ㄱ. (가)에서 A와 a가 상동 염색체의 같은 자리에 위치하는 대립유전자 관계이며, a와 E는 다른 종류의 염색체에 있는 유전자이다.

165 답 ① | ㉠은 작용, ㉡은 반작용이다. 일조 시간은 비생물적 요인으로 생물적 요인인 식물의 개화에 영향을 주는 작용(㉠)의 예이다.

오답 피하기

ㄴ. 분해자는 생물적 요인에 해당한다. 비생물적 요인으로는 빛, 온도, 토양, 물 등이 있다.

ㄷ. 개체군은 한 종으로만 구성된 무리를 뜻한다. 따라서 개체군 A를 이루는 종은 한 종류이다.

166 답 ③ | ㉠은 상호 작용, ㉡은 작용, ㉢은 반작용이다. ㉠의 예로는 종간 경쟁, 분서(생태 지위 분화), 공생과 기생, 포식과 피식 등이 있다. 비생물적 요인인 수온이 생물적 요인인 돌말 개체군의 크기에 영향을 주는 것은 작용(㉡)의 예이다.

오답 피하기

ㄷ. 강수량은 비생물적 환경 요인에 속하고 옥수수는 생물 군집에 속하므로 강수량 감소에 의해 옥수수 생장이 저해되는 것은 작용(㉡)에 해당한다.

문제 속 자료 생태계 구성 요소 간의 상호 관계

상호 작용(㉠): 개체군 사이의 상호 작용을 나타낸 것이다. 그 예로는 종간 경쟁, 분서(생태 지위 분화), 공생과 기생, 포식과 피식 등이 있다.

167 답 ① | ㉠은 상호 작용, ㉡은 작용, ㉢은 반작용이다. 군집 내 개체군 사이의 상호 작용(㉠)의 예로는 종간 경쟁, 분서(생태 지위 분화), 공생과 기생, 포식과 피식 등이 있다.

오답 피하기

ㄴ. 분해자는 생태계를 이루는 생물적 요인에 해당한다.

ㄷ. 생태계는 생물적 요인과 비생물적 요인으로 구성된다. 탈질산화 세균(질산 분해 세균)에 의해 질산 이온이 질소 기체로 되는 것은 생물적 요인이 비생물적 요인에 영향을 미치는 것이므로 ㉡이 아닌 ㉢에 해당한다.

168 답 ③ | ㉠은 비생물적 요인이 생물적 요인에 영향을 미치는 작용, ㉡은 생물적 요인이 비생물적 요인에 영향을 주는 반작용, ㉢는 개체군 내의 상호 작용이다. 생물적 요인인 지의류가 비생물적 요인인 토양에 영향을 주는 것은 반작용(㉡)에 해당한다.

오답 피하기

ㄷ. 분서는 군집 내 개체군 사이에서 일어나는 상호 작용이다. ㉢은 개체군 내의 개체 사이의 상호 작용이므로 분서는 ㉢에 해당하지 않는다.

169 답 ⑤ | ㉠은 작용, ㉡은 반작용을 나타낸 것이다.

ㄱ. 비생물적 요인인 빛이 생물적 요인에 영향을 주는 것이므로 작용(㉠)에 해당한다.

ㄴ. 생물적 요인인 지렁이가 비생물적 요인인 토양의 통기성을 높이는 것은 반작용(㉡)의 예이다.

ㄷ. 개체군 사이의 상호 작용의 예로는 경쟁(종간 경쟁), 분서(생태 지위 분화), 공생과 기생, 포식과 피식 등이 있다.

170 답 ⑤ | ㉠은 작용, ㉡은 반작용이다.

ㄴ. 비생물적 요인인 위도에 따라 식물 군집의 분포가 달라지는 것은 작용(㉠)의 예이다.

ㄷ. 지의류는 생물적 요인에 속하고 토양은 비생물적 요인에 속하므로 지의류에 의한 암석의 풍화는 반작용(㉡)의 예이다.

171 답 ③ | ㉠은 상호 작용, ㉡은 반작용, ㉢은 작용이다. 빛의 파장에 따라 해조류의 분포가 달라지는 것은 작용(㉢)의 예이다.

오답 피하기

ㄱ. 생산자, 소비자, 분해자는 생태계를 이루는 생물적 요인에 속한다.

ㄴ. 개체군은 한 종으로 이루어져 있으므로 ㉠은 한 개체군을 이루는 동일한 종의 개체들 사이에서 일어나는 상호 작용이다. 스라소니와 눈신토끼의 관계는 군집을 이루는 서로 다른 개체군 사이의 상호 작용인 포식과 피식의 예이다.

172 답 ① | ㉠은 작용, ㉡은 반작용, ㉢과 ㉣은 상호 작용이다.

오답 피하기

ㄴ. 생물적 요인인 나무의 수가 비생물적 요인인 하천의 수량에 영향을 주는 것은 반작용(㉡)이다.

ㄷ. 비생물적 요인인 일조량이 생물적 요인인 식물의 광합성량에 영향을 주는 것은 작용(㉠)의 예이다.

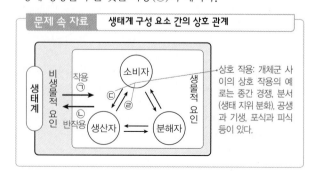

문제 속 자료 생태계 구성 요소 간의 상호 관계

상호 작용: 개체군 사이의 상호 작용의 예로는 종간 경쟁, 분서(생태 지위 분화), 공생과 기생, 포식과 피식 등이 있다.

173 답 ① | (가)는 반작용, (나)는 작용이다. ㉠은 생산자, ㉡은 소비자이다. 생태계 구성 요소에는 생물적 요인과 비생물적 요인이 모두 포함된다.

> **오답 피하기**

ㄷ. 토끼풀은 생산자, 토끼는 소비자로 각 개체군의 생태적 지위가 다르다.

174 답 ④ | ⓐ는 작용, ⓑ는 반작용이다. (가)에서 (나)와 소비자로 유기물이 이동하므로 (가)는 생산자이고, 생산자(가)와 소비자의 유기물은 분해자(나)로 이동한다. 빛을 흡수하여 광합성을 하는 남세균은 생산자(가)에 속한다. 유속이 남세균의 증식에 영향을 미치는 것은 비생물적 요인이 생물적 요인에 영향을 주는 작용(ⓐ)의 예이다.

> **오답 피하기**

ㄴ. ㉠과 같이 강의 종 다양성이 감소하면 강의 생태계가 위협받게 된다.

175 답 ⑤ | (가)에서 ㉠은 반작용, ㉡은 작용이다.

ㄱ. 분해자, 생산자, 소비자는 생태계의 생물적 요인이다.

ㄴ. (나)는 비생물적 요인인 빛의 파장이 생물적 요인인 해조류의 분포에 영향을 미치는 것으로 ㉡인 작용의 예이다.

ㄷ. ㉠은 생물적 요인이 비생물적 요인에 영향을 주는 반작용, ㉡은 비생물적 요인이 생물적 요인에 영향을 주는 작용이다.

> **문제 속 자료** **생태계 구성 요소 간의 상호 관계**

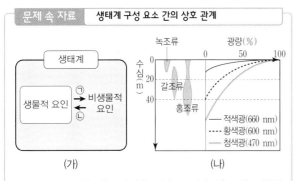

• 파장이 긴 적색광은 얕은 곳까지만 투과하므로 바다 얕은 곳에는 광합성에 적색광을 주로 이용하는 녹조류가 분포한다.
• 파장이 짧은 청색광은 깊은 곳까지 투과하므로 바다 깊은 곳에는 광합성에 청색광을 주로 이용하는 홍조류가 분포한다.

176 답 ② | ㉠은 작용, ㉡은 반작용, ㉢은 군집 내의 개체군 사이의 상호 작용, ㉣은 개체군 내의 상호 작용이다. (나)는 개체군 내의 상호 작용의 예로 은어의 텃세를 나타낸 것이다.

> **오답 피하기**

ㄱ. ㉠은 작용을 나타낸 것이다.

ㄷ. ㉢은 서로 다른 개체군 사이에서 일어나는 상호 작용이고, (나)에서 은어의 텃세권 형성은 개체군을 이루는 개체 사이에서 일어나는 상호 작용(㉣)이다. 개체군 내 상호 작용의

예로는 텃세, 순위제, 리더제, 사회생활, 가족생활 등이 있다.

177 답 ④ | 이론적 생장 곡선은 개체 수가 계속 증가하지만 실제 생장 곡선은 환경 저항 때문에 (가)와 같이 일정한 시간이 지나면 개체 수가 일정하게 유지되는 S자형 생장 곡선이 된다. (가)의 구간 Ⅰ에서는 환경 저항에 의해 개체 수가 증가하지 않는다. (나)에서 종 A와 종 B를 혼합 배양하면, 종 A의 개체 수는 증가하지만, 종 B는 감소하다가 사라짐을 알 수 있다. 이를 통해 종 A와 종 B 사이에 종간 경쟁(경쟁)이 일어났음을 알 수 있다.

> **오답 피하기**

ㄱ. A는 실제 생장 곡선을 따르고 있다.

> **문제 속 자료** **생장 곡선의 특징**

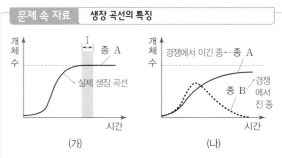

• 환경 저항: 먹이 부족, 서식 공간 부족 등으로 개체 수가 무한정 증가하지 못하도록 한다.
• (나)의 종 A와 종 B: 혼합 배양 결과 종 B의 개체 수가 급격히 줄어든 후 사라진다. 이러한 종 사이의 상호 작용을 종간 경쟁(경쟁)이라 한다.

178 답 ③ | (가)에서 A와 B를 혼합 배양한 경우 B의 개체 수가 0까지 감소하므로 A와 B 사이의 상호 작용은 종간 경쟁(경쟁)이다. 구간 Ⅰ에서는 개체 수가 시간이 지날수록 증가하므로 $\dfrac{출생률}{사망률}>1$임을 알 수 있다.

> **오답 피하기**

ㄴ. (다)에서 제공된 양분의 양은 (나)에서 제공된 양의 2배이므로 개체 수가 100일 때 환경 저항은 (다)에서가 (나)에서보다 작아 개체 수 증가율이 더 높다.

179 답 ② | (가)의 구간 Ⅰ에서는 환경 저항에 의해 개체 수의 증가율이 점차 감소한다.

> **오답 피하기**

ㄱ. (가)에서 보이는 S자형 생장 곡선은 실제 생장 곡선이다. 이론적 생장 곡선은 J자형을 이룬다.

ㄷ. 상리 공생은 두 종이 서로 이익을 얻어서 개체 수가 단독 배양했을 경우보다 증가하게 된다. 그러나 (나)의 그래프에서 A종은 멸종하고 B종만 살아남는 것을 통해 이들은 서로 경쟁을 하고, A종이 경쟁에서 진 것임을 알 수 있다.

180 답 ② | (나)에서 A종과 B종을 혼합 배양하였을 때 시간이 지남에 따라 A종은 살아남고, B종은 사라지는 경쟁배타가 일어났다.

오답 피하기

ㄱ. (나)에서는 경쟁배타가 일어났다. 분서는 생태적 지위가 비슷한 개체군이 함께 생활할 때 활동 공간이나 먹이 등을 달리하여 나누어 사는 현상을 말한다.

ㄷ. 편리 공생이란 두 종의 관계에서 한 종은 이익을 얻지만 다른 종은 이익도 손해도 없는 경우를 말한다. A와 C를 혼합 배양한 (다)에서 두 종 모두 최대 개체 수가 단독 배양할 때보다 증가한 것으로 보아 두 종이 모두 이익을 얻고 있으므로 상리 공생 관계임을 알 수 있다.

문제 속 자료 군집 내 개체군 사이의 상호 작용

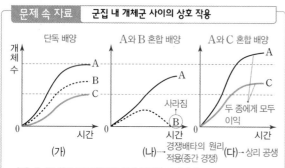

- (가): A, B, C종 모두 S자형 생장 곡선을 나타낸다.
- (나): A와 B종을 혼합 배양하면 종간 경쟁이 일어나 경쟁에서 진 B종이 사라진다.(경쟁배타의 원리)
- (다): A와 C를 단독 배양할 때보다 두 종을 혼합 배양할 때 개체 수가 더 증가하였다. 이를 통해 A와 C가 상리 공생 관계임을 알 수 있다.

181 답 ⑤ | 텃세(B)는 개체군 내의 상호 작용, 기생과 상리 공생(A)은 군집 내 개체군 사이의 상호 작용의 예이다. 텃세는 같은 종의 개체들 사이에서 일어나는 개체군 내의 상호 작용이므로 B에 해당하고, A는 상리 공생이 된다. 상리 공생(A)과 기생은 관련된 두 개체군의 이익 관계에 따라 구분된다. 따라서 (가)는 '두 개체군이 모두 이익을 보는가?'에 해당한다. 상리 공생은 두 개체군이 서로 이익을 얻는 관계로 흰동가리와 말미잘이 그 예에 해당한다. 반면 기생은 두 개체군 중 한쪽은 이익을 얻고 나머지 한쪽은 손해를 보는 관계이다.

182 답 ③ | A는 기생, B는 편리 공생, C는 상리 공생이다. 콩과식물과 뿌리혹박테리아는 서로 이익을 주고받는 상리 공생을 한다.

오답 피하기

ㄱ, ㄴ. A는 한쪽은 이익, 한쪽은 손해이므로 기생이고, C는 둘 다 이익이므로 상리 공생이다. 편리 공생은 한 종은 이익을 얻고 다른 종은 이익도 손해도 없는 관계이다. 따라서 ㉠은 '이익도 손해도 없음'이 된다.

183 답 ④ | ㉡이 상호 작용하는 두 생물종이 모두 이익을 얻는 경우이므로 B는 상리 공생, A는 기생이다. 뿌리혹박테리아는 콩과식물에게 질소 화합물을 공급하고, 콩과식물은 뿌리혹박테리아에게 영양분을 공급하며 서로 이익을 얻는 관계이므로 상리 공생(B)에 해당한다.

오답 피하기

ㄴ. 기생과 상리 공생은 군집 내 개체군 사이의 상호 작용의 예이므로 ㉠은 '군집 내 개체군 사이의 상호 작용이다.'이다.

문제 속 자료 군집 내 개체군 사이의 상호 작용

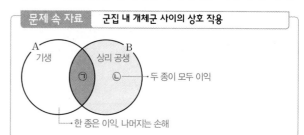

- 군집 내 개체군 사이의 상호 작용: 군집을 구성하는 서로 다른 개체군 사이의 상호 작용 예 종간 경쟁, 분서(생태적 지위 분화), 공생과 기생, 포식과 피식
- 공생과 기생에서의 이익 관계(단, 두 종을 임의로 종 1과 2로 구분한다.)

구분	기생	편리 공생	상리 공생
종 1	이익	이익도 손해도 없음	이익
종 2	손해	이익	이익

- 개체군 내의 상호 작용: 한 개체군을 이루는 개체들 사이의 상호 작용 예 텃세, 순위제, 리더제, 사회생활, 가족생활

184 답 ⑤ | (가)는 콩과식물과 뿌리혹박테리아가 모두 이익을 얻으므로 상리 공생, (나)는 종간 경쟁에 의한 경쟁배타 원리가 적용되는 예이다. 상리 공생과 종간 경쟁은 군집을 구성하는 서로 다른 개체군 사이의 상호 작용의 예이다.

185 답 ① | 그림은 연못이나 호수 등 수분이 많은 곳에 퇴적물이 쌓여 육지화가 되면서 시작되는 습성 천이를 나타낸 것이다. A는 관목림, B는 양수림, C는 음수림이다.

오답 피하기

ㄴ. A는 관목림 지역으로 우점종은 관목이다. 지의류는 건성 천이의 개척자이므로 관목림 지역의 우점종이 아니다.

ㄷ. B는 양수림이다.

186 답 ② | 초원이 생성되고 난 이후의 천이 과정은 초원 → 관목림 → 양수림 → 혼합림 → 음수림(극상)이다. 산불 이후는 2차 천이이므로 A는 양수림, B는 음수림, C는 초원이다. 양수림(A)이 형성되면 숲의 아래쪽은 빛을 잘 받지 못한다.

오답 피하기

ㄷ. 산불이 난 후 토양에 남아 있는 기존 식물의 종자나 뿌리 등에 의해 시작되는 천이는 초원부터 시작되므로 C의 개척자는 초본류이다.

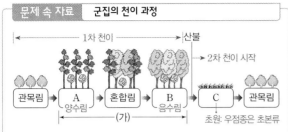

- 1차 천이: 용암 대지와 같이 토양이 전혀 없는 불모지에서 시작되는 천이
- 2차 천이: 산불이나 벌목을 한 장소처럼 이미 토양이 형성된 곳에서 시작되는 천이
- 양수림이 형성되면 숲의 아래쪽은 빛을 잘 받지 못해 양수의 묘목은 잘 자라지 못하고 음수의 묘목이 잘 자라게 되어 음수림으로 천이가 이루어진다. 따라서 천이의 마지막 단계는 음수림이 안정된 상태를 유지하며 극상을 이룬다.

187 답 ② | A는 초원, B는 양수림, C는 음수림이다. 양수림(B)이 형성되면 숲의 아래쪽은 빛을 잘 받지 못해 양수의 묘목은 잘 자라지 못하고, 음수의 묘목이 잘 자라게 되어 양수와 음수가 함께 있는 혼합림을 거쳐 음수림(C)이 된다.

오답 피하기

ㄱ, ㄴ. 산불이 난 후의 천이는 2차 천이로 초원(A)부터 시작되며 초본류가 개척자이고, 지의류는 1차 천이의 개척자이다.

188 답 ⑤ | A는 양수림, B는 음수림이다.

ㄴ. 종 ㉠은 시간이 지날수록 밀도가 증가하므로 음수림(B)의 우점종이고, 종 ㉡은 양수림(A)의 우점종이다.

ㄷ. 잎의 평균 두께는 양지 식물이 음지 식물보다 두껍다. 종 ㉠은 음수림의 우점종 중 한 종이고, 종 ㉡은 양수림의 우점종 중 한 종이므로, 잎의 평균 두께는 종 ㉡이 더 두껍다.

오답 피하기

ㄱ. 구간 I은 양수림(종 ㉡)이 감소하고, 음수림(종 ㉠)이 증가하므로 (가)의 A에서 일어나는 밀도 변화이다.

189 답 ⑤ | ㄴ. 에너지 효율(%)

$= \dfrac{\text{현 영양 단계가 보유한 에너지 총량}}{\text{전 영양 단계가 보유한 에너지 총량}} \times 100$이다. (가)에서 에너지 효율은 1차 소비자가 10 %, 2차 소비자가 20 %로 2차 소비자가 1차 소비자의 2배이다.

ㄷ. 순생산량은 총생산량에서 호흡량을 뺀 것이다. t_1일 때보다 t_2일 때 순생산량(분모)이 작고, 호흡량(분자)은 거의 비슷하므로 $\dfrac{\text{순생산량}}{\text{호흡량}}$은 t_2일 때보다 t_1일 때가 더 크다.

오답 피하기

ㄱ. 1차 소비자의 생장량은 생산자의 순생산량에 포함된다. 호흡량은 총생산량에서 순생산량을 뺀 값으로 ㉠은 식물 군집의 총생산량, ㉡은 호흡량이다. 생장량은 순생산량에 속한다.

190 답 ⑤ | A, B, C의 에너지양은 각각 26, 2, 0.2이다. 따라서 에너지양은 26(A) > 2(B) > 0.2(C)이다. D에서 방출되는 열의 양은 10+1+0.1=11.1이다.

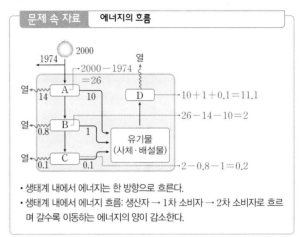

- 생태계 내에서 에너지는 한 방향으로 흐른다.
- 생태계 내에서 에너지 흐름: 생산자 → 1차 소비자 → 2차 소비자로 흐르며 갈수록 이동하는 에너지의 양이 감소한다.

191 답 ⑤ | A의 에너지양은 1000000 − 999000 = 1000이고, B의 에너지 효율은 $\dfrac{\text{B의 에너지양}}{\text{A의 에너지양}} \times 100 = 10$ %이므로, B의 에너지양은 100이다.

ㄱ. A는 생산자, B는 1차 소비자이다.

ㄴ. ㉠은 800, ㉡은 70이다.

ㄷ. 에너지양은 1차 소비자(B)가 100, 2차 소비자가 20이므로 2차 소비자의 에너지 효율은 20 %이다.

192 답 ⑤ | (가)는 생산자, (나)는 1차 소비자, (다)는 2차 소비자이다.

ㄱ. 생산자(가)의 총생산량은 빛에너지로부터 얻은 10000이다. 순생산량=총생산량−호흡량으로 10000−5500=4500이다. 따라서 $\dfrac{\text{순생산량}}{\text{총생산량}} = \dfrac{4500}{10000}$으로 $\dfrac{1}{2}$보다 작다.

ㄴ. 1차 소비자의 에너지 효율은 $\dfrac{1000}{10000} = 10$ %, 2차 소비자의 에너지 효율은 $\dfrac{200}{1000} = 20$ %로 2차 소비자의 에너지 효율이 1차 소비자보다 2배 크다.

ㄷ. 유기물의 형태로 저장된 에너지는 영양 단계를 따라 이동하므로, 1차 소비자(나)에서 2차 소비자(다)로 이동한다.

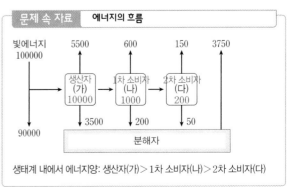

생태계 내에서 에너지양: 생산자(가) > 1차 소비자(나) > 2차 소비자(다)

193 답 ⑤ | 순생산량은 총생산량(100 %)에서 호흡량(40 %)을 제외한 값이므로 60 %이다.

오답 피하기

ㄴ. 생산자의 총생산량 중 피식량에 해당하는 15 %가 소비자에게 전달된다.

194 답 ③ | ㉠은 총생산량, ㉡은 순생산량, ㉢은 생장량이다. 이 생태계에서 생산자의 호흡량은 $1000-400=600$, 1차 소비자로 이동하는 에너지양은 $400-250=150$이다. 그러므로

$$\frac{\text{생산자에서 1차 소비자로 이동하는 에너지 양}}{\text{생산자의 호흡량}}=\frac{150}{600}=\frac{1}{4}$$

로 $\frac{1}{2}$보다 작다.

오답 피하기

ㄷ. 에너지 효율$=\dfrac{\text{현 영양 단계가 보유한 에너지 총량}}{\text{전 영양 단계가 보유한 에너지 총량}}\times100$

으로 1차 소비자의 에너지 효율은 $\dfrac{150}{1000}\times100=15\,\%$, 2차 소비자는 $\dfrac{30}{150}\times100=20\,\%$이다.

195 답 ④ | A는 호흡량, B는 순생산량에서 생장량을 뺀 양으로 피식량, 낙엽량, 고사량 등이 포함된다. 낙엽의 유기물량은 순생산량에서 생장량을 뺀 양에 포함된다. 천이가 진행됨에 따라 구간 Ⅰ에서 총생산량은 크게 변하지 않으면서 순생산량은 감소한다.

구간 Ⅰ에서 $\dfrac{\text{호흡량(A)}}{\text{순생산량}}=\dfrac{\text{총생산량}-\text{순생산량}}{\text{순생산량}}$으로

분모(순생산량)는 감소하고, 분자(호흡량)는 증가하므로 구간 Ⅰ에서 $\dfrac{\text{호흡량(A)}}{\text{순생산량}}$은 증가한다.

오답 피하기

ㄱ. A는 식물 군집의 호흡량이므로, 초식 동물의 호흡량은 포함되지 않는다.

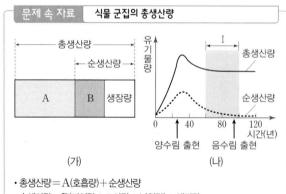

문제 속 자료 식물 군집의 총생산량

• 총생산량=A(호흡량)+순생산량
• 순생산량=B(피식량+고사량+낙엽량)+생장량
• 구간 Ⅰ에서는 총생산량과 순생산량이 동시에 감소한다.

196 답 ⑤ | 총생산량은 호흡량과 순생산량을 합한 것이고, 순생산량은 고사량, 낙엽량, 생장량, 피식량을 합한 것이다.

ㄴ. Ⅱ에서 총생산량에 대한 호흡량의 백분율은 67.1 %이므로 총생산량에 대한 순생산량의 백분율은 32.9 %이다.

ㄷ. Ⅰ의 총생산량이 Ⅱ의 총생산량의 2배이므로 Ⅰ의 총생산량이 100이라고 할 때 Ⅱ의 총생산량은 50이다. 따라서 Ⅰ의 생장량을 6.0이라고 할 때 Ⅱ의 생장량은 4.0이 되므로 Ⅰ의 생장량은 Ⅱ의 생장량보다 1.5배 많다.

오답 피하기

ㄱ. Ⅰ과 Ⅱ의 호흡량은 식물의 호흡량만을 나타낸 것이다.

197 답 ⑤ | ㄱ. (가)에서는 석유와 같은 화석 연료의 연소로 CO_2가 방출되며, (나)에서는 광합성으로 CO_2가 식물로 흡수된다.

ㄴ. 광합성은 녹색광보다 청색광에서 활발히 일어난다.

ㄷ. 대규모의 벌목은 광합성으로 흡수되는 CO_2의 양을 감소시켜 지구 온난화를 심화시킬 수 있다.

198 답 ③ | (가)는 광합성, (나)는 호흡, (다)는 연소이다. 광합성 과정에서 CO_2가 환원되어 포도당이 생성된다.

오답 피하기

ㄷ. 석유, 석탄 등과 같은 화석 연료의 연소가 증가하면 대기 중의 CO_2의 양이 증가하여 온실 효과가 증가한다.

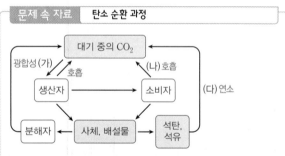

문제 속 자료 탄소 순환 과정

• (가): 대기나 물속의 CO_2는 식물이나 식물성 플랑크톤같은 생산자의 광합성에 의해 포도당과 같은 유기물로 고정된다. 유기물 속의 탄소는 먹이 사슬을 따라 소비자 쪽으로 이동한다.
• (나): 소비자에게 전달된 유기물의 일부는 소비자의 호흡에 의해 분해되며, 이 과정에서 CO_2가 방출되어 대기나 물속으로 돌아간다.
• 동식물의 사체나 배설물 속의 유기물은 분해자에 의해 분해되어 CO_2의 형태로 대기나 물속으로 방출된다.
• (다): 생물의 사체 중 분해되지 않은 유기물은 땅속에서 탄화되어 석탄, 석유와 같은 화석 연료가 되며, 연소를 통해 CO_2의 형태로 대기로 돌아간다.

199 답 ⑤ | A는 생산자, B는 분해자, ㉠은 소비자의 호흡이다. 탄소는 생물과 무기 환경 사이를 순환한다.

ㄱ. 생산자(A)는 대기 중의 CO_2를 이용하여 유기물을 합성하는 광합성을 한다.

ㄷ. 소비자는 호흡(㉠)을 통해 CO_2를 대기 중으로 방출한다.

200 답 ③ | (가)는 광합성, (나)는 호흡, (다)는 연소이다. 생태계에서 탄소는 생물계와 무기 환경 사이를 순환한다.

오답 피하기

ㄷ. (다)에서 화석 연료가 산화된다.

201 답 ④ | ㉠은 NH_4^+, ㉡은 단백질이고, 생물 ⓐ는 뿌리혹박테리아, 생물 ⓑ는 완두, 생물 ⓒ는 버섯이다. 완두와 버섯은 모두 생물이므로 세포 호흡을 통해 유기물을 무기물로 분해한다. 뿌리혹박테리아(ⓐ)는 대기 중의 질소를 고정하고 무기 질소 화합물인 암모늄 이온을 합성한다.

오답 피하기

ㄴ. 질산화 작용은 암모늄이온(NH_4^+)이 질산 이온이 되는 과정으로 질산화 세균에 의해 일어난다.

202 답 ④ | ㉠은 암모늄 이온이 질산화 세균의 작용으로 질산 이온이 되는 질산화 작용, ㉡은 질산 이온이 대기 중의 질소 기체가 되는 탈질산화 작용이다. 질산화 작용(㉠)에는 질산화 세균이, 탈질산화 작용(㉡)에는 탈질산화 세균이 관여한다.

오답 피하기

ㄱ. A는 소비자로부터 전달된 질소 화합물을 분해하여 암모늄 이온(NH_4^+)을 생성하는 분해자이다. B는 암모늄 이온(NH_4^+)과 질산 이온(NO_3^-)을 흡수하여 질소 동화 작용에 이용하는 생산자이다.

문제 속 자료 **질소 순환 과정**

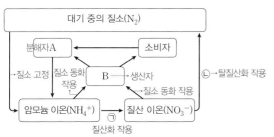

- 공중 방전과 질소 고정: 대기 중의 질소는 뿌리혹박테리아, 아조토박터 등의 질소 고정 세균에 의해 암모늄 이온(NH_4^+)으로 고정되거나, 공중 방전에 의해 질산 이온(NO_3^-)이 된다.
- 질산화 작용(㉠): 토양 속 일부 암모늄 이온은 아질산균과 질산균같은 질산화 세균의 질산화 작용에 의해 질산 이온으로 전환된다.
- 질소 동화 작용: 식물은 뿌리를 통해 토양 속의 질소를 암모늄 이온이나 질산 이온의 형태로 흡수하며, 질소 동화 작용을 통해 핵산, 단백질과 같은 유기 질소 화합물을 합성한다.
- 유기물 속의 질소는 먹이 사슬을 따라 소비자 쪽으로 이동한다.
- 동식물의 사체나 배설물 속의 유기 질소 화합물은 분해자에 의해 암모늄 이온으로 분해되어 토양으로 되돌아간 후 식물에 다시 흡수되거나 질산화 세균에 의해 질산 이온으로 전환되어 이용된다.
- 탈질산화 작용(㉡): 토양 속 질산 이온의 일부는 탈질산화 세균에 의해 질소 기체가 되어 대기 중으로 돌아간다.

203 답 ② | (가)는 질소 고정 작용, (나)는 질산화 작용, (다)는 탈질산화 작용이다.

ㄴ. 암모늄 이온이 질산 이온으로 되는 과정은 질산화 작용(나)이며, 질산화 세균인 아질산균과 질산균 등이 관여한다.

오답 피하기

ㄱ. 질소 고정 작용(가)은 질소 고정 세균인 뿌리혹박테리아나 아조토박터 등에 의해 일어난다.

ㄷ. 탈질산화 작용(다)은 탈질산화 세균에 의해 토양 속의 일부 질산 이온이 질소 기체가 되어 대기 중으로 돌아가는 작용이다.

204 답 ② | (가)는 질소 고정 작용, (나)는 질산화 작용, (다)는 질소 동화 작용이다.

ㄴ. (나)는 질산화 세균인 아질산균이나 질산균에 의해 일어나는 작용이다.

오답 피하기

ㄱ. 식물은 대기 중의 질소를 직접 이용할 수 없고 질소 고정 작용(가)으로 생성된 암모늄 이온이나 질산 이온을 질소 동화 작용을 거쳐 식물체 구성 물질로 합성하여 이용한다.

ㄷ. (다)는 질소 동화 작용이다.

205 답 ④ | ㄴ. 종 다양성(나)이 높은 것은 생태계의 종 풍부도, 종 균등도가 모두 높은 것이다.

ㄷ. 유전적 다양성(다)이 높으면 급격한 환경 변화에 적응하여 살아남을 가능성이 높아진다.

오답 피하기

ㄱ. 습지를 농지로 개척하면 경작에 알맞은 식물만 재배하여 생태계 다양성이 감소한다.

문제 속 자료 **생물 다양성**

(가) 생태계 다양성 　(나) 종 다양성 　(다) 유전적 다양성

- 생물 다양성은 생태계 다양성, 종 다양성, 유전적 다양성으로 이루어진다.
- 생물 다양성의 종류

생태계 다양성	・어떤 지역에 존재하는 생태계 종류의 다양한 정도 ・생태계의 종류: 열대 우림, 갯벌, 습지 등
종 다양성	일정 지역에 얼마나 많은 생물종이, 얼마나 고르게 분포하는가를 나타내는 것
유전적 다양성	같은 종이라도 개체마다 유전자 변이가 다양해 각각 다른 형질을 나타내는 것

206 답 ② | 종 다양성은 한 생태계 내에 존재하는 생물종의 다양한 정도를 의미한다. 쥐, 풀, 나무, 버섯, 곤충 등 여러 종이 있는 종 다양성을 보여주고 있다. 종의 수가 많을수록, 종의 분포 비율이 고를수록 종 다양성이 높고, 종 다양성이 높을수록 생태계가 안정적으로 유지된다.

오답 피하기

ㄱ. 유전적 다양성은 동일한 종이라도 개체마다 서로 다른 유전자를 가지고 있어 다른 형질이 나타나는 것을 말한다. 유전적 다양성은 동물뿐만 아니라 유전자를 가지고 있는 식물의 발현에서도 나타난다.

ㄷ. 같은 종의 달팽이에서 껍질의 무늬와 색깔이 다양하게 나타나는 것은 유전적 다양성에 해당한다.

207 답 ① | 유전적 다양성은 동일한 종이라도 개체마다 서로 다른 유전자를 가지고 있어 다른 형질이 나타나는 것을 말한다. 사람마다 눈동자 색이 다른 이유는 대립유전자가 사람마다 조금씩 다르기 때문이다. 사람의 눈동자 색은 대립유전자의 차이로 나타나므로 유전적 다양성의 한 예이다.

오답 피하기

ㄴ. 종 다양성은 동물 종과 식물 종뿐만 아니라 한 생태계 내에 존재하는 균류, 조류, 세균 등에 이르기까지 생태계 내에 존재하는 모든 생물의 다양한 정도를 의미하며, 얼마나 많은 종이 균등하게 분포하고 있는지를 나타낸 것이다.

ㄷ. 한 생태계 내에 존재하는 생물의 다양한 정도를 나타내는 것은 종 다양성이고, 생태계 다양성은 어느 지역에 존재하는 생태계의 다양한 정도를 뜻한다.

208 답 ③ | 유전적 다양성은 같은 종이라도 개체마다 유전자 변이가 다양해 각각 다른 형질을 나타내는 것을 뜻한다. (나)에서 같은 종의 종자가 모양과 색이 다른 것은 유전적 다양성의 예이다. 종자 은행은 다양한 식물의 종자를 장기간 저장하고 품종을 보존하기 위해 만들어진 기관으로 식물 종이 멸종하는 것을 막아 생물 다양성을 보전하는 역할을 한다.

오답 피하기

ㄴ. 한 생태계 내에 존재하는 생물의 다양한 정도를 나타내는 것은 종 다양성이고, 생태계 다양성은 열대 우림, 갯벌, 습지 등 생물의 서식지인 생태계의 다양한 정도를 의미한다.

209 답 ② | (가)에서 해저 생태계에 여러 생물종이 분포하는 것은 종 다양성의 예이다.

(나)에서 같은 종인 사람 사이에서 개체마다 얼굴 모양 등의 형질이 다른 것은 유전적 다양성의 예이다.

210 답 ⑤ | 한 생태계 내에 존재하는 생물의 다양한 정도를 나타내는 것은 종 다양성이고, 사람마다 눈 색이 다른 것은 유전적 다양성의 예이다. 습지는 여러 종의 생물이 서식할 수 있는 생태계이므로 습지를 보호하면 생물 다양성을 보전할 수 있다.

211 답 ③ | (가)에서 어떤 생태계 내에 생물종의 다양한 정도를 나타내는 것은 종 다양성이다. (나)에서 어떤 지역에서 환경에 따라 사막, 초원 등 다양한 종류의 생태계가 형성되는 것은 생태계 다양성의 예이다. (다)에서 동일한 종에서 개체별로 형질이 다른 것은 유전적 다양성의 예이다.

212 답 ④ | ㄱ. (가)와 (나)의 종 수는 4가지로 동일하지만, (나)보다 (가)의 종 균등도가 더 높아 (가)의 종 다양성이 더 높다.

ㄴ. 개체군의 밀도 = $\dfrac{\text{특정 종의 개체 수}}{\text{전체 면적}}$ 이다. (가)와 (나)의 면적은 서로 같고, 종 D의 개체 수도 같기 때문에 (가)와 (나)에서 종 D의 개체군 밀도는 같다.

오답 피하기

ㄷ. 같은 종의 달팽이에서 껍데기의 모양과 무늬가 다양한 것은 유전적 다양성에 해당한다.

문제 속 자료 종 다양성

(가)   (나)   종 A 종 B 종 C 종 D

• 종 다양성: 종 풍부도와 종 균등도가 모두 높은 경우가 종 다양성이 높은 군집이다.
• (가)와 (나)의 종 다양성

종 균등도	군집을 구성하고 있는 다양한 생물종이 얼마나 비슷한 비율로 분포하고 있는가를 나타낸 것이다. ➡ (가)의 종 균등도가 (나)보다 더 높다.
종 풍부도	군집에 서식하는 생물종 수가 얼마나 다양한가를 나타낸 것이다. ➡ (가)와 (나) 모두 4종으로 종 풍부도는 동일하다.

• (가)와 (나)에 서식하는 종의 개체 수

구분	(가)	(나)
종 A 개체 수	4	9
종 B 개체 수	4	1
종 C 개체 수	4	1
종 D 개체 수	3	3

➡ (가)와 (나)에 서식하는 식물 종은 모두 4종, 15개체로 동일하다. 하지만 종 균등도가 (가)가 더 높아 (가)가 (나)보다 종 다양성이 높다.

213 답 ② | 개체군의 밀도= $\dfrac{\text{특정 종의 개체 수}}{\text{전체 면적}}$ 이다. 면적이 동일한 (가)와 (나)에서 (가)에서 종 C의 밀도는 8, (나)에서 종 C의 밀도도 8로 같다.

오답 피하기

ㄱ. 개체군은 일정한 지역에 서식하는 같은 종의 무리이므로 서로 다른 종인 A와 B는 같은 개체군을 구성할 수 없다.

ㄷ. 종 다양성은 종의 수가 많을수록, 각 생물종의 분포 비율이 고를수록 높다. (가)의 종 A, B, C, D의 종 수는 각각 6, 6, 8, 3이고 (나)의 종 A, B, C, D의 종 수는 각각 3, 0, 8, 4이다. (가)는 종 수도 (나)보다 많으며, 종 A, B, C, D의 분포 비율도 (나)보다 균등하므로, (가)가 (나)보다 종 다양성이 더 높다.

214 답 ④ | ㄱ. 식물의 종 수는 ㉠은 6종, ㉡은 4종으로 ㉠이 많고, 종의 분포도 ㉠이 ㉡보다 고르므로 식물의 종 다양성은 ㉠이 ㉡보다 더 높다.

ㄴ. 개체군의 밀도는 $\dfrac{\text{특정 종의 개체 수}}{\text{전체 면적}}$ 이다. ㉠에서 B의 개체 수와 ㉡에서 E의 개체 수는 같고 서식하고 있는 면적이 같으므로 개체군의 밀도가 같다.

오답 피하기

ㄷ. 뒤쥐의 대립유전자 구성이 다른 것은 생물 다양성 중 유전적 다양성의 예에 해당한다.

문제 속 자료 유전적 다양성

• 종 다양성: 종 풍부도와 종 균등도를 모두 고려하여 나타낸다.
• 종 균등도와 종 풍부도

종 균등도	군집을 구성하고 있는 다양한 생물종이 얼마나 비슷한 비율로 분포하고 있는가를 나타낸 것이다.
종 풍부도	군집에 서식하는 생물종 수가 얼마나 다양한가를 나타낸 것이다.

지역 \ 식물 종	A	B	C	D	E	F
㉠	50	30	28	33	51	60
㉡	110	29	7	0	30	0

(단위: 개)

• 종 균등도: ㉠이 ㉡보다 균등하게 나타난다.
• 종 수: ㉠은 6가지, ㉡은 4가지 (종 풍부도: ㉠>㉡)
➡ ㉡보다 ㉠의 종 다양성이 더 높다.

유전적 다양성: 대립유전자가 다양하면 다양한 형질의 개체가 나타난다.

215 답 ③ | ㄱ. 우점종은 개체 수가 많거나 넓은 면적을 차지하여 그 군집을 대표할 수 있는 종이므로 (가)의 우점종은 개체 수

가 가장 많은 ㉠이다.

ㄴ. (가)와 (나)를 구성하는 식물 종 수는 4종으로 같다.

오답 피하기

ㄷ. 종 다양성은 종의 수가 많을수록, 각 생물종의 분포 비율이 고를수록 높으므로 종의 수가 많은 (나)가 종 다양성이 더 높다.

문제 속 자료 식물 군집의 종 다양성

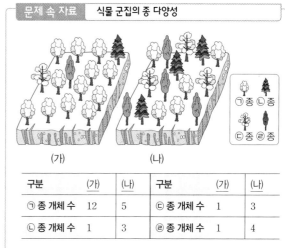

(가)   (나)

구분	(가)	(나)	구분	(가)	(나)
㉠ 종 개체 수	12	5	㉢ 종 개체 수	1	3
㉡ 종 개체 수	1	3	㉣ 종 개체 수	1	4

• (가)와 (나) 사이에 서식하는 식물 종은 4종, 15개체로 동일하다. 하지만 종 균등도가 (가)보다 (나)가 더 높다.
➡ 종 다양성은 (가)보다 (나)가 더 높다.

216 답 ④ | 생물 다양성은 유전적 다양성, 종 다양성, 생태계 다양성이 있다. 종 다양성이 높아지면 생태계의 안정성이 증가한다. 생물 다양성을 유지하기 위해 자연 환경을 보존해야 한다.

오답 피하기

ㄱ. 집단 A와 집단 B 중 반점 무늬의 종류가 다양한 A의 유전적 다양성이 더 높다.

Memo

Memo

Memo

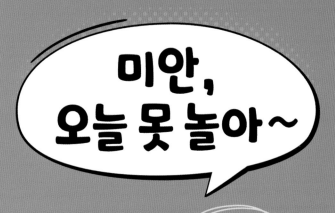

미안,
오늘 못 놀아~

국어 선생님 100명이
집에서 나만 기다리고 있거든!

100인의 지혜

국어 전문가 100명의 노하우가 담긴
고등 국어 기본서

100인의 지혜

(문학 / 문법·화작 / 독서)

개 념 을 쌓 아 가 는 기 본 서

고등 **셀파**

생명과학 I

개 념 을 쌓 아 가 는 기 본 서

고등

개 념 을 쌓 아 가 는 **기 본 서**

고등 **셀파**

배움으로 행복한 내일을 꿈꾸는
천재교육 커뮤니티 안내

교재 안내부터 구매까지 한 번에!
천재교육 홈페이지

자사가 발행하는 참고서, 교과서에 대한 소개는 물론
도서 구매도 할 수 있습니다. 회원에게 지급되는 별을 모아
다양한 상품 응모에도 도전해 보세요!

다양한 교육 꿀팁에 깜짝 이벤트는 덤!
천재교육 인스타그램

천재교육의 새롭고 중요한 소식을 가장 먼저 접하고 싶다면?
천재교육 인스타그램 팔로우가 필수!
깜짝 이벤트도 수시로 진행되니 놓치지 마세요!

수업이 편리해지는
천재교육 ACA 사이트

오직 선생님만을 위한, 천재교육 모든 교재에 대한 정보가 담긴
아카 사이트에서는 다양한 수업자료 및 부가 자료는 물론
시험 출제에 필요한 문제도 다운로드하실 수 있습니다.

https://aca.chunjae.co.kr

천재교육을 사랑하는 샘들의 모임
천사샘

학원 강사, 공부방 선생님이시라면 누구나 가입할 수 있는 천사샘!
교재 개발 및 평가를 통해 교재 검토진으로 참여할 수 있는 기회는 물론
다양한 교사용 교재 증정 이벤트가 선생님을 기다립니다.

아이와 함께 성장하는 학부모들의 모임공간
튠맘 학습연구소

튠맘 학습연구소는 초·중등 학부모를 대상으로 다양한 이벤트와 함께
교재 리뷰 및 학습 정보를 제공하는 네이버 카페입니다.
초등학생, 중학생 자녀를 둔 학부모님이라면 튠맘 학습연구소로 오세요!